문학과 종교

문학과 종교

한국 문학과 종교학회 편

도서출판 │ 동인

학회 설립목적 ▮

　지금은 절대적 의미나 가치 등이 부정되는 포스트 모던 시대입니다. 절대적 가치나 의미가 부정되는 것은 사람들이 그 동안 믿고 의지해왔던 진리와 중심 가치들이 인간의 실존의 삶 속에서 그 실효성을 상실해 버리고 있다는 절박한 인식 때문입니다. 우리는 이제 어떤 텍스트도 진리의 특권적 담보자로 자처하거나 인정될 수 없는 언어과잉의 해체론적 글들 속에서 우리들의 삶의 의미 곧 우리들의 삶의 문제에 대한 궁극적 해답을 찾기를 기대하고 있습니다. 그러나 우리가 여기서 간과해서는 안될 것은 이러한 포스트 모던 사고의 근저에, 인간의 궁극적 문제에 대한 끈질긴 탐구의 결과, 마침내 해답이 없다는 결론에 도달한 인간들의 절망이 깔려있다는 사실입니다. 두 번의 세계대전과 미국과 소련을 축으로 한 긴 냉전의 시대가 보여준 증오 그리고 소련의 사회주의 체제가 어느 날 갑자기 무너지는 충격 앞에서 인간의 힘에 의하여 창조될 수 있는 지상의 유토피아에 대한 환상을 잃어버린 서구의 지식인들의 정신의 공백상태가 초래한 절망감이 이러한 사고의 근저에 깔려 있습니다. 제 2차 세계대전에서 독일인들에 의하여 자행된 그리고 배트남과 캄보디아 등의 내란에서 자행된 수많은 양민과 연약한 부녀자와 어린이의 학살은, 그 동안 이성중심주의에 기초를 두고 세워진 세계질서와 그것의 정통성에 대한 깊은 회의를 우리에게 안겨주었던 것입니다. 포스트구조주의나 포스트모더니즘은 우리의 실존의 문제에 대한 해답이 아닙니다. 그것은 지금까지의 철학을 비롯한 인문학과 사회학의 모든 지식들을 속속들이 꿰뚫고 있는 듯 보이지만 기실은 인간과 인간의 이성의 능력에 대한 또 다른 회의를 보여 줄 뿐입니다. 그것은 계몽주의 이후 진행되어온 서구 사회의 근대화와, 이성적 합리적 통치에 의해 사회를 합리적으로 재편할 수 있다는 거대한 역사적 기획 그리고 이성을 통하여 이룩된 20세기의 과학문명과 그것을 이룩한 인간에 대한 가장 철저한 반성입니다. 그러나 그 뿐입니다. 포스트모더니즘의 어디에도 우리의 실존의 문제에 대한 해답은 없습니다. 하지만, 어떤 의미에서, 포스트모더니즘은 인간의 궁극의 관심의 문제에 대한 해답을 얻기 위한 긴 고뇌와 투쟁의 과정에서 우리가 꼭 겪어야 할 과정이기도 합니다. 진정한 자아에 도달하기 위하여 우리는 철저한 자기반성 곧 자기부정을 필요로 합니다. 20세기의 역사 속에서, 포스트모더니즘이 보여준 것과 같은 정도의, 인간과 인간의 능력에 대한 철저한 자기 부정이 또 있었던가요?

포스트모더니즘은 기존의 모든 진리나 중심 가치를 해체시켜 초토화시키고 있는 것으로 보입니다. 그러나 기실은 모더니즘이나 포스트모더니즘이 모두 "해체될 수 없는 중심"에 대한 깊은 회의와 강렬한 열망을 동시에 가지고 있습니다. "해체될 수 없는 중심", 현실에서 실현가능한 실존적 진리에 대한 갈망이 없다면, 포스트모더니스트들이 현재의 중심을 그렇게 끈질긴 연구와 노력을 다하여 파괴하려들지 않았을 것이며, 그 난해성 때문에 접근하기 어려운 포스트모더니즘이 지금 우리가 느끼는 만큼의 지적 호응을 받았을 리도 없습니다. 핫산(Ihab Hassan)은 바쓰(John Barth)나 버로우즈(William Burroughs)와 같은 포스트모더니스트들에게 있어 "해체"라는 것은, 한 편으로는 부정이며 자기 파괴적, 악마적, 허무적인 것이지만, 다른 한 편으로는 "있는 그대로의 삶 혹은 존재에 대한 긍정이며 자기 추방, 자기 추월이며 존재에 대한 새로운 의미를 세우는 신성한 의식 그리고 어떤 절대적인 것에의 추구"라고 말하고 있으며, "부정을 통한 긍정, 해체를 통한 재창조" 같은 역설적 예술 이론은 핫산과 같은 비평가들에게는 포스트모더니즘의 전형적 규범이었습니다.

이러한 관점에서 보면 모더니즘과 포스트모더니즘은 형식과 반형식, 창조와 해체, 중심과 중심부재, 정지와 변화, 은유와 환유 등의 대립되는 성격들에도 불구하고, 치열한 변증법적 대결의 과정을 통하여 마침내 "해체될 수 없는 유연한 중심"

이라는 합(合)에 도달하려는 공동의 지적 노력의 **이항**(異項)에 불과합니다.

　학술지『문학과 종교』는 경직되어 있지 않은 이 "유연한 중심"에 대한 탐구를 "궁극적 관심"으로 가지는 문학작품을 찾아내어, 그러한 작품들이 보여주는 종교적 · 정신적 차원을 학술적 관점에서 논의하기 위하여 창간되었습니다. 따라서『문학과 종교』에 게재되는 논문들은 자연스럽게 궁극적 중심을 탐구하는 긍정적이거나 부정적인 모든 시도들을 그 내용으로 하게 될 것입니다. 그 가운데는 문학작품에 대한 종교적 접근 뿐만 아니라 포스트모더니즘이나 페미니즘, 문화연구, 영상(film) 등의 분야에서 인간 실존의 궁극적 의미를 찾는 모든 진지한 노력들이 포함될 것입니다.

발간사 ▌

한국 문학과 종교 학회가 창립된 지 벌써 열여섯 해가 되었다.

1992년 9월 25일, 일본 상지대학(Sophia University)에서 아시아 각국의 대표들이 모여 「아시아 문학과 종교학회」(ASLR)를 창립하였고, 이 때 한국을 대표하여 이 자리에 참석하였던 윤종혁(작고), 안선재, 김영호, 이준학 교수 등이 중심이 되어 같은 해 12월 1일 숭실 대학교에서 한국 문학과 종교학회를 창립하였다. 그 날 오후, 회의 중 창문 밖으로 그 해 첫 눈이 내렸다.

1995년 7월에 전문학술지의 형태로 「문학과 종교」 창간호가 출간되었고, 1997년부터 1999년까지 년 1호씩 발간되다가, 2000년부터 여름과 겨울 년 2회, 정기적으로 발간되기 시작하여 2007년 모두 12권 2호에 이르는 학술지를 발간하였다. 2008년부터는 년간 3호 발간을 기획하여 출판을 진행시키고 있다. 2004년에는 한국학술 진흥재단이 선정한 등재후보지가 되었고, 2006년에는 명실상부한 한국학술 진흥재단 선정 등재지가 되었다. 대한민국에서 학제 간 연구 학술지로서 학계의 공식적 인정을 받았다는 의미에서, 국립 학술연구진흥 및 심의기관인 한국학술 진흥재단에 의한 『문학과 종교』지의 등재지 선정은, 한국의 인문학 발전의 더 넓고 높은 단계로의 도약을 보여주는 상징적 사건이었다.

『문학과 종교』 제1호(1995년 7월)와 2호(1997년 9월)는 도서출판 「동인」(대표

이완재)이 출판을 맡아주었고, 제3호는 도서출판「신성」에서 발행되었다. 1999년에 발간된 제 4호부터 2003년 제8권 2호까지는「전남대학교 출판부」가, 2004년 제9권 1호부터 2005년 제10권 1호까지는「충남대학교 출판부」가 학회지를 발행하였다. 2005년 제10권 2호는「전남대학교 출판부」가 수고하였다. 2006년 제 11권 1호부터 2007년 제 12권 1호까지는「가톨릭대학교 출판부」가 학술지를 출판하였고, 2007년 제12권 2호부터 2008년 제 13권1호까지는 도서출판「지금여기」가 출판을 담당하였다.

특기할 것은 2005년 6월 30일부터 7월 1일까지 충남대학교에서 한국 문학과 종교학회 주최로 제 1회 국제학술대회를 개최한 일이다. "고통의 자유(Freedom of Suffering)"라는 주제로 열린 이 학술대회에는 영국과 미국 그리고 캐나다와 일본 등지에서 저명한 학자들이 초빙되고 국내에서도 여섯 명의 학자들이 논문을 발표하였다. 의미 있는 것은 이 학술대회가 "문학과 종교"라는 학제 간 연구 주제를 내걸고 구미국가와 아시아 국가가 아시아에서 함께 만난 첫 번째 학술대회였다는 것과, 이 대회를 통하여 문학과 종교의 학제 간 연구 분야에서 한국학자들의 연구능력이 세계적 수준에서 평가되는 계기를 갖게 되었다는 것이다.

한국문학과 종교학회는『문학과 종교』제10권 2호를 제1회 국제학술대회 기념호로 확대하여 발간하였을 뿐 아니라 외국인 학자들과 한국학자들이 이 학술대회에서 영문으로 발표한 논문과, "고통의 자유"라는 주제에 합당한 다른 영문논문을 모아 제10권 특별호(Special Issue)를 발간하였다.

학회창립 10주년이 되는 2002년 무렵부터 논의되기 시작한 총서발간 계획은 4년여가 지난 2006년 임원회의에서 구체적으로 입안되고 겨울총회에서 보고 되어 인준되었다. 총서를 발간하려는 첫 번째 목적은 "문학과 종교"라는 학제적 연구의 성과를 학계에 가시적으로 내보임으로써 본 연구의 의미와 타당성 그리고 지속적 연구의 필요성을 학자들에게 뿐 아니라 한국의 지성인들에게 알리기 위한 것이다. 인간의 실존의 고통을 근원적으로 해결해주겠다고 나선 것이 종교라면, 이 고통의 원인을 실존의 구체적 삶에 대한 추적을 통하여 밝혀보겠다는 것이 문학이다. 고통을 통하여 문학과 종교가, 인간적인 것과 신성한 것이 만난 것이다. 문학과 종교의 이 역설적 만남의 관계는, 영국 글라스고우 대학(Glasgow University)의『문학과 신학. 예술연구소』소장인 데이빗 제스퍼(David Jasper) 교수의 말처럼, 어떤 의미에서, 인간적인 것 – 문학 – 과 신적인 것 – 종교 – 이 서로 융합되어 있으면서 동시에 별개의 분명히 다른 동반자로 만나는 육화(Incarnation)의 신비와 유사한 관계라고 말해 볼 수도 있을 것이다. 인간의 실존의 고통을 매개로 하여 생긴 이 신비한 관계를 통하여 문학과 종교연구는 실존의 삶 속에서의 인간의 고통의 감소를 위하여 무엇인가 의미 있는 신비한(?) 일을 해내야 한다. 인간은 그 고통의 원인을 오직 그에게만 돌리기에는 너무나 연약한 존재인 것이다. 두 번째 목적은 총서라는 어느 모양을 한, 어느 두께의 책의 존재감을 통하여, "문학과 종교"의 관계를 연구하는 학제적 모임과 그것에 관심을 갖고 시간과 열정을 투자하는 사람들의 존재를 세상에 드러냄으로써, 세상의 고통에 대하여 사람들의 시선을 모아보고 싶은 것이다. 세 번째는 문학과 종교의 관계에 대한 학제적 연구에 관심을 가진 연구자들에게 지난 16년 동안 국내 학자들의 연구의 성과를 보여주고 싶은 것이다. 그 다음에 생길 일을 우리는 잘 모른다. 우리가 지금 확신하고 있는 것은 이 작업이 최소한 무의미한 일은 아니라는 것이다.

몇 번의 편집위원회를 통하여 합의한 원칙은 무엇보다도 먼저 객관적으로 '문학과 종교학회'의 의미를 가장 잘 전달할 수 있는 논문을 엄정하게 심의하여 선정한다는 것이었다. 그러기 위해서는 비록 『문학과 종교』지에 게재되지 않았던 논문이라도 적절하다고 판단되면 필자의 허락을 얻어 게재할 수 있도록 문호를 개방해야 한다고 합의하였다. 우선 그 동안 「문학과 종교」지에 게재된 논문의 수가 많으므로, 『문학과 종교의 만남』이라는 제목의 단행본으로 출판되었던, 창간호에 실렸던 논문들을 제외하고, 1997년 9월에 발행된 제2호부터 2003년 제2권까지에 수록된 논문들만을 게재 대상으로 심의하기로 하였다. 또 다양한 목소리를 담기 위해 같은 필자의 논문은 중복해서 싣지 않기로 하였다. 그리고 이미 발표된 논문이지만 개선을 위하여 필요한 경우 필자의 책임 하에 자구수정을 포함한 약간의 첨삭을 허용하기로 하였다. 게재할 논문을 가려내기 위한 읽기에서 우선적으로 고려해야 될 일은 글의 창의성과 논지의 명확성이라는 데에도 이견이 없었다.

이러한 기준을 염두에 두고 발간위원회는, 논문들의 내용과 장르에 따라 총론 부분, 시 부분, 소설 부분, 희곡 부분, 비평 부분 등으로 나누고, 문화권에 따라 유럽권과 아시아권으로 나누어 읽기로 하였다. 첫 번째 읽기 후 만난 모임에서 37편의 논문이 선정되었으나, 필자의 사양이나 외국어로 발표된 논문들의 번역 문제 등으로 난항을 겪다가 제3차 모임에서 29편으로 조정되었다. 총서의 발간은 도서출판 동인(대표 이성모)에 맡기기로 하였다.

문학과 종교연구 총서 제1권은 문학과 종교, 문학과 신학 그리고 본 학회 창립의 정신적 토대의 한 축이 되었던『문화의 신학』의 저자 폴 틸리히(Paul Tillich)의 '궁극적 관심'에 대한 전문학자의 논문 등으로 제1부를 꾸몄고, 제2부 부터는 선정된 논문 편수의 분량에 따라 영미권과 유럽권 그리고 아시아권 등으로 나누어 편집하였다. 외국인 필자의 논문은 국내 연구 성과의 우선적 제고를 위하여 제1권에서는 제외하였으나, 국내학자들의 정선된 논문만으로도 한국 인문학연구의 새로운 영역으로 확장된 문학과 종교의 학제적 연구의 진수를 음미하기에 크게 부족함이 없으리라고 생각한다. 곧 이어 출판될 제2권은 보다 최근의 연구의 성과를 소개할 것이며 특히 국문학 연구 분야에서의 괄목할 만할 약진이 선보여질 것으로 기대하고 있다.

　　마지막으로 한국의 '문학과 종교'의 학제적 연구의 발전을 위하여 정성과 열정으로 옥고를 집필해주신 필자들에게 감사하며, 특히 학회지에 본래 영어로 발표했던 논문을 우리말로 번역하는 수고를 해주신 필자들과, 다른 분이 쓴 영어논문을 우리말로 번역해주신 번역자 교수님께 감사한다. 지난 2년여 동안 많은 논문들을 꼼꼼히 읽으며 의미 있는 총서발간을 위하여 헌신해 주신 발간위원회 위원들께도 깊은 감사를 드린다. 무엇보다도 발간위원회의 간사로서 여러 가지 궂은일들을 깔끔하고 밝게 처리해 준 김명주 위원에게 크게 감사한다.

　　정말 중요한 일은 지금부터이다.

2008년 8월
총서발간위원회 위원장 이준학

『문학과 종교』 총서발간위원회

발간위원장: 이준학 (전남대)

발간위원:　　강옥선(동의대)　김명주(충남대)　김승희(강원대)
　　　　　　　박규태(한양대)　유성호(한양대)　이종우(홍익대)

| 목 차 |

제6부 유럽권 문학과 종교

제7부 비교 문학과 종교

제1부

문학 · 종교 · 신학

1

문학과 종교
- 문학과 종교의 관계에 대한 학제적 연구 -

| 이준학 |

테리 이글턴(Terry Eagleton)은 그의 저서 『문학이론(*Literary Theory*)』에서 "20세기 문학이론의 발흥은 빅토리아조 시대의 종교의 실패에 기인하는 것"(22)이라고 말하였으며, 자일즈 건(Giles Gunn)은 그의 편저인 『문학과 종교 (*Literature and Religion*)』의 서론에서 문학과 종교의 학제적 연구에 대한 새로운 관심은, "예술의 가치와 현대사회의 인간의 실존의 문제 사이에 명백히 통과할 수 없는 간격"(H. Smith 203)을 만들어 놓음으로써, 예술이 추구하는 가치와 우리의 실존의 문제에 대한 관심을 분리시킨 현대의 문학이론의 비평적 노력의 부수적 경향에 기인하는 것(2-3)이라고 말하고 있는 데, 여기서 우리가 유추해 볼 수 있는 것은, 빅토리아조 시대의 종교가 그 시대의 인간의 실존의 궁극의 문제에 대한 해답을 제시하는 데 실패하였다면, 20세기의 문학은 빅토리아조 시대로부터 스스로 위임받았거나 또는 위임된 그 문제를, 시대의 경향에 편승하여 방기하였거나, 아니면 최소한 간과하였다는 사실이다. 우리는 저녁에는 괴테나 릴케를 읽고, 바하나 슈베르트를 연주하면서, 낮에는 아우슈비츠 같은 죽음의 수용소에 가서 태연히 유태인들을 독가스로 죽이는 일에 충실할 수 있었던 사람들과 아직 같은 세기에 살고 있으며(Steiner ix), 교육을 통해서 조금도

---

* 『문학과 종교』 3호(1998)에 실렸던 논문임.

인간화되지 못한 거대한 대중의 시대를 살고 있다. 아우슈비츠를 고안하고 운영해 온 사람들 중 상당수가 쉐익스피어나 볼테르를 읽도록 배운 사람들이며, 월남전에서 초토화작전을 통하여 자행된 엄청난 학살작전을 입안하고 집행한 미국의 군 수뇌부의 많은 사람들이 대학에서 휴머니즘과 인류애를 배운 사람들이었다. 이것은 수많은 대학으로 대표되는 기존의 문명의 매체들(media)이 정치의 잔인성에 대하여 적절히 저항하고 대처하는 데 실패하였음을 보여준다.

우리들은, 개인이나 단체 또는 자신이 속한 특수한 집단의 이익을 위하여 거리낌 없이 아무 상관이 없는 다른 사람들의 생명을 볼모로 끔찍한 종류의 테러를 자행하고, 그것이 영웅시되는 시대에 살고 있다. 이것은 인간의 "내면의 진공(inner void)"(M. Taylor 124)을 보여준다. 우리는 이 진공의 상태를 얼마나 오래 견딜 수 있는 것일까? 우리가 할 수 있는 최선의 것은 이 진공의 상태가 새로운 것으로 다시 채워질 기다림의 상태 또는 우리의 새로운 창조성에 의하여 이 진공이 깨어질 상태 곧 폴 틸리히(Paul Tillich)가 말한 "거룩한 진공(sacred void)"(124)의 상태가 되도록 노력하는 일 뿐이다.

문학과 종교의 관계에 대한 학제적 연구는 바로 이러한 노력의 기초 위에 근거하는 것이다. 문학 특히 현대문학과 종교와의 관계에 대한 최초의 중요한 연구자였던 성서학자 아모스 와일더(Amos Wilder)는 "우리의 시대와 같은 문화의 위기의 시대에 있어서 세속의 세계는 생존을 위해 필요한 정신의 자원을 찾지 않을 수 없으며 자체의 방식으로 서구의 도덕적 종교적 전통과 타협하게 된다. 그러므로 현대문학의 주요작품들이 그 성격에 있어 부인할 수 없이 신학적인 것은 놀라운 일이 아니다"(Wilder 1952, xiii)라고 말한다.

I.

20세기의 위대한 종교철학자이며 신학자인 독일 출신의 폴 틸리히는 "종교란 최고의 존재를 지향하는 특별한 상징이나 의식 또는 감정의 체계이상의 것이다. 종교란 궁극적 관심이다"(M. Taylor 123)라고 말하였는데, 이 말은 "종교란 궁극적으로 관심 되어진 것으로서 인간의 실존의 의미에 관하여 '죽느냐 사느냐(to be or not to be)'의 질문을 던지는 것이며, 이 질문에 대하여 해답이 제시되는 상징을 갖는다는 것"(Tillich 1987, 92)을 의미한다. 이것은 종교에 대한 가장 넓고 가장 기본적인 개념이다. 종교에 대한 틸리히의 이 획기적인 정의에서 가장 중요한 것은 모든 분야에서의 궁극적 진지성, 그것이 바로 종교의 핵심이라는 것이다(Tillich 1959, 8). 도덕의 영역에서는 도덕적 욕구에 대한 무조건적 진지성이 바로 종교이며, 철학의 영역에서는 궁극적 실체에 대한 열정적 동경이 곧 종교이고, 예술의 영역에서는 궁극적 의미를 예술작품으로 표현하고 싶은 무한한 욕망이 바로 종교이다(8). 만일 우리가 종교를 단지 감정의 영역에 속하는 것으로만 규정해버린다면 종교는 그것이 가지고 있는 진지성과 진리 그리고 궁극적 의미를 잃고 만다. 감정의 명확한 목표가 없는, 어떤 궁극적 내용이 없는 단순한 주관적 감정의 분위기 속에서는 종교는 죽고 마는 성질의 것이다(7). 종교는 무조건적이며 절대적이고 궁극적인 어떤 것에 사로잡힌 상태이다(Taylor 123).

그러므로 문학이 "산문이나 운문의 형식을 통하여 인간의 삶에 관한 허구적 이야기를 전달하거나 혹은 창조적 상상력을 동원하여 인간에게 즐거움을 주는 것"(Daiches 4-5)의 한계를 뛰어넘어 무조건적이며 절대적인 궁극적 관심의 문제에 사로잡히게 될 때 그것은 문학이면서 동시에 종교적 차원을 획득하게 된다고 말할 수 있을 것이다. 건은 "모든 문학작품 속에는 실체에 대한 궁극적인 종교적 경험과 유사한 어떤 것이 있다"(Gunn 1971, 28)고 말하고 있으며, 엘리엇(T. S. Eliot)은 "종교적 판단과 문학적 판단의 분리는 결코 완전할 수 없다"(Eliot 1951, 392)고 말한 바 있다. 죠지 싼타야나(George Santayana)도 『시와 종교의 해석(Interpretations of Poetry and Religion)』에서 "종교나 시는 본질에 있어 동일하며, 단지 그것들이 실제의 일에 관계되는 방식에 있어서만 다를 뿐이다. 시는 그것이 삶에 간여할 때 종교로 불려지며, 종교는 그것이 삶에 부수해서 생겨날 때 다만 시로써 보여질 뿐"(v)이라고 말하고 있는 데, 여기서 중요한 것은 시나 종교가 공통으로 가지는 인간의 삶과의 관계의 필연성과 지고한 궁극적인 것에 대한 관심이다. 이 인간의 삶의 궁극의 문제에 대한 관심을 통하여 문학과 종교는 어떤 동질성을 획득한다. 『문학과 종교연구(Studies in Literature and Religion)』 총서의 대표 편집자인 제스퍼 (David Jasper)는 이 총서의 첫 권인『문학과 종교 연구서설(*The Study of Literature and Religion: An Introduction*)』의 서문에서, "에스킬러스(Aeschylus)에서 단테 그리고 셰익스피어에 이르기까지의 서양의 가장 위대한 문학작품들은 모두 인간의 영혼 속에 깊숙히 파고들어 우리들의 마음속에 실존과 진리 그리고 미에 대한 궁극적인 질문들을 불러 일으킨다"(ix)고 쓰고 있다.

II.

영미문학에서 문학과 종교의 관계에 대한 연구는 이제 더 이상 제한된 그룹의 학자들만의 별난 주제가 아니다. 진지한 비평적 토론의 주제로서 '문학과 종교의 관계'가 현대문학사에서 정확히 언제 종교의 테두리를 벗어나 단지 소수의 학자들의 관심을 넘어선 문제가 되었는지는 알 수 없으나, "문학과 종교(Literature and Religion)분과"는 현재 『미국현대어문학회(*Modern Language Association of America*)』의 80개의 연구 분과(division) 중의 한 분과로서, "문학비평(Literary Criticism)"분과나 "셰익스피어 분과", "문학에 대한 언어적 연구(Linguistic Approaches to Literature)분과" 또는 "20세기 미국문학(Twentieth Century American Literature)분과" 등과 함께 주요 연구분과의 한 자리를 차지하고 있다. 그 뿐 아니라 MLA와 제휴된 100개의 학술연구회 중에 『기독교와 문학연구회(*Conference on Christianity and Literature*)』도 한 몫을 담당하고 있다.

문학과 종교의 관계에 대한 연구는 뚜렷이 구분되는 세 가지의 경향을 보이고 있다. 그 첫 번째 경향은 종교의 의미와 과제를 근본적으로 심미적 범주 안에 포함되는 것으로 간주하는 것인데, 다양한 문학비평가나 문학자들이 이 경향에 속해있다. 두 번째 경향은 첫 번째 경향과는 정반대로 문학작품을 훨씬 더 분명한 신학적 관심에 종속되는 것으로 간주하는 것이다. 이 방향에는 종교사상가들과 종교사학자들이 참가하고 있다. 세 번째 경향은 이 온전하지 못한 인위적 양극화 현상을 극복할 범주나 담론을 발견하려고 노력하는 경향이다. 이 세 번째 경향은 첫 번 째와 두 번 째 경향 사이에 불안하게 위치하고 있으나 처음과는 달리 문학과 종교의 양 진영에서 더욱 많은 학자들이 급속히 이 세 번째 경향에 합류하고 있다. 이 세 번째 방향에 참가하고 있는 학자들의 목적은 앞의 두 경향 사이에 공동의 장을 탐색함으로써 문학적이며 문화적인 관심과 종교적이며 신학적인 관심사이의 관계를 성립시키는 방법을 세련시키는 것이다(Gunn 1979, 5-6). 그러나 앞에서 살펴 본 싼타야나의 말에서 유추할 수 있는 것처럼 문학과 종교가 본질에 있어 동일하다 하더라도 심미적 취향과 신학적 경향을 조화시키는 것은 그렇게 쉬운 일이 아니다. 종교 쪽에서는 종교의 교리를 내세워 문학작품을 평가하고 진단하려는 성향을 포기하기 어려우며, 문학 쪽에서는 문학연구의 목가적이고 교육적이며 심미적인 기능의 의미를 축소시키려 하지 않기 때문이다. 그러나 신학의 진단적 기능에 관심을 가진 학자들의 주장은 종교의 도그마를 앞세운 나머지 종교가 가지고 있는 진리를 전달하는 적절한 방법을 무시하는 성향을 보이고 있으며, 문학의 심미적 기능에 관심을 가진 학자들은 문학이나 예술의 심미적 효과에 치중한 나머지 윤리적 신학적 기준이 갖는 의미를 간과해버리는 문제점을 드러내고 있다.

건의 말처럼 종교와 문학을 똑같은 문화현상의 일부로 취급하는 데는(6), 문학과 종교의 관계에 대한 연구에 있어 문학에 창조적 지적 우선권을 전제하는 듯한 측면이 없는 것은 아니지만 (Jasper 1992, 1), 현상학적 측면에서 보면 문학과 종교가 모두 문화의 차원에서 형성된 중요한 요소인 다양한 상징들로 이루워진 것은 사실이다. 문학과 종교의 차이는, 어떤 의미에서, 이 상징적 요소들을 해석하여 사용하는 약간 다른 방식에 있는 것이다. 건은 이것을 다음과 같이 말하고 있다.

> 문학은, 내가 알기로는, 문화의 상징적 요소들을 자극적으로 사용하여 전통적으로 이 요소들에 부여된 의미의 타당성을 시험하고, 끊임없이 변하는 인간의 경험의 영역 속에서 그것들이 갖는 힘의 범위를 탐색하는 경향이 있다. 종교는 문화의 자료들을 실체의 모델을 구축하고 보존하기 위하여 전형적으로 사용한다. 이 모델은 동시에 사물들이 실제로 존재하는 양식에 대한 지도나 틀로서 사용되어, 그것과 관련된 인간의 행동을 측정하기 위한 규제(interdictions)나 진단의 모형을 제시한다(6).

이렇게 판이하게 다른, 문화적 상징들에 대한 해석과 사용방식은 문학과 종교의 관계를 연구하는 학자들에게 두 가지의 과제를 남겨 준다. 첫째는 문학적 방법과 종교적 규범 그리고 문화적 상징들에 접근하는 양식과 신학적 자세 사이의 관계에 대하여 더욱 분명한 이해에 도달하도록 노력하는 일이고, 둘째는 더 정확할 뿐 아니라 더 풍부하면서 동시에 더 포용력이 있는 신학적 자세 또는 종교적 규범의 모델을 예시하는 일이다(22). 이 두가지의 과제에 대하여 괄목할 만한 업적을 남긴 사람은 신학자인 라인홀드 니버(Reinhold Niebuhr)와 폴 틸리히이다.1) 이들의 관심은 기본적으로 기독교와 예술과의 관계에 관한 것이었으나 점차 신학과 문학의 관계에 대한 관심으로 발전하였다.

니버는 우선 신학자에 대한 이미지를 바꾸는 데 일조한 신학자로, 바르트(Barth)나 부루너(Brunner)같은 신학자들처럼 신학자체의 전통을 비판하고 개조하며 확장하는 일에 주의를 기울이기 보다는, 이러한 전통이 보여주는 통찰을 현대의 삶의 여러 문제들과 직접 관련시키는 일에 주력함으로써2) 신앙과 문화, 신학과 문학 사이에 더욱 건설적인 대화의 창구를 열었다. 기독교의 창조나 속죄의 교리 그리고 종말론 등이 그의 연구의 중요한 주제가 아니라, 불안의 문제, 국제사회의 세력의 균형, 국가가 갖는 오만의 위험, 사회의 부도덕성 또는 사랑과 정의 사이의 변증법적 관계같은 실제적 문제들이 그의 중요한 연구주제였다. 그의 사상이 다른 신학자들이나 철학자들의 사상과 무관한 것은 아니다. 그러

---

1) 이 두 사람 외에도 「Modern Poetry and the Christian Tradition(1952)」과 「Theology and Modern Literature(1967)」를 쓴 Amos Wilder, 「Wait Without Idols(1964)」와 「The Death of God(1967)」을 쓴 Gabriel Vahanian, 「A Christian Critique of American Culture(1967)」를 쓴 Julian Hartt, 「Spiritual Problems of Contemporary Literature(1952)」를 쓴 Stanley Romaine Hopper, 「Perspective on Man(1961)」을 쓴 Roland Mushat, 「The Hidden God(1963)」을 쓴 Cleanth Brooks, 「Problematic Rebel(1963)」을 쓴 Maurice Friedman, 그리고 누구보다도 많은 업적을 남긴 「The Poetry of Civic Virtue(1976)」, 「The Wild Prayer of Longing(1971)」, 「Three American Moralists(1973)」를 쓴 Nathan A. Scott, Jr등이 있다. 이들은 신학을 문학을 비롯한 다른 인문과학과 관련시켜 연구하면서 동시에 호교적인 입장을 보이고 있기 때문에 Giles Gunn은 이들의 연구경향을 "상관적/호교적 동향(correlative/ apologetic orientation)"이라고 부른다. 이들은 전통적이며 신정통적인(neo-orthodox)신학의 보수적 경향과는 다른, 신자유주의적(neo-liberal) 또는 포스트자유주의적(post-liberal)인 경향을 대변하는 학자들이다(Gunn 1979 30-31).
2) 키르케고어는 "현재에 의미있는 것이 될 수 없는 과거는 기억할 가치가 없다"(Quotted in George Steiner, 67)고 말하였다.

나 그는 신학자나 윤리주의자로서보다 기독교 신앙이 어떻게 다른 종교적 전통보다 인간실존의 어려운 상황들을 더욱 적절히 그리고 더욱 의미 있게 해석하여 보여줄 수 있는가 하는 문제를 탐구하는 일에 더 많은 관심을 소비하였다 (Gunn 1979, 23-24).

니버의 인간의 문제에 대한 견해는 대단히 현대적이다. 대부분의 다른 현대 사상가나 작가들과 마찬가지로 그는 인간이 스스로와의 전쟁에 빠져있다고 보았으며, 자신의 최악의 충동 뿐 아니라 최선의 충동과도 죽느냐 사느냐의 투쟁을 벌리고 있다고 보았다. 그는 이러한 비극적 모순을 신학적이거나 철학적인 과거의 전통 속에서 해석하는 수단을 발견하였을 뿐 아니라, 새롭게 발전하는 심층심리학이나 계급투쟁에 대한 맑스주의 해석과 같은 미래의 학문의 조망 속에서도 해석하는 방법을 발견하였다. 니버는, 인간의 문제가, 자유로우면서도 유한한 인간이 자유와 유한성을 자신 속에서 조화시키는 방법을 찾지 못한 데서 발생한다고 생각하였다. 스스로의 힘으로는 극복할 수 없는 자유와 유한성의 모순과 마주한 채 인간은 계속 견딜 수도 구제될 수도 없는 불안의 상태에 빠져있다. 니버는 모든 인간에게 공통된 경험인 이 불안이 바로 인간의 방황의 원인이라고 주장한다.[3]

틸리히도 니버처럼 현대의 상황과 기독교 신앙을 관련시킬 수 있는 적절한 언어를 발견하는 데 깊은 관심을 가진 신학자였다. 그는 현대인에게 어떤 의미를 전달하지 못하고 있는 낡은 종교의 상징들을 현대인에게 의미있는 언어로

---

[3] 왜냐하면 이 불안이 인간 각자로 하여금 스스로를 속여서 안정의 기반을 추구하도록 유혹하며, 이 유혹에 순응하는 과정에서 인간은 자신의 능력에 대한 오만에 빠지게 될 뿐 아니라, 변하기 쉬운 외적 행복이나 자연의 생명력에 의지하여 안정의 기반을 추구하도록 인간을 충동하는 불안의 또 다른 유혹에 순응하는 과정에서 인간은 또 관능의 쾌락에 빠지게 되기 때문이다. 그러므로 니버에게 있어 모든 개별적 인간들의 유일하며 영구적인 안정의 기반은, 자신들을, 자아를 초월하는 존재 곧 신과 이웃에게 완전히 맡기는 데 있다. 그리고 이것은 인간의 자유와 유한성의 모순을 해결하는 유일한 방법이기도 하다. (이러한 기독교적 입장은 일리가 있는 것이다. 왜냐하면 이러한 주장은 진정한 인간의 문제를 언급하고 있기 때문이다.) 니버가 언급하고 있는 인간의 문제는 인간의 타락(Fall)이라는 신화적 순간에 근거하고 있는 문제가 아니다. 그것은 아득한 옛날 이래로 도처에서 모두 인간들에 의하여 경험된 문제이다. 오래된 죄의 문제를 재검토하려는 이러한 시도를 통해 니버는 기독교인이건 아니건 누구도 피할 수 없었던 현대의 인간의 경험의 난제를 절대적 진지성을 가지고 받아들여 신학이 어떻게 대응할 수 있을지를 끊임없이 궁리하였다(Gunn 25-26).

바꾸기 위해 노력하였으며, 고대의 철학과 존재론의 전통 속에서 이에 적절한 언어를 발견하고 있다. 초자연적으로 하늘에서 떨어져 책의 표지 안으로 들어간 성스런 언어란 없는 것이다(Tillich 1959, 47). 그는 우리의 왜곡된 삶 속에 선한 의지가 마침내 악을 정복할 것을 보장하는 어떤 초월적 힘이 있는지 없는지를 물음으로써 그의 존재론을 시작한다. 20세기의 인간들에게 엄청난 파괴와 절망을 안겨 준 두 번의 세계대전을 겪은 뒤에 우리는 어디에서 "존재에의 용기(the courage to be)"를 발견할 수 있는 것인가? 이러한 질문에 대답하기 위하여 그는 그가 발견한 언어를 적용할 방법을 개발하며, 문학과 종교연구에 대한 그의 중요한 공헌은 바로 그가 개발한 방법과, 이 방법을 통해 그가 이룩한 실존의 문제에 대한 탁월한 해석에 있다(Gunn 1979, 26-27). 그의 방법의 특이성은, 그가 신학적 통찰의 근거로서, 모든 세속적 형태의 문화에 크게 의존하고 있다는 것이다. 인간의 실존의 문제에 대한 해답을 마련하는 데 있어 오직 신학에만 그 권리를 부여하고 있는 점에서 그는 보수적인 기독교인이지만, 인간의 실존의 상황과 그에 부수된 문제들을 제대로 이해하기 위해서는 신학이 철학이나 문학연구를 포함한 다른 인문과학에 전적으로 의지해야 한다고 믿었던 점에서 그는 진보적이었다. 철학이나 인문과학이 그들의 분석으로부터 설사 해답을 마련하지 못한다 하더라도, 삶의 실상을 있는 그대로 묘사하거나 분석하는 것이 문학과 철학의 임무이다. 그러나 파괴된 세계와 왜곡된 현실에 대한 묘사나 분석이 인간의 실존의 문제에 대한 해답이 될 수는 없다. 그것들은 실존의 삶에 대한 질문이 이루어지는 언어 곧 용어들을 찾아낼 수 있으며, 그렇게 함으로써 신학이 그 안에서 해답을 시도할 수 있는 인간의 궁경(predicament)의 범위를 결정해 줄 수는 있는 것이다(Gunn 1979, 27).

이러한 전제 속에서 틸리히는 어떻게 종교와 문화가 동일하지 않으면서 서로 관련될 수 있는지를 설명하여 보여 주려고 있다. 그는 그의 명저『문화의 신학(Theology of Culture)』속에서 "종교는 문화의 실체이며, 문화는 종교의 형식"(Tillich 1959, 42)이라고 말한다. 약간 다르게 표현해보면, 종교는 문화의 테두리 안에서 심층의 차원과 연결되는 반면, 문화는 심층의 차원이 형태를 갖는 방식에 의하여 존재의 테두리 안에서 총체적 구조를 재현한다. 그래서 틸리히는 종교가 그 속에서 스스로를 드러내는 문화 없이는 존재할 수 없다고 주장한다.

인간의 실존의 딜레마와 종교를 상관시키고 문화와 종교를 상관시키는 방법을 통하여 틸리히는, 현대문화에 대하여 신학적 해석을 시도하는 비평가들에게 막대한 영향을 끼친, 그들이 거역할 수 없는 인간상황에 대한 실존적 해석을 발전시킬 수 있었다. 뜨거운 호평을 받았던 『존재에의 용기(The Courage To Be)』 속에서 틸리히는 서양의 역사에서 셋으로 구분되는 전통적 시기와 연결될 수 있는 세 가지 형태의 불안에 대하여 이야기한다. 첫 번째 불안은 존재론적 불안(ontic anxiety)으로 운명과 죽음에 대한 불안 또는 유한성에 대한 불안이다. 이 불안은 고대문화의 종말기에 가장 성행하였다. 두 번째 불안은 도덕적 불안(moral anxiety)으로 죄와 죄의 선고(condemnation)에 대한 불안이다. 이 불안은 중세의 말기에 가장 성행하던 불안이다. 세 번째 불안은 정신적 불안(spiritual anxiety) 으로 공허와 무의미에 대한 불안이며 현대의 말기에 가장 우세한 지금 우리의 불안이다. 시대에 따라 어느 한 가지 불안이 다른 불안보다 더 성행하지만, 다른 불안들은 항상 같이 존재한다. 중요한 것은 이 불안들이 한 시대의 말기에 두드러지게 드러난다는 것이다. 틸리히는 이러한 불안들이 '존재에의 용기'를 통해서만 극복될 수 있다고 주장한다(Tillich 1952, 48- 68)[4].

III.

니버와 틸리히에 대한 고찰을 통하여 우리가 느낄 수 있는 것은 신학이 인간실존의 불안과 고통의 문제를 해결하기 위하여, 신의 창조나 인간의 종말을 논하던 저 높은 성전의 꼭대기에서, 불안하고 고통스러운 인간의 삶의 현장으로 직접 내려왔다는 사실이다. 지상에 사는 인간들의 실존의 고통의 소리에 호응하여 신학이 고통의 현장인 삶의 진흙탕 속에 발을 디딘 것이다. 그러나 구름

---

4) 이 "존재의 용기"는 궁극적으로 틸리히가 "신을 초월한 신"이라고 명명한 존재에 대한 절대적 신앙에 의존하고 있다. 그래서 '존재에의 용기'는 윤리적 차원 뿐 아니라 존재론적 차원을 획득한다. 이 신은 고전적인 유신론(theism)의 신과는 대조적으로 존재의 어떤 구조와도 동일하지 않으며 스스로가 그 자신의 근거이며 깊이이다(Gunn 1979, 29).

위를 거닐던 신학은 삶의 실상을 제대로 느낄 수 없기 때문에 인간의 삶의 현실을 있는 그대로 느끼며 그것을 작품 속에 묘사하는 문학을 포함한 예술의 도움을 절대적으로 필요로 한다. 문학은 종교에 대하여 종교적 경험의 신비와 망설임 그리고 비밀을 상기시키는 필수적인 역할을 할 수 있을 뿐 아니라(Jasper 31-32), 우리의 삶의 실존을 작품 속에 구상화시키는 과정을 통하여 다른 방식으로는 드러날 수 없는 삶의 실제의 차원을 우리에게 보여준다. 그러나 어떠한 경로를 통하여 시인이 우리의 영혼의 차원을 열어 줄 의미를 지닌 어떤 것을 영감으로 받으며, 구체적으로 어떻게 그것이 인간의 언어를 통하여 드러나는지는 궁극적으로 신비의 차원의 문제이다.

인간 실존의 삶의 실상에 대한 신학자들의 온전한 이해의 필요성을 논한 글속에서 데이빗 젠킨스(David Jenkins)는, "그렇게 많은 신학에 대하여 무서운 일은, 인간상황의 현실과 관련하여, 신학이 너무 피상적이라는 것이다. (그저 단지 신학적 공식이 된) 신학적 범주는 충분한 이해도 없이 제대로 이해되지 못한 삶을 '겨냥하고' 있다. 그러므로 신학자들은 그들이, 문학이 보여주는 세계에 대하여 진정한 신학적 힘을 가지고, 세계를 향하여 말할 수 있기 전에, 문학이 보여주는 통찰력의 판단 아래 서 볼 필요가 있다"(219)고 말하고 있으며, 데이빗 제스퍼는

> 신학은 너무나 자주 고착된 확고한 구문과 형식이라는 그릇된 안정성을 선호하는 경향이 있다. 그 때 신학은 살아있는 신앙의 신비스러운 언어로부터 이탈해버리거나 혹은 고정된 상태에서 가망없이 막연하고 추상적이 되어버리는 진부함과 일반화에 의존하도록 신앙을 가두어 버리게 된다(Jasper 1992, 31-32).

고 말하였다. 틸리히와 니버와 같은 신학자들은 어떤 의미에서 이러한 충고의 의미를 깊이 이해하고, 신학이 현대의 인간의 실존의 궁경에 대하여 줄 수 있는 해답을 위하여 문학이 보여주는 통찰의 판단 앞에 겸손히 섰던 것이다. 그렇다면 문학은 어떠한가? 구라파와 아메리카 지역에서 문학과 종교의 관계에 대한 연구에 있어 명실공히 중심적인 역할을 스스로 담당하고 있는 영국 글래스고우

(Glasgow)대학의 "문학과 신학연구소" 소장이며 이 분야에 대한 많은 책의 저자인 데이빗 제스퍼(David Jasper)는 그의 저서 『문학과 종교 연구 서설』에서 "신학이 문학의 통찰력의 판단 앞에 서야 할 필요가 있다면, 시도 종교와 신학자들을 필요로 한다"(6)고 말한다.

1950년대 이래 미국에 자리잡기 시작한 '종교와 문학'연구는 문학에 대한 다양한 가정을 그 출발점으로 하고 있으며, 전문적 문학비평이나 창작이 종교에 대하여 창조적 지적 우월성을 가지고 있다고 가정하고 있는 것으로 보인다. 이러한 연구는 심지어 신학적 범주를 버리고 종교를 문화 속에서의 사회적이고 인류학적이며 심리학적인 한 현상으로 연구하려는 명확한 욕망을 가지고 있다. 이 프로그램은 건 교수의 말을 빌면, 종교와 문학에 관한 논의를 '호교적 차원에서 보다는 해석학적 차원에서, 신학적 차원에서 보다는 인류학적 차원에서 그리고 좁은 교리적 차원에서 보다는 넓은 인문학적 차원에서' 재구성하려 한다(Gunn 1979, 5). 그러나 이러한 경향은 모든 신비적 연구와 그 철학 그리고 유한한 것과 무한한 것의 정신과 의미를 간과하고 있는 것이다. 물론 신학이 이러한 급진적인 경향에 대응하고 고민하는 가운데, 현대인들에게 의미있는 종교 속에 다시 살아나도록 준비하여야 하는 것은 재론의 여지가 없다(Jasper 1-2).

그러나 비평적 자세로서의 신학의 문학에 대한 종속은 19세기 너머까지 거슬러 올라가는 오랜 역사를 가지고 있다. 그것은 시인이나 예술가를 일종의 상상력의 사제로, 옛날의 예언자와 영감받은 말들을 대치하는 현대인의 예언자로 받들어 올리는 세속화의 과정의 한 부분이었다. 예언자로서의 시인의 개념은 영국과 독일의 낭만주의 속에 깊이 뿌리박혀 있는데(Jasper 1985, 11-13), 19세기 말에는 다작의 비평가였으나 지금은 거의 잊혀진, 비평가이며 성직자였던 부룩(Stopford Brooke, 1892-1916)은, 시인은 신학자들이 그들의 지적 노고를 통해 망치고 마는 신학이 마음속에 근원하고 있는 천래의 신학자라고 주장하였다. 시인 속에서 '우리는, 말하자면, 미완성의, 시원(始原)의 상태에 있는, 신학을 본다'(2)고 그는 말하였다.

비평가들은 '종교와 문학'의 관계가 논의된 초기단계의 상황을 신비평의 밀봉된 자율성에 대한 신학적 반동으로 보기도 한다. 우리가 모두 아는 것처럼 신비평에서 비평가는 '외적'자료, 작가의 전기, 역사적 맥락을 버리고 작품의 '밀봉되고 독립된' 문맥의 범위 안에서 비평을 해야 할 것이 요구되었던 것이다. 신비평에서 문학은 외부의 어떤 '실제의' 세계와 직접 연결되지 않은, 자율적이고 자기 충족적인 구조로 여겨진다. 신학자들은 이 자율성을 불신하기 시작하였으며, 시의 '신학적 의미와 차원'을 주장하기 시작했던 것이다(Helsa 181). 그러나 그럼에도 불구하고 미국에서 '종교와 문학'에 대한 연구자들 특히 성서에 대한 문학적 연구에 종사하는 사람들은 대부분 신비평의 학도들이거나 혹은 여러 가지 관점에서 구조주의자들 (Sternberg 7ff)이다. 그리고 형식주의의 통찰력은 그 한계에도 불구하고 대단한 성과를 올리고 있는 것으로 증명되고 있다 (Jasper 1992, 4). 그러나 종교가 종교의 목적을 위하여 문학의 통찰력을 필요로 한다면, 문학도 문학의 진정한 목표를 달성하기 위하여 종교의 윤리적이고 신학적인 통찰의 도움을 필요로 한다. 제스퍼는 문학과 종교의 이러한 상보적 관계에 대하여 다음과 같이 말하고 있다.

> 문학과 종교는 각기 자기들의 독립성을 유지하고 있으나 둘 다 각기 다른 쪽을 비판하면서 또 필요로 하고 있다. 그것은 불안정하면서 생산적이고, 불확실하면서 생기가 있고, 부수적이지만 유기적인 관계이다. 그리고 둘 사이는, 무엇보다도, 매우 필요한 관계이다. 왜냐하면 문학은 종교를 독단의 위험으로부터, 지나치게 호교적이고 너무 노골적인 복음주의로부터 구해주며, 반면에 종교는 문학에 꼭 필요한 윤리적이고 신학적인 기준을 가지고 문학에게 악이나 파괴적인 목적에 봉사하는 어떤 미(美)의 위험을 상기시켜주기 때문이다. . . . 문학과 신학의 역설적 관계는 인간적인 것(문학적인 것)과 신적인 것(종교적인 것)이 융합되어 있으면서도 동시에 별개의 분명히 다른 동반자로 만나는 육화의 신비와 유사한 관계라고 말할 수 있을 것이다.(8)

그러나, 어떤 의미에서, 문학을 종교에 종속시키는 것으로 보이는 뜻의 말을 한 비평가도 있다. 사무엘 존슨(Samuel Johnson)은 "묵상의 경건함 혹은 신과 인간의 영혼사이의 교류는 시가 될 수 없다"고 전제하면서 시가 이 교류를 묘사할 때 "시는 그 자체보다 훨씬 뛰어난 어떤 것을 장식하는 데 사용되기 때문에 시는 그 빛과 힘을 잃게 된다. . . . 기독교 신학의 이념은 웅변하기에는 너무 단순하고, 창작하기에는 너무 신성하며, 장식하기에는 너무 장엄하다. 수사법과 비유로서 그것에 대하여 호감을 갖게 하려는 것은 마치 오목거울로 둥근 별의 반구를 확대하려는 것과 같다"(Johnson 202-4)고 말하였으며, 데이빗 쎄실(David Cecil)경은 경건한 종교적 감정이란 대부분의 사람들에게 일시적이고 미약하기 때문에 그들의 어렴풋한 경험은 그 감정의 경험을 전달하고자 애쓴 시들에게도 그대로 반영되어 종교시는 빈약하고 미학적 기준에 비추어 성실하지 못하다(Cecil xi-xiii)고 말하고 있다. 엘리엇도 이러한 경향에 동조하는 글을 쓰고 있다. 그는 그의 논문 '종교와 문학'에서 다음과 같이 쓰고 있다.

> 문학비평은 분명한 윤리적 신학적 견지에서 하는 비평에 의하여 완결되어야 한다. 어느 시대를 불문하고 윤리적 신학적 문제에 대한 공통의 합의가 있는 한, 문학비평은 공고한 것이 될 수 있다. 그러한 합의가 없는 우리와 같은 시대에 있어서 기독교인 독자들은 자신들의 독서, 특히 상상력을 통하여 쓴 작품에 대한 독서를, 명백히 윤리적이고 신학적인 기준에 의하여 면밀히 검토하는 것이 가일층 필요하다. 문학의 '위대성'은 문학적 기준에 의해서만 결정될 수는 없다. 물론 그것이 문학이냐 아니냐의 문제는 오직 문학적 기준에 의해서 결정될 수 있다는 것을 우리는 기억해야 하지만(Eliot 1951, 388).

여기서 우리가 연상할 수 있는 것은 종교가 문학보다 상위의 그룹이며, 문학이 종교의 단순한 보조물이거나 단지 종교적 신앙에의 근접성에 근거해서 평가되는 성질의 것이라는 것이다. 그러나 이 글의 마지막 문장에서 엘리엇은 문학적 기준의 결정적 힘을 강조함으로써 문학을, 어떤 점에서, 강력한 도구인 문학비평과 함께 그 자체를 완전한 것으로 남아있게 하고 있다는 것(Jasper 1992, 7)을 간과해서는 안될 것이다.

IV.

그렇다면 어떠한 문학이 윤리적이며 신학적인 기준을 적절하게 견지하면서, 인간의 삶의 실상을 구체적으로 묘사함과 동시에 종교가 그 앞에서 인간의 실존의 문제에 대한 해답을 시도할 수 있는 인간의 궁경의 범위를 온전히 전달해

줄 수 있는 문학일까?

우리는 우선 그것이 종교적인 문학이라고 대답해 볼 수 있을 것이다. 그러나 종교적 혹은 헌신적(devotional)이라고 부를 수 있는 시인들 중에 신학적으로나 윤리적으로는 순수하지만 문학으로서는 별로 중요하지 않은 작품을 쓰는 시인들이 있다는 것을 우리는 알고 있다. 그러한 문학은 시의 모든 주제를 종교적 정신에서 다루지 못하며 주요한 감정들을 생략해 버리거나 그러한 감정들에 대한 무지를 그대로 드러낸다. 이러한 이류의 작가들로 엘리엇은 본(Vaughn), 사우스 웰(Southwell), 크로쇼(Crashaw), 허버트(Herbert)5) 그리고 홉킨스(Hopkins)를 그 예로 들고 있다.6)

한편 예이츠(W. B. Yeats)처럼 의심할 바 없이 위대한 종교적 시인이면서, 분명히 기독교 시인은 아닌 시인도 있다(Davie xx). 예이츠에 비하면 작은 시인이지만 키플링(Rudyard Kipling)도 이 계열에 속한다. 키플링의 '랍비의 아들(The Rabbi's Son)'은 중심적인 기독교의 신비를 심오하고도 사적인 차원으로 끌어올린 작품으로 평가되고 있다(Jasper 1992, 16). 이러한 사실들은 종교적 문학작품을 결정함에 있어, 작가가 공인된 종교인인가 아닌가의 문제는 반드시 필수적인 요소가 아님을 우리에게 알게 해 준다. 클리언스 브룩스는 종교적 특히 기독교적 작품들을 논하고 있는 그의 저서 『숨은 신(The Hidden God』) 속에서 의도적으로 공인된 기독교인이 아닌 작가들 곧 헤밍웨이나 포크너, 예이츠, 워렌(R. P. Warren)등의 작품을 종교적 작품의 예로 들고 있다(1). 중요한 것은 작가가 신앙을 가지고 있느냐 없느냐의 문제가 아니라, 작가가 인간의 삶의 궁극의 문제에 대하여 관심을 가지고 글을 쓰느냐 그렇지 않느냐의 문제이다. 그러므로 우리는 어느 작가가 우리의 삶의 궁극의 문제에 대한 관심을 성실히 추구하는 과정에서 그것에 대한 작품을 썼다면 우리는 그의 작품 앞에 "종교적"이라는 형용사를 붙일 수 있는 것이다. 에스킬러스나 단테, 셰익스피어나 괴테,

---

5) 엘리엇은 후에 허버트에 대한 평가를 바꾸었으며 그를 일류시인으로 격상시켰다. 『비평선집 (Selected Essays)』, 391쪽 각주 참조.

6) 우리는 이러한 엘리엇의 의견에 동의할 수도 있고 안할 수도 있다. 그러나 최소한 문학과 종교에 관한 고찰을 예배적이거나 종교 선전적이기까지한 요인들의 한계로부터 해방시키려고 한 엘리엇의 노력은 이 선전적 요인들이 아무리 가치있다하더라도 인정하여야 할 것이다 (Jasper 1992, 8).

도스토옙스키나 예이츠, 엘리엇이나 포크너 또는 헤밍웨이 등의 작품이 그들이 신앙을 가지고 있었는지의 여부에 관계없이 종교적이라고 불릴 수 있는 이유는 바로 여기에 있는 것이다.

그렇다면 문학은 어떤 방식으로 그들의 궁극적 관심을 표현하는 것인가? 문학은 우리가 앞에서 살펴 본 것처럼 우리의 삶의 모든 차원의 실상(reality)을 있는 그대로 드러냄으로써 인간의 삶에 대한 궁극적 관심을 표현한다. 그리고 문학은 이 삶에 대한 궁극적 관심을 표현하기 위하여 묘사적 방법 곧 비유적 언어와 은유를 사용한다. 왜냐하면 과학자들이 사용하는 분석적 방법은 하나의 사물이 그 개별적 특성에 있어 무엇과 유사한지 말해줄 수 없으며, 홉킨스가 창조물이나 대상의 바로 'haecceitas' 또는 '이것임(thisness)'이라 불렀던 정도까지를 꿰뚫어 볼 수 없기 때문이다(Jasper 34). 문학은 유추와 은유를 사용하여 과학적 분석으로 포착할 수 없는 우리의 삶과 영감 그리고 신의 신비를 우리가 느낄 수 있도록 표현하여 준다. 여기서 중요한 것은 문학작품이 '인간의 궁극적 관심'을 논리적으로 자초지종을 따져가며 조목조목 나열하지는 않는다는 것이다. 그것은 과학이나 철학 또는 종교의 영역에 속하는 방식이다. 문학은 인간의 상황을 선명하게 유형화하지 않는다. 문학은 어떤 특수한 상황을 통하여 인간의 삶의 보편적 성질을 느낄 수 있도록 독자를 도울 수 있을 뿐이다. 1924년에 예이츠는 일단의 더블린의 젊은 시인들에게 "영혼의 불명성의 교리 위에 그들의 기초를 세울 것"을 권고하면서, "대부분의 주교나 모든 해로운 작가들은 틀림없이 무신론자들"이라고 말하였는데, 크리언스 브룩스는 이 말을 바꾸어 더욱 구체적으로 "모든 해로운 작가들과 너무 많은 주교들이 인간의 상황을 지나치게 단순화시키고 있다"(Brooks 1963, 48-49)고 표현하고 있다. 단순화되거나 유형화된 인간의 상황은 삶에 대한 일종의 공식이 되며, 공식을 통하여 우리는 구체적 실존에 대한 아무런 느낌을 가질 수가 없다. 글 속에 느낌이 없을 때 그것은 철자의 나열에 불과하며, 말속에 느낌이 없을 때 그것은 공허한 소리에 불과하다.

괴테의『파우스트』속에서 신의 사랑은 장미꽃 잎이 되어 하늘에서 지상으로 떨어지며, 그것은 악마들에게 뜨거운 불이 되어, 그들이 탈취하려던 파우스트의 영혼을 놓고 도망치게 만든다. 단테의『신곡』속에서는 버질(Virgil)과 단테가 겸손의 천사(Angel of Humility)를 만나 천사가 그의 날개로 단테의 이마를 쳐서 오만의 표시를 지워버리자, 단테는 몸이 가벼워짐을 느끼고 가뿐하게 걸을 수 있게 된다. 햄릿의 독백과 미친 척하는 행위 속에서 우리는 불의한 왕과 그와 결혼한 왕비 그리고 독살된 선친왕 사이에서 무섭게 고뇌하는 왕자의 사랑과 열정을 실제처럼 느끼고 같이 괴로워하며, 『리어왕(King Lear)』을 보면서 우리는 그가 느끼는 분노와 연민, 후회와 원망을 똑같이 느끼게 된다. 도스토옙스키의 『죄와 벌』의 주인공 라스콜리니코프의 행적을 따라가는 과정에서 우리가 느끼는 것은 무엇인가? 인간이 이성적 사고를 통하여 도달할 수 있는 정의의 높이와, 행동을 통하여 실현할 수 있는 정의의 괴리에 대하여, 정의와 이성의 잣대로 아무래도 잴 수 없는 인간의 감성의 행보에 대하여, 인간의 말로는 그 존재와 근거를 도대체 설명할 길이 없는 지순한 사랑에 대하여, 인간실존의 가벼움과 무거움에 대하여, 우리는 형언하기 어려운 깊은 느낌에 빠지게 된다. 이러한 순간을 통하여 우리는 문학이 우리의 영혼의 차원을 열어주는 것을 느끼게 된다.7) 『카라마조프가의 형제들』 속에서 둘째 아들 이반은 신의 부재증명을 통하여 '모든 것이 허용되는' 인간의 무한한 자유를 선언하지만, 자신의 영향을 받아 파렴치한 부친을 살해하기에 이르는 배다른 동생 스메르쟈코프의 행동 앞에서 마음의 중심을 잃고 괴로워한 나머지 결국 병들어 죽고 만다. 그는 불의를 용서하기에는 너무 정의롭고, 불의를 처벌하기에는 너무 다감한 인간성의 모순을 적나라하게 우리에게 보여준다.

20세기의 최대의 시인 중의 한 사람인 엘리엇은 유명한 그의 「황무지」 속에서, 런던교 위를 지나가는, 살아있으나 죽은 것과 다름없는 수많은 사람들을 보면서, '죽음이 저렇게 많은 사람들을 해치웠으리라고는 생각하지 못했다'고 중얼거린다.

> 허망한 도시,
> 겨울 새벽의 갈색의 안개 속을
> 수많은 사람들이 런던橋 위를 걸어가고 있었다

---

7) 틸리히는 그의 『문화의 신학』 속에서 예술적 상징들은 두 개의 차원 곧 실제의 차원과 영혼의 차원을 우리에게 열어준다고 말한다(56- 57).

나는 죽음이, 그렇게 많은 사람들을, 해치웠으리라고는 생각지 않았다.
가끔 짧은 한숨을 내쉬면서
사람들은 각기 제 발치만 보고 걸었다.

Unreal City,
Under the brown fog of a winter dawn,
A crowd flowed over London Bridge, so many,
I had not thought death had undone so many.
Sighs, short and infrequent, were exhaled,
and each man fixed his eyes before his feet.

　자신의 앞만 보며 걸을 수 밖에 없는, 현대 산업사회의 조직이 각자에게 배당해 준 자기의 울타리 넘어는 볼 수 없는 인간은, '각자의 감옥 속에서 열쇠를 생각하며, 열쇠를 생각하면서 각기의 감옥을 확인하는' 삶을 살 수 있을 뿐이다. '야만의 왕에 의하여 능욕 당한 뒤 새가 된 필로멜(Philomel)의 울음' 속에 가장 극적으로 표출된 인간실존의 고통을 읽으면서, 우리는 무엇을 느끼는 것인가? 우리가 느끼는 것은 고통 없는 평화, 고통 없음에 대한 쓰라린 갈망, 그리고 어떻게 이 갈망을 성취할 수 있을까에 대한 궁리이다. 여기서 간과해서는 안되는 것은, 문학이 해답을 제시하지는 않는다는 것이다. 문학은 실존의 상황이 주는 고통을 있는 그대로 느끼게 하고 이 고통으로부터의 탈출을 갈망하도록 하지만 구체적으로 어떻게 해야 될지를 말하여 주지는 않는다. 여기가 문학의 한계이다. 시를 비롯한 문학의 기능은 인간의 경험이라는 자료들을 잘 관찰하여, 인습적 관념의 표면 아래 있는 감각과 공상의 실제를 파악한 뒤, 생생하지만 아직 분명치 않은 이 소재들로부터 더 세련되고 더 풍요하며 우리 인간의 본성의 근본적인 경향에 더 잘 어울리는 그리고 우리의 영혼의 궁극적 가능성에 더욱 합당한 새로운 구조물을 다듬어 내는 것이다(Santayana 270). 이 구조물은 많은 궁극적 가능성을 포괄하고 있는 느낌의 덩어리이다. 그러나 그 뿐이다. 작품 속에서 절실하게 느낀 고통과, 이 고통에 공감하면서 느낀 고통 없는 상태에 대한 해답을 궁리하는 것은 다른 영역의 일이다. 그렇다고 해서 문학이 인간의 삶에 대한 어떤 태도까지를 결여하고 있다는 것은 물론 아니다. 각기의 작가들이 자기 자신만의 독특한 삶에 대한 태도를 자신의 작품들을 통하여 보여주는 것이 사실이다. 헤밍웨이는 그의 작품의 주인공들을 통하여 산업사회의 정신에 강력하게 항의하며, 인간을 거대한 조직 속의 하나의 부품이나 단순한 사물로 전락시키려는 세계에 대항하여 독립된 개체적 생명을 지닌 인간임을 주장하는 투사의 태도를 보여주고 있다. 그는 세상에 조금이라도 살만한 의미가 있다면 그것은 인간이 세계에 그것을 부여했기 때문이라고 믿는다. 그는 비인간화의 시대에 대항하여 마지막 순간까지 도덕적 선택을 할 수 있는 존재로서의 인간의 품위를 지키려 한다. 이것은 바로 폴 틸리히가 산업사회의 시대에 실존주의자들과 기독교인들이 맡고 있는 역할이라고 기술한 삶의 태도라고 브룩스는 지적한다(Brooks 6-10). 엘리엇과 마찬가지로 포크너도 삶에 대하여 유토피아적 환상을 가지고 있지 않았다. 그의 작품의 인물들은 대부분의 사람들이 자신과 삶의 실체에 대하여 오직 고통을 통해서만 가장 깊은 진실을 배울 수 있다는 사실을 기꺼이 인정하려고 한다. 그들은 상처와 고통 그리고 상실을 인간이 그것에 순응해야 하는 단순한 사건으로 보거나, 인간의 잘못으로 인하여 자초된 형벌로만 보지 않는다. 그들은 인간이 받는 상처나 고통 그리고 상실이 삶에 대한 더 깊은 앎이나 더 풍요한 삶에 이르는 수단이 될 수도 있다는 태도를 견지하고 있다(43).

예이츠는, 비록 그가 기독교를 고대의 자연종교 중의 한 분파로 쉽게 취급함으로써, 기독교의 진실에 대한 오해를 보여주고 있기는 하지만, 그리고 그의 초기작품이 낭만적이고 도피적이며 패배적이긴 하지만, 그의 작품은 많은 기독교적 요소들을 포함하고 있다. 그가 비록 이것들을 끊임없이 구부리거나 비틀거나 냉소적으로 야유하고 있기는 하지만, 기독교의 교리들이 그의 사상의 일반화 혹은 기본적인 은유를 위한 기초가 되거나 참조가 되고 있으며, 위대한 기독교의 상징들이 그의 후기시를 관통하고 있고 때로는 위대한 기독교의 주제들이 바로 그의 시의 주제가 되고 있는 것은 부인할 수 없다. 그는 그의 시를 통하여 인간의 정신생활의 조직적인 세속화와 언어의 타락 그리고 인간이 다른 동물처럼 단순한 하나의 동물에 불과하다는 주장 등에 대하여 고발하고 있다. 그가 고발한 내용들은 모두 인간의 정신의 고결성에 대한 공격의 성질을 지닌 것들에 대한 것이었으며, 이러한 공격에 대하여 일생을 두고 불굴의 전쟁을 계속하였다. 틸리히는 우리 시대의 예술가의 특징적 자세를, 인간을 단순한 사물로 전락시키려는 현대문명의 완력에 대한 하나의 반동으로 기술하고 있는데, 이러한 기술은 바로 예이츠의 태도에 그대로 적용되는 것이다(44-50). 그의 위대한 시들은 우리 시대의 정신적 지적 부패에 대항하여 인간정신의 힘과 품위를 역설하고 있다. 엘리엇은 그의 초기 시들에 나타나는 세계와 인간과 삶에 대한 회의를 통하여 현대문명의 불모성과 인간실존의 고통을 간접적으로 드러냄과 동시에, 『황무지』의 제5부에 토로된 것과 같은 실존의 고통을 해결하기 위한 탐구를 지속적으로 추구해 온 시인이다. 1927년의 개종 이후에도 그는 "자신의 신앙이 결코 제거될 희망조차 할 수 없는 회의에 사로잡혀 있다"(Bergonzi 113)고 고백한 바 있으며, 크리스챤 슈미트(Kristian Smidt)는 "엘리엇의 시를 구성하고 있는 것은 신앙이 아니고 고통"(192)이라고 표현하고 있는 데, 그는 실존의 삶에 대한 끝없는 회의와 고통을 감내하는 과정을 통하여 신에 대한 깊은 신앙에 도달한 특이한 시인이다. 인간과 세계 그리고 종교와 신에 대한 그의 회의적 태도는, 어떤 의미에서, 추호라도 의심의 여지가 있는 것에 대하여는 항상 판단을 유보하는, 그가 진리에 도달하기 위한 방법이었다.

지금까지 예로 든 몇 사람의 시인과 작가의 예를 통하여 알 수 있는 것은 문학이 인간의 실존의 궁극의 문제를 탐구함에 있어 진리를 탐구하는 성실하고 진지한 태도를 견지하고 있다는 것이다. 그들은 인간의 품위를 격하시키는 어떤 것에도 굴복하지 않고 항의하였으며 이 불굴의 저항을 통하여 인간의 품위를 지킴과 동시에 인간의 궁극의 문제에 대한 부단한 질문을 계속하였다. 이러한 작가들의 태도는 문학을 일시적인 감각적 쾌락이나 단순한 소일거리로 오해하는 일부 신앙인의 문학에 대한 생각과는 거리가 먼 것이다.

V.

그렇다면 지금까지 우리가 논의해 온 문학의 방법과 태도를 가지고 종교와 관련하여 문학이 수행하는 역할은 무엇인가? 문학은 신앙을 갖고 있지 않은 일반인들에게도 낯설지 않은 언어를 통하여 궁극적인 것에 대한 앎을 전달하여 준다. 크리언스 브룩스는 이러한 문학의 역할에 대하여 다음과 같이 말하고 있다.

> 문학의 역할은 세계에 대한 앎을 제공하는 것이다. 임상적인 거리를 두
> 고 본 객관적 대상물이나 단순한 기구로서 본 세계가 아니라, 우리들 자신
> 이 포함된 세계, 한 편으로는 우리들 자신의 투사(projection)이면서 다른 한
> 편으로는 우리들의 충돌과 갈등의 현장인 세계에 대한 앎을 표현하는 것이
> 다. 우리들로 하여금 세계의 실상을 보게 함으로써 예술가는 동시에 우리들
> 로 하여금 우리 자신의 실상을 보도록 만든다. 오래 전에 코울리즈가 말한
> 것처럼, 시인의 임무는 우리의 주의를 "무감각한 관습으로부터" 깨우쳐내고,
> 우리 앞의 세계를 가리고 있는 "친숙함이라는 얇은 막"을 떼어내어, 우리에
> 게 "실체에 대한 새로운 비전"을 제공하는 것이다. (132)

우리가 그 안에 포함되어 있으면서 그 속에서의 우리들 자신의 갈등과 고통
의 투사물이기도 한 세계는 우리들의 삶의 실존의 현장이다. 이 세계의 '실상에
대한 새로운 비전'은 동시에 우리의 삶의 궁극의 문제에 대한 비전이면서 '새로
운 앎'의 내용이다. 그리고 이러한 비전과 앎을 제공하는 것은 비단 문학의 일
만이 아니다. 이러한 비전과 앎은 근본적으로 종교의 소위 '구원의 메시지', '구
원의 말씀'의 내용이어야 한다.

인간의 오랜 역사를 통하여 문학은, 어떤 의미에서, 종교의식의 부속물의
차원에서 그리고 단순한 '옛날 이야기'의 차원에서 궁극의 문제를 탐구하는 차
원으로 발전하였다면, 종교는 특수한 경우를 제외하고는 의식과 공식적인 교리
그리고 종교라는 조직의 보수적이고 정통적인 권위에 도취되고 매몰되어 거기
서 한 걸음도 더 앞으로 나아가지 못했다고 말해 볼 수 있을 것이다. 종교는 고
갈되지 않는 의미의 원천으로서의 문학의 힘을 의식과 주문 속에 흡수한 뒤, 문
학이 본성으로 지닌 자유분방함에 위험을 느끼고 종교적 권위의 행사에 방해가
되는 문학을 '감각적 쾌락의 도구'라는 올가미를 씌워 성전 밖으로 쫓아 버렸을
수도 있다. 이러한 일은 권위의 행사에는 능하나 영감은 없는 사제들에 의하여
저질러졌을 수도 있고, 아니면 이와 반대로 문학이 종교의 권위와 경직성을 견
디지 못하고 자유분방한 성격을 남용한 나머지 쫓겨났거나 아니면 스스로 도망
쳐 나왔을 수도 있다. 아마 이 두 가지 모두가 진실일 것이다. 그러나 문학과

종교에 대하여 지금 분명한 것은, 현대의 종교가 인간에게 의미 있는 메시지를 제대로 전달하지 못하고 있다면, 문학은 의미의 원천으로서의 기능과 자유분방한 성격을 과다하게 구사하여 그리고 명민한 이성의 도구인 철학과 협력하여, 종교의 존재의 근원에 매운 칼질을 가하고 있다는 것이다. 문제는 이러한 칼질을 가하고 있는 문학자나 철학자들을 포함한 모든 인간에게 이러한 상태가 바람직한 상태인가 하는 것이다. 우리는 칸트의 시대에 이미 과학적 분석의 도구인 이성의 능력에 대하여 깊은 회의를 경험하고 이성의 한계를 절감하였었다. 그럼에도 불구하고 우리는 우리의 과학적 이성의 명령에 충실히 복종하여 다시 한 번 우리의 선배인 니체처럼 신의 부재를 선고하는 상황에 이르렀다. 데리다는 그의 "악명 높은 경구"(Jasper xvi) 속에서 "텍스트 밖에는 아무것도 없다(Il n'y a pas dehors la texte)"고 말함으로써 간접적으로 그러나 더 치밀하게 신의 죽음을 선고하였다. 이 선언은 텍스트를 구성하고 있는 언어의 저 위에 그 동안 텍스트를 보증해주던 비언어적인 궁극적 실체의 존재를 부정하고 있다. 텍스트의 언어를 텍스트의 언어 밖의 어떤 비언어적인 "절대적 대상과 비교해 보는 것은 이제 불가능"(Rorty xix)하게 된 것이다. "텍스트 밖에는 아무것도 없다"는 전투구호를 내걸고 해체주의자들은 모든 현존의 가치체계의 중심이며 신의 전능성의 논리의 지주일 뿐 아니라, 텍스트 자체를 지탱하여 주는 논리인 말중심주의(logocentrism), 이성중심주의의 붕괴를 초래할 수도 있다. 그러나 해체주의자들은 이러한 행위를 완전한 정직성을 가지고 실행하고 있으며, 이들의 정직성은 텍스트에 의하여 지탱되는 것으로 주장되어 온 그러나 텍스트가 더 이상 그 근거를 제공할 수 없는 명령이나 독단 그리고 결론 등을 부정한다. 데리다나 라캉 그리고 푸코 등으로 대표되는 포스트 모더니즘이나 탈구조주의자들의 글 속에 그리고 세계 어디에도 인간의 실존의 궁극의 문제에 대한 해답은 보이지 않는다(Jasper 121). 텍스트 밖의 언어 외적 대상의 부재가 공개적으로 주장되는 지금 이제 모든 논의는 언어와 언어사이의 상대적 관계나 서로 다른 해석의 문제로 환원되어 있다. 그러나 우리는 어떤 텍스트도 진리의 특권적 담보자로 자처하거나 인정될 수 없는 언어과잉의 해체론의 글들 속에서 우리들의 삶의 의미 곧 우리들의 삶의 문제에 대한 궁극적 해답을 찾기를 기대하고 있다. 그러나 여기서 우리가 간과해서는 안될 것은 이러한 포스트 모던적 사고의 근저에, 인간의 궁극의 문제에 대한 끈질긴 탐구의 결과, 마침내 해답은 없다는 결론에 도달한 인간들의 절망이 깔려 있다는 사실이다. 두 번의 세계대전과 미국과 소련을 축으로 한 긴 냉전의 시대가 보여 준 증오 그리고 소련의 사회주의 체제가 어느 날 갑자기 무너지는 충격 앞에서 인간의 힘에 의하여 창조될 수 있는 지상의 유토피아에 대한 환상을 잃어버린 서구의 지식인들의 정신의 공백상태가 초래한 절망감이 이러한 사고의 근저에 깔려 있다. 제 2차 세계대전에서 독일인들에 의하여 자행된 그리고 배트남과 캄보디아 내란 등의 전장에서 자행된 수많은 양민과 연약한 부녀자와 어린이의 학살은, 그동안 이성중심주의에 기초를 두고 세워진 세계질서와 그것의 정통성에 대한 깊은 회의를 우리에게 안겨주었던 것이다. 포스트구조주의나 포스트모더니즘은 우리의 실존의 문제에 대한 해답이 아니다. 그것은 지금까지의 철학을 비롯한 인문학과 사회학의 모든 지식을 속속들이 꿰뚫고 있는 듯 보이지만 기실은 인간과 인간의 이성의 능력에 대한 또 다른 회의를 보여 줄 뿐이다. 그것은 계몽주의 이후 진행되어 온 서구사회의 근대화와, 이성적 합리적 통치에 의해 사회를 합리적으로 재편할 수 있다는 거대한 역사적 기획 그리고 이성을 통하여 이룩된 20세기의 과학문명과 그것을 이룩한 인간에 대한 가장 철저한 반성이다. 그러나 그 뿐이다. 포스트모더니즘의 어디에도 우리의 실존의 문제에 대한 해답은 없다. 하지만, 어떤 의미에서, 포스트모더니즘은 인간의 궁극의 관심의 문제에 대한 해답을 얻기 위한 긴 고뇌와 투쟁의 과정에서 우리가 꼭 겪어야 할 과정이기도 하다. 진정한 자아에 도달하기 위하여 우리는 철저한 자기반성 곧 자기부정을 필요로 한다. 20세기의 역사 속에서, 포스트모더니즘이 보여 준 것과 같은 정도의, 인간과 인간의 능력에 대한 철저한 자기부정이 또 있었던가?

　결국 우리의 엄청난 회의를 극복하기 위하여, 우리의 역사상 가장 철저한 자기부정을 포함한 모든 인간의 시도 뒤에 우리가 도달하게 되는 곳은 인간의 궁극적 관심으로서의 종교가 아닐까? 인간의 탐욕에 의해 의도적으로 오역(誤譯)되고 왜곡된 종교가 아니라, 우리의 존재의 신비 앞에 겸허하게 무릎을 꿇고 인간의 실존의 고통을 해결하기 위하여 끊임없이 스스로 자신을 던지는 종교

말이다. 그러나 오스틴 파러(Austin Farrer)가 감지했던 것처럼, 종교가 이 문제를 심각하게 깨닫고 있는 지는 상당히 의심스럽다. 그는 '시적 진실'이라는 논문에서 다음과 같이 쓰고 있다.

> 이 시대 종교의 가장 중요한 난점은. . . 아무도 사물을 깊이 응시하지 않는다는 것이다. 그것을 숙고하려 들지 않으며, 그 일이 무엇인지 이해하려 하지 않고, 가능한 한 개인적 실존의 심오한 현실을 탐구하려고도 하지 않는다. 우리의 정신은 인간의 지식으로부터 우리의 창조자에 대한 지식으로 고양되는 것이다. 그러나 이 고양은 사물들을 분석할 수 있거나 그것들을 기술적으로 조작하거나 혹은 집단으로 분류할 수 있는 그런 종류의 지식을 통하여 일어나는 것이 아니다. 우리가 사물들을 사랑하고 그것들로 우리의 마음과 감각을 채우며, 그것들의 존재가 주는 침묵의 힘과 위대한 신비에 대하여 무엇인가를 느낄 때 그리고 우리가 갖는 사물에 대한 이해로부터, 고양은 일어난다. 왜냐하면 어떤 존재의 창조적 힘이 모든 것보다 더 고상하고 더 풍부하고 강력하게 나타나는 것은 바로 이 이해 속에서이기 때문이다(37-8).

우리는 종교 속에 "고갈될 수도 가감될 수도 없는 신비와 '비밀' − 영원히 재해석되어야 하는 그리고 신학과 그것의 정의를 언제나 애매함과 역설 속에서 뒤뚱거리게 만드는− 이 존재하고 있음"(Jasper 32)을 안다. 그리고 종교는 "사물이 신의 뜻에 대응하여 갖는 유사성의 실제적 관계를 포착하기 위하여"(Farrer 37), 시적인 유추와 시적인 영감을 넘어서는 고유한 탐구의 방식을 가지고 있는 것을 또한 우리는 알고 있다. 문학은 종교의 이 신비의 영역을 인정하며, 종교의 탐구를 통하여 도출된 신학의 정의로부터 영감을 얻을 뿐 아니라, 종교의 교리와 신앙의 언어 속에서 인간의 신비를 이해하는 수단을 찾아낸다. 신성한 것−종교−과 인간적인 것−문학−은 궁극적으로 이렇게 불가해하고 신비스럽게 얽혀있다. 지금 종교에게 중요한 일은 인간의 실존의 고통에 대한 피상적 이해가 아니라 구체적이고 심오한 개인적 실존에 대한 이해이다. 그리고 무엇보다도 수없이 무엇을 결심하면서도 결코 완전히 실천하지 못하는 인간의 연약함에 대한 연민과 이해이다. 이러한 이해의 부족은 20세기 후반에 있어 개인의 존재 속에 신과 인간의 궁극의 문제에 대한 절망적 관심이 깊이 용해되어 보편성을 획득한 작품이 아주 드문 이유이다. 이러한 이해 없이 사랑은 불가능하다. 사랑이 없다면 종교는 도대체 무슨 의미가 있다는 말인가? 신의 거룩한 침묵이나 위대한 신비는 모두 인간에 대한 신의 무한한 사랑과 연결될 때만 그 지고한 의미를 갖는 것이다. 이 연결을 위하여 문학은 종교나 신학이 인간의 고통의 실상을 낱낱이 절실하게 느낄 수 있도록 그것들을 '시장의 거리의 차원'으로 인도하여야 한다. 인간의 고통을 근원적으로 해결해주겠다고 나선 것이 종교라면, 이 고통의 원인을 밝혀보겠다는 것이 문학이다. 문학의 "상상력은 신이 선물의 하나이며 아담과 이브의 때부터 인간 속에 작동하고 있었다"(Sewell 383). 문학은 이 상상력을 통하여 장 꼭토(Jean Cocteau)가 말한 "세속의 신비(le mystére laïc)"(Wilder 1964, 407)를 묘사하여야 한다. 장 꼭토는 현대예술의 주제의 특징에 대하여 언급하면서, '종교적으로 해석된 세속의 경험'의 의미로 이 말을 사용하고 있다. 우리는 와일더의 말처럼 모든 종류의 초월이나 신비가 그 의미를 잃어버린 시대에 살고 있다. 만일 우리가 오늘 날 이 초월이나 신비를 경험하려면 그것은 저 높은 하늘의 차원에서가 아니라 세속의 세계 속에서 그리고 세속의 세계를 통해서여야한다(408). 18세기까지 인간의 영혼을 위하여 안식처를 제공해 주던 거룩한 창공은 이제 사라지고 없는 것이다. 이러한 세계 속에서 시인과 예술가는 이제 더욱 의미 있는 존재가 되었다. 왜냐하면 세속의 세계 속에서 신비를 발견하고 그것을 우리에게 의미 있는 방식으로 묘사할 수 있는 것은 바로 그들이기 때문이다. 신학자는 자유롭게 현대의 삶의 실체 속으로 들어갈 수 없으며, 과거의 성스런 예술(art sacré)과 동일시되던 전통적인 종교예술가도 마찬가지다. 왜냐하면 그들은 종교의 전통적인 이원론적 태도의 질곡과 경직성으로부터 자유롭게 벗어날 수 없기 때문이다. 예술가는 인간에게 태초로부터 주어진 감각들과 애정 그리고 열정을 적절히 다룰 줄 아는 사람이다. 그렇다고 해서 시나 예술이 부도덕하다거나 무도덕하다는 것은 아니다. 그것은 문학과 예술이, 무엇보다도 먼저, 사회적 적절성이나 종교적 적절성을 초월하여 생생한 삶을 다루어야 한다는 것을 의미하는 것이다. 이러한 문학과 예술의 삶에 대한 깊은 통찰을 통해서 종교는 그들이 궁극적으로 구원해야 할 세속의 세계와 인간을 온전히 이해하고 이 이해를 통하여 인간을 사랑할 수 있게 되는 것이다. 그러므로 우리 시대의 커다란 욕구 중의 하나는, 데니스 테일러(Dennis Taylor)교수가 적절히 지적한 것처럼, 문학작품들 속에 나타난 종교적 정신적 차원을 논의할 방법을 찾는 일이다(124). 이것을 위하여 우리는 먼저 문학의 텍스트로 돌아가야 한다. 우리에게 삶에 대한 아무런 해답도 제시하지 못하는 추상적 관념적 이론으로부터, 우리의 실존적 구체적 삶이 아름답게 녹아있는 문학작품 속으로 돌아가야 한다. 20세기 후반의 첨단의 문학이론들은 우리의 세계를 지탱해 줄 어떤 중심가치의 존재를 부정하고 있다. 그러나 인간은 자신과 사회, 국가와 세계의 정신을 지탱시켜 줄 중심가치에 대한 믿음 없이는 살 수 없는 연약한 존재이다. 니체가 말한 '초인(Übermensch)'은 초월에의 격렬한 의지로, '힘에의 의지(will zur macht)'로 추상적으로 존재할 뿐, 우리의 삶 속에 구체적으로 존재하는 인간은 아니다. 우리에겐 각기 다른 삶의 조건 속에서 사는 각기 다른 사람들의 공통된 세계 이해를 위한 보편적이며 궁극적인 가치가 필요하다.

헤겔은 그의 『정신현상학(The Phenomenology of Spirit)』에서 "진리는 온전한 것(The true is the whole)"이라고 말했는데, 철학자로서의 그의 생애를 통해서 그가 굳게 믿었던 이 원리는, 한 쪽에 치우친 것, 전체적이 아닌 것 그래서 온전하지 못한 것은 부분적으로 잘못된 것이라는 것을 분명하게 암시하고 있다(Hegel 8). 신적인 것과 인간적인 것을 이원론적으로 확연히 구분하고 어느 한 쪽에만 의미를 부여하는 것은 온전하지 못하다. 두가지 모두가 필요하다. 문학과 종교는 인간의 궁극의 문제에 대한 공통의 관심을 추구하기 위하여, 인간의 실존의 궁경의 문제에 대한 해답을 얻기 위하여, 서로의 상보적 관계를 깊이 인식하지 않으면 안된다.

⚘ 인용문헌

Brooke, Stopford A. *Theology in the English Poets: Cowper, Coleeridge, Wordsworth and Burns.* 2nd ed. London: H. S. King, 1874.

Brooks, Cleanth. *The Hidden God: Studies in Hemingway, Faulkner, Yeats, Eliot, and Warren.* New Heaven and London: Yale UP, 1963.

Brooks, Cleanth and Warren, Robert Penn. *Understanding Poetry.* Fourth Edition. New York. Chicago. Sanfrancisco. Toronto: Holt, Rinehart and Winston, 1976.

Cecil, David, *The Oxford Book of Christian Verse.* Oxford: Clarendon, 1940.

Daishes, David. *Critical Approaches to Literature.* New York: W. W. Norton & Company Inc., 1956.

Davie, Donald. *The New Oxford Book of Christion Verse.* Oxford: Oxford University Press, 1981.

Eagleton, Terry. *Literary Theory: An Introduction.* Oxford: Basil Blackwell, 1983.

Eliot, T. S. *Selected Essays.* London: Faber and Faber, 1976.

Farrer, Austin Marsden. *Reflective Faith: Essays in Philosophical Theology.* London: S. P. C. K., 1972.

Gunn, Giles B. ed., *Literature and Religion.* New York, Evanston, Sanfrancisco, London: Harper & Row, 1971.

_____. *The Interpretation of Otherness: Literature, Religion and the American Imagination.* New York: Oxford UP, 1979.

Glicksberg, Charles I. *Modern Literature and the Death of God.* The Hague: Martinus Nijhoff, 1966.

Hegel, Georg Wilhelm Friedrich. *The Phenomenology of Spirit.* trans. A. V. Miller. Oxford: Clarendon Press, 1977.

Helsa, David H. "Religion and Literature: the Second Stage", *Journal of the American Academy of Religion.* xlvi/2, 1918.

Jasper, David. *Coleridge as Poet and Religious Thinker: Inspiration and Revelation.* London: Macmillan, 1985.

_____. *The Study of Literature and Religion: An Introduction.* London: Macmillan, 1992.

Jenkins, David. "Literature and Theologician" in John Coulson ed., *Theology and the University: An Ecumenical Investigation.* London: Darton, Longman & Todd, 1964. also Baltimore: Helicon Press, 1964.

Johnson, Samuel. *Lives of the English Poets,* 2 vols. London: Oxford University Press, 1952.

Rorty, Richard. *Consequences of Pragmatism: Essays 1972-1980*. Minneapolis: U. of Minnesota Press, 1982.

Santayana, George. *Interpretations of Poetry and Religion*. New York, Evanston, and London: Harper & Row, 1957.

Sewell, Elizabeth. "The Death of Imagination," Nathan A. Scott, Jr. ed., *The New Orpheus: Essays toward a Christian Poetic*. New York: Sheed and Ward, 1964.

Smith, Henry Nash. "Can American Studies Develop A Method?" *American Quarterly,* IX, Pt. 2 (Summer, 1957).

Sternberg, Meir. *The Poetics of Biblical Narrative: Ideological Literature and the Drama of Reading*. Bloomington: Indiana Universitttty Press, 1985.

Steiner, George. *Language and Silence: Essays on Language, Literature and the Inhuman*. New York: Atheneum, 1967.

Taylor, Dennis. "The Need for a Religious Literary Criticism", *Religion and the Arts: A Journal from Boston College*. Volume 1 Number 1 (Fall, 1996).

Taylor, Mark Kline. *Paul Tillich: Theologian of the Boundaries*. London: Collins, 1987.

Tennyson, G. B. & Ericson, Edward E. Jr., *Religion and Modern Literature: Essays in Theory and Criticism*. Grand Rapids, Michigan: William B. Eerdmans Publishing Co., 1975.

Tillich, Paul. *On Art and Architecture*. Ed. John Dillenberger. New York: Crossroad, 1987.

_____. *Theology of Culture*. New York: Oxford UP, 1959.

_____. *The Protestant Era*. Chicago: The University of Chicago Press, 1957.

_____. *The Courage To Be*. Glasgow: Collins, 1952.

T. S. Eliot. *Selected Essays*, 3rd edn. London: Faber & Faber, 1951.

Wilder, Amos N. *Modern Poetry and the Christian Tradition: A Study in the Relation of Christianity to Culture*. New York: Charles Scribner's Sons, 1952.

_____. "Art and Theological Meaning", Nathan A. Scott, Jr. ed., *The New Orpheus: Essays toward a Christian Poetic*. New York: Sheed and Ward, 1964.

문학과 종교

| 정진홍 |

I.

우리는 '이야기'를 합(說)니다. 또 '이야기'를 듣(읽)습니다. 그래서 우리는 "이야기가 있다"고 말합니다.

그런데 이렇게 말하는 것은 단순히 어떤 사물이 있다고 하는 것과 아주 다릅니다. 그 말은 어쩌면 인간의 현존을 지칭하는 수사이기도 합니다. 생각해보십시다. 아득한 옛날부터, 사람이 있던 그 처음부터, 사람들은 이야기를 하고, 또 이야기를 들으며 살아왔습니다. 그리고 그렇다고 하는 삶의 현실은 지금도 다르지 않습니다. 그렇다면 '이야기 있음'을 증언하는 것은 바로 인간의 현존에 대한 묘사이고 기술(記述)입니다.

물론 이야기라고 하는 것은 어떤 사실을 전해준다는 의미를 갖습니다. 함축이 좀 달라지기는 했습니다만 정보의 전달이라고 흔히 요즘은 말합니다. 그러나 제가 방금 말씀드린 맥락에서 사용하는 '이야기'를 그러한 자리에만 두고 싶지는 않습니다. 그렇게 하고 말기에는 제 생각에 그 '이야기'라고 하는 것이 이른바 전달하거나 전달되는 정보에 비해 너무 크고, 깊고, 높고, 넓기 때문입니

* 『문학과 종교』 제 6권 2호(2001)에 실렸던 논문임.

다.

그렇습니다. 언어문화, 또는 더 구체적으로 발언문화는 당연히 그 핵심이 전달을 위한 것입니다. 따라서 언어는 '유용할 뿐만 아니라 필수적인 매체'로 인식됩니다. 그러므로 이야기도 그렇게 이해할 수 있습니다. 그러나 이야기를 단지 유용한 전달매체로만 여긴다면 그것은 마치 기호(記號)와 같은 것이 되어버려 약속된 소통개념의 전제가 사라지든지 변하든지 하면 아예 언어문화의 범주로부터 탈락해버릴 수도 있습니다. 그런데 저는 지금 그렇지 않은 '이야기'를 이야기하고 싶습니다.

이를테면 인간과 사회, 자연과 우주에 대한 인간의 상상력을 구체화시켜 그 상상의 세계를 전달하는 언어가 있다고 하십시다. 그리고 그것이 짓는 이야기가 있다고 하십시다. 누구나 짐작할 수 있는 대로 그 이야기는 지식이나 정보를 전달하는 유용한 매체와는 다른 독특한 실재성을 지닙니다. 그 이야기 나름의 실재성을 지니고 인류의 언어문화를 구성하는 한 요소로 자리를 잡고 있는 것입니다. 저는 이러한 이야기를 사람들이 일컬어 '문학'이라 해오지 않았나 싶습니다.

참 어설프고 자못 서툰 이해이기는 합니다만 만약 '문학'을 이렇게 본다면 문학이라 일컬어진 '이야기'에 대하여 두 가지 사실을 언급할 수 있을 듯합니다.

앞에서도 잠깐 말씀드린 바 있습니다만 그 하나는 만약 '이야기'가 인류의 언어문화를 구성하는 내용이라면 문학은 인간이 언어를 사용하는 존재인 한 인간에게 '필연적인 사실'이라고 해야 옳을 듯하다는 점입니다. 즉 인간은 '이야기'를 하고(쓰고) 듣는(읽는) 삶을 그 본래적인 숙명으로 살지 않을 수 없다는 사실을 지적하고 싶은 것입니다.

이와 아울러 또 지적할 수 있는 다른 하나는 그러한 '이야기'가 인간의 상상력에 근거한 것인 한 그것은 사실을, 또는 사실에 대한 것을, 전달하는 것이 아니고, 사실을 통해서나 사실을 바탕으로 해서 묘사되지만, 그 사실을 넘어서거나 그 사실과 직접적으로 매개되지 않는 실은 '사실 아닌 사실' 곧 허구의 사실을 전달해주고 있다는 점입니다.

물론 이 때 허구라고 하는 것이 기만적인 것, 곧 의도적인 속임을 의도하는 그러한 것을 뜻하는 것은 아닙니다. 사실이라고 실증할 수 없다 해서 그렇게만 말하는 것도 아닙니다. 실증을 준거로 한다면 오히려 허구라는 사실을 주저 없이 실증할 수 있는 그러한 허구입니다. 그러므로 그것이 허구라고 말하는 것은 다만 사실을 직접적으로 전달하는 것이 아니라는 의미에서 그렇게 진술하는 것입니다. 그러므로 그 때 허구적인 것이란 오히려 사실이 모두 소멸하고도 남는 어떤 잔여(殘餘)로써의 사실, 또는 사실을 넘어서는 사실의 어떤 잉여(剩餘)로써의 사실, 곧 흔히 일컫는 상징화된 사실들이 매개하는 '의미의 세계'를 지칭하는 것이기도 합니다.

따라서 분명한 것은 언어문화를 소통문화라고 하면서 그것의 일차적인 기능이 사실의 전달이라는 것을 승인해야 함에도 불구하고 문학은 같은 언어문화의 구성요소이면서도 그러한 기능과 흐름을 반드시 함께 하지 않는다는 사실입니다. 이러한 것들을 유념하면 자연히 문학을 운위하는 과제는 그 이야기의 허구적 속성을 초점으로 하지 않을 수 없게 됩니다.

그런데 이제까지 언급한 두 가지 사실을 종합하면 문학과 관련하여 다음과 같은 하나의 물음을 '추출'해낼 수 있습니다. 아니면 그러한 물음과 '직면'한다고 해도 좋을 듯합니다. 즉 문학이 허구의 필연성을 구현한 문화적 실재라면 그것의 존재의미는 과연 어떤 것인가 하는 물음이 그것입니다. '이야기(글)로 현존하는 허구의 존재론'에 대한 물음이라고 해도 좋습니다.

이제까지의 문학비평사도 실은 이러한 물음을 가지고 씨름을 한 역사라고 해도 괜찮을 것 같습니다. 전형적인 하나의 예를 든다면 사회 기능론적 입장에서 이루어진 문학에 대한 이해는 문학이 당대의 사회적 정황에서 어떤 역할을 했으며 할 수 있는가를 사회-역사적 맥락과 인간의 의식의 흐름 안에서 파악하고자 하는 많은 노력을 기울인 뚜렷한 흔적입니다. 그러나 이 같은 논의는 대체로 문학이 '어떻게 있어야 하나?' 하는 당위성에 근거한 논지의 전개일 경우가 많았습니다. 문학이 인간의 삶 안에서 불가피하다고 하는 이른바 '문학의 필연성'에 근거한 논의는 뜻밖에 드뭅니다.

따라서 제가 지닌 직접적인 관심은 현존하는 문학이 어떻게 있어야 하는가 하는 규범적 당위를 살피려는 것이 아니라 인간이 왜 이야기를 하고(쓰고) 또 듣는가(읽는가) 하는 것을 존재론적 필연이라는 입장에서 살펴보고자 하는 것입니다. 인간의 문화 안에 있는, 그리고 그렇기 때문에, 현대문화 안에 있는, 문학의 현존을 새삼 비판적으로 수용하면서 그 문학현상과 종교현상과의 만남을 조명해보고 싶은 것입니다.

II.

문화를 서술하기 위해 마련된 모든 개념들이 그렇듯이 '문학'도 삶의 총체를 인식론적 범주로 구조화했을 때 비로소 서술가능해지는 이를테면 문화담론으로써의 실재개념입니다. 그러므로 문학이라는 용어를 어떻게 실제로 사용하고 있는가 하는 용례(用例)에서 보면 이미 그것이 보편적인 이야기 일반을 지칭하는 개념은 아니라는 사실을 확인하게 됩니다. 문학이라고 할 때 그것은 뭇사람들의 일상적인 이야기일 수 없음이 분명한 것입니다.

경계의 소멸이나 범주의 중첩을 이야기하는 오늘의 새로운 정황에서 보면 문학을 '별개'의 범주에 넣어 무언지 '다름'으로 치장하려 하는 듯한 이러한 이해에 대한 신랄한 비판이 일 것이라는 것을 예상하기는 어렵지 않습니다. 하지만 그렇다 할지라도 여전히 오늘날에도 문학은 문학자들이 쓸 수 있는 특정한 사람들의 소업(所業)으로 실재하게 되는 것이지 모든 사람들의 일상이 빚는 소박한 현실은 아닙니다. 이것은 부정할 수 없는 엄연한 사실입니다. 시는 시인이 쓸 수 있고, 소설은 소설가가 쓸 수 있으며, 아무리 장르의 파괴를 이야기한다 하더라도 모든 장르의 문학이 제각기 전문가를 지니고 있을 뿐만 아니라 파괴된 장르의 이야기를 하는(쓰는) 것도 그 나름의 문학하는 사람입니다. 일정한 수업(修業)을 거쳐 일정한 수준에 오르지 않으면 그 문학도 그 문학가도 그 존재의미를 부여받지 못합니다. 이러한 현상을 '기존(旣存)'이나 '기성(旣成)'의 횡포로 읽기도 합니다만 그것은 너무 좁은 지평에서 발언되고 있는지도 모릅니다.

문학은 이렇게 있습니다. 거듭 말씀드립니다만 모든 이야기가 문학은 아닙니다. 문학은 의도적으로 '생산'된 이야기라고 해야 더 정확할 수도 있습니다. 따라서 그 이야기는, 비록 일상적인 경험의 차원으로부터 비롯한 것이라 할지라도, 그것을 넘어서거나 여과하는 과정을 거처 '다른 차원'에 이른 것이며, 그렇게 되는 것은 그렇게 하도록 한 특정인이 이른바 삶의 보편적인 진실을 위하여 스스로 그렇게 '하지 않으면 안 되는' 어떤 당위적인 요청의 충동 때문에 이루어진 것이라고 할 수 있습니다. 결과를 가지고 하는 말이 되겠습니다만 그 어떤 사람이 문학가가 되고, 문학작품을 이야기 하든가 쓰든가 하여 비로소 우리는 문학을 하나의 실재로 받아드리게 된 것이라고 할 수 있습니다. 그러므로 모든 이야기가 문학이 아님은 분명합니다. 문학은 '만들어진 이야기'입니다.

'생산된 사물'로 현존하는 문학을 이렇게 이해하는 것은 결코 무리가 아닙니다. 그러나 조금 더 그 사정을 살피는 일이 필요합니다. 바로 그러한 이야기를 꾸며내도록 한 것은 무엇일까 하는 것을 생각하지 않으면 안 됩니다. 그리고 그것은 바로 인간이 지닌 상상력이라고 주장하고 싶습니다. 이러한 사실은 많은 사람들이 이미 이러저러한 방법으로 충분히 논의한 것이기도 합니다만 저는 그러한 논의에 공감한다는 것을 전제하면서 다시 그렇다고 하는 것을 강조하고 싶습니다.

사람들은 살아가면서 무수한 사실과 만납니다. 그러면서 그 어떤 사실을 여과하든가 그 잉여를 확인하곤 합니다. 인간이면 누구나 할 수 있는 일입니다. '할 수 있는 일'이라고 하기보다 실은 '그렇게 하며 살아간다'고 말해야 더 정확합니다. 어느 순간에나 어느 자리에서나 인간은 사실 자체를 만나 '사실적'으로 살아가는 것은 아닙니다. 그렇게 살아가도록 하는 것이 다름 아닌 인간의 상상력입니다. 그러므로 인간의 상상력은 결코 어느 특정한 사람들의 전유물이 아닙니다. 거듭 말하지만 사실의 세계에서 그 세계를 뚫고, 혹은 넘어서, 사실을 의미의 실체이게 하고, 그렇게 다른 실체이게 된 상징을 통하여 사실이 드러내 주는 의미의 세계를 지향할 수 있는 것은 인간 누구나 지니는 상상력의 기능입니다. 그러므로 비록 문학이라고 범주화할 수 있는 어떤 문화적 표상이 따로 있는 것은 틀림없다 할지라도 인간이면 그가 언어를 구사할 수 있는 한, 그리고 그가 상상의 날개로 사실의 벽을 꿰뚫을 수 있는 한, 누구나 문학하는 사람일 수 있습니다. 다른 시각에서 말한다면 인간의 그 같은 가능성이 보편적인 것으로 전제되어 있기 때문에 이른바 문학이라든가 문학자도 비로소 현존할 수 있는 것입니다.

그렇다면 그러한 구체적인 문학의 현존에 대한 관심을 가지기 이전에 우선 인간의 상상력에 대하여 생각해 보는 것이 바른 태도일 듯합니다.

여러 가지 생각을 할 수 있을 것입니다. 그런데 저는 상상력이 두 가지 기능을 인간의 삶 속에서 수행하고 있는 것은 아닐까하는 생각을 하곤 합니다. 그것은 자유와 가능성입니다. 실존주의 철학의 주장을 빌리지 않더라도 인간이 한계상황 속에서 존재한다는 것은 분명합니다. 인식의 차원에서 무지의 한계를 느끼고, 고통의 차원에서 감내(堪耐) 능력의 한계를 느끼며, 도덕적 차원에서 선택과 실천의 한계를 느낍니다. 그리고 마침내 인간은 죽음을 향한 존재라는 데 이르러 극한의 상황에 직면합니다. 이것이 사람살이입니다. 삶의 현실이 그러합니다.

이것은 막히고 닫힌 상황입니다. 자연히 사람은 질식하고 절망할 수밖에 없습니다. 삶의 의미를 찾거나 누린다는 것은 비현실적이고 불가능합니다. '체념의 미학'이라는 극히 상투적인 언어는 이 상황을 수용할 수밖에 없는 자신에 대한 냉소일 뿐입니다.

그러나 이렇게 닫히고 폐쇄된 영역에서 좌절하고 질식하는 한, 인간은 의미를 발견하는 일이나 절망을 치유하는 일을 할 수 없습니다. 그렇지만 다행히 인간에게는 상상력이 있습니다. 그것은 이성이나 감성이나 의지와 더불어 인간이 지닌 '마음의 결' 중의 하나라고 해도 좋을 듯합니다. 그 마음결은 사실이 현존하는 시간과 공간에 의해 갇히지 않습니다. 사실의 존재조건들과 아무런 상관 없이 그 사실이 빚는 막힘과 닫힘을 넘어섭니다. 그러므로 상상력은 그러한 '넘어섬의 능력'입니다. 그렇기 때문에 달리 말하면 상상은 그러한 한계를 넘어서는 자유이기도 합니다.

좀 더 부연한다면 상상력이 인지하는 내용은 다른 것이 아닙니다. 우리가 경험하는 실제의 세계를 설명하는 논리가, 이를테면 인과의 법칙이, 인간의 삶을 설명하는 결코 자명하거나 자족적(自足的)인 것이 아니라는 사실을 상상력은 짐작합니다. 삶에 대하여 얼마든지 다른 설명이 가능하며, 따라서 이를테면 다른 설명 법칙이 있을 수 있다는 것을 드러내주는 것입니다. 결국 상상력은 어떤 형태로든지 인간이 경험세계에 유폐되지 않도록 하는 힘을 가진 것입니다. 그 힘으로 경험세계의 닫힌 정황을 뚫고, 그것이 지닌 이른바 법칙의 족쇄를 풀어버리면서, 도저히 기대할 수 없었던 자유를 획득합니다. 그 자유 속에서 그 나름의 하나의 우주를, 또는 사실로부터 비롯하는 그러나 그 사실에 갇혀 있지 않은, 새로운 하나의 우주를 빚어내는 것입니다.

그러므로 상상력은 그것 자체로 '이미' 자유입니다. 상상력을 제어할 어떤 조건도 이 세상에는 없습니다. 물론 우리는 상상력도 문화적인 낙인이 찍혀진 것이라는 문화결정론자들의 주장을 간과할 수 없습니다. 그러나 그러한 요인이 어떻게 상상력을 채색하고 어떤 꼴을 부여한다 할지라도 그것은 '지금 여기'에서 한계상황을 초극하는 것임에는 아무런 다름이 없습니다. 그럴 수 있는 한, 그것을 '자유' 이외에 다른 어떤 것이라고 이름 지어야 할지 알 수 없습니다. 그렇다면 상상력이 구체화된 이야기, 상상력이 빚는 이른바 문학은 '자유의 현실화'라고 일컬을 수 있습니다.

그런데 자유란 또 다른 경험에서 살핀다면 '가능성'의 다른 이름이기도 합니다. 사실상 우리가 일컫는 자유란 구체적인 내용을 담은 것이 아닙니다. 자유로운 삶의 실체란 이러저러한 것이라는 서술과 만난다면 이미 그것은 자유가 아닙니다. 자유는 삶의 구체성은 아닙니다. 그것은 다만 내가 소망하고 기대하는 어떤 현실이 이루어지도록 하는 온갖 꿈과 현실을 만끽할 수 있는 나 자신을 확인하는 일, 그리고 그렇게 할 수 있는 자리를 지금 여기에서 확보하는 일입니다. 그러므로 자유는 현실성이 아니고 가능성입니다. 그런데 그러한 가능성을 확보하지 못하면 삶은 현실성을 가지지 못합니다. 삶의 현실성을 위해 가능성은 그 전제입니다. 그렇다면 다시 우리가 직면하는 문제는 자유를 획득하여 그것을 가능성으로 수용함으로써 삶을 현실화할 수 있다는 그러한 태도, 그리고 그렇다고 하는 사실에 대한 인식이 과연 어떻게 이루어질 수 있는가 하는 것입니다.

서술의 논리가 조금도 앞으로 나아가지 못하고 순환하는 것 같습니다. 하지만 이러한 물음을 물을 수밖에 없는 것은, 앞에서 다르게 표현한 사실입니다만, 자유는 흔히 그것 자체로 존재의미를 가지면서도 다만 추상적인 개념으로만 실재하기 때문입니다. 그러나 바로 이러한 물음의 계기에서 우리는 인간의 상상력이 상상력으로만 있는 것이 아니라 구체적인 표상이 되어 삶 안에서 어떤 것으로 실재하게 된다는 사실을 주목하게 됩니다. 가능성이 가능성으로 확인되는 것은 그것이 현실성을 지니게 되는 계기에서 이루어집니다. 자유가 자유인 것은 자유가 자유 이전에는 없던 어떤 구체적인 실체로 등장하는 계기에서 확인됩니다. 마찬가지로 문학이 자유의 실현이라는 사실은 문학과 만나는 계기에서 동터오는 새로운 터득입니다.

그러므로 상상력은, 역으로 말한다면, 그리고 언어문화의 맥락에서 말한다면, 문학이라는 표상으로 현실화하여 정착하지 않으면 아니 될 필연을 내장하고 있는 것이라고 짐작할 수 있습니다. 인간의 상상력은 그것 자체가 자유이고 가능성이지만 그것이 구체적인 실재로 구현되어 정착하지 않는 한, 그것은 공허한 관념에서 끝날 수밖에 없는 것입니다. 따라서 하나의 문화현상으로 구현되지 않는 상상이란 환상에 불과합니다. 문학은 바로 이러한 시각에서, 또는 의미에서, 상상이 구체화한 하나의 문화현상이라고 할 수 있습니다. 좀 더 무모하게 말한다면 상상의 직접적인 구체적 산물이 곧 문학인 것입니다.

이렇게 생각해보면 인간은 왜 이야기하지(쓰지) 않으면 아니 되는가 하는 까닭을 아주 일반화해서 묘사해볼 수 있을 듯합니다. 그것은 '인간이 자유롭기 위해서, 그리고 가능성의 지평을 확보하기 위해서'라고 말할 수 있습니다. 그렇다면 엄밀하게 말해서 문학이란 인간 누구나 지닌 소업(所業)의 한 양태일 수밖에 없습니다. 인간은 누구나 자유롭고 싶고, 가능성 안에서 살고 싶기 때문입니다. 또한 이를 달리 표현한다면 인간은 이야기를 하면서(쓰면서) 비로소 그 자유와 가능성을 실현하는 하나의 삶의 양태를 본연적으로 내장하고 있는 존재라고 할 수도 있습니다. 시인이 시를 쓰고, 소설가가 소설을 쓰는 것은 그가 그 시와 소설을 통하여 자기 경험의 세계를 넘어서는 새로운 질서의 세계를 창조할 수 있기 때문입니다. 자유나 가능성을 구현할 수 있기 때문인 것입니다. 그리고 그러한 작업은 일상인의 담화, 일기, 편지, 낙서 속에서도 문학의 가능태(可能態) 또는 '소박한 문학'의 모습으로 나타납니다. 중요한 것은 인간은 이야기하면서(쓰면서) 자신의 삶을 넘어서는 자신이 되는, 그래서 자신을 어쩌면 '구제(救濟)한다'고 해도 좋을, 자유를 확보할 수 있다는 사실입니다. 그래서 생긴 것이 문학이라는 문화적 표상이라고 저는 주장하고 싶습니다.

III.

앞에서 저는 인간이 이야기를 하는(쓰는) 까닭을 자유와 가능성에의 추구라고 규정한 바 있습니다. 그렇다면 인간이 왜 이야기를 듣는(읽는)가 하는 것은 자명합니다. 그것도 마찬가지로 자유와 가능성을 추구하는 것과 다르지 않습니다. 물론 형식적으로는 다릅니다. 자신이 추구하고 만난 것이라고 말하기에는 적절하지 않을 만큼 이미 다른 사람들에 의하여 추구된 자유와 가능성을 만난다고 해야 옳을 것이기 때문입니다. 그런데 그러한 차이가 있을 뿐이지 그 구조를 들여다보면 아무런 다름이 없습니다.

하지만 다름이 없다는 것을 강조하는 것은 자칫 사태를 제대로 알지 못하게 할 수 있습니다. 그 차이는 매우 중요한 의미를 갖기 때문입니다. 왜냐하면 읽는(듣는) 사람에게는 자유란 '새로운 필연'이고, 가능성이란 또 '다른 의미에서의 현실성'이기 때문입니다. 물론 이 때 어떤 이야기를 듣느냐, 어떤 글을 읽느냐 하는 문제가 자연히 제기될 수 있습니다. 그래서 문학다운 문학이라든지 그렇지 못한 문학을 흔히 일컫기도 합니다. 그러나 그 이전에 '이야기 있음'이라든지 '문학 있음'을 우선 전제한다면 주어진 이야기나 문학을 읽고 듣는 일은 그것 자체로 읽는 이나 듣는 이로 하여금 새로운 필연과 새로운 현실성에 접하게 하기 때문에 그 읽는 이(듣는 이)의 삶이 그 읽음(들음) 이전과 같을 수가 없습니다. 이것은 대단히 중요한 문제를 낳습니다. '사람이 달라지는 일' 또는 '존재양태의 변화'를 지칭하는 것이기 때문입니다. 문학과 만나 사람이 달라진다는 것은 새로운 주장이 아닙니다. 일찍부터 바로 이러한 이유 때문에 문학에 관한 도덕적 견해를 가진 비평가들은 바로 이러한 자리에서 문학의 도덕적 기능이나 문학자의 윤리를 운위해 왔었습니다.

이러한 진술은 자칫 읽는 이(듣는 이)들을 타율적인 존재로 전제하는 듯한 인상을 줄 수 있습니다. 더구나 문학이라는 하나의 현실을 빚어낸 동기가 자유나 가능성의 추구이고, 그 결과가 또한 그렇다 할지라도, 그것이 구체적인 실재

로 주어지는 한, 그것은 필연적인 또 다른 닫힌 현실로 읽는(듣는) 이에게 과해
질 수 있으리라 짐작되기 때문입니다.

하지만 그렇지 않습니다. 주목해야 할 것은 인간은 그가 말하는(쓰는) 자리
에 있든지 듣는(읽는) 자리에 있든지 상관없이 모두가 상상력의 소유자라는 사
실입니다. 인간은 그렇게 자기에게 주어진 문학현상 앞에서 여전히 상상력을
발휘하여 그 '문학적 현실'을 읽는 이(듣는 이) 자신의 자유와 가능성의 자리로
바꾸어버릴 수 있는 존재입니다.

그러므로 문학을 접하면서 이루어지는 이러한 상상력의 역동성을 앞에서
'왜 이야기하는(쓰는)가'와 연결시켜 살펴본 상상력의 두 가지 기능과 맞대어
'이야기를 듣는(읽는)' 두 가지 상상력의 기능을 다듬어 보고자 합니다. 그것을
저는 '해답과 인식의 기능'이라고 말하고 싶습니다. 인간의 상상력이 마련한 자
유, 곧 문학과 만나면서 듣는(읽는)이는 자신의 상상을 통하여 그 자유를 지금
여기에서 자기에게 가장 적절한 해답으로 삼아 받아드리고, 또 그처럼 확보된
가능성도 자신의 상상력을 통하여 세상과 삶을 아는 인식의 내용으로 재구성한
다고 여겨지기 때문입니다.

한국의 시를 예로 들었으면 좋겠는데 수많은 비평 앞에서 제가 든 특정한
시가 적절성을 확보할 수 있을까 하는데 대해 자신이 없습니다. 그래서 워드워
즈(W. Wordsworth)의 시중에서 누구에게나 아주 익숙한 'My Heart Leaps Up
When I Behold'를 마음속으로 한 번 음송해보면 좋겠습니다.* 더 쉽게 'The
Child is father of the Man'이라고 읊은 구절을 생각해보십시다. 그것은 한 인간
이 그의 상상을 통하여 자신의 경험의 세계가 인습적으로 지녀온 인과의 법칙
을 깨트리면서 새로운 질서의 세계, 곧 자유에의 희구를 실현하고, 이와 더불어
지금 자기가 속해 있는 닫힌 현실로부터 미지의 열린 현실에 이르는 출구를 모
색하는 어쩌면 몸부림이라고 해도 좋을, 곧 가능성을 추구하는 몸부림을 생생
하게 보여줍니다.

이 시는 무지개를 본 경탄의 경험으로부터 시작합니다. 그 두근거림이 옛날
어렸을 때 그랬었는데 지금 어른이 되어서도 그러하고, 앞으로도 그러리라고
시인은 다짐합니다. 그렇지 못하면 죽어버리는 것이 낳을 거라는 생각을 아예

'죽어지이다!'라고 읊습니다. 바로 그 뒤에 갑자기 시인은 '아이는 어른의 아버지'라고 외칩니다. 그러면서 자기의 생이 비로소 날마다 자연의 경건함과 맺어지길 바랄 수 있기를 말합니다. 어렸을 때, 그 처음의 경탄이 갖는 신비를 두근거렸던 자연과의 합일을 망각한 인간이 다시 문득 무지개를 보면서 그 처음 기억을 되살리며, 그 기억 속에 인간의 원초적인 진정한 모습이 담겨있음을 확인하는 시인의 읊음은 그대로 존재양태의 변화를 담담하게 그려줍니다. 소박하게 말한다면 자연의 아름다움을 통해 시는 아버지와 아들, 아니면 자기 안에 있는 '처음 사람'과 '지금 사람'의 갈등, 꿈과 현실, 순수와 오염, 기억이 초래하는 신비스러운 재생의 일상을 새로운 지평에서 펼칩니다.

그것은 분명히 읽는 이(듣는 이)의 경험이 아닙니다. 그것은 그렇게 말한(쓴) 사람의 경험에서 비롯한 상상력의 산물입니다. 그런데 그 시가 있어 어떤 사람이 그것을 읽(듣)습니다. 그 때 그 사람은 그 시를 낳은 상상력과 만나지 않습니다. 우선 부딪히는 것은 그 상상력이 낳은 일정한 내용을 가진 문자화된 '시'입니다. 즉 문학적 사실과 조우하는 것입니다. 그런데 그것이 단순한 조우로 끝나고 만다면 '어린이는 어른의 아버지'라고 하는 구절은 '어린이가 어른을 낳았다'라는 불가해한 선언과 조금도 다름이 없게 됩니다. 결국 시는 '알아들을 수 없는 말'에 지나지 않게 됩니다.

그러나 그 시를 읽는(듣는) 이도 상상력을 가지고 있습니다. 자유와 가능성을 지향하는 존재입니다. 시의 실재는 상상력을 충동하는 것이지 사물에 대한 인식을 펼치는 것은 아닙니다. 자연히 읽는(듣는) 이는 시가 자극한 자신의 상상력을 좇아 시가 읊은 내용을 자신의 새로운 실재로 빚어 나아갑니다. 따라서 그는 비록 자기로부터 말미암지는 않았다 할지라도 그렇게 다른 사람에 의하여 마련된 '어린이는 어른의 아버지'라고 하는 언표 속에서 오히려 자기 존재양태의 변화를 체감합니다. 스스로 망각했던 어떤 것, 스스로 간절하게 염원했던 불분명하지만 실재하리라고 기대한 어떤 것의 엷은 투영, 자신의 물음이 메아리치는 어떤 여운을 확인합니다. 그것은 어쩌면 갑작스러운 자유일는지도 모릅니다. 그리고 그렇다고 하는 것을 인식하는 것이 이제까지 그에게 없던 새로운 가능성일는지도 모릅니다.

그렇다면 이제 사람들이 왜 이야기를 듣는(읽는)가 하는 물음에 대답할 수 있을 듯 합니다. 그것은 다른 것이 아닙니다. 인간은 이야기를 들으(읽으)면서 자신의 문제를 더 뚜렷하고 투명하게 하고, 그 문제를 해결하는 해답을 희미하지만 분명히 확보한다는 사실이 그것입니다. 적어도 자기 존재양태의 어떤 지향을 다짐하게 되는 것입니다. 인간이 가진 그러한 요청에 의해서 생겨진 것이 문학이라고 해도 좋을 듯합니다. 그러므로 문학은 문학가의 행위가 낳는 것이 아닙니다. 문학은 불가피한 필연으로 현존하는 것입니다. 그 필연 속에 문학이, 그리고 문학하는 이가 있을 뿐입니다.

IV.

저는 앞에서 문학이 허구의 필연성을 구현한 문화적 실재라면 그것의 존재의미는 과연 무엇인가 하고 물은 바 있습니다.

이 물음을 방금 서술한 맥락에서 다시 묻는다면 그것은 인간의 상상력이 빚는 언어문화인 문학이라는 실재는 인간의 실존적 물음에 대해 어떤 것으로 기능하는가 하는 물음이 됩니다. 당연히 앞서 진술한 자유와 가능성, 그리고 그에 상응하는 해답과 인식을 다시 중요한 개념으로 떠올리지 않을 수 없습니다. 하지만 그렇게 새로 다듬은 물음에 상응하는 답변을 유도하기 위하여 이번에는 문학과 관련된 행위주체로써의 인간을 초점으로 하지 말고 문학이라는 문화적 표상을 초점으로 하여 그 자리에서 이 문제를 서술해 보았으면 좋겠습니다.

물론 넓은 의미에서의 문화는 다양한 상징체계를 포함하고 있습니다. 그래서 예술만 하더라도 다시 그 다양한 기능적 표상이 사뭇 현란하게 분화하고 있을 뿐만 아니라 그 정도(程度)가 제각기 더 심화되거나 확장될 수 있습니다. 따라서 문학만을 초점으로 하여 언어문화 일반을 언급한다는 것은 적절하지 못할지도 모릅니다. 그러나 그렇다고 해서 삶에 대한 언급이 일일이 문화적 다양성에 상응하도록 다르게 서술되어야만 하는 것은 아닙니다. 그렇다면 문학을 초점으로 하는 일이 그리 부적절한 접근은 아니라고 생각합니다. 중요한 것은 그것을 초점으로 할 수 있느냐 여부가 아니라 그것을 초점으로 했을 때 우리가 얼마나 삶에 대한 진실을 발언할 수 있을까 하는 것이라고 생각합니다. 우선 그럴 수 있으리라는 것을 상정하면서 우리의 논의를 문학에만 한정하도록 하겠습니다.

위에서 언급한 내용을 근거로 한다면 인류의 문화 안에, 또는 사회 속에, 있는 문학은 우선 인간들에게 '자유와 가능성에의 초대'로 존재한다고 말할 수 있습니다. 앞에서 여러 번 되풀이한 동일한 언급을 또 뒤바꾸어하는 이야기이기 때문에 지루한 동어반복의 느낌을 드리게 됩니다만 조금 더 이러한 투로 제 이야기를 계속하고 싶습니다.

구체적으로 묘사한다면 인간이 한계상황 속에서 자유에의 희구만을 숨 쉬며 겨우 지탱하고 있을 때, 문학은 자기의 품속에 뛰어들어 그 희구하던 자유를 현실화하라고 사람들에게 요청하는 그러한 실재입니다. 그것은 실은 예상할 수 없었던 '초대'라고 해도 좋습니다. 문학과의 처음 만남은 언제나 그러한 '뜻밖의 초대'입니다. 우리는 누구나 그러한 경험을 가지고 있습니다.

그런데 그 초대는 자기의 부름을 받아드리는 경험이 자유의 실현일 뿐만 아니라 그렇게 함으로써 비로소 인간의 삶은 새로운 가능성의 전개를 살 수 있으리라는 것마저 포함하는 초대라는 사실을 강조합니다. 그러므로 문학을 하는 사람들, 곧 한 줄의 시를 쓰고, 한 편의 이야기를 빚어내며, 커다란 흐름의 긴 이야기를 들려주는 사람들은 바로 자유와 가능성에의 이러한 초대를 구체적으로 수락한 사람들이라고 할 수 있습니다. 그러나 초대를 받은 것은 비단 문학하는 사람들만이 아닙니다. 누구나 이러한 초대를 받고 있습니다. 인간은 상상력을 지닌 존재이기 때문입니다. 그러므로 문학은 그 현실성을 보편적으로 지닙니다.

또한 문학은 자신을 통하여, 더 직접적으로 말한다면 온갖 작품을 통하여, 인간에게 사물에 대한 새로운 인식을 획득하라는 초대이기도 합니다. 이 때 인식이란 지성적인 추론의 결과를 지칭하는 것이기 보다 '앎'이라든지 '깨달음'이라고 묘사할 수 있는 그러한 것입니다. 아무튼 문학이 자기의 초대에 응한 사람들에게 제공하는 인식이란 결코 과학적 정보는 아닙니다. 당연히 그것은 어떤 사실에 대한 설명일 수 없습니다. 그렇다고 해서 정리된 규범을 제시하거나 요청하는 것도 아닙니다. 직접적으로 행위를 지시하는 해답의 지침서이지도 않습니다. 그러나 문학은 스스로 언제나 해답이며 인식이라고 주장하는 자리에서 자신, 또는 자신의 소산, 곧 시와 희곡과 소설과 수필이 읽혀질 것을 기다리고 있습니다. 그것이 문학이 담고 있는 초대의 내용입니다. 그리고 인간은 즐겨 그 초대에 응합니다. 그가 지닌 상상력에 바탕을 두고 그러한 해답과 인식에 이를 수 있는 능력을 지니고 있기 때문인데, 인간은 자신이 그러한 존재라는 것을 잘 알고 있습니다.

그런데 문학은 자신의 초대를 받아드리면 실망하지 않을 것이라고 늘 주장합니다. 그렇게 할 수 있는 까닭은 자신이 '진실'이기 때문이라고 말합니다. 사람들도 그렇게 반응합니다. 문학이 실증되는 사실이기 때문에 진실이라고 하는 것이 아니라 그것에 몰입하는 일이나 그것을 수용하는 일이 쓰는(이야기 하는) 이에게나 읽는(듣는)이에게 삶의 새로운 지평을 확장해준다는 맥락에서 그렇게 묘사하는 것입니다. 다시 말하면 사실의 발견이라는 의미에서 주장되는 진실이 아니라 사실의 의미를 창조한다고 하는 의미에서의 진실입니다.

그렇다면 다음과 같은 사실을 이제는 더 쉽게 정리할 수 있습니다. 비록 그 경계가 더욱 모호해지고 있기는 하지만, 문학이라는 하나의 실재가 인간의 삶 속에 여러 문화적 표상중의 하나로 현존하고 있다는 것은 인간이 아직은 자유로운 세계에, 아직은 새로운 가능성의 세계에, 자신이 이를 수 있다는 것을 뜻하는 것이며, 동시에 인간이 스스로 모색하는 '문제에 대한 해답과 인식'을 차단당하지 않고 있다는 사실에 대한 실증이기도 합니다. 문학이 실재한다하는 것은, 또 그것이 실재하는 한, 다시 말해서 글을 쓰고 읽는 삶의 양태가 지속하는 한, 인간은 아직은 자유로울 수 있고 해답을 지닐 수 있는 존재임을 뜻하는 것입니다. 그러므로 문학이 실재한다는 것은 인간의 존재양태의 변화 가능성, 달리 표현한다면 구제 가능성이나 구원의 가능성이 아직은 삶 속에 상존(常存)한다고 하는 하나의 증언이기도 합니다.

V.

그렇다면 문학은 그것 자체로 'soteriology'입니다. 영어로 이렇게 표현하는 것을 살펴주시기 바랍니다. 그 용어는 '구원론'이라고 번역할 수 있는 것인데,

실은 기존의 전통적인 용어인 '종교'에 대한 '다른' 호칭이기도 합니다 '종교'라는 말이 이미 충분히 낡아 오늘의 문화가 직면하는 물음의 맥락에서 적합성을 잃은 함축만을 지닌 개념으로 기능한다는 판단에서 그것을 기피하며 등장한 용어입니다. 아무튼 어떤 용어를 사용하든 제가 주장하고 싶은 것은 분명합니다. 문학은 그 처음부터 이제까지 실은 '종교'입니다. 적어도 '종교적'입니다. 아니면 방금 말씀 드렸듯이 'soteriology'입니다.

문학의 실재를 하나의 종교적 실재로 환원하는 주장이라고 판단하면서 제 주장에 심각한 반론이 제기되리라는 것은 충분히 예상됩니다. 그러나 중요한 것은 그러한 반론이 제기되기에 앞서 우리는 우리가 일컫는 종교나 문학의 개념정의가 실은 매우 작위적인 것이라는 것을 유념할 필요가 있습니다. 종교라든지 문학이라는 개념이 지칭하는 실재는 그것이 본래적으로 그러한 것이 아니라 하나의 분류개념, 또는 서술범주의 편의에 따른 소산(所産)이라는 것을 고려하면 더욱 그러합니다.

프라이(N. Frye)는 문학을 '세속적인 경전(The Secular Scripture)'이라고 한 바 있습니다. 이러한 표현은 단순한 교차범주적 서술이 아닙니다., 그는 현대 문화 속에서 분명히 문학은 인간을 구원하는 가능성의 자리를 차지하고 있다고 보았고, 이를 그렇게 표현하고 있는 것입니다. 이야기를 하는(쓰는) 자리에서나 듣는(읽는) 자리에서나 모두 그러합니다. 그렇지 않다면 문학함에의 봉헌이나 문학에의 갈증을 설명하기 쉽지 않습니다. 글을 써 자유로울 수 있고, 글을 읽어 뚫림을 경험할 수 있는 한, 인간에게는 아직 희망이 있음을 실감합니다. 바로 여기에 문학의 '종교적 실재성'이 있습니다. 그것이 문학의 존재의미라고 해도 좋을 듯합니다. 이를 우리는 '문학은 종교적이어야 한다'는 당위적 요청으로 다듬을 수 있습니다. 그렇다면 아예 '문학은 종교'라는 발언을 할 수도 있으리라 여겨집니다.

물론 이러한 발언은 정당하지 않습니다. 우리의 서술범주를 혼란하게 하는 일일 뿐만 아니라 종교나 문학이라는 현존하는 일상적인 언어의 용례에 어긋나기 때문입니다. 뿐만 아니라 당장 범주론적 과오라고 지적된다 해도 할 말은 없습니다. 신앙과 상상력의 다름을 간과하고 싶지도 않습니다. 기존의 전통적인 자리에서 보면 그 다름이 명료화되어야 비로소 '종교와 문학'이라는 논의가 가능해진다는 사실을 주목하면 더욱 그러합니다. 하지만 만약 문학이 '종교적'이라고 일컬어지는 자리에서 다시 신앙과 상상력을 되살핀다면 신앙은 상상력과 더불어 있는, 또는 그것과 겹치는, 마음의 결이지 그 결들 밖에 있는 동떨어진 것은 아닙니다. 신앙이라 지칭되는 경험의 다양하고 현란한 문화적 표상은 결코 신앙이 상상의 맥락에서 자유로울 수 없음을 보여줍니다. 그렇다면 종교를 프라이의 앞의 말을 좇아 '거룩한 문학(The Sacred Literature)'이라고 하면 어떨지 모르겠습니다.

오늘 우리가 살아가는 지금 여기의 정황을 조금만 진지하게 들여다보면 '종교와 문학'에 대한 이러한 이해가 어떤 사태를 빚을 수 있을 것인가 하는 것이 분명하게 드러납니다. 이를테면 '예수 믿고 천당에 간다'는 발언은 기독교인의 언어일 뿐입니다. 그것은 기독교인이 아닌 경우 전혀 소통 가능한 언어가 아닙니다. 그러한 발언 자체가 보편성을 가지는 것이라는 전제는 '고갈된 상상력만'이 발휘할 수 있는 건강하지 못한 의식입니다. 그럼에도 불구하고 '예수만 믿어야 천당에 간다'로 그 표현이 강화되면 그것이 함축하는 결과가 어떤 귀결에 도달하는지 아무도 모르지 않습니다. 이에서 비롯하는 사태란 '사랑이라는 이름의 증오' 뿐입니다. 그러나 만약 종교를 '거룩한 문학'이라고 할 수 있다면 잃는 것은 독선이지만 얻는 것은 정직한 고뇌입니다. 상상력이 살아 숨쉬기 때문입니다. 그리고 그것이 낳는 자유나 가능성, 그리고 그것에 대한 인식이 낳는 새로운 삶의 지평은, 이른바 형해화된 신앙에 숨을 불어넣을 수 있을지 모릅니다. 그러므로 문학이 종교라는 주장은 역설적이게도 종교를 종교답게 할 수 있는 마지막 '가능성'이기도 합니다.

그렇다면 문학은 상상력을 지닌 모든 인간의 인간다움의 표현이고 인간답기 위한 구제에의 가능성이라고 말해도 될 것 같습니다. 그러므로 글을 쓰는 것은 누구나 하는 일입니다. 글을 읽는 일도 다르지 않습니다. 그것은 누구나 인간이면 해야 하는 일입니다. 해야 마땅한 일이 아닙니다. 그보다 더 근원적입니다. 할 수밖에 없는 일입니다. 따라서 내 실존과 관련하여 말한다면 글을 쓰는 일은 누구나 하는 일이기 이전에 나의 일이어야 합니다. 글을 읽는 것은 누구나 하는 일이기 이전에 나의 삶의 양태이어야 합니다. 읽든 쓰든 한 줄의 글을 내 상상력의 날개에 실어 펼 때, 그것이 시이든 수필이든 소설이든 희곡이든 나는 그만큼 자유자체이며, 한편의 시나 한 권의 소설을 읽을 때 나는 그만큼 나를 구제하고 있는 것입니다. 그러므로 읽든 쓰든 문학함은 그것 자체로 하나의 제의행위(祭儀行爲)입니다. 존재양태를 변화시키기 위한 제단에서의 몸 사르기와 다르지 않습니다.

그러나 불행하게도 문학은 스스로 '종교적임'을 알지 못한 채 '종교'가 되고 있습니다. 문학자는 신처럼, 비평가는 사제처럼, 그리고 독자는 신도처럼 문학계라는 사원에 모여 주어진 규범들을 살고 있습니다. 그러면서도 자기들이 각기 종교적으로 살고 있다는 사실을 알지 못합니다. 그러므로 문학은 자의식이 메마른 형해화된 종교로 있습니다. 그 종교가 초래하는 것은 자유와 가능성이 아니라 다만 '문학이라는 이름으로 고갈된 상상력'일 뿐입니다.

그럼에도 불구하고 사람들은 아직도 문학에의 향수, 그것이 지닌 soteriology에의 기대를 버리지 못합니다. 여전히 쓰고 읽는 일, 말하고 듣는 일의 필연성을 벗어나지 못합니다. 그럴 수 없습니다. 그러면서 문학이 문학이라는 권위의 이름으로 낳는 온갖 '고갈된 상상력'에서 살아있는 상상력을 호흡하고자 합니다. 이들을 위해 문학은 교리를 양산합니다. 일정한 것을 배우고 갈고 닦아야 글을 쓰고 읽을 수 있다고 가르칩니다. 구체적으로 삶의 물음은 이러저러한 것이라고 가르치기조차 합니다. 그렇게 물음을 가르치면서 그 물음에 상응하는 준비된 해답만을 판매하고 있습니다. 문학하는 분들은 사제의 자리에서 그 근엄함과 지엄함을 조금도 흩으려 트리지 않고 '권위의 계보'를 고수합니다. 독자에게 요청되는 것은 순종하고 헌신하는 착한 신도의 모습입니다. 그러면서도 문학은 자유와 가능성에의 초대가 자신의 소임이라고 선포합니다.

문학 속에서 종교다움을 발견하려는 노력은 문학자체가 종교적이라는 사실이 망각된 자리에서 그 흔적을 읽은 아픈 작업인데 어쩌면 도로(徒勞)일지도 모른다는 불안을 가눌 수가 없습니다. '종교문학'이라는 장르가 주장되거나 고양된다면 어쩌면 그것은 짐작컨대 어쩌면 문학에의 배신이고 나아가 종교에의 배신일지도 모릅니다. 그 두 배신 속에서 점차 제 자리를 잃을 지도, 그래서 자신의 소멸을 자기도 모르게 확인할지도 모를 일입니다.

그렇다면 우리가 논의해야 할 '종교와 문학'이라는 주제는 그리 간단하지 않습니다. 그것은 '종교'와 '문학'을 모두 재 개념화하는 근원적인 물음으로부터 시작해야 하기 때문입니다. 어차피 우리는 바야흐로 종교도 문학도 아닌 새로운 언어를 빚어야 할지도 모릅니다. 그렇지 않으면 우리의 경험을 담을 언어가 이제 없기 때문입니다.

겨우 물음이 비롯하는 자리에 이른 듯합니다. 그런데 제 이야기는 여기서 끝나야 할 것 같습니다. 아직 제게 새 언어가 없기 때문입니다. 그러나 절망스럽지는 않습니다. 새 언어의 출현은 불가피한 필연이기 때문입니다. 그래서 그 시작을 이렇게 끝내고 싶습니다.

몸이 무거워 주저앉은 기둥인데
지붕이 무너져 하늘이 뚫리네

바람이 드네
얽힌 사연
갈라진 가닥들 풀풀 날리네

깨진 기억들
흩어진 폐허가 꽃을 심네
열린 눈이 뜨거운 달빛 만나네

잃어버린 이름들
마당 가득한 고요
처음 이야기 들리고
세월을 길쌈한 시간이
땅 속에 스미네

아침이 올게다
파란 하늘 기다리는데
가느다란 빗줄기 따라
마음이 넘실거리네

넘실거리는 누리가
마음이네
넘실거리는 마음이 집을 짓네

** "悟道" 전문.

* Wordsworth의 시 전문은 다음과 같습니다.

My heart leaps up when I behold
A rainbow in the sky:
So was it when my life began;
So is it now I am a man
So be it when I shall grow old,
       Or let me die!
The Child is father of the Man;
And I could wish my days to be
Bound each to each by natural piety.

** 정진홍, 마당에는 때로 은빛 꽃이 핀다. (강, 1997)

3

문학과 현대신학

| 최재석 |

서론

전통적으로 대다수의 그리스도교인들은 문학을 백안시했다. 그들은 문학을 세상적인 것 혹은 인간적인 것으로 간주해서, 플라톤(Platon)이 그의 공화국에서 시인을 추방한 것처럼, 신앙을 노래하는 시만을 제외하고 문학을 신의 나라 밖으로 몰아냈다. 2세기의 교부 터튤리언(Tertulllianus)은 세속의 도시 아테네와 그리스도교의 성지 예루살렘 사이에 무슨 상관이 있느냐고 반문했다. 그리고 4세기에 생존했던 제롬(Jerome)은 로마의 문인 호라티우스(Horatius)와 시편작가가 동행할 수 없고, 버질(Vergilius)의 글과 복음서가 동행할 수 없다고 말했다.[1] 그와 동시대에 살았던 어거스틴(Augustinus) 역시 연극은 죄악을 가르치는 것이니 멀리해야 한다고 주장함으로써 문학 반대론을 폈다. 이렇게 문학을 백안시하는 태도는 16세기에 일어난 영국의 청교주의에서도 드러난다.

세상과 하늘나라를 대립시키면서 문학을 부정적으로 보는 그리스도교인들은 그들의 논리적 근거를 신약성서에서 찾는다. 신약에서는 세상을 악한 곳으

---

* 『문학과 종교』 제 3호(1998)에 실렸던 논문임.
1) 리런드 라이컨, 『상상의 승리』, 최종수 역 (서울: 성광문화사, 1982), 12.

로 언급하면서 세상을 가까이 하지 말 것을 강조한다. 요한1서에서는 세상에 속한 자와 신에게 속한 자를 구분하고(4:4-6), 정욕의 세계인 세상을 사랑하지 말라고 권고한다(2:15-16). 리처드 니버(Richard Niebuhr)가 『그리스도와 문화』(*Christ and Culture*)에서 다섯 가지로 분류하여 보여주고 있는 것처럼 세상 또는 문화에 대한 그리스도교인들의 태도는 실상 다양하다. 그러나 맥파그(McFague)가 지적한 대로, 모든 그리스도교인의 내심에는 진정한 신앙생활이란 세상을 버리는 것, 혹은 최소한 세상과 거리를 유지하는 것이라는 의식이 희미하게라도 자리하고 있다.2) 그래서 대다수의 그리스도교인들이 세상에 속하는 문화의 일부인 문학을 의심스러운 눈으로 보기 때문에, 신을 찬양하는 것이 아니면, 문학과 그리스도교는 오랫동안 결합될 수 없는 것으로 간주되어왔다.

　　문학의 편에서도 작가들 역시 일반적으로 종교에 대한 불신감을 가지고 있었다. 20세기에 와서도 일단의 그리스도교 작가들은 그들의 작품에서 그리스도교 신앙을 다루고 있지만, 특별히 문예부흥기 이후로 이성이 중시되고 종교적 신앙에 대한 회의가 점증하면서 작가들은 종교적 주제를 다루는 것을 꺼리거나 반대했다. 18세기부터 시작한 소설의 경우 사실적인 세계를 중점적으로 그리기 때문에 현실적인 문제와 어울리지 않는 초월적인 세계는 작품 안에 포함되기 어려웠다. 더구나 작품 외적인 것을 배제하고 작품 자체만을 중시하는 신비평이 대두하면서 종교를 포함해서 정치적, 사회적 주제까지도 배격 당하게 되었다. 패니카스(George A. Panichas)에 의하면, 1960년대 초에 문학과 종교를 비교 연구하는 학자들에게 보내는 동료들의 눈길은 곱지 않았다. 그들은 역사, 철학, 정치 등을 문학과 비교하는 연구는 용인하면서도 문학과 종교의 비교연구는 마치 "용서받을 수 없는 학문적 중죄"3)나 되는 것처럼 생각했다. 실상 문학과 그리스도교는 그 추구하는 대상과 목표가 서로 다르다고 생각되어왔다. 문학은 인간의 감정을 중시하고 구체적인 경험을 다루는 반면, 그리스도교는 인간의 욕구를 멀리하고 초월적인 신을 바라본다. 문학은 작품을 통해서 즐거움과 아름다움을 추구하고 인간에 대한 이해의 폭을 넓히려고 하지만, 종교는 신에 대

---

2) Sallie McFague, *Literature and the Christian Life* (New Haven: Yale UP, 1996), 1.
3) Geroge A. Panichas, "Literature and Religion: A Critical Confluence," *The World & I* (February 1986), 481.

한 신앙과 신의 영광을 그 목표로 삼는다. 따라서 문학과 종교적 신앙은 다른 차원에 속해 있다고 말할 수 있다.

이러한 상이점에도 불구하고, 문학과 그리스도교는 아이러니컬하게도 오랫동안 우호적인 관계를 유지해왔다. 문학은 인간 경험의 기록이고 인간의 시조들은 자연에 대한 신비감과 경외감에서 비롯되는 원시적 신앙심을 지니고 있었기 때문에 신앙심이 고대 문학작품들의 중요한 부분이었다. 현존하는 문헌에 의하면 아이스킬러스(Aischylos)나 소포클레스(Sophokles) 같은 그리스 극작가들의 작품들은 종교적 행사와 연관되어 있으며, 그들의 작품은 신들이 직접 나타나는 신화적 세계이기 때문에 그들의 문학 세계에서 종교적 차원은 인간적 차원과 분리되지 않았다. 따라서 테니슨(G. B. Tennyson)과 에릭슨(Edward Ericson, Jr.)의 말대로 "문학이 탄생할 때 종교가 문학과 함께 있었다."[4]고 말할 수 있을 것이다. 그리스도교가 서구에 전파된 이후에 나타난 구라파의 문학작품들에서도 문학에 미친 종교의 영향은 아주 크다. 8세기 초에 씌어진 「베오울프」(Beowulf)의 내용은 호머의 서사시와 마찬가지로 전쟁 이야기이지만, 그 배경에는 그리스도교적 신이 자리하고 있어서 그 이야기는 그리스도교 신앙과 떼어서 생각할 수 없다. 특히 서양은 그리스도교 문명권이기 때문에, 그 문명권에서 교육을 받은 작가들은, 그들이 그리스도교적 주제를 다루지 않는다 하더라도, 그리스도교적 도덕의식과 우주관을 벗어날 수 없기 때문에 그리스도교적 분위기가 그들의 작품에 반영되기 마련이다. 이렇게 문학과 종교가 우호적인 관계를 유지하는 경우, 대부분 문학이 종교의 도움을 받아왔다. 인간은 종교의 영향 아래에서 살아왔고 문학은 인간 경험을 다루기 때문에, 문학이 종교의 영향과 도움을 받는 것은 자연스러운 일처럼 보인다. 이러한 문학과 종교의 관계는 20세기에 와서도 유지되고 있는 것처럼 보인다. 엘리엇(T. S. Eliot)은 「종교와 문학」("Religion and Literature")에서 "문학비평은 명확한 윤리적이고 신학적인 입장으로부터의 비평에 의해 완성되어야 한다"고 말했다.[5] 그리고 문학이 문학 자체의 수준에 의해서 그 문학성이 판단된다는 견해를 가지고 있으면서도

---

4) G. B. Tennyson, and Edward E. Ericson, Jr. eds., *Religion and Modern Literature: Essays in Theory and Criticism* (Grand Rapids: William B. Eerdmans, 1975), 11.
5) T. S. Eliot, "Religion and Literature," *Selected Essays* (London: Faber and Faber, 1951), 388.

문학은 신학과 윤리학에 의해서 보완되어야 한다고 주장했다. 이 보완관계에 대한 언급은 문학과 종교 사이에 있어서 종교의 우월성을 암시하는데,6) 영향의 흐름은 우월한 쪽에서 열등한 쪽으로 기울게 마련이다. 브룩스(Cleanth Brooks) 역시 "종교는 거대한 폭과 깊이와 복합성을 지닌 시가 지녀야 할 필수적인 요소"7)라고 시에 미치는 종교의 영향을 언급했다. 특별히 문학과 종교의 비교연구에서는 종교가 작가나 작품에 미친 영향을 연구해왔다. 종교에 대해 관심을 가진 작가들이나 비평가들 그리고 문학과 종교를 비교하는 학자들의 종교에 대한 관심은 최소한 20세기 중반까지는 문학 쪽에서의 일방적인 관심이었고 종교에 대한 짝사랑 같은 것이었다.

그런데 20세기 중반부터 문학과 신학의 관계에 자리바꿈이 일어났다. 문학을 배타시하던 그리스도교 측에서 그리고 문학보다 우월한 위치에서 문학에 영향을 주던 신학 측에서 문학에 대해서 적극적인 관심을 갖기 시작하고, 문학으로부터 도움을 받게 된 것이다. 이것은 코페르니쿠스적인 변화가 아닐 수 없다. 문학 비평가 아우어바하(Erich Auerbach)가 『모방론』(*Mimesis*)에서 성서를 신비평적으로 해석한 데에 고무되어서 1960년대에는 신비평적 방법을, 70년대에는 구조주의 비평방법을, 그리고 80년대부터는 서사비평, 후기구조주의 비평, 독자반응 비평, 여성주의 비평 등을 사용하여 성서를 해석했다. 그리고 90년대에 와서는 성서에 적용되는 문학비평 방법을 소개하는 성서비평 방법론에 관한 책들이 쏟아져 나왔다. 그리고 성서에 대한 문학적 관심은 성서의 이야기적 요소를 중시하는 이야기 신학(narrative theology)이 나오는 데까지 나아갔다. 그래서 지금 성서를 문학작품으로, 성서를 이야기(narrative)로 보는 것은 성서해석의 상식이 되었다.

---

6) David Jasper, *The Study of Literature and Religion: An Introduction* (Minneapolis: Fortress, 1989), 7.

7) Cleanth Brooks, "Religion and Literature," *Sewanee Review* 82 (Winter 1974), 103.

I. 현대의 성서해석과 문학

1. 역사적 비평

성서해석의 변천은 근대사상의 흐름과 맥을 같이 해왔다. 중세까지의 성서 연구는 교리적 해석에 치중해 있었고, 종교개혁기에 와서 루터(Martin Luther)나 칼빈(John Calvin)은 문자주의적 해석을 강조했지만, 그것이 전통적 해석방법을 완전히 무시하거나 제거한 것은 아니었다.[8] 17세기에 와서는 합리적 사고의 영향으로 인해서 성서를 합리적 혹은 비판적으로 보려는 시도가 신학의 울타리 밖에서 비신학자들에 의해 시작되었다. 그로티우스(Hugo Grotius), 홉스(Thomas Hobbes) 등은 성서의 저자들과 성서 기록의 연대에 관한 전통적인 견해에 대해서 의문을 제기했다. 다시 말해서, 그들은 전통적인 교리나 관례에 상관하지 않고 자유롭게 성서를 연구했다. 인간의 성숙을 강조한 18세기의 계몽주의 시대에 오면, 교리적 해석이나 축자영감설에 기초한 성서해석이 도전을 받는다. 특히 라이마루스(Hermann Reimarus)는 역사적 예수에 관한 연구를 시도했고, 아이흐혼(J. G. Eichhorn)은 구약성서가 전통이나 교리에 얽매이지 않고 일반문헌과 마찬가지로 자유롭게 해석되어야 한다는 인문주의적 자세를 취하고 있었다.[9] 종교개혁 이후로 17, 18세기에 일어난 새로운 성서해석을 위한 시도는 대부분 비신학자들에 의해 이루어졌고 그들의 시도는 신학자들에 의해 비판의 대상이 되었다. 이것은 일반 사상가들의 합리적이고 비판적인 사고를 신학계에서 받아들일 준비가 되어 있지 않았기 때문이었다.

주로 비신학자들에 의해 이루어진 성서의 비판적 연구와 역사적 예수에 대한 연구가 19세기에 와서는 신학자들에 의해서 본격적으로 시도되었다. 라이마루스의 역사적 예수에 관한 연구는 스트라우스(David Friedrich Strauss), 헤르더(J. G. Herder) 그리고 현대신학의 아버지라고 불리는 슐라이어마허(Friedrich Schleiermacher)에 의해서 발전했다. 라이마루스나 바우어(Bauer)가 보여주었던 극단적인 회의주의와는 달리, 그들은 비판적 방법을 성서에 적용함으로써 예수

---

8) 이형원, 『구약성서 비평학 입문』 (대전: 침례신학대학교 출판부, 1995), 40.
9) Ibid., 51.

의 생애와 가르침에 대한 진정한 '역사적' 설명을 재구성할 수 있다는 확신을 지니고 있었다. 그러나 슈바이처(Albert Schweitzer)가 지적한 대로 19세기말까지의 역사적 예수에 대한 독일 신학자들의 연구는 "예수의 생애에 대한 역사적 개념"[10])에 집착함으로써 복음서의 저자들이 의도한 믿음의 대상으로서의 예수를 무시해 버렸다. 이 역사적 예수에 대한 연구는 실재했던 인간 예수에 대해서 복음서가 제공하는 것이 별로 없다는 자체의 문제점을 발견하는 데에 이르렀다. 그 외에도 이 연구는 복음서의 전통에 대한 역사적 근거를 의문시하는 양식비평이 대두됨으로써 타격을 받게 되었다.

한편 그로티우스 등에 의해 제기된 성서에 대한 비판적 연구는 19세기에 와서 신학자들의 손에 의해 자료비평으로 발전했다. 자료비평이란 우리가 현재 지니고 있는 성서의 본문이 이미 존재하고 있던 기록된 자료와 구전된 자료에 의존하거나 결합한 정도를 보여주기 위한 연구를 말한다. 성서에 자료비평을 적용시켜서 가장 크게 주목을 받았던 분야는 오경의 형성에 관한 것이었다. 예를 들면, 드베테(W. de Wette)는 신명기 법전(신 12-26)이 창세기와 민수기에서 발견되는 자료들을 편집한 것이 아니고 이 법전이 요시야 왕의 개혁 당시 성전에서 발견된 율법서라고 주장했다. 그리고 벨하우젠(J. Wellhausen) 같은 사람은 네 개의 자료 혹은 문서들이 함께 편집되어 오경이 형성되었다고 주장했다.[11])

이 자료비평은 다음에 언급될 양식비평이나 편집비평과 함께 역사비평적 접근방법이다. 자료비평이라는 명칭의 '비평'은 성서를 비판적으로 해석하려는 하나의 체계가 형성되었다는 것을 말해준다. 17세기 이후의 비판정신은 이제 본격적인 성서비평의 시대를 열게 된 것이다. 자료비평, 양식비평, 그리고 편집비평을 '고등비평'이라고 부르는 데서도 자료비평의 출현이 새로운 성서해석의 출발을 의미한다는 것을 알 수 있다. 그리고 자료비평은 역사적 자료를 규명한다는 면에서 '역사적 비평'인데, 여기서 역사적 요소에 대한 강조는 자료비평이 역사적 예수에 대한 연구와 발맞추어 19세기의 역사에 대한 관심에서 나온 것임을 보여준다. 문화적 현상이나 문학적 문헌에 대한 역사성의 강조는 고대와

---

10) David Norton, *A History of the Bible as Literature* (Cambridge: Cambridge UP, 1993), 350.
11) 폴린 비비아노, 「자료비평」, 『성서비평 방법론과 그 적용』, 스티븐 헤인스와 스티븐 맥켄지 편, 김은규와 김수남 역 (서울: 대한그리스도교서회, 1997), 57-59.

중세의 신학적 개념이 제공한 사고구조로부터의 탈피를 의미한다. 다시 말하면, 그러한 문헌이나 현상이 선재하는 세계에 매이지 않고 그것이 기원한 시간적, 공간적 상황 안에서 이해되어야 한다는 것을 말한다.[12] 역사적 관점에 기초한 자료비평은 성서의 본문이 인간의 손으로 다양한 자료를 짜 맞추어 만들어진 것이라는 점을 전제하기 때문에, 전통적인 축자영감설을 전복시키는 획기적인 성서연구 방법이다.

18세기에 자료비평이 처음 나왔을 때, 그것은 '문학비평'(literary criticism)이라고 불렸고 이 용어는 20세기 중반까지 사용되었다.[13] 오늘날에는 자료비평과 문학비평을 구분하여 자료비평을 성서의 역사적 비평으로 규정하고 있는데, 20세기 중반에 본격적인 문학비평이 나오기까지 일반 문학을 연구하는 문학 연구가들도 문학작품에 대한 역사적 연구를 문학비평으로 생각했었다. 여기서 중요한 것은 당시의 성서 연구가들이 문학비평이라는 용어를 사용하면서 문학작품을 분석하고 해석하듯이 성서를 다루었다는 점이다. 성서의 문학성에 대한 강조는 자료비평에 대한 정의에서도 분명히 나타난다. 비비아노는 "자료비평은 본문의 문학적 형태를 조사함으로써 그 본문 배후에 있는 자료를 발견하려고 노력한다."[14]고 자료비평을 정의하고 있다. 'literary criticism'을 문서비평이라고 번역하는 이형원 교수가 인용한 하벨(Norman Habel)의 자료비평에 대한 정의에서도 "전통적인 의미에서 문서비평이란 문서의 성격, 기원들 그리고 기록되어지고 완성된 상태 등을 결정하기 위하여 주어진 자료의 문학적인 요소를 분석하는 일이라고 정의할 수 있다."[15]고 성서의 문학적인 요소를 중시했다. 이 교수가 인용한 다른 학자 프레타임(T. E. Fretheim)은 "구약성서 자료비평이란 저자, 역사적인 상황, 본문의 구성적인 성격 등을 서술하기 위해 한 문학작품의 요소들을 분석하는 것이다."[16]라고 말했는데, 여기서 '문학작품'은 구약성서를 의미하고 있다. 분명히 자료비평가들은 성서를 문학작품으로 간주하고 있었다.

---

12) Edgar V. McKnight, *Post-Modern Use of the Bible: The Emergence of Reader-Oriented Criticism* (Nashville: Abingdon, 1988), 46.
13) 비비아노, 「자료비평」, 『성서비평 방법론과 그 적용』, 52.
14) Ibid., 52.
15) 이형원, 『구약성서 비평학 입문』, 84-85.
16) Ibid., 85.

이러한 성서학자들의 견해는 자료비평에 뒤이어 나온 양식비평에서 더욱 분명히 나타난다. 양식비평은 성서의 문헌을 그것의 문학적인 형태나 양식의 연구를 통해서 분석하고 해석하여 그 전승 단위들이 복음서에 포함되기 이전에 갖고 있던 삶의 정황을 밝혀내는 데에 힘을 기울인다.17) 양식비평의 태동기에는 19세기에 일어난 문화인류학이나 민간전승사 연구가 영향을 미치기도 했지만, 19세기말에 이르러서 성서 해석자들은 본문의 기본 문서를 찾고 그것의 저자나 연대를 추정하는 자료비평에 대해서 한계를 느끼고 성서를 통해서 이스라엘의 종교나 정치의 발전사를 연구하고자 했다. 이러한 연구를 주도한 사람들은 궁켈(Hermann Gunkel), 부스(M. J. Buss) 등이었는데, 불트만(Rudolf Bultman)도 양식비평을 성서해석에 적용시켰다. 궁켈은 구약성서가 기록되기 이전에 원래 구전되어온 개별적 이야기들이 있었고, 그 이야기들은 원래 독립된 단위로 존재했었기 때문에 다양한 문학적 양식을 지닌 개별적 단위에 대한 연구가 수행되어야 한다고 생각했다. 그리고 그 문학적 양식은 독특한 삶의 자리에서 비롯되기 때문에, 구전 상태로부터의 각 단위의 문학양식에 대한 연구를 통해서 역사적인 삶의 자리를 파악할 수 있다고 생각했다. 간단히 말해서, 양식 비평가들은 역사적인 사실을 파악하기 위해서 성서의 문학양식을 연구한 사람들이다. 따라서 양식비평에는 문학적인 면과 사회적인 면이 있다.18) 어떻든 양식 비평가들은 성서의 문학적 측면을 직접적인 연구 대상으로 삼았기 때문에, 그들은 자료 비평가들보다 성서의 문학성을 더 중시했다고 말할 수 있다.

1차 대전 이후 독일의 신학자들 사이에서는 성서 본문의 자료 분석과 구전적인 양식의 연구가 중요하기는 하지만, 그러한 연구의 기반 위에서 저자들의 편집 과정과 최종적인 편집 형태 그리고 편집자들의 신학적 의도 연구가 더 중요하다는 주장이 대두되었다. 페린(Norman Perrin)이나 마르크센(Willie Marxsen) 같은 편집 비평가들은 성서의 기자들은 창조적인 신학자들이지 단순한 전승의 필사자나 수집가들이 아니라고 주장했다. 그리고 편집자들은 자신들의 신학적인 관점이나 신앙을 기록하는 가운데 여러 문학적 양식들이나 독특한

---

17) Mark Allan Powell, *What is Narrative Criticism?: A New Approach to the Bible* (Minneapolis: Augsburg Fortress, 1990), 2.
18) 이형원, 『구약성서 비평학 입문』, 129-130.

문체를 사용하여 효과적으로 전달할 줄 아는 문학적 자질이 풍부한 사람들로 이해되었다. 결국 편집비평 학자들은 성서의 편집자들을 창조적인 신학자일 뿐 아니라 문학가들로 평가한다.[19] 역사적 비평 방법들 가운데서 가장 늦게 나타난 편집비평은 자료비평과 양식비평의 연구 결과를 이용하기 때문에, 그 편집과정에 대한 연구에서 자료비평과 양식비평에서 도구적인 역할을 했던 성서의 문학적 이해에 의존한다. 이와 같이 현대적인 문학비평 방법이 성서해석에 적용되기 이전의 역사적 비평에서도 이미 성서의 문학적 이해와 분석은 성서해석에서 핵심적인 역할을 했다. 여기서 주목할 일은 구체적인 현실 세계에 관심을 기울이는 역사적 비평이 구체적인 인간 경험을 중시하는 문학과 손잡았다는 점이다. 그리고 그리스도교적 신앙이 문학형식 혹은 이야기를 통해서 전달된다는 것을 기본적으로 받아들이고 있다는 점이다.

2. 문학으로서의 성서

이러한 성서비평과는 별도로 19세기에 와서 성서를 문학으로 이해해야 한다는 주장이 신학자가 아닌 교육자들이나 문학 비평가들에 의해서 제기되었다. 노턴(David Norton)의 연구에 의하면, 문학으로서의 성서에 대한 생각은 학교에서 성서를 읽히는 문제와 관련해서 표면화되었다. 1814년에 아일랜드에서는 구약성서를 발췌해서 학생들에게 읽혔는데, 그 편집자는 성서가 어린이들에게 미칠 수 있는 문학적 영향을 고려했다. 그리고 1837년에 미국의 노스캐롤라이너의 판사 그림키(Thomas Grimkee)는 교재에 실린 글에서 "고전으로서의 성서"라는 표현을 씀으로써 문학으로서의 성서에 근접하는 표현을 사용했다. 1958년에는 미국 장로교회의 핼시(Le Roy J. Halsey)가 『성서의 문학적 매력—고전으로서의 하느님 말씀을 위한 변호』라는 제목의 책에서 문학으로서의 성서에 좀 더 가까운 표현을 사용했다. 이렇게 처음에 종교적 교육을 목적으로 삼는 교재에서 강조되기 시작한 성서의 문학적 측면에 대한 관심은 점차 확대되어 나갔다. 영국의 시인이며 비평가이고 교육자인 아놀드(Matthew Arnold)는 1973년에 『문학과 도그마』(Literature and Dogma)에서 문화, 시, 종교에 대해서 언급하면

---

19) Ibid., 161.

서 성서의 언어는 과학의 언어가 아니고 문학의 혹은 감정의 언어라는 점을 강조했다. 그리고 1972년에는 학생들의 독서교재로서의 성서에 대한 언급에서 성서를 문학으로 읽어야 한다는 점을 강조하면서 '문학으로서의 성서'라는 표현을 처음으로 사용했다. 1892년에는 시카고 대학의 영문학 교수 모울턴(Richard Moulton)이 『성서의 문학적 연구』(The Literary Study of the Bible)를 냈고, 그는 다시 공저자들과 평론집 『문학으로서의 성서』(The Bible as Literature)를 내기도 했다. 20세기에 와서는 성서를 문학으로 간주하는 저서나 논문들이 다량으로 쏟아져 나와서 이제 모두들 성서를 문학이라고 이해하게 되었다.[20]

여기서 제기될 수 있는 의문은 자료비평이 대두되었던 18세기부터 자료비평을 문학비평으로 간주했는데, 왜 새삼스럽게 19세기말에 와서 성서의 문학성이 강조되었는가 하는 점이다. 비비아노는 실상 문학비평과 자료비평은 "공히 본문의 형태, 두드러진 문체적 특징, 어휘 구사, 반복, 모순과 일치, 그리고 여타 문학적 특색 등에 깊은 관심을 가지면서도 그 목적하는 바는 각기 다르다"고 말하고 있다.[21] 자료비평가들은 자신들이 문학적 방편을 활용하면서도 그 방편이 적용되는 성서의 문학적 요소에 대해서는 전혀 관심이 없었고 성서연구라는 신학적 목적에만 집착했던 것으로 보인다. 우리는 이러한 경향이 20세기 초까지 계속되었던 것을 시인 비평가 엘리엇(T. S. Eliot)에게서 발견한다. 그는 1935년에 발표한 「종교와 문학」("Religion and Literature")에서 성서가 신의 말씀이라는 신앙적 확신 때문에 그것이 문학이라는 개념을 받아들이기 어렵다는 태도를 표명했다.[22] 20세기의 대표적인 비평가가 이러한 생각을 지니고 있었다면, 19세기의 신학자들의 경우에 성서를 문학작품으로 받아들이는 일이 얼마나 어려운 일이었을 것인가 짐작할 수 있다. 성서의 비평적 연구가 그로티우스나 홉스 같은 교회 밖의 사람들에 의해 제기되었던 것처럼, 성서의 문학성에 대한 관심도 신학계 밖에서 일어나서 점차 신학계로 침투해 들어간 것이 분명하다. 성서가 신의 말씀이라는 전통적인 신념과 문학에 대한 뿌리 깊은 거부감에도 불구하고, 신학자들이 결국 성서를 문학으로 받아들이게 된 것은 신학계 안에서

---

20) Norton, A History of the Bible as Literature, 349.
21) 비비아노, 「자료비평」, 『성서비평 방법론과 그 적용』, 52.
22) T. S. Eliot, "Religion and Literature," Selected Essays, 389-90.

의 스스로의 깨달음에 의한 것이 아니고, 문학 연구가들의 문학으로서의 성서에 대한 주장이 그들을 서서히 일깨워준 것이다.

20세기 중반에 와서 문학으로서의 성서에 대한 관심이 점차 확산되자 신학자들은 문학전공 학과를 넘보면서 문학 분석방법을 익히기 시작했는데, 일부 신학자들은 일반 문학에 관심을 갖고 문학과 종교의 비교연구에 몰두했다. 이러한 문학과 그리스도교의 비교연구는 1940년에 나온 와일더(Amos Wilder)의 『새로운 시의 정신적 양상』(The Spiritual Aspects of the New Poetry)에서 본격화했다. 1950년에는 시카고대학 신학부의 대학원 과정에 종교와 예술의 비교연구 강의가 설강되고, 이어서 1952년에는 스콧(Nathan A. Scott, Jr.)의 『혼란의 예행연습』(Rehearsals of Discomposure)이, 그리고 같은 해에 호퍼(Stanley Romaine Hopper)가 편집한 『현대문학에 나타난 정신문제』(Spiritual Problems in Contemporary Literature)가 나왔다. 1956년에는 문학과 그리스도교에 관한 학술대회가 열렸다. 신학자들의 문학에 대한 관심이 불붙기 시작하자 그 열기가 뜨겁게 가열되어서 1960년대에는 에머리대학교, 드루대학교, 시라큐스대학교 등에 문학, 문화, 예술 등과 그리스도교와의 비교연구 강좌가 설강되고 그 방면의 학술활동이 활발해졌다. 그리고 스콧, 패니카스(Gerorge A. Panichas), 글릭스버그(Charles I. Glicksberg) 등의 문학과 종교에 대한 저서들이 나왔다. 신학자들이 성서해석에 문학비평적 방법을 적용하기 전에 일반 문학에 대해서 관심을 보인 것은 문학비평적 성서해석을 위한 준비단계가 필요했기 때문이었던 것으로 보인다.

3. 문학비평적 해석

일부 신학자들은 일반 문학에 나타난 종교에 관한 연구를 계속 밀고 나갔지만, 일부에서는 성경의 문학 비평적 연구로 그들의 관심의 방향을 바꾸거나 처음부터 성서연구에 몰두했다. 와일더의 경우에 그는 처음에 「새로운 시의 정신적 양상」에서 문학작품에 나타난 종교적 내용을 다루었지만, 점차 신약의 비유에 대한 연구로 연구 대상을 옮기면서 성서의 문학비평적 해석을 시도했다. 1960년대에는 와일더, 굿(Edwin Good), 펑크(Robert Funk), 비아(Dan Via) 등이 신비평적 방법을 성서해석에 적용했는데, 60년대 말부터는 펑크와 비아가 그들의 관심을 신비평에서 구조주의로 돌렸다. 그리고 펑크는 1974년에 성서비평의 실험적 잡지 『세마이아』(Semeia)를 창간해서 구조주의 비평연구를 심화시켰다. 70년대에는 크로상(John Dominic Crossan)과 피터슨(Norman R. Petersen)을 중심으로 구조주의 비평이 주류를 이루었다. 80년대에 와서는 로즈(David Roads)와 미키(Donald Michie)가 서사비평을 발전시켰고, 이와 동시에 해체비평, 독자반응 비평, 여성주의 비평 등 온갖 문학비평 방법이 성서해석을 위해서 동원되었다. 이렇게 다양한 문학비평 이론이 성서해석에 활발하게 적용되고 있기 때문에 20세기말에서 21세기 초를 성서해석에 있어서 문학비평의 시대라고 말할 수 있을 것이다.

성서해석자들이 문학비평적 방법을 성서해석에 적용하게 된 것은 성서를 문학작품으로 볼 때 역사비평적 방법의 성서해석에는 한계가 있다는 것을 깨달았기 때문이다. 역사적 비평가들은 성서를 이루고 있는 각각의 문서가 어떠한 자료에서 왔는가, 어떠한 양식을 지니고 있는가, 그리고 각각의 문서가 어떠한 편집 과정을 거쳤는가를 연구하기 때문에, 성서를 파편화시켰다. 문학적 비평가들은 성서는 처음부터 마지막까지 전체를 연속적으로 읽도록 의도된 것이기 때문에, 각 문서 단위의 상대적 가치만을 밝히는 데에는 문제가 있다고 생각했다.23) 그들이 역사적 비평의 결과를 도외시하는 것은 아니다. 그러나 문학적 비평가들은 성서기자가 단순한 편집자가 아니고 저자라고 생각하면서 작품을 부분적으로만이 아니라 전체적으로 보려고 했다. 또한 그들은 성서 배후에 있는 역사적인 정황보다는 성서를 이야기로 보면서 성서 자체의 의미를 밝히기 위해, 성서 이야기의 플롯과 등장인물을 고찰하고 그 이야기가 독자들에게 미치는 영향에 관심을 보였다.24) 간단히 말하면, 문학적 비평가들은 성서를 하나의 문학작품으로 보고 문학비평적 방법을 그것에 적용시킨 것이다.

성서해석에서 역사비평적 방법과 문학비평적 방법의 관계는 일반 문학비평에서 전통적 비평과 신비평의 관계와 유사하다. 일반 문학비평에서 1940년대에

---

23) Powell, *What is Narrative Criticism?: A New Approach to the Bible*, 2.
24) Ibid., 3.

신비평이 나오게 된 것은 작가의 생애나 시대배경 같은 작품 외적인 사실에 치중하면서 작품 자체를 소홀히 하는 전통적인 작품연구의 문제점을 인식하게 되었기 때문이었다. 그래서 신비평가들은 작품 외적인 것은 고려하지 않고 작품 자체만을 주목했다. 성서비평에서도 문학비평적 방법은 역사적인 문제보다는 성서 자체의 분석에 치중한다.25) 일반 문학에서 신비평이 출현한 지 20년이 지난 후에 성서비평에 도입된 문학비평적 방법과 신비평의 이러한 대비는 퍽 설득력이 있어 보인다.26) 그리고 실제로 문학에서의 신비평의 대두는 성서해석에 있어서 역사비평적 방법의 문제점을 부각시키는 데에 결정적인 역할을 했을 것임에 틀림없다.

문학비평이 성서해석 및 현대신학에 미친 영향을 밝히기 위해서 성서해석에 적용된 구조주의비평, 서사비평, 그리고 독자반응 비평을 고찰하고, 나아가서 이야기 신학의 면모를 살피고자 한다. 성서해석에 적용된 문학비평 방법은 처음에 신비평의 영향 아래에서 출발해서 구조주의 비평, 서사비평, 독자반응 비평, 후기구조주의 비평, 그리고 여성주의 비평까지 다양하지만, 그 중에서 구조주의 비평, 서사비평, 그리고 독자반응 비평이 주류를 이루어왔기 때문에, 이 세 가지 비평 방법을 개관하겠다. 20세기말에 와서 자리를 잡아가는 이야기 신학은 성서해석 방법과는 다른 유에 속하는 신학이론이지만, 서사비평과 관련이 있을 뿐 아니라, 문학형식인 이야기의 요소를 중시하는 신학 방법이기 때문에, 문학이 현대신학에 미친 영향을 살피는 데서 이야기 신학을 빼놓을 수 없다.

구조주의는 1915년에 스위스의 언어학자 소쉬르(Ferdinand de Saussure)의 『일반언어학 강의』(*Course of General Linguistics*)에서 처음 언급되었는데, 1970년대에 와서 구조주의 비평이 성서해석에 도입되었다. 소쉬르의 구조주의 언어학 이론은 통시적인 언어연구에 대한 대안으로 나온 공시적 언어연구였다. 그의 구조주의적 연구는 러시아의 형식주의자 프롭(Vladimir Propp)과 프라그 학파의 야콥슨(Roman Jakobson), 그리고 프랑스의 문화인류학자 레비스트로스

---

25) 데이비드 M. 건, 「설화비평」, 『성서비평 방법론과 그 적용』, 스티븐 헤인즈와 스티븐 맥켄지 편, 김은규와 김수만 역 (서울: 대한그리스도교서회, 1997), 282.

26) David H. Hesla, "Religion and Literature: The Second Stage," *Journal of the American Academy of Religion* 46:2 (1978), 187.

(Claude Lévi-Strauss)에게 영향을 주었다. 그들의 구조주의 연구는 1950년대와 60년대에 와서 그레마스(A. J. Greimas), 토도로프(Tzvetan Todorov) 그리고 바르트(Roland Barthes)를 통해 구조주의적 문학비평을 꽃피웠다. 그런데 비아(Dan O. Via, Jr.), 피터슨(Norman Petersen), 크로상(John Dominic Crossan) 같은 성서학자들이 구조주의 비평방법을 성서에 적용시킨 것은 70년대의 일이다. 그 도입 시기로 보아서 성서해석자들은 구조주의 문학비평을 통해 구조주의를 성서해석에 도입했을 것으로 보인다.

구조주의 비평가들은 작품의 저자나 역사적인 상황에 관심을 갖지 않고 작품의 마지막 형식에 관심을 갖는다. 역사주의자들이 작품을 저자, 배경, 저자의 의도 등 작품 외적인 것을 알아내는 "창문"으로 사용한 반면, 구조주의자들은 작품을 보편적인 구조와 관심을 반영하는 "거울"로 간주한다.27) 구조주의자들이 세운 가설은 확립된 법칙들이 문학작품의 기능을 결정한다는 것이다. 어느 언어를 사용하는 대다수의 사람들이 그들의 언어를 지배하는 법칙들을 의식하지 않고 말하듯이, 대다수의 작가들은 문학작품의 법칙들을 의식하지 않고 작품을 쓴다. 그러나 문학작품들은 어떤 법칙들을 따르고 있는 것이다. 그래서 작품의 의미는 그 법칙들을 알 때에 분명히 파악될 수 있다. 구조주의자들은 이 법칙들, 즉 구조들을 알아내려고 노력한다.

언어학, 인류학, 이야기의 원형, 기호학 등의 이론이 동원되기 때문에, 구조주의 비평은 다양할 뿐 아니라, 이해하기 어렵고 지나치게 이론적인 면으로 치우치는 경향이 있다. 구조를 찾는 방법으로서 소쉬르의 언어학과 레비스트로스의 인류학의 예를 따르는 구조주의자들은 본문에 나타나는 이원적 대립관계를 주목했고, 프롭의 예를 따라 이야기의 형태나 원형에 관심을 갖는 구조주의자들은 등장인물들을 주체/객체, 발송자/수취자, 조력자/적대자로 분류하고 이 역할들 사이의 관계를 고찰했다. 그런가 하면 일부에서는 기호학의 이론체계를 통해서 본문의 상이한 특징들이 어떻게 상호 관련되어서 전체를 형성하는가를 고찰하기도 했다.

---

27) John H. Hayes & Carl R. Holladay, *Biblical Exegesis: A Beginner's Handbook*, rev. ed. (Atlanta: John Knox, 1987), 111.

헤이스(John H. Hayes)와 할러데이(Carl R. Holladay)는 이원적 대립관계에 주목하여 창세기 1장의 창조 이야기를 구조주의적으로 분석했다. 구조주의비평에서 대립관계는 분석방법의 핵심을 이룬다. 그들에 의하면 창세기 1-2장에 나오는 창조 이야기는 구약성서에 적용되는 구조주의 비평의 고전적인 예에 해당한다.[28] 구조주의자들은 창세기 1:1-2:1을 해석의 기본 단위로 설정한다(자료비평이나 편집비평에서는 1:1-2:4a를 하나의 단위로 설정함). 기본 단위를 이렇게 설정하는 이유는 이 부분이 하나님이 하늘과 땅을 창조하신다는 말로(1:1) 시작하고, 하늘과 땅이 완성되었다는 말로(2:1) 마치기 때문이다. "하나님이 말씀하시니라"는 구절이 10번 나오는 이 단위는 "하나님이 말씀하시니라"가 5번씩 반복되는 1:1-19와 1:20-2:1 두 부분으로 나눌 수 있다. 첫 부분은 생명 없는 것들의 창조에 관한 이야기이고, 둘째 부분은 생명 있는 것들의 창조에 관한 것이다. 첫 부분은 해, 달, 별 같은 하늘을 다스리는 것들에 관한 언급으로 끝나고, 둘째 부분은 땅을 다스리는 인간에 관한 이야기로 끝맺고 있어서, 두 부분은 비슷하게 절정을 향해 나아가고 있다.

구조주의 성서해석의 뒤를 이은 서사비평(narrative criticism)은 서사이론(narratology)의 영향 아래에서 1980년대에 미국을 중심으로 일어난 문학비평적 성서해석 방법이다. 1960년대에서 70년대에 이르는 동안 부스(Wayne C. Booth), 스콜스(Robert Scholes)와 켈로그(Robert Kellogg), 채트먼(Seymour Chatman), 우스펜스키(Boris Uspensky), 그리고 쥬넷(Gérard Genette) 등이 쓴 소설 이론서들이 나왔는데, 그들의 이야기(narrative)에 대한 분석과 체계를 서사이론(narratology)이라고 불렀다. 그리고 구조주의의 영향으로 지난 40여 년 동안 이야기에 대한 관심이 고조되면서 서사이론이 소설이론을 대치했다. 일반 문학비평에는 서사비평이 없지만, 1980년대에 와서 로즈(David Rhoads)와 미키(Donald Michie), 컬페퍼(R. Alan Culpepper), 킹스베리(Jack Dean Kingsbury), 태너힐(Robert Tannehill) 등이 복음서를 '이야기'로 보고 거기에 서사이론을 적용시켜서 복음서를 해석하기 시작했다. 그리고 90년대에 와서는 서사비평이 어느 다른 성서비평보다 영향력 있는 문학비평적 성서해석 방법으로 자리잡았다.

---

28) Ibid., 115.

서사비평이 작품 외적인 문제에 관심을 갖지 않고 작품 자체만 분석 대상으로 삼는다는 면에서 구조주의와 같지만, 작품의 심층 구조를 고찰하지 않고 이야기의 구성요소들을 중시한다는 면에서는 구조주의와 다르다. 이야기가 문학 장르 중의 하나인 소설의 핵심 요소이고 서사이론이 소설이론이기 때문에, 성서를 이야기로 보고 서사이론에 따라 해석하는 서사비평은 성서를 문학적 대상으로 삼는 데에 있어서 구조주의 성서해석보다 한 걸음 더 나아간 느낌을 준다. 일반 문학비평에 서사비평이라는 명칭이 없는 것은 서사이론이 소설연구에만 적용되는 이론이어서 다양한 문학 장르에 적용될 수 있는 비평방법으로 성립될 수 없기 때문이다. 성서를 이야기로 볼 때에만 성서해석의 방법론으로 서사비평이 가능하게 된다. 서사비평이라는 하나의 성서해석 방법이 나온 데서 우리는 성서를 이야기로 보는 견해가 얼마나 일반화되었는가를 파악할 수 있다. 실상 서사비평이 이 견해를 더욱 보편화시키는 데에 기여했다고 말 할 수 있을 것이다.

서사비평가들은 소설 연구가들이 소설을 분석하듯이 이야기의 인물, 플롯, 배경, 시점 등과 비유법, 아이러니 등의 수사적 요소들을 고찰하여 본문에 나타나는 의미를 파악한다. 서사이론가들은 인물, 플롯, 배경, 그리고 시점 같은 작품의 요소들을 "이야기"(story)라고 부르고 그 이야기의 전개 방식을 "담론"(discourse)이라고 부른다.29) 동일한 이야기라도 전개 방식이 다르면, 그리고 동일한 전개 방식을 사용한다 하더라도 이야기가 다르면, 그 작품의 의미가 달라진다. 서사비평가는 이야기와 담론 모두에 세심한 주의를 기울여 내포저자(implied author)의 의도를 밝힌다. 부스(Wayne C. Booth)가 그의 『소설의 수사학』(The Rhetoric of Fiction)에서 처음 언급한 내포저자30)는 주어진 작품을 통해서 드러나는 저자의 상으로서 실제 저자와는 다르다. 내포저자는 실제 저자의 전기나 동일한 저자의 다른 작품들의 내포저자 같은 작품 외적인 자료를 통해서는 알 수 없고, 단지 그 작품을 통해서만 알 수 있다. 서사비평에서 내포저자를 강조하는 것은 작품 자체를 중시하기 때문이다. 서사비평에서는 역사비평

---

29) Powell, *What is Narrative Criticism?: A New Approach to the Bible*, 23.
30) Wayne C. Booth, *The Rhetoric of Fiction*, 2nd ed. (Chicago: Chicago UP, 1983), 73.

과 달리 역사적 사실을 밝히려 하지 않고, 작품 자체만을 고려하지만, 작품을 이해하는 데에 도움이 될 만한 역사비평의 결과물을 외면하지는 않는다. 서사비평은 절충적인 면이 없지 않지만, 근본적으로는 신비평적 소설분석과 유사하다.

파우얼(Mark Allan Powell)은 마태복음과 누가복음에 등장하는 종교 지도자들의 모습을 서사비평적 방법으로 등장인물의 분석을 통해 대조하고 있다.[31] 수 년 동안 마태복음에 등장하는 종교 지도자들에 대해서 많은 독자들이 반감을 갖게 되었을 뿐 아니라, 유대인들과 그 지도자들에 대해서도 적대감을 가졌다. 그러나 서사비평의 관점에서 보면, 이러한 독서는 사실 대조적인 오류의 예를 보여주는 것이며, 그 이야기의 핵심을 완전히 놓친 것이다. 그들이 실제 저자가 알고 있는 어떤 실존 인물을 모델로 삼았는가와는 관계없이 그들은 신이 그리스도를 통해서 극복하실 수 있는 악한 세력을 상징한다. 마태의 묘사가 갖는 문학적인 효과는 악이 극도에 달한다고 해도 그리스도 안에서 신이 악을 물리치셨다는 사실을 독자에게 인상지어주는 것이다.

누가의 이야기에서는 독자가 마태의 이야기에서 형성된 종교지도자들에 대한 강한 반감을 느끼는 대신 그들에게 공감하게 된다. 서사비평가에 의하면, 이것은 누가가 마태보다 셈족에 대한 반감이 적은 증거로서 이해되거나 실제 저자에 대한 추측을 포함하는 관점에서 설명되어서는 안 된다. 오히려 누가는 이와는 다른 관점을 갖기 때문에 그의 이야기를 나름의 방식으로 전개한다. 누가복음 전체에 걸쳐서 나타나는 예수의 사역에서 분명히 드러나는 신의 의도는 적을 패배시키는 일이 아니고 그들을 교화시키는 일이다. 누가가 때로는 지도자들을 악하게 보았다고 해도 그것은 그들을 패배시키는 그리스도의 위대한 승리를 부각시키려는 것이 아니고, 그들을 용서하시는 그의 자비를 드러내기 위해서이다. 이 이야기에 지속적으로 나타나는 예수의 이미지는 그의 적대자들이 그가 그들에게 갖다 주는 평화를 받아들이지 않는 것을 보고 울며(19:41-44), 그를 십자가에 못 박는 순간에도 여전히 그들을 용서해달라고 기도하는 자애로운 모습이다. 이렇게 상이한 예수의 이미지에도 불구하고 마태복음과 누가복음에

---

31) Powell, *What is Narrative Criticism?: A New Approach to the Bible*, 118-120.

서 종교 지도자들은 공통적으로 예수의 이미지를 부각시키기 위한 부수적인 인물들로 등장한다.

성서해석에서의 독자반응 비평은 1980년대에 구조주의와 서사비평의 연장으로 발전했다.[32] 독자반응에 대한 생각은 1920년대로 거슬러 올라가 리처즈(I. A. Richards)의 저서에서 나타났다. 역사비평가들이 저자에 초점을 맞춘 것에 반대하여 저자가 작품을 완성하면 작품은 자체의 생명을 가지고 있다고 주장한 신비평가들의 비평태도에는 독서행위의 중요성이 내포되어 있었다. 50년대에는 독자의 반응에 대한 개념이 점점 유포되기 시작했고, 80년대까지는 '내포독자,' '견문 있는 독자,' '피화자,' '모범적 독자' 등의 독자에 대한 용어들이 빈번히 사용되면서 독자의 중요성이 강조되어왔다. 독자반응 비평가로서 대표적인 사람들은 이저(Wolfgan Iser), 야우스(Hans Robert Jauss), 홀런드(Norman Holland), 피시(Stanley Fish) 등이 있는데, 성서해석에 가장 중요한 영향을 미친 사람은 독자에 대한 작품의 효과를 강조한 이저이다. 독자반응 비평을 성서해석에 도입한 성서학자들로는 앤더슨(Janice Capel Anderson), 파울러(Robert M. Fowler), 버넷(Fred W. Burnett), 맥나잇(Edgar V. McKnight)을 들 수 있다. 성서해석에 구조주의를 도입한 것은 일반 문학비평에서 구조주의가 나타난 것보다 20년 뒤의 일이었고, 서사비평을 성서해석에 도입한 것은 서사이론이 대두된 10년쯤 후의 일이었지만, 독자반응 비평적 성서해석은 일반 문학비평의 독자반응비평과 거의 동시대에 시도되었다. 이러한 기간 단축은 성서를 문학비평적 방법을 통해서 해석하는 일이 아주 보편화했다는 것을 말해준다.

독자반응 비평가들은 그 동안 간과되어온 독자를 비평의 중심으로 끌어들여서 독자가 작품을 읽기 전까지 그 작품은 의미가 없다고 말한다. 그들에게 있어서 어떤 의미든지 작품이 지니는 의미는 본래 독자에게 속하고, 그래서 어느 작품이 무엇을 의미하는가를 말할 사람은 독자이다.[33] 신비평에서는 작품을 객

---

32) Stephen D. Moor, *Literary Criticism and the Gospels: The Theoretical Challenge* (New Haven: Yale UP, 1989), 73; George Aichele, *et al., The Postmodern Bible* (New Haven: Yale UP, 1995), 39.

33) Wilfred L. Guerin, *et al., A Handbook of Critical Approaches to Literature*, 3rd ed. (Oxford: Oxford UP, 1992), 334.

관화시켜서 독서 경험을 평가 절하했고, 구조주의와 서사비평에서는 작품이 독자의 반응을 결정한다고 보았는데, 독자반응 비평은 독자가 의미를 결정한다는 점에 초점을 맞춘다. 독자반응 비평가들은 독자들이 문학작품을 어떻게 받아들이며, 그들이 어떤 근거에 의해서 특정한 작품의 의미를 창출하는지를 알아내기 위해서 독서과정의 역동성을 연구한다.[34] 특별히 성서는 독자를 설득하거나 독자가 이미 지니고 있는 신앙을 확인시키고 강화하는 특성을 지닌 책이기 때문에, 성서해석에서 독자의 독서경험은 일반 문학에서보다 더욱 중요시된다. 일부 독자반응 비평가들은 독서의 주관성을 강조하여 독자들은 작품해석을 위해 작품의 역동성이나 저자의 의도에 얽매이지 않는다고 생각한다. 그러나 독자가 전부라고 말하는 것은 너무 지나친 태도이다. 성서해석에서 독자반응 비평은 독자의 독서경험을 중시하지만, 이 독서경험은 성서가 독자에게 미치는 영향을 고려하는 것이기 때문에, 비평가들의 관심은 성서해석으로 돌아온다.[35] 결국 성서의 본문도 중요하고 독자도 중요하다.[36] 그 동안 독자와 독서경험이 너무도 경시되어 왔기 때문에, 독자반응 비평가들은 독자의 중요성과 독서경험의 역동성을 중시함으로써 성서해석에 새로운 시각을 제공할 수 있게 된 것이다.

성서해석에서 독자에 대한 성서의 영향을 강조하는 독자반응 비평가들은 이전의 현상학적 독자반응 비평 방법을 선호한다. 그들은 내포독자(implied reader)를 중시했는데, 이 내포독자는 문학작품이 그 효과를 나타내기 위해 필요한 그 작품의 모든 요소를 파악하는 존재, 다시 말해서, "작품의 구조 안에 굳건하게 뿌리를 박고 있는" 독자이다.[37] 비평가의 임무는 이 내포독자를 찾아내는 것이기 때문에, 그는 작품 자체를 소홀히 할 수 없다. 그래서 모든 독자반응 비평가들은 신비평에서와 마찬가지로 작품을 정독함으로써,[38] 작품과 독자의

---

34) Powell, *What is Narrative Criticism?: A New Approach to the Bible*, 16.

35) George Aichele, *et al.*, *The Postmodern Bible* (New Haven: Yale UP, 1995), 52-53.

36) Robert M. Fowler, *Let the Reader Understand: Reader-Response Criticism and the Gospel of Mark* (Minneapolis: Fortress, 1991), 26.

37) Aichele, *et al.*, *The Postmodern Bible*, 40.

38) 에드거 맥나잇, 「독자반응 비평」, 『성서비평 방법론과 그 적용』, 스티븐 헤이스와 스티븐 맥켄지 편, 김은규와 김수남 역 (서울: 대한그리스도교서회, 1997), 310; Moor, *Literary Criticism and the Gospels: The Theoretical Challenge*, 107.

상호작용을 밝히고 감추어져 있던 비평적 독서의 양상들을 표면화시켜야 한다. 일부 독자반응 비평가들은 중복언급(redundancy)에 관한 의사소통 이론이 독서 과정을 설명하는 데에 도움을 줄 수 있다고 믿고, 중복적으로 나타나는 사건이나 언급을 통해서 내포독자를 읽어내려고 했다. 그들은 마귀 들린 자들의 치유 사건, 폭풍을 다스리는 사건, 광야에서 굶주린 군중을 먹이는 사건 등 반복적인 사건들이 독자에게 복음서 독서를 위한 핵심적인 정보를 제공한다는 것을 보여주었다. 그리고 반복적으로 언급되는 메시아 비밀에서 발견되는 극적 아이러니에 착안하여, 제자들은 그 비밀을 파악하지 못하지만 독자들은 알고 있다는 점을 주목하고 독자들에게 주는 교훈, 즉 그 언급이 독자들에게 미치는 영향을 고찰하기도 했다.

에이첼(George Aichele)과 그의 공저자들은 『포스트모던 성서』(The Postmodern Bible)에서 마가복음 6:30-44와 8:1-10에 반복적으로 기록된 5,000명과 4,000명을 먹인 예수의 기사에 대한 독자반응 비평에 관해서 언급하고 있다.[39] 20세기 중반부터 오늘날까지 많은 성서해석자들은 군중을 먹인 이 두 이야기를 한 가지 이야기의 두 가지 변형이라고 주장해왔다. 로즈와 미키 같은 서사비평가들은 그 두 이야기를 단순한 변형이 아니고 두 발짝 진행하는 것으로, 즉 독자를 첫걸음에서 다음 걸음으로 안내하는 것으로 보았다. 독자반응 비평가들의 임무는 서사비평가들의 경우에서처럼 거의 명확한 의식 없이 언급되어 온 독서와 독자에 대한 언급을 분명하게, 자의식적인 언어로 바꾸어 놓는 것이다. 독자반응 비평가는 마가복음 8:4이 극적 아이러니의 전형적인 예라고 본다. 바로 앞에서 5,000명을 먹이는 사건을 경험하고 나서 마가복음 8:4에서 4,000명을 먹일 것을 걱정하는 제자들의 우둔함은 독자들의 통찰이나 이해와 대조된다. 독자반응비평이 대두되기 전에 나온 마가복음에 관한 비평적인 글들에서는 등장인물들이 이해하지 못한다는 것이 빈번히 언급되었지만, 이야기의 청중 혹은 독자는 이해할 수 있다는 말은 거의 없었다. 우리는 성서본문의 정독을 통해서 우리가 항상 겪어온 독서경험을 표현할 수 있는 언어를 찾고 자의식적인 독서를 함으로써 독자반응 비평 방법을 성서해석에 적용할 수 있다.

---

39) Aichele, *et al.*, *The Postmodern Bible*, 20-24.

II. 현대신학, 성서해석, 그리고 문학

1. 대화적 신학과 성서해석

신학자들이 문학을 긍정적으로 받아들여서 성서를 문학비평적 방법으로 분석하게 된 데에는 신학적인 뒷받침을 빼놓을 수 없다. 오히려 신학적 배경이 가장 중요한 요소였다고 말해야 할 것이다. 헤슬라(David H. Hesla)는 20세기 중반에 문학과 종교의 비교연구가 활발하게 일어난 주요 원인을 불트만(Rudolf Bultman)이나 틸리히(Paul Tillich)가 내세운 실존철학적 신학 그리고 신학과 문화, 종교와 사회의 관계를 강조한 대화적 신학(dialogical theology)에서 찾는다.[40] 불트만이나 틸리히의 신학이 당대의 성서의 문학적 접근에 큰 영향을 준 것이 사실이겠지만, 신학자들의 보수적 성향으로 볼 때, 당대의 신학의 영향만으로 문학에 대한 신학자들의 태도가 갑자기 바뀌었다고 보기는 어렵다. 1967년에 복음주의자로서 역사비평에 관한 입문서 『신약성서와 비평』(*The New Testament and Criticism*)을 쓴 래드(George Eldon Ladd)는 성서비평이 자유주의자와 근본주의자의 논쟁의 중심에 자리하고 있다고 말함으로써 성서비평이 자유주의적 사상과 긴밀히 연관되어 있음을 이야기해 준다.[41] 근본주의자들은 성서비평을 진정한 그리스도교 신앙과 건전한 신학의 적으로 간주했는데 반해서 자유주의자들은 성서를 역사 가운데 사는 인간의 언어를 통해서 표현된 신의 말씀으로 보면서, 인간의 언어로 된 문학작품을 비평적으로 접근할 수 있다고 주장했다. 래드의 말대로 현대의 성서연구에서 "모든 비평은 철학적이고 신학적인 전제 아래에서 이루어진다".[42]

신학의 보수성과 신앙인의 완고함 그리고 문학과 그리스도교의 배타성을 염두에 둘 때, 1960년대에 와서 꽃핀 성서의 문학비평적 해석은 한두 신학자의 영향이라기보다는 슐라이어마허(Friedrich Schleiermacher) 이래로 150여 년에

---

40) David H. Hesla, "Religion and Literature: The Second Stage," *Journal of the American Academy of Religion* 46:2 (1978), 183.

40) David H. Hesla, "Religion and Literature: The Second Stage," *Journal of the American Academy of Religion* 46:2 (1978), 183.
41) George Eldon Ladd, *The New Testament and Criticism* (Grand Rapids: William B. Eerdmans, 1967), 8.
42) Ibid., 15.

걸친 자유주의적인 현대신학의 영향 아래에서 이루어진 것이라고 말해야 할 것이다. 슐라이어마허는 인간이 지니고 있는 근본적이며 보편적인 감정, 곧 신에 대한 절대 의존감정을 종교의 본질로 보았는데, 그의 신학적 방법은 계몽주의에 의한 진보적 사상을 흡수하는 한편 그것을 넘어서서 무한을 감지하려는 시도였다. 이렇게 이성적 사고와 그리스도교 신앙을 융합하려는 그의 신학적 태도를 버코프(Hendrikus Berkhof)는 중재의 신학(theology of mediation)이라고 불렀다.[43] 현대인이 계몽주의 시대에 싹터서 칸트와 헤겔을 거쳐 이어오는 이성 중심적 사고와 비판의식의 물결을 거슬러서 '비평 이전의 시대'(precritical age)로 돌아갈 수는 없는 일이기 때문에, 슐라이어마허가 주창한 중재의 신학은 점차 확대 발전해 나갔다. 그의 중재하려는 노력을 리처드 니버는 다음과 같이 격찬했다.

> 우리가 슐라이어마허에게 감사하지 않을 수 없는 것은 그가 대학교수들과 그들의 세속적인 학문들과의 고통스럽지만 필요한 대화 안에서 그리스도교적 사상을 유지하려는 성실성을 정직한 신학에 필수적인 덕목들 가운데서 아주 중요한 것으로 자리매김했다는 점이다. 이러한 대화는 지난 세기와 이번 세기에 있어서 개신교 자유주의의 가장 훌륭한 특징이다.[44]

니버는 버코프의 중재라는 말 대신에 대화라는 용어를 사용하면서 세속적 학문과의 대화를 피하는 신학은 정직하지 못하다고 말하고 있다. 특히 그가 보수적인 성향의 신학자라는 점을 염두에 둘 때,[45] 그의 말에 많은 무게가 실린다. 헤슬라가 앞에서 언급한 대화적 신학은 이미 슐라이어마허에게서부터 시작되었던 것이 분명하다.

　　슐라이어마허 이후 20세기 말까지 현대신학의 주류는 세상, 다시 말해서, 문화를 외면하지 않고 포용했다. 그를 이어서 고전적 자유주의 신학파를 세운

---

43) Hendrickus Berkhof, *Two Hundred Years of Theology*, tr. John Vriend (Grand Rapids: Willam B. Eerdmans, 1989), 63.
44) Richard Niebuhr, "Friedrich Schleiermacher," *A Handbook of Christian Theologians*, eds. Dean G. Peerman and Martin E. Marty (Nashville: Abingdon, 1965), 34-35.
45) Berkhof, *Two Hundred Years of Theology*, 272.

리츨(Albrecht Ritschl)이 출현했는데, 그는 윤리적 측면을 강조하여 그리스도교는 피안적인 종교가 아니라 사랑에 감화된 윤리적 행동으로 세계를 변혁시키는 종교라고 말했다. 그에게 있어서 구원은 신의 나라가 땅 위에 실현되는 것이다. 사회복음 운동을 벌인 그의 미국인 제자 라우셴부시(Walter Rauschenbusch)에 오면 초월적인 세계는 거의 자취를 감추고 내재적 신이 신학의 중심을 이룬다.

19세기의 고전적 자유주의 신학자들의 낙관적인 세계관이 1차 세계대전을 통해 깨어지면서 자유주의적 문화 그리스도교에 대한 반발로 바르트(Karl Barth)를 중심으로 하는 신정통주의 신학자들이 나왔다. 이 신정통주의자들은 옛 그리스도교 정통주의 신학의 의미를 재발견하려고 노력하면서 신의 초월성을 강조했지만, 한편으로는 계몽주의를 기정사실로 바라보고 자유주의적 선배들과 함께 성서비평을 받아들였다는 면에서 그들은 자유주의자들의 영향 아래에 있었다.46) 바르트에서 절정을 이룬 신정통주의는 비신화화론을 주창한 불트만(Rudolf Bultmann)에 이르러서는 역사적 변화와 문화의 중요성을 전면에 내세우는 대화적 신학으로 발전했다. 신을 궁극적 관심이라고 말한 틸리히(Paul Tillich) 역시 그리스도교의 본질적인 진리와 특성을 유지하면서도 그리스도교의 메시지를 현대의 지성이나 문화와 조화시키려고 했다. 그에게 오면 라우셴부시의 현세적 윤리주의가 초월성의 가미로 재편된 것을 발견한다. 그러나 본회퍼(Dietrich Bonhoeffer)와 몰트만(Jürgen Moltmann)을 거치면서 급진적 신학이 대두되고 세속신학, 해방신학 같은 현세적 문제를 중시하는 신학이 나타난다. 라너(Karl Rahner)와 큉(Hans Küng) 같은 가톨릭 신학자들은 내재와 초월의 균형을 꾀했다. 전반적으로 바르트 이전과 이후의 20세기 신학은 이 지상에서의 인간의 삶을 중시한 '아래로부터의 신학'이었다.47)

계몽주의의 이성과 칸트 이후의 비판정신을 받아들이고 인간의 경험과 문화, 그리고 역사성을 중시한 아래로부터의 현대신학은 성서의 역사비평적 그리고 문학비평적 해석을 받아들일 뿐 아니라 적극적으로 발전시켰다. 현대사상과 문화를 등지고 사회로부터 분리주의적인 태도를 취하는 근본주의자들이 현재

---

46) 스탠리 J. 그렌츠와 로저 E. 올슨, 『20세기 신학』, 신재구 역 (서울: 한국기독학생회, 1997), 96.
47) Ibid., 63.

에도 없는 것이 아니지만, 철저한 근본주의자들은 그 수가 점차 적어져 가고 있다. 신학계 밖에서 자료비평과 성서의 문학적 연구가 활발하다 하더라도, 만약 신학계 안에 그것을 받아들일 준비가 되어 있지 않았더라면, 다시 말해서, 신학자들이 문화와 역사에 대해서 계속 배타적인 태도를 취했더라면, 성서의 역사적 비평이나 문학적 비평은 가능할 수 없었을 것이다. 계몽주의 이후로 과학적인 발견이 가장 앞서고 사상가들의 사상운동이 그 발견의 결과를 체계화한 다음에, 마지막으로 그 사상의 언어로 신앙을 설명하려는 현대 신학자들의 시도가 나타났다. 한 마디로, 성서의 고등비평과 문학비평은 현대신학의 산물이다. 현대신학자들이 세속사회에 대한 지나친 관심이나 참여로 인해서 극단에 치우치는 실수를 범한 경우가 없지 않지만, 그들의 현대사상과의 진지한 대화의 노력은 니버의 말대로 힘들지만 필수적인 일이다. 현대신학자들은 현대인들과 말할 때 현대어를 사용하지 않고 그들을 설득할 수 없다는 것을 의식하고 있는 사람들이다. 성서의 이야기가 많은 신학자들의 관심의 대상이 되고 이야기 신학이 주요 신학사상으로 대두된 20세기말에 와서 문학은 성서의 해석방법뿐 아니라 신학 자체의 중심에 자리하게 되었다.

2. 이야기 신학과 문학

이야기의 특성을 중시한 이야기 신학(narrative theology)은 1970년대에 미국을 중심으로 시작되었다. 이 신학의 근원은 복잡하지만, 가장 중요한 근원은 1946년에 발간된 문학비평가 아우어바하(Eric Auerbach)의 저서 『모방론』(*Mimesis*)으로 알려져 있다. 그가 지적한 성서의 이야기적 특성이 신학적 탐구의 대상이 되었기 때문이다. 그러나 이야기 신학의 신학적 뿌리는 성서를 신의 이야기로 간주한 바르트와 이야기가 계시를 표현하는 적절한 방법이라고 주장한 리처드 니버에게서 찾을 수 있다. 그리고 이야기 신학에 직접적인 영향을 준 사람은 1971년에 「경험의 이야기적 특성」("The Narrative Quality of Experience")을 발표한 크라이츠(Stephen Crites)이며, 본격적으로 이야기 신학을 전개한 사람은 1974년에 『성서 이야기의 쇠락』(*The Eclipse of Biblical Narrative*)을 펴낸 프라이(Hans W. Frei)이다. 그와 쌍벽을 이루는 이야기 신학자로 리쾨르(Paul Ricoeur)가 있다.

이야기 신학은 프라이를 중심으로 린드벡(George Lindbeck), 하우어와스(Stanley Hauerwas), 그리고 켈시(David Kelsey)가 포진한 예일학파와 리쾨르를 중심으로 트레이시(David Tracy), 하트(Julian Hartt), 그리고 맥파그(Sallie McFague)가 모여 있는 시카고학파로 구분된다. 예일학파에서는 추론적인 산문과 추상적인 논리를 반대하면서 그리스도교 신앙은 성서 본문의 문법적 규칙과 개념을 파악함으로써 가장 잘 이해될 수 있다고 주장한다. 반면 시카고파에서는 그리스도교 이야기가 역사적, 철학적, 심리학적 관심에 오염되어 있기 때문에, 그 이야기의 해석을 위해서는 그러한 학문의 도움을 받아야 한다고 주장한다. 그래서 콤스톡(Gary L. Comstock)은 예일학파를 순수 이야기 신학파로, 시카고학파를 비순수 이야기 신학파로 구분한다.48) 이야기 신학은 아직도 완전히 뿌리를 내리지 못하고 있는 형편이지만, 성서의 이야기에 대한 관심의 고조와 발맞추어 90년대 이후에는 장래성이 있는 신학으로 각광받고 있다.

이야기 신학은 이야기 구조가 그리스도교 같은 역사에 뿌리를 둔 신앙을 표현하는 적절한 형식이라는 인식에 바탕을 두고 있다. 이야기 형식이 신학자들의 관심을 끌게 된 것은 여러 가지 문화적이고 학문적인 요소들이 작용한 것으로 보인다. 역사적 사실에 대한 연구의 발달로 인해서 이성적, 추상적인 사변에 싫증을 느끼고, 구체적이고 실존적인 세계를 선호하게 되었고, 여기에 따라서 주관성이 강조되었을 뿐 아니라, 1960년대 이후로 성서에 대한 문학 비평적 연구가 활발해져서 서사비평 등을 중심으로 이야기에 대한 연구가 많이 진행되었다. 이야기 신학자들이 논리적, 추상적인 조직신학을 배격하고 구체적이고 경험적인 이야기 형식에 관심을 갖는 것은 이러한 문화적, 학문적 배경과 일치한다. 이야기 신학을 선호하는 사람들은 인간의 경험 그 자체가 이야기적 성격을 지니고 있을 뿐 아니라, 성서는 신에 대해서 이야기하기 때문에 그리스도교적 신앙의 구조 역시 근본적으로 이야기라고 주장한다. 그리스도교인들은 신앙적 이야기를 통하여 자신을 점검하고 자신의 정체성을 확인하게 된다. 이야기 신학

---

48) Gary L. Comstock, "The Narrative Quality of Experience," *Journal of the American Academy of Religion* 55:4 (1987), 688.

자들은 신앙적 이야기를 성서뿐만 아니라 문학작품, 성자들의 전기, 혹은 자서전에서도 찾고, 구체적 삶과 직결되는 윤리를 강조하기도 한다. 그리고 이야기를 실제적으로 설교와 교육에도 활용한다.

그리스도교인의 정체성을 확립하려는 이야기 신학은 보수성과 현대성을 모두 지니고 있다. 이야기 신학이 조직신학을 멀리하고 이야기 형식을 중시하기 때문에 자유주의적인 신학의 일종으로 오해받을 가능성이 많다. 20세기 중반에 와서 사신신학이나 문화적 전통의 와해로 인해서 그리스도교인들의 정체성이 위기를 맞이했을 때, 신학자들은 그리스도교인들의 개인적인 그리고 공동체적인 삶에 의미와 방향을 부여하고 질서를 확립시키기 위해서 이야기 형식에 관심을 갖기 시작했다.49) 이야기 신학자들은 조직신학의 추상적인 논리가 현대에 와서 설득력을 상실했다는 사실을 인식했기 때문에, 현대인에게 호소력이 있는 이야기 형식에 의지하게 된 것이다. 한 마디로 그들은 보수적인 신앙을 이야기를 통해서 설명하려고 한다. 자유주의와 이야기 신학의 차별성은 린드벡이 자신들의 신학을 '후기자유주의 신학'(postliberal theology)이라고 부른 데서 나타난다.50) 예일학파의 지도자였던 프라이는 신정통주의자인 바르트에 귀를 기울였고, 바르트를 존경하는 리처드 니버의 제자였기 때문에 보수 성향을 지닌 신학자였다. 포드(David Ford)는 프라이를 관대한 정통신앙을 지닌 사람으로 규정하면서, 현대 신학사의 관점에서 볼 때, 그는 슐라이어마허를 바르트 가까이로 옮겨 놓음으로써 이 두 신학자의 관계를 대립에서 이웃으로 정립했다고 말하고 있다.51) 맥그래스(Alister E. McGrath)는 이야기 신학이 보수주의자에게 매력적인 면을 지니고 있지만 자유주의자들 역시 그것에 매력을 느낀다고 언급하고 있다.52) 그런데 자유주의자들이 이야기 신학에 매력을 느끼는 이유는 그 신학이 무엇보다 이야기, 즉 문학을 중시한다는 점 때문이다.

필자는 성서비평에 대한 언급에서 문학이론이 성서비평에 미친 영향을 언

---

49) George Stroup, "Theology of Narrative or Narrative Theology?: A Response to *Why Narrative?*," *Theology Today* 47:4 (1991), 431.

50) William C. Placher, "Paul Ricoeur and Postliberal Theology: A Conflict of Interpretations?," *Modern Theology* 4:1 (1987), 37.

51) David F. Ford, "Hans Frei and the Future of Theology," *Modern Theology* 8:2 (1992), 205.

52) Alister E. McGrath, *Christian Theology: An Introduction* (Oxford: Blackwell, 1994), 174.

급했는데, 이야기 신학에 오면, 문학이 신학 자체에 영향을 미치고 있는 것을 발견하다. 라잇(T. R. Wright)은 『신학과 문학』(Theology and Literature)에서 성서의 언어는 문학적 언어이며 신앙의 근본적이고 보편적인 내용은 상징에 의해 간접적으로 전달될 수밖에 없다는 점을 강조하면서, 조직신학과 이야기 신학 사이의 긴장을 조직신학과 문학 사이의 긴장의 연장으로 설명하고 있다.53) 그의 논리는 성서의 문학적 이해와 문학 비평적 해석이 이야기 신학의 밑바탕이 된다는 것이다. 시카고학파의 리쾨르는 현대 문학비평에 대한 관심을 가지고 성서의 상징, 신화, 은유 등을 연구한 후에 이야기의 문제를 다루었다. 그는 문학비평을 거쳐서 이야기 신학으로 들어갔기 때문에, 그의 이야기 신학은 문학 연구의 연장선 위에서 이루어졌다. 이야기 신학이 단순히 문학이나 문학비평의 영향 아래에서만 태동했다고는 볼 수 없고, 문학 외에 언어학, 역사철학, 심리학, 윤리학 등의 다양한 문화적, 학문적 영향을 받은 것이 사실이다. 그러나 이야기 신학에 미친 문학의 영향은 어느 다른 것보다 더 크게 작용한 것임에 틀림없다. 스트룹(George Stroup)은 이야기 신학을 논하면서 지난 30여 년 동안 "많은 신학자들이 최근의 문학이론, 특별히 구조주의, 후기구조주의, 해체주의, 그리고 독자반응 이론에서 자원을 발견해왔다."고 언급했다.54) 문학이론이 성서 해석에 영향을 주었다는 것도 작은 일이 아니지만, 문학과 문학비평이 신학에 새로운 방향을 제시하는 결정적인 역할을 했다는 것은 참으로 놀라운 일이다. 신학이 문학의 우위에 있던 때가 지나고, 이제 문학이 신학에 영향을 미치는 시대가 되었다.

III. 문학 비평가들의 성서해석

1. 문학비평가와 성서

문학과 성서, 문학과 성서해석, 그리고 문학과 신학의 관계에 있어서 많은 문학 전공자들과 비평가들이 신학의 성문을 두드렸고 신학자들이 그들의 두드

---

53) T. R. Wright, *Theology and Literature* (Oxford: Basil Blackwell, 1988), 12-32, 83.
54) Stroup, "Theology of Narrative or Narrative Theology?: A Response to Why Narrative?," *Theology Today*, 427.

림에 귀를 기울였다. 문학으로서의 성서 이해와 이야기로서의 성서해석에 개척적인 역할을 한 문학 비평가들 가운데서 가장 두드러진 사람들은 아놀드(Matthew Arnold)와 아우어바하(Eric Auerbach)이다. 그들 외에 성서 해석자들과 나란히 성서해석에 관한 연구서를 펴낸 스턴버그(Meir Sternberg), 베를린(Adele Berlin), 커모드(Frank Kermode), 앨터(Robert Alter), 그리고 프라이(Northrop Frye) 같은 문학 전공자들이나 비평가들이 있다. 그들 가운데서 커모드와 프라이가 특별한 관심의 대상이 되는 것은 이 영역에 기여한 그들의 공로 외에 문학 비평가로서의 그들의 명성 때문인 것으로 보인다. 그리고 라잇(T. R. Wright) 같은 영문학자는 신학에 관여하여 문학과 이야기 신학의 관계를 정립하는 데에 획기적인 공헌을 했다. 앞에서도 성서의 문학적 이해를 위해서 문학 전공 학자들과 비평가들이 개척적인 역할을 했다는 것을 간략하게 언급한 일이 있지만, 여기서는 아놀드와 아우어바하 같은 개척자들과 성서해석에 직접 참여한 커모드와 프라이 그리고 신학에 관여한 라잇을 고찰함으로써 그들이 현대의 신학적 연구에 대해서 보인 관심과 신학적 연구에 대한 공헌을 살피려고 한다.

19세기 후반에 활동한 아놀드는 당대의 풍조에 따라 신앙보다는 행동을, 종교보다는 문학을 중시한 시인이며 비평가였다. 1869년과 1873년에 발표한 『문화와 무정부』(*Culture and Anarchy*)와 『문학과 교의』(*Literature and Dogma*)에서 그는 문화의 중요성을 강조하면서 문화를 시와 종교와 연계시켰다. 특별히 그는 성서의 언어는 시적이며 감정적인 언어이기 때문에 과학이 아니고 문학이라는 점을 강조했다.[55] 교육자이기도 했던 아놀드는 1870년의 교육법안에 의해서 공립학교 교육과정에서 성서가 배제될 것을 염려해서 학교에서 사용할 수 있도록 1872년에 이사야서 40-66을 개작하고, 거기에 서문을 붙였다. 이 서문에서 그는 이사야서로부터의 이 발췌문이 어린이들의 문학수업에 아주 적절하다는 점을 역설했다. 여기서 그는 종교교육은 전혀 염두에 두지 않았다. 당시에 미국 학교에서 문학교육 교재로서의 성서보다는 종교교육을 위한 교재로서의 성서를 중시한데 반해서 영국에서 아놀드는 문학으로서의 성서에만 관심을 갖고 있었다. 그는 이러한 성서의 문학적 강조가 지닌 문제점을 의식했기 때문에,

---

55) David Norton, *A History of the Bible as Literature* (Cambridge: Cambrideg UP, 1993), 273.

성서의 신앙적 적용은 교회에 속한 일이고, 문학적인 면은 학교에 속하는 일이라고 말함으로써 성서의 신앙적 측면과 문학적 측면을 구분했다. 이러한 구분에는 문제가 있는 것이 사실이지만, 미국 학교에서는 성서의 종교적 가치를 우선시키면서 문학적인 면을 부수적인 것으로 취급한 반면, 아놀드는 문학으로서의 성서에만 초점을 맞추었다는 면에서, 성서의 문학성에 대한 그의 강조는 시대를 앞서가는 것이었다.

그가 '문학으로서의 성서'라는 표현을 처음으로 창안할 수 있었던 것은 성서의 문학적 측면을 이렇게 강조한 결과이다. 더구나 그가 19세기 영국의 비평계를 주도한 영향력 있는 비평가였기 때문에 성서의 문학성에 대한 그의 견해가 큰 반향을 불러일으킬 수 있었다. 성서를 문학으로 이해하는 초기 단계에서 개척자로서의 그의 탁월한 공헌은 강조될 만하다. 그는 종교의 강점은 시적 요소라고 말하고 종교가 그 힘을 잃을 때 시가 종교를 대신할 것이라고 예언했는데, 물론 그의 말에는 과장된 면이 없지 않지만, 그는 이미 19세기 후반에 문학이 종교보다 우위를 차지할 20세기말을 예견했던 것같이 보인다.

성서의 문학적 연구의 필요성이 인정된 1970년대까지도 호머의 작품들과 성서는 아주 다르다는 견해가 남아 있었지만, 아우어바하는 일찍이 1946년에 출판된 『모방론: 서구문학에 나타난 현실의 묘사』(*Mimesis: The Representation of Reality in Western Literature*)에서 이러한 견해에 정면으로 도전했다. 그는 그의 책에서 호머를 비롯해서 성서, 타키투스(Tacitus), 어거스틴, 단테, 라블레, 괴테, 발작, 플로베르, 버지니어 울프, 그리고 프루스트까지 온갖 서구문학을 고찰하고 있다. 아우어바하는 유럽문학에 나타나는 묘사의 전통을 예의를 중시하는 진지한 고급문체와 일상적인 현실을 묘사하는 저급한 문체 두 가지로 구분한다. 그리고 구약의 창세기 이야기를 고급문체를 취급한 1장에서, 마가복음에 나타나는 베드로가 예수를 배반한 이야기를 저급한 문체를 취급한 2장에서 각각 다룸으로써, 그는 신구약성서가 모두, 다른 이야기와 마찬가지로, 일반적인 문학비평의 규준에 따라 연구될 수 있다는 것을 분명히 했다.56) 그는 이야기 형식으로 나타나는 현실 묘사는 심미적인 것과 역사적인 것을 구분할 필요가 없

---

56) Powell, *What is Narrative Criticism?: A New Approach to the Bible*, 4.

는 문학의 기본 요소라고 보았다. 그래서 그의 방법에 의하면 성서의 고등비평과 성서의 문학비평에서 문제가 되는 성서 이야기의 역사성에 대한 고려에 구애받지 않고 성서적 이야기와 픽션을 포괄적으로 다루었다.57)

아우어바하는 성경을 문학적으로 연구할 수 있는 길을 활짝 열었다. 그는 첫째 아놀드가 부분적으로 언급한 문학으로서의 성서 개념을 서구문학의 전통 안에서 폭넓게 규정했다. 둘째로는 전문적인 성서 비평가들에게 성서를 문학비평적 방법을 통해서 해석할 수 있는 길을 제시했다.58) 마지막으로 그는 이야기 신학자들에게도 영향을 미쳤다. 그의 영향의 크기는 성서와 문학, 성서와 문학비평을 논하는 책들에서 거의 예외 없이 그의 이름을 언급하는 데서 드러난다. 앨터와 커모드는『성서에 관한 문학적 안내』(The Literary Guide to the Bible)에서 아우어바하의『모방론』의 첫 장(chapter)은 "성서에 관한 현대적인 문학적 이해를 위한 출발점으로 간주될 수 있다"59)고 말했고, 노턴(David Norton)은 그를 문학 비평적 성서해석의 "아버지 상"(father figure)이라고 불렀다.60) 파우얼 (Mark Allan Powell)은『모방론』을 "이정표적인 연구"61)라고 불렀는가 하면, 라잇은 "아우어바하의 통찰을 통해서 수많은 미국학자들이 1960년대에 복음서에 관한 고무적인 책들을 쓰게 되었다"고 말했다.62) 이야기 신학의 토대를 마련한 프라이는『성서 이야기의 쇠락』의 서문에서 그에게 영향을 준 세 사람으로 아우어바하, 바르트, 그리고 라일(Gilbert Ryle)을 언급했는데, 여기서 아우어바하를 맨 앞에 내세웠을 뿐 아니라, 바로 다음 문장에서 그의 영향을 강조하여 그의 고전적 연구서『모방론』의 영향은 자신의 책 전체에 걸쳐서 분명히 나타난다고 말했다.63) 이와 같이 문학 비평가 아우어바하의 이야기로서의 성서에 대한 문학 비평적 고찰이 성서해석과 이야기 신학에 심대한 영향을 미쳤다는

---

57) Norton, *A History of the Bible as Literature*, 359.
58) Robert and Frank Kermode Alter, eds., *The Literary Guide to the Bible* (Cambridge: Harvard UP, 1987), 1-2.
59) Ibid., 23.
60) Norton, *A History of the Bible as Literature*, 358.
61) Powell, *What is Narrative Criticism?: A New Approach to the Bible*, 4.
62) Wright, *Theology and Literature*, 48.
63) Northrop Frye, *The Great Code: The Bible and Literature* (New York: Harcourt Brace Jovanovich, 1981), vii.

데서 우리는 문학의 그리고 문학 비평가의 역할이 20세기 후반의 신학계에 얼마나 중요했는가를 새삼 깨닫게 된다.

2. 프랭크 커모드

「모방론」이 나온 30여 년 후 1979년에 커모드(Frank Kermode)는 『비밀의 기원』(*The Genesis of Secrecy*)에서 마가복음을 중심으로 새로운 해석학적 이론을 전개했다. 문학비평가인 커모드에게 있어서 성서의 이야기는 예술적이고 허구적인 이야기이다. 그는 예수의 수난 이야기에서 원래 유다가 언급되지 않았었는데, 점차로 그에게 이름이 주어지고 그의 이야기가 형성되기에 이르렀다고 말했다. 이것은 "우화에서 기록된 이야기로, 이야기에서 등장인물로, 인물에서 더 많은 이야기로"[64] 발전해 나가는 정형에 의한 것이다. 다시 말하면, 유다는 이야기의 요구로 인해서 고안되었다는 것이다. 예수가 유대인들에게 체포되는 데에는 누군가 배반자가 있어야 하기 때문에, 수난 이야기에 대한 연구와 해석의 결과 상상력을 통해서 배반자가 만들어졌다. 그리고 마태복음의 기자가 마가복음을 토대로 해서 복음서를 기록할 때, 배반자는 보상을 원한다고 생각했기 때문에, 유다가 대제사장에게 가서 보수를 요구하는 이야기를 보강했다. 그래서 그가 은 30을 받게 된 것이다. 그런데 마태복음의 기자는 이 허구적인 은 30을 삽입할 때 구약에 나오는 메시아에 대한 예언을 염두에 두고 있었다. 이렇게 해서 구약의 예언과 예수가 연결되었다. 노턴(David Norton)의 말처럼, "발생한 사실에 대한 이해는 발생한 것과는 다른 어떤 것에 의해서 형성되고, 결국 그 설명에는 허구적인 요소가 포함되어 있는 것이 분명하다".[65] 커모드는 또한 빌라도를 언급하는데, "배반의 이야기에 배반자가 필요하듯이, 재판에는 재판관이 필요하다".[66] 이 역사적인 인물 빌라도가 이야기에서 표출될 때, 이야기 안에서의 그의 삶은 역사적인 차원을 벗어난다. 다시 말하면, 그 역사적 인물은 허구적 이야기의 등장인물이 된다. 그는 복음서의 이야기들을 "어떤 것에 대해

---

64) Frank Kermode, *The Genesis of Secrecy: On the Interpretation of Narrative* (Cambridge: Harvard UP, 1979), 98.
65) Norton, *A History of the Bible as Literature*, 365.
66) Ibid., 96.

서 씌어진 것," 다시 말해서, 역사적인 것으로 보지 않고, "씌어진 것," 즉 하나의 허구적 작품으로 보고자 한다.67)

커모드는 성서해석을 성서를 역사적 문서로 보는 "진리" 추구와 성서를 이야기로 보는 "의미" 산출 행위로 구분한다. 그에 의하면, "진리는 권위, 전통, 그리고 제도권의 힘"에 의지하면서 "닫혀진, 독백적인 신앙체계에 봉사하는"68) 내부자들이 추구하는 것이며, 진리 추구자들은 성서의 본문을 역사적 기록으로 보고 투명한 신화"69)에 의지해서 "단일한 의미"70)를 찾는 사람들이다. 성서를 문학작품으로 보는 그의 입장에서는 성서에서 단일한 진리를 해석해 내는 것은 받아들일 수 없는 일이다. 그는 항상 변화하는 역사적, 문화적 관심에 비추어 작품을 읽기 위해서 전통적 가치에 도전하거나 그 가치를 변형시키려는 자유를 지닌 외부자로서의 해석자가 추구하는 의미를 선호한다.71) 실상 이야기의 구조가 복잡할 때, 우리는 그 이야기를 단일한 의미를 지닌 투명한 이야기로 받아들일 수 없다. 커모드는 마가복음이 투명한 이야기가 아니라는 점을 수난 이야기에 나타나는 천을 걸치고 달아나는 젊은이와 갑작스러운 마가복음의 종결을 예로 들어 설명하면서, 마가복음이 "모호한 관계로 가득하고 비밀이 아주 풍성한 작품"72)임을 강조한다. 성서에 내재해 있는 의미는 해석의 산물인데, 해석자는 자신의 편견을 지니고 있기 때문에 주어진 작품의 의미는 작품 자체의 불투명성과 독자 자신의 개인차로 인해서 다양해질 수밖에 없다. 커모드는 『비밀의 기원』에서 특정한 문학비평적 방법을 성서해석에 적용하는 실제비평을 시도하지 않고 성서해석 이론을 전개함으로써 성서 해석학적 연구를 수행했다. 그가 문학 비평가로서 성서 해석학에 기여한 공헌은 성서가 문학적 상상력에 의해서 기록된 이야기이므로 문학비평적 방법으로 해석되어야 할 책이라는 점을 설득

---

67) Ibid., 119.
68) Christopher Norris, "Criticism," *Encyclopedia of Literature and Criticism*, eds., Martin Coyle *et al*. 27:65 (1991), 30.
69) David Jasper, *The Study of Literature and Religion: An Introduction*, (Minneapolis: Fortress, 1989), 118.
70) Ibid., 123.
71) Norris, "Criticism," *Encyclopedia of Literature and Criticism*, 30.
72) Ibid., 137.

력 있게 밝힘으로써 성서 이야기에 대한 문학 비평적 해석방법의 정당성을 이론적으로 입증했다는 점이다.

3. 노스롭 프라이

다음으로, 신화비평의 대가 프라이(Northrop Frye)는 1981년에 발표한 『위대한 법전』(The Great Code)에서 신화비평을 성서해석에 적용했다. 프라이는 언어의 발전을 은유적, 환유적, 그리고 민중의 언어 세 단계로 구분했는데, 은유적 언어는 주객관이 구별되지 않는 원시시대의 시적 언어, 환유적 언어는 관계성을 중시하는 개념적 언어, 그리고 민중의 언어는 16세기부터 발달한, 주객관을 구별하고 객관적인 세계를 묘사하는 과학적 언어이다. 그는 성서가 은유적 언어로 씌어진 책이라고 말한다. 그는 성서를 "문학작품 이상의 것"[73]이라고 말함으로써 성서가 문학작품이라는 언급을 피하는 것처럼 보이지만, 성서의 은유적 언어를 강조하는 그에게 있어서 성서의 언어는 과학의 언어가 아닌 문학의 언어이다. 신화비평가인 프라이는 성서의 이야기를 신화적 이야기로 본다. 그래서 그가 읽는 성서에서 유대민족의 역사적 사실은 신화적 내용에 종속된다. "신화는 한 민족의 희망, 가치, 두려움, 야망" 같은 집단의식의 "상징적 투사"[74]이기 때문에, 성서의 이야기는, 커모드의 용어를 빌려서 말하면, 투명한 이야기가 아니고 해석을 요구하는 다양한 의미를 지닌 이야기이다. 프라이는 "문학비평가의 관점에서"[75] 메시야가 주인공인 하나의 작품을 분석하듯이 성서를 문학비평적으로 다루고 있다.

그의 신화비평적 성서해석은 성서의 구조를 새롭게 조명해 낸다. 성서에는 법, 역사, 시가, 예언, 교훈 등의 다양한 이야기들이 포함되어 있지만, 프라이는 이 다양한 것들이 예표론적 구조에 의해서 통일성을 유지한다는 것을 예증한다. 그에 의하면, 성서에는 창조, 혁명이나 탈출, 법, 지혜, 예언, 복음, 그리고 계시의 7가지 단계가 있다. 오랜 세월 동안에 수많은 사람들에 의해 기록된 성서는

---

73) Northrop Frye, The Great Code: The Bible and Literature (New York: Harcourt Brace Jovanovich, 1981), xvi.

74) Guerin, A Handbook of Critical Approaches to Literature, 148.

75) Frye, The Great Code: The Bible and Literature, xi.

세상의 창조로부터 시작해서 멸망 후의 비전까지 거대한 세계를 일관성 있는 구조 안에 담고 있다. 신구약에서 반복적으로 나타나는 패턴을 통해서도 신구약의 통일성을 발견할 수 있다. 성서에는 타락이나 속박 상태에 머물러 있던 사람들이 한동안의 고난을 당한 후에 구원을 받게 되는, 프라이가 'U'자 모양의 이야기라고 언급한[76] 이야기 패턴이 있다. 이 패턴은 구약에 나타나는 이집트, 바벨론, 시리아 등에 의한 속박과 구원뿐 아니라 신약에 나타나는 인간의 범죄와 구원에서 분명하다. 프라이는 신구약에 나타나는 이보다 작은 'U'자형의 수많은 사건들을 열거한다. 그리고 이 작은 'U'자형의 이야기들은 에덴동산으로부터 추방된 인간이 예수의 재림을 통해 천국에 들어가는 전체의 'U'자형의 구조 안에 포함되어 있다. 신약성서의 기록자들은 예수가 구약에서 예언된 메시아임을 밝히기 위해서 구약과 신약의 연계성을 강조했는데, 프라이는 구약이 단순히 신약의 배경이 아니고 신구약 전체가 "예표의 은유적이고 신화적인 구조에 기초해서 상상력에 의해 기록된"[77] 책이라는 사실을 드러낸다.

프라이의 신화비평적 성서 분석은 비전통적인 신학을 이끌어 낸다. 신화적 의미를 해석하려는 신화비평가는 신화가 내포한 상징적 의미를 파악하려고 노력하기 때문에, 신화 이야기를 문자 그대로 받아들이지 않고 현대의 언어로 이해하려고 한다. 그렇기 때문에 두덱(Louis Dudek)이 지적한 대로, 『위대한 법전』에서의 프라이의 신화비평과 불트만의 비신화화는 대립되는 것 같이 보이지만, 그 취지는 역설적으로 동일하다.[78] 프라이는 지옥에 대해서 인간이 죽은 후에 영원한 시간 동안 지옥의 악몽 속에 시달린다는 것은 "더러운 교리"[79]라고 말한다. 천국도 우리를 기다리지 않는다. 이와 같이 프라이는 "정통적 그리스도교의 여러 가지 면이 급진적으로 교정되어야 할 것"[80]을 요구한다. 이러한 그의 급진적인 태도 때문에 골드(Joseph Gold) 등의 일부 서평가들은 『위대한 법전』을 혹평했지만, 두덱은 그 책을 옹호하면서 프라이의 진정한 공헌은 "인

76) Ibid., 169.
77) Ian Balfour, *Northrop Frye* (Boston: Twayne, 1988), 106.
78) Louis Dudek, "The Bible as Fugue: Theme and Variations," *University of Toronto Quarterly* 52:2 (Winter 1982), 133.
79) Frye, *The Great Code: The Bible and Literature*, 74.
80) Dudek, "The Bible as Fugue: Theme and Variations," *University of Toronto Quarterly*, 129.

간적인 사색과 호기심을 위한 탐색의 새로운 영역을 열었다는 데"에 있다고 말했다.[81] 특별히 위브(Donald Wiebe)는 프라이의 신학은 성서의 "문학비평적 해석"을 통해서 이성적이고 객관적인 신에 대한 설명이 아닌, 신을 생각하는 "구심적 신학,"[82] 그리고 "성서의 문학적 특성을 언어의 은유적 문체를 재생산하는 데에 문학의 기능이 중요함을 인식하는 신학"[83]이라고 그를 극찬했다. 프라이가 『위대한 법전』의 서문에서 언급한 대로 이 책은 성서해석에 관한 연구서가 아니고 신학서적도 아니지만,[84] 한 문학 비평가의 성서의 구조분석이 문학비평적 가치[85]외에 성서비평과 신학에까지 영향을 미치게 되었다.

4. T. R. 라잇

커모드와 프라이가 성서해석에 관여한 것과는 달리, 라잇(T. R. Wright)은 1988년에 발표한 『신학과 문학』(Theology and Literature)에서 신학과 문학의 대화를 정리했다. 그에 의하면, 신학은 신앙의 내용을 조직화해서 통일성과 일관성을 지향하여 언어의 의미에 한계를 부여하려고 하는 반면, 문학은 다양한 경험을 있는 그대로 받아들이면서 언어의 창조적 가능성을 추구하는 역동성을 지녔기 때문에, 이 두 영역은 대조적인 면을 지니고 있다.[86] 이러한 근본적인 차이로 인해서 전통적으로 문학과 신학 사이에는 갈등이 있었다. 그렇지만 "신에 대해서 말하는 성서적 전통은 간접적이고, 암시적이고, 비유적"[87]이기 때문에 문학의 언어와 성서의 언어는 공통점을 지니고 있다. 심지어 "교리에 대한 언급조차 문자적 해석을 기피하는 은유와 역설 같은 문학적 방편으로" 표현되어 있다.[88] 간단히 말하면, 종교적 언어는 문학적 언어이다. 그렇기 때문에 성서를 문학으로 읽어야 한다는 주장이 나온다. 라잇은 신비평적 정독, 구조주의

---

81) Ibid., 134.
82) Wieve. "The 'Centripetal Theology' of The Great Code," *Toronto Journal of Theology*, 122.
83) Ibid., 124.
84) Frye, *The Great Code: The Bible and Literature*, xi.
85) Schwab, "*The Great Code: The Bible and Literature*," *Christianity and Literature*, 89.
86) Wright, *Theology and Literature*, 1.
87) Ibid., 17.
88) Ibid., 19.

적 성서해석, 해체주의 비평 등의 문학 비평적 방법이 성서에 적용되어온 것을 설명한다. 그리고 나서 그는 "이야기는 경험에 질서를 부여하는 인간 의식의 산물"[89]이라고 정의하고, 이러한 이야기를 중시하는 이야기 신학은 합리적 언어로 기록된 조직신학과 대조적이라고 말하면서 이야기 신학을 옹호한다. 이러한 언급 후에 이 책의 절반 이상은 영미의 소설, 시 그리고 드라마에 나타난 신앙 이야기를 작품들을 통해 설명하는 데에 할애되고 있다.

라잇이 『신학과 문학』에서 목표로 하는 것은 이야기 신학의 옹호이다. 그는 이 책의 서두에서 "이 책에서 논증하려는 목표는 시, 이야기, 드라마가 중요한 신학적 진리를 표현할 수 있다는 것이다. 어떤 면에서 문학작품은 신에 대해서 말하는 수단으로서 조직신학보다 더 잘 수용될 수 있는 수단을 제공한다."[90]고 언급하고 있다. 5장으로 구성된 이 책의 1장과 2장에 나타나는 종교의 언어와 문학의 언어의 공통점, 그리고 성서의 문학적 이해와 비평은 3장의 전반부에 나오는 이야기 신학을 위한 도입단계이고, 3장의 후반에 나오는 전기와 소설, 4장과 5장의 시와 드라마에 대한 논의는 이야기 신학의 타당성을 문학을 통해서 예증하기 위한 부분이다. 이 책의 마지막 장에서 말로우(Christopher Marlowe)의 『파우스트 박사』(Doctor Faustus)에 대해 논하면서, 라잇은 주인공 파우스트의 마지막 순간에서 우리는 영벌이 얼마나 끔찍한 것인가를 직접 보게 되는데, 이 작품은 "조직신학의 추상적 언어에서는 찾아보기 어려운 특정한 교리에 내포된 인간적 의미"[91]를 극화하고 있다고 말한다. 여기서 우리는 라잇이 문학 비평가이지만 문학을 통해서 신학에 깊이 관여하여 신학적 발언을 하는 것을 본다. 문학을 백안시했던 교부들과 전통적 신학계를 염두에 둘 때, 문학 비평가가 신학연구에 관여한다는 것은 큰 변화가 아닐 수 없다. 우리는 비신학자인 라잇이 『신학과 문학』에서 이야기 신학의 중요성을 강조하는 것을 보면서 이제 문학과 신학의 대화가 성숙 단계로 접어든 것을 발견한다.

---

89) Ibid., 87.
90) Ibid., 2.
91) Ibid., 183.

IV. 영미 그리스도교 작가들과 현대신학

1. 그레이엄 그린

주어진 시대의 언어로 작품을 써야 하는 작가들이 이성의 시대에 교회의 전통적인 가르침 안에 안주 할 수는 없다. 많은 현대인들은 그들의 이성으로 납득할 수 없는 불멸, 영원, 그리고 신에 대한 이야기를 한다는 것은 근본적으로 무의미하다고 생각하고 종교적 신앙에 등을 돌렸다. 그러나 현대인들에게 호소력이 있는 언어로 그리스도교 신앙을 설명하려고 노력하는 신학자들과 마찬가지로, 몇몇 가톨릭 작가들은 그들의 작품들에서 그리스도교 신앙을 정통신앙의 교리나 전통적인 교회의 가르침이 아닌 현대의 언어로 표현하려고 노력했다. 현대 신학자들과 그리스도교 작가들은 이러한 공통문제를 가지고 있기 때문에, 작가들은 신학자들에게 관심을 갖고, 신학자들은 작가들의 음성에 귀를 기울인다. 그 결과, 많은 현대 신학자들이 정통신앙에 안주하는 보수적인 교회로부터 이단시되는 것과 마찬가지로, 현대 그리스도교 작가들 역시 이단시되거나 경계해야 할 인물들로 지목 받는다. 또한 "대부분의 현대문학이 신앙에 대해서 노골적으로 혹은 은연중에 적대적인 자세"[92]를 취하고 비평가들과 독자들이 그리스도교 문학을 외면하기 때문에, 교회와 사회로부터 이중 혹은 삼중의 곤경을 겪는 그리스도교 작가들이 가는 길은 아주 좁다. 그러나 그들은 그들과 비슷한 길을 가는 신학자들을 곁눈질할 수 있어서 나름대로 외로움을 덜 수 있다. 더구나 이야기를 중시하는 이야기 신학자들이 있기 때문에, 곁눈질뿐 아니라 흥미로운 대화를 나눌 수도 있다. 20세기에 그들의 작품들에서 그리스도교 신앙을 다루면서 신학자들과 대화를 나누는 영미의 그리스도교 작가들로는 영국의 그린(Graham Greene)과 미국의 오코너(Flannery O'Connor)를 들 수 있다.

그린은 22세(1926)에 가톨릭으로 개종하여 그리스도교 신앙을 지닌 주인공들의 삶을 작품화한 작가이다. 그는 그가 작품들을 통해서 가톨릭 신앙을 설파하려는 사람이 아니라는 점을 강조하면서 가톨릭 작가라고 불리는 것을 꺼렸지만, 그의 주요 작품들에서는 그리스도교 신앙이 주요 문제가 되어 있기 때문에,

---

92) T. R. Wright, *Theology and Literature* (Oxford: Basil Blackwell, 1988), 6.

모두들 그를 가톨릭 작가라고 부른다. 영국에는 그린 외에 워(Evelyn Waugh) 같은 가톨릭 작가가 있지만, 그는 그린을 "이단적"[93]이라고 본 정통주의자여서, 현대신학에 관한 관심과 이해의 면에서 그린을 따르지 못한다. 실상 그린은 개종 후에 "호기심을 가지고 열정적으로 많은 신학서적"을 읽었다.[94] 그가 샤르댕(Teilhard de Chardin)의 오메가 포인트를 좋아한다고 ,[95] 그리고 큉(Hans Küng)의 책들을 즐겨 읽었다고 말했다.[96] 이러한 그의 언급과 더불어 그의 작품에 나타난 그리스도교 신앙이 정통주의자들로부터 이단적이라는 평을 받았다는 점을 염두에 둘 때,[97] 그가 탐독한 신학 책들이 주로 현대 신학자들의 저서였을 것으로 보인다. 그린의 전기에서 듀랑(Leopoldo Duran)이 언급하고 있는 것처럼, 그의 주요 가톨릭 작품들은 "신학의 세계"이며 "상당한 신학 지식이 없이 그레이엄 그린의 주요 작품들을 깊이 있게 연구한다는 것은 아주 불가능하다."[98]

이야기 신학자들처럼, 그린은 정통신학에서 중시하는 추상적이고 논리적인 신학을 불신했다. 그는 그의 작품 『모랭 방문기』("A Visit to Morin")의 주인공 모랭과 『타버린 환자』(A Burnt-Out Case)의 퀘어리(Querry)에 관해서 언급하면서 그들은 모두 "신학의 희생자들"[99]이라고 말했다. 그는 모랭이 "신의 존재에 관한 전통적인 소위 증명들은 모두 관념으로서의 신, 논리적인 신, 추상화한 신을 가리킬 뿐이고, 따라서 그 증명들은 실제로는 아무 것도 증명하지 못하거나 증명한다 하더라도 단지 신에 관한 관념이 존재한다는 것을 증명할 뿐이다."라고 말했다는 것을 지적하고 있다.[100] 퀘어리는 어린 시절에 "역사적, 논리적, 철학적, 어원학적 방법"[101]으로 증명된 신을 믿었는데, 나이가 든 후에는 신에 대

---

93) Graham Greene, *Ways of Escape* (New York: Simon and Schuster, 1980), 271.
94) Ibid., 90.
95) Graham Greene, *A Sort of Life* (Harmondsworth: Penguin, 1971), 120.
96) Leopoldo Duran, *Graham Greene: Friend and Brother*, tr. Euan Cameron (London: Harper Collins, 1994), 111
97) Jae-Suck Choi, *Greene and Unamuno: Two Pilgrims to La Mancha* (New York: Peter Lang, 1990), 31.
98) Duran, *Graham Greene: Friend and Brother*, 111.
99) Graham Greene, *Ways of Escape*, 265.
100) Ibid., 266.

한 이성적인 논증을 의심하게 되고 결국은 그 논증을 믿지 않게 된다. 그래서 신앙을 잃은 그는 자신이 교회가 신을 아는 방법이라고 천거하는 신의 존재에 대한 신학적이고 이성적인 설명의 희생자인 것을 가슴 아프게 생각하고 있다.102) 이 소설에 나오는 콜린 의사(Dr. Colin) 역시 신학에 기초한 이성적 믿음을 상실한 사람으로서 신학자들이 내세우는 논증의 정당성을 부인한다. 그린은 모랭과 퀘어리를 통해 표현된 "신학에 대한 불신"을 스페인의 사상가 우나무노(Miguel de Unamuno)로부터 영향을 받은 것 같다고 말하고 있지만103), 실상 그가 가톨릭으로 개종하기 위해서 신부들로부터 신앙교육을 받을 때, 이미 그는 "믿을 수 없는 신학"104)에 대한 반감을 가지고 있었다. 그 때에 그는 탈봇 신부(Father Talbot)가 교회의 가르침만을 내세우면서 자신의 문제에 대한 답을 제시하지 못하는 것을 보고 "교회법이나 윤리신학"105)의 문제점을 발견했다. 그리고 1948년에 브뤼셀(Brussels)에서 열린 가톨릭 회의에서 행한 연설에서 그는 추상적인 신학에서 종교를 끄집어 낼 수는 없는 일이라고 단언했다.106)

그린은 자신의 개종의 경험을 통해서 신앙은 지적인 것이 아니라 감정의 영역이라는 사실을 체득했다. 지식인인 그는 교의에 근거를 둔 유신론의 기초 위에서 신을 믿으려고 온갖 노력을 다 했다. 그러나 그는 신에 대한 확신을 갖지 못했고, 신이라는 존재가 가능하겠다는 막연한 믿음을 갖게 되었을 뿐이다. 그런데 그가 리베리아를 여행하면서 그의 유년시절의 꿈에 나타났던 마녀와 미개한 리베리아인들이 믿는 숲 속의 큰 악마 사이에 공통점이 있다는 것을 발견했다. 그가 발견한 공통점은 그들이 단순하면서 선하지도 악하지도 않은, 다만 공포감을 주는 능력을 지닌 존재들이라는 점이다. 그린은 이 존재들은 "우리 신학에서 언급되지 않은 어떤 존재들"이라는 점을 강조한다.107) 이러한 일치의 발

---

101) Graham Greene, *A Burnt-Out Case* (London: William Heinemann and the Bodley Head, 1974), 181.

102) Choi, *Greene and Unamuno: Two Pilgrims to La Mancha*, 161.

103) Greene, *Ways of Escape*, 266.

104) Greene, *A Sort of Life*, 118.

105) Ibid., 137.

106) Stratford Philip, ed., *The Portable Graham Greene* (New York: Viking, 1972), 585-86.

107) Graham Greene, *Journey without Maps* (Harmondsworth: Penguin, 1936), 176.

견은 이지적인 개종의 결과 "전혀 기쁨이 없고, 단지 우울한 불안뿐"이었던[108] 그에게 "감정적 개종"의 기쁨을 안겨주었다.[109] 그는 영세를 받은 9년 후에 리베리아에서 경험한 이 감정적 개종에 대해서 언급하면서, 이 경험은 그에게 아주 "새로운" 것이었으며 "중요한" 것이었는데, "이전에는 개종을 경험한 일이 없었다"고 말하고 있다.[110] 「모랭 방문기」에서 모랭이 믿음(faith)과 이성적인 신념(belief)을 구분하면서 신학적으로 설명되는 신과 신의 아들을 믿지 않고, 그의 가슴에서 느껴지는 신앙을 지니고 있다고 말한 것은 그린 자신의 개종의 경험에 비추어 생각할 때 쉽게 이해될 수 있다. 종교의 감정적인 면을 중시한다는 면에서 그린의 신앙은 슐라이어마허의 신학과 상통한다.

그린의 초기 가톨릭 소설들에서 그의 주인공들은 구체적인 경험 가운데서 신앙에 접근하거나 신비를 터득한다. 그의 최초의 가톨릭 소설『브라이튼의 막대사탕』(Brighton Rock)의 주인공 핑키(Pinkie)는 어린 시절에 교회에 출석했던 사람이지만, 지금은 폭력단의 두목으로 활동하고 있다. 그는 배반자 헤일(Hale)을 살해한 후, 그를 경찰에 고발하려는 아이다(Ida) 및 그와 경쟁관계에 있는 집단의 추적으로 인해서 막다른 골목에 이르러 자살하게 된다. 이야기가 빠르게 진행되는 이 소설에서 연속되는 추적과 숨 막히는 위험으로 인한 불안감과 절망상태가 핑키의 종교의식을 일깨운다. 그는 어린 시절의 불행한 경험으로 인해서 천국은 믿지 못하고 지옥만을 믿었지만, 불안과 절망으로 인해서 안전과 평화를 갈망하면서 천국을 동경한다. 두 번째 가톨릭 작품『권능과 영광』(The Power and the Glory)의 주인공 위스키 신부는 가톨릭교회가 공산주의자들의 박해를 받는 멕시코의 타바스코주에 마지막 남은 신부로서 10여 년 동안 그를 체포하려는 경찰의 추적을 피해 다니다가 결국 체포되어 순교 당한다. 시시각각 닥치는 생명의 위험을 수년 동안 겪는 극한적인 고난 가운데서 그는 평안했던 때에 깨닫지 못했던 인간과 신에 대한 사랑과 신비를 새롭게 깨닫게 된다. 그래서 그는 고통의 적극적인 가치를 힘 있게 설교하고 경험의 중요성을 강조한다. 그는 경험을 통해 얻은 신앙의 확신을 가지고 순교의 자리로 나아간다.

---

108) Greene, A Sort of Life, 154.
109) Choi, Greene and Unamuno: Two Pilgrims to La Mancha, 17.
110) Greene, Journey without Maps, 213.

핑키와 위스키 신부에게 닥치는 위험은 그들에게 생각할 여유를 주지 않기 때문에 그들을 사고의 영역으로부터 감성의 영역으로 몰아세운다. 그들의 신에 대한 접근이나 신비의 깨달음은 신학이나 지식을 통한 것이 아니고 구체적인 인간 경험과 감성에 기초를 두었다는 면에서 아래로부터의 신학과 상통한다.

『사건의 핵심』(*The Heart of the Matter*)과 『명예영사』(*The Honorary Consul*)에서는 인간 삶의 중요성이 좀 더 강조된다. 『사건의 핵심』의 스코비(Scobie)는 영국 영인 서아프리카에서 경찰서 부서장으로 근무하는 가톨릭 신자이다. 그는 신의 음성이 들리지 않고 아무도 다른 사람들의 불행에 관심을 보이지 않는 세상에서 고통당하는 사람들의 불행을 덜어주려고 진력한다. 그는 그러한 노력의 과정에서 법을 어기고 죄 가운데서 성체를 영하기도 하는데, 불행한 사람들을 위해 헌신하다가 결국 자살하고 만다. 그는 자신의 희생적인 삶을 통해 십자가에 달린 예수의 희생을 깨달으면서 자신의 희생을 감수한다. 이 작품의 말미에서 스코비의 부인 루이스(Louise)는 교리에 치중해서 그를 죄인이라고 단정하지만, 스코비의 고백신부인 랭크 신부(Father Rank)는 그의 동기와 삶 자체를 중시해서 그녀의 의견에 반대한다. 그린의 세계에서 삶의 현실을 외면하는 윤리신학이나 교리에 대한 맹신은 항상 불신의 대상이다.

『명예영사』의 리바스 신부(Father Rivas)는 정권과 결탁하여 교인들의 불행한 삶을 외면하는 교회를 뛰쳐나와서 가난하고 억압받는 사람들을 위해 게릴라 집단에 들어가 투쟁하는 해방신학의 구현자이다. 그는 인간이 죽은 후에 받을 천국에서의 축복만을 강조하면서 현실의 삶을 돌보지 않는 교회에 실망한 것이다. 그리고 그의 신 개념은 그가 신학교에서 배운 것과는 다른, 정통신학에서 벗어난 것이다. 신은 선에 대해서 뿐 아니라 악에 대해서도 책임이 있으며, 인간이 진화하듯이 신도 진화하는데, 신의 진화는 인간의 진화에 의존한다고 그는 믿는다. 인간의 노력이 신의 뜻과 합하여 결국 선이 승리하는 날이 오게 된다는 리바스의 낙관적인 정신진화론은 샤르댕의 진화론적 신학과 맥을 같이 한다.111)

그린의 후기 가톨릭 소설 『사랑의 종말』(*The End of the Affair*)과 『타버린

---

111) 최재석, 『그레엄 그린 연구』 (서울: 한신문화사, 1993), 193.

환자』등에서는 이성이 강한 사람들이 신앙에 접근하는 길이 제시된다. 그의 세계에서 이성과 학교교육은 신앙을 상실하는 원인이다. 이것은 『권능과 영광』이나 『사건의 핵심』에 나오는 군소 인물들의 경험에서도 발견된다. 『권능과 영광』의 경위는 실증주의의 영향으로 신앙을 잃었고 코럴은 대수학을 배울 때 잃는다. 『사건의 핵심』의 헬렌은 성직자의 딸인데, 이성적 사고를 신장시키는 학교교육의 결과 고등학교를 졸업할 때 신앙을 잃는다. 『사랑과 종말』의 소설가 벤드릭스(Bendrix)는 이성이 강한 사람이고 사실주의자여서 초자연적인 신을 믿지 않고 사랑의 감정조차 모른다. 그런데 그가 새러(Sarah)와 사귀면서 열정적인 사랑에 빠지고 그녀가 어느 날 갑자기 교제를 단절하자 그녀의 상대자에 대한 심한 질투를 느끼면서 불안해진다. 그녀의 상대자가 신이라는 것을 발견한 후에도 그는 신에 대해 질투하게 되고 결국 신의 존재를 인정하지 않을 수 없게 된다. 그가 신을 믿지 못했던 것은 신의 존재를 논리적으로 설명하는 교리를 이성적으로 납득할 수 없었기 때문인데, 다른 인물들과 마찬가지로 그는 열정적인 사랑, 질투, 불안 같은 감정을 통해서 신에게로 접근해간다.

『타버린 환자』의 퀘어리는 이성적인 설명을 통해 받아들였던 신앙을 잃었지만, 콩고에 나와서 나병원에서 일하는 사제들과 콜린 의사의 헌신을 목격하고 감동하면서 자신도 나환자들을 위해 일하게 되고 신앙에 관심을 보인다. 결국 그는 그린과 마찬가지로 이성적 개종에 실패하고 감정적 개종을 경험하는 사람이다.

그린이 말년에 발표한 『키호테 신부』(Monsignor Quixote)에서도 현대인의 신앙 문제가 그 중심을 이룬다. 이 소설에서 공산주의자인 전직 시장은 대학에서 신학수업을 받았으나 신앙을 설명하는 이성적 논리의 오류를 발견하고 공산주의자가 된 사람이다. 그가 키호테 신부에게 윤리신학의 문제점을 지적하자 신부는 그 말을 인정한다. 이 신부도 전직 시장과 마찬가지로 현대를 사는 교육받은 사람이고 그리스도교 신앙을 이성의 눈으로 볼 수 있는 안목을 가지고 있다. 그는 모랭과 마찬가지로 믿음과 신념을 구분하고 신념보다는 믿음을 중시한다. 키호테 신부는 의심하는 믿음, 다시 말해서, 의심 가운데서 계속 갈망하는 믿음을 긍정적으로 언급한다.

이와 같이 그린은 시종 현대인의 교육과 이성적 사고가 그리스도교 믿음에 미치는 악영향을 염두에 두고 있으며, 현대인에게 가능한 믿음은 구체적인 경험 가운데서 정서를 통한 것임을, 그리고 계속되는 의심과 불확실, 그리고 절망 가운데서 믿음이 유지되는 것임을 그의 작품들에서 보여주고 있다. 그린만큼 현대인의 신앙 문제를 아래로부터의 신학의 관점에서 심도 있게 추구한 작가를 찾아보기 힘들다. 듀랑의 말대로, 그린의 문학은 "신학의 세계"112)라고, 좀 더 정확하게, 현대신학의 세계라고 불러서 지나치지 않을 것이다.

2. 플래너리 오코너

그린은 가톨릭 작가라고 불리는 것을 싫어했지만, 오코너(Flannery O'Connor)는 자신이 가톨릭 작가임을 공언했고, 소설을 통해서 신앙을 상실한 현대인에게 그리스도교적 신비를 깨우쳐주는 것을 그녀의 사명으로 생각했다. 그녀는 항상 독자를 의식해서 작품이 독자에게 미치는 영향을 중시했다. 그녀는 한 서신에서 "당신은 글 쓰는 재미 때문에 작품을 쓸 수도 있지만, 글 쓰는 행동은 그 자체로서는 완전하지 않습니다. 글 쓰는 목적은 결국 독자에게 전달한다는 데에 있지요."라고 말했다.113) 그녀가 항상 염두에 둔 독자는, 그린의 경우와 마찬가지로, 이성이 강한 현대인이었으며, 이성으로 인해서 신앙을 상실한 불신앙자였다. 따라서 그녀의 글 쓰는 목적은 이성적 사고로 인해서 신앙을 잃은 현대인들로 하여금 그들의 습관화된 삶의 결함과 종교적 신비를 깨닫게 하는 일이다. 오코너의 작품에서는 폭력적 사건이 많이 나타나는데, 이 폭력은 이성이 강한 작중인물들의 습관화된 불신앙의 두꺼운 껍질을 깨뜨리기 위한 수단이다. 그녀는 그녀의 "등장인물들의 머리가 너무도 굳어 있기 때문에" 다른 방법으로는 그들이 신앙을 받아들이게 만드는 것이 거의 불가능할 것이라고 말했다.114) 벤배샛(Hedda Ben-Bassat)은 오코너의 작품에 끊임없이 나타나는 신앙

112) Ibid., 111.
113) Flannery O'Connor, *The Habit of Being*, ed. Sally Fitzgerald (New York: Farrar, Straus, and Giroux, 1979), 458.
114) Flannery O'Connor, *Mystery and Manners*, eds. Sally and Robert Fitzgerald (New York: Farrar, Straus, and Giroux, 1961), 112.

을 일깨우려는 그녀의 관심을 주목하고 그녀의 작품세계가 복음서와 유사한 "예언적 담론"임을 지적했다.[115] 그녀가, 그린과 달리, 장편소설을 쓰지 못하고 중편과 단편을 썼고 중편보다 단편소설에서 더 성공한 것은 그녀의 가톨릭 작가로서의 예언적 비전이 강하기 때문일 것으로 보인다.

오코너는, 그린과 마찬가지로, 현대신학에 대하여 관심이 많았던 작가이다. 자신이 정통신앙을 지닌 토마스주의자라고 말했지만, 그녀는 끊임없이 현대신학자들의 저서들을 읽었다. 그녀가 즐겨 읽은 신학자들은 가르디니(Romano Guardini), 칼 아담(Karl Adam), 마리땡(Jacques Maritain), 샤르댕(Teilhard de Chardin), 바르트(Karl Barth), 틸리히(Paul Tillich), 그리고 큉(Hans Küng) 등이다. 위에 열거된 신학자들에게서 나타나는 것처럼, 가톨릭 신자인 오코너는 가톨릭 신학자들뿐 아니라 개신교 신학자들의 책도 읽었고 "위기신학" 같은 개신교 신학에도 관심을 가졌다.[116] 그녀는 바르트나 틸리히 같은 훌륭한 신학자가 가톨릭 교회에 없다는 점을 지적하면서, 토마스 아퀴나스가 13세기에 했던 일을 20세기에 감당할 신학자들이 우리에게 필요하다고 말했다.[117] 특별히 교회에서 샤르댕과 큉의 책들을 불량도서로 판정했다는 것을 염두에 둘 때, 그녀가 현대의식을 얼마나 중시했는가를 알 수 있다. 오코너가 현대신학을 즐겨 읽은 토마스주의자라는 데서, 우리는 그녀의 세계에 나타나는 정통주의 신앙과 현대의식 사이에서의 긴장과 대화를 발견한다.

그녀가 신앙과 소설을 결합하려고 노력했기 때문에, 우리는 유사한 긴장과 대화를 다시 발견한다. 오코너는 반복적으로 소설이 구체적인 현실 경험에 기초하고 있다는 점을 강조했고, 소설가는 "추상적 진리에 관심"이 없다고 말했다.[118] 그녀는 많은 종교문학에서 현세적 삶의 중요성과 가치를 최소화하면서 내세의 삶이나 기적적인 은총을 제시하는 것은 온당한 일이 아님을 지적했다. "소설은 성격상 구체적이고 관찰 가능한 현실에 기초를 두고 초월적인 것에 대

---

115) Hedda Ben-Bassat, "Flannery O'Connor's Double Vision," *Literature and Theology* 11:2 (1997), 190.
116) Karl Ficken, "Theology in Flannery O'Connor's *The Habit of Being*," *Christianity and Literature* 30:2 (1981), 57-58.
117) O'Connor, *The Habit of Being*, 306.
118) O'Connor, *Mystery and Manners*, 146.

한 우리의 의식을 강화해야 한다."[119]는 것이 그녀의 주장이다. 신앙은 신비의 세계인 반면, 소설은 인간의 구체적인 경험의 세계이기 때문에, 그리스도교 작가는 신앙과 소설 사이에서 갈등을 겪게 된다. 오코너의 말을 빌리면, 가톨릭 작가는 교회의 눈과 자신의 눈 사이에서 갈등을 겪는다.[120] 그녀는 교회의 교의가 가톨릭 작가에게 하나의 차원을 첨가해준다는 것을 중시하지만, 그 교의가 실제의 삶을 외면하는 면이 있다는 점을 간과하지 않는다. 작가는 삶의 실재를 기본으로 하기 때문에, 때로는 교의로부터 자유로워질 필요가 있다고 주장한다.[121] 그리스도교 작가로서 오코너가 해야 할 일은 교의를 현실적 삶 위에 세우는 것이다. "교의는 신비의 후견인"이며,[122] "소설은 신비, 다시 말해서, 삶에서 경험하는 신비의 구체적 표현"[123]이라고 말하면서, 그녀는 교의와 소설을 중재하려고 노력했다. 이러한 그녀의 중재와 대화를 위한 노력은 현대신학의 특징인 중재나 대화와 상통한다.

소설과 신앙을 결합하려고 노력한 오코너는 문학과 현대신학의 대화적 관계를 잘 파악하고 있었다. 그녀는 최근 많은 신학과에서 영문과에 대해서 전과 달리 많은 호기심을 표명하고 있고 신학자들이 특별히 현대소설에 나타난 주인공들의 신앙문제에 대해서 관심을 보이고 있다는 점을 언급했다. 문학과 종교의 관계에서 신학이 우위에 있다고 생각하는 엘리엇(T. S. Eliot)과는 달리, 그녀는 "예술은 감추인 것을 드러내고, 신학자는 예술을 무시할 수 없다는 것을 배워왔다."[124]고 말함으로써, 문학이 신학에 영향을 주는 최근의 문학과 신학의 관계를 지적하고 있다. 이것은 그녀 자신의 이야기가 신학에 기여하고 있다는 것을 그녀가 의식하고 있다는 것을 말해주기도 한다. 1964년에 세상을 떠난 오코너가 이야기 신학에 대해서 알지 못했겠지만, 보수적인 신앙을 지닌 그녀가 그녀의 이야기에서 구체적인 인간 경험을 통해서 초월적인 세계에 접근하는 길을 제시했다는 면에서, 그리고 이야기 신학의 보수성과 현대성을 참고할 때, 그

---

119) Ibid., 148.
120) Ibid., 180.
121) Ibid., 150.
122) O'Connor, *The Habit of Being*, 365.
123) Ibid., 144.
124) O'Connor, *Mystery and Manners*, 158.

녀는 그녀의 소설에서 이야기 신학을 체현했다고 말할 수 있겠다.

오코너는 그녀의 작품에서 세상을 외면하는 근본주의자들의 편협성을 반복적으로 보여준다. 그녀의 작품들에서 근본주의자들의 현실 삶에 대한 무관심과 몰이해는 먼저 자녀들의 신앙교육에 악영향을 미치고, 그들은 부부생활에서도 원만한 관계를 유지하지 못한다. 그들의 문제점은 오코너가 좋아하는 호손(Nathaniel Hawthorne)의 작품에서도 이미 다루어졌던 것이지만, 그녀와 호손의 차이는 그녀의 주인공들이 보다 만연된 불신앙의 시대에 살고 있기 때문에 그들의 근본주의에 대한 비판이 인간이해의 편협성뿐 아니라 불신앙의 원인인 이성주의나 물질주의로 인한 것이라는 점이 더욱 강조된다는 데에 있다. 그녀의 작품 세계에는, 그린의 경우와 달리, 교리에 대한 비판이나 이성적 사고와 신학에 대한 불신이 표면화되어 있지는 않지만, 그녀는 현대 독자를 의식하면서 그들의 불신앙을 작품의 중심 소재로 다루고 있기 때문에, 이성적 사고를 만족시키지 못하는 전통신학의 논리 체계에 대한 비판의식이 그녀의 작품 저변에 항상 깔려 있다.

그녀의 첫 번째 소설 『현명한 피』(*The Wise Blood*)에서 근본주의에 대한 불신과 물질주의에 치우친 현대인의 삶이 작품의 중심을 이룬다. 헤이즐(Hazel Motes)의 할아버지는 순회 설교자인데, 지나칠 만큼 죄 문제를 강조해서 헤이즐은 지옥의 위협을 벗어나기 위해 예수를 피하는 길을 택한다. 그의 근본주의적 신앙태도에 대한 반발은 군복무 기간 동안에 심화되어서 그가 제대한 후에 가장 먼저 찾는 곳은 창녀의 집이다. 설교자 아사 혹스(Asa Hawks)의 사기행각을 목격한 후에 그는 십자가에 달린 예수가 없는 교회를 설립하려고 한다. 예수의 십자가가 인간의 죄의 문제와 관련되기 때문에, 혹스에게 실망한 후에 세우려는 십자가 없는 교회는 죄를 과도하게 강조한 할아버지에 대한 반발의 연장이다. 그가 그리스도교 신앙을 완전히 버렸다고 말할 수는 없겠지만, 그는 기존의 교회를 떠나서 고물 자동차를 타고 다니면서 이단적인 교회 설립을 열렬하게 전파한다. 모든 사람이 낡은 차의 성능을 의심하고 불안하게 생각하지만, 그는 그 자동차에 대해서 과도한 자신감을 지니고 있다. 그의 허황된 자신감의 대상인 자동차가 완전히 기능을 상실했을 때, 그는 자신이 설립하려는 교회의 오류를 인식하고 진실한 신앙을 받아들이게 된다. 여기서 헤이즐이 의지하는 자동차는 현대인이 의지하는 이성주의나 물질주의를 의미한다고 볼 수 있다. 그러나 그가 신앙심을 잃었던 원인은 그에게 반발을 유발시켰던 할아버지의 근본주의적 신앙이다. 따라서 이 작품에서 현대인이 신앙심을 상실하는 이유는 이성주의나 물질주의 이전에 현대인이 납득할 수 없는 근본주의적 신학임이 드러난다.

「불구자가 먼저 들어갈 곳」("The Lame Shall Enter First")에서는 지성주의로 인해서 신앙을 잃은 세퍼드(Sheppard)가 주인공이다. 그가 왜 신앙을 잃었는가에 대한 것은 구체적으로 언급되어 있지 않지만, 그가 특별히 지성인이면서 신을 믿지 않는다는 점이 강조된 것을 볼 때, 그가 신앙을 상실한 것은 지성주의의 영향으로 보인다. 그는 소년원에서 나온 후 돌볼 사람이 없는 불구자 루퍼스(Rufus Johnson)를 그의 집으로 데리고 와서 돌보아준다. 그의 행동은 외면상으로 자애심의 발로로 보이지만, 어머니 없이 자라는 자신의 아들보다도 루퍼스에게 더 관심을 갖고 그의 비행을 참아주는 그의 태도는 자연스럽지 못하다. 루퍼스의 할아버지가 근본주의자여서 신앙에만 집착한 나머지 손자조차 돌보지 않은 결과 루퍼스가 탈선해서 소년원에 간 점을 고려할 때, 무신론자 세퍼드의 그 소년에 대한 지나친 배려는 단순한 자애심의 발로가 아니고 다른 저의에서 나온 것으로 보인다. 근본주의를 쓰레기라고 보는 세퍼드의 태도에서, 그리고 세퍼드가 사탄의 손에 붙잡힌 사람이라는 루퍼스의 말에서 볼 때, 그가 그 소년을 돌보는 저의는 근본주의의 허점을 드러내려는 무신론자의 노력이라고 말할 수 있다. 그는 루퍼스에게 망원경이나 현미경을 사주어서 과학적인 세계에 심취하게 함으로써 그 소년이 신앙심을 버리기를 원했을 뿐 아니라, 무신론자의 자애심이 근본주의자인 할아버지의 무책임보다 낫다는 것을 보여주고 싶었을 것이다. 이 단편소설에서 세퍼드는 루퍼스의 공격적 행동과 아들의 자살을 통해서 무신론의 우월성을 보여주려는 자신의 노력이 헛된 것임을 깨닫지만, 일면 루퍼스의 타락을 통해서 그의 할아버지의 근본주의적 신앙이 무신론자들의 비판의 대상이 되고 있다는 사실이 드러난다.

「파커의 등」("Parker's Back")에서는 현실을 무시하고 정신세계만을 추구하는 근본주의의 문제점이 이전 작품들에서와 달리 작품의 중심을 차지하고 있다. 파커의 부인 새러(Sarah Ruth)는 육체를 죄악시하면서 육체적 쾌락을 부정하는 극단적인 금욕주의를 추구한다. 그녀는 남자와의 육체적 관계를 부정적으로 볼 뿐 아니라 못생긴 자신의 얼굴에 화장조차 하지 않는다. 그녀의 죄에 대한 지나친 강조는 헤이즐의 할아버지를, 그리고 육신생활을 등지고 정신 세계만을 추구하는 그녀의 신앙은 루퍼스의 할아버지를 연상시킨다. 오코너는 그녀의 편지에서 새러의 근본주의를 혹평하여 "새러 루스는 우리가 순수한 정신만을 예배할 수 있다는 개념을 지닌 이단자였다."고 언급했다.125) 반면 그녀의 남편 파커는 육체를 중시하는 사람이기 때문에, 이 두 사람의 결혼은 완전히 대조되는 세계관의 만남이어서 갈등이 불가피하다.

특별히 파커가 그의 등에 새긴 문신들은 샤르댕의 『인간의 현상』(The Phenomenon of Man)에 언급된 진화의 단계와 상응한다.126) 그는 맨 아래에 무생물들을, 양 어깨에는 호랑이와 표범을, 가슴에는 코부라를, 배에는 엘리자베스 2세와 필립을, 그리고 등의 맨 위 부분에는 예수의 얼굴을 새겼다. 샤르댕은 그의 책 첫 부분에서 무생물을, 둘째 부분에서는 생명의 기원과 다양한 형태의 생명을, 셋째 부분에서는 인간을, 그리고 마지막에는 그리스도인 오메가를 다루면서 정신진화는 결국 그리스도를 향해 나아간다고 주장했다. 새러는 파커의 등에 새겨진 문신을 싫어하는데, 특별히 남편이 예수의 얼굴을 등에 새기고 들어왔을 때에는 예수는 영인데, 몸에 그 얼굴을 새기는 것은 우상이라고 말하면서 그를 집 밖으로 내쫓는다. 순수성에 대한 독선에 사로잡힌 새러는 파커의 몸에 구현된 예수를 이해하지 못한다. 그녀는 오코너가 좋아하는 샤르댕의 신학 세계, 즉 현대신학에 대해서는 등을 돌리고 사는 사람이다. 이 작품에서 세상을 외면하는 근본주의의 맹점이 분명하게 부각되면서 근본주의와 대조되는 현대신학이 긍정적으로 나타난다.

오코너의 두 번째 소설 『난폭자의 쟁취』(The Violent Bear it Away)에서 성서의 문자적 이해의 오류가 드러난다. 할아버지에게서 신앙교육을 받은 주인공

---

125) O'Connor, The Habit of Being, 594.
126) Karl-Heinz Westarp, "Teilhard de Chardin's Impact on Flannery O'Connor: A Reading of 'Parker's Back'," The Flannery O'Connor Bulletin 12 (1983), 103-104.

타워터(Tarwater)는 이성주의자 레이버(Rayber)와 할아버지의 가르침 사이에서 갈등을 겪는다. 그는 구약에서처럼 신이 직접 그 모습을 드러내거나 태양을 세우는 등의 구체적인 표적을 보여주기를 기대한다. 세례를 받지 않으면 신앙이 있더라도 천국에 갈 수 없고, 무지한 가운데서라도 세례를 받으면 구원받을 수 있다고 믿는 할아버지의 신앙은 전통과 문자에 얽매어 있다.[127] 그리고 세례식도 전통적인 방법을 따르지 않으면 신성모독이라고 믿는다. 할아버지가 타워터에게 유언할 때, 그가 죽은 후에 화장하지 말고 땅에 매장해야 하며, 십자가를 세우지 않으면 부활 때에 신앙인을 확인하기가 어려울 테니 꼭 십자가를 세워야 한다고 말한다. 이에 대해서 타워터는 1952년에 세운 십자가가 심판날까지 썩지 않겠느냐는 이성적 반응을 보인다. 이렇게 이성의 목소리와 할아버지의 문자적 해석에 기초한 신학 사이에서 계속 갈등을 겪던 타워터는 할아버지가 저능아 비숍(Bishop)에게 세례를 주라고 부탁했지만, 그 아이를 익사시켜 버리고 할아버지의 시체가 놓여 있는 집을 태움으로써 그 시체를 화장한다. 이 소설에서 오코너는 성서의 문자적 해석 그리고 문자적 해석에 기초한 신학이 이성이 강한 현대인들을 납득시키지 못하고 있음을 보여주고 있다. 그녀가 이 소설에서 성서의 문자적 이해의 대안을 구체적으로 제시하고 있지는 않지만, 문자적 이해에 대한 비판을 통해서 성서의 문학적 이해와 해석을 옹호하는 것이 분명하다.

결론

20세기 후반에 와서 이루어진 문학과 신학 사이의 우호적인 관계의 성립은 신학계 밖에 있는 비신학자들과 신학자들의 공동 노력의 결과이다. 계몽주의 이후에 활발해진 이성주의적 사고와 비판정신은 오랫동안 신학에 대한 불신을 표명하면서 변혁을 요구했고, 결국 슐라이어마허 이후로 현대신학자들은 비신학자들의 요구에 귀를 기울이기 시작했다. 그 결과 문화와 신학의 대화를 시도하는 중재신학 혹은 대화신학이 나왔다. 신학에서 문화를 수용하게 된 후, 문화

---

127) Joseph Zornado, "A Becoming Habit: Flannery O'Connor's Fiction of Unknowing," *Religion and Literature* 29:2 (1997), 52.

의 한 부분인 문학측에서도 성서를 문학으로 이해하고 해석해야 한다는 목소리를 내기 시작했다. 신학에 대한 비판적 태도에 대해서와 마찬가지로, 신학자들이 문학자들의 음성에 귀를 기울이기까지는 상당한 기간이 흘렀다.

그러나 1, 2차 세계대전을 겪은 후 비관적 세계관이 팽배하면서 무신론이 득세하게 되자 신학자들은 현대인의 의식구조와 신앙상태를 분명히 파악하기 위해서 문학에 관심을 갖기 시작했다. 그들은 문학을 통해서 성서가 인간의 문학적 언어로 표현된 신의 말씀이라는 사실을 깨닫고 성서해석에 문학비평적 방법을 도입하기 시작했다. 따라서 문화와 신학 그리고 문학과 신학의 대화는 신학자들의 노력만으로 이루어진 것이 아니다. 문화나 문학에 영향을 미치는 우월한 입장에 있다는 자부심을 지닌 신학계에서는 가능한 한 세상과의 대화를 거부하고 지고한 위치를 유지하기를 원했다. 신학의 성문을 계속적으로 두드려서 신학자들로 하여금 굳게 닫힌 성문을 열게 만든 사상가들과 문학비평가들에게 더 큰 공을 돌려야 할 것이다. 그러나 대화는 어느 한 쪽만의 노력으로 이루어지는 것이 아니기 때문에, 문학과 신학의 우호적인 관계는 양측 모두가 노력한 결과라고 말해야 할 것이다.

20세기 말에 와서 문학과 신학의 관계는 단순한 우호적 관계가 아니고 거의 일방적으로 문학이 신학에 영향을 미치고 있는 것처럼 보인다. 종교가 문학을 백안시하던 때에는 종교는 문학의 우위에 있으면서 문학에 영향을 미치고 도움을 주었다. 그러나 20세기 중반 이후에는 사정이 달라졌다. 1940년대부터 신학자들이 문학작품에 대해서 많은 관심을 보이거나 작품을 연구한 것은 문학에서 현대인의 신앙문제에 대해 배울 것이 있다고 생각했기 때문이다. 1960년대 이후에 성서 해석자들은 다양한 문학비평 이론의 도움을 받아 성서를 해석해왔다. 20세기말에 와서는 문학 비평적 성서해석이 아주 활발해져서 문학이론의 도움 없이 성서를 해석한다는 것은 거의 불가능하게 된 형편이다. 그리고 문학비평가들은 자신들이 전문 신학자가 아님을 전제하면서 해석학, 성서해석, 혹은 이야기 신학 등에 관여하여 신학에 기여하고 있다. 이러한 문학 전공자들의 신학에 대한 기여는 신학자들이 인간의 경험을 표현하는 문학을 불신하던 20세기 중반 이전에는 상상하기조차 어려운 일이었다. 현대신학에 큰 관심을 지닌 가톨릭 작가들은 그들의 작품에서 이성적 사고를 지닌 현대인의 신앙문제를 다루면서 기존 신학의 문제점을 밝힐 뿐 아니라, 신앙에 접근하는 새로운 길을 제시함으로써 이야기 신학자들에게 신학적 자료를 제공하고 있다. 자스퍼(David Jasper)는『문학과 종교의 연구』(The Study of Literature and Religion)에서 문학은 교의주의, 세련되지 않은 변증론, 그리고 지나치게 직선적인 복음주의로부터 종교를 구해주고, 종교는 윤리적이며 신학적인 기준을 문학에 제공하여 문학이 악이나 파괴적인 목적에 이바지하는 미를 표현하지 않도록 해준다고 설명하면서, 문학과 종교는 "협력관계"에 있다고 주장했다.128) 그러나 포스터모던 시대에 글을 쓰는 작가들은 그리스도교적 윤리나 신학적 기준에 관심을 보이는 것 같지 않다. 오히려 작가들은 작품에 그리스도교적 신앙을 포함시키는 것을 꺼리고, 비평가들은 종교적 신앙이 표현된 작품들을 외면하고 있다. 20세기 후반에 와서 성립된 문학과 신학의 우호적 관계는 상호 협조하는 동반자 관계가 아니다. 그 관계는, 정확히 말해서, 문학이 신학에 도움을 주는 관계이다.

❦ 인용문헌

건, 데이비드 M.「설화비평」.『성서비평 방법론과 그 적용』. 스티븐 헤인스와 스티븐 맥켄지 편. 김은규와 김수만 역. 서울: 대한기독서회, 1997: 267-308.

그렌츠, 스탠리 J.와 로저 E. 올슨.『20세기 신학』. 신재구 역. 서울: 한국기독학생회, 1997.

라이컨, 리런드.『상상의 승리』. 최종수 역. 서울: 성광문화사, 1982.

맥나잇, 에드거.「독자반응 비평」.『성서비평 방법론과 그 적용』. 스티븐 헤인스와 스티븐 맥켄지 편. 김은규와 김수남 역. 서울: 대한그리스도교서회, 1997: 309-344.

비비아노, 폴린.「자료비평」.『성서비평 방법론과 그 적용』. 스티븐 헤인스와 스티븐 맥켄지 편. 김은규와 김수남 역. 서울: 대한그리스도교서회, 1997: 51-87.

---

128) David Jasper, The Study of Literature and Religion: An Introduction (Minneapolis: Fortress, 1989), 8.

이형원. 『구약성서 비평학 입문』. 대전: 침례신학대학교 출판부, 1995.

최재석. 『그레엄 그린 연구』. 서울: 한신문화사, 1993.

Aichele, George, et al. The Postmodern Bible. New Haven: Yale UP, 1995.

Alter, Robert and Frank Kermode, eds. The Literary Guide to the Bible. Cambridge: Harvard UP, 1987.

Balfour, Ian. Northrop Frye. Boston: Twayne, 1988.

Ben-Bassat, Hedda. "Flannery O'Connor's Double Vision." Literature and Theology 11:2 (1997): 185-199.

Berkhof, Hendrickus. Two Hundred Years of Theology. Tr. John Vriend. Grand Rapids: William B. Eerdmans, 1989.

Booth, Wayne C. The Rhetoric of Fiction. 2nd ed. Chicago: Chicago UP, 1983.

Brooks, Cleanth. "Religion and Literature." Sewanee Review 82 (Winter 1974): 93-107.

Choi, Jae-Suck. Greene and Unamuno: Two Pilgrims to La Mancha. New York: Peter Lang, 1990.

Comstock, Gary L. "Two Types of Narrative Theology." Journal of the American Academy of Religion 55:4 (1987): 687-717.

Crites, Stephen. "The Narrative Quality of Experience." Journal of the American Academy of Religion 39:3 (1971): 291-311.

Dudek, Louis. "The Bible as Fugue: Theme and Variations." University of Toronto Quarterly 52:2 (Winter 1982): 128-35.

Duran, Leopoldo. Graham Greene: Friend and Brother. Tr. Euan Cameron. London: Harper Collins, 1994.

Eliot, T. S. "Religion and Literature." Selected Essays. London: Faber and Faber, 1951: 388-401.

Ficken, Karl. "Theology in Flannery O'Connor's The Habit of Being." Christianity and Literature 30:2 (1981): 51-63.

Ford, David F. "Hans Frei and the Future of Theology." Modern Theology 8:2 (1992): 203-214.

Fowler, Robert M. Let the Reader Understand: Reader-Response Criticism and the Gospel of Mark. Minneapolis: Fortress, 1991.

Frei, Hans H. The Eclipse of Biblical Narrative: A Study in Eighteenth and Nineteenth

Century Hermeneutics. New Haven: Yale UP, 1974.

Frye, Northrop. *The Great Code: The Bible and Literature*. New York: Harcourt Brace Jovanovich, 1981.

Greene, Graham. *A Burnt-Out Case*. London: William Heinemann and the Bodley Head, 1974.

_____. *A Sort of Life*. Harmondsworth: Penguin, 1971.

_____. *Journey without Maps*. Harmondsworth: Penguin, 1936.

_____. *Ways of Escape*. New York: Simon and Schuster, 1980.

Guerin, Wilfred L. *et. al. A Handbook of Critical Approaches to Literature*. 3rd ed. Oxford: Oxford UP, 1992.

Harrison, Bernard. "Secrets and Surfaces." *Addressing Frank Kermode: Essays in Criticism and Interpretation*. Eds. Margaret Tudeau-Clayton and Martin Warner. Urbana: U of Illinois P, 1991: 38-57.

Hayes, John H. & Carl R. Holladay. *Biblical Exegesis: A Beginner's Handbook*. Rev. ed. Atlanta: John Knox, 1987.

Hesla, David H. "Religion and Literature: The Second Stage." *Journal of the American Academy of Religion* 46:2 (1978): 181-192.

Jasper, David. *The Study of Literature and Religion: An Introduction*. Minneapolis: Fortress, 1989.

Kermode, Frank. *The Genesis of Secrecy: On the Interpretation of Narrative*. Cambridge: Harvard UP, 1979.

Ladd, George Eldon. *The New Testament and Criticism*. Grand Rapids: William B. Eerdmans, 1967.

McFague, Sallie. *Literature and the Christian Life*. New Haven: Yale UP, 1966.

McGrath, Alister E. *Christian Theology: An Introduction*. Oxford: Blackwell, 1994.

McKnight, Edgar V. *Post-Modern Use of the Bible: The Emergence of Reader-Oriented Criticism*. Nashville: Abingdon, 1988.

Moor, Stephen D. *Literary Criticism and the Gospels: The Theoretical Challenge*. New Haven: Yale UP, 1989.

Niebuhr, Richard. "Friedrich Schleiermacher." *A Handbook of Christian Theologians*. Eds. Dean G. Peerman and Martin E. Marty. Nashville: Abingdon, 1965: 17-35.

Niebuhr, Richard. *Christ and Culture.* New York: Harper & Row, 1951.

Norris, Christopher. "Criticism." *Encyclopedia of Literature and Criticism.* Eds. Martin Coyle *et al.* London: Routledge, 1991: 27-65.

Norton, David. *A History of the Bible as Literature.* Cambridge: Cambridge UP, 1993.

O'Connor, Flannery. *The Habit of Being.* Ed. Sally Fitzgerald. New York: Farrar, Straus, and Giroux, 1979.

_____. *Mystery and Manners.* Eds. Sally and Robert Fitzgerald. New York: Farrar, Straus, and Giroux, 1961.

Panichas, George A. "Literature and Religion: A Critical Confluence." *The World & I* (February 1986): 481-490.

Placher, William C. "Paul Ricoeur and Postliberal Theology: A Conflict of Interpretations?" *Modern Theology* 4:1 (1987): 35-52.

Powell, Mark Allan. *What is Narrative Criticism?: A New Approach to the Bible.* Minneapolis: Augsburg Fortress, 1990.

Schwab, Gweneth B. "*The Great Code: The Bible and Literature.*" *Christianity and Literature* 33:1 (1981): 87-89.

Stratford, Philip, ed. *The Portable Graham Greene.* New York: Viking, 1972.

Stroup, George. "Theology of Narrative or Narrative Theology?: A Response to *Why Narrative?*" *Theology Today* 47:4 (1991): 424-432.

Tennyson, G. B. and Edward E. Ericson, Jr., eds. *Religion and Modern Literature: Essays in Theory and Criticism.* Grand Rapids: William B. Eerdmans, 1975.

Westarp, Karl-Heinz. "Teilhard de Chardin's Impact on Flannery O'Connor: A Reading of 'Parker's Back'." *The Flannery O'Connor Bulletin* 12 (1983): 93-113.

Wieve, Donald. "The 'Centripetal Theology' of *The Great Code.*" *Toronto Journal of Theology* 1:1 (1985): 122-27.

Wright, T. R. *Theology and Literature.* Oxford: Basil Blackwell, 1988.

Zornado, Joseph. "A Becoming Habit: Flannery O'Connor's Fiction of Unknowing." *Religion and Literature* 29:2 (1997): 27-59.

문학과 종교의 관계에 대한 입문으로서 폴 리쾨르의 해석학

| 장 경 |

서론

폴 리쾨르의 해석학에 들기 전에 문학과 종교에 대한 예비적 언급을 할 필요가 있다. 일반적으로 문학은 '글쓰기'라는 작품을 매개로 삶의 경험을 드러내는 인간적 자기표현의 한 방법이다. 삶과 문학은 상호 밀접한 관계 즉 삶이 글로 표현되고 글은 인간 삶의 매개체로 인간경험을 담고 있다. 문학을 통한 삶과 글의 관계가 완전한 일치(사실주의)도 완전한 분리(헛된 공상의 글)도 아닌 어떤 연계관계로 나타난다면, 종교는 절대 존재가 그 대상이 되어 욕망과 고뇌, 희망과 죽음 등 한계상황의 범주를 넘어서려는 인간염원을 품어내는 대상으로 등장한다. 그래서 종교문학의 대상인 '절대자라는 존재'가 인간이 표현하는 글에 담겨질 수 있는지의 문제는 수수께끼처럼 '신앙실재와 허상'이라는 논란으로 의문시되기도 한다. 헌데, 성서는 하느님의 존재가 인간의 글이라는 한계 안에 담겨질 수 있다는 역설을 감히 우리에게 말하는 것이 아닌가?

우리는 우선 이런 전제를 질문으로 간직하면서 리쾨르의 해석학을 기본입장에서 설명하고 다음 단계에서 문학해석학과 종교해석학의 관점을 상호 연결

---

* 『문학과 종교』 제 3호(1998)에 실렸던 논문임.

하는 차원에 본고를 한정하고자 한다.

I. 작가소개

폴 리쾨르는 1913년에 출생하여 2005년 92세로 타계하기까지 작품집필과 타 학문들과의 대화적 논쟁활동을 왕성하게 펼친 사상가(철학자, 문학이론가, 문화철학자, 종교철학과 현상학자, 해석학의 대가, 신학사상가)이다. 그는 '인간 문제', 특히 고통과 악의 문제에 관심을 갖고, 정체성 위기가 빚어내는 비인간화의 한계상황에서 이데올로기의 갈등해소를 위해 현장에 참여하기도 하며 역사와 인류문화의 올바른 발전방향을 찾기 위해 대화를 열며, 학문 상호간의 교류와 개방을 실천하면서, 윤리의 중요성을 외치는 대담자로 알려져 있다.

리쾨르는 그의 초기사상 형성기(30-40년대)에 스승 가브리엘 마르셀과 칼 야스퍼스로부터 '구체적 존재론'의 실존사상을 받아드린다. 이런 실존사상은 그에게 인간의 자유와 유한성(죽음·전쟁·질병·위기 등)에 대한 관심을 불러일으켰다. 1947년에 그는 『가브리엘 마르셀과 칼 야스퍼스』, 『칼 야스퍼스의 실존철학』을 출판했다.[1]

그가 후설과 하이데거의 저서를 접한 것은 2차 세계대전 당시 독일의 포로 생활에서이다. 옥살이에서 풀려난 후 그는 파리에 와서 후설의 『이념들』(1950)에 비판적 주석을 붙여 출판하였다. 그는 스트라스부르 대학을 거쳐(1948-56), 파리 4대학(소르본느)(1965-66)과 파리 10대학(1966-1980)에서 가르쳤으며, 또한 현상학-해석학 연구소(CNRS)의 소장 직을 역임하면서 레비나스와 데리다와 친분을 맺었다.

그는 후설의 사변적 현상학과 마르셀과 야스퍼스의 구체적 존재론을 종합하는 실존적 현상학을 연구하여 의지의 철학인 『의지적인 것과 비의지적인 것』, 『오류 가능한 인간』, 『악의 상징론』등을 출간한다(1950-1960). 여기서 그

---

1) 폴 리쾨르, 『가브리엘 마르셀과 칼 야스퍼스: 신비의 철학과 역설의 철학(Gabriel Marcel et Karl Jaspers: Philosophie du mystère et philosophie du paradoxe)』, (현재출판사, 파리, 1947); 『칼 야스퍼스와 실존철학(Karl Jaspers et la philosophie de l'existence)』. 뒤프렌느와 공저, (쇠이유, 파리, 1947).

는 죄・유한성・오류가능성・악이라는 주제들을 중심으로 실존현상을 관찰하면서, 인간의식이 데카르트, 칸트 그리고 후설의 주장처럼 자신에게 투명한 의식이기 보다 오히려 자신의 의지를 선택하는데, 인간의 무의지적 한계와 충돌을 빚는 애매한 인간임을 발견한다. 그리하여 선험적 자아의 순수의식을 주장하는 현상학에서 벗어나, 인간이란 문화와 역사 그리고 전통이 주는 기호를 매개로한 해석학의 도움을 필요로 하는 존재임을 터득하고, 해석학의 주요 원칙들 중의 하나를 확립해나간다. 이는 곧 인간은 순수 반성의식만으로 출발할 수 없고 인간의 앎(반성의식)은 역사와 문화를 매개로 의미화 과정을 거쳐 가면서, 인간의 주관의식은 자기 자신에 의해서가 아니라, 오히려 외부세계의 기호를 해석함으로서 비로소 자기 자신에 대한 간접적 지식터득이 이루어진다는 지론을 편다. 인간은 자기의식을 갖기 전에 이미 언어를 사용하며 언어로 해석된 존재이다. 그러므로 그의 해석학은 다양하게 부상하는 기호와 상징을 통해 간접적으로 매개된 의미를 얻게 되는 이차의미의 해석학이다. 기호의 매개성은 이미 거기에 있는 언어와 그 의미에서 출발한다. 이는 이미 있어왔던 언어 내에서, 그리고 또 어떤 의미에서 모든 것이 이미 말해진 것 안에서 출발한다는 것이다.

"자기의식"에 대한 이런 리쾨르의 해석학은 그 당시(1960-65) 두 가지 사조, '정신분석과 구조주의'와 대화의 결실이기도 하다.[2] 그는 무의식의 감추인 구조를 말하는 정신분석과 언어의 은폐구조를 들추어내는 구조주의의 차원을 의지와 비의지적인 것 사이의 극적 갈등으로 보았고, 또 이들 사이 화해가능성은 자유와 필연 사이에 인간이 겪어 내야할 한계상황이라 해석한다. 이때, 인간의 의식은 본질직관이 아닌 의미의 변증론적 순환의 결과로 생성된다. 따라서 그의 현상학적 해석학은 의식과 소외, 그리고 차이를 주관적으로 종합하는 통일 가능성으로 나타난다.

그의 후기 해석학은 담론이론이 적용되는 텍스트 이론으로 나아간다. 그는 로랑 바르트(구조주의 평론가)와 레비나스(타자인식의 철학자)와 같은 사상가 뿐 아니라, 인문사회과학의 보다 폭넓은 방향으로 대화의 장을 확대한다. 그는

---

2) 폴 리쾨르, 『해석학에 관하여: 프로이트의 시론 (De l'interprétation sur Freud)』, (쇠이유, 파리, 1965); 『해석의 갈등』, 양명수 역, (아카넷, 2001).

텍스트 이론에서 과학적으로 접근하는 '구조주의적 설명'과 현상학적 방법으로 접근하는 '해석학적 이해'가 어떻게 서로 만나는지에 역점을 두면서, '설명을 하면 할수록, 더 잘 이해가 된다'3)라는 결론으로 딜타이의 '설명과 이해'의 이분법에 수정을 가한다. 그래서 모든 텍스트에 내재하는 구조에 갇히지 않고 언어외적 지시로 옮겨가는 것이 필요하다고 방향제시하고, 또한 기호 · 꿈 · 상징 · 텍스트 · 이야기 등 다양한 방식으로 열리는 인간 삶의 의미를 해석하는 데 열중한다.

그가 파리 낭테르 대학의 철학과 주임과 또한 인문대학장으로 재직하다가, '좌파'계의 일부동료들의 맹렬한 공격과 68년 5월 혁명당시 학생운동 사건에 대한 책임을 지고 1970년 사임 후, 루뱅 대학교와 카나다와 미국의 여러 대학들의 초빙에 의해 강연과 가르침을 중단하지 않으면서 집필활동을 계속한다. 예일과 시카고 대학에서 엘리아데와 공동세미나를 개최하면서 그는 프랑스적인 반성철학 사고(장나베르)와 독일의 해석학적 철학(가다머의 해석학과 하이데거의 존재론, 그리고 하버마스의 소통행위)과 영미계 분석철학(비트겐슈타인, 퍼스)의 삼각구도로 이루어진 인문학 상호간의 '대화'를 이끈다. 이때, 그는 문학이론에 관계되는『살아있는 은유』,『시간과 이야기 I, II, III』,『타인으로서의 자기자신』의 집필을 준비한다.4) 또한 그는 폴 틸리히의 후계자로 미국의 신학대학에서 종교철학과 철학적 신학을 담당하면서, 잇달아 정치, 윤리, 종교 그리고 성서 해석학에 관한 글들을 내놓는다. 말년에 고령의 나이로 파리에 돌아와 성서 해석학에 관한 글들과『기억, 역사, 망각』을 펴낸다. 그의 말기 20년 동안의 철학논쟁을 고찰해보면, 언어적 화용론 및 분석적 의미론 뿐 아니라, 성서와 신학적 해석학, 윤리와 정치적 담론 등 비판적 시각을 긍정적 의미로 펴내는 해석학을 중심으로 대화적 논쟁을 이루어나간다. 인접학문과 끊임없이 대화논쟁을 펴는 그의 해석학적 관심은 무엇인가? 리쾨르는 어떤 학문이든지 학문으로 살아남으려면, 그 학문의 고립성을 지양해야 한다고 강조한다. 인간은 하나의 학문으로 규정될 수 있는 존재가 아니기에, 모든 학문은 다 인간의 삶 · 죽음 · 고통

---

3) 폴 리쾨르,『텍스트에서 행동으로』, 박병수 · 남기영 역, (아카넷, 2002), 22(불어판 페이지 임).
4) 이들 중 두 권은 한국어로 번역 되었다.『시간과 이야기 I, II, III』, 김한식 · 이경래 역, (문학과 지성사, 1999-2003);『타자로서 자기자신』, 김웅권 역, (동문선, 2006).

을 푸는 희망과 궁극적 행복에 관계되며 특히 리쾨르에게 해석학은 바로 인간 정체성 문제를 여는 열쇠이다.[5]

II. 폴 리쾨르의 해석학

역사적으로 볼 때, 해석학은 텍스트의 문화와 더불어 생겨나 크게 세 가지 양상으로 발전되어왔다. 처음, 그리스 호머 텍스트를 해석하는 방식에서 고전시대의 해석논쟁을 볼 수 있다. 그 당시 고전 언어를 직접 접근하는 것이 불가능하기에 해석의 문제가 생겨난 것이다. 둘째, 유대-그리스도교적 해석은 성서의 미를 분명히 하기 위해 성서 주석학으로 발전해 왔다. 셋째는 근대의 철학적 해석으로, 이때 이해의 일반이론인 해석학이 등장한다.[6]

해석학은, 성서해석이론, 일반철학방법론, 언어학적 이해의 학문, 정신과학의 방법론, 실존적 이해의 현상학, 신화나 상징 배후의 의미를 찾아내려는 해석 체계 등으로 규정되기도 하며, 슐라이어마허에서 하이데거, 가다머에 이르기까지 해석학적 이론의 보편화의 단계들이 형성된다. 이 단계들은 이해의 기술로서 슐라이어마허 해석학의 정립, 정신과학의 일반적 방법으로서의 딜타이의 해석학의 확대, 하이데거의 현존재의 현상학적 해석학 그리고 이 모든 것을 통합하는 가다머의 철학적 해석학 등으로 나타난다. 이런 역사적 변화과정을 거치면서 해석학은 그 근본의미와 함께 그 문제성이 드러난다. 우선 해석학이 철학, 신학, 정신과학 등 보조학문에서 중심적인 그 자체의 기본학문으로 변화하는 데 따르는 학문적인 제 문제들과 함께 '문헌학적 해석학과 철학적 해석학'의 분리문제들이 등장한다. 특히 현대철학에서의 여러 분야들, 예를 들면 과학이론, 구조주의, 정신분석, 분석철학 등의 해석학과 대립적 관계는 매우 활발한 토론

---

5) 『시간과 이야기 III』, 352-359(불어판 페이지임).
6) 해석학이 학술적으로 사용되기 시작한 것은 17세기 중엽의 일이다. 이때 신학(성서해석학), 문학(예술작품의 해석), 법학(법전해석), 역사학(자료의 평가) 등 여러 분야에서 텍스의 해석기준을 마련하기 위한 보조학문으로 발전되어 해석의 기술이론이 펼쳐진다. 해석학의 발전사에 획기적 변화가 일어난 것은 19세기 초반 특히 슐라이어마허가 종래의 여러 보조분야로 역사적으로 계승되어 온 해석학을 일반해석학으로 정립한데 있다. 그는 해석학을 이해의 기술로 재정의하여 이해의 개념으로 철학적으로 일반화시킨다.

의 대상이 되고 있다. 이런 현상이 독일에서는 신실증주의적 과학이론, 프랑스에서는 담론분석, 영미 권에서는 분석철학 등과의 논쟁이 있으며, 이해의 이론으로서의 해석학은 또한 그 구체적 이해의 문제에 예술작품과 문학작품의 해석에로 적용가치가 확산되면서, 철학적 해석학의 문예학 해석에로의 응용 등 활발한 반응을 보인다.

1960-70년대 구조주의, 정신분석과 실존주의가 주류를 이루고 있던 프랑스의 철학적 분위기에서, 리쾨르는 상징언어의 다의성과 해석의 복수성을 주장해왔다. 또한 그는 하이데거와 가다머의 철학적 해석학과 동조하면서도, 특히 언어를 중심으로 자연과학의 실증주의 모형과 다른 언어학적 설명이론으로 텍스트 해석학의 이론을 펼친다. 해석학의 궁극지향 점을 인간의 자기이해 즉 주체의 자기이해라고 보는 리쾨르는[7] 관념적으로 투명한 후설의 자아정립의 주체가 아니고, 또한 낭만주의의 주관인식의 결과로서의 주체해석학이 아니라, 항상 기호나 상징 혹은 텍스트의 글쓰기의 중재에 의해 매개된 주체를 말한다.[8] 매개화 된 주체의 자기이해는 언어를 통한 간접적인 이해로서 텍스트 해석의 결과이다. 리쾨르는 '해석이 언어에 대한 해석이기 이전에 언어에 의한 해석이다'[9]고 주장한다. 우리가 실존현장에 도달하기 이전 이미 우리는 타자에 의해서 형성되고 있는 언어에 귀속되어 있다. 해석학은 우리가 언어를 사용할 때, 그것이 마치 문자 그대로 하나의 명백한 의미를 가지고 있는 것처럼 해석하는 것이 아니라, 비유·표징·은유·신화·유비 등에 의해 세계가 해석된다. 이상의 리쾨르의 해석학을 다음의 4 가지 관점에서 정리해보자.

1) 현상학적 해석학

리쾨르는 인간의 순수의식의 내재성만을 중시하는 현상학을 지양하고 이해과정에서 자연우주와 인간심리의 상호관계에서 생성되는 상징적인 것을[10] 중심

---

7) 참조, 존 헨겔 (John W.Van Den Hengel), 『의미의 집- 폴 리쾨르의 주체해석학(*The home of meaning- The hermeneutics of the subject of P.Ricoeur*』, (미국대학출판사, 워싱톤, 1982); 윤성우, 『주체의 철학』,"리쾨르와 주체의 물음", (철학과 현실사, 2004), 56-81.
8) 『텍스트에서 행동으로』, 152-156.
9) 『텍스트에서 행동으로』, 157.
10) 상징적은 것은 '직접적, 일차적, 문자적 의미가 지시하는 어떤 의미체의 구조와 또 이것을 통

으로 그 상징현상의 해석을 중시하는 현상학적 해석학을 개진한다. 산다는 것은 '관계' 안에 드는 것이기 때문이다. 이미 존재하는 세계의 이해에 대한 암호 해독과 같은 상황을 영접해야하는 상징세계가 널려있다. 인간은 태어날 때 이미 문화유산이라는 기존의 세계와 자연우주가 존재하고 있는 어떤 세계 안에로 진입하는 것이다. 다시 말해, 인간은 스스로 재로선 상에서 자기세계를 만들어 태어나는 게 아니라, 이미 있는 어떤 전통과 역사라는 문화세계 안에 들어선다. 이미 '나는 나 자신에 속하기 전에 역사에 속해 있음'을 발견하기 때문이다.

A) 그의 현상학은 '반성철학'의[11] 선상에서 전개된 프랑스 후기-칸트철학의 대변자 장 나베르의 영향을 받는다. 이 반성철학에 기초하는 현상학은 후설의 현상학이 말하는 것처럼 자연적 태도를 관호에 묶고(판단정지) 그 사유자체에로 돌아가는 일종의 기술방법론이고 철저한 자기 정초화 작업을 한다. 리쾨르는 이런 후설의 현상학에서 출발하여 하이데거의 현상학적 해석학에로 나아간다. 하이데거와 같이 리쾨르는 인식론에서 존재론으로 해석의 방향을 끌어올린다. 하이데거와 가다머와 함께 리쾨르는 해석을 심리학적 자기인식의 기반으로 보지 않고 유한한 세계-내-존재의 역사적 지평을 받아들인다.[12]

현상학적 해석학은 해석학적 반성의 필연성을 이미 전제한다. 『악의 상징론』[13]에서 리쾨르는 해석학적 요소를 고백언어에 대한 해명을 통해 발견하는데, 고백언어는 원초적 상징 언어에 대한 믿음의 직접성을 드러낸다. 그러나 상징 언어는 해석을 요하고 해석을 통한 새로운 자기이해를 가지게 한다. 해석은 상징의 의미를 밝혀낸다. 상징 속에 있는 의미의 잉여분은 직접적으로 드러난 것이 아니라, 해석이라는 간접적 접근을 통해 새롭게 규명된다. 여기서 해석학과 반성철학이 만난다. 리쾨르는 칸트의 영향으로 '상징은 생각을 불러일으킨

해서 파생되는 간접적, 이차적 비유적 의미'이다. 따라서 해석학의 영역은 모호하거나 또는 여러 의미를 가지고 있는 표현을 해독하는 것으로, 해석은 '드러난 의미에서 숨겨져 있는 의미를 해독하는 것과 문제적 의미에서 암시된 의미를 밝혀내는 데에 그 본질을 두고 있는 사고작용'으로 규정된다.

11) 반성철학은 의식주체가 자기인식의 가능성을 되묻는 반성작용을 통해 인식주체가 이미 파악한 것 자체로 되돌아가면서 자기의식을 파악하는 행위를 위주로 사유하는 철학이다.

12) 『텍스트에서 행동으로』, 88-95.

13) 『악의 상징론』, 양명수 역, (문학과 지성사, 1994). 17-36.

다'14)라는 표어로 해석학적 반성을 표현하면서, 반성은 의미의 창조적 해석과 상징의미의 다의성을 그 속성으로 가지고 있다. 리쾨르가 현상학적 해석학을 통해 우리에게 주는 주요한 공헌은 사유작용이 심리적 직관에 속하기보다 인간 실존의 다양한 관점을 포섭하는 다양한 해석에 속한다는 가능성으로 비판적 거리두기(distanciation)를 수용했다는 점이다.

B) 주체의 해석학: 이런 해석학적 반성은 상징의미의 다의성을 인정하기에 해석주체들 사이의 갈등문제를 수반한다. 리쾨르의 주체이론은 데카르트의 코기토와 훗설 관념론을 비판적으로 수용한다. 데카르트의 '나는 생각한다, 그러므로 존재한다(cogito ergo sum)'나 칸트의 '나는 생각한다(Ich denke)'가 결국 순수의식의 자기정립에 목적을 두었다면, 리쾨르에게 반성은 직접의식의 철학이 아니다. 그에게 '나는 생각한다'의 나는 표상과 행위 그리고 문화나 제도의 매개의 장이다. 반성은 이루어야 할 과제이며, 자기정립의 개념을 자기 것으로 만드는 과정에 있다. 반성철학이나 관념론이 궁극적 정초를 주관성에 정초시키지만, 하이데거 노선에 동조하는 리쾨르의 현상학적 해석학은 직접의식을 지양하고 매개하는 간접의식을 받아들인다.

C) 해석학들의 갈등15) : 리쾨르의 현상학적 해석학은 그가 마주치게 된 사조들 가운데 구조주의와 정신분석학이라는 학문을 통해 해석학들의 갈등문제를 접한다. 리쾨르는 레비스트로스(Lévi-Strauss)의 인류학적 구조주의와 소쉬르(F. Saussure)의 언어학적 구조주의 그리고 바르트(R. Barthes)와 그레마스(A. F. Greimas)의 기호학과 관련된 구조주의를 만난다. 리쾨르는 구조주의로부터 '절대 텍스트의 이데올로기(l'idéologie du texte absolu)와 야콥슨(R. Jakobson)의 이중지시 그리고 텍스트의 우위성 등의 개념을 수용하여 그의 텍스트 해석학에 적용한다. 그의 '텍스트 해석학'은 텍스트해석의 총체성과 관련된 이해 작용론으로 해석의 갈등은 상호 배제하는 자기주장의 갈등보다 상호보완의 변증법의 질서를 여는 기회를 제공한다.16)

---

14) 『악의 상징론』, 321.
15) 폴 리쾨르, 『해석의 갈등』, 양명수 역, (아카넷, 2001).
16) 『텍스트에서 행동으로』, 75.

2) 의심을 통한 비판적 해석학

상징적 표현에서 '숨겨진' 의미는 다양한 방법으로 해석될 수 있다. 예를 들면, 프로이트가 억압된 무의식의 원초적 욕망을 변환시키는 것으로, 니체는 '권력에의 의지'의 표명으로, 마르크스주의자들은 계급지배를 은폐하는 이데올로기적 허위의식으로, 신학자들은 초월적 신의 계시로, 그리고 시인은 창조적 상상력의 투기 등으로 다양한 해석들을 보여준다. 이 모든 해석학은 그 해석이 각양각색이어도, 그 공통특징은 그 기능이 '감추면서도 보여주는' 여러 의미로 구성된 '어떤 것'이 있다는 것이다. 이들의 결론이 서로 모순된다 해도 그 각각은 은유, 유비, 환유, 직유 등 언어적 작인을 통해서 한 단계에서 다른 단계에로의 상징적 의미로 치환되는 것을 보여준다.[17] 상징해석의 다양성에서 기인하는 '해석들의 갈등'이라는 용어는 이미 언어의 다양한 상징성을 인정한 필연적 결과이다.[18] 기호는 한 가지 이상의 의미를 가지고 있기에 그것은 처음에 말했던 것 이상의 어떤 것을 의미한다.

허위의식과 탈신화화는 언어가 어떤 세계에 관해 언급한다고 할 때, 그것은 대화 상대자에게 말하는 것이다. 언어는 항상 누구에게 무엇에 관해여 말한다. 상징표현은 대화 상대자(청자, 독자)에 따라 새로운 의사소통 양식을 야기한다. 텍스트의 상징의미는 원래의 창작자에게만 제한되는 것이 아니고, 모든 독자에게 열려있다. 상징은 무한한 가능적 해석의 지평에 열려있다. 그러므로 사유하는 자아(Cogito)의 주도권만을 주장하는 의식철학은 허위의식에 빠질 수 있다는 것이다. 상징언어의 매개하는 해석과정을 무시하고 주체자의 주관의식만이 무엇인가 의미하고자 할 때, 자기의식만이 직접성으로 환원되어 실체화될 위험을 안고 있다. 그래서 리쾨르는 의심의 대가들(마르크스, 프로이트, 니체)이 지적해낸 '허위의식'에 대한 비판을 주시한다. 그들의 회의방법으로 개진될 해석학의 모델들을 리쾨르는 의식의 직접적 이해에 거리를 두면서 새로운 의미를 영접하게 하는 비판과정으로 받아들인다. 예컨대, 프로이트는 어떻게 '무의식적' 의미가 우리의 주도적 의식배면에 자리하면서 조직화되고 구조화되어 있는지 폭로

---

17) 『해석학에 대해여, 프로이드에 관한 시론』, 40-44.
18) 『해석의 갈등』, 313-328 (불어판 페이지 임),

함으로써 사유하는 자아의 편견을 벗겨주었다. 니체 역시 우리의 초시간적 영원한 가치와 이성개념이 숨겨진 '권력에의 의지'의 전략에 의해 '계보학적으로' 어떻게 규정되는가 하는 것을 보여주었다. 마르크스의 이데올로기 비판은 인간 실존의 의미가 어떻게 사회역사적 지배력에 의해 규정되는가 하는 점을 들추어내었다. 리쾨르는 이런 의심을 통한 해석학이 새로운 문화비판을 가능하게 만들었다고 보며, 그것은 '탈신화화'라는 부정적 의미의 해석학이었다.19) 그래서 마르크스는 허위의식을 계급투쟁의 반영으로, 니체는 강자에 대한 약자의 한 맺힌 원한으로, 프로이트는 문화적 금기에 의해 억압된 인간욕망의 역사로 밝혀내는 해석을 통해, 이들이 지배, 욕망, 의지의 숨겨진 전략을 해독하여 문화관계를 탈신화하는 공통된 '해석학적 의심'은 긍정적 해석학에로 나아가게 하는 공헌을 한다고 평가한다.20) 의심의 대가들이 주장한 무신론적 비판은 성숙한 현대인의 신념을 대변해줄 수 있는 어떤 요소가 있음을 리쾨르는 본 것이다.

3) 긍정적 해석학과 주체성의 정립

오늘날 우리가 유산으로 물려받은 문화는 이처럼 비판적 인식을 거쳐서, 긍정의미의 해석학의 결실을 얻을 수 있다는 가능성을 지닌다. 그러나 또한 보다 나은 이상적 의미의 선택만을 향한 존재론적 형성관계도 있다. 리쾨르는 하이데거와 가다머의 존재론적 해석학을 신뢰에 바탕을 둔 긍정적 해석학의 예라고 보고 있다. 인간은 실존적 노력과 보다 나은 존재이기를 바라는 희망으로 자기를 확장해 나간다. 시간과 끝이 인간의 파악능력을 벗어난 유한의 존재인 우리가 어떤 존재에 대해 해석을 할 경우, 자신이 이미 이 존재의 의미를 알고 있다는 환상에서 벗어나야 비로소 그 존재에 대한 근본적 의미를 물을 수 있다.

A) 고고학적 원천지향과 목적론적 미래지향 : 리쾨르는 잃어버린 의미를 고고학적으로 회복할 때와 제시된 의미를 목적론적으로 추구하여 참여할 때, 인간실존의 바램(desire to be)은 궁극적으로 종교적 종말론에서 가장 잘 드러나 있다고 말한다.

---

19)『해석학에 대해여, 프로이드에 관한 시론』, 40-44.
20)『해석학에 대해여, 프로이드에 관한 시론』, 40-44.

실제로 해석학에서 주관의 한계범주인 고고학적 그리고 목적론적 의미는 양자 모두 전통적인 주관개념을 해체하는 결과를 가져왔다. 전자는 의식에 선행하는 고대적 무의식의 의미로 되돌아가고(프로이트), 후자는 의식 앞에 펼쳐져있는 새 의미에 참여하는 것(헤겔)으로서 이다. 리쾨르는 이런 두 해석학적 방향은 자기중심적 주관을 넘어서는 해석의 움직임으로 자신을 구성하게 한다고 주장한다. 그들은 인간의 주관성이 넓은 의미로 '문화'라고 부른 타자 앞에서, 어떻게 과거와 미래의 지평에 나타나는 '타자'의 기호가 자신의 현재 유의미성으로 이해되는지 말해준다. 다시 말해, 해석학의 과제는 인간이 문화세계를 조명하는 모든 유의미성에 대한 계속적 해석을 통해서만 그 의미에 도달하며, 인간은 정신적 삶이 객관화된 작품, 제도 그리고 문화적 유물을 통해서 일차적으로 '외부에서' 주어지는 이런 의미를 자기 것으로 받아들임으로써 인간의 자아를 형성한다. 프로이트의 정신분석학은 과거의 무의식적 상황에로 돌아가 억압되어 있었던 것을 들추어내어, 상실되고 꼬여 왜곡된 의식을 진단하여 분석하고 치료하는 데 목적이 있다. 반면, 헤겔의 정신현상학은 의식의 완성인 절대정신을 목적으로 한 궁극적 미래를 지향한다. 주체의 고고학은 해석을 매개로 주체 속에 숨겨져 있는 코기토를 발견하여 그 왜곡된 점을 밝힌다면,[21] 헤겔의 목적론은 종말(eschaton)이 아닌 '절대자'로 나타난다. 여기서 리쾨르는 헤겔의 역사이론을 비판적으로 수용한다. 왜냐하면, 인간의 유한한 현실적 사유조건은 직접사유가 불가능하고 매개를 통해서만 자의식에 이를 수 있다고 보기 때문이다. 리쾨르는 프로이트가 지향하는 주체의 고고학과 헤겔에게서 가져온 의식의 목적론적 지향을 변증법적으로 주체라는 자기를 형성하면서 기호, 상징, 문화 등 역사적으로 나타나는 매개체를 통해 새로운 현실에로의 통일을 향한 종말론을 말한다.

B) 종말론적 희망과 약속 : 리쾨르에게 이 종말론적 해석학적 방법은 데카르트의 주관적 자의식의 사고를 지양케 하며, 종말론에 관계되는 종교적 상징은 고고학의 알파요, 목적론의 오메가로, 그것은 시작에 선행하는 회복할 수 없는 기원(arche)이자. 종말 뒤에 오는 실현될 수 없는 목표(telos)가 된다.[22] 리쾨르

---

21) 『해석학에 대해여, 프로이드에 관한 시론』, 444-475.

에게 알파와 오메가는 인간의 주도권을 행사할 수 없는 전적 타자, 다른 차원에 속한다. 종교적 성스러움은 인간을 부르고, 이런 부름으로 실존을 지배한다. 이는 실존의 노력과 또 무엇이 되고자하는 존재의 바램으로서만 기대하는 그 무엇(희망)이기 때문이다.[23] 종교적인 것은 의식으로 하여금 자기가 하나의 완결된 존재라고 하는 환상을 버리도록 하며, 자기 생명의 주인이 자기가 아니라는 전적 타자에 자신이 궁극적으로 종속되어 있다는 것을 인식하도록 해준다.[24] 이런 해석은 역사적 한계 속에 남아있기에, 헤겔식의 절대지에 대한 철학적 주장은 거짓신화의 영역에 속한다.[25] 그러므로 긍정적 해석학은 항상 의심의 해석학과 짝을 이루면서, 해석의 대립은 극복될 수 없는 인간의 한계상황으로 해석학적 순환을 낳는다.

4) 텍스트의 해석학

리쾨르의 해석학은 그의 철학영역에서 문학에로 확장하여 은유와 이야기 이론을 전개한다. 사실적인 말로 표현할 수 없는 어떤 인간적 정서를 그는 문학작품의 텍스트 세계로 표현하고자 한다. 그의 문학해석학은 우선 상징해석에서 텍스트 해석학에로 나아간다.[26] 리쾨르의 텍스트론은 두 가지 방향에서 접근할 수 있다. 즉 넓은 의미에서 내 앞에 전개되는 모든 분야의 담론 즉 '내가 관심을 갖고 지금 시선을 주는 모든 사건'을 하나의 텍스트라 간주할 수 있다. 그러나 협의의 의미에서 텍스트는 '글로 씌어진 모든 담론'이라는 글쓰기의 차원으로 (또는 특히 문학텍스트) 한정하고[27] 텍스트이론을 '독서'에 적용하는 방법론과 같은 차원에서 다룰 수 있다.[28] 그는 기호학과 의미론의 텍스트 분석을 받아들

---

22) 『해석학에 대해여, 프로이드에 관한 시론』, 444-467.
23) 『해석학에 대해여, 프로이드에 관한 시론』, 445.
24) 『해석의 갈등』, "종교, 무신론", 431-457.
25) 『텍스트에서 행동으로』, 250-260.
26) 리쾨르는 텍스트 개념에는 4 가지 주요한 특징을 갖는다. 우선, 담론텍스트의 자율성이고, 둘째는 텍스트의 작품성인데, 이는 구조화된 총체로서 문학양식을 지니고 객관화를 유지한다. 그리고 텍스트의 '사실(sache)'을 담고 있는 텍스트의 세계를 말하는데, 이 세계는 일상세계가 정지되고 세계-내-존재로서의 새로운 가능성의 세계이다. 그리고 넷째로 이런 텍스트는 독자의 자기이해를 매개한다.
27) 『텍스트에서 행동으로』, 137.

여 그의 텍스트 해석이 인간의 자기이해를 이루어 서술적 정체성 확립에 중요
몫을 갖는다고 강조한다. 리쾨르에 의하면, 인간의 자기이해는 직관적이 아니
라, 기호, 상징 그리고 텍스트를 통해 매개되어 얻게 된다는 것이다. 여기서 텍
스트 이해는 딜타이가 말하는 정신과학과 자연과학의 양분에서 오는 설명과 이
해의 이분법으로 분리되는 것이 아니라, '보다 잘 설명하는 것이, 더 잘 이해하
는 것'이라는[29] 이해와 설명 사이 상호보완의 변증법적 해석학을 전개한다. 텍
스트는 의미를 지닐 뿐만 아니라, 텍스트가 지시하는 세계는 텍스트 앞에서 펼
쳐지는 세계로, 이 세계는 '이차원적 지시적 특징'을 지닌 세계이다. 이런 이차
적 대상지시는 훗설의 '생활세계' 그리고 하이데거의 '세계-내-존재'라 했던 차
원에로의 접근을 말하는 것이다.[30] 그러므로 텍스트 의미를 궁극에 자기 것으
로 만드는 문제는 텍스트에 의해 열려진 사유의 길을 따르는 것, 자신을 텍스트
가 향하는 길에 위치시키는 것이 된다.[31]

　　해석학은 시간적으로 지리적으로 문화적으로 그리고 정신적으로 멀리 떨어
져 있는 것을 가깝게 가져오려는 시도이고 또한 소멸된 원천의 대상을 회복하
려는 노력이다. 해석학은 '긴' 우회의 해석을 통해 새로운 자기이해의 형식을 회
복하기 위한 기획이라는 점에서 이데올로기 비판의 가능성을 제공해준다. 텍스
트를 읽는다는 것은 나의 주관적 의식을 넘어서 '타자' 또는 '다른' 의미의 지평
에 자신을 노출시키는 것이다. 텍스트를 통해 우리는 가능한 의미의 세계, 즉
새로운 양식의 세계-내-존재와 해석된 존재의 세계에로 나아갈 수 있다. 텍스트
에 의해 언어로 제시된 이런 새로운 존재의 세계를 리쾨르는 '이차적으로 규정
된 지시'[32]라 부르는데, 그것은 '지금-여기' 살고 있는 친근한 우리 세계에 대한
'일차적으로 규정된 지시'로부터 우리를 해방시킨다.[33]

---

28) 장 경, 「폴 리쾨르의 텍스트 이론」, 『용봉논총』24집, (전남대학교 인문과학연구소, 12, 1995),
　　252.
29) 『텍스트에서 행동으로』, 22.
30) 『텍스트에서 행동으로』, 114.
31) 『텍스트에서 행동으로』, 152-156.
32) 『텍스트에서 행동으로』, 114.
33) 이런 해석학은 두 가지 비판에 공헌한다. 우선, 자기자신을 절대적 기원으로서 정립한다고
　　하는 환상에 기초한 자아론에 대한 비판이며, 다음, 사회적, 역사적 그리고 정치적 맥락에서
　　자기이해가 아무런 역할도 하지 못한다는 편협한 환상에 근거한 이데올로기에 대한 비판이

III. 문학과 종교의 상호관계의 관점에서 본 해석학

우리는 지금까지 리쾨르 해석학의 몇 가지 중요한 특징을 살펴보았다. 이제 문학과 종교의 상호관계의 관점에서 리쾨르의 해석학은 무엇을 말하는지 살펴보면서 결론 아닌 가능성을 정돈하는 차원에서 이 글을 한정하기로 한다.

1) 리쾨르의 문학이론

리쾨르는 그의 『시간과 이야기』 서문에서 『살아있는 은유』34)와 『시간과 이야기 I, II, III』을 함께 구상했고, 한 쌍을 이루는 문학이론서라고 소개한다. 『살아있는 은유』가 인간행위를 표현하는 은유의 의미론적 혁신(l'innovation sémantique)과 은유적 지시(référence métaphorique)를 주로 다룬다면35), 『시간과 이야기 I, II, III』은 인간행동을 재구성하는 이야기 이론을 체계화한다. 인간의 시간이 어떻게 플롯구성을 통해 새로운 창조적 의미를 갖는가? 그리고 이야기 행위가 연대기적 시계시간으로 환원할 수 없는 자연적 시간을 어떻게 특별한 인간의 시간으로 변화하는가? 그리고 어떻게 문학이 인간의 시간을 '모방'하며 또한 어떻게 종교 대상인 신이 인간의 글로 표현되는가? 이상의 질문에 관심을 가지면서, 리쾨르는 시간을 사적 시간과 공적 시간으로 나눈다.36) 그리고 인간의 시간을 3 가지, 즉 허구로서의 이야기, 역사로서의 이야기 그리고 인간적 시간으로서의 이야기로 나누어 인간적 시간에 의미부여를 하고자 한다. 물론 인간의 시간인 '이야기된 시간'은 '종말과 죽음'을 함께 생각하게 만들기 때문에 성서이야기에도 적용할 수 있게 된다.

우리는 시간을 직접 볼 수 없다. 리쾨르의 표현에 의하면 단지 말이나 글이

기도 하다. 해석학은 자아와 타자의 대립과 동시에 보완관계의 변증법을 통해 자기정체성을 회복하도록 하여 택일의 선택으로 분절되는 환상을 넘어설 수 있도록 해준다.
34) 폴 리쾨르, 『살아있는 은유(La Métaphore vive)』, (쇠이유, 파리), 1975.
35) 장 경, 「문학해석과 창조적 은유-폴 리쾨르의 문학이론을 중심으로-」, 『불어불문학연구』,33 집. (한국불어불문학회, 1996), 677-697.
36) 사적시간이 하이데거가 '죽음에로의 존재'라고 인간을 정의한 데서 보여주듯, 죽고 없어지는 시간이지만, 공적시간은 자연적 시간인 시계시간의 의미에서가 아니라, 개인의 죽음 후에도 계속하는 언어자체의 시간이다. 인간이 시간 속에 산다는 것은 죽음의 사적시간과 언어의 공적시간 사이에 사는 것이다.

라는 매개를 통해 시간 경험(삶)을 표현할 수 있다. 즉 이야기할 수 있다. 그는 아우구스티누스의 『고백록』11장에 나타난 시간의 난제를 아리스토텔레스의 『시학』에 나타난 뮈토스와 미메시스 개념을 통해 삶(시간)을 글로 표현(문학)하는 과정으로 인간적 시간을 분석한다.37) 이를 위해 리쾨르는 미메시스를 크게 3부분의 미메시스 I, II, III으로 확장하여 문학작품을 설명하되, 미메시스 과정을 해석학의 과제와 관련하여 설명한다.38) 이때 미메시스의 현상은 '미메시스(mimesis)-줄거리구성(muthos)-정화(katharsis)'를 축으로 하는 창조적 시적 재현과정이 된다. 리쾨르는 이렇게 미메시스에 대한 새로운 해석방법(삼중 재현 활동인 미메시스)를 제시하면서, 미메시스 II를 분석의 축으로 삼고 그 독립된 단절부분의 기능분석을 통해 시적 구성세계를 열고 문학작품의 문학성을 설명할 계기를 마련한다.(『시간과 이야기 I』, 불어판, 86). 다시 말해, 미메시스 II를 문학텍스트로 간주하고 그 상류는 작품이전 체험이라는 전이해의 장으로, 하류는 작품감상, 텍스트읽기라는 독서장으로 구분하여 상류와 하류를 매개하는 작업이 바로 문학작품의 몫이라는 것이다.39) 리쾨르의 해석학은 문학작품의 상류와 하류의 상황을 작품과 연관하여 총괄적으로 다룬다. 독자는 그 자신의 독서 행위로 여러 이질적 요소를 종합하되, 이해에서 시작하여 작품파악과 그 설명과 적용을 통해 변형된 자기발견까지 포함시킨다. 독자는 그러므로 미메시스 I에서 미메시스 II를 거쳐 미메시스 III에 이르는 여정을 책임지는 장본인이 된

---

37) 아우구스티누스는 『고백록』11권에서 "시간의 연장(extension)을 정신의 팽창(distension)"으로 보고 시간을 삼중의 현재, 곧 미래적인 것의 현재, 과거적인 것의 현재, 그리고 현재적인 것의 현재로 표현한다. 그리고 삼중시간의 긴장을 일으키는 불일치를 인간마음의 상태인 기억, 직관 그리고 기대로서의 움직임으로 간주한다(『시간과 이야기 III』, 41). 과거, 현재, 그리고 미래로 흩어지고 분열된 인간마음의 팽창은 영원을 향한 지향(intentio)에 의해 통일된다고 본다(『시간과 이야기 I』, 37). 리쾨르는 이런 아우구스티누스 시간표상의 난제를 아리스토텔레스의 『시학』에 나오는 급전(peripeteia)과 줄거리 구성(muthos)을 통해 풀어보려고 한다. 아우구스티누스의 마음의 팽창(기억, 직관, 지향)은 아리스토텔레스의 시학의 이질적인 것의 종합(synthèse de l'hetérogène)과 대비시킨다(『시간과 이야기 I』, 55).

38) 『시간과 이야기 I』, 86(불어판 페이지) : "해석학의 과제란 하나의 작품이 삶과 행동 그리고 고통의 흐릿한 배경에서 벗어나 독자에게 주어지는 데, 독자는 그것을 받아들여 자신의 행동을 변화시키는 그러한 작업전체를 재구성하는 것이다."

39) 장 경, 「"시간과 이야기 I"에 나타난 삼중 미메시스」, 『현대문학이론의 이해』, (전남대학교 출판부, 1988), 73-106.

다[40].

2) 이야기의 해석학과 이야기의 정체성

이야기는 '담론의 한 장르로서'(『시간과 이야기 III』, 373) 단순한 기술이 아닌 허구적 문학장르를 빌려 현실을 말한다. 현실을 새롭게 개시하되 이야기로 인간적 진리를 표현한다. 시간경험을 문학형식으로 표현하는 이야기는 과거의 사건을 새롭게 구성하는 창조적 힘을 지닌다. 이야기는 그 자체가 참 이야기인지 거짓 이야기인지를 판가름하는 그 나름의 기준을 갖지 않지만, '이야기정체성'의 문제를 야기한다. '너는 누구냐'의 물음에 옳고 그름의 과학적 정답을 갖지 않는다. 그러나 과거와 현재의 나를 그리고 나의 희망 포부를 이야기함으로써 내가 누구인가를 알린다. 리쾨르는 '서술적 정체성'(identité narrative)이라는 용어로 이야기기능을 매개한 인간정체성을 말한다.[41] 사람이 태어나 죽기까지 그 정체성을 가능케 하는 요인은 무엇인가? 삶의 의미는 지속적 면과 비지속적 면이 있다. 이야기는 행위연관과 관계된 인간자기의 정체성을 묻는다. 아리스토텔레스는 『시학』에서 전체(서언·본론·결언)를 하나로 구성하는 시 구성법과 관계 하에 이야기 구성의 뮈토스를 다룬다. 이야기의 줄거리구성에 관심을 갖는 리쾨르는 특정한 사건이 필연적으로 그리고 개연적으로 조화를 이루는 뮈토스를 통해서 흩어져있는 에피소드를 연결하는 통일의 질서에 관심을 갖는다. 그래서 인간의 정체성이 이야기를 중심으로 형성되어 가는 '주체해석학'을 다룬다. 이야기를 통해 인간은 자기를 말하고 또한 자기인식을 한다는 것이다. '자기자신(soi-même)'은 결코 직접적으로 인식되지 않지만, 자기가 누구인지를 묻는 질문에 인간은 자기의 삶의 경험을 이야기한다. 누구의 물음은 삶의 역사를 이야기하는 것, 곧 정체성을 형성하는 것이다.

이런 이야기는 윤리의 영역을 함축하고 있다.(『시간과 이야기 III』, 359). '내

---

40) 『시간과 이야기 I』, 86-87.

41) '정체성'이란 개념은 먼저 라틴어 idem과 ipse 개념에 대한 정확한 이해를 필요로 한다. Idem이 시간 속에서도 바뀌지 않는다는 기질이 '같은'을 뜻한 반면, ipse는 자기자신과 다르지 않고 자기자신에게 낯설지 않은 의미의 '동일한' 뜻을 가진다. 이 문제를 먼저 논의했던 사람은 딜타이(W.Dilthey)이다.

가 무엇을 약속하면, 가장 좋은 의도에서 내가 그 약속된 것을 지키겠다고 약속하는 것이다.(『시간과 이야기 III』, 336). 약속 때문에 우리는 우리 자신의 행동에 제재를 가하여 우리에게 변화를 가져오게 한다. 그리고 우리 삶의 역사를 이야기하면서 우리는 스스로의 정체성을 형성한다. 이야기는 하는 정체성은 개별적일뿐만 아니라, 또한 공동체에게도 적용된다. 예를 들면 이스라엘은 공동체 역사 안에 역사정체성을 세워나간다. 정체성은 자신에 대해 이야기하는 동안, 이야기의 대화성격과 윤리형식 속에서 신뢰의 의미를 포함하고 있다. 자기를 이야기할 때 신뢰를 둔 의미는 바로 자기이해가 된다.

3) 이야기 해석학과 종말론

이야기는 성서에도 적용된다. 성서의 에피소드나 신화 이야기들은 그 양식에 따라 법률·시편·예언·역사·지혜문학·철학 등 다양하다. 이야기는 그 예견적 또는 미래적 관점에서 창조성과 관계되나, 또한 회상적 관점과도 관계된다. 역사는 과거에 대한 이야기이지만 허구이야기는 과거뿐 아니라 현재와 미래와도 연결된다. 예를 들면, 까뮈의 이방인은 허구적 과거시제로 그 무엇을 이야기한다. 과거는 우리의 가능성을 위한 우리자신의 실존론적인 기획과 뗄 수 없이 연결되어 있다. 하이데거에 따르면 인간은 미래에 의해 규정되는 존재로, 과거역사를 다시 반복하는 것은 미래를 예견하는 지평과 밀접하게 연결되기 때문이다. 신약성서의 비유는[42] 현실을 새롭게 서술하는 모델이다. 비유이야기는 은유적인 지시를 함축한다. 하느님에 대한 예수의 말씀 속에 있는 비유는 예수라는 하느님 나라에 대한 이야기를 읽을 수 있는 가능성이 열려있다. 예수의 비유를 해석하는 것은 성서 해석학의 중요한 부분이다. 이야기 형식으로 된 비유를 어느 정도 은유적으로 분절화 할 수 있는지에 따라서 이야기해석의 신학적 의미는 '죽음을 영원과 함께 생각'하도록 만든다(『시간과 이야기 I』, 129). 이렇게 이야기 해석학은 종말론의 문제로 나아간다. 죽음을 영원과 함께 생각하는 이야기 해석학은 철학뿐 아니라 신학적 종말론과의 만남을 가능하게 했다. '종

---

42) 폴 리쾨르, 「예수의 비유말씀듣기(Listening to the Parables of Jesus)」, 『크리테리온(Criterion)』, 13집 3호, (봄, 1974), 18-22.

말론은 현세의 인간과 그의 세계의 끝을 선포한다.'[43] 그래서 '지금'은 그리스도와의 만남을 통한 종말론적 특성이 열리는 장이다.

4) 종교문학의 특수화

문학과 종교는 상호인간의 삶과 관계한다. 특히 글로 표현할 수 있다는 공동관점으로 서로 만난다. 그러나 종교는 그 대상이 인간의 궁극적 삶에 대한 열쇠를 쥔 어떤 대상을 향한다는 특수영역으로 그 특징을 달리한다. 또한 리쾨르의 말처럼, 역사가 과거사건을 중점적으로 다룬다면, 문학이야기는 앞으로 일어날 가능한 이야기를 다룰 수 있다는 점에서 서로 다른 특징을 드러낸다. 그런데, 이야기가 인간의 과거뿐 아니라 인간의 포부, 욕망 그리고 희망, 기대를 표현할 수 있다면, 종교는 인간의 영원한 삶에 관계된 약속의 장본인 하느님이라는 특수대상을 향하게 한다. 우리는 문학표현을 통해 '하느님의 존재'를 인간의 말과 글에 담을 수가 있다. 인간이 무한의 영역에 속하는 신을 이름 부를 수가 있다.[44] 이것은 시적 텍스트의 비유적 표현(은유) 안에서이다. 성서는 하느님의 말씀이 담긴 일종의 시적(비유적) 텍스트이기도 하다. 시 언어는 은유기능으로부터 의미론적 혁신을 위한 새 가능성을 기술하는 모델이다.[45] 시적텍스트가 가능한 것을 기록할 수 있다는 점에서 종교문학 텍스트는 존재의 가능한 모든 양태의 무한한 배경을 다룰 수 있다. 신이라는 대상지시체는 인간의 한계경험 가운데에서도 텍스트를 넘어선 세계를 지시하는 방향을 지시한다. 신학적 해석학은 일반문학과 철학적 해석의 범주의 제약을 받는다. 글쓰기라는 거리두기와 객관화는 이해의 가능한 제약조건이 된다.[46] 그러나 신학적 해석학은 한편 '일반해석학의 부분영역'이지만, 다른 한편, 신학적 독특한 사실(하느님의 존재) 때문에 철학적 범주의 한계를 넘어 신에게로 방향을 연다.

---

43) R. 불트만, 『신앙과 이해(*Faith and Understanding*)』, (런던, 1969), 39.
44) 폴 리쾨르, 「하느님 이름부르기(Naming God)」, 『유니온 신학 연구지』 34집, 4호,(여름, 1979), 219: "시적인 것의 내면성에서 종교적인 것을 특수화하는 것은 성서적 텍스트에 의해 신에 이름을 붙이는 것이다."
45) 폴 리쾨르, "성서해석학", 『세메이아(Semeia)』, 1975, 107.
46) 『텍스트에서 행동으로』, 126: "문서를 통한 거리두기와 구조를 통한 객관화는 텍스트가 텍스트의 사실이 무엇인가를 진술하는 것에 대한 선조건일 뿐이다."

리쾨르는 이런 성서적 텍스트를 위에서 말한[47] 일반문학 해석학의 4 가지범주와 관련해서 신학의 특유한 해석을 연다. 즉 첫째 텍스트의 자율성은 성서말씀에 그대로 적용된다. 신약의 케리그마(선포)는 먼저 주어진 성서(구약성서)에 연결되고, 그것은 다시 새로운 성서(신약)가 된다. 성서는 거리두기의 자율화로 '텍스트의 사실'을 지니며, 성서말씀의 독특성은 '유일한 말씀 사건인 강생' 곧 예수그리스도를 증언하는 데로 구체화된다. 둘째, 텍스트가 항상 구조를 지니는 것 같이, 성서의 진술은 형식(이야기 구조, 예언, 비유, 찬가 등)과 불가분의 관계 속에, '신-진술'이 구속사의 형식 안에 담겨진다. 그래서 희랍적 신(원인 근거 본질로서 파악되는 신)을 구분한다. 셋째, '성서의 사실'은 텍스트의 세계에 적용되는 해석학의 '중심범주'이다. 이 텍스트의 사실은 신학적 해석학의 근간이 되어 텍스트로부터 존재세계가 전개되도록 한다. 텍스트의 사실은 새 현실론서 일상현실과 구분되는 현실이다. 성서세계의 독특성은 바로 '새 세계, 새 언약, 신의 통치, 구원' 등 텍스트로부터 기획되는 새존재의 객관성이다. 성서언어는 새 존재를 '신과의 관계' 속에서만 말한다. '십자가와 부활'에 대한 선포는 이 새 존재의 범주이며 바로 '새 존재의 사실'이 역사 속에 일어났다는 사실성(강생과 부활)과 연관된다. 넷째. 텍스트의 매개성은 텍스트를 대하는 독자들에게 텍스트 앞에서 독자주관의 환상에서 벗어나 새로운 이해의 길을 연다. 그러므로 '해석학의 첫 번 과제는 독자의 결단을 촉구하는 것이 아니라, 성서의 '사실'인 존재세계가 전개되도록 독자에게 청취의 길을 개방하는 것이다.'[48] 성서에 의한 신앙은 슐라이어마허나 키에르케고르의 주장처럼 텍스트에 대한 나의 결단이 아니라, 텍스트가 나의 현실세계로부터 해방하게 하는데 있다. 성서 텍스트는 나의 '상상'을 향해 말해온다. 성서텍스트는 독자인 나에게 이 해방사건을 열어주고, 나는 '말씀'이라는 텍스트 주체가 나의 자유가능성을 매개하도록 영접할 때, 새 의미 가능성이 내게 주어진다. '새존재'가 성서 텍스트 앞에서 독자에게 전개될 때, 이 텍스트 해석은 신학적 해석학이 된다. 신학 해석학의 특성은 '나의 실존과 나의 역사를 포함해서 세계와 전(全) 현실에 대해 개시하는... 새 존

---

47) 각주 27을 참조;『텍스트에서 행동으로』, 125-128.
48)『텍스트에서 행동으로』, 132.

재'이다.[49] 그러므로 내가 성서의 존재와 관계하는 한, 성서의 계시를 만날 수 있다. 계시는 성서세계의 특징으로 '가장 포괄적 지평이요' '의미들의 총체성'의 세계이다. 성서 텍스트는 신(새존재)을 연역적으로 증명하지 않고, 이야기나 예언 등으로 표현한다. 이야기 차원과 선포차원은 서로 연결된다. '성서가 신에 관해 말한다'는 것은 '이야기 구조에 상응하는 신학, 곧 구속사 신학으로 나타난다.'[50] 신을 표현하는 성서의 진술양식은 신에 관한 내용을 갖고 그에 맞는 순화구조를 지닌다.

5) 신학적 해석학의 과제

이는 성서의 전 세계를 드러내는 데 있다. 이런 의미의 총체적이고 가장 포괄적 성서지평의 세계는 신에 대한 인간관계에 있어서 나너의 인격주의에 대한 일반적 우선권만을 허락지 않는다. 인격주의도 성세세계의 한 측면일 뿐이다. 성서세계는 창조로서 우주적 측면을 지닌다. 그리고 백성과 관계를 다루는 사회적 측면을 갖는다. 또한 문화적 측면을 갖는데, 이는 이스라엘과 하느님 백성의 관계에서 나타난다. 또한 개인적 측면도 있다. 그것은 인간을 그 현존재의 다양한 우주론적 · 세계사적 · 인간학적 · 윤리적 · 인격적 차원에서 다루고 있다.[51]

이 모든 것은 텍스트에 근거한다. 신앙의 이해는 성서텍스트 세계에서 기획된 존재 가능성으로의 친숙화 과정이며, 이는 독자 스스로 자신의 자율적 주관을 비우는 자기와의 거리두기를 포함한다. 독자주관의 텍스트 의미에 관여(독자의 상상력)는 자기자신에 대한 주관적 환상이 우선이 아니라, 시 텍스트에 상응되는 매개된 주관의 차원이다.[52] 그래서 성서텍스트가 시가 된다는 것은 불트만이 주장하는 텍스트의 실존적 차원에 대해 상상적 차원의 우위성을 드러낸다. 이 상상력은 텍스트로부터 창조적 의미를 발견하고 새로운 존재 곧 텍스트 사실을 발견케 하는 언어를 통한 '부상하는 힘(능력)'이다.

---

49) 『텍스트에서 행동으로』, 130.
50) 『텍스트에서 행동으로』, 131.
51) 『텍스트에서 행동으로』, 127.
52) 『텍스트에서 행동으로』, 132.

결론

형이상학적 신과 다르게 성서의 신은 모들 사실들을 매개하는 텍스트와 연관된다. 그래서 리쾨르의 신 개념은 아브라함의 하느님, 이사악의 하느님, 야곱의 하느님, 즉 역사적 전승의 하느님이다. 그의 신이란 단어는 철학적 개념의 기능에서 오지 않고, '신을 이해한다는 것은 그 의미의 화살방향을 따르는'[53] 차원에서 계시와 관계된다. 리쾨르는 형이상학의 절대적 객관이란 미명하에 '존재와 신'을 접붙이는 것을 '가장 정교한 유혹'이라고 보고 신증명의 모든 방식을 거부한다.[54] 그에게 존재론의 처소는 형이상학이 아니라 언어이다. 계시신학은 이 언어의 존재론을 전제한다. 케리그마는 그 다양성에 있어서 성서 텍스트에 연결되고 현재와 함께 미래를 말하는 기독교적 희망과 연결된다. 신은 철학 개념으로 파악할 수 없다. 해석학의 도움으로 초월 신에의 접근은 인간의 언어, 특히 상징과 텍스트의 범주 안에서 스스로를 드러내는 '이야기 문학'에서 그 계시의 가능성을 만난다.[55] 그러므로 가시덤불의 현현 모델처럼 신은 텍스트 속에서 드러나기도 하고 또한 은폐되기도 한다. '신-진술'의 총체성인 신의 이름은 명확한 의미로 명명될 수 없다.[56] 왜냐하면 신의 이름은 '나는 스스로 있는 자'라는 자기 나타냄 속에 있기 때문이다. 신의 이름에는 은유적 과정이 내재한다. 그 자체 긴장을 지닌 은유적 이름은 모든 진술이 경험되는 '극단적 타자'로서이다. 예수의 말씀은 '한계-표현'이라 불리어지는 하느님의 나라, 하느님의 통치, 십자가의 부활 사건 등을 말하고 있다. 신의 초월 문턱인 이 한계 표현에 인간적 한계경험이 상응되고, '신-진술'(시적 언어)이 지닌 계시적 능력과 결합된다. 예수만이 비유로서 '하느님 나라'와 신에 관해 말한다. 십자가와 부활사건은 기독교 신이해의 핵심부분이며,[57] 또한 바로 그 한계범주의 '무능과 전능'이라는 변증법적 영역이다. 십자가와 부활사건에서 세계와 인간은 신의 무한한 사랑의 행위 안에 들어가는 가능성을 만날 수도 있다.

---

53) 『텍스트에서 행동으로』, 122, 129.
54) 폴 리쾨르, 「철학과 종교언어의 특수성」, 『역사와 종교철학』, 5호, 1975, 13-26.
55) 『텍스트에서 행동으로』, 123.
56) 폴 리쾨르, 「하느님 이름부르기」, 『신학과 종교 연구』, 4호, 1977, 489-508.
57) 폴 리쾨르, "성서해석학: 비유에 관해서", 『세메이아』, 4호, 27-148.

↘ 인용문헌

리쾨르, 폴.『가브리엘 마르셀과 칼 야스퍼스: 신비의 철학과 역설의 철학』. 파리: 현재
　　　출판사, 1947.

_____.『살아있는 은유 (La Métaphore vive)』. 파리: 쇠이유, 1975.

_____.『시간과 이야기 I, II, III』. 김한식 · 이경래 역, 서울: 문학과 지성사,
　　　1999-2004.

_____.『타자로서 자기자신』. 김웅권 역, 서울: 동문선, 2006.

_____.『텍스트에서 행동으로』. 박병수 · 남기영 역, 서울: 아카넷, 2002,

_____.『해석의 갈등』. 양명수 역, 서울: 아카넷, 2001.

_____.『해석학에 관하여: 프로이트의 시론((De l'interprétation : Essai sur Freud』. 파
　　　리: 쇠이유, 1965.

_____.「성서해석학」,『세메이아(Semeia)』4호. Missoula Scholars Press, 1975.

_____.「하느님 이름부르기」,『신학과 종교 연구』4호. 1977.

_____.「철학과 종교언어의 특수성」,『역사와 종교철학』5호. 1975.

_____.「예수의 비유말씀듣기」,『크리테리온(Criterion)』13집 3호. (봄, 1974).

윤성우.『주체의 철학』. 서울:철학과 현실사, 2004.

장 경.「문학해석과 창조적 은유-폴 리쾨르의 문학이론을 중심으로-」,『불어불문학연
　　　구』33집. 한국 불어불문학회, 1996.

장 경.「폴 리쾨르의 텍스트 이론」,『용봉논총』24집. 전남대학교 인문과학연구소, 12,
　　　1995.

장 경.「"시간과 이야기 I"에 나타난 삼중 미메시스」,『현대문학이론의 이해』. 광주: 전
　　　남대 출판부, 1988.

반 덴 헨겔 존, (Van Den Hengel John W.).『의미의 집- 폴 리쾨르의 주체해석학』. 워
　　　싱톤, 1982.

불트만 루돌프,『신앙과 이해 (Faith and Understanding)』. 런던, 1969.

아우구스티누스,『고백록 (Les Confessions)』. 선한용 역, 서울: 대한기독교서회, 2003.

5

폴 틸리히의 문화신학에서 '궁극적 관심'

| 김경재 |

들어가는 말

20세기의 대표적인 개신교 신학자의 한 사람이었던 폴 틸리히(Paul Tillich, 1886-1965)의 문화신학 틀 안에서 대중에게도 널리 회자된 '궁극적 관심'(ultimate concern)이라는 그의 독특한 종교적 실재체험의 현상학적 개념을 고찰해보려고 한다.

우리의 주제를 보다 명료하게 밝혀보기 위해서는 세 가지 단계를 밟아야 한다. 첫째는 위 주제가 탄생하는 배경으로서 틸리히의 '삶의 자리'(Sitz im Leben)를 간략하게나마 고찰하겠다. 둘째는 1920년대에 청년학자로서 베르린 칸트철학학회에서 발표한(1919년 4월16일) 그의 학자로서의 데뷔 강연이랄 수 있는 "문화신학의 이념에 대하여" 라는 논문에서 처음 모습을 드러낸 그의 문화신학의 개념이 1920년대 전후 격동하던 유럽사회의 정치·사회·문화의 근저가 흔들리는 상황 속에서 출산된 일종의 포스트모던적 사상임을 음미해야겠다. 셋째로 그러한 예비적 고찰 후에 '궁극적 관심'이라는 개념의 다양한 함의를 심층적으로 분석하려고 한다.

*『문학과 종교』 제 8권 2호(2003)에 실렸던 논문임.

'경계 선상에 선' 폴 틸리히의 '삶의 자리'

틸리히의 생애를 연대기적으로 살필 필요는 없겠다. 그는 자신의 실존적 삶과 자신의 생애가 짊어지고 감내해야 했던 운명을 표현하기 위해 '경계선 위의 상황에서' (On the boundary situation)라는 상징적 어휘를 즐겨 썼다. 사실 그의 실존적 일생과 사상가로서 사상이 경계선 상에 있었다.

틸리히는 부르죠아적 자본주의 사회의 모순이 극에 달하여 붕괴되면서 발생하는 새로운 국가사회주의와 러시아 볼쉐비키 혁명기에 감수성 깊은 청년 시기를 지냈다. '인간의 자유'를 담보한다는 명분아래 현실적으로 노동자와 노동과정, 인간의 사회적 삶 전 과정을 상품화시키고 소외시키는 자본주의적 삶의 존재방식에 틸리히는 저항했다. 다른 한편으론 '인간의 평등과 정의'이름으로 등장하는 국가사회주의와 공산주의 운동의 광기적 집단주의를 거부하고, 청년 틸리히는 아직 동트지 않은 카이로스(kairos) 곧 신율적(神律的) 사회의 실현을 갈망하면서 1920년대엔 '종교사회주의운동'에 몰입하기도 했다.

신율적 사회란 중세기 같이 신의 율법이나 군위가 지배하는 사회라는 뜻이 아니고, 인간 이성의 합리적 자율성(autonomy)과 존재의 의미와 깊이를 보존시키는 타율성(heteronomy)이 변증법적으로 종합 지양된 열려진 비판적 사회를 말한다. 그러한 사회는 개체성과 공동체성, 생명의 역동성과 형태성, 유한자들의 제약성과 자유가 갈등적 대립관계가 아니라 상관적 회통(會通)관계로 작동하는 삶이다.

틸리히가 히틀러 정권에 의해 프랑크푸르트 교수직에서 해임당한 후, 만일 미국 신대륙 유니온 신학교(Union Theological Seminary)에로 옮겨 정착하지 않고 그대로 유럽 지성사회 속에서 학문했더라면, 2차대전이후 냉전체제 전후, 마르크스 · 레닌적 사회주의 이념운동과 그리스도교적인 자유주의 이념운동 경계 선상에 서서, 프랑크푸르트 비판철학의 대부로서 보다 창조적인 '정치신학'을 발전시킬 수 있었을 것이다.

틸리히는 전쟁터에서 한 군목으로 1차대전을 겪으면서(1914.10-1918.8), 사병들이 죽어가는 참호 속에서 니체의 책들을 읽었고, 전통적 유럽 기독교 문명의 붕괴를 몸으로 느꼈다. 본래 '갈릴리 복음'의 모습과는 관계없이 기독교는 서구역사 1900동안 형성되어 왔고 특히 지난 300년간 근세 서구사회의 이념적 틀이었던 이성적 · 합리적 세계관, 진보적 · 낙관적 역사관, 인격적 · 초월적 신관, 관념론적 · 의식(意識)의 철학, 인간의 내재적 종교성에 기초한 자유주의 신학 등등을 만들어냈으나, 그 모든 것이 철저히 붕괴하고 있음을 경험했다. 그러나 그는 아직 20세기 후반에 본격적으로 등장하는 포스트모던니즘의 큰 물줄기는 발견하지 못한 상태였다.

그러므로 틸리히의 사상사적 삶의 자리는 크게 보면 모더니즘과 포스트모던니즘의 '경계선상'이었고, 그 경계선 위에서 그는 갖은 고뇌와 열망을 정직하고 용기 있게 자신의 신학을 펼쳐나갔다. 틸리히의 신학이 만들어진 사상사적 배경은 고전 철학적으로는 파르메니데스-어거스틴-야콥뵈메-마틴루터-슈라이에르마허-니체-쉘링으로 이어져 오는 존재신비주의와 의지의 철학 계열이 있다. 그러나 보다 가깝게는 키에르케골의 실존주의-마르크스와 프로이드의 의심의 해석학-칼 융과 루돌프 오토의 비합리적 '성스러운 것'(Das Heilige)의 심층심리학-표현주의 미술화풍의 상징예술-베르그송과 떼이야르 드 샤르뎅의 진화론적 생의 철학-멀치아 엘리아데와 불교 선승들과의 만남에서 얻은 종교신학 등이 틸리히의 '궁극적 관심'이라는 화두의 사상적 메트릭스요 직간접적인 삶의 자리로서 파악할 수 있다.

틸리히의 생애를 연대기적으로 살필 필요는 없다고 언급했다. 다만 틸리히 또한 시대의 아들로서 그의 종교사상은 구체적인 시대적 '삶의 자리'에서 형성된 것이므로 그의 문화신학이론과 '궁극적 관심'이라는 화두 또한 그 맥락에서 이해해야 한다는 점을 강조하고자 한다. 틸리히는 '경계선 상에서' 사유하고 증언하고 행동한 사람이었다.

그는 19세기와 20세기, 자본주의와 사회주의, 경험론과 합리론, 존재 우위의 플라톤 철학과 생성 우위의 아리스토텔레스 철학, 의식과 무의식, 이성과 계시, 아퀴나스와 마이스터 에카르트, 초월과 내재, 종교와 문학예술, 기독교와 불교, 신학과 종교학, 로고스적 형태성과 파토스적 역동성, 자유와 운명(destiny)등등 그 경계선상에서, 그 양자의 팽팽한 긴장 속에서, 중성적 야합이거나 양비론 혹은 양가론적 타협이 아닌 역설적 통전을 추구했던 신학자였다.

폴 틸리히의 문화신학에서 종교와 문화의 관계

우리의 주제 틸리히의 '궁극적 관심'이 말하려는 의도를 이해하기 위해서, 우리는 그의 '문화신학'(Theology of Culture)을 지탱하는 두 가지 기본명제를 기억해야 한다. 그 두 가지 중 제1명제는 틸리히가 인간의 정신적·영적 삶 속에서 '종교'를 어떻게 이해하는가의 문제요. 제2 명제는 첫 명제의 자연스런 논리적 연장이지만 '종교'와 '문화'와의 상호관계성이다.

제1명제: "종교란 인간 정신적 삶의 한 특수한 기능이 아니라, 정신적 삶의
제반기능들 속의 깊이의 차원이다"[1]

위의 짧은 명제는 폴 틸리히가 자신의 문화신학 이론을 펼쳐나가는 기본 출발점이다. 이 명제는 당시나 지금이나 '종교'에 대한 세 가지 부류의 잘못된 접근 태도를 비판하고 틸리히가 새로운 종교이해의 접근방법을 말하고 있는 것이다. 종교에 대한 세 가지 통속적 접근태도는 전통적인 초자연주의 종교이해, 자연주의적 종교이해, 기능주의적 종교이해를 말한다.

초자연주의적 종교이해 태도는 기본적으로 종교란 일상적 삶의 차원과는 직접관계가 없는 초자연적 '신적 실재들'이나 초경험적 신비체험에 관련되는 것이며, 초이성적 특수계시에 근거하거나 일상적 '분별지'상태를 넘어선 참지혜 (프라쥬나) 상태라고 주장한다. 구체적으로는 죄, 죽음, 사후세계, 천국, 극락왕생, 환생, 심령술, 신유치료 등에 일차적 관심을 갖는 것을 말한다. 그야말로 종교를 정신적 삶의 한 '특수기능'을 담당하는 영역으로 본다.

자연주의적 종교 이해는 종교를 인간의 마음속에 뿌리박고 있는 '종교성'의 자연스런 발로로 파악하는 심리학적·인본주의적 종교이해다. 인간은 본래적으로 '종교인'(Homo Religius)이라고 본다. 군이 초월적 계시나 초이성적인 탈아

---

1) Paul Tillich, *Theology of Culture*(New York: Oxford Press, 1959). p.4 "Religion is not a special function of man's spiritual life, but it is the dimension of depth in all of its functions."

상태(脫我狀態)를 추구할 필요가 없다. 인간의 정신적 삶 속에 '진·선·미'라는 세 가지 범주의 삶의 경험이 있듯이 거기에 추가하여 '성(聖)'의 영역이라는 또 다른 차원이 필요한 것이며, 그 '성스러움'의 영역과 체험은 매우 독특하고 비일상적인 것이기에 '종교'는 삶의 특별한 영역과 기능을 담당하고 포괄한다는 입장이다.

기능주의적 종교이해는 종교가 추구하는 절대자나 신(神)같은 '궁극적 실재'의 존재여부나 그 진위성 여부를 떠나서, 인간 사회 속에서 종교가 작동하는 현실적인 기능을 주목하는 종교사회학적 접근태도이다. 종교는 한 사회 속에서 순기능과 역기능을 모두 노출 시키는 양가적 사회현상이라고 본다. 종교는 집단적 사회생활 속에서 인간의 자기중심적 행위를 절제, 양보, 자기헌신, 자기희생 등의 덕목을 가르침으로서 사회정화기능과 사회적 윤리를 고양시키는 순기능을 갖는다고 본다. 반대로, 마르크스의 종교비판처럼 인간을 근원적으로 소외시키는 '아편'같은 역기능을 하고 지배이념의 상부구조를 이룬다고 본다. 이 경우에도 종교는 인간 정신적 삶의 사회적 현상에서 나타난 한 특수기능으로 파악한다.

폴 틸리히는 위와 같은 세 가지 형태의 종교이해를 모두 비판한다. 그리고 새로운 종교이해를 제시한다. 그는 종교란 인간이 정신적 삶을 수행하고 의미와 가치를 추구하며 창조하고 자기초월하려는 모든 형태의 정신적 삶의 한 복판 속에서 경험하는 '깊이의 차원'이라고 본다.

'깊이의 차원'이란 '높이의 차원'에 대비되는 공간적 은유이다. 신학, 종교학, 종교심리학, 종교 사회학 등 전문적인 학문분야가 있지만, 종교란 정치, 경제, 사회, 문화 모든 영역에서 인간의 정신적 활동이 그 근거를 묻고, 뿌리를 밝히며, 전공학문의 '원리의 원리' 곧 그 이론과 체험의 존재론적 근거를 추구할 때 부딪히는 인간정신의 '자기초월의 경험'이 일어나는 곳에 종교는 숨쉬고 살아있다. 그러므로 틸리히의 종교이해는 매우 현상학적 접근태도를 견지한다고 보여진다.

니체, 마르크스, 프로이드, 싸르트르가 종교를 부정하고 비판한다고 해서 종교가 부정되거나 사라지는 것이 아니다. 바로 그들의 진지한 '비판정신'과 '의심의 해석학'이 치열하면 치열할수록, 틸리히가 볼 때는 매우 '종교적'인 것이다. 그들 모두가 기존의 '궁극적인 것'일 수 없는 것들이 '궁극적인 자리'를 점유하고 인간의 삶을 소외시키기 때문에 분노, 비판, 폭로, 저항 등을 통해 '거룩한 분노'를 발하고 있는 것인데, 그들은 기존의 어떤 형태의 종교적 양식을 거절할 뿐이지, 다른 진실과 리얼리티를 증언하려는 열망으로 가득 차 있다. 이러한 열망은 제도적 종교나 일상성으로 숨겨져 있는 삶의 '깊이의 차원'을 문득 드러내 보인다.

틸리히에 의하면 모든 존재하는 것들, 특히 생명 있는 것들은 동일하게 세 가지 운동을 한다. 자기를 둘러싸면서 자기를 구성하는 것들로부터 자기 자신을 구별하고 자기 자신이 구체적 존재자로서 개별성과 자기주체성을 확보하려는 중심지향적인 '생명의 자기통전 운동'(self-integration movement of life)이 첫째 운동이다.

이 '자기통전운동'이 없으면 존재자들은 미분화된 존재의 바다 속으로 환원되어 버리고 구체적 '존재자'는 물처럼 쏟아져 버리고 썩은 여름 과일처럼 그 조직체가 풀어져 버린다. 뭇 생명체들 중에서 '자기통전'이 가장 영글어진 형태로 나타난 것을 '인간 인격성 체험'이라 부르고 모든 도덕성의 기점이 된다. 양심의 가책이란 인격의 자기통전성이 깨어지는 아픔이요 설움이다. 임마누엘 칸트가 날카롭게 지적한 것처럼 실천이성으로서의 인간의 도덕감이 일종의 '정언명령'으로 다가오는 것은 타계적 유일신이 내려준 십계명을 어긴 반규범적 행위를 자행했기 때문에 내세의 징벌이 두려워서가 아니다. 양심의 고통이란 스스로 '생명의 자기통전 운동'의 결과물로서 형성된 고유하고 존엄한 인격의 통전성을 스스로 손상시키기 때문에 발생하는 통증이다.

존재하는 것들의 둘째운동은 새로운 것을 경험하고 창출하려는 '생명의 자기창조 운동'(self-creation movement of life)이다. 뭇 생명체들 중 인간 생명차원에 이르러 이 '생명의 자기창조운동'은 문화라는 현상으로 나타난다. 존재하는 것들의 셋째운동은 동일한 것의 반복동작이 아니라, 비약하려는 '생명의 자기초월운동'(self- transcendence movement)이다. 뭇 생명체들 중 인간생명단계에 이르러 이 '생명의 자기초월운동'은 종교현상으로 나타난다.2)

인간의 정치, 경제, 사회, 문화 영역의 다양한 삶의 양태들은 결국 틸리히의 조직신학적 범주로 말하면 '생명의 자기통전', '생명의 자기창조', '생명의 자기초월' 운동의 중층적이고 복합적인 꿈틀거림인데, 그 모든 운동의 깊이의 차원이 '종교'의 지성소이며, 그런 의미에서 종교란 삶의 특수기능이 아니고 모든 정신적 삶 속 깊이의 차원이라는 것이다.

　　제2명제: "종교는 문화의 실체요, 문화는 종교의 형식이다".[3]

　　폴 틸리히의 문화신학의 입장을 총괄적으로 표현하는 위의 명제는 그의 문화신학 담론의 기초에 놓여진 둘째명제이다. 비유컨대 그 두 가지 명제는 폴 틸리히의 문화신학이라는 건축물을 지탱하고 있는 두 기둥과 같아서, 만약 그 두 기둥이 무너지면 틸리히의 문화신학은 지탱되지 않는다. 그러나, 위 둘째 명제는 많은 오해를 불러일으킬 수 있는 신학적 명제이다. 왜냐하면, 인간사회가 근현대처럼 점점 더 세속화(secularization) 되어가고, 종교는 삶의 변두리 문제로 밀려나가거나 개인의 내면적 사적(私的) 관심거리로 치부되어가는 사회현상 때문이다. 현실을 지배하는 힘으로서 정치적 권력과 물질적 부의 힘과 성적욕망이 판을 치는 현실 속에서, 그의 문화신학 둘째명제는 종교가 사회의 모든 부문을 총체적으로 영향 끼쳤던 중세사회에 대한 향수처럼 들릴 수 있기 때문이다.

　　그러나, 위의 둘째명제는 종교에 대한 틸리히의 첫째명제를 생각한다면 그런 오해는 금방 사라진다. 한 사회의 삶의 축이 성전이나 마을중심의 교회당이 되거나, 불법승 (佛法僧)삼보(三寶)에 귀의하는 축적된 종교전통과 종교적 상징체계와 종교제도를 중심으로 영위되는 그런 의미의 중세적 종교사회의 실현을 염두에 두고 하는 제2명제가 아니다.

　　설혹 모든 교회당이나 법당이 사라지고, 기존의 종교제도나 상징체계나 성직 질서나 신학이론이 실질 가치를 상실한 유가증권처럼 휴지처럼 폐기처분 될지라도, 종교가 의미와 가치를 추구하는 인간 정신적 삶의 제반 영역의 '깊이의

---

2) Paul Tillich, *Systematic Theology vol.3*(The University of Chicago Press, 1963), pp.30-50. Religion is the substance of culture, culture is the form of religion.
3) Ibid., p. 42.

2) Paul Tillich, *Systematic Theology vol.3*(The University of Chicago Press, 1963), pp.30-50. Religion is the substance of culture, culture is the form of religion.
3) Ibid., p. 42.

차원'으로 이해되는 한, 여전히 모든 인간문화활동의 실체(substance)는 종교이고, 그 '실체'가 유형·무형의 형식과 형태로 표출되어 나타난 것이 '문화'라는 것이다.

위 둘째명제에서 '실체'(substance)라는 철학적 개념은 좀더 평이한 말로서 얼, 정신, 혼, 궁극적 관심이라는 말로 바꿀 수 있을 것이다. '형식'(form)이라는 어휘도 양태(mode), 형태, 드러난 모습, 구현된 결과, 게슈탈트(Gestalt)라는 의미와 멀지 않다. 특정시기 특정 공간의 인간집단을 지배하는 문화적 '실체'는 고려조나 조선조의 경우처럼 단일종교로서 불교나 유교가 지향하는 것처럼 매우 정신적이고 관념적이고 윤리적일수도 있다. 혹은 20세기 사회에서처럼 다중심적이고, 지극히 현실적이고, 감각적이고, 다원적이고 상대적일 수도 있다. 한 문화공동체 구성원들이 추구하는 '궁극적 관심'의 실체가 무엇이냐에 따라서, 거기에 상응하는 법률·정치제도, 과학·기술의 발달, 경제생활의 생산소비패턴과 금융제도, 문예활동과 대학의 아카데미즘의 형태가 영향을 받게 된다.

요컨대, 틸리히의 문화신학 지론에 의하면 모든 문화의 바탕에는 그 시대 문화를 형성해가며 삶을 살아가는 구성원들의 '궁극적 관심'이 때로는 은폐된 형태로, 때로는 지극히 세속적 형태로, 때로는 마성적으로 왜곡되고 굴절된 형태로, 때로는 지극히 반종교적 형태로 나타나지만, 그러한 궁극적·준궁극적 관심들은 문화의 '실체'로서 그 사회의 삶의 질과 내용을 결정짓는다는 것이다.

만약 마르쿠제가 말하는 대로 현대 산업사회, 후기산업사회, 혹은 정보화 사회가 평면적이고도 일차원적 인간집단을 양산하는 사회라고 한다면, 그 이유는 근현대사회가 삶의 능률성, 실용성, 편의성, 합리성, 감각적 욕망 충족을 문화활동의 가치지향성으로 삼기 때문에 나타난 당연한 결과이다. 거기엔 삶의 숭고함, 자기초월 체험, 정신의 승화, 자유로운 희열, 만유동체의 우주적 일체감, 영성의 고양감 같은 것은 없거나 지극히 미약하다. 삶은 파편화되고, 소외감에 시달리며, 집단과 조직의 거역할 수 없는 힘의 메카니즘에 예속된 '하찮은 생물학적 존재'로 전락한다.

틸리히의 문화신학 지론에 의하면, 현대는 무종교 시대가 아니라 각자가 은밀한 개인의 자기종교를 무의식적으로 갖는 다종교 시대이다. 한 문명사회를 통제하는 제도적 권위적 종교는 사라진 대신, 다양한 유사 종교적 운동들(pseudo-religious movements)이 발호하는 시대이다. 유사종교들은 국가·민족·인종주의, 마르크스주의·주체사상·반공주의, 과학주의·경제제일주의, 팍스 아메리카·세계화 등 거대한 유사종교형태들이 있지만, 지극히 사적이고 개인적인 작은 '유사종교들'도 있다.

보통 사람들은 '준궁극적 관심'들이 실제로 자신의 종교임을 모른 채 살아간다. 건강과 미모, 아무도 모르는 단둘만의 연애, 핵가족단위의 행복한 가정, 돈과 스포츠와 섹스, 출세를 보장하는 엘리트코스 자녀교육, 사이버세계의 가상현실에 몰입과 자기외화 및 전자기적 몸으로서의 자기 확장 등이 그것이다.

문제는 집단적 힘과 매력과 보람을 갖고 등장하는 다양한 집단적 형태의 유사종교들과 개인들의 사사로운 '준궁극적 관심'들이 인간의 자기실현을 담보해주는 것이 아니라, 결국에는 자신을 기만하고 절망과 죽음, 자기파멸에 이르게 한다는 점이다.

이제 틸리히의 문화신학 틀 안에서 현대인들의 '명목적 종교'가 아닌 '실질적 종교'인 '궁극적 관심'의 허와 실을 분석하고, '궁극적 관심'의 진정성과 그 특성이 무엇인지 성찰해 볼 차례가 되었다.

'궁극적 관심'의 분석

폴 틸리히는 그가 서거하기 2년 전인 1963년 봄, 산타 바바라 캘리포니아대학교 캠퍼스에서 각각 전공이 다른 18명의 대학원 학생들과 의미 깊은 세미나를 가졌다. 그리고 그 세미나의 중심화두는 '궁극적 관심'이었다.4) 틸리히의 주저 『조직신학』을 비롯한 다양한 저작 속에 나타나는 그의 문화신학의 기초개념인 '궁극적 관심'이란 무엇인가 아래의 몇 가지 현상학적인 특성을 분석 정리하면서 이해해 보려고 한다.

---

4) D. Mackenzie Brown(이계준 옮김), 『궁극적 관심(*Ultimate Concern*)』 (대한 기독교서회, 1971)

(1) '궁극적 관심'은 히브리적 영성의 문화신학적 표현이다.

이미 지식인 사회에서 대중화된 '궁극적 관심'이라는 문구는, 특히 현대인이나 동아시아의 종교적 전통에서 삶을 누려온 지성인들에게는, 성공적인 문구라고 생각되지는 않는다. 왜냐하면 우선 일상 생활인에게 "공(空)과 무(無)의 존재론"에 친숙해온 동아시아 문화권 지성인에게, 그리고 특히 무제약적 심각성을 요청하거나 절대적인 것을 요청하는 일체의 것에 대하여 거부반응을 일으키는 포스트모던시대를 살아가는 현대 젊은 세대에게 '궁극적'이라는 단어는 무언가 정신적 압박감, 권위적인 냄새, 형이상학적인 본질주의, 배타적 경직성 등등의 어감을 풍기기 때문이다. 또한 '관심'이라는 단어 역시 다분히 관계론적·심리학적 개념으로 들려서 종교를 말하기엔 다소 경박하거나 가치중립적 어휘로 들리기 때문이다.

그럼에도 불구하고, 폴 틸리히는 "종교란 궁극적 관심이요, 신앙이란 궁극적 관심에 붙잡힌 상태"5)라고 말한다. 그는 대화가운데서 '궁극적 관심'이란 히브리인들이 말하는 모세종교의 '쉠마'(Shema)라는 것, 또 예수가 모든 '율법과 예언자 가르침의 총괄적 요체'라고 말하는 것, 곧 "너희는 마음을 다하고 뜻을 다하고 성품을 다하여 주 너희 하나님을 사랑하고, 또 네 이웃을 네 몸처럼 사랑하라"(신명기 6:5, 누가 10:27)는 히브리적 경건과 영성에서 "마음을 다하고 뜻을 다하고 성품을 다하여" 사랑하는 그 마음의 태도, 전인적 인간존재의 의지지향성과 진지하고 성실한 마음상태를 표현하는 말이 '궁극적'(ultimate)이라는 단어가 지시하는 의미라고 했다.

'관심'은 이미 관심하는 자와 관심되는 것과의 '주객구조의 틀'을 전제하는 듯이 들리기 때문에, '주객구조'의 분별지(分別智) 상태를 초극하여 무념·무상·무아 상태를 깨달음의 필요조건이라고 경험하는 불교적 해탈체험에서 본다면 '관심'이라는 어휘가 맘에 걸릴 수도 있다. 물론 폴 틸리히는 그리스도교 종교사 속에 면면히 흐르는 신비주의 전통의 '부정의 길' (via negativa)의 중요성을 깊이 알고 있다. 그럼에도 불구하고 틸리히는 '궁극적 관심'을 통하여 '부정신학'과 '적극신학'을 양자택일 관계가 아니라 상호 보완관계여야 한다고 보

---

5) Paul Tillich, *Dynamics of Faith*(Harper & Row, 1958), pp.1-3.

는 것이다. 신앙에서 중요한 신앙대상에 대한 신뢰, 고백, 헌신, 경외등도 모두 '관심'의 형태라고 보는 것이다.

(2) '궁극적 관심'은 실존적 체험과 무한한 열정을 동반하는 '존재에로의 용기' (courage to be)이다.

틸리히가 말하려는 '궁극적 관심'은 키에르케골이 말하는 '무한한 열정'(infinite passion)을 연상하게 하는 뜨거운 진지성이 동반된 매우 실존적 체험을 의미한다. 살아 숨쉬는 역동적 신앙은 '축적된 종교전통'의 결과물인 종교적 상징체계, 교리적 명제, 정교한 전례(典禮)의식 등을 상투적으로 수용, 동의, 참여하는 행위와 다르다.6)

'궁극적 관심'은 나의 생명이 '존재냐 비존재이냐'(to be or not to be)가 결정되는 중요한 일에 관여함을 뜻한다. 물론 여기에서 '존재인가 비존재인가'의 물음은 실존적 의미에서이지 형이상학적인 관념론이나 생물학적 의미에서 삶과 죽음의 문제가 아니다.

살아있으나 실제로는 죽은 것과 다름없는 무의미한 존재 곧 의미상실의 삶이 되느냐, 혹시 생물학적으로는 생존박탈 경우가 되는지 모르지만 실존적으로는 참으로 사람답게 살고 영원히 사는 존재긍정, 존재실현, 존재향유의 삶이 되느냐 못되느냐의 문제이다. 예를 들면, 자기에게 상속될 천문학적 부와 명예를 몰수당하고 심지어 생명위협에도 아랑곳 하지 않고 순수한 연인들 상호간의 진솔한 사랑의 열정 속에서, 그리고 독재정권의 사악한 위선에 맞선 4.19나 5.18 민주혁명 때 청년열사의 '정의와 진실'을 요청하는 꺼버릴 수 없는 열정 속에서, 우리는 죽음보다 강한 '궁극적 관심'의 무한한 열정을 본다. 사랑하는 연인에게서 '사랑'이, 민주열사에게서 '정의'가 단순한 당위적 윤리덕목으로서가 아니라 실존적으로 그들의 '궁극적 관심'이 되면서 거룩한 열정으로 불타올랐을 때, 그들은 알든 모르든 가장 '종교적'이다. 그들의 몸은 죽었으나 '존재'를 잃지 않고 '본래적 인간'으로서의 생명 영글음에 도달했기에 비존재인 죽음이 그들을 건드리거나 지배하지 못한다. 그러나 같은 시간 같은 시대 속에서 살지만 당시 정치

---

6) Wilfred Cantwell Smith (길희성 옮김), 『종교의 의미와 목적』(분도출판사, 1978), 17쪽

적 상황을 알면서도 침묵한 지식인 언론인은 생물학적 의미에서 살았으나 실은 죽은 자, '비존재'가 되었다.

(3) 개인적, 공동체적 삶에서 일상사의 모든 소재가 '궁극적 관심'의 실재가 될 수 있으나, 악마화(demonization)와 속화(profanization) 위험을 견뎌내고 인간을 자유하게 하고 자기초월을 경험하게 할 때만 '궁극적 관심'의 실재로서 그 진위성이 판명된다.

틸리히의 문화신학에서 '종교적 소재'는 반드시 제도적, 전통적 종교범주에 속하거나 관련된 것만이 아니다. 오히려 제도적 종교가 속화되거나 악마화 되었을 때, 인간 삶의 자기통전운동, 자기창조운동, 그리고 자기초월운동은 '진정한 궁극적 관심'에 목말라하며 그것을 추구한다.

문명사회가 실존적 의미차원에서 공허감을 안겨주고 일차원적 존재방식만을 강요할 때, 인간은 무엇인가 '무조건적이고 궁극적인 가치'를 담지한 듯한 실재에 끌리고 거기에 몰입한다. 그런 실재는 대개 힘과 의미, 가치나 삶의 보람, 사명감과 긍지를 부분적으로 제공한다. 국가주의, 민족주의, 사회주의나 공산주의, 배타적 광신주의, 경제성장제일주의, 조국근대화 경제건설제일주의, 제3세계 독립운동 등은 언제나 유사 종교적 열정(pseudo-religious passion)을 추종자에게 불러일으킨다. 그러나, 그런 관심은 '준궁극적 관심'(準窮極的 關心)일 수는 있으나 진정한 궁극적 관심이 되지 못하기에, 마침내 악마화, 속화를 거치게 되고, 인간의 곤궁과 소외를 해결해주지 못할 뿐만 아니라, 결과적으론 인간성을 파괴시킨다.

개인적 차원에서도 비슷한 위험이 언제나 도사리고 있다. 예들면 자식사랑의 지극한 모성애, 부모에 대한 지극한 효, 잊을 수 없는 전우애와 동문애, 고향사랑의 향토애, 예술에 대한 사랑, 몸담고 있는 기업체의 사업번창, 전공하는 학문 학파 이론에의 절대적 참여 등은 어느 경우에 한 인간의 '궁극적 관심'처럼 생각되고 그렇게 살아 갈수 있다. 그러나, 그런 관심들은 진지하고 중요하고 가치 있는 '준궁극적 관심들' 일수는 있어도 '궁극적 관심'이 될 수 없다. 세월이 변하고, 상황이 변하면 '궁극성'을 상실해버리는 것들이며, 더 나아가서 진정한 인간의 자아실현과 자아성취를 저해하는 부정적 힘과 마성적(demonic) 속성을 노정하고 말기 때문이다.

그러한 가치들이 종교적 범주의 것이 아니고 세속적인 것이기에 '궁극적 관심'이 되지 못하는 것은 아니다. 일상적인 것과 세속적인 것들이 그것들을 통해 '궁극적인 것'이 현현(顯現)되는 매개체로서 기능하도록 자신의 투명성과 자기부정 정신을 견지해야 함에도 불구하고, 곧바로 자기 자신을 절대화하는 우상화의 길을 내디딤으로서 마침내 인간을 비인간화시키기 때문에 궁극적 관심이 될 수 없는 것이다.

(4) '궁극적 관심'은 자기초월운동을 하는 인간정신의 적극적 참여행위이면서 동시에 궁극적 관심에 붙잡히는 '피동적, 수동적 측면'을 내포한 역설적인 '신율적 체험'이다.

틸리히의 '궁극적 관심'의 분석에서 유의해야 할 점은, 그것은 인간정신이 주체적으로 찾고, 소유하고, 자기 것으로 전유하면서 자기를 그 '궁극적 관심'에 일치시키고 귀의하는 능동적 의지의 지향과 주체적 자의식의 행위만은 아니라는 점이다. 도리어 그와는 반대로 '궁극적 관심'에 의해 붙잡히는 경험이요 주어지는 것을 수동적으로 받는 경험이라는 역설적 성격을 지닌다.

윌리엄 제임스가 종교적 신비체험의 네 가지 특성으로서 언표불가능성(ineffability), 이지적 특성(noetic quality), 일시성(transiency), 그리고 수동성(passivity)을 언급한바 있다.[7] 틸리히의 '궁극적 관심'의 성격에 대한 현상학적으로 분석할 때, '궁극적 관심'은 홀연히 인간의 정신적 삶을 사로잡아 거기에로 몰입하게 하거나, '수용적·책임적·관여'(commitment)를 하도록 인간의 전 실존과 인격을 추동하는 힘을 가지고 있다.

그 힘은 낯설고 강제적이며 타율적(heteronomous)인 것도 아니고, 인간 이성의 자율적(autonomous)인 주체적·합리적 쟁취행위도 아니다. 자율과 타율이 변증법적으로 지양된 것도 아니다. 오히려 역설적으로 '반대일치'의 경험 안에

---

7) William James, *The Varieties of Religious Experience* (New American library, 1958), Lecture xvi & xvii, Mysticism, pp.292-328.

서 통전될 때, 인간에게 진정한 신율적 체험으로 다가온다고 말할 수 있다.

여기서 틸리히가 말하는 '신율적'이란 개념은 모세가 시내산에서 신이 내려준 신적 계율같은 것이 아니라(그것은 타율적인 계명이다), 이성의 합리적 구조가 파괴당하지 않으면서 이성의 깊이, 존재의 깊이 차원 곧 초월과 통전되는 경험이다. 이때 인간 정신은 지복감정, 희열과 자유로운 해방감정, 유한실존의 모호성이 돌파되는 창조적 통전경험을 갖는다. 존재지반과 분리되었던 실존이 그것과 화해되는 경험과 동시에 치유의 감정을 맛본다.

진정한 '궁극적 관심'에 관여하고 몰입할 때는, 인간 실존으로 하여금 '지금·여기'에서 짧은 시간이나마 신율적 상태에로 고양되는 체험을 가져다준다. 시간적으로는 카이로스의식으로 팽배하게 하고, 심리적으로는 역설적 진리체험 가운데서 분열된 소외감정이 치유되는 기쁨을 향유하기도 한다.

(5) 틸리히의 '궁극적 관심'은 종교적 상징이나 신학적, 종교적 언설로서 만이 아니라, 시각예술과 시, 문학, 연극 등에 의해 더 설득력 있게 표현되고 현대인들에게 회피할 수 없는 인간의 곤궁성과 '궁극적 관심'을 제시할 수 있다. 진정한 '궁극적 관심'만이 인간실존의 '모호성'(ambiguity)을 잠정적으로 극복한다.

틸리히의 문화신학이 20세기 전반기에 태동하였음에도 불구하고, 여러 예술장르와 문학에서 관심을 지속하는 것은 주지의 사실이다. 틸리히 자신이 자기의 '그리스도교 신학'이 말하려는 상징적 진리 내용, 특히 '궁극적 관심'으로서 인간의 실존의 곤궁, 신비, 그 창조적 돌파를 시도하는 '존재로의 용기'등을 문학적 장르에서 성공적으로 시도한 작가로서 T.S. 엘리엇을 들 수 있다. 이준학의 여러 논문들은 T.S 엘리엇의 문학작품 세계와 폴 틸리히의 문화신학 특히 '궁극적 관심'과 비교 연구하고 있다8). 이준학은 T.S 엘리엇의 시와 시극 속에 흐르는 '궁극적 관심'의 본질적 성격을 두 가지 점에서 분석하고 있는데, 그 하나는 "지고(至高) 한 것에 도달하려기 위한 모든 노력의 단계에서 고통은 필수

---

8) 이준학, 『<그립고 두려운 것>에 대한 인문학적 고찰』(전남대학교 출판부, 2001). 특히 「T.S 엘리엇과 폴 틸리히」(95쪽-129쪽), 「T.S. 엘리엇의 시와 시극에 나타난 '궁극적 관심'」(194쪽-221쪽)참조.

적이라는 것," 그리고 다른 하나는 인간의 연약함에 대한 절실한 인식과 더불어, 연약함에도 불구하고 회의와 사랑과 고통을 통해 인간실존이 자신의 곤궁성을 초극하려는 비극적인 성실성이라고 보았다.[9]

틸리히는 인간 실존상황의 곤궁성 또는 소외현상을 '모호성'이라 명명한다. 여기에서 말하는 '모호성'이란 불분명하게 흐릿하다는 의미보다는 인간실존이 처한 존재양식의 중층적 이중성으로부터 야기되는 불안의식과 갈등상황을 말한다. 그 이중성은 모든 존재하는 것들의 존재방식으로서 '개체화와 참여'(individualization and participation), '형태성과 역동성'(form and dynamics), 그리고 '자유와 운명'(freedom and destiny)이라는 이중구조의 비통전성으로부터 온다. 인간실존은 본질과 실존, 무한의식과 유한의식, 원죄의식과 원축복의식, 존재부정의 겸허와 존재고양의 휴브리스, 그 양자의 긴장 갈등 속에 있다.

위에서 말한 세 가지 존재의 기본구조는 인간 실존상황에서는 항상 어느 한쪽을 성취하려면 다른 한 쪽이 희생되거나 약화된다. 거기에서부터 실존적 삶의 모호성은 발생된다. 존재의 존재론적 원리는 자아개체의 완전한 실현과 사회적 연대성 및 공동체성의 성취가 동시적이고 상호 공존적이라는 것을 알려준다. 그러나 현실사회에서 그리고 개인 실존적 삶 속에서 개인주의와 집단주의는 갈등구조 속에서 시달린다.

인간의 삶은 어떤 형태이든지 법·제도·조직, 도덕률, 관습법등 삶의 질서를 틀지우는 형식이 요청된다. 그러나, 그것들은 곧바로 생명의 창조적 역동성과 창발적 자유를 억압하는 기제로서 작동한다. 인간실존은 무한한 자유와 단절 없는 자기실현을 원하지만, 삶은 역사적 제약과 고난과 죽음 등으로 제한된다. 그러나 동시에 운명적 제약 없는 자유는 공허하고 추상적이다.

위와 같은 실존적 인간상황을 틸리히는 소외현상, 삶의 모호성이라 부른다. 이 삶의 모호성 속에서도 '궁극적 관심'에 붙잡히는 때, 먹구름사이로 맑고 청명한 하늘과 햇빛을 보듯이 인간은 모호성이 극복되는 '존재의 은총체험', '새로운 존재체험'을 일시적이지만 경험하게 된다. 그 순간을 종교는 구원체험, 은총의 현존체험이라 부른다.

---

9) 이준학, 「T.S. 엘리엇의시와시극에 나타난 '궁극적 관심」, 위의 책, 217-218쪽.

(6) '궁극적 관심'의 존재론적 가능성과 현실성은 인간실존을 포함한 모든 존재자들이 '존재자체'이신 자기존재의 원근거와 원능력에 뿌리박고 있다는 사실 속에 정초하고 있다. 더 나아가서 이 신비로운 '무제약적 포괄자'가 능동적으로 인간에게 '초월경험'을 하도록 자기를 내어주며 존재에로 불러내는 인간의 동반적 유인자(誘引者)이기 때문이다.

틸리히는 '궁극적 관심'에 인간이 사로잡힐 때, 분열된 자아는 통전되고, 상처 난 마음은 치유되는 경험을 하게 되는데, 소외되고 분열된 것을 '재결합시키고 치유하는 존재의 능력'을 '사랑'이라고 부른다. 신을 가장 비상징적으로 언표하면 '존재자체'라고 말하지만, 가장 깊은 상징으로 말하면 '하나님은 사랑이시다.'

틸리히의 문화신학의 원리나 구조적 틀은 철저하게 '프로테스탄트 정신'으로 관철되어 있지만, 그 내용으로 깊이 들어 가보면 가톨릭의 상징주의와 상례전주의에 깊이 가 닿는다. 그래서 틸리히의 '존재론적 신학'은 20세기 가톨릭신학의 대표적 사상가인 칼 라너(Karl Rahner)의 '초월론적 경험신학'[10]과 깊은 공명을 이룬다.

마지막으로 강조하고자 하는 것은, 틸리히의 문화신학에 있어서 이 '궁극적인 것', '무제약적인 것', 또는 '무조건적인 신비'는 존재라는 피라미드의 맨 꼭대기 정상에 있는 그 무엇이 아니라, 그 피라미드의 맨 밑바닥에도 있고, 피라미드 몸체 구성체 한 가운데 '없이 계신 하느님'(유영모)으로 현존하는 우리 '존재의 지반, 존재의 능력'이라는 것이다.

틸리히의 문화신학 구조 틀 안에서 '궁극적 관심'이 중세 가부장적 존재 위계질서의 흔적, 포스트모던시대엔 걸맞지 않는 권위주의적 종교, 다중심·다양성·차이를 용납하지 않고 통일성을 지향하는 문화제국주의 종교관인 듯 오해하기도 하지만, '궁극적 관심'의 문화신학은 모든 시대 모든 우상을 파괴하고 인간을 "자유하고 사랑하는 가운데서 자기초월을 경험하게 하려는" 프로테스탄트 정신의 드러남이라는 것이다.

---

10) 20세기 가톨릭계 대표적 신학자 칼 라너(Karl Rahner)의 기본사상이다. 다음책을 참조하라. 심상태 지음, 『익명의 그리스도인』,49쪽-84쪽 (성바오로 출판사, 1985); 이찬수 지음, 『인간은 신의 암호』(분도출판사, 1999)

⤵ 인용문헌

이준학. 『'그립고 두려운 것'에 대한 인문학적 고찰』. 광주: 전남대학교 출판부, 2001.

윌리엄 제임스. 김성민·정지현 옮김, 『종교체험의 여러 모습』. 서울: 대한 기독교서회, 1997.

윌프레드 캔트웰 스미스. 길희성 옮김. 『종교의 의미와 목적』 서울: 분도출판사, 1991.

Brown, Mackenzie. Trans. by Ke Joon Lee. *Ultimate Concern: Tillich in Dialogue*. The Christian Literature Society, 1971.

Pauck, Wilhelm & Marion. *Paul Tillich, His Life and Thought, vol.1:Life*. Harper & Row, 1976.

Tillich, Pau., *Theology of Culture*. Oxford University Press, 1959.

_____. Trans. by .James Luther Adams. *The Protestant Era*. SCM press, 1967.

_____. *The Courage to Be*. Yale University Press, 1963.

_____. Trans. by H. Richard Niebuhr. *The Religious Situation*. Meridian Books, 1956.

_____. *Love, Power, and Justice: Ontological Analysis and Ethical Application*. Oxford University Press, 1954.

_____. *Systematic Theology*, 3 vols. University of Chicago press, 1951,1963.

_____. *The Dynamics of Faith*. Harper & Row, 1957.

제2부

여성 문학과 종교

6

헤겔의 변증법적 관점에서 본 이브에 대한 재해석

| 김 사라-복자 |

보라 이 사람이 선악을 아는 일에 우리 중 하나같이 되었으니. (창 3.22)

여자는 일절 순종함으로 침묵가운데서 배우게 하라. 여자에게는 가르치는 것과 남자를 주관하는 것을 허락지 아니하니 오직 침묵하라. 이는 아담이 먼저 지음을 받고 이브가 그 후에 지음을 받았으며, 아담이 속임을 받은 것이 아니라 이브가 속임을 받음으로서 죄를 범하였음이라. 그러나 여자들이 만일 정절로써 믿음과 사랑과 거룩함에 거하면 아이를 잉태함으로서 구원을 얻으리라. (딤전 2.11-15)

유대-기독교는 신적 지혜를 추구하는 인간의 갈망을 죄악으로 비난하고 부정하는 유일한 종교인 듯 싶다. 성경의 창세기에 나타난 인간의 타락에 대한 설화는 유대-기독교의 문맥에서 인간과 하나님의 관계가 일방적일 뿐 변증법적이지 못함을 반영한다. 피조물인 인간의 최고의 미덕은 그들의 창조자에게 "복종"하는 것이다. 인간은 피조물로서 구분된 경계를 넘을 수 있는 자유가 허용되지 않았다. 낙원은 아담과 이브가 감히 그들의 피조물의 유한성을 초월하려는 시도를 하지 않을 때에만 그들에게 약속되었다. 선과 악의 신적 지혜도 오직 하나

---

* 『문학과 종교』 제 6권 1호(2001)에 실렸던 논문임. 본래 영문으로 쓰인 본 논문은 김영희(충남대 대학원생)가 우리말로 번역함.

님과 신들의 소유였다. 바꿔 말하면, 인간들에겐 신과 똑같이 되려는 시도가 허락되지 않았던 것이다.

에덴동산의 아담과 이브 설화에 기술된 사건은 인류의 타락을 가져왔고, 아담과 이브의 원죄에 대한 대가는 그들의 후손들에게 전해져 내려왔다. 하지만 원죄가 기독교 교리에서 사라진다면 그리스도의 의미도 공허한 것이 될 것이다. 다시 말하자면 만일 원죄가 없다면, 그리스도의 희생이 인류의 구원을 위하여 필요가 없을 것이라는 점이다.

성경의 창세기에서 타락에 대한 설화는 기독교 교리에서 중요한 역할을 담당해 왔다. 그 설화에서 이브의 행동 때문에 우연히 발생한 불행스런 죄는 대체로 부정적으로 해석되어왔는데, 이러한 사실 때문에 이브의 자손들, 즉 여성들은 남성들보다 존재적, 실존적으로 열등하게 여겨졌다. 따라서 타락의 원인인 이브에 대한 부정적 평가는 여성들의 지위하락을 가져왔고, 또한 유대-기독교의 가부장적인 특성을 정당화시키는데 일조해왔던 것이다.

이 논문은 타락과 이브 설화에 대해 긍정적으로 해석하려는 시도로서, 헤겔 (G.W. F. Hegel)의 변증법의 방법론을 빌려 유대-기독교의 맥락에서 건설적이고 긍정적인 페미니스트적인 이해를 탐구해보려 한다. 이처럼 일반적으로 종교에 대하여 페미니즘적인 관점이 요구되는 이유는 인류전체를 대상으로 삼지 않고 특정한 성 (sex)에 대하여 편견을 가지고 있다면 그것은 더 이상 인간에 대하여 긍정적인 기여를 할 수 없기 때문이다. 이제 우리는 가부장제만이거나 (patriarchy alone), 혹은 여가장제 만으로서는 (matriarchy alone) 의미를 가질 수 없는 세상으로 발을 디디고 있다. 우리는 이제 영적 완전성의 우주적 깨침 (a universal awakening of spiritual integrity)의 시기로 들어오지 않았는가!

기독교의 역사를 통하여 내내 일차원적으로 해석해왔던 타락 설화를 변증법적으로 설명하면 어떨까 싶다. 설화에 관한 헤겔의 변증법적 설명은 타락이 우리들에게 불행하고 우연한 죄가 아니라, 인류에게 깨우침의 필연적 국면을 가져왔음을 보여주기 때문이다. 따라서 타락에 대한 변증법적 해석은 이브를 요부, 유혹자나 위험한 반역자로 보기보다는, 용기 있고 동정적 (compassionate) 이며 자기 초월과 신적 지혜를 탐구하는 자로 보여준다.

문자적 해석에서 알레고리적 해석으로

창세기의 타락에 관한 설화는 유대-기독교의 전통에서 신학적, 문화적, 개념적으로 인간이 겪는 고통의 원인을 설명한 배경이었다. 더욱이 타락에 대한 비난과 책임은 처음부터 아담이 아닌 이브의 몫이었다. 헤이즈 (H. R. Hays)는 "여성의 타락이 당연히 남성의 타락을 불러왔을 것이다. 왜냐하면 제 2의 성이 세상의 모든 고통에 대한 책임이 있기 때문이다"라고 주장했다(88). 터툴리안 (Tertulian)도 그의 *De Cultu Feminarum* 에서 다음과 같이 말하였다.

그대는 마귀의 통로. . . . 얼마나 쉽게 당신은 하나님의 형상을 지닌 남자를 멸망시킬 수 있었는지. 당신이 우리들에게 가져온 죽음 때문에 하나님의 아들조차 죽어야만 했다. (Pagel 63)

유혹자나 요부로서의 이브의 부정적 이미지는 유대-기독교 문화에서 여성들을 심리학적 죄의식, 존재론적 남성의 하위주체, 사회적 이등시민으로 불리하게 인식시켜 왔다. 메리 데일리 (Mary Daly)는 타락 설화가 남성과 여성의 관계와 현대 정신구조에 깊이 새겨져서 여성을 악한 이미지를 투영하고 있다고 지적하였다(45). 여성들은 이브의 자손들로서 그들의 죄의식을 전해 받았고, 이것은 여성들이 가부장적 사회에서 건강하고 독립적인 구성원으로 성장하는데 억압으로 작용해왔다. 따라서 데일리가 "여성의 악함에 대한 신화가 인간의 의식과 사회구조를 지배하도록 허용하는 한, 그것은 여성을 희생시키는 배경을 제공하는 것과 같다"라고 말한 것은 옳은 일이다(48).

타락 설화에 대한 문자적 설명은, 설화를 다른 방식으로 해석하지 않으면서, 여성들의 비하된 처지를 되돌리거나 재평가할 수 없는 운명적인 것으로 인식하도록 윤색해왔다. 이것에 대한 대안은 엘렌 페이젤(Elaine Pagel)이 제안한 것처럼 설화에 대하여 알레고리적으로 해석하는 방법일 것이다. 페이젤은 가톨릭과 기독교의 정통 기독교가 아담과 이브 설화를 어거스틴이 주장한 가장 파괴적인 기독교의 교리인 원죄론과 같은 의미로 간주해왔다고 지적한다. 그녀는 어거스틴이 살던 시대에 그와 관점이 불일치했던 수많은 기독교인들이 있었다고 말한다. 하지만 역사는 그들을 이단자로 비난하고 있다(Pagel xxvi). 다음에서 페이젤은 그 설화가 얼마나 다르게 번역되었는지 보여준다.

> 영지주의자와 정통 기독교인들은 동일한 성경을 근본적으로 다른 방식으로 읽었다. 19세기 시인인 윌리엄 브레이크(William Blake)의 말을 빌려보면, "두 사람이 성경을 밤낮으로 읽는다. 그러나 내가 하얗다고 읽은 부분을 당신은 검다고 읽는다." (62)

페이젤의 제안처럼, 창세기를 정통 기독교식으로 문자 그대로 읽을 것이 아니라, 영지주의자들의 방식인 알레고리로 읽는 것이 여성들의 존재론적인 지위를 정당화시키는데 적당한 대안일 것이다. 영지주의자들은 아담과 이브의 설화를 도덕적 붕괴로 보지 않고, 신성에 대한 영적 각성단계의 한 예로 읽었다. 영적 깨달음을 성취할 수 있는 지혜를 달성한 이브의 역할에 대한 영지주의자들의 해석은 여성의 본성과 역할에 긍정적인 빛을 던진다고 페이젤은 지적하고 있다. 그녀는 영지주의파의 시, 「천둥: 완벽한 마음」("Thunder: Perfect Mind")을 인용하였다.

> 나는 처음이요 마지막이니라.
> 나는 존경받는 자요 경멸받는 자니라.
> 나는 창녀요 거룩한 자니라.
> 나는 부인이요 처녀이니라.
> 나는 신부요 신랑이며,
> 나를 낳은 이는 내 남편이니라.
> 나는 지식이며 무지하고 . .
> 나는 지각없고, 나는 지혜롭고 . .
> 나는 사람들이 생명이라고 부르는 자이나,
> 너희가 죽음이라고 불렀도다. . . (Pagel 67)

페이젤은 정통교단이 타락 때문에 이브를 비난했고, 이것에 대한 적당한 처벌로서 여성들에게 굴종을 요구해왔다고 지적한다. 페이젤은 영지주의파는 이브나 그녀가 재현한 여성의 영적인 힘을 정신적 각성의 근원으로 그렸다고 주장한다.(Pagel 68).

이브: 유혹자인가 자비로운 자인가? (Temptress or Compassionate?)

"이브, 유혹자여"란 전통적 명칭이 참으로 정당한지 결정하기 위하여, 영지주의의 해석방법을 가지고 타락에 대한 설화를 면밀히 조사해 보기로 하자. 설화는 다음과 같다.

> 여호와 하나님이 그 사람을 이끌어 에덴동산에 두사 그것을 다스리며 지키게 하시고. 여호와 하나님이 그 사람에게 명하여, 가라사대, "동산 각종 나무의 실과는 네가 임의로 먹되, 선악을 알게 하는 나무의 실과는 먹지 말라. 네가 먹는 날에는 정녕 죽으리라" 하시니라. (창 2.15-17)

> 여호와 하나님의 지으신 들짐승 중에 뱀이 가장 간교하더라. 뱀이 여자에게 물어 가로되. "하나님이 참으로 너희더러 동산 모든 나무의 실과를 먹지 말라 하시더냐?" 여자가 뱀에게 말하되. "동산 나무의 실과를 우리가 먹을 수 있으나, 동산 중앙에 있는 나무의 실과는 하나님의 말씀에 '너희는 먹지도 말고, 만지지도 말라, 너희가 죽을까 하노라.'" 하셨느니라. 뱀이 여자에게 이르되. "너희가 결코 죽지 아니하리라. 너희가 그것을 먹는 날에는 너희 눈이 밝아 하나님과 같이 되어 선악을 알 줄을 하나님이 아심이니라." 여자가 그 나무를 본즉 먹음직도 하고 보암직도 하고, 지혜롭게 할 만큼 탐스럽기도 한 나무 인지라, 여자가 그 실과를 따먹고 자기와 함께한 남편에게도 주매, 그도 먹은지라. 이에 그들의 눈이 밝아, 자기들의 몸이 벗은 줄을 알고, 무화과 나뭇잎을 엮어 치마를 하였더라. (창 3.1-17)

전통적이고 문자적인 읽기는 금지된 과일을 나누는 행위에 대하여 유혹하는 것으로 보거나 이브를 유혹자로 여겨왔다. 그러나 필자는 여기에서 이브를 유혹자가 아니라 오히려 그녀의 동반자인 아담에게 그녀의 신적 지혜를 나누어 주는 자비로운 사람으로 보고 싶다. 그녀는 금지된 신의 지혜, 즉 선과 악을 아는 지혜를 얻고 싶은 욕망을 실현시키기 위하여 용기를 내서 그것을 획득하였다. 이브의 이런 행동은 대승불교의 보살(Boddhisattva)과 비유되어질 수 있다. 보살은 근원적인 자유, 위대한 지혜(Prajuna), 열반(Nirvana), 세속(Samsara)의 고통으로부터 해방을 얻었지만, 열반에 들기 위하여 노력하는 많은 사람들을 도우려고 자신의 깨달음을 지연시켰다. 그녀처럼 이브도 선과 악의 신적 지혜를 향하여 눈을 뜨게 되면서, 지혜에 대하여 알지 못하고 무지의 껍질을 쓰고, 어둠 속에서 살고 있는 그녀의 배우자 아담을 돕지 않을 수 없었다.

이브는 또한 소크라테스의 동굴인간 (the cave-man)과 비유될 수 있다. 그는 동굴외부의 참된 태양빛을 본 후에 그의 깨우침을 동료들과 나누려고 했다. 말할 것도 없이 그의 동굴 동료들은 외부의 진실의 빛을 거부하고 현상유지를 원하였다. 그들은 어둠과 무지의 동굴에 거주하는 것을 선택하였고, 깨달음을 얻었던 자비스런 동굴인간은 그의 동굴 동료들에게 죽임을 당한다. 필자가 전달하려는 요점은 예수가 등불 비유에 대하여 말한 바와 같다. 예수가 등불을 켜서 덮어두지 아니하고 등경 위에 두는 것은, 집안 모든 사람에게 비추이게 하기 위해서라고 말한 것처럼, 진리와 미에 대한 깨달음은 여전히 암흑 속에 있는 사람들과 공유될 수 없다. 하지만 이브는 깨달음으로부터 넘쳐 흐르는 동정심으로 자신이 얻은 신적 지혜를 그녀의 배우자와 나누지 않을 수 없었다.

타락의 설화에 대한 읽기에서 내가 강조하고 싶은 점은, 금지의 과일에 손을 뻗은 이브의 동기가 단지 음식인 과일에 대한 욕구가 아니고(자기의 생존을 위한 추구), 단순히 미의 추구도 아니고(미적 차원), 영적 도약을 위한 것이라는 점이다. 사탄도 이브에게 "너희가 그것을 먹는 날에는 너희 눈이 밝아, 하나님과 같이 되어, 선악을 알 줄을 하나님이 아심이니라"이라고 말한 바 있다(창 3.5).

이브는 신적 지혜 (Divine Wisdom)에 대한 소망이 있었다. 그녀는 피조물로서의 자신의 신분을 초월하고 싶었다. 유한성을 초월하려는 그녀의 욕망은 신성에 대한 영적 깨달음의 동기를 갖게 하였다. 하지만 이처럼 신에 도달하고 싶은 인간의 욕망을 유대-기독교의 전통적 문맥에서는 항상 금기시 여겼다. 유대-기독교에서 추구하는 인간의 미덕은 그리스인들이 가치를 두었던 "지혜"라기보다 신에 대한 "복종"이었다. 신의 초월적인 영역에 도전하는 어떤 시도도 "불복종"으로 간주되었고, 죽음으로 그 대가를 치러야 했다.

인류의 역사상 어떤 여인이 감히 자신의 초월성, 자신의 가장 깊은 내적 본질, 즉 자신의 영적 정체성을 위하여 이브 보다 더 열정적으로 외롭고 용기 있는 모험을 하였던가? 그녀는 죽음이라는 대가로만 바꿀 수 있는 지혜, 즉 닿을 수 없고 금지된 초월적 영역인 신에게 닿기를 원했다.

이처럼 이브에 대한 긍정적이고 찬연한 (glorious) 읽기를 통하여, 여성들은 이브의 후손이라는 것에 수치심을 느끼기보다, 자부심과 긍지를 느껴야 할 것이다. 오히려 아담의 후손인 남자들이 수치심을 느껴야 할 것이다. 그는 자신의 행동에 대한 책임을 회피하지 않았던가! 용기 있게 신적 지혜를 추구한 이브와는 대조적으로 아담은 수동적이고, 복종적이고, 무미건조하며, 무책임하고, 심지어는 하나님의 명령을 위반한 자신의 행동에 대하여 책임을 면해보려는 비겁함까지 있었다. 하나님이 그들에게 선악과와 관련된 일을 물었을 때, 그는 "하나님이 주셔서 나와 함께하게 하신 여자, 그가 그 나무 실과를 내게 주었기에 내가 먹었나이다"라고 말한다(창 3.12). 여기에서 아담은 자신의 행동에 대한 책임을 여자와 하나님에게 돌리고 있다. 아담은 신적 지혜를 얻고 싶은 욕망도 없었고, 그의 행동에 대한 책임을 지고 하나님의 앞에 설 면목조차 없었다.

필자는 이브가 하나님에게 도달해서 하나님과 동일해지고 싶은 용기를 지닌, 다시 말하면 인간의 유한성을 초월하고, 신적 자유를 얻고, 신적 지혜에 이르는 정신적 깨우침을 추구하는 고귀한 시도를 하는 모든 인류의 선구자라고 생각하고 싶다.

타락에 대한 변증성: 우연적 죄 인가 필연적인 깨우침인가? (The Dialectical Nature of the Fall: Accidental Sin or Necessary Enlightenment?)

일반적으로 정통 기독교인들은 타락 (The Fall)을 결코 발생되어서는 안 되는 불운한 사건으로 인식해왔다. 이것은 설화에 대한 고정적이고 일방적인 (unilateral)해석이다. 헤겔은 타락 설화가 양면으로 (bilaterally) 이해될 것 즉, 변증법적 특성을 지닐 것을 제의하였다. 헤겔의 관점에서 볼 때, 타락의 사건은 인간의 영성 (spirituality)에 대한 자기실현을 위하여 필수적인 사건이었지, 우발적이고 순간적인 일은 아니었기 때문이다. 헤겔은 하나님이 절대정신 (Absolute Spirit)인 것처럼 본질적으로 인간도 정신 (spirit)으로 보았다. 절대정신이 자기

소외와 자기 복귀의 변증법적 과정을 거치는 것처럼 인간의 정신도 그러하다. 헤겔의 정신적 존재란 자유로운 존재를 의미하며, 이것의 과정은 정신이 정신 그 자체를 반대하고 (set itself against itself), 자신으로부터 분리시키고, 그러한 단절을 통하여 자신과의 화합을 이룬다. 이처럼 자기 스스로부터 자기 소외와 자기 복귀의 변증법적 과정을 통하여 정신은 진정한 정신이 된다(Hegel 214).

헤겔의 변증법적인 방법으로 우리는 타락설화를 두 가지 설명으로 읽을 수 있다. 첫째는 일면적 (unilateral) 읽기로 인간이 원래의 순수성을 잃고 타락했다는 것이고, 둘째로 변증법적 읽기는 인간이 순수성의 진정한 감각, 즉 정신적 여정의 완성을 이루었다는 것이다. 창세기를 주의 깊게 읽은 독자라면 "여호와 하나님이 가라사대 '보라 이 사람이 선악을 아는 일에 우리 중 하나같이 되었으니'"(창 3.22)라고 이미 하나님은 아담과 이브가 신과 같다는 사실을 인지하고 있었다고 짐작할 수 있을 것이다.

헤겔은 인간들이 "악"이라고 인식한 타락을 부정적으로만 인식하지 말 것을 주장하였다. 사실상 에덴동산의 사건으로 인하여 인간들은 "선"에 대한 지식도 함께 갖게 되었기 때문이다. 헤겔은 인간들이 선의 지식을 획득한 사실은 간과하고, 악의 지식을 얻은 사실만 타락의 실체처럼 강조해왔다는 놀라운 사실을 발견했다.

> 이 주장의 기본적인 모습은 다음과 같다[cf. 창 3]. 창세기에 묘사된 선악을 알게하는 나무는 우리가 즉각 보고 지각할 수 있는 형태를 지니고 있다. 그런 다음 설화는 인간들이 그들 스스로 길을 잃고 그 열매를 먹었으며, 이런 방식으로 그들이 선과 악을 알게 되었다고 말한다. 이것을 타락이라고 부르는데, 마치 인간이 악의 지식만 알게 되었고 사악하게 되었다고 말한다. 그러나 그들은 동등하게 선의 지식도 획득했다. 설화는 이것이 발생하지 말았어야 한다고 이야기하고 있지만, 다른 한편 이것은 인간이 선과 악의 지혜에 도달해야만 한다는 정신의 개념을 포함하고 있는 것이다. (Hegel 216)

위에서는 타락의 두 가지 측면을 지적하였다. 한편 타락이 하나님의 계명을 위반하는 자유를 행사하는 것은 명백한 하나님으로부터 분열과 소외이다. 그리고 이런 위반의 행동은 악한 것으로 간주될 수 있다. 그러나 다른 한편으로 타락은 그 동일한 위반의 행동으로 악을 극복할 수 있는 힘의 원천인 "선"의 지혜를 갖도록 인간들을 이끈다. 따라서 타락은 변증법적인 특성을 갖는다고 볼 수 있다. 즉, 타락 사건은 신의 계명을 위반했다는 점에서는 악이지만, 인간에게 선과 악의 지식을 갖게 하였고, 더 나아가 이런 선의 지식이 치료의 근원이 되고 악을 극복하는 힘을 갖도록 하기 때문이다.

동물원으로서의 낙원 (The Paradisiacal Garden as Zoological Garden-Tiergarten)

타락 이후 "잃어버린 순수성"에 대한 전통적인 읽기에 반대하며, 헤겔은 에덴동산에 있던 본래의 순수성에 대하여 다른 이해를 제공한다. 그는 타락 이전의 순수의 상태는 인간의 의식 속에 있는 순수성에 대한 "깨우침"이 시작되기 전이므로 진정한 순수의 상태가 아니라고 말한다. 헤겔이 절대자의 세 가지 상태에 대하여 정신(Spirit)이라는 용어로 즉자적 정신(Spirit-in-itself), 대자적 정신(Spirit-for-itself), 즉자-대자적 정신(Spirit-in-and-for)으로 구분한 것처럼, 켄 윌버(Ken Wilber)도 에덴동산의 사건을 정신적 진화의 세 단계로 구분하고 있다. 첫 번째 단계는 선악의 구별이 부재한 단계(잠재의식의 부재), 두 번째 단계는 선악의 뚜렷한 구분이 있는 단계(자의식의 이해), 그리고 세 번째는 이러한 경험들로 풍성해져 선악의 구분이 없는 최종단계이다(초의식의 초월)(317).

윌버에 따르면 타락 이전의 인간은 잠재의식의 상태 즉, 선과 악에 무지한 상태에 있었다. 하지만 아담과 이브가 선악과를 먹은 사건은 그들을 자신의 잠재의식으로부터 분리시키고, 부자유스러웠던 원래의 예속상태로부터 그들을 소외시켜서, 그들 스스로를 진정한 자의식(초의식)의 최고수준까지 회복시키기 위하여 필요한 사건이었다(298). 따라서 윌버는 "금지된 선악과를 먹은 것은 그 자체로 원죄가 될 수 없다. 그 사건은 단지 진정한 자의식의 획득을 의미한다"고 말한다(317).

필자는 헤겔과 윌버의 변증법적 관점에서, 타락이전의 순수의 상태는 "거짓 순수"이고, 진정한 순수성은 "주어진"것이 아니라, 신적 지혜를 추구하기 위하여 그들 자신의 자유에 의하여 "획득"되어지는 것이라고 제안한다. 타락이전의 순수상태를 헤겔은 "야만 (savage)"이라고 지칭한다. 그리고 이런 점에서 필자는 타락 이전의 순수성은 정신적 순수 (spiritual innocence)가 아닌 생물적 순수 (biological innocence)라고 말하고 싶다. 따라서 타락 이전의 에덴동산은 진정한 의미의 영적인 낙원이 아니고, 헤겔이 제시한 것처럼 "동물원"이고, 선과 악에 대한 의식이 아직 시작되지 않은 곳이다. 또한 이 동물원에서는 어느 누구도 책임감 (accountability)을 발견할 수 없었는데, 이것이 없다면 인간은 동물과 구별될 수 없다. 헤겔은 다음과 같이 말하고 있다.

> 우리가 최초의 상태를 순수의 상태라고 부를 때 오해가 발생할 수 있다. 따라서 인간이 순수의 상태를 벗어나 범죄를 했다는 말에 반대한다. 사실상 순수의 상태란 인간이 선한 존재도 악한 존재도 아닌 상태이다. 이것이 바로 동물의 상태인 것이다. 따라서 파라다이스란 사실상 동물원이다. 어떤 책임도 없는 곳이다. 하지만 인간의 윤리적인 상태는 책임이나 죄의식을 수용하는 상태로 시작하는데, 이것이 바로 인간의 상태인 것이다. (214)

이처럼 단절 이전의 최초의 상태는 순수가 아닌 야만, 즉 선과 악이 무엇인지 모르는 동물의 상태이다. 인간이 동물과 구별되는 점은 인간은 선한 것을 추구할 수 있다는 점인데, 선한 것은 선하다고 알려지거나 명해지지 않으면 얻을 수 없다. 또한 인간은 도덕적이고 영적인 존재가 되길 추구하기 때문에 선을 행하는 지식과 의지를 소유한다. 따라서 헤겔은 다음과 같이 말하고 있다.

> 하나의 존재 상태로서 최초의 자연과 합일된 상태는 실재로 순수한 상태가 아니라 야만의 상태, 즉 자연적 욕망이나 일반적 야만의 상태를 언급하는 것이다. 그런 상태의 동물은 선하거나 악하지 않지만, 동물적 상태에 있는 인간은 야만적이고, 악하며 인간으로서의 존재가 아니다. 인간은 그 원래의 모습을 지키는 것이 관건이 아니다. 인간은 정신 (through spirit)을 통하여 옳고 합당한 것을 인식하고, 내적 깨우침 (inner illumination)으로 말미암아, 그들 자신을 형성하고자 하는 목적적 존재가 되어야 하는 것이다. (215)

잃어버린 낙원으로 회복하기?

기독교의 최종목적이 잃어버린 낙원을 회복하는 것이라 지칭하는 것은 과장된 표현이 아닐 것이다. 우리는 헤겔의 변증법적 성서해석 방법으로 실낙원의 회복에 대한 아이디어를 제시하려 한다. 헤겔은 인류의 전체 역사를 절대정신의 자기실현의 과정으로 보았고, 이 과정은 세 단계로 구성된다. 첫 번째 단계로서 자연은 정신 (spirit)으로부터 추락한 가장 하위 영역이다. 따라서 자연은 존재론적인 지위에서 정신과 다르지 않다. 이것은 단지 자기 소외의 형태 안에 있는 정신이다. 이것은 잠자는 정신 (slumbering spirit)이며 자신의 타자에 거하는 하느님 (God)이다(Wilber 332). 두 번째 단계에서 정신은 스스로를 인간의 의식 속에서 깨우친다. 세 번째 단계에서 정신은 역시 인간의 최고의 지식 (Highest Knowledge)인 절대 지식 (Absolute Knowledge)으로서, 인간의 의식을 통하여 스스로에게 복귀한다. 이 절대 지식은 인간이 그의 무한성과 마찬가지로 그 자신의 유한성을 인식할 때 생긴다. 인간의 유한성이란 단지 절대자의 무한성이 스스로를 소외시킨 타자이다. 유한하고 무한한 존재로서 스스로를 깨달은 인간의 지식은 유한 속에 있는 무한처럼 단지 절대정신의 자각이다.

인간을 통한 절대자의 자기실현 과정에서 인류의 역사를 바라볼 때, 잃어버린 낙원이나 타락은 스스로 절대 지식을 실현하려는 절대정신 (Absolute Spirit)의 필연적인 자기소외의 한 국면으로 생각되어질 것이다. 잃어버린 낙원을 회복시키기 위하여 인간들은 절대자처럼 자기실현으로 귀착한 자신들 가운데 절대자가 스스로를 실현되도록 할 필요가 있다.

절대자의 자기실현 (self-actualization)의 과정처럼 역사에 대한 헤겔의 변증법적 성서해석으로부터, 우리는 이브가 그녀의 원래의 집, 즉 타락이전의 낙원으로부터 자신을 다시 돌아오기 위한 과정의 필요성에 의하여 자신을 소외시킬 필요가 있었다고 결론지을 수 있다. 마치 자기소외 (self-alienation)가 없는 절대자는 아직 충분히 절대적이지 않은 것처럼, 타락이전의 잃어버린 낙원은 진정한 낙원이 아니다. 그렇다면 타락은 불행한 사건이 아니고, 오히려 "신과 같이되었다"는 창세기의 말처럼, 정신들(Spirits)과 그들을 동일하게 만드는 인간의 영적/정신적 여정 (spiritual journey)을 만족시킬 것을 요구하는 필연적인 단계로 볼 수 있지 않을까 생각해본다.

선과 악을 알지 못하며, 자신들이 누구인지 알지 못하며, 자신들을 객관화(objectifying)하지 못하고서는 낙원과 순수성 (paradise and innocence)은 다만 공허한 이름에 지나지 않는다. 진정한 순수성이란 선과 악의 존재를 "의식(aware)"하고, 그리고 나서 자기소외 (self-alienation)와 자기복귀(self-returning)의 변증법적 과정을 통하여 선과 악의 이분을 극복/초월할 때 얻어지는 것이다. 이러한 관점에서 볼 때 낙원에서의 "타락"은 "아래"로의 추락 (The Fall was not the fall *into* corruption)이 아니라 오히려, 윌버가 말하듯이, 자기완성과 영적인 깨침으로의 "위"로의 추락(the fall *up to* self-realization)이라 할 수 있겠다.

윌버의 전문용어를 빌리면, 선악과를 먹은 타락사건은 아담과 이브가 선과 악에 무지했던 그들의 잠재의식(sub-consciousness)으로부터 벗어나서, 선악의 지식을 지닌 초 의식(super-consciousness)으로 성장하기 위한 필수적인 단계이다(*Up from Eden* 314). 윌버는 "그들은 에덴동산에서 쫓겨난 것이 아니다. 그들은 성장하여 당당히 걸어 나간 것이다"라고 말하고 있다. 이런 관점에서 볼 때 이브의 행동은 비난받을 만한 것이 아니라 오히려 칭찬 받을 만하다. 따라서 타락 설화는 이브의 위대함에 관한 설화이다. 그녀는 신적 지혜의 추구자 이었으며 그녀의 동반자 아담에게 신적지혜를 나누어 준 자비를 베푼 자로 볼 수 있겠다. 자신의 깨침을 중생에게 나누어 주었다는 관점에서 볼 때 이브는 대승불교의 보살로 견주어 볼 수도 있겠다.

이브: 영적 오디세우스 (Spiritual Odysseus)

타락에 관한 설화의 아이러니는 참으로 인간이 선과 악을 분별할 수 있는 신적 지혜를 획득함으로 하나님처럼 되었다는 것이다. 이런 점에서 그들은 신으로 상승되었고, 같은 이유로 그들은 고통 받는 인간의 형상을 내던져 버렸다. 사탄의 말처럼 그들은 선과 악을 아는 하나님처럼 되었지만, 신적 지혜를 위하여 치러야 할 대가로 본향인 에덴으로부터 추방된다. 이처럼 아담과 이브가 당면한 딜레마는 우주적인 인간의 상태를 정확하게 묘사하고 있다. 인간은 한편으로 다소간 선과 악을 아는 신적 존재이지만, 다른 한편으로는 선악의 지혜에 따라 살 수 없는 죄 많고 결함 있는 부분적인 존재인 것이다.

신으로의 상승과 인간으로 추락의 무한 반복이 인간을 구성하고 있는 것 같다. 그리고 신에게 접근하려던 무한한 시도, 즉 정신적 오디세이는 아마 우리의 삶을 가치 있는 인생으로 만들 것이다. 그리스의 현인인 소크라테스가 "검증되지 않은 삶이란 살 가치가 없다"고 말한 것처럼, 영적/정신적 여정을 겪지 않은 삶도 살 가치가 없지 않을까 싶다.

신의 계명을 범하는 과정에서, 이브는 하나님이 부여한 안전한 낙원을 잃는 것에 대한 두려움을 느꼈을 것이고, 불복종의 대가로서의 자신의 죽음도 두려워도 했을 것이다. 그러나 그녀는 영적 존재로서의 완성을 이루는 영적여정을 수행하기로 용감한 결정을 내렸다. 윌버는 타락 이전의 낙원은 지복을 주는 삶이었지만 깨우침의 정신적 만족을 주는 삶은 아니었다고 말한다(335). 베르쟈예프(Berdyaev)의 표현을 빌리자면, 낙원의 축복받은 삶이란 무지의 상태에서 "식물적 지복 (vegetative bliss)"이었다. 이브는 무지의 지복을 거부하고, 영적 오디세이를 시작하는 자유의 고통과 괴로움을 선택했다. 그녀는 창조자에게 예속된 노예의 넓은 문을 택하기보다는 피조물로서의 그녀의 본성을 초월하는 자유의 좁은 문을 택했다. 누가 말하지 않았던가? "좁은 문으로 들어가라"고? 이런 점에서 이브는 정신적 오디세우스이다. 자유인의 좁은 길을 택한 인류 최초의 독립적인 자신의 정체성을 추구한 고독한 선구자로 볼 수 있겠다.

종교의 미래: 가부장제와 여가장제를 넘어서

필자는 헤겔의 관점에서 이브의 타락에 관한 긍정적인 해석을 상세히 설명하였다. 이처럼 타락에 관한 긍정적 해석을 위하여 헤겔의 변증법적 읽기가 꽤 납득이 가는 철학적 수단으로서 사용되어질 수 있지만, 그는 타락 설화에서 중요 인물이 한 여성(이브)이고 한 남성(아담)이 아니라는 것을 지적한 것은 아니다. 따라서 비록 깨우침의 필연적인 순간으로 그 사건을 바라볼 때, 헤겔적 타락에 대한 설명이 유용하다고 느끼지만, 역시 이브에 대한 긍정적인 읽기를 정당화시키는데 헤겔의 관점이 불충분함도 발견된다. 다른 말로 표현하면, 타락에 관한 헤겔의 설명에서 페미니즘적인 요소를 명확하게 읽기는 어려운 일이라는 점이다. 그렇다면 지금 헤겔의 변증법적 요소를 지녔지만 종교에 대한 페미니즘의 설명에 민감한 철학적 설명이 필요할 것이다.

윌버는 미래의 파라다이스는 남성다움이나 여성다움만으로 지배되지 않는 세상일거라고 주장한다. 그곳은 아마 켄타우르스적 (centauric), 남성적이며 여성적이고 전체적이며 인간적일 것이다 (Wilber 260). 다시 말하자면, 미래 종교는 가부장제와 여가장제의 이분법을 초월하는 종교가 되어야 할 것이다. 물론 가부장적 종교에 대한 페미니즘 비평은 필요불가결 하다. 허나 가부장제가 여가장제로 대치되어서는 안 될 것이다. 왜냐하면 대치되어진 여가장제는 또 하나의 가부장제에 불과하지 않게 되기 때문이며, 이것은 정신적 진보과정에서 가부장제만큼 해로울 것이기 때문이다.

정신 (Spirit)에 대한 헤겔의 변증법적 과정의 관점에서 바라본 종교역사의 첫 단계는 가부장적 종교이다. 두 번째 단계는 여가장적 종교인데 이런 점에서 종교의 페미니즘적 접근이 필요하다. 그렇다면 세 번째 단계는 가부장제와 여가장제를 모두 초월한 종교일 것이다. "초월"에 의하여, 나는 종교 그 자체에 가부장제와 여가장제 모두를 포함시키고, 가부장제와 여가장제의 이분법을 "지양"(sublation)하여야 할 것이다. 따라서 미래의 종교는 윌버가 남성과 여성을 포함하는 동시에 남성도 여성도 아닌 전체적일 것이라고 말한 것처럼, 헤겔의 초월적인 지양 (sublation-aufgehoben)의 관점에서도 마찬가지로 말해볼 수 있을 것이다.

↘ 인용문헌

Amundsen, Christian. *Insights from The Secret Teachings of Jesus: The Gospel of Thomas.* Fairfield: Sunstar, 1998.

Daly, Mary. *Beyond God the Father*. Boston, Mass: Beacon, 1985.

Fiorenza, Elisabeth Schüssler. *In Memory of Her*. New York: Crossroad P, 1987.

Hays, H. R. *The Dangerous Sex: The Myth of Feminine Evil*. New York: G. P. Putnam's

Sons, 1964.

Hegel, G. W. F. *Lectures on the Philosophy of Religion*. Eds. P. C. Hodgson and trans. R. F. Brown, P. C. Hodgson and J. M. Stewart. Berkeley: U of California P, 1988.

Pagel, Elaine. *Adam, Eve, and The Serpent*. New York: Vintage, 1988.

Plato. Republic. Trans. Paul Shorey. *Plato: Collected Dialogues*. Eds. Edith Hamilton and Huntington Cairns. New Jersey: Princeton UP, 1989.

Ruether, Rosemay Radford. "Feminism in World Christianity." *Feminism and World Religions*. Eds. Arvind Sharma and Katherine K. Young. Albany: State U of New York P, 1999.

Wilber, Ken. *Up From Eden*. Boston: Shambhala, 1986.

아밀리아 러니에의 『유대인의 왕 하느님 만세』: 그리스도교 영성과 여성성

| 이진아 |

종교 개혁과 반동 종교 개혁의 열기 속에 휩싸여 있던 근대초기 유럽에서 일반적으로 여성은 남성보다도 종교성이 강하다고 간주되었으며, 신심행위는 여성 활동의 중요한 부분을 차지하였다. 침묵이 미덕인 여성들에게도 신앙을 글로 표현하는 자유는 주어졌고 신심일기 쓰기와 같은 글쓰기가 장려되기까지 하였는데,[1] 이러한 문화적 배경 속에서 아밀리아 러니에(Aemilia Lanyer)[2]의 『유대인의 왕 하느님 만세(*Salve Deus Rex Judaeorum*)』가 출판되었다. 영국에서 최초로 출판된 여성작가의 작품으로 추정되는 이 시집에 수록된 시집과 같은 제목의 종교시 「유대인의 왕 하느님 만세」는 여성의 관점에서 예수 수난과 죽음을 서술하면서 남녀평등을 주창하고 사회적이고 종교적인 부당한 비난으로부터 여성을 변호하는 강한 페미니스트 의식을 드러내는 작품이다. 그리하여 러니에의 작품은 근대초기 영국의 급진적인 여성의식을 대변하는 대표적 작품으로 80년대 이후에[3] 여성주의 학자들을 비롯하여 근대초기 영문학자들의 많

* 『문학과 종교』 제 6권 1호(2001)에 실렸던 논문임.

1) Crawford 73-97; Wiesner 6장 "Religion"; Mary Prior의 저서의 Meldonson 181-210; 같은 책의 Crawford 211-31; Helen Wilcox의 저서의 Trill 30-55 등 참조.
2) 이 작가의 성은 영미 학자들에 따라 "러니에" 혹은 "라니어"라고 불리기도 하는데, 본 논문에서는 "러니에"라 부르기로 한다.

은 관심을 받아왔다.

본 논문에서는 「유대인의 왕 하느님 만세」에 나타나는 러니에의 영성 (spirituality)과 여성성과의 관계에 대해 연구하고자 한다. 그리하여 러니에의 작품에서 드러나는 그리스도교적 영성이 인간의 행동을 지배하는 일종의 통제 기재로서 문화적으로 규정되어 성별화된 여성성의 특성들과 밀접한 관계가 있음을 밝히고자 한다. 인간의 모든 경험이 그렇듯이 종교적 체험도 성별에 의해 영향을 받고 성별화된 현실 삶의 양상들이 종교적 체험에 영향을 주기도 한다. 그리스도교적 영성생활을, "삼위일체이신 하느님의 계시와 구원사업의 신비적 차원을 받아들이고 실현하는 그리스도 교인의 존재와 삶을 의미한다"(가톨릭대사전)고 본다면 영성은 한 개인의 종교적 체험이 일상의 삶을 통해 구체적으로 표현되는 방식이므로, 러니에의 영성, 그녀의 영적 체험은 여성으로서의 삶에 대한 체험과 그녀 안에 내면화된 문화적 여성성과 떼어 생각할 수 없는 것이다.

러니에의 작품은 헌정시들에 드러나는 후견인들에 대한 과도한 찬사와 같은 세속적인 의도가 두드러지고 예수의 수난 이야기는 작품 전체의 삼분의 일밖에 되지 않는다고 하여 종교시로서의 이 작품의 주제가 과연 진지한 것인가 의심을 받기도 했다.[4] 허나 러니에는 현대 여성주의 시각에서 보는 급진적인 여성주의자이기 이전에 경건한 그리스도인이요 시인이었다. 베일린도 주장했듯이(Beilin 181), 그녀는 불의한 여성차별에 대한 분노에서 보다는 신앙인과 시인

---

3) 출판 후 오랜 기간 동안 잘 알려지지 않았던 러니에의 작품이 근래에 알려지기 시작한 것은, A. L. 로우즈(Rowse)가 러니에가 셰익스피어의 쏘넷에 등장하는 "검은 여인"(Dark Lady)이라고 주장하면서부터이다(The Poems of Shakespeare's Dark Lady: Salve Deus Rex Judaeorum by Emilia Lanier, 1978). 러니에에 대한 유일한 전기적 기록은 점성술사 사이먼 퍼먼(Simon Forman)의 기록이다. 그는 고객으로 자신을 찾아온 그녀에 대해 기록하였는데, 러니에는 영국으로 귀화한 이탈리아인 악사의 딸로 태어나 엘리자베스 궁정사회의 주변을 맴돌면서 엘리자베스 여왕의 시종장(Lord Chamberlain)인 헌스던 경(Lord Hunsdon)의 총애를 받아 임신하자 문제 해결을 위해 궁정악사인 알퐁소 러니에(Alfonso Lanyer)와 결혼하였고, 남편이 혹시 기사 작위를 받을 수 있는지 알아보기 위해 점성술사를 찾은 여성으로 퍼먼은 기록하고 있다 (Woods, "Introduction" xv-xxx). 퍼먼이 러니에에 대해 명백히 흑심을 품고 있었기 때문에 그의 사심으로 인해 그녀에 대한 그의 견해는 그다지 신뢰할 만하지 않다는 것이 학자들의 지배적인 견해이다.

4) Lewalski 218-19와 McGrath 331-48 참조. 이들은 러니에가 후원을 얻는 것과 같은 세속적인 목적을 종교적 주제를 통해 정당화하고 합리화하는 면이 있다고 지적한다.

으로서의 소명의식에서 자신의 그리스도교적 비전을 세상에 알리고자 하였다.5) 영국 근대 초기의 문화는 종교가 문화를 구성하는 모든 분야의 담론에 대한 분석의 기초 언어(Shugger 6)였음을 감안할 때, 예수 수난과 죽음을 다루는 러니에의 작품에서 두드러지는 여성에 대한 찬미, 여성 공동체 의식, 남녀평등 의식 등도 종교의 맥락과 분리되어 논의될 수 없다. 근대 초기 유럽의 문화에서 특히 종교는 문화를 구성하는 다른 어떤 요소들보다도 인간의 성별화의 이데올로기를 확립하고 강화하는데 주요한 역할을 하였었다.6)따라서 러니에의 여성의식을 총체적으로 이해하기 위해서는 그녀의 영성, 즉 그녀의 신심의 성격, 종교적 통찰력 혹은 감수성, 영적인 품성과 성질에 대한 분석은 무엇보다도 중요하다고 사료된다.

러니에의 영적 체험의 여성적 특성들을 분석하는데 있어서 우선 캐롤린 워커 바이넘(Caroline Walker Bynum)의 중세 후기의 성녀들의 종교적 체험들에 대한 연구가 크게 도움이 된다(Bynum, *Holy Feast*, *Fragmentaion*). 바이넘에 의하면, 13세기에서 15세기에 이르는 시기의 종교적 여성들의 글에서 남성들과는 다른 어떤 여성적 특징들이 발견된다.7) 16세기 후반과 17세기 전반에 살았던 러니에의 종교적 체험을 중세 여성들의 체험과 비교하는데 있어서 약 150년이라는 시간적 차이는 그다지 문제가 되지 않는 듯하다. 왜냐하면, 성별화된 종교적 체험들을 표현하는 상징들은 결국 문화적으로 성별화된 삶과 매우 밀접한 관계를 가지고 있는데, 여성들을 규정하는 근본 가설들이나 그에 따른 여성들의 삶의 방식들에 있어서는 중세와 근대 초기 사이에 그리고 프로테스탄트건 가톨릭이건 간에 근본적인 변화가 없었기 때문이다(Maclean).

바이넘에 의하면 중세 후기에서 근대 초기에 이르기까지 종교적 여성들의 글에서 강조된 신심은 예수의 수난과 죽음이었다.8) 특히 여성 환시자들의 중심

---

5) 러니에의 작품을 진지한 종교시로 간주한 글들로는 Guibbory; Claire McEachern and Debora Shuger의 저서의 Schoenfeldt 209-33; Beilin을 참조.

6) 근대 초기 유럽에서 성별화(genderization)와 종교의 상관관계에 관한 연구에 대해서는 Crawford; Wilcox 30-55; Wiesner 179-217; Anthony Fletcher and Peter Roberts 161-181 등 참조.

7) 여기서 "여성적"이란 종교적 체험을 표현하는 비유와 상징들이 중세 그리스도교 문화에서 규정된 여성성을 그대로 따르고 있음을 의미한다.

주제는 온 몸에 매질을 당하고 피를 흘리며 수난의 고통을 겪는 예수의 모습이었다. 그들의 종교적 체험을 표현하는 글들에는 음식에 대한 비유들이 자주 등장하며 성찬(eucharist)이 강조되었고, 그와 더불어 예수의 부활보다는 육화(incarnation), 예수의 신성보다는 인간성이 명상의 중요한 주제로 떠오른다. 중세의 성녀들은 기꺼이 고통을 통해 신에게로 나아가고 신과 결합하고자 하였는데, 그들은 이 고통을 통한 결합을 "먹는 행위"에 자주 비유하였다. 바이넘은 종교적 여성이 남성보다 음식과 관련된 비유나 상징들을 더 많이 사용하였다는 것은 문화적 성별화와 깊은 관계가 있다고 설명한다(Bynum, "*Holy Feast*" chapter 6). 종교 영역에서 남성은 사제, 설교가, 선교사 등 공적인 임무들을 통해 자신의 종교적 열정을 표현할 수 있지만, 교회의 공적 임무에 참가할 수 없는 여성들의 종교적 열정과 영적인 체험들은 일상적인 삶의 일과를 통해서 얻어지고 또 표현된다. 음식을 마련하고 잔치를 차리는 것은 어느 문화에서건 전통적으로 여성의 역할로 규정되어 왔으며, 여성은 음식을 준비하고 먹이는 자이며, 음식과 관련된 영역은 여성이 지배할 수 있고 여성이 중심이 될 수 있는 세계인 것이다.

「유대인의 왕 하느님 만세」에서도 바이넘이 지적한 여성적 신심의 특징들을 찾아볼 수 있다. 무엇보다도 러니에의 작품의 중심주제는 예수의 수난, 고통이며 그 고통은 음식의 축제로 불린다. 인간 예수의 고통스런 수난, "이 죽음의 지도"(this map of Death, SD 414)를 러니에는 작품 여러 곳에서 잔치(feast)라고 부른다(「To the Queenes most Excellent Majestie」 83; 「To the Lady *Elizabeths* Grace」 9; 「To the Ladie Susan」 6, 206; 「To the Ladie *Anne*」 15 등). 잔치로서의 예수 수난은 곧 구약에서 이집트 노예생활에서 이스라엘 민족이 해방된 사

---

8) 예수의 수난을 중심으로 한 신앙은 중세나 근세초기의 종교적 여성들의 영성의 특징인 것만은 아니며 그리스도교 신심의 주요 명상주제이다. 2000년에 가톨릭교에서 성인으로 선포된 폴란드의 수녀 파우스티나(Faustina)의 일기에서도 수난에 대한 묵상이 그녀의 명상의 주제의 중심인 것을 발견할 수 있다. 그녀의 일기로부터의 한 예: 304 "오 예수님, 저의 유일한 희망이시여, 제 영혼의 눈앞에 펼쳐 보여주신 책에 대해 감사드립니다. 그 책은 당신께서 저에 대한 사랑 때문에 겪으신 수난입니다. 바로 이 책에서 저는 하느님과 영혼들을 사랑하는 법을 배웠습니다."("O my Jesus, my only hope, thank You for the book which You have opened before my soul's eyes. That book is Your Passion which You underwent for love of me. It is from this book that I have learned how to love God and souls." Kowalska 141).

건을 기념하는 빠스카 축제(Passover)와 관련되어 있으며, 인간을 죄에서 해방시키기 위해 생명을 바치는 신약의 예수는 그 날 이스라엘 사람들이 먹는 희생양이다. 러니에는 자신의 작품을 빠스카의 축제라고 부르면서, 예수를 희생되어 사람에게 먹히는 빠스카의 양(Paschal Lambe)이라 자주 칭한다(「To the Queenes most Excellent Majestie」 85-6, 89; 「Salve Deus Rex Judaeorum」 411, 572, 1653. 1680, 1777. 이하 시집이 아닌 작품으로서 「유대인의 왕 하느님 만세」를 SD라 약칭함.).9)

러니에의 작품은 희생된 양을 먹는 잔치이며, 잔치 양식으로 희생된 양은 바로 십자가에서 죽은 인간 예수의 몸이다.

> 그의 손, 발, 몸, 그리고 얼굴로부터,
> 은총의 샘이 풍성히 흘러나왔다.
> . . . .
> 감미로운 넥타와 암브로시아, 성도들의 양식,
> 누구든 그것을 맛보는 이는 이후 기진하지 않는다.
>
> 거룩한 사랑의 꿀 맛 나는 이슬,
> 감미로운 젖, 연약한 우리의 기력 회복제,
> 그 젖을 마시는 자를 어떤 세상도 결코 움직일 수 없나니.
>
> His hands, his feete, his body, and his face,
> Whence freely flow'd the rivers of his grace.
> . . . .
> Sweet nectar and Ambrosia, food of Saints,
> Which, whoso tasteth, never after faints.
>
> This hony dropping dew of holy love,
> Sweet milke, wherewith we weaklings are restored,
> Who drinkes thereof, a world can never move.
>   (SD 1724-39)10)

---

9) 이 작품에서 자주 언급되는 빠스카 양, 성찬 등은 러니에와 가톨릭교와의 연관성을 강하게 시사한다고 지적되기도 하지만, 러니에가 가톨릭 신자였다는 증거는 없다. 러니에의 종교적 배경에 대해서는 Keohane 364-67 참조.

178 • 문학과 종교

음식은 물질이라는 점에서 근본적으로 몸과 관련되어 있으며, 몸 곧 육(flesh)은 여성이다. 왜냐하면, 서양의 철학과 신학 전통의 이분법적인 사고의 관점에서 볼 때, 남성은 영(spirit)이고 여성은 육(flesh)이기 때문이다. 처참하게 피를 흘리고 찢겼던 예수의 부서진 몸은 믿는 이들에게 천상의 음식이고, 어린아이와 같이 영적으로 연약한 인간들을 키우는 젖이요 그가 흘린 피는 음료이다. 그렇다면 예수의 살과 피, 즉 그의 몸이 구원의 양식이 된다는 점에서(요한 6장) 예수는 여성이 되며 여성적 구원자이다.[11]

음식이 여성과 밀접한 관계가 있듯이 여성의 몸 또한 음식으로 비유되기도 했다. 여성의 몸은 열 달 동안 아기를 키우고 또 양식이 되는 젖을 낸다.[12] 인간의 몸이 여성을 통해 처음 만들어진다면, 어머니와 같은 예수를 통해 그 몸은 영적으로 다시 태어난다 (「To all vertuous Ladies in generall」 65-66). 출산과 양육 행위 등은 여성 고유의 경험이므로, 여성은 예수의 수난과 죽음, 부활을 빠스카의 잔치와 새 생명의 출산으로 표현하는 그리스도교적 비유들을 남성들보다 더 쉽게 받아들일 수 있게 된다. 예수의 고통스러운 수난과 부활을 통해 여성은 자신의 몸이 겪는 경험들의 영성적 차원을 깨달을 수 있고, 또 그 경험들을 구원적 차원으로 승화시킬 수 있게 되는 것이다. 밀러와 맥그레이스가 지적하듯이 예수가 고통 속에서 당시의 여성들에게 권고되던 모습과 행동을(SD 529이하) 보여준다는 점에서 그가 남성이면서도 여성적이라 할 수 있지만, 예수의 여성성은 무엇보다도 러니에의 여성적 영성의 반영이다.

예수의 수난 당한 육신이 구원의 양식이 된다는 것은 육적인 여성성을 신적 차원으로 높이는 것이다. 러니에는 독자들이 예수의 수난과 죽음을 묘사한 자신의 작품을 읽는 것을 "먹는 행위"에 비유하는데, "먹는다는 것은 음식과 하나가 되는 것인데 — 인간 육을 입고 고통당하는 신이 바로 음식이고 구원이기 때문이다"(Bynum, *Holy Feast* 251). 먹는다는 것은 곧 먹는 대상을 자신 안에 받

---

10) 러니에의 작품으로부터의 인용은 Susanne Woods, ed., *The Poems of Aemilia Lanyer*: Salve Deus Rex Judaeorum (Oxford: Oxford UP, 1993)에 의한다.

11) 러니에의 작품에서 고통당하는 인간 예수가 여성화되어있다는 점은 평자들에 의해 지적된 바 있다(Mueller 22-27; McGrath 313-14).

12) 근대 초기/르네상스 시대의 모성에 관한 보다 자세한 논의에 대해서는 Margaret L. King 1-24 참조.

아들여 하나가 되는 것인데, 예수를 먹는다는 것은 예수와 같이 되는 것이다. 그럴 때, 여성도 예수와 같은 신적 존재가 되고 음식과 결부된 여성의 활동과 고통은 인간 구원을 위한 희생이라는 영성적 차원의 의미를 가지게 되는 것이다. 예수와 같아진다는 것은 흔히 일치의 비유로 상징화되는데, 남녀 간의 혼인의 심상이 여성인 인간의 영혼과 남성으로 표현되는 신의 일치의 주요한 상징이었다.13) 이 전통 속에서는 남성들은 신과 결합하기 위해 영적/내적 차원에서 여성적으로 변용되어야 하는데, 여성은 전통적으로 남성으로 상징화되는 신과 결합하기 위해서는 성별의 관점에서 아무런 갈등 없이 여성성을 그대로 유지할 수 있다. 러니에의 잔치는 희생제사 잔치이면서도 혼인잔치인데, 초대받은 여성 독자들은 신부이고 예수가 바로 그 신랑이요 연인이다(「To all vertuous Ladies in generall」 9; 「To the Ladie *Susan*」 9; SD 43, 254, 1170, 1358 등). 남성 신과의 일치를 통해 여성은 오히려 종교의 이름으로, 종교에 의해 강화된 여성적 모습과 역할을 넘어서 자신의 목소리를 내는 등 재능들을 발휘하곤 하였다. 러니에의 경우를 보면, 문화적으로 규정되고 종교에 의해 강화된 여성의 특성들, 연약하고 열등하고 가정 내에서 희생적인 음식제공자로서의 여성성을 우선 온전히 내면화하고 있다. 러니에는 여성독자들이 예수의 수난을 읽고/먹고 "사랑하는 우리 주님으로 변모되도록"("To be transfigur'd with our loving Lord," 「To all vertuous Ladies in generall」 51) 그들을 그녀의 잔치에 초대한다. 육이요 음식인 예수를 먹음으로써, 육이요 음식인 여성들이 자신의 고통을 예수처럼 봉헌하여 다른 이들을 먹이는 양식이 되도록 하려는 것이다. 그럼으로써 부당한 고통을 "인내"하는 예수와(Patience, SD 44) 열등하고 부족한 존재로 부당하게 받는 비난을 "인내"하는 여성이(Patience, SD 793-94) 하나가 된다는 것을 선포한다.

러니에의 작품을 읽고 여성독자들이 예수의 모습으로 변용되는 것은, 스티븐 그린블랫(Stephen Greeenblatt)이 근대 초기 서구 문화의 한 특징으로 설명하는 자아 형성의 한 유형으로도 볼 수 있다(Greenblatt 1-10). 예수는 이 자아 형성의 주요 모방 모델 중의 하나였다.14) 그린블랫이 지적한 당시 문화에서 널리

---

13) 인간 영혼의 성별화 전통에 대해서는 Astell 참조.

행해진 자아 형성의 노력들은 종교적 맥락으로부터 분리된 세속적인 것이었지만, 러니에의 자아 형성은 종교적 맥락 속에서 이루어지고 있고 동시에 그 종교의 제약과 한계를 뛰어 넘는 의미를 가지고 있다. 전통적으로 유대-그리스도교에서 신은 남성으로 묘사되어왔으며, 특히 러니에가 살았던 근대 초기 유럽에서는 약한 여성성을 연상시키는 신보다는 남성적인 권위와 위엄을 가진 신의 모습이 강조되었고, 예수는 고통 받아 슬픈 모습이기보다는 젊고 건장하고 잘생긴 청년으로 자주 등장하였다(Crawford "Introduction"). 신이 남성일 때 인간 남성은 신과 같은 인격과 존엄성을 지닌 존재가 되는데, 만일 신이 여성이기도 하다면 여성도 남성과 동등한 인격을 지닌 존재가 되는 것이다. 러니에의 작품을 읽을 때, 여성독자들은 우선 여성으로서 남성 신과 일치할 수 있다. 더 나아가 위엄과 권능을 가진 신이 아니라 고통 당하는 연약한 신을 먹고 그와 일치함으로써 신적인 존재로, 그와 같은 인격과 존엄을 가진 존재로 내적으로/영적으로 변용될 수 있는 것이다. 따라서 러니에가 예수의 고통스런 수난에 대해 경배하고 찬양하는 것은 문화적으로 약하고 열등한 존재로 규정된 여성의 여성성을 긍정하고 찬양하는 것이다.

러니에는 자신의 작품을 또한 자주 거울(mirror or glass)이라고도 부르는데, "음식"의 비유와 마찬가지로, 러니에가 사용하는 "거울"의 비유(「To the Ladie Susan」 7; 「The Authors Dreame to the Ladie Marie」 210-12; 「To the Ladie Margaret」 30) 또한 그녀의 영성의 여성적 특성을 잘 보여주며, 여성의 영적인 자아 형성의 의미를 함축하고 있다. 토마스 쌀터(Thomas Salter)의 『정숙의 귀감(The mirror of modesty, 1578)』이나 필립 스터브즈(Philip Stubbes)의 『여성 그리스도인을 위한 수정 거울(A crystal glass for Christian women, 1591)』 같은 여성을 위한 교육서들의 제목에도 나타나듯이, 이 거울의 비유는 당시로서 지극히 여성적인 비유이고, 또한 시대를 초월하여 많은 여성에게 있어서 거울에 비춰보는 행위는 자아 형성의 중요한 한 부분을 차지한다.15) 거울은 주체를 객

---

14) 예수를 따르려는 신심(Imitatio Christi), 즉 예수와 같아지려는 신심은 특히 중세 이후 그리스도교 영성 수련의 중요한 주제인데, 이는 토마스 아 켐피스(Thomas à Kempis)의 *Imitation of Christ*가 지난 500여년 동안 끊임없이 영감을 불어넣는 영적 지도서였다는 점에서 여실히 입증된다.

체로서 비추어주므로 비춰진 주체/객체를 보면서 여성은 자신의 모습을 만들어 나가고 자의식을 키워 나간다. 거울을 들여다보는 여성은 육체적 특성을 가진 자신의 모습과 더불어 사회적 문화적으로 형성된 여성으로서의 자신, 타인들이 평가하는 자신, 본인이 가진 자아의 모습 등을 동시에 보는데, 이렇게 거울 속에는 자아와 타자가 공존한다. 여성은 거울을 봄으로써 자신을 다른 이들과 분리시키고 또 다른 이들과의 관계 속에서 자신을 보기도 한다. 자아와 타자가 공존하는 모습을 통해 자아의 정체성을 확립하고 또 자의식을 계발시켜 나가는 것이다.

러니에의 작품이란 거울을 통해 비쳐지는 모습은 고통 받는 예수인 동시에 여성독자 자신이다. 거울은 몸을 지닌 여성독자의 모습을 있는 그대로 보여주면서도 그녀 안에 내면화된 혹은 그녀가 내면화시켜야할 타자의 모습, 남성 예수를 보여준다. 여성 독자는 예수의 고통 받는 육체를 보면서 육을 지닌 존재로서의 자신의 몸을 깊이 의식하게 되고, 출산과 수유 등의 여성적 고통의 구원적 차원을 자각한다. 또한 거울에 비춰진 자신과는 다른 성(sex)을 가진 남성 예수의 모습은 남성과는 구별되는 성(sex, gender)을 가진 존재로서의 여성자신을 보게 하고 또 남성도 보게 한다. 예수의 수난이라는 거울을 통해 여성독자들이 발견하는 남성의 모습은 강하고 우월한 존재로서의 남성이라기보다는 여성과 다름없는 연약한 육적인 존재이다. 러니에는 남성이 여성과 다름없는 육적인 나약한 존재임을 예수의 제자들을 통해 적나라하게 보여준다.

> 다정하신 주님, 당신이 어떻게 이렇듯이 살과 피인 인간에게
> 당신 슬픔을 전하실 수 있겠습니까? 당신의 비탄을 말할 수 있겠습니까?
>
> 영은 기꺼이 순명하고자 하나,
> 허나 육은 얼마나 나약합니까!
> 그들은 안일하게 잠들어 있고, 그동안 당신은 고통 속에 기도드리나이다;
>
> Sweet Lord, how couldst thou thus to flesh and blood

---

15) Morny Joy and Eva K. Neumaier-Dargyay 249-50에서 Jenijoy La Belle, *Herself Beheld: The Literature of the Looking Glass* (New York: Cornell UP, 1988)에 대한 설명 참조.

Communicate thy griefe? tell of thy woes?

(SD 377-78)

Although the Spirit was willing to obay,
Yet what great weaknenese in the Flesh was found!
They slept in Ease, whilst thou in Paine didst pray;

(SD 425-28)

러니에는 작품에서 예수의 수난에 대한 남자들의 책임을 묻기 위하여 총칭 인칭인 대부분의 경우 "ma(e)n"을 "남자"를 지칭하는 의미로 사용하는데, 위 인용문에서는 보편적 인간을 지칭하기 위해 "man" 대신 살과 피라는 환유(metonymy)를 사용한다. 예수가 잡히기 전날 날 밤 한없는 번뇌 속에 있을 때, 그를 따라 동산으로 간 (남자)제자들은 그에게 아무런 위로를 주지 못하고, 피땀 흘리는 예수를 홀로 버려두고 잠들어 버리는 매우 육적이고 연약한 존재들이다. 두 번째 인용한 구절을 해석하는 데 있어서, 마태복음서에 의하면 신의 뜻을 따르려는 영과 고통을 두려워하는 육간의 괴리로 고뇌하는 당사자는 예수이다(마태 26: 41). 그런데, 러니에의 작품에서는 영과 육의 갈등을 겪는 이가 예수임을 지적하는 동시에, 연약한 육에 대한 언급에 바로 뒤이어 잠들어 있는 예수의 남자제자들을 언급함으로써 "영"은 죽음을 준비하는 예수이고, "육"은 남자제자들을 지칭하는 것으로 읽을 수 있다. 이 구절을 예수 자신의 영육 간의 갈등으로 해석한다 하더라도, 남성으로서의 예수가 연약한 육을 가진 존재임이 부각되고 있는 것이다.

인간을 피와 살의 환유로 표현할 때, 남성은 영, 여성은 육이라는 이분법적인 사고 구조는 허물어지고, 영적인 존재인 신(요한 5:24)에게서 구원받아야할 존재인 인간은 모두 동등하게 육이 된다. 러니에의 예수 수난의 거울은 남자들이 그리스도를 알아보지 못하고 영적으로 무지하고 육적으로 연약한 존재로서 예수를 죽음으로 몰고 간 자들임을 그대로 보여주어, "무지몽매한 약자"(blindest Weaknesse, SD 303)로 규정된 여성들과 다름없는 존재인 것을 적나라하게 보여준다. 그렇다면 남성이든 여성이든 인간은 신 앞에서는 죄 많은 연약한 육적인 존재이며, 남성은 예수의 고통과 비견되는 산고를 치루기도 하는 여성에게 고통을 주고 지배할 권리가 없게 되는 것이다(SD 825-832). 러니에가 남성들이 여성들을 부당하게 취급하는 것을[16] 비난하면서 잊지 않고 지적하는 점도, "성질이 고약한 남자들이 자신들이 여자로부터 태어났고 여자들에 의해 양육되었다는 것을 잊고 있다"(「To the Vertuous Reader」 19-20; SD 827)는 점이다. 또한 이분법적인 사고 논리에 따라 여성을 남성보다 열등하고 연약한 존재로 규정한다면, 여성은 그 연약함으로 인해 억압받는 가난하고 약한 자들에게 더 큰 자비를 베푸는 신의 구원은총을 더 많이 받았고 또 받을 자격을 가지고 있는 것이다(SD 289-91). 이러한 맥락에서 러니에는 영감을 청하는 기도에서도 여성인 자신이 부족한 존재임을 오히려 강조한다(SD 265-304). 그리고 그녀는 "이브의 변호"(Eves Apologie, SD 761-832)에서 "약자"(Weaknesse, SD 779)인 이브는 당연히 열등한 존재이기에 우월한 "강자"(Strength, 779)인 아담이 마땅히 제대로 판단하여 선악과를 거절했어야했으며, 따라서 인간 타락의 보다 근본적인 책임은 아담에게 있다고 주장하며 원죄의 책임소재를 근원적으로 다시 묻고 있다.

고통 받는 여성적인 인간 예수에게 초점을 둔 러니에의 영성은 그녀의 여성적 인간관을 잘 보여준다. 여성이 육이라면 또한 여성은 죄에 빠지기 쉬운 약한 존재로서의 인간/인간성을 대표한다. 종교적 체험은 초월적 존재와 인간의 관계에서 비롯되는데, 신적인 존재와 관계를 맺는데 있어서 인간은 무엇인가, 어떤 존재인가 하는 물음은 가장 근본적인 질문이다. 러니어에게 있어서 인간은 본성적으로 매우 연약하고 고통 받는 존재이고, 죄의 세 가지 원천들("세속, 육, 또는 악마," SD 1120) 중의 하나인 "살과 피"(SD 377, 1810)를 가진 육이다. 그리고 한 인간의 삶이란 "연약함, 나약함, 허약함의 무대"(SD 1693) 위에서 이루어지는 한 편의 연극에 지나지 않는다. 인간이 이렇게 비참한 존재일진대, 신적인 존재가 이 육을 취하여 그 비참한 인간 조건을 함께 나눈다는 사실 자체가 구원의 메시지인 것이다.

---

16) 마가렛 L. 킹(Margaret L. King)이 근대 초기 가정에서 교회 내에서 아내로서 딸로서 어머니로서 여성들의 위치에 대해서 자세히 다루고 있다. King, *Women of the Renaissance* 참조.

천상의 지혜가 나약한 인간의
지상 내력을 읽으시고, 신성은 그 나약함을 빌어,
우리의 연약함과 슬픔을 맛보고자,
하늘의 영광으로부터 내려오시니;
그 분(돌아가시는 주님)이 피를 흘리시는 동안,
지극히 거룩한 그분 상처에서 당신의 영혼이
구원을 읽으시기를 바랍니다.

He that descended from celestiall glory,
To taste of our infirmities and sorrowes,
Whose heavenly wisdom read the earthly storie
Of fraile Humanity, which his godhead borrows;
In whose most pretious wounds your soule may reade
Salvation, while he (dying Lord) doth bleed.
                    (「To the Ladie *Lucie*」 8-14)

중세 여성들의 신앙에서 신의 육화는 예수의 인성에 대한 성찰과 더불어 기도
와 묵상의 중심 주제였고, 그들은 개인적인 고통을 통해 또는 태형, 단식 등을
통해 의도적으로 고통을 추구함으로써 신과의 일치를 추구하였다(Bynum "*Holy
Feast*", 179, 251). 이 전통을 그대로 이어, 러니에는 예수의 부활보다도 육화를
거듭 강조한다(「To the Queenes most Excellent Majestie」 43-48; 「To the Ladie
Lucie」 8-14; SD 473-10, 500, 1110-20, 1253-56, 1706-08 등). 연약한 육신을 취
하여 인간이 되어 고통 받고 죽음으로써 인간에게 구원이 되었다는 것은 러니
에의 예수 수난의 핵심 메시지이다. "우리의 연약함을 옷입고"(SD 1115, 1156)
예수가 인간으로 태어날 때 남성으로 태어났지만, 남성이 영에 비유되고 여성
이 육에 비유된다면 예수의 신성은 남성성에, 그의 인간성은 여성성에 비유될
수 있다. 신인 예수는 남자와는 아무 상관없이 마리아로부터만 여성적 존재 양
식인 육을 취했다(SD 1077-80). 순전히 여성의 몸인 예수의 육신이 피 흘리고
부서지며 고통을 겪은 것은 진흙덩이(mud, SD 381)에 지나지 않는 육이, 여성
이, 그 여성에 의해 대표되는 나약한 인간이 구원받는 문을 열어 놓는 것이다.
따라서 육화의 신비는 곧 여성의 구원의 신비와 직결되며, 연약한 육적 인간의
대명사인 여성은 상처 입은 예수의 고통 속에서 자신의 구원의 메시지를 읽을

수 있는 것이다.

　마이라 제렌(Myra Jehlen)은 비평적 관점에서 성(gender)은 계층과 인종 문제와 분리시킬 수 없다고 지적한 바 있는데(Jehlen 272), 성(gender)에 대한 러니에의 의식은 또한 그녀의 계층에 대한 의식과 깊은 관계가 있다. 예수가 자신의 영적 존재 양식을 버리고 육을 취하여 죽어야 하는 존재인 인간이 되었다는 육화의 복음은 러니에에게 있어서는 계층 간의 평등이라는 전복적인 주장도 가능하게 한다. 리사 쉬넬(Lisa Schnell)이 주장하듯이(Schnell 23-35),[17] 러니에는 종교적 주제를 다루면서 자신과 귀족 여성들 간의 사회계층 문제를 결코 회피하고 있지도 않고, 러니에가 후견인들과의 사이에서 느끼는 계층 간의 장벽을 애매모호하게 표현하고 있지도 않다. 음식과 관련된 세계는 여성이 고유하게 지배하고 다스릴 수 있는 영역이다. 수난 잔치에서 주요 후견인인 컴블랜드 백작 부인(Countess of Cumbland)이 손님 접대를 한다고 하지만(「To the Queenes most Excellent Majestie」 83), 실제로 음식을 만들어 영적 잔치를 준비하는 이는 바로 러니에이고 잔치의 주권은 러니에에게 있다. 보이드 베리(Boyd Berry)가 정확하게 지적했듯이(Berry 213) 러니에가 마련한 수난의 잔치의 신은 인간 영혼에 대한 사랑 때문에 자신을 희생하는 여성적인 신이지만, 수난 전의 신은 전지전능하고, 정의로운 심판자이며, 비천하고 겸손한 자를 높이고 거만하고 권세 있는 자를 낮추는 힘을 가진 남성적인 존재이다(SD 43-144, 473-80). 이러한 전지전능한 남성 신에 대해 러니에가 강조하는 것은 육화를 통해 그가 비천한 낮은 신분의 인간으로 태어났다는 점이다. 예수는 육을 취함으로써 육적인 여성과 동일시되었고 또한 낮은 신분을 취함으로써 그는 사회적으로 낮은 계층의 사람들, "가난과 치욕을 섬기고 그의 병고를 함께 나누려고 봉헌된 이 보잘 것 없는 소수의 사람들"(SD 576-78)과 동일시되는 것이다. 사회적으로 열등하고 비천한 존재라는 점에서 여성과 낮은 신분의 사람들은 공통점을 가지며, 귀족 부인들과 비교할 때, 러니에는 이중으로 예수와 공통점을 가지며 예수의 수난 속에서 그들보다 더 예수와 가까이 일치할 수 있게 된다.

---

17) 쉬넬은 러니에가 예수 수난 주제를 통해 사회계층의식을 슬쩍 감추고 있다는 티나 크론티리스(Tina Krontiris 105-11)의 견해를 반박하며, 여성들 간의 사회적 계층의 격차로 인해 러니에가 느끼는 좌절과 불안이 러니에의 작품의 중심에 놓여있다고 주장한다.

그러나 러니에가 자신의 종교적 체험이 가지는 계급 타파라는 전복적인 메
시지를 전달하기 위해서는, 음식의 비유를 사용할 때와는 달리 여왕을 비롯한
권력층의 귀족 여성 독자들에게 매우 조심스럽게 비위를 맞추는 교묘한 수사학
을 사용하지 않을 수 없는 것이다.

> 이 거룩한 작품을, 덕이 당신께 제시하니,
> 보잘 것 없는 외양에, 내보이기 부끄러우나,
> ‧
> 저 아름다운 덕은, 비록 누추한 차림새이나,
> 세상의 모든 군주들이 가장 바라는 것입니다.
> 그리고 본성의 덕, 도덕, 그리고 거룩한 덕,
> 여왕에 어울리는 온갖 덕들이 당신 안에 있으니,
> 이제 적어도 거짓 없이 진실하게 바라오니,
> 아름다운 덕이 지어낸
> 비록 가장 비천한 시이나 받아주소서; 그분의 위대한 싸움으로 당신은
> 그리도 고귀한 은총을 입으시니, 최고의 아름다움을 능가하시나이다.

> This holy worke, Virtue presents to you,
> In poore apparell, shaming to be seene,
> ‧
> But that faire Virtue, though in meane attire,
> All Princes of the world doe most desire.
> And sith all royall virtues are in you,
> The Naturall, the Morall, and Divine,
> I hope now plaine soever, beeing true,
> You will accept even of the meanest line
> Faire Virtue Yeelds; by whose rare figts you are
> So highly grac'd, t'exceed the fairest faire.
> (「To the Queenes most Excellent Majestie」 62-72)

이 헌정시에서 러니에는 앤 여왕의 온갖 세속적 영광과 덕을 칭송하고 있는데,
그 칭송 속에는 여왕은 예수/러니에의 수난의 고통의 덕분에 현재의 모든 덕의
영광을 누리고 있다는 의미가 함축되어 있다. 인용한 첫 구절에서 러니에는 신
이지만 비천한 인간의 모습을 취하고 육화된 예수(Virtue)를 보잘것없는 "여성

의 재능의 첫 열매"(「To the lady *Elizabeths* Grace」 13))인 자신의 작품에 비유한다. 나아가서 실제로 예수인 덕의 모습을 "만들어 내고"(71) 여왕에게 "헌정하는"(62) 이는 러니에 자신이므로, 작품을 예수와 동일시함으로써 러니에는 자신을 예수(Virtue)와 동일시하고 있는 것이다.

그러나 계층 간의 위계질서에 대한 러니에의 도전적 감정은 보다 노골적으로 분출되기도 한다.

> 세상이 시작되었을 때 무슨 차이가 존재했습니까,
> 모든 이를 구별하는 것은 덕이 아니었습니까?
> 모든 이가 한 여자와 한 남자로부터 나왔는데,
> 그러니 어떻게 귀족 계급이 생겨나고 사라집니까?
>
> What difference was there when the world began,
> Was it not Virtue that distinguisht all?
> All sprang but from one woman and one man,
> Then how doth Gentry come to rise and fall?
>
> (「To the Ladie *Anne*」 33-36)

인간의 가치를 정하는 데 있어서 출생신분과 개인의 재능과 자질, 덕의 관계는 르네상스 당시 유행하던 논의 주제들 중의 하나였다(Kristeller 290). 러니에는 계층적 차이는 타고 나는 것이 아니라 인위적으로 만들어진 것이고 인간을 억압하는 기재로 본다. 러니에는 예수(Virtue)를 얼마나 닮았는가 하는 것이 인간을 구별하는 진정한 잣대라고 주장한다. 러니에의 주장은 남녀평등의 선언과 마찬가지로, 초기 그리스도교 공동체가 체험한 복음의 효과, 즉 예수 안에서 "유대인이나 그리스인이나 종이나 자유인이나 남자나 여자나 아무런 차별이 없는"(갈라 3:28) 복음 메시지를 반향하고 있다. 예수 수난이라는 음식을 먹는 행위는 남녀평등을 이룰 뿐 아니라, 영적인 차원에서 "초가집과 왕의 옥좌를 같게"(「To the Ladie Anne」 19) 만들 수 있는 것이다. 그리하여 러니에가 꿈속에서 보는 펨브록(Pembroke) 백작부인의 공동체와 같이, 예수 수난의 음식을 함께 나누는 이들은 "동등한 지배권리 속에서 살고/ 동등한 지위와 동등한 존엄성으로 . . . 일치"(in equall sov'raigntie to live, / Equal in state, equall in dignitie

... with ... unitie, 「The Authors Dreame to the Ladie Marie」94-97) 하며 살게 되는 것이다. 계층과 남녀의 차별이 없는 이 이상적 공동체에서 으뜸이 되는 자는 바로 러니에와 같이 음식을 차려 섬기는 자, 종이 되는 자이다(루가 22:24-27; 마태 20:26-27).

러니에는 귀족여성들과 평등할 뿐 아니라 오히려 그들을 다스릴 권한을 가진다. 여왕을 비롯한 귀족 여성독자들은 낮은 신분의 러니에가 마련한 잔치 음식=예수=러니에의 작품=러니에 자신을 먹고 영적 성장을 하므로, 러니에는 영적으로 그들을 지배할 권위와 힘을 가질 수 있다. 여성과 같이 열등한 인간들에게 구원의 메시지를 함축한 예수의 육화의 복음 속에서, 러니에는 사회적으로 낮은 계층의 사람들에게도 해방을 알리는 전복적인 메시지를 읽어 내고 조심스러우면서도 대담하게 그 메시지를 전달하기를 꺼리지 않는다. 러니에가 사회적 평등을 남녀평등과 같이 노골적으로 주장하지 않은 것은, 아마도 자신이 후원을 요청하는 귀족 여성들에게 있어서 사회적 평등은 남녀평등과는 달리 결코 수용할 만한 호소력을 가지지 못한 메시지임을 너무도 잘 알고 있기 때문일 것이다.

인간의 다양한 경험들 중에서 종교적 경험들은 보이지 않는 실재와의 관계에서 얻어지는 체험들이지만, 그 체험들을 표현하기 위해서는 흔히 현실의 가시적인 삶 속에서 비유와 상징들을 끌어낸다. 『유대인의 왕 하느님 만세』에서 러니에의 종교적 체험들은 음식 만들기, 출산, 양육, 거울보기 등의 여성적 경험에서 얻어지는 비유와 심상들로 표현되어 있다. 이는 그녀의 종교적 체험들이 문화적으로 여성의 분야라고 규정된 영역에서의 경험들을 통해 얻어졌고 형성되었음을 시사한다. 러니에의 여성적 영성은 예수의 고통스런 수난과 자신을 비천한 존재로 낮추어 인간으로 태어난 육화의 신비에서 사회적으로 비교적 낮은 계층의 여성으로서의 경험들의 영적 의미를 발견하는데, 이는 또한 중세의 여성 신비가들의 영성 전통을 잇는 것이다. 육화된 예수의 수난과 죽음에 대한 명상 속에서, 전통적으로 여성성으로 규정된 자비, 인내, 온유, 절제, 순명, 침묵 등의 특성들이 남성성에 상반되는 여성적 유약함(effeminacy)으로서가 아니라 여성의 긍정적인 특성들로 찬양되고 있으며, 출산, 양육, 거울보기 등 여성

고유의 체험들 또한 구원적 차원에서 온전히 수용되고 있으며, 여성이라는 존재 자체가 긍정적으로 찬양되고 있다. 러니에의 영성 속에는 문화적으로 형성되어 종교에 의해 강화된 여성성의 특성들이 녹아 들어가 있어, 종교적 체험도 문화적으로 형성된다는 사실을 말해준다. 동시에 종교적 체험을 통해 발견된 전복적인 힘은 러니에로 하여금 문화적 성별화의 주된 이데올로기인 종교가 지지하는 성차별에 급진적으로 문제를 제기하고 나아가 계급 평등의 비전을 제시할 수 있게 한다.

⤵ 인용문헌

가톨릭대사전. http://info.catholic.or.kr/dictionary/dic_view.asp?ctxtTermNm=영성신학.

Aers, David and Lynn Staley. *The Powers of the Holy: Religion, Politics, and Gender in Late Medieval English Culture.* University Park, PA.: Pennsylvania State UP, 1996.

Aughterson, Kate, ed. *Renaissance Woman: A Sourcebook.* London: Routledge, 1995.

Beilin, Elaine V. *Redeeming Eve: Women Writers of the English Renaissance.* Princeton: Princeton UP, 1987. 177-207.

Benson, Pamela Joseph. *The Invention of the Renaissance Woman.* University Park, PA.: Pennsylvania State UP, 1992.

Berry, Boyd. "'Pardon . . . though I have digrest': Digression as Style in 'Salve Deus Rex Judaeorum'." Marshall Grossman, ed., *Aemilia Lanyer: Gender, Genre and the Canon.* Lexington, KY.: U of Kentucky P, 1998. 212-33.

Bynum, Caroline Walker. *Holy Feast and Holy Fast: The Religious Significance of Food to Medieval Women.* Berkeley; U of California P, 1987.

_____. *Fragmentation and Redemption: Essays on Gender and Human Body in Medieval Religion.* New York: Zone Books, 1991.

Christ, Carol P. and Judith Plaskow, eds. *Womanspirit Rising: A Feminist Reader in Religion.* New York: HarperCollins, 1979.

Crawford, Patricia. *Women and Religion in England 1500-1720.* London: Routledge,

1993.

Fraser, Antonia. *The Weaker Vessel: Woman's Lot in Seventeenth-Century England.* London: Weidenfeld and Nicolson, 1984.

Greenblatt, Stephen. *Renaissance Self-fashioning: From More to Shakespeare.* Chicago: U of Chicago P, 1980.

Grossman, Marshall, ed. *Aemilia Lanyer: Gender, Genre and the Canon.* Lexington, KY.: UP of Kentucky, 1998.

Guibbory, Achsah. "The Gospel According to Aemilia: Women and the Sacred in Aemilia Lanyer's *Salve Deus Rex Judaeorum.*" Helen Wilcox, Richard Todd, and Alasdair MacDonald, eds. *Sacred and Profane: Secular and Devotional Interplay in Early Modern British Literature.* Amsterdam: Vrije Universiteit UP, 1996. 105-26.

Hannay, Margaret P., ed. *Silent But for The Word: Tudor Women as Patrons, Translators, and Writers of Religious Works.* Kent, OH.: Kent State UP, 1985.

Henderson, Katherine Usher and Barbara F. McManus. *Half Humankind: Contexts and Texts of the Controversy about Women in England 1540-1640.* Chicago: U of Illinois P, 1985.

Jehlen, Myra. "Gender." Frank Lentricchia and Thomas McLaughlein, eds. *Critical Terms for Literary Study.* Chicago: U of Chicago P, 1990. 264-73.

Jordan, Constance. *Renaissance Feminism: Literary Texts and Political Models.* Ithaca: Cornell UP, 1990.

Joy, Morny and Eva K Neumaier-Dargyay, eds. *Gender, Genre and Religion: Feminist Reflections.* Waterloo, Ontario: Wilfrid Laurier UP, 1995.

Keeble, N. H., comp. and ed. *The Cultural Identity of Seventeenth-Century Woman: A Reader.* London: Routledge, 1994.

Keohane, Catherine. "'That Blindest Weakenesse Be Not Over-bold': Aemilia Lanyer's Radical Unfolding of the Passion." *ELH* 64 (1997): 359-90.

King, L. Margaret. *Women of the Renaissance.* Chicago: U of Chicago P, 1991.

Kowalska, Sister M. Faustina. *Divine Mercy in My Soul: Diary of the Servant of God Sister M. Fautina Kowalska.* Stockbridge, MA.: Marian, 1987.

Kristeller, Paul Oskar. "Humanism and Moral Philosophy." Albert Rabil, Jr., ed. *Renaissance Humanism: Foundations, Forms, and Legacy.* Vol. 3. Philadelphia:

U of Pennsylvania P, 1988. 271-309.

Krontiris, Tina. *Oppositional Voices: Women as Writers and Translators of Literature in the English Renaissance.* London: Routledge, 1992.

Lewalski, Barbara Kiefer. *Writing Women in Jacobean England.* Cambridge, MA.: Harvard UP, 1993.

Maclean, Ian. *The Renaissance Notion of Woman: A Study in the Fortunes of Scholasticism nd Medical Science in European Intellectual Life.* Cambridge: Cambridge UP, 1980.

McEachern, Claire and Debora Shuger, eds. *Religion and Culture in Renaissance England.* Cambridge: Cambridge UP, 1997.

McGrath, Lynette. "'Let Us Have Our Libertie Againe': Amelia Lanier's 17th-Century Feminist Voice." *Women's Studies* (1992): 331-48.

Mueller, Janel. "The Feminist Poetics of Aemilia Lanyer's 'Salve Deus Rex Judaeorum'." Lynn Keller and Cristanne Miller, eds. *Feminist Measures: Soundings in Poetry and Theory.* Ann Arbor, MI.: U of Michigan P, 1994. 208-306.

Prior, Mary, ed. *Women in English Society 1500-1800.* London: Routledge, 1985.

Schnell, Lisa. "'So Great a Difference Is There in Degree': Aemilia Lanyer and the Aims of Feminist Criticism." *Modern Language Quarterly* 57 (1996): 23-35.

Shuger, Debora Kuller. *Habits of Thought in the English Renaissance: Religion, Politics, and the Dominant Culture.* Toronto: U of Toronto P, 1997.

Wiesner, Merry E. *Women and Gender in Early Modern Europe.* Cambridge: Cambridge UP, 1993.

Wilcox, Helen, ed. *Women and Literature in Britain, 1500-1700.* Cambridge: Cambridge UP, 1996.

Woods, Susanne, ed. *The Poems of Aemilia Lanyer:* Salve Deus Rex Judaeorum. Oxford: Oxford UP, 1993.

_____. *Lanyer: A Renaissance Woman Poet.* Oxford; Oxford UP, 1999.

낭만기 여성 시인들의 작품에 나타난 종교적 급진주의
에너 바볼드, 에밀리어 오피, 루시 에이킨의 시를 중심으로

| 강옥선 |

들어가는 말

글쓰기는 표현의 권리를 전제로 한다. 영국의 낭만주의의 시기에 여성이 공적으로 표현할 수 있는 발언권은 종교적 혹은 사회 정치적으로 극히 제한되어 있었다. 멜러(Anne Mellor)는 자신의 논문, 「여성시인과 여류시인: 영국 여성시인의 두 전통」에서 낭만기의 "여성시인은 정치적이고 교훈적인 시를 쓴다"(Mellor, "The Female," 265)고 지적하면서, 여성이 종교적 정치적 문제를 공공연하게 발언할 수 있는 문학적인 선례를 1780년경 세우고 있다고 주장하였다. 여성시인들은 문학적 혹은 정치적인 의미에서 "남성중심의 시기에 여성시인으로서, 또한 가부장제의 담론을 비판하는 선각자로서"(Binfield 165), 글쓰기를 통하여 억압에 저항하였다.

낭만기 여성시인들의 글쓰기에서 청교도 혁명기(1640-60) 여성 예언자들의 급진주의적 전통을 읽을 수 있다. 여성시인들은 자신들의 글쓰기의 권위를 제도화된 교회가 아니라 성서에 의존하고 있었는데, "눌린 자에게 자유"(누가복음 4:18)를 가져다주는 복음의 빛에 그 바탕을 두고 있었다. 역사적으로 성서는 인

---

* 『문학과 종교』 제 8권 1호(2003)에 실렸던 논문임.

간을 억압하는 기제로 혹은 인간에게 희망과 자유를 주는 해방의 메시지로서 역할을 동시에 해왔다. 성서가 억압적 힘의 역할을 하느냐 혹은 해방적 힘을 주는 것인가는 어떠한 관점을 가지고 그 성서를 읽고 해석하는가에 달려 있다(강남순 277-8). 여성시인들은 선배 선각자들의 종교적 권위를 세속적 문학적인 권위로 변화시키고, 사회의 새로운 변화 속에서 선각자들의 메시지를 이어받아 다양한 시적 주제로 발전시켜 나가고 있다. 특히 시적 주제 면에서, 여성시인들은 사회의 새로운 변혁을 읽어내면서, "기독교적 미덕의 목소리"(Mellor, "The Female," 263)를 전해주고 있다. 이러한 목소리는 여성의 말할 권리를 "원초적 동등성"(Aikin 818)[1]으로 수용하면서 기독교의 성경에서 그 근거를 찾고자 한 노력과 맞닿아 있다. 낭만기 훨씬 이전부터 선배 여성 선지자들은 종교적 급진주의적 입장에서 인간의 신성한 권리를 찾고자 스스로 시도하였으며, 이러한 자발적인 노력이 낭만기 여성시인의 글쓰기에서 하나의 전통으로 이어져 내려오고 있다.

영국 낭만기의 종교적 급진주의(religious radicalism)는, 17세기 중반부터 영국 민중들 사이에서 확산된 후 지속적으로 전해 내려오는 급진적 전통의 하나이다. 18세기말 런던에서 장인(artisans) 집단을 중심으로 형성되었던 급진주의는, 시민계급이 중심을 이루는 저항운동의 물결을 타고 확산되었다. "종교적 급진주의"라는 말이 한마디로 기술되기는 어렵지만, "급진주의자의 신념은 강렬한 개체주의에 바탕을 두고 있다"(Jesse 110)는 지적에서 하나의 공통점을 찾아낼 수 있다. 다시 말하면, 외적 권위가 아니라 자신의 내면적 경험으로 진리를 구하고자 하는 태도이다. 따라서 제도화된 종교와 교권주의에 반대하고 신도들의 집에 모여 예배를 드리며 내적인 양심과 가치를 추구하는 분파인데, 여기서 "양심의 자유는 일반민중들이 공화국 시대 이후로 지켜온 위대한 가치"(Thompson 51)가 되어 내려오고 있다. 사실 낭만주의의 특징이 인간의 개성과 자유, 그리고 내면으로 비추는 빛을 소중히 하는 점이라고 한다면, 종교적 급진주의 전통에 뿌리를 두고 있다고 볼 수 있다. 여기서 주목할 점은, 인간의

---

1) 애너 바볼드와 알렉산더 포프를 제외한 모든 작가의 작품 인용은 멜러(Anne Mellor)가 편집한 『영국문학(*British Literature* 1780-1830)』(New York: Harcourt Brace, 1996)을 사용하며, 괄호 속에 시인의 이름과 전집 쪽수로 표기한다(Aikin 818).

개성과 자유가 존중되고 개체성을 소중히 하던 혁명의 시대에, 여성 억압의 문제는 회복되지 않은 채, 여전히 그대로 존재하고 있었다는 사실이다. 일반적으로 억압은 강요당해진 종속상태이므로 한 개인이나 집단의 종속적 상황을 말한다고 가정해 보면, 여성들은 인종적 억압이나 계층적 억압에 종속된 그 어떤 계층보다도 훨씬 더 자신들에게 가해진 억압에 순응해 온 집단이었다. 이제 낭만기 여성시인들은, 선배 선각자들의 급진적 전통을 이어받아 억압에 저항하고 여권을 주장하는 자신의 목소리를 내기 시작하였다. 이러한 여성작가들의 노력이 영국의 낭만주의를 이루어내고 있는 또 하나의 요소라고 할 수 있다면, 낭만기 여성시인들의 작품에 나타난 급진주의적 주제를 읽고 검토해 보는 작업은 비록 늦은 감이 있지만, 그 필요성과 의의가 적지 않다.

본 논문에서는 먼저 영국의 급진주의의 특성이 무엇이며, 그 급진적 전통이 낭만기 여성시인에게 전해지는 경위와 의의를 분석해보고자 한다. 다음으로는 여성시인의 작품 속에서 급진주의를 대변해주는 시적 주제를 탐색하여 보겠다. 이러한 작업은 여성시인들의 작품 전반에 대한 연구로 확장될 필요가 있다고 생각되지만, 우선 종교적으로 급진적 분파에 속한 집안에서 자라나 그 급진적 전통을 작품에서 그대로 재현해 내고 있는 여성시인의 작품을 중심으로 다루어 보고자 한다. 우선 애이킨(Lucy Aikin)의 『여성에 대한 편지(Epistles on Women, 1810)』, 오피(Amelia Opie)의 노예담론 「흑인 소년의 이야기("The Negro Boy's Tale" 1802)」와 「흑인 남자의 한탄("The Black Man's Lament 1826)」, 그리고 바볼드(Anna Barbauld)의 초기시와 후기시 「1811년("Eighteen Hundred and Eleven," 1812)」를 중심으로 다양하게 전개되는 시적 주제를 살펴보고자 한다. 낭만기 여성시인들의 작품에서 종교적 급진주의가 어떤 방식으로 표출되고 있는지 천착해 보는 작업은, 바로 여성시인들이 선배 선지자들의 저항적 정신을 이어받아 여성 억압에 저항하는 정열에 대한 탐색으로 이어질 것으로 기대된다.

급진주의 전통과 여성의 권위 회복

종교적 급진주의는, 퀘이커교도, 천년왕국설 추종자(millenarians), 먹레토니언파에 속한 사람들(Muggletonians), 사우스콧(Joanna Southcott)의 추종자 등을 포함한다. 영국의 종교적 급진주의는 18세기 초반을 거쳐 1790년대에 접어들면서 하류계급, 농촌사람들 뿐만 아니라, 중산계급의 장인들, 상인들과 도시 전문가들 사이에까지 광범위하게 퍼져 있었다. 종교적 급진주의가 낭만기의 시작점이었던 1790년대 런던에서 꽃필 수 있었던 것은, 당시 신앙의 자유가 묵인되었던 점과 17세기의 종교적 소책자가 인쇄술의 보급으로 값싸고 손쉽게 공개적으로 읽혀졌던 점을 들 수 있다. 한편, 17세기 중반의 런던에서는 종교적으로 많은 분파가 생겨나 새로운 견해가 분출되었으며, 종교개혁이 일어나면서 일련의 급진적 청교도 분파가 생겨났다. 청교도주의는 원래 인간의 영혼이 창조주와 직접 만날 수 있다는 새로운 믿음에서부터 많은 사람들이 성경을 스스로 읽고 동료들과 함께 그 의미를 나눌 수 있게 됨에 따라, 교회와 국가에 대한 권위가 흔들리게 되었다. 그런데 청교도의 많은 분파 중에서도 "당대 사람들은 퀘이커교도를 보다 더 급진적이라고 생각하였다"(Underwood 12). 거기에는 그럴만한 이유가 있었다. 청교도주의의 보수진영에서는 종교적 자유를 제한하였지만, 급진주의자들, 특히 퀘이커교도들은 임명된 성직에 대한 필요성을 의심하고, 십일조를 내기 거부하였으며, 성경은 내부의 성령의 빛으로만 이해될 수 있다고 선언하였다. 드디어 급진적 분파의 신도들은 교회를 다니지 않고 집에서 예배를 드리고 또한 캠브리지나 옥스퍼드에서의 교육의 필요성조차도 거부하게 되었다. 인간 영혼의 능력이 새롭게 정의되면서, 신성한 계몽을 받기 위해서는 성령의 빛으로 충분하다는 입장에 서게 되었다. 퀘이커교도들은 정치적인 영역에서는 거의 반체제적인 인물로 인식되었는데, 나중에는 의회진영의 군대 편에 서서, "왕정과 제도화된 교회를 전복시켜야 한다는 운동에 가담한"(Underwood 12) 전형적인 급진주의자들이었다.

낭만기 여성시인들은 글쓰기를 통하여 여성의 억압을 비판하고 또한 실제로 사회 변혁을 위한 여러 가지 운동에 적극 동참하였다. 특히 오피는 1825년 퀘이커교도(Quakers)로 가입하기까지, 1790년대의 노예제도 반대운동에 참여하는 등, 열렬한 사회 개혁운동을 하였으며 당대의 급진주의적 논쟁을 작품 속에 반영하였다. 오피를 위시한 낭만기 여성시인의 급진주의는, 100년 이상을 건너뛰어 퀘이커교도였던 여성 전도사 펠(Margaret Fell)이 런던에서 출간한 소책자

『성경으로 정당화된 여성의 말하기(*Women's Speaking Justified by the Scriptures*, 1667)』로 거슬러 올라갈 수 있다. 물론 공적인 역할을 담당하는 여성의 글쓰기가 1780년대에 처음 이루어진 것은 아니며, 12세기 중엽이전부터 수도원에서 여성 선각자들은 글쓰기에 헌신하고 있었다. 그러나 펠이 랭카셔 감옥에서 집필한 이 소책자는, 종교개혁 이후 여성의 첫 번째 출판물이라는 점에서 의의가 있다. 이후 펠의 글은 퀘이커교도의 여성들에게 하나의 대헌장(Magna Carte)이 되어, 이제 여성은 적어도 퀘이커 교단에서는 "대중 앞에서 설교하고 말할 수 있는 권리"(Tucker 230)를 주장할 수 있게 되었으며, 점차적으로는 퀘이커교도를 벗어나 보다 폭넓은 사회 전반의 범위로까지 확대되어 나가게 되었다. 이처럼, 낭만기 여성 시인들의 글쓰기 전통은 퀘이커교도를 위시한 급진주의적 종파의 신념에서 그 뿌리를 찾을 수 있다. 퀘이커교의 우애협회(The Society of Friends)는 급진주의적 청교도 운동으로부터 나왔는데, 다른 급진적 분파들이 1660년 왕정복고 이후에 종교적 박해로 사라졌지만, 이 퀘이커 교도들은 자신의 생각을 미국의 식민지로 옮겨가거나 혹은 새로운 시대 조류에 맞추어, 여성의 동등성을 선언하는 등 지속적으로 발전시켜 나갔다.

퀘이커교는 영국의 공화국 시기(1649-60)에, 자유와 동등의 개념을 지키는 구조를 확립하게 되었는데, 창시자 팍스(George Fox)는 영국 전역을 돌면서 자신의 정신적인 갈망에 답할 수 있는 사람을 찾아 나섰으며, 마침내 그리스도가 "세상의 모든 사람을 비추는 진정한 빛"(요한복음 1:9)이라는 경험을 전하게 되었다. 팍스의 신념은 평화주의자로서 어느 누구도 다른 사람을 지배할 수 없으며 따라서 전쟁에 대한 근거는 찾을 수 없다는 입장을 준수하였다. 1648년 한 모임에서 "여성에게 교회에서 말하는 것을 허락할 수 없다"고 발언하는 어느 사제를 반박하면서, 팍스는 교회가 돌과 나무로 지어진 낡은 집이 아니라 정신적인 집이라고 주장하였다. 팍스가 "진정한 교회는 그리스도가 머리이며, 여성도 성경을 해석하고 말할 수 있다"고 말하였을 때, 당시로서는 상당히 급진적인 사고방식이었다. 1656년의 소책자, 『침묵하면서 배우는 여성(*The Woman Learning in Silence*)』에서 팍스는 여성이 교회에서 예언할 수 있는 권리를 주장하였으며, "아담의 타락 이전에 남성과 여성은 협력자이었으며, 그리스도를 통하여 원래의 상태를 회복하고 협력자 혹은 동등한 입장이 될 수 있다"고 말하였다(재인용, Bacon 11). 이처럼 팍스는 평화 공동체를 추구하고, 특히 남성과 여성의 동등성에 대한 개념을 발전시켰다. 당시에 퀘이커교는 크게 확장되었으며 많은 수의 여성들이 참여하게 되어 대중에게 파고들었는데, 심지어 길거리에서 수레를 끌며 조개를 파는 여성조차도 "주교는 없어" (Bacon 6)라고 외치고 다닐 정도였다. 그러나 여성에게도 성경을 해석하고 설교할 수 있다고 허락한 바로 이 점에서, 퀘이커교는 당시의 다른 급진주의적 청교도 분파보다 훨씬 더 심각한 사회적 논의를 불러 일으켰다. 여성이 설교할 수 있다는 주장에 대하여, 제도화된 교회와 청교도 보수진영에서는 증오심에 가까운 반발심이 일어났으며, 당대의 사회 문화적 환경에서 보건대 남성은 가정의 수장이고 권위의 원천이었기에, 교회와 국가에 대한 제어력이 줄어들고 결국 사회적 혼란을 야기할 수 있다고 두려워하였다. 당대의 청교도 문학의 틀 속에서 가정은 하나의 작은 교회 혹은 작은 공동체로 묘사되었고, 이 가정이 바로 하인과 여성을 종속상태로 유지하기 위한 훈련의 학교로 그려지고 있었기에, 여성에게 발언권을 내어 준다는 것은 도저히 수긍할 수 없는 급진주의적 견해이었다.

종교개혁 이후로 100년 동안 남성중심의 가부장제 사회에서 권위를 잃고 종속적인 지위에 머물러 있었던 여성들은, 이제 급진적 청교도 분파의 도움으로 다시 표현의 공적인 권위를 회복하게 되었다. 당시 몇몇 여성들이 급진적 청교도 분파에서 설교를 하였는데, "여성들은 오직 퀘이커 교단에서만 설교하고 예언할 수 있었으며 교회 정부에 승인된 역할을 행사할 수 있었다"(Bacon 7). 이러한 급진주의 운동을 통해서 여성들은 청교도 신학에서 보여주는 남성 위주의 태도에 도전하고, 동등성에 기초한 여성적 가치관을 불어넣기 시작하였다. 여기서 퀘이커교의 선각자들이 보여주는 인습 타파적 요소들은 인종, 성 그리고 사회적 신분에 근거한 어떠한 종류의 차별과 배제에 대하여도 거부해야 한다는 절체절명의 요구를 드러내고 있다. 18세기 말 비국교도들은 양심의 순수한 자유를 지키고자 하였으며, 유일한 길은 제도화된 교회와 정부가 장악하고 있었던 시민의 기본권인 자유를 찾는 것이었다. 양심의 자유는 도덕적으로 올바른 것이지만, 이미 제도화되어 있는 기존의 권위에 불순종하게 되는 위험이 따르는 일이었다. 로스가 1994년 자신의 논문 「여성작가와 비국교도 전통("The Women Writers and the Tradition of Dissent)」에서 지적하고 있듯이, "공공연하게 정치를 논했던 여성시인들은 오랫동안 이어져 온 비국교도적 전통에 속해 있다"(Ross 93)는 로스(Marlon B. Ross)의 지적은 설득력이 있다. 영국의 여성 비국교도들은 "이중적인 비국교도"(Ross 93)로서, 남성과 동등하게 양심의 자유를 소유하고자 시도했다. 그들은 정치적인 의미에서 시민의 자유가 없는 여성이라는 점과 비국교도 공동체 내에서마저도 공식적인 정치적 참여가 제한되고 있었던 점에서 이중적인 비국교도이었다. 낭만기 여성시인들도 마치 "이중적인 비국교도"의 목소리로서 자유에 대한 신념을 퍼뜨리는 것이 자신의 의무라고 생각하였다. 여성을 배제해 온 역사적인 사실로 미루어 보건대, 양심의 자유를 선언하였던 급진적 분파의 전통마저도 "여성의 권리에 대해서는 쉽게 합법화되지 않았다"(Epstein 23). 따라서 여성시인들은 급진적 운동에서조차도 스스로 자신의 권리와 자유를 쟁취하기 위해 이중의 노력을 기울여야만 했다. 여성 시인들은 이미 제도화된 사회 정치적인 불공평한 사태를 바로잡아야 하고 동시에 당대의 급진적인 정치의 목적이었던 과거의 이상사회에 함축된 남성 중심의 이론적 틀에 저항하여 여성의 권리회복이라는 두 가지 작업을 동시에 이루어 내어야 했다. 1790년대의 급진주의는 프라이스(Richard Price) 같은 급진주의자들의 믿음, 즉 보다 순수한 민주적 정부에 대한 회복을 꿈꾸고 있었다. 낭만기의 급진주의는 한 세기 전의 영광스러운 시민혁명처럼, 기존체제의 지배 세력을 무너뜨리고 새로운 질서를 세우고자 하는 것이었다. 그러나 그것은 전적으로 새로운 것을 세우기 위해서가 아니라, 시민의 동의 없이 통치되어왔기 때문에, 결과적으로 잃어버리게 된 자유정신을 다시 회복하고자 하는 것이었다. 낭만기의 급진주의는 이상적인 황금시대로의 복귀에 내재된 향수와 그것에 연관된 정치 구조 때문에, 처음부터 노동자 계급에 속한 시민들의 호감을 얻을 수 있었다. 노동자 계급은 자신들의 경제적 정치적인 힘을 발휘해주는 대변자가 적당히 없다는 점에서 사회계층간의 소외감을 느끼고 있었는데, 이제 친숙하게 의지할 만한 "오래된 옛날 시대의 담론"에 깊이 빠져들게 되었다. 노동자계급과 마찬가지로 여성시인들도 성별의 소외감을 느끼는 희생자들이었다. 1790년대 급진주의적 운동을 논의할 때, 시민계급의 출현과 성장과정에 대해서는 그토록 많은 논의가 이루어졌지만, 그 내부에 함께 자리하고 있는 여성시인의 존재와 역할에 대하여는 최근까지 거의 어떤 비평적 관심도 이루어지지 않았다는 점은 가히 놀라운 일이다.

1790년대가 비국교적 전통과 자유지향적 전통이 민중 속으로 파고들면서 실천적인 의미로 노동계급 운동을 위시한 급진적 전통이 사회전반에 울려 퍼졌던 격동의 시기이었던 만큼, 이러한 급진주의적 신념은 한 세기 전의 시민혁명처럼, 지배적인 세력을 무너뜨리고 새로운 사회를 향한 변혁의 장을 열고 있었다. 1790년대의 급진주의가 기존의 권위에 반대하며, "새로운 천국이 도래함"(Blake 104)을 기대하는 민중의 잠재적인 정치적 태도에 힘을 실어주게 되었으며, 민주주의에 이르는 하나의 지적 전통의 출발점이 되었다. 그러나 인간의 평등사상이 말해졌던 1790년대에, 여성들은 '규범적인 인간'의 범주에 포함되지 않았으며, 제도화된 교회는 오히려 남성과 여성의 이러한 존재론적 차별을 하나님의 창조질서로 정당화시키는 데에 큰 역할을 담당하였다. 낭만주의가 움텄던 1790년대 영국사회에서는, 여성과 남성의 생물적 차이를 차별로 왜곡시킴으로써 남성에게는 지배권을 여성에게는 종속적 구조를 자연적인 것으로 수용하도록 강요하고 있었다. 교회에서는 여전히 여성이 남성보다 본질적으로 열등하다는 전제를 지닌 가부장제적 구조가 이어지고 있었으며, 여성들은 하부 구조에 남성들은 상부구조에 위치한다는 위계질서가 형성되어 있었다. 남성들만이 예수의 사도로서의 직분을 수행할 수 있으며, 성직자로서의 일은 남성만이 가능하다고 믿었다. 동서양을 막론하고 여성에 대한 이해는 대부분 두 가지의 공통점이 있다. 첫째 여성은 남성보다 열등한 존재라는 점이며, 다른 하나는 여성은 악을 가져다주는 위험한 존재라는 점이다(강남순 31-2). 여성의 열등성은 삶의 다양한 차원과 모두 연관되어서 여성은 존재론적으로 혹은 도덕적으로 남성보다 열등한 존재로 이해된다. 인류의 문화가 규정한 바대로, 여성은 열등할 뿐만 아니라 남성을 유혹하고 이 세계에 악을 가져오는 위험한 존재라는 것이다. 여성에 대한 부정적 이해가 한층 깊이를 더했는데 이러한 부정에 결정적인 역할을 한 것은 기독교이었다. 여자는 경박하고 변덕스럽고 지적으로 약해서 신앙이 동요되기 쉽고 마귀의 유혹에 쉽게 넘어가는 존재로 묘사되었다(강남순 34). 여성혐오사상은 다양한 형태로 남성들 또는 여성들의 의식을 지배하고 있었다. 여성들에 대한 이러한 이해가 사회적으로 도전을 받기 시작한 것은 유럽의 프랑스 혁명이후 인간의 한 개체적 존재로서의 존엄과 평등성에 대한 인식이 사회화되면서부터이다. 인간의 개체성에 대한 인식과 자유의 개념으로 서구 사회에서 남성뿐만 아니라 여성들에게도 인간으로서의 존엄성에 대해 인식하게 되었다. 자유의 개념은 프랑스 혁명을 주도하던 사람들이 의도한 것은 아니지만, 의식 있는 여성들에게 여성의 인간으로서의 자유와 평등, 권리를 인식하게 한 촉매제가 되었다. 한편, 산업혁명은 전통적인 성 분업에 새로운 변화의 가능성을 시사해 줌으로써 단순히 긍정적이지 않지만, 여성들에게 경제적 독립의 가능성과 성 역할 분담의 변화를 시사해 주었다. 이러한 다양한 사회 정치적 변화가 여성에 대한 전통적 이해에 집단적 이의를 제기하였으며, 이제 여권운동으로서의 페미니즘이 그 모습을 드러내기 시작하였다.

여성작가들이 이중의 비국교도로서 숨을 죽인 채 글쓰기를 통하여 자신의 존재와 생각을 전하고 있었다. 낭만기 여성시인들은 의식적으로 청교도 혁명기 여성 선각자들의 전통을 따르면서, 글쓰기의 신성한 권위를 지키면서, 여성 억압을 스스로 벗어나고자 시도할 때, 열려 있는 하나의 길은 잡지에 의견을 기고하는 것이었다. 그러나 기고한 글은 늘 논쟁의 대상이 되었고 남성 비평가들로부터 무례하다는 악평을 받았다. 마치 선배 여성 선각자들이 교회에서 조롱과 모욕을 겪었던 것처럼, 낭만기 여성시인들도 공격을 당했다. 여성작가들은 블루스타킹, 고집쟁이 여성들이라는 이름을 얻었으며, 규범문학에서 이상적인 유형으로 그려지던 어머니 혹은 아내와 비교되기도 하였다. 1797년 월스턴크래프트가 죽고 곧 연이어 사생활이 공개되면서 규범에서 벗어난 행위를 저지른 여성답지 않은 여성으로 세인의 입에 오르내리게 되자, 여성 작가에 대한 글은 더욱더 거센 비난을 받게 되었다. 다음 해인 1798년 폴웰르(Richad Polwhele)가 당대의 여성 작가에 대하여 쓴 풍자시 「여성다움이 없는 여성("The Unsex'd Females")」에서 여성작가들을 공격하고 풍자하고 있다.

나는 상상도 하지 못한 새로운 소동에 몸서리친다
이제 여성답지 못한 여성이 건방진 태도로 허풍을 떨고;
. . . 월스턴크래프트를 보라, 어떤 예의범절로도 그녀를 저지할 수 없네
여성을 대변하는 그 대담한 투사는 일어나서,
겸허한 남자보다 더 큰 소리로 독립권을 주장하면서
얌전하다는 명성으로 수줍어하는 홍조를 경시하고 있다.
       (그녀가 외치기를), "그대 부드러운 처녀들이여, 가라, 어서 가서
    . . . "그리고 여성의 권리를 옹호하라."

I shudder at the new unpictur'd scene,
Where unsex'd woman vaunts the imperious mien;
. . . See Wollstonecraft, whom no decorum checks,
Arise, the intrepid champion of her sex;
O'er humbled man assert the sovereign claim,
And slight the timid blush of virgin fame.
       "Go, go (she cries) ye tribes of melting maids,
    . . . "And vindicate *the Rights of womankind.*" (Polwhele 42-43)

이 시에서 폴웰르는 여성이 가정의 울타리를 넘어 글쓰기로 감행해 보려고 하는 독자적인 자유정신을 가차 없이 비판하고 있다. "가서, 여성의 권리를 옹호하라"는 대목에서 읽을 수 있듯이, 당시 영국 국교회의 목사이었던 폴웰르는 여성의 자유정신을 두려워하면서 조롱하고 있었다. 보수진영의 폴웰르가 여성시인들이 주장하는 견해 즉, "가정 통치에 있어 체제적인 지배가 가정의 단위에 큰 위협이 된다"(Behrendt 88)는 급진주의적 가치관을 전혀 이해할 수 없었던 것이다. 폴웰르를 위시한 남성 작가들의 노여움을 드러내는 이 시가 매우 인기가 높았다는 사실은, 반어적으로 여성시인들의 작품이 대중에게 미치는 친밀감과 영향력을 그러나 아직은 인정되지 않는 공적인 영향력을 행사하고 있었음을 역설적으로 보여준다. 여성시인들이 선배 급진주의적 선각자들의 양심의 목소리를 이어받아 가정의 도덕적 가치가, 공적인 영역에까지 지배되어야 한다는 여성시인들의 목소리에 남성작가들은 분노하였다. 특히, 여성시인들이 영국사회의 도덕적 가치관을 위하여 어린이와 여성의 교육문제를 언급하는 등, 자신의 견해를 공적으로 표현한다는 것은 공적인 정치에 여성이 참여한다는 명분으

로 비춰지게 되었으며, 늘 비방의 표적이 되었다. 당시의 문화권에서, 시라는 전달수단 그 자체가 여성시인들에게는 당연히 비관습적인 것이었다. 전통적인 시는 남성의 전유물이었으며, 공적으로 정치를 논하는 것도 남성의 몫이었다. 따라서 여성이 시인이 되어 시를 발표한다는 것은 그 자체만으로도 가부장제의 계급구조로 이루어진 사회구조에 저항하는 것이며, 하물며 남성 중심의 담론에 끊임없이 도전을 던지고 있는 여성시인의 도덕적 가치관은 남성비평가들의 증오심을 불러일으키기에 충분하였던 것이다.

낭만기 여성시인들은 조롱과 비난에도 불구하고 자신의 억압을 생각하면서 동시에 사회 전반에 걸쳐 제도화된 억압의 문제에 관심을 갖게 되었다. 그들은 선배 여성 선각자들의 도덕적 양심의 소리를 좇아 영국 정부가 도덕적이어야 한다는 입장에 대해서도 책임감을 느끼고 표현하게 되었다. 당시 여성시인들이 자신의 도덕적 신념을 작품 속에 유감없이 발휘하고 또한 독자에게 그 영향력을 행사하고 있음은 대단히 급진적인 활동이었다. 여성시인들은 기존의 다수 의견에 저항하여 여성이 타고나면서 부여받은 권리를 되찾고자 하는 노력을 글쓰기를 통하여 성취해내고 있으며, 더 나아가 여성의 억압을 포함한 영국사회의 문제를 대중에게 파헤쳐 보이고, 그 도덕적 가치를 전파하는 역할을 담당해내었던 것이다. 낭만기 여성 시인의 작품에서 온갖 형태의 사회적 억압에 저항하는 급진주의적 주제를 살펴보고, 그 시적 주제에서 선배 선각자들의 종교적 급진주의 전통을 읽어보는 작업은 낭만시 읽기의 폭을 넓혀줄 것으로 기대된다.

여성시인이 추구하는 평화공동체

낭만기 여성시인들의 시에서 가부장제적 사회 정치적인 구조에 저항하고, 평등주의의 평화적 공동체를 이상적 사회형태로 노래하는 주제를 읽을 수 있다. 급진주의적 전통에 민감하였던 낭만기 여성시인들은 변혁의 메시지를 전하기 시작하였다. 우선 영국사회에 존재하는 여성에 대한 차별, 그리고 가정과 교회에 존재하는 차별의 문제, 더 나아가 영국과 식민지 사이에 존재하는 인종간의 차별의 문제가 변화되어야 함을 요구하기 시작하였다. 여성 시인들은 사회를 개혁하고자 하는 급진주의적 주제를 글쓰기를 통하여 유감없이 드러내었다. 급진주의적 주제는, 교권주의 반대, 신성한 계시 인정, 노예무역 비난, 프랑스 공화정 옹호, 그리고 차별성을 없애자는 개혁적 정신을 들 수 있다. 여성시인들이 문화적 사회적 변화 속에서 여성 지위 회복을 위한 다양한 논의를 하였을 때, 억압적인 가부장제의 전통이 하나님의 뜻이 아니라고 생각하였으며, "기독교가 제도화된 종교로서 굳어지기 이전에 예수정신을 실천하고자 했던 해방공동체" (강남순 134)와 같은 평화로운 공동체적 삶의 방식을 꿈꾸고 실천하고자 하였다. 선배 선각자들이 주장하였던 급진적 전통의 맥락 속에서, 낭만기 여성시인들은 사회 변혁을 추구하고 평화 공동체에 대한 희망을 노래하였으며, 사회적 불의에 저항할 수 있는 근거와 영적 에너지를 공급받을 수 있었다. 낭만기 여성시인의 작품에서 "사회적 정치적 급진주의적 일관된 특성"(Behrendt 84)을 엿볼 수 있다면, 그 하나의 요소는 평화공동체 방식을 위한 도덕적 가치를 대중에게 전파하고자 하는 공적인 역할을 들 수 있다. 여성시인들에게 여성의 선거권을 위시한 최선의 희망은, 남성과의 관계에서 경쟁자가 아닌 동역자의 입장을 지키는 것이었다. 여성과 남성이 "평등하고 자유롭게 관계를 맺고 사는"(Whitmire 54), 근본적으로 동등한 합의로 이루어진 평화 공동체를 이루어 내는 것이었다. "존경, 애정, 아량, 공감으로 이루어진 평등하고 평화공동체"(Behrendt 84)적 삶의 방식을 추구하였던 여성시인들은, 일찍이 억압을 용납하지 않았던 평화신봉주의자 퀘이커교도의 신념과 연결되고 있다. 이제 여성시인들은 성차별주의적 억압을 포함한 모든 종류의 지배와 종속 구조를 근절시키고자 하는 급진적 운동을 전개하면서, 공적 정책과 사회적 변혁을 위한 주제를 제시하고, 심지어 "국가에 대해 이야기해야 하는 여성의 권리와 의무 둘 다"(Mellor, *Mothers*, 9)를 충실하게 표현하게 되었다.

낭만기 여성시인들은 사회개혁에 열성적이었으며, 작가 자신과 여성독자들을 정치행위와 일터에서 시장에서 자선단체의 행정가로서, 교육자, 작가, 소비자로서, 적극 참여하기도 하여, 스스로 공적 여론의 형성자로서 정의하고자 하였다. 여성시인들은 퀘이커교도와 같은 선배 선각자들의 신념에 따라, 인간을 개체적 존엄성을 지닌 존재로 파악하고자 하여 평화주의를 지향하였다. 오피, 애이킨, 바볼드와 같은 낭만기 여성 시인들은 공통적으로 성차별주의적 억압을 포함한 사회적 지배와 종속 구조를 근절시키고자 하였다. 비록 시인은 아니지만, 볼스턴크래프트(Mary Wollstonecraft)는 모든 사람의 타고난 권리를 존중한다는 믿음으로 프랑스 혁명을 지지하였으며, 1791년 대륙회의에서 공교육이 남성만을 위해 지원된다는 정책에 경악하게 되었다. 이에 대한 반응으로, 볼스턴크래프트는 이듬해 1792년 『여권 옹호론(*A Vindication of the Rights of Women*)』을 출간하였다. 볼스턴크래프트는 성별의 불평등이 민주주의의 발전을 저해한다는 생각에서 여성교육의 새로운 방향을 제시하였다. 먼저 루소(Jean Jacques Rousseau)의 여성교육에 대한 입장, "여성의 교육은 항상 남성과 연관되어있다. 여성이 젊을 때는, (남성)들을 즐겁게 하고 . . . 여성의 의무."(Wollstonecarft 177-78)"라는 태도에 대해 의문을 제기하였다. 볼스턴크래프트는 가부장제를 위한 종속적인 방식이라는 점에서 루소의 입장을 비판하고 있다.

프랑스 혁명과 페인(Thomas Paine)의 『인권(*Rights of Man*, 1790)』에 힘입어 영국의 일반 시민은 군주제를 전복시키고 귀족의 권리에 저항하여 자유와 동등함을 주장하였다. 이후 19세기 초반 영국사회는 자유와 평등의식이 민중에게 파고들기 시작했던 유사 이래 인간이 개인의 자유에 대한 새로운 지평을 열었던 시대이다. 그러나 볼스턴크래프트의 지적처럼, 여성의 존재는 사회 구조상 여전히 남성의 가치규범으로 그 존재 가치가 제한되어 있었다. 애이킨은 『여성에 대한 편지』에서 당대의 여성의 입지를 현실 그대로 그려내면서 반박하고 있다.

> 남성들의 규범에 따라, 여성은 순종한다네 . . .
> 조롱당하고 애무 받는, 장난감이자 노예일 뿐,
> 게다가 아부하는 마음으로 권력 앞에 입맞추고,
> 남자를 신의 대리인으로 존경하도록 배웠다.

> Set up by man for woman to obey. . .
> Scorned and caressed, a plaything and a slave,
> Yet taught with spaniel soul to kiss the rod,
> And worship man as delegate of God. (Aikin 818).

애이킨은 역사적으로 여성을 억압해 온 작가들의 작품과 당대의 지배적 가치관을 공공연하게 비난하였다. 특히 포프의『도덕론(*Moral Essays*)』에 나오는 "대부분의 여성들은 전혀 인격을 갖고 있지 않아/ 사실 그들은 너무 부드러워서 영속적인 특성을 품을 수가 없어"(Pope 167)[2]라는 여성관을 반박하였다. 또한 포프는『도덕론』에서, 여성은 "다양한 색의 튜립 꽃처럼"(Pope 169) 변화가 많으며 일관성이 없는 존재라고 주장한다. 또한 "모든 여성은 방탕한 사람"(Pope 173)이며 남성의 존재를 즐겁게 하기 위한 존재라고 말한다. "나의 말을 믿으시오/ 더욱이 사악할 뿐 아니라 선한 여성은 기껏 모순적인 존재이다(yet, believe me, good as well as ill,/ Woman's at best a Contradiction still, Pope 175)". 애이킨은『여성에 대한 편지』에서 포프의 남성중심적인 여성관을 공공연하게 비난하고 여성의 인격과 본질에 대하여 새로운 의견을 제안하였다. 서문에서 여성이 가질 수 없는 "어떠한 재능도 덕목도 장점도 기질도 혹은 정신적인 능력도 있을 수 없다"(Aikin 817)라고 밝힘으로써, 애이킨은 여성의 도덕적, 정신적인 능력에 대한 확고한 믿음을 나타내었다. 애이킨이 강조하는 여성의 동등권은 "남성의 친구가 되도록 여성이 교육으로 준비하지 않으면, 여성의 지식과 도덕적 발전은 중단된다"(Wollstonecraft 86)는 볼스턴크래프트의 여성의 권리를 반향하고 있다. 볼스턴크래프트는 여성의 낮은 지위와 지적인 열세가 교육제도와 같은 사회구조적 모순에서 기인한다고 믿었기에, 여성교육의 새로운 방향을 모색하기 위한 사회변혁이 필요하다고 생각하여, 여성도 이성의 소유자이며 남성과 동등한 권리를 가져야 한다고 주장하였다. 인권의 정당성의 범위 안에 여성도 포함되어야 한다는 볼스턴크래프트의 주장은 배척을 받았지만, 비난의 목소리가 거세어질수록 남성에 대한 여성의 물질적 성적 예속화의 부당성을 외치는 그녀의 목소리는 더 많은 관심을 불러 모았고, 여성의 인권운동을 노래하는 저항정신은 곧 그 뒤를 이어 나오는 여성시인의 전통으로 자리잡게 된다.

여성이 남성의 "장난감이나 노예가 아니라 친구"(Aikin 817) 의 동반자적인 관계가 될 때, 남성과 여성 둘 다에게 혜택이 미치게 됨을 뜻한다. 애이킨은 남

---

2) 포프(Alexander Pope)의 작품 인용은 윌리암즈(Aubrey Williams)가 편집한『포프의 시와 산문』[*Poetry and Prose of Alexander Pope* (Boston: Houghton Mifflin, 1969)]을 사용하며, 괄호 속에 Pope와 전집 쪽수로 표기한다 (보기: Pope 167).

성과 여성의 차이를 들어 남성의 육체적 우월성에 대하여 경고하면서 양성 사이의 평화공동체적 삶의 방식을 추구하고 있다. 남성은 육체적 힘을 소유하고 있기 때문에, 여성이 할 수 없는 전쟁과 육체적 노동과 같은 임무를 수행할 수 있다고 인정한다. 그러나 연이어 역사적으로 남성들이 육체적인 힘을 이용하여 여성을 억압하고 모욕해왔음을 독자에게 상기시키면서, 여성에 대한 남성의 일방적인 억압과 지배 방식을 비판하고 있다. 애이킨은 성경의 밀턴적 신화를 빌려오지만, 인간의 타락은 이브를 유혹한 뱀이 아니라, "힘을 자랑하는 아담"(Aikin 819)에 의해 일어나고 있다고 수정하고 있다. 남성의 우월한 육체적인 힘은 보다 연약한 여성과 어린아이를 억압하는 욕망이 되어, 여성에게 "상처를 주고 살해하고 황폐케 하고 파멸시키고 있다"(Aikin 819). 애이킨은 이미 서문에서, "남성은 삶의 동반자인 여성을 무시할 수 없고, 오히려 여성의 장점을 밝혀보는 것이 필요하다"(Aikin 817)고 주장하면서, 이것이 자신의 "노래의 도덕성"(Aikin 817) 이라고 말한다. 애이킨은 남성이 여성을 경멸해 왔음을 지적하고 "편견 없는 관점이 시도되어야 한다"(Aikin 818)는 입장에서, 성서에 의거해 여성의 역량을 긍정적으로 평가하고 남성과 여성의 관계를 역사적으로 재평가하고자 시도하였다. 1810년 무렵의 영국사회에서 여성이 공적으로 입장을 표명하는 것은 극히 드문 일이었으며, 애이킨은『여성에 대한 편지』에서 이브의 기원과 그 특성을 밝히고 있다.

여성시인들이 추구한 사회는 차별이 없는 평화공동체이었다. 치유와 나눔의 행위는 영적인 차원만이 아니라 주인/종, 남자/여자, 가진 자/없는 자의 차별을 넘어선 평화 공동체이었다. 그러나 예수공동체로서의 기독교가 로마의 국교로 되고, 제도화된 종교로 조직화되어 종교적 또는 사회적 권력을 가짐에 따라 교회는 점차적으로 위계적 권위주의와 성차별주의적 양상을 띠게 되었다. 기독교를 변증하던 교부들은 여성을 열등하고 사악한 존재로 규정하기 시작하였으며 교회 안에 위계적이고 성과 계층을 차별하는 차별의 문화가 지배하게 되었다. 이러한 문화는 사실상 종교개혁 이후에도 여전히 교회에 뿌리 박고 있었으며 여성시인들은 급진적 태도로 교회의 모순, 사회적 위선과 더 나아가 인종적 차별을 고발하였다. 당시 노예무역을 중단하기를 요청한 위버포스(William

Wiberforce)가 의회에 제출한 노예폐지 청원서가 무산되었을 때, 바볼드는 노예
폐지운동가로서 「윌리암 위버포스에게 보내는 서한("Epistle to William
Wiberforce")」에서 쓰라린 실망감을 토로한 바 있다.

> 영국의 의회에서는, 고통의 비통함이
> 보기 흉하게도 웃음거리가 되고 기분 나쁘게도 즐거움이 되고 있으니 —
> 다 그만두시오! — 그대의 덕목은 우리의 파멸을 선동하고 있을 뿐이오,
>
> In Britain's senate, Misery's pangs give birth
> To jests unseemly, and to horrid mirth —
> Forbear! — thy virtues but provoke our doom, (Barbauld 116)[3]

바볼드는 「1811년」에서 풍자시로서 개인의 양심의 문제를 다루면서, 자유
의 물결은 억압하는 힘 아래에서도 여전히 흐르며, 결코 패배하지는 않는다고
노래한다. "아름다운 꽃이 피어나지만 떨어지고/ 벌레가 한 가운데를 파먹듯이,
영광은 사라지게 마련"(Barbauld 160)이라고 대영제국의 몰락을 예언하면서 억
압당하는 약자의 비통한 고통을 상기시키고 있다. 어떤 개인도 당파도 역사의
힘을 궁극적으로 변화시키지는 못하는 것이기에, 결국 자유처럼 올바른 것이
결국 이기게 된다고 외친다.

> 그대, 아직도 편안하게 자리하고 있는 영국이여, 생각해 보시오
> 섬나라 영국이 복종하는 속국의 바다 한가운데 앉아서,
> 멀리서 힘찬 소리를 내며 격랑 이는 물결이
> 그대의 무기력 상태를 달래어주고 해안에 입맞추고 있는가?
> . . . 그러나 대영제국이여, 이 점은 알아야 하리라
> 죄를 나누어 가진 그대가, 괴로움도 나누어 가져야 함을.
>
> And think'st thou, Britain, still to sit at ease,
> An island Queen amidst thy subject seas,

---

3) 바볼드의 시 인용은 맥카시(William McCarthy)의 『바볼드 시집』[*The Poems of Anna Letitia
   Barbauld* (Athens: U of Georgia P, 1994)]을 사용하며, 괄호 속에 Barbauld 와 전집 쪽수로 표
   기한다. (보기: Barbauld 116)

While the vex't billows, in their distant roar,
But soothe thy slumbers, and but kiss thy shore?
. . . but, Britain, know
Thou who hast shared the guilt must share the woe. (Barbauld 154)

바볼드의 시는 양심의 소리에 귀를 기울이면서, 실천적인 덕목으로서의 자유의 힘과 인간의 용기를 생생하게 그려낸다. 「성가("Hymn")」에서 "우리가 지구의 소금이기 때문에" 덕목은 고난, 죽음, 폭력과 범죄가 있는 곳에서 오히려 빛을 발한다고 노래한다.

그대는 지구의 소금
　　　인류를 숙성시켜주는 덕목 있는 소수의 사람들
세상의 빛은, 위로하는 그 세상의 빛은
　　　마음 속 구석구석을 비추어 준다;

Salt of the earth, ye virtuous few,
　　　Who season human kind;
Light of the world, whose cheering ray
　　　Illumes the realms of mind; (Barbauld 127)

오피는 비국교도로서의 양심의 문제를 텍스트 속에 생생하게 부각시키고 있다. 개체성이 중시되는 낭만기에 "자유정신의 비국교도적 전통에서 가장 가치 있는 것이 양심의 자유"(Ross 93)이었으며, 여성시인들은 글쓰기를 통하여 남성과 동등하게 그 양심의 자유를 쟁취하고 있다. 오피의 「흑인 소년의 이야기」와 「흑인 남자의 한탄」에서도 노예담론을 통하여 양심의 문제를 읽을 수 있다. 흑인 노예와 백인 주인의 첨예한 관계 속에서 영국의 제국주의적 실상을 폭로하여 공동체 삶을 지향하는 사회의식을 보여주고 있다. 노예제도 폐지론은 당시의 계몽주의와 복음주의 운동과 맥을 같이 하면서, 중산계급 출신의 비국교도들의 양심의 문제와 결부되었으며 대중들의 주요 관심사로 떠오르게 되었다. "백인 (영국인)이 좋아하는 달콤하고 풍부한 과즙" (Opie 82)을 만들어내기 위해 흑인노예는 아름다운 카리브 해안의 사탕수수 농장에서 마치 짐승처럼 온 육체에 "회초리를 맞으면서 착취당하고 죽어가고 있다"(Opie 82). 백인이 설탕을 먹고 럼주를 마시는 장면은, 마치 그들이 아프리카 노예들의 살과 피를 먹는 것에 비유된다(강옥선 389). 백인이 흑인을 계몽한다는 명분은 단지 백인의 이익을 위한 제국주의적 허구일 뿐이라는 흑인남자의 목소리는 공동체적 삶을 향한 오피의 고뇌로 이어지고 있다.

> 영국으로 가는 배
> > 그 안에 가득 실은 귀한 보물들
> 영국인은 알아야 한다
> > 흑인이 그들의 쾌락을 위해 고통 받고 있음을!

> The ships to English country go,
> > And bear the hardly-gotten treasure.
> Oh! that good Englishmen could know
> > How Negroes suffer for their pleasure! (Opie 83)

오피는 흑인 노예가 무임금 노동으로 값싼 물건을 생산해 내어 많은 이익을 백인 소유주에게 올려주고 있음을 백인의 범죄라고 지적하고 "그러한 부정한 행위를 끝내는 것이 영국의 영광이 된다"(Opie 82)는 것을 백인들은 알아야 한다고 외치고 있다. 이처럼 오피는 「흑인 소년의 이야기」와 「흑인 남자의 한탄」에서 노예제도에 반대하는 백인 폐지론자로서의 양심의 문제를 약자의 편에 서서 말하고 있으며, 남성이 지배하는 폭력적인 문화에 공공연히 도전하여 평화공동체의 삶의 방식을 각성시키고 있다.

멜러가 "여성운동의 기원은 여성 선각자들의 글로부터 시작되었다"(Mellor, "The Female Poet," 262)고 지적하였듯이, 19세기 초반의 여성전도자들은 "종도 자유인도 없고, 남성도 여성도 없다"(갈라디아서 3:28)는 성경의 권위를 빌려와서 공적인 발언으로 여성의 권리를 주장하였다. 이러한 발언은 당대의 문화권에서는 급진적인 주장이었지만, 후세의 페미니스트의 길을 열어주는 역할이 되었다. 여성의 자부심과 자기주장에 대한 호소는 이 시대 많은 초기 페미니스트의 글에서 드러나며, 하녀출신 사우스콧(Joanna Southcott)과 같은 많은 여성 선각자들과도 연결된다. 그 이후 공동체 생활을 주장하였던 한 제조업자의 1834년 편지에서, "신은 아담의 갈비뼈에서 여성을 창조했는데, 이는 여성이 열등하다는 것을 보여주는 것이 아니라, 여성이 그의 존재에 본질적이며 그의 동등한 동반자임을 보여준다"(Taylor 129)는 글에서도 여성의 동등성을 읽을 수 있다. 또한 핀치(John Finch)는 「개혁되어진 개혁의 성경("Bible of the Reformation Reformed")」에서 "예수의 말씀에서부터 예수는 더 이상 어떠한 교리도 명령하지 않는다. 어떤 안식일도 금지하지 않는다. 높고 낮은 계층의 인위적인 구분도 하지 않으신다. 인류의 하나의 성에 대한 다른 하나의 성의 우위성을 부여하지 않았음을 읽을 수 있다"(재인용, Taylor 129)고 주장하였다. 애이킨은 여성에 대한 남성의 일방적인 억압과 지배 방식을 비판하고, 남성과 여성의 관계를 역사적으로 고찰하면서 여성의 목소리를 독자적인 존재로 인정하였다. 애이킨의 동등성을 위한 시도와 바볼드와 오피의 양심의 목소리는 일종의 "도덕적 개혁이며. . . 성별의 동등성을 그리고 여성의 가치와 합리적인 능력을 강조하는 여성적 낭만주의"(Mellor, "Criticism," 32)로 읽을 수 있다.

맺는말

낭만기 여성시인들은, 공식적으로 문예적 정치적 영역으로부터 단절되어 있었지만, 혁명과 개혁의 시기에 여성의 권리와 자유를 쟁취하고자 하는 희망으로 글쓰기에 열중하였다. 여성시인들은 일단의 당파적인 이익을 발전시키기보다 모든 사람의 복지에 혜택을 줄 수 있는 사회 개혁을 꿈꾸면서 영국의 평화 공동체라는 개념을 추구하였다. 17세기 중반 시민혁명의 시기에 제시된 팍스와 펠의 종교적 급진주의적 신념은 낭만기에 넘어와 여성시인들의 가치관에서 다시 계승되고 있다. 애이킨은 모든 인간은 하나님에 의해 평등하게 창조되었으며, 자유와 평등을 누릴 권리가 있다는 입장에서, 성차별주의에 의하여 야기된 다양한 불평등 구조를 변혁시키고자 하였다. 바볼드는 비국교도로서 종교적 급진주의적 입장에서 영국의 노예제도와 제국주의에 담겨있는 남성중심의 폭력적인 가치관에 의문을 제기하였다. 퀘이커교도이었던 오피는 남성들의 전유물인 노예담론에 대한 의견을 제시하여, 백인여성으로서의 양심의 문제를 서술하고 있다. 위의 여성시인들의 공통점은 종교적 급진주의의 전통을 이어받아, 기존의 지배적인 체제를 개혁하고자 하였으며, 일방적인 종속과 억압이 없는 평화공동체로서의 새로운 영국사회를 건설하고자 하였다. 따라서 낭만기 여성시인들의 여성권리와 사회개혁에 대한 열정은 여성적 낭만주의를 이루어내는 하나의 성공적인 글쓰기로 자리 매김하고 있으며, 이러한 여성시인의 글쓰기 작업은 원천적으로 종교적 급진주의의 신념에서 비롯되고 있음을 알 수 있다.

❧ 인용문헌

강남순. 『페미니즘과 기독교』. 서울: 대한기독교서회, 1998.

강옥선. 「낭만주의 여성시인의 사회의식」. 『새한영어영문학회』 44권(2002년 가을호): 375-399.

Bacon, Margaret Hope. *Mothers of Feminism*. San Francisco: Harper & Row, 1986.

Barbauld, Anna Letitia. *The Poems of Anna Letitia Barbauld*. Ed. William McCarthy. Athens: U of Georgia P, 1994.

Behrendt, Stephen. "British Women Poets and the Reverberations of Radicalism in the 1790s." *Romanticism, Radicalism, and And The Press*. Ed. Stephen Behrendt. Detroit: Wayne State UP, 1997. 83- 102.

Belchem, John. *Popular Radicalism in Nineteenth-Century Britain*. New York: St. Martin's Press, 1996.

Binfield, Kevin. "Justification Strategies in the Writings of Joanna Southcott: Teaching Radical Women Poets in Conservative Institutions." *Approaches to Teaching British Women Poets of the Romantic Period*. Ed. Stephen C. Behrendt. New York: MLAA, 1997. 165- 169.

Blake, William. *The Complete Poems*. Ed. W. H. Stevenson. London: Longman, 1989.

Epstein, James A. *Radical Expression*. New York: Oxford UP, 1994.

Hopkins, James K. *A Woman to Deliver Her People*. Austin: U of Texas P, 1982.

Jesse, Jennifer G. *The Binding of Urizen: The Role of Reason in William Blake's Religious Thought*. Ann Arbor: UMI, 1997.

McCarthy, William. "We Hoped the Woman Was Going to Appear." *Romantic Women Writers*. Ed. Paula R. Feldman. Hanover: UP of New England, 1995. 113-137.

Mellor, Anne. "A Criticism of Their Own: Romantic Women Literary Critics." In *Questioning Romanticism*. Ed. John Beer. Baltimore: John Hopkins UP, 1995. 29-48.

_____. Ed. *British Literature: 1780-1830*. New York: Harcourt Brace College Publishing, 1996.

_____. *Mothers of the Nation*. Bloomington: Indiana UP, 2002.

_____. *Romanticism & Gender*. New York: Routledge, 1993.

_____. "The Female Poet and the Poetess." SiR 36 (Summer 1997): 261-276.

Pope, Alexander. *Poetry and Prose of Alexander Pope*. Ed. Aubrey Williams. Boston: Houghton Mifflin, 1969.

Ross, Marlon B. "Configurations of Feminine Reform: The Woman Writer and the Tradition of Dissent." *Re-Visioning Romanticism*. Ed. Carol Shiner Wilson. Philadelphia: U of Pennsylvania P, 1994. 91-110.

Taylor, Barbara. "The Woman-Power: Religious Heresy and Feminism in early English socialism." *Tearing the Veil*. Ed. London: Routledge, 1978. 119-144.

Thompson, E. P. *The Making of the English Working Class*. New York: Vintage, 1966.

Tucker, Ruth A. *Daughters of the Church*. Grands Rapids: Zondervan P House, 1987.

Underwood, T. L. *Primitivism, Radicalism, and the Lamb's War: The Baptist-Quaker Conflict in Seventeenth-Century England*. Oxford: Oxford UP, 1997.

Whitmire, Catherine. *Plain Living: A Quaker Path to Simplicity*. Notre Dame: Sorin Books, 2001.

Wollstonecraft, Mary. *A Vindication of the Rights of Woman*. Ed. Miriam Brody. New York: Penguin Books, 1992.

제3부

국문학 및 아시아권 문학과 종교

9

염상섭「삼대」연구

| 임영천 |

I. 머리말

　횡보 염상섭(1897～1963)의 대표적 장편소설『삼대』(1931)에 대하여 고찰해 보기로 한다. 필자는 이 작품을 일종의 기독교소설로 보고 있는바, 마치 러시아의 도스토예프스키(1821～81)의 소설들이 기독교소설로 논의됨과 동시에, 종교적 이념을 다루고 있는 그의 소설들이 또한 다성적 소설 이론에 의해서도 연구되고 있는 것과 마찬가지로, 우리 나라 작가 횡보의 종교소설『삼대』또한 러시아 문학자 바흐친(1895～1975)의 다성 소설 이론으로써 접근해 볼 수 있다고 생각하는 것이다. 한국의 현대소설들이 바흐친 식의 다성 소설 이론에 의해 분석된 것은 별로 눈에 띄지 않으며, 그 중에서도 특히『삼대』는 그 이론으로써 접근된 바가 별로 많지 않으므로 본 연구는 이 방면의 비교적 초기 시도가 되지 않을까 기대된다.

---

* 『문학과 종교』제 2호(1997)에 실렸던 논문임.

II. 다성 소설 이론

M. 바흐친의 이론은 다성악 이론으로 대표된다. 1988년 우리 나라에서도 번역된 『도스토예프스키 시학』에서 바흐친은 '대화의 이론' 또는 '다성악 이론' 이란 것을 선보이고 있다. 바흐친의 대화 이론은 러시아 정교회의 기독교적 배경을 지니고 있다. 그 자신이 정교회 신도였던 바흐친은 기독교와 성서에 대한 깊은 통찰력을 가지고 그 종교적 원리를 소설 연구에 원용하고 있다. 이는 그 자신의 문학적 선배요, 또 그가 소설 연구의 모델로 삼고 있는 도스토예프스키의 기독교적 작품 세계의 영향력과 무관하지 않다. 그는 신의 창조 능력을 중시하고 그리스도의 창조 행위 속에서 소설의 인물창조 원리를 설명하되 특히 자유의지론에 입각해 설명하는 창의성을 보여주고 있다. 캐릴 에머슨과 게리 모슨이 공동 집필한 글 속에는 바흐친의 다성적 관점에 대한 아래와 같은 논의가 있음을 볼 수 있다.

> 소설가는 오직 다성적 관점을 취함으로써, 오직 작가적 <잉여>를 포기함으로써 <그 자신과 동일하지 않은 자아>, 즉 경이로움을 줄 수 있는 자아를 재현할 수 있다. 여기서 바흐친은 묵시적으로 시적 논증과 함께 신학적 논증을 제시하고 있다. 이 경우 작가 대신에 <신>을, 그리고 작중인물 대신에 <인간>을 치환시켜 보라. 그러면 우리는 인간에게 자유의지를 부여해 줌으로써 신은 최초의 다성적 창조자가 되었음을 알 수 있을 것이다. 그는 명령하지 않고 그의 피조물과 대화를 나누고 있다.[1]

바흐친의 관점에 따르면 결국 작가는 신과 같은 창조적 역할을 담당하는데, 신이 그 자신과 똑같은, 또는 노예 모습의 인간이 아닌 자유의지의 인물을 창조함으로써 다성적인 창조 행위의 효시를 보여준 것과 같이, 작가도 그 자신의 '잉여' 즉 전적인 능력을 포기함으로써 그 자신과 동일하지 않고 경이로움을 줄 수 있는 작중인물을 창조해 낼 수 있다는 것이다. 신이 인간의 운명예정, 또는 신적 전지능력을 스스로 포기하게 되면서 인간에게 직접 말을 주고받을 수 있게, 즉 대화할 수 있게 되었음을 바흐친은 시사하고 있는 것이다. 이런 바흐친

---

1) C. 에머슨·G. 모슨, "바흐친의 문학이론". 김욱동 편, 『바흐친과 대화주의』(나남, 1990), p.76.

의 주장을 받아들이면, 인간들에 대한 그리스도의 관계는 곧 작중인물들에 대한 작가의 관계와도 같다는 것이다. 미하일 바흐친의 전기 작가인 클라크/홀퀴스트가 바흐친의 『도스토예프스키 시학』을 해설하는 가운데 한 다음의 말을 더불어 참조할 수 있다.

> 작가들과 작중인물들과의 관계는 신과 인간들과의 관계와 비슷하다. 결국 이 관계는 창조되는 자와 창조자의 관계이거니와, 여기에 그 관계가 왕왕 종교에서 빌려 온 용어로 표현되는 이유가 있다. (. . .) 텍스트 안에서 도스토예프스키의 활동은 인간에 대한 관계에서 신이 하는 활동이다. 그러나 이것은 저자의 대개의 구상들 뒤에서 힘을 발휘하는 구약의 여호와와 다른 신이다. 오히려 도스토예프스키는 『카라마조프의 형제들』에 나오는 그리스도처럼 그의 작중인물들에 대한 그리스도, 즉 다른 사람들이 말하게 놔두고, 그럼으로써 그들의 자유를 행사할 수 있게 하는 사랑의 신이다.[2]

이는 창조주(神＝그리스도)가 인간을 창조하고 그들에게 자유의지를 부여하였듯이, 창조자로서의 작가 역시 인물들을 창조하고 그들에게 자유(의지)를 부여해야 한다는 뜻이 되겠다. 여기서부터 바흐친의 다성악 소설의 이론이 제기될 수 있는 터가 생기는 셈이다.

바흐친은 도스토예프스키를 다성적 소설의 창시자로 보고 있다. 그에 의하면 인습적(전통적) 유형의 소설에서 독자는 다름 아닌 작가의 목소리를 들을 수 있는데, 도스토예프스키의 작품 속에서는 대신 주인공(등장인물)의 목소리를 들을 수 있다는 것이다. 인습적 소설에서는 작가 자신의 세계관이 권위를 가지고 있지만, 도스토예프스키의 소설에서는 주인공이 자기 나름의 세계관을 가지고 있는 것이다. 도스토예프스키의 독특성은 개성의 가치를 독백적으로 선언하는 데 있지 않다. 그의 독특성은 개성의 가치를 자신의 목소리와 융합시키는 것이 아니라 그것을 상대방, 타인의 개성으로 객관적·예술적으로 볼 줄 알고 제시할 줄 아는 데 있다. 여기서 다성성(多聲性) 또는 다성 소설의 문제가 대두되는 것이다.

---

2) K. Clark & M. Holquist, *Mikhail Bakhtin*. 이득재 外 역, 『바흐친』(문학세계사, 1993), pp.222 f.

그러면 다성성 또는 다성적 소설이란 무엇인가? 바흐친에 의하면 다성적 소설이란, 독립적이며 융합하지 않는 다수의 목소리들과, 동등한 권리와 각자 자신의 세계를 가진 다수의 의식들이 제각기 비융합성을 간직한 채 어떤 사건의 통일체 속으로 결합하고 있는 과정을 보여주는 소설3)이라고 한다. 데이빗 포가치는 이러한 다성적 소설을 그 나름으로 정의하여, "다양한 여러 목소리들이 존재해 있지만 그 중의 어느 한 목소리도 작가 자신의 권위적인 통제를 받지 않는 특징을 지닌 소설"4)이라고 하였다. 한편 그는 도스토예프스키 소설의 작중인물과 톨스토이 소설의 작중인물을 비교 설명하는 가운데, 전자는 그들의 작가로부터 자유를 획득하지만, 후자는 작가에 의해 많은 통제를 받는다고 하고서, 그 때문에 전자는 다성적인 특징을 지니지만, 후자는 작가의 권위적인 목소리에 의해 지배되는 단성적 특징을 지닌다5)고 하였다.

그레이엄 페치는 '소설 담론'을 중심으로 바흐친 이론을 관련 해석하는 가운데 '이중적(다성적) 목소리의 대화적 담론' 유형과 '단일한(단성적) 목소리의 독백적 담론' 유형6)으로 구분해 설명함으로써, 그리고 재니트 월프는 다성적 소설을 설명하는 중 '독백적인 단성적 소설'과 '대화적인 다성적 소설'이란 대비적 관점에서 논의함으로써 다성적 소설에 대한 우리의 이해를 도와주었다. 이 중에서 J. 월프의 말을 들어보기로 하자.

> 바흐친은 다성적 소설을 '독백적인' '단성적' 소설과 대비시켰는데, 단성적 소설은 문학의 역사를 지배해 오면서, 저자의 의식과 지식에 의해 지배되는 통일된 객관적 세계를 통해 모든 작중인물과 사건을 제시하는 소설이다. 반면에 대화적인 다성적 소설은 저자의 것이든 어떤 특정한 작중인물의 것이든, 단일한 시점을 갖고 있지 않다.7)

---

3) M. M. Bakhtin, *Problems of Dostoevskii's Poetics*. 김근식 역, 『도스또예프스끼 시학』(정음사, 1988), p.11.

4) D. 포가치, "바흐친의 마르크스주의 문학이론". 김욱동 편, op. cit., p.115.

5) Ibid., p.116 참조. 그런데 이는 톨스토이 『부활』의 희망적 통찰이 보여준 '단순성'과 도스토예프스키 『악령』의 비극적 통찰이 보여준 '복잡성' 사이의 결코 화해할 수 없는 대립만큼이나 그 차이점을 드러낸 결과가 아닌가 생각된다. G. Steiner, *Tolstoy or Dostoevsky*. 김석희 역, 『톨스토이냐 도스토예프스키냐』(심지, 1983), pp.292 f 비교 참조.

6) G. 페치, "바흐친의 소설 담론과 브레히트의 서사극". 여홍상 편, 『바흐친과 문학 이론』(문학과 지성사, 1997), p.340 참조.

한편 바흐친의 전기 작가로 이름난 클라크·홀퀴스트는, 바흐친이 도스토예프스키의 다성 소설을 논의한 저서인『도스토예프스키 시학』의 특성을 설명하는 가운데서 다성적 소설에 대하여 다음과 같이 간접적으로 규정하고 있다.

> 이 저서가 근본적으로 다루고 있는 것은 도스토예프스키가 자기의 작중인물들로 하여금 작가인 자기 자신으로부터 최소한의 간섭을 받고 그들 나름의 목소리로 말하고, 또 그럼으로써 새로운 장르를 창조하는 효과를 낳게 하는 구조의 문제, 형식적인 절차들이다. 바흐친은 이러한 장르를 도스토예프스키가 공정하게 다루는, 많은 목소리들, 많은 관점들을 갖는다는 의미에서 "다성적인 소설"이라고 부른다.[8]

다성적인 문학에서 작가는 전통적인 경우에서처럼 작중인물에 대하여 절대 권력을 행사하지는 않는다. 이 때문에 다성적 문학의 세계는 작가 자신이 군림하는 닫힌 체제가 아니라, 그가 등장인물과 자유로운 횡적 관계를 맺는 열린 체제라고 볼 수 있다. 작가는 비록 그 자신의 창조물이기는 하지만 그의 작중인물과 진정한 의미의 대화관계를 맺게 되는 것이며, 이럴 때에 곧 다성적 문학이 이루어질 수 있는 것이다. 그 결과 작중의 등장인물은 단순히 작가에 의해 조종되는 수동적인 객체(꼭두각시)가 아니라, 어디까지나 작가와 어깨를 나란히 할 수 있는 독자적이고도 독립적인 실체(인격체)요 능동적 주체라고 할 수 있다.

바흐친의 정의에 의하면, 다성적 소설은 '다양한 여러 목소리들'을 필수적 요건으로 요구하고 있다. 그럴 때 그 목소리들은 '여러 의식들'을 담고 있는 목소리들이어야 한다. 여기에서 자연히 도출되는 결과라고 하겠지만, 우리가 다성적 소설에서 전제하지 않으면 안 되는 것은 어떤 '의식을 지닌 목소리'의 주인공이 여럿(多數)이어야 한다는 사실이다. 수적으로 다수란 복수이고, 이 복수는 둘 이상이지만, 다성적 소설을 운위하는 마당에서의 다수는 셋 이상의 숫자, 많으면 네다섯 명까지의 주요인물들이 요구된다는 사실이 이해되어야 할 것이다.[9]

---

7) J. 월프, "저자의 죽음". 박인기 편역, 『작가란 무엇인가』(지식산업사, 1997), pp.238 f.
8) K. 클라크·M. 홀퀴스트, *op. cit.*, p.210.
9) 예를 들어, 외국소설의 경우 『카라마조프가의 형제들』의 드미트리·이반·알료샤 등을, 그리

적어도 다성 소설인 한, 셋 이상의 주요 등장인물들이 작품의 무대에 오르게 되는 것은 거의 필수적 요건이라 하지 않을 수 없다. 그래야만 최소한의 다성(多聲)-여러 목소리(意識)들- 의 요건이 충족될 수 있기 때문이다. 다성 소설은 어느 중추적 핵심 인물을 단독 주인공으로 내세우는 것이 아니라, 적어도 셋 이상의 복수 주인공들을 설정하는 것을 일반적 경향으로 하고 있다. 그러므로 다성 소설은 복수 주인공들의 활동 세계라고 할 수 있다. 다성악적 세계는 소설 문학에서의 열린 대화적 세계이며, 그러한 세계를 보장해 주기 위한 하나의 문학적 장치로 소위 복수 주인공들을 설정하는 것이 외표상으로 나타나는 한 객관적 표지라고 하겠다.

그러나 단순하게 이렇게 표현하는 이면에는 매우 복잡한 문제들이 가로 놓여 있음이 사실이다. 먼저는 다성악 소설의 전통이 기독교 정신을 드러내고 있는 이른바 기독교 소설의 전통 속에서 살아 있다는 점이다. 그것은 사실상의 다성악 소설의 비조인 도스토예프스키 자신이 쌓아 놓은 결코 흔들릴 수 없는, 원칙 아닌 원칙이라고 표현할 수 있겠다. 이 말은 기독교의 사상소설 또는 관념소설 분야에서 일단 이 다성문학의 문제가 논의된다고 함을 말해 주는 것이다.

겉으로 드러난 현상만을 가지고 단순화시켜 말한다면, 스케일이 매우 큰 복잡한 소설이 아니고서는 이른바 다성악의 세계에 대한 논의가 사실상 충분치 못하다고까지 말할 수 있을 것 같다. 이때 복잡하다고 하는 것은 단순히 사건의 얽힘이 그러하다는 것만을 말하는 것은 아니다. 물론 소설의 구조적 복잡성도 이 소설 논의에 한 몫을 할 수밖에 없음은 사실이라고 하더라도, 그것은 어디까지나 다성적 소설이 구축된 이후의 결과에서 드러난 현상이지, 줄거리가 복잡하게 얽혀나간다는 것이 다성 소설의 본질적인 문젯거리는 아니라고 생각된다. 마찬가지로 다양성이 곧 다성이란 식의 등식 관계가 성립되는 것도 아니다.[10]

사상적인 투쟁과 이념의 격투장, 또는 이데올로기들의 득실거림이 엿보이

고 한국소설의 경우『움직이는 성』의 함준태·윤성호·송민구 등을,『에리직톤의 초상』의 김병욱·신태혁·정혜령 등을 이른바 복수 주인공들로 볼 수 있을 것이다. (미리 말하기로 하면,『삼대』에서는 조덕기·김병화·홍경애 등이 그 복수 주인공들에 해당한다고 할 수 있다.)
10) "다성(polyphony)은 단순히 다양성을 의미하는 것이 아니라 요소들끼리 서로 경쟁하고 갈등의 관계에 있음을 지시하는 용어다." 로버트 스탬, "바흐친과 대중문화비평". 여홍상 편,『바흐친과 문화이론』(문학과지성사, 1995), p.323.

는 작품 속에서 다성악 소설이 나오게 되었다는 사실은 도스토예프스키가 세워 놓은 부동의 전통임에 틀림없다. 그리고 그러한 사상이나 이데올로기들 가운데 서구 사회를 오랫동안 지배해 온 기독교 문제가 완전히 탈락되는 경우를 도스 토예프스키의 소설은 결코 용납하지 않는 것 같다.

다성적 소설에는 축제의 원리가 많이 흘러 들어와 있다. 특히 그것의 두 가 지 큰 특징으로 보이는 신성모독적 현상과 외설적 현상이 나타나기 마련인 데11), 이는 이 방면의 대표작이라고 할 수 있는『카라마조프가의 형제들』가운 데서도 매우 잘 드러나 있다. 이반을 대표로 하여 종교적으로 신성모독적인 현 상이, 그리고 드미트리(또는 표도르)를 대표로 해서는 생활풍속적으로 외설적인 현상이 적나라하게 나타나 있다. 이처럼 다성 소설의 전통 속에서는 기독교적 성(聖)의 세계가 추구되면서도 또한 그 역(逆)으로 인간의 가장 속(俗)된 세계 가 적나라하게 드러나기도 하여, 그 결과 사회의 전체 모습을 사실적으로 나타 내 주어야 할 소설 본연의 모습을 숨김없이 드러내 준다고 하겠다.

III. 갈등의 종교사회학―『삼대』의 인물상

III - 1.

다성악 이론으로써『삼대』에 접근하기 위하여, 먼저『삼대』가 어떤 작품인 지 그 등장인물들을 중심으로 고찰해 보고자 한다. 그런 연후에, 앞서의 다성악 이론에 의한 접근은 다음 장에서 시도될 것이다.

이광수나 김동인이 그들의 일부 작품을 통해 개화기의 기독교를 통렬하게 비판한 것까지는 좋았다고 치더라도 그들의 그 비판 뒤에 어떤 대안이 전혀 제 시되지 않았다는 데서 그들의 기독교소설로서의 자격 여부가 문제되거나, 또는 그 한계성이 드러났다. 그러나 염상섭의 소설『삼대』는 주요 등장인물 조덕기 와 김병화, 그리고 홍경애 등을 통해 그 어떤 대안을 제시하려 하고 있다는 데 서 이 작품의 긍정적인 면, 즉 기독교 소설로서의 문제의식이 부각되는 결과를 가져왔다고 하겠다. 이 작품 속에는 세 가지 유형의 기독교의 실상이 적나라하

11) 임영천, 『한국 현대소설과 기독교 정신』(국학자료원, 1998), pp.69, 302 참조

게 드러나고 있다. 하나는 덕기 부친으로 대표되는 향락적이고 퇴폐적인 기독교, 다른 하나는 병화 부친으로 대표되는 형식적이고 기복적인 기독교, 그리고 마지막 하나는 경애 부친으로 대표되는 참여적이고 실천적인 기독교이다.

덕기의 부친 조상훈은 기독교학교의 설립자로서 교육자이지만, 그 자신의 제자, 홍경애를 유혹하여 실질적인 첩으로 삼고 어린애까지 낳게 한 뒤, 사회의 이목이 두려워 그녀를 그럭저럭 방치해 버리는 일을 자행하였으며, 후에 다른 한 처녀 김의경을 또다시 첩으로 취하는 철면피한 일을 거듭하는 이른바 개화(?) 인사이다. 그는 주지육림 속에서 주색잡기로 소일하는 비생산적인, 그리고 위선적인 사이비 신자라고 할 수밖에 없다. 그래서 그로 대표되는 기독교는 말하자면 '사이비 기독교'이다.

병화의 부친 김 목사는 한때 일선목회 생활을 했으며, 크게 나무랄 것도, 그렇다고 칭찬할 것도 없는 평범한 일선 교역자였다. 지금은 그 사역을 그만두고 서울의 어느 교회에서 한 직분을 맡고 있는데, 고집이 꽤나 센 사람이다. 아들 병화더러 신학 공부를 하라고 강권했으나, 아들이 말을 듣지 않자, 그에게 학비를 대어주지 않아 아들이 결국 학업을 포기하게 만들었으며, 부자지간에 이런 일로 긴장이 고조되어 있을 때, 아들이 밥상을 받고서 식사기도를 하지 않은 데서부터 부자 사이에는 격렬한 충돌이 일어났다. 아버지가 야단을 치자 아들은 두 말 없이 집을 뛰쳐나왔고, 이후로 부자 사이는 거의 의절 상태로 되어 버린 것이다. 신학공부 아닌 다른 공부는 하지 못하게 하고, 식사기도 문제로 아들에게 폭언을 발하여 그 아들이 극도의 노여움을 사게 만든 병화 부친은 사회에 역기능을 행사하는 기독교 신자는 아니라고 하더라도, 아무래도 형식적이고 기복적인 신앙의 테두리를 벗어나지 못한, 당시로는 유야무야한 교역자였다. 이런 병화 부친으로 대표되는 기독교는 이를테면 '보수적 기독교'이다.

홍경애의 부친은 한마디로 기독교 민족주의자라고 할 수 있다. 3·1운동 당시 기독교가 차지한 위치가 매우 컸다는 사실을 감안할 때, 경애 부친도 기독교 민족주의 운동에 앞장선 인물이었음을 미루어 짐작할 수 있다. 민족의 해방을 위하여 기독교도들이 참여할 수 있는 일이 무엇인가를 찾아 실천하는 산 신앙인들을 길러내는 데 힘쓴 교역자이며, 자신도 몸소 그런 일을 실천궁행하는 언행일치의 지도자였던 것이다. 그가 그의 전 재산을 사회와 교육계를 위하여 내던졌다고 하는 서술이 그 점을 증명해 준다. 그러나 일제의 강압적 통치하에서 경애 부친이 가야 할 길은 그야말로 형극의 길 그것이 아닐 수 없었으니, 그가 감옥 안에서 얻은 여독 때문에 가석방 후에도 질병에 시달리다가 얼마 못 가 운명하고 만 것은 오히려 당연한 결과였다고 보겠다. 이처럼 민족적 고난에 동참하는 그의 참여적이고 실천적인 기독교는 곧 '진보적 기독교'라 부를 수 있을 것이다.

III - 2.

이상 살펴본 바와 같이 작품 『삼대』 속에는 퇴폐적인 '사이비 기독교', 기복적인 '보수적 기독교', 그리고 실천적인 '진보적 기독교' 등 우리가 오늘의 현실 가운데서도 능히 볼 수 있는 제반 유형의 기독교와 그 실상이 다 나타나 있음을 확인할 수 있다. 『삼대』에 나타난 이런 세 가지 유형의 기독교가, 아버지의 대(代)가 아닌 그들의 자녀들의 대에 이르러서는 어떤 모습으로 바뀌어 나타나는지 이하에서 보기로 한다.

겉으로만 보아서는 현재 세 인물 ─ 덕기 · 병화 · 경애 ─ 모두 기독교와는 무관한 사람들로 되어 있다. 그러나 그들이 모두 다 명목상의 기독신자로 남아 있지 않다고 해서, 또는 명목상의 신자 되기를 거부하였다고 해서 자동적으로 그들이 기독교를 버린 것이라고 볼 수는 없을 것이다. 사랑과 화해의 사도인 덕기에게서, 또 평등의 유토피아를 꿈꾸는 자기희생적 수난자인 병화에게서, 그리고 모성애적 포용력으로 미래지향적 청년을 감싸는 조력자 경애에게서 우리는 체질적으로 내재화한 기독교 신앙(정신)의 흔적을 발견하게 되는 것이다. 그들의 그러한 기독교적 잔영은 그들이 그들의 부친 대의 기독교를 극복 계승한 결과로서, 이를테면 기독교의 세속화(비종교화)의 모습이라고 할 수 있을 것이다. 즉 '세속적 기독교', 또는 '비종교적 기독교'의 편린을 그들에게서 엿보게 된다는 말이다.

그런데 『삼대』의 주인공 덕기나 병화 및 경애 등이 제도교회에는 출석하지 않는 것 같은데도 그들을 무조건 비기독교도라고 한마디로 잘라 말하지 아니하고 오히려 그 어떤 긍정적 기대감을 그들에게 거는 것 같은 표현을 쓰는 근거는 무엇인가?

덕기는 부친 조상훈에 실망하여, 병화 역시 부친의 기독교에 회의를 느껴, 그리고 경애 또한 스승(조상훈)의 잘못된 신앙에 배신감을 느껴 현재 일시적으로 교회 출석을 삼가고 있는 과도기를 살아가는 인물들처럼 보인다. 그런데 우리는 예수의 십자가 처형 현장에서 구원받은 한 강도의 사례를 알고 있기 때문에, 어떤 한 신앙인이 일시적으로 신앙 면에 있어서 침체된 모습을 보였다고 하여 그를 정죄할 수는 없다는 사실을 알고 있다. 실제로 문학 작품 가운데서 이와 유사한 사례가 다루어져 있음도 알고 있다. 김동인의 「신앙으로」의 주인공 은희의 경우에서 볼 수 있으니, 일시적으로 침체되었던 신앙을 후에 그녀는 다른 계기를 만나 다시 찾게 되었던 것이다. 영국 작가 그레이엄 그린의 『정사의 종말』에서도 유사한 세계가 그려지고 있는데, 잠시 타락한 생활에 빠졌던 여주인공 사라는 후에 다시 거듭난 삶의 체험을 갖게 되는 것이다. 이처럼 문학 작품 속의 주인공들의 삶을 통하여 우리는 어느 개인의 신앙의 일시적 침체 현상을 하나의 과정으로 보지 않고 그 어떤 완결된(종결된) 것으로 보아서는 안 된다는 가르침을 받는 것이다. 결국 『삼대』의 세 청년 주인공들에게도 같은 관점의 접근이 요구되리라고 보는 것이다.

마치 미약한 화로의 불씨처럼 결코 꺼지지 않고 살아남아 있는 그리스도인의 흔적 ─ 비록 제도교회로부터는 떨어져 있지만 그 어떤 원시적 교회공동체인 에클레시아의 모습을 미약한 흔적으로나마 보여주고 있는 『삼대』의 세 주요 등장인물 사이의 사귐의 실상은 이른바 '기독교의 세속화'의 한 가식 없는 본보기가 될 수 있을 것이다. 그들은 그들 자신을 제도교회 구성원으로서의 거룩한 몸으로 남아있게 하지 않고 타락한 '세상 속으로', 즉 속세의 일상생활 속으로 내보내고(방출하고) 있는 셈이다. 이는 당대의 무교회주의자 김교신의 무리가 그들의 신앙생활(전도사업)을 일상생활과 분리되어 있는 특수한 활동으로 보지 않고, 그들이 처한 삶의 자리에서 ─ 일상생활 그 자체 안에서 ─ 행해져야 한다고 보았던 경우와 결과적으로 일치하는 것이라고 하겠다. 이는 예수께서 성전 안에, 아니 교회당 안에 거룩한 존재로 머물러 있으려고 하지 않고 늘상 세상 속으로 뛰어 들어가 그 속에서 더럽고 병든 사람들을 만나 그들에게 고침을 주고 희망을 안겨 주었던 일과 방불하다고 할 것이다.

III - 2 - 1.

교회의 역사는 15세기부터 16세기 초엽까지 교회당을 중심으로 거룩한 이들이 몰려들던 경향이 그 후로는 점차로 신도들이 세상 밖으로 뛰쳐나가는 경향으로 바뀌어져 간 역사라고 할 수 있다. 이는 종교개혁 이후 이방선교 사업이 갑자기 활발해진 데서 그 상징적인 면을 엿볼 수 있다 하겠다. 교회당 안에만 머물러 있던 신도들이 비로소 세상 밖으로, 즉 이방 세계를 향해 뛰쳐나가기 시작한 사건이 바로 선교 사업이었다는 말이다. 초대교회 시대에서도 그 고전적 모델을 볼 수 있다. 베드로는 거룩한[12] 이스라엘(히브리)인으로서 헬라인들을 마치 '부정한 짐승'(행11 : 6) 정도로 여겨 회피하였였지만, 결국 성령의 개입으로 과거 자신의 자세가 잘못이었음을 깨닫고 바울의 이방 선교에도 동참하는 이방인의 사도로 변화하게 되었던 것이다. 베드로의 개인적 신앙의 발전은 거룩한 그 자신이 부정(不淨)한 이방인(헬라인)을 수용하기 위해 그들을 찾아나서는 데서부터 이루어진 것이었다. 이처럼 기독교의 세속화의 전형은 우리가 맨 처음사도(수제자) 베드로에게서부터 보게 되는 것이다.

이렇게 볼 때『삼대』의 주인공들이 선대(先代)의 기독교적 배경을 입고서, 아니 그들 자신이 어려서부터 접했던 기독교의 세계와 연약한 끈(유대감)을 맺고서 세상 속으로 뛰어든 실상을 보는 것은 자못 흥미로운 일이다. 덕기는 부친의 기독교를 크게 뛰어넘지 않으면 안 될 위치에 놓여 있다. '작은 조상훈'의 상을 많이 보여주고 있는 그이기에 까딱 잘못하면 부친의 전철을 답습할 위험이 없지 않다. 조의관의 치부(致富) 때문에 조상훈이 타락하게 되었다는 해석도 전혀 근거 없는 것이 아니라면, 역시 조의관의 재산을 그대로 물려받아 관리할 수 있는 위치에 서게 된 덕기는 그 많은 재산이 오히려 덫이 되어 그 자신을 파멸시키지 말란 법이 없을 것이다. 부친이 홍경애를 돌보아 주다가 타락의 길에 빠져들었듯이, 그 자신도 필순이네를 돌보아 주다가 위험한 고비를 더러 만

---

12) 야훼의 선민인 이스라엘 백성들에 대한 자칭·타칭(?)의 표현법이(었)다.

나는 형편이다. 그러나 이 작품의 말미가 독자에게 보여주는 것은 결코 덕기는 부친의 전철을 밟아 필순을 자신의 첩으로 삼지는 않을 것이라는 믿음이다. 그것은 덕기가 부친의 기독교를 일단 극복한 단계에 이르고 있음을 미약하게나마 증거해 주는 것이라고 하겠다.

덕기는 부친이 다니는 교회에는 출석하지 않고 있다. 그러나 이 점 자체가 그의 발전을 말해 주는 것은 아니다. 무조건 교회를 다니지 않는 것만이 최선책이라고 할 수는 없기 때문이다. 문제는 그가 교회 출석을 하지 않은 속에서도 세상(일상생활) 속에서의 삶의 자세가 매우 진지하다는 데 있다. 이 작품을 읽는 어느 누구도 교회당 출석을 잘 하는 조상훈이라고 하여 그를 그렇지 못한 그의 아들 덕기보다 더 낫게 여길 사람은 없을 것이다. 아들 덕기가 독자들의 신뢰를 더욱 많이 받고 있다는 사실 자체는 그가 부친의 기독교를 극복했다는 점과, 그리고 그 자신에게 기독교 신앙이 내재화해 있다는 것으로 설명될 수밖에 없는 것이다. 몇몇 비평가들이 덕기를 예찬하는 글 속에 그의 온건한 타협주의자로서의 면을 많이 거론하는 것 같다. 이는 결국 덕기가 일종의 대화주의를 신봉하는 인물임을 말하는 외에 다름 아니다. 덕기는 사실상 병화와 같이 활달한 인물에 비하면 몹시 갑갑한 인물로 작품상에 나타나고 있다.13) 그러나 그가 난세에 처하여 그 어떤 파국을 향해 치닫지 않고 모두 살아남는 길을 찾기 위해 노력하는 균형 감각의 소유자라는 데에는 이론이 있을 수 없을 것이며, 이 점이 결국은 기독교 정신의 내재화와 관련된다는 점도 부정될 수는 없을 것이다.

III - 2 - 2.

조상훈의 아들 덕기가 부친의 기독교의 벽을 뛰어넘어야 했듯이, 김 목사의 아들 병화 역시 부친의 기독교의 벽을 뛰어넘어야만 하였다. 단 양자 사이에 다

---

13) 덕기에 대한 몇 분의 평가를 들어보기로 한다. "조덕기는 민족의식이나 사회의식에 있어서 공평성과 정의감을 가지고는 있지만, 용기가 없고 소극적이고 도피적 반응밖에는 나타내지 못하는 나약한 지식청년으로 되어 있다." 신동욱, "염상섭의『삼대』", 김윤식 편,『염상섭』(문학과지성사, 1977), p.159; "할아버지한테서 직접 상속을 받은 덕기는 재산을 지킬 줄은 알아도 쓸 줄은 몰랐다. 김병화쪽 활동을 소극적으로 후원하거나 하고 자기가 하려는 일이 없었다. 낭비마저 할 줄 모른다는 점에서는 아버지보다 더 무능했다." 조동일,『한국문학통사5』(지식산업사, 1989), p.422.

른 것이 있다면, 덕기는 '지나치게 부정적인' 평가를 받는 아버지의 기독교에 맞서야 하는 것이었다면, 병화는 '만족스럽지 못한' 것으로 평가되는 아버지의 기독교와 맞서는 어려움이 있었다고 하겠다. 이러한 대비적 표현에서도 볼 수 있듯이 병화 부친의 기독교가 '만족스럽지 못한' 것임에는 틀림없지만, 그렇다고 '지나치게 부정적인' 평가를 받는 조상훈의 처지는 결코 아니었음을 알 수 있다. 그러나 김 목사의 기독교 역시 조상훈의 기독교와 함께 결국 도매금으로 싸잡혀 비난당하게 되었는데, 그 이유는 일제 식민 통치하에서 그의 기독교가 전혀 긍정적인 사회적 기능을 발휘하지 못하였기 때문이다. 이 말은 기독교회가 사회 정치적 격변기에 처하여 단순한 '개인 구원'의 차원에서만 그 구실을 담당하는 것이 아니라 '사회 구원'의 역할도 감당해야 한다는, 일반인이 생각하는 종교에 대한 강한 기대와 염원 – 대(對) 종교적 통념 – 과 관련되는 것이다. 다시 말하면, 격동기에 있어서의 기독교회의 예언자적 사명을 강조하는 말이기도 하다는 것이다. 그러나 병화의 부친 김 목사는 단지 평범한 목회에만 종사하였던 분으로 보이는 것이, 즉 그는 교회에서 제사장적 역할만을 담당해 온 것으로 판단된다는 것이다. 달리 표현하자면, 김 목사는 사제로서 제사 업무(예배 인도)에만 관심을 기울였을 인물로 비치고 있다는 것이다. 그는 난세(격변기)에 처하여 자신의 종교의 사회적 기능에 대해서는 눈을 뜨지 못한 범용한 교역자였다는 말이다. 이러한 그가 굳이 아들 병화로 하여금 신학 공부를 하여 목사가 되라는 것이다. 부친의 그러한 목회 스타일에 별로 감화 받지 못했을 것으로 보이는 병화가 부친의 그 요구를 들어줄 리 만무하지 않은가.

결국 병화는 가정을 박차고 그 곳으로부터 뛰쳐나오고야 말았다. 그리고 어떻게 하여 일시적으로 머물게 된 곳이 필순네 집이었다. 병화가 필순네와 연결되었다는 사실이 매우 시사적이다. 필순이는 공장에 다니고 있는 여공으로서, 사회주의자인 부친이 병을 얻어 집에서 요양하고 있는, 매우 궁핍한 가정의 딸이다. 이 집에서 하숙하면서 병화는 하루에 겨우 한 끼 정도 먹을까 말까 한 몹시 구차한 나날을 보내고 있다. 그리고 그 자신 사회주의자가 되어 평등사회를 꿈꾸는 처지에 있다. 부친과 불화 관계에 있으면서 이렇게 구차한 일상생활을 보내고 있는 병화가 그러나 독자에게는 밉살스럽게 보이지가 않는다. 그것은 그가 그 나름의 뚜렷한 생의 목표를 가지고 매우 진지한 삶을 살아가기 때문으로 보인다. 그러므로 그의 가출 행위조차도 어떻게 보면 충분히 합리화되는 느낌이라고나 할까. 마치 예수의 말씀14)이 연상되는 지경이라고도 할 것이다. 병화는 왜 이런 삶을 살아가는가? 친구 덕기의 도움을 받아가면서, 그러나 자존심 상하는 일로 친구간의 의리도 끊어야 하지 않겠는가 고민하면서, 그리고 다시 집으로 들어가 아버지와의 관계를 회복하라는 덕기의 권고를 받으면서도 이를 거절하고 이처럼 구차한 생활을 영위하는 이유는 무엇인가. 이런 속에서도, 후에 그는 정신적 조력자 홍경애를 만나게 된다. 그의 주위에는 덕기, 경애, 필순 등이 포진하고 있다. 그는 확실히 인덕은 있는 사람인가 보다. 경제적인 어려움은 때로 덕기가, 정신적 위기는 때로 경애가, 그리고 일상적 고단은 청순한 이미지의 필순이가 옆에 있어서 그때그때 해결해 주고 있는 셈이기도 하다. 병화는 온건주의자 덕기와 깊은 우정관계를, 민족주의자의 딸 경애와 정신적 유대 관계를, 그리고 사회주의자의 딸 필순이와는 스스럼없는 일상적 친분 관계를 유지하면서 자신의 삶과 이념의 균형을 이루어가고 있다.

이러한 그는 이 소설 속에서 확실히 긍정적인 평가를 받을 만한 주인공이라고 아니할 수 없다. '정적인 인간상'의 덕기보다는 확실히 그는 '동적인 인간상'을 보여주는 행동적인 주인공이다.15) 달리 표현해 본다면, 덕기가 일개 '보존적 인물'에 속한다고 할 때, 병화는 이른바 '문제적 인물'에 속한다16)고 볼 수 있다. 병화에게서 우리가 보는 것은 기독교 사회주의자로서의 모습이다. 그는 기독교도의 체질을 지닌, 그리고 기독교 신앙이 내재화된 건실한 청년이다. 부친(김 목사)의 기독교로 대표되는 보수적 기독교회가 민족적 위기에 처하여 복지부동의 자세만을 보인 것에 비할 때, 병화의 기독교 사회주의에 입각한 진보적 기독교

---

14) "내가 세상에 화평을 주러 온 줄로 생각지 말라. 화평이 아니요 검을 주러 왔노라. 내가 온 것은 사람이 그 아비와, 딸이 어미와, 며느리가 시어미와 불화하게 하려 함이니 사람의 원수가 자기 집안 식구리라. 아비나 어미를 나보다 더 사랑하는 자는 내게 합당치 아니하고…" (마태10: 34~37上)

15) 이 점과 관련해 신동욱은 이렇게 말하고 있다. "덕기의 친구인 병화는 이들 3대[祖·父·孫 - 인용자]와는 뚜렷하게 대립되는 입장에서 용기 있게 사회정의의 문맥에 입각하여 행동하는 지식청년으로 형상화되고 있다." 신동욱, loc. cit.

16) 이 두 인물유형에 대하여, 김윤식, 『한국근대문학사상비판』(일지사, 1978), pp.249~50 참조

가 실천적이고 행동적인 자세를 보여준 것은, 경애 부친의 기독교 민족주의자 상과 더불어, 당대의 살아 있는 신앙인 상을 보여주는 몇 안 되는 희귀한 사례로 지적됨직하다. 병화는 제도적 교회를 박차고 세상 속으로 뛰어들었다. 그가 가정과 교회를 떠난 것은 더 큰 의미의 가정과 교회를 만나게 된 계기를 만들어 주었다. 기독교의 세속화를 통하여 그는 기독교의 역할을 더 확대시키고, 교회의 영역을 더욱 넓히는 일을 한 셈이다.[17]

III - 2 - 3.

「삼대」의 여주인공 홍경애는 조상훈의 아들 덕기와 어느 소학교를 같은 해에 졸업한 동기 동창 관계이다. 그 학교는 조상훈이 얼마간의 기부금을 낸 관계로 그가 설립자의 명의를 한 몫 가지고 있는 교회학교였다. 바로 이 학교에서 덕기와 경애는 함께 공부하는 가운데 서로 알게 된 것이었다. 경애는 이처럼 덕기와는 동창 관계이고, 덕기의 부친 조상훈과는 사제지간의 관계이다.

이러한 그들 상호간의 관계는 얼마 지난 뒤 바뀌어지게 되었다. 경애가 어느 정도 철이 들었을 때, 그리고 애국지사였던 그녀의 부친이 감옥에서 폐인이 되다시피 하여 가출옥하였을 때 운명의 장난이 시작되었다. 그녀의 부친이 위태하다는 소문을 듣고 조상훈은 그를 문병하러 간 것이었다. 병자는 신장염에다 기관지병이 겹쳐서 한마디로 중태였다. 상훈은 문병이 끝나고 귀가한 뒤, 인삼 몇 뿌리에 쌀 한 가마니 표와 돈 얼마가 든 봉투를 경애를 통해 보낸다. 며칠 후에는 자기 집 단골 의사를 소개하여 진찰을 받게 해 주기도 하였으나 병자의 건강이 근본적으로 호전되지는 못하였다. 결국 해가 바뀐 뒤, 노 지사는 운명하고 말았던 것이다.

임종 현장에서 당사자의 유언도 있고 하여 상훈은 지사의 남은 모녀를 잘

---

17) 주인공 병화에 대한 한승옥의 해석이 우리에게 도움을 준다. 염상섭은 진정한 기독교도의 모습을 병화를 통해서 제시하려 했다고 본 그는, "병화는 그의 아버지의 기독교 신앙…을 거부하고 본래의 기독교 신앙인으로서의 몫을 다하기 위해 집을 뛰쳐나와 마르크스 보이가 된 것"이라 하고, "민족적 주체성을 회복하는 데 기독교가 어떻게 행동해야 되고 그 실천 방안은 무엇인가를 병화를 통해 나타내려 한 것"이라고 하였다. 한승옥, "기독교와 소설문학", 소재영 외, 『기독교와 한국문학』(대한기독교서회, 1990), pp.122~23 참조.

보살펴 주었다. 교회 안에서도 애국지사의 유가족을 끝끝내 돌보아주는 상훈의 그 독지에 대하여 칭송이 자자하였다. 이럴 즈음 여학교를 졸업한 경애가 설립자 대표인 상훈의 추천으로 그 학교 선생으로 들어오게 되었다. 그러나 시간이 지나면서, 상훈과 경애의 관계를 두고 심상찮은 소문들이 오고갔다. 당황한 경애는 자신을 수원 지역의 학교로라도 옮겨 달라고 부탁해 보는 게 좋겠다는 판단 아래, 결국 감기로 인해 한 이틀 출근하지 못하고 있는 조상훈을 만나러 그의 댁을 찾아갔다. 그녀의 이 잦은 방문이 빌미가 되어 두 사람 사이는 깊은 관계로 변한 것이었다. 경애는 딸아이를 낳게 되었으며, 상훈의 실제적인 첩이 되고 만 것이다. 그러니까 새로 태어난 그 계집아이는 덕기의 이복누이 동생이 되었고, 경애는 덕기의 단순한 동창생의 신분에서 이제는 그의 서모의 위치로까지 뒤바뀌어진 셈이었다.

그러나 이러한 상황 변화는 경애 모녀를 난처하게 만들었다. 교회의 전도부인이던 경애 모친은, 세상을 숨기고 낳은 목숨(손녀) 때문에 교회에서 자연히 멀어지게 되었으며 당사자(경애) 역시 그 점은 마찬가지였다. 아니, 경애의 처지는 그 정도에서 그칠 수 있는 성격의 것이 아니었다. 조상훈은 경애가 아이를 낳자 세상 이목이 두려워 그녀를 의식적으로 멀리하기 시작했고 그녀의 생활 대책조차 세워주지 않았다. 아이는 병들어 40도의 고열을 호소하는 형편인데도 아버지는 그의 얼굴조차 내비치지 않았다. 이런 속에서 점차 경애의 타락상이 엿보이기 시작한다. 그녀는 친구가 경영하는 자그마한 술집 '바커스'의 여급이 되어 있었다. 그렇다고 그녀인들 어찌할 것인가. 현실 타개책의 일환으로, 그리고 절망감의 가벼운 해소책의 일환으로도 그녀는 이런 길을 택할 수밖에는 없었으리라. 훌륭한 아버지(애국지사)와 전도 부인인 어머니, 그리고 그녀 자신도 교회학교를 거쳐 후에 그 기독교 학교에서 교편생활을 하기도 하였던 독실한 여신도인 경애는 이렇게 하루아침에 몰락의 길을 걷게 된 것이다.

그러나 이 작품은 결코 그녀의 몰락상만을 보여주는 것은 아니다. 홍경애는 미래지향적인 청년 김병화를 만나게 되면서 서서히 자신의 삶의 변화를 보여주기 시작한다. 소아적인 그녀의 삶이 이제는 점차 대승적인 삶의 모습으로 바뀌어지게 되는 것이다.[18] 조상훈의 타락한 기독교가 경애를 망쳐놓았다고 한다면,

반면 뿌리 깊은 그녀 선친의 기독교 정신이 그녀를 다시 소생케 한 것이라고 할 수 있다. 선친의 기독교 민족주의 정신이 그녀의 깊은 곳에 스며 있다가 건실한 청년 김병화의 기독교 사회주의 체질과 만나면서 불꽃을 튀기는 모습이 바로 이후의 홍경애의 행동 궤적이라고 하겠다.

IV. 다성악 이론과 텍스트의 주인공

IV - 1.

이상으로 살펴본 염상섭의 대표적 장편소설 『삼대』를 대상으로 하여, 주인공의 문제를 그 중심 논제로 삼아 이를 분석해 보고자 한다.

염상섭의 장편소설 『삼대』는, 깁슨이 『카라마조프가의 형제들』을 두고 "한 사람의 주인공에 대한 소설이 아니라, 한 가족에 대한 것"이라고 한 것과 마찬가지로, 조의관 할아버지 일가('한 가족')에 대한 이야기[小說]이다. 먼저 말해두고 싶은 것은, 필자는 이 소설에 대하여 기본적으로 다성적인 체질(성향)의 작품이라고 생각하고 있다는 것이다.[19] 그 점을 이 소설의 등장인물들을 중심으로 하여 논의해 보고자 한다. 이 소설에는 몇 명의 주요인물들이 등장하고 있다. 조상훈과 그의 아들 덕기, 아들의 친구 김병화, 그리고 홍경애 등이다. 이 인물들 중에서 적어도 주인공 여부의 논의가 가능한 셋 이상의 등장인물이 나올 수 있다. 이 작품 속의 제3대에 속한 청년들인 덕기·병화·경애, 이 세 인물들은

---

18) 여성 인물 '홍경애'에 대하여 유종호, 김윤식 등은 결과적인 부정적 평가를 내리고 있으나, 반면 김종균, 이보영 등은 긍정적인 평가를 내리고 있다. 유종호, 『동시대의 시와 진실』(민음사, 1982), pp.205～206; 김윤식, 『염상섭 연구』(서울대 출판부, 1987), p.552; 김종균, 『염상섭 연구』(고려대출판부, 1974), p.263; 이보영, 『난세의 문학』(예지각, 1991), p.334 등 참조.

19) 『삼대』에 대하여, 이보영은 다성적 소설 양식과 무관한 작품으로 보고 있음에 비하여, 우한용은 다성적 담론의 관점에서 이 작품을 이해하려는 기본적인 자세를 보여주고 있다고 하는 상호간의 차이점을 드러낸다. 이보영, op. cit., pp.288～89; 우한용, 『한국현대소설구조연구』(삼지원, 1990), p.244 이하 비교 참조. 그러나 이 작품이 왜 '다성적 소설'이 되지 못하고 '다성적 성향의 소설'에 머물 수밖에 없게 되었는가에 대한 간접적인 해답도 우한용은 상기 저서의 논문에서 단편적이나마 암시해 주었다고 생각된다. 그것은 작가가 소설 속에 직접 개입하여 자신의 보수적 세계관을 단일 논리적으로 자주 피력(서술)하게 된 데 따른 피치 못할 대가(결과)였다고 요약할 수 있을 것이다.

이 소설의 복수 주인공들이라고 할 수 있다. 그러나 『카라마조프가의 형제들』의 드미트리·이반·알료샤 등을 놓고서 단일 주인공을 논하는 경우와 마찬가지로 『삼대』의 이 청년들을 놓고서도 단일 주인공 논의를 해 온 것이 우리의 실정이라고 하겠다. 지금껏 조덕기를 주인공으로 보는 관점이 절대적으로 우세한 것은 사실이었다. 굳이 누구누구가 조덕기를 주인공으로 보느냐 하는 물음을 물을 필요가 없을 정도로 다수의 학자들이 덕기를 주인공으로 보는 데 주저하지 않았다.[20] 그러나 최근에 이르러 이 소설의 주인공은 김병화라고 하는 새로운 주장이 대두되고 있다는 사실을 지적해 두는 것이 앞으로의 우리의 논의에 도움이 될 것 같다. 국문학자 조동일, 그리고 특히 평론가 이보영 등이 이런 주장에 앞장서고 있다. 그러나 이들이 이렇게 주장하는 데에는 어떤 한계가 있는 것 같다. 왜냐면 그들이 그렇게 주장하는 데에는 텍스트 선별 선정의 전제 조건이 따라붙기 때문이다. 다시 말하면 이들은 1931년 조선일보에 발표된 원작 『삼대』라는 것을 전제로 하여, 그 소설의 주인공이 김병화라 주장하고 있다는 것이다. 예를 들자면, 이보영은 이렇게 주장하고 있다.

> 그런데 종래의 『삼대』 연구에서는 조덕기를 이 작품의 주인공으로 간주했고 이 경우는 예외 없이 8. 15 해방 후의 『삼대』 수정판이 그 텍스트였다. 그리고 그것을 텍스트로 삼는 한 『삼대』는 가족사소설이요, 조의관 집 삼대를 그 주인공으로 볼 수밖에 없다. 우리는 조선일보에 연재된 1931년의 원작을 존중해야만 된다. 그럴 때 이 작품의 주인공은 조의관 집 삼대에 국한될 수 없다.[21]

상기 인용문에서는, 1931년의 원작을 존중하게 될 때 "주인공은 조의관 집 삼대에 국한될 수 없다."고 하는 다소 애매모호한 표현을 쓰고 있으나(이 표현대로라면 곧 '복수 주인공'이 인정될 수도 있다는 것처럼 들리니까), 같은 글의 뒷부분에서 이보영은 "김병화가 이 작품의 진정한, 그리고 긍정적인 주인공"[22]이라고 분명하게 표현하고 있으므로 그의 뜻은 우리 독자들에게 확연히 전달된 셈이다.

---

20) 유종호, 김윤식, 유병석, 김 현, 염무웅, 조남현, 류보선 ⋯⋯ 등.
21) 이보영, "저항적 중심의 형성-『삼대』", op. cit., p.312.
22) Ibid., p.324.

즉 이보영은 『삼대』의 주인공 문제와 관련하여 복수 주인공이라는 개념을 형성해 가지고 있지는 않다는 것이다. 동시에 그는 원작(1931년작)에 한하여 김병화를 주인공으로 보고 있다는 사실이다. 그런데 그는 어느 다른 글 가운데서 이렇게 말한 바 있다. "김현이 『삼대』에서 <염상섭이 택하고 있는 것은 덕기의 입장>이라고 본 것은 잘못이다. 횡보는 비록 이 심퍼사이저를 평소의 자기와 동일시했을지라도 이 작품에서 가장 강력한 호소력을 지닌 것은 김병화이다."[23] 물론 이 인용문에서도 이보영은 '가장 강력한 호소력을 지닌 김병화'를 강조함으로써 그를 이 소설의 주인공이라고 말한 자신의 앞서의 논지를 강화하는 데에는 성공한 것 같다. 그러나 그는 여기서 약간의 자가당착을 범하고 있는 게 아닌가 느껴진다. 왜냐면, 김병화를 주인공으로 보는 근거 자료(텍스트)를 원작(연재본, 1931)으로 삼는다고 분명하게 못 박은 그 자신이, 해방 이후의 개작본(1947 - 48)을 텍스트로 삼아 평가한 김현의 주장을 잘못되었다고 반박하고 있으니 말이다.

그러나 필자는 이보영의 글의 일부 모순을 들추어내자고 이런 지적을 하는 것은 아니다. 필자의 의도는 다른 데에 있다. 『삼대』가 과연 "원작(연재본)이냐 개작본이냐"에 따라 '주인공을 보는 관점'에 큰 차이가 날 정도로 그렇게 두 가지의 텍스트가 현저한 격차를 보여주는 것이냐 묻고 싶다는 것이다. 그 차이란 결국 이 작품 후미의 두 장(章), 곧 41장과 42장이 보태어진 정도이기 때문이다.[24] 『삼대』는 이를테면 김동리의 「무녀도」가 「을화」로 개작된 경우에서처럼 현격하게 변개된 작품은 아니라는 것이다. 필자의 독서 체험에 의하면, 적어도 원작에 기대어 '김병화 주인공' 설을 주장할 수 있는 사람이라면, 굳이 그 연재본이 아닌 개작본에 의해서도 김병화 주인공 설을 내세울 수 있을 만하다는 것이다. 마찬가지로 '조덕기 주인공' 설을 내세우는 사람들은 개작본이 아닌 연재본이 목전에 제시되었다고 하더라도 여전히 덕기가 주인공이라고 강변할 여

---

23) 이보영, "염상섭과 사회주의", ibid., p.425.
24) 필자의 이런 생각과 유사한(대동소이한?) 판단을 하고 있는 한 평론가의 다음과 같은 주장에 귀를 기울일 만하다. "41장과 42장은 이 소설이 40장까지에서 제시한 여러 인물의 성격, 작중 인물들 사이의 관계논리에 거의 영향을 주지 못하는 것으로 판단된다. 따라서 41장과 42장의 추가는 김윤식의 지적처럼 개악(改惡)일 수 있다." 조남현, "염상섭의 『삼대』와 갈등사회학", 『한국소설과 갈등』(문학과비평사, 1990), p.178.

지가 다분하다고[25] 생각한다. 결국 "덕기냐 병화냐"의 문제는 단지 판본(텍스트)의 문제만은 아니라는 것이다. 『카라마조프가의 형제들』의 세 형제들 중 누가 주인공이냐고 하는 논란이 끊임없이 전개되는 이유가 그 작품의 다성소설적 특성과 관계되는 것과 마찬가지로, 『삼대』 중의 덕기와 병화 중에서 과연 누가 주인공이냐고 하는 문제도 결국은 이 작품 자체가 지니고 있는 '다성소설적 성향'의 문제에 기인한다고 보지 않을 수 없다. 필자는 『삼대』가 바로 '다성적 소설'이라고 잘라 말하는 것은 아니지만, 그러나 그러한 세계와 전혀 무관하지(는) 않다고 보는 입장에서 이를 '다성적 성향의 소설'[26]이라고 부르고자 하는 것이다. 염상섭이 러시아의 작가 도스토예프스키의 영향을 다분히 받았다고 누차 지적된 것은 이미 여러 학자(평론가)들을 통해서이고[27], 특히 염상섭만을 전문적으로 연구하여 방대한 분량(540여 면)의 단행본을 낸 바 있는 이보영에 의해서는 그의 작품 전반(全般, 대다수 작품들)이 도스토예프스키의 영향을 받고 있다는 사실이 지적되고 있으며, 특히 「사랑과 죄」는 다성적 소설에 접근한[28] 작품으로 평가되고 있다.[29] 이보영은 이렇게 말하고 있다. "횡보의 대표작의 창작

---

25) 연재본과 개작본 사이의 현저한 차이를 강조하는 한 평론가에게서 이 점을 대표적으로 읽을 수 있다. 류보선, "전망 부재의 공간으로서의 『삼대』 또는 근대초기 시민계급의 자화상", 『한국 근대장편소설 연구』(모음사, 1992). 원작을 텍스트로 삼아 연구한 자신의 이 논문 가운데서 "이 작품의 주인공인 조덕기"라고 주인공을 분명히 지목, 표현하는(p.65) 그는, 참고로 보자면, 김병화에 대해서는 이렇게 평가하고 있다. "사회주의자인 김병화는 그의 이념에도 불구하고 룸펜과 별다른 행위를 하지 않으며…"(p.69). 이처럼 보는 이에 따라 연재본의 주요인물(김병화)에 대한 평가도 크게 다를 수 있다고 하는 실제 사례를 우리는 여기서 확인하게 되는 것이다.

26) 이를 다른 말로 표현해 본다면 '준(準) 다성적 소설'이라고 할 수 있겠다. (필자가 본고의 여기저기에서 『삼대』와 관련하여 '다성적 성향의 소설'이라고 분명하게 표현하지 못하고 단순히 '다성적 소설'이라고만 표현한다 하더라도 그것은 하나의 편의적 표현에 불과한 것이라고 양해하여 주기 바란다.)

27) 이들 중 대표적인 이가 김윤식이라고 할 수 있겠다. 그는 그의 이름난 저서 속에서, 김동인이 톨스토이에 기울었음에 비하여 염상섭은 도스토예프스키에 크게 기울었다는 요지로 말하고 있다. 김윤식, "두 개의 시금석 – 톨스토이와 도스토예프스키", op. cit.(1987), pp.135~39.

28) 이보영, "저항적 중심의 태동 – 「사랑과 죄」", op. cit., p.288.

29) 어떤 이는 염상섭의 단편소설들을 연구한 뒤 그(상섭)에게서 다성적 시점을 찾아볼 수 있었던 점을 표현하되, 다른 작가(동인)의 경우와 대비하여 아래와 같이 표현하고 있음이 참고된다. "동인이 [……] 초월적 시점을 구사한다면, 상섭은 가능한 사건으로부터 멀리 떨어져서, 객관성 및 공정성이라는 이중의 프리즘을 통해서 결코 어느 한 시점으로 기울지 않는 다

에 공통되는 일이지만, 도스토예프스키의 영향이 짙다. 등장인물의 설정과 주제의 대화적 다성적 전개방법에 있어서 그렇다."[30] 이러한 그의 지적처럼『삼대』역시 다성적 성향을 드러낼 수밖에 없었던 것은, 특히 우리의 논제인 기독교 문제의 반영이란 관점에서 보아서도 충분히 수긍될 수 있는 일이다. 적어도 세 갈래의, 식민지 시대 한국의 기독교회 상을 그리려고 할 때 다성적 소설의 기법이 요구되지 않을 수 없었으리라고 보아진다. 여기서 기독교 신앙의 문제에 대한 다양한 목소리나 의식들이 각기 제 길을 걸어가는 비융합적이고도 비타협적인 행보들을 독자는 접하게 되는 것이다. 결론적으로 말하자면, 이러한 세 갈래의 기독교를 대표하는 이들의 자제들인 덕기와 병화, 그리고 경애 등은 이 '다성적 성향의 소설'(準다성적 소설) 속에서 확실히 '복수 주인공'으로서의 각자의 위치를 확보하고 있는 독립적인 개체요 인격체들인 것이다.

IV-2.

이상 살펴본 바와 같이, 다성적 소설에서는 적어도 셋 또는 그 이상의 주인공 - 소위 복수 주인공 - 이 요구되고 있거니와, 이는 그 규정이 무슨 철칙으로 정립되어 있다는 뜻이라기보다는 여러 다성 소설들의 특성을 고구하여 본 결과 얻게 된 자연스러운 결론이라고 표현할 수 있을 것 같다. 그런데, 이른바 다성적 소설의 체질상 그런 결론에 이르게 되는 것은 너무도 당연한 것이 아닌가 생각되는 것이다. 예를 들어, 다성적 소설의 모델로 제시되는 도스토예프스키 소설들의 주요 인물들에게서 보이는바, 즉 그의 소설의 인물들은 각기 어느 한 자장 - 소설의 활동 공간- 의 극점에 위치한 채 상대방에게 서로 자력을 방사함으로써 그 상대를 끌어들이거나 또는 밀어내는 국면에 있어서 일종의 긴장된 균형을 형성하고 있다는 것이다. 이럴 때 만일 그 극점에 위치한 주인공이 단지

성적(polyphonic) 시점을 견지한다." 또한 그는 이렇게도 말하고 있다. "동인의 초월적 시점이 이미 상정된 절대가치를 추구하는 완전주의자적 발상법에 의거해서 세계를 보는 것이라면, 상섭의 다성적 시점은 개인주의적 상대가치를 전제로 해서 다양한 안목을 모두 인정하면서 세계를 보는 것이라고 하겠다." 김 현(金顯), "작가와 의미 만들기 - 김동인의 시간성과 염상섭의 공간성", 『현대소설의 담화론적 연구』(계명문화사, 1995), pp.227, 230.
30) 이보영, op. cit., p.283.

둘 만에 그친다고 가정한다면 그 중 어느 한 쪽이 상대를 흡수 통합해 버리는 일이 가능할 것이요, 사정이 그렇게 된다면 우리가 기대하는 바 그 '긴장된 균형'은 형성될 수 없는 게 아니겠는가. 그러므로 주인공이 적어도 셋 혹은 그 이상이어야만 우리의 그 최소한의 기대치가 충족될 수 있지 않겠느냐는 것이다.

조물주인 신이 세상의 인간을 창조할 때, 아담과 하와 두 사람 만에 그치지 않고 카인과 아벨을 더 보태어 주시었다. 그런데 이들 중 악인으로 알려진 카인이 거기에 없었더라면 아마도 그들의 가정 공동체가 더욱 평화스러웠을지는 모른다. 그러나 창조주인 신은 카인에게도 그가 자유의지를 지닌 채 태어나게 함으로써, 이 세상이 좀더 인간의 자유스러운 활동무대가 되도록 만들어 놓았던 것이다. 창조주가 카인에게 노예의지만을 부여했더라면, 신 자신이 최소한 화평스럽지 못한 세상을 보지 않을 수는 있었을지도 모른다. 그러나 창조주는 자신이 창조한 세상이 그렇게 활력이 없는 무기력한 세상이 되는 것을 바라지 않았던 것 같다. 비록 위험이 따르기는 하나 카인에게 자유의지를 부여하고, 그(카인) 자신이 제 스스로의 길을 독자적으로 걸어가도록 허락하였던 것이다. 창조주는 바로 이러한 세상을 바라보며 "보시기에 좋았더라."(창세기 1장)고 하는 자족의 경지에 들어갔던 것으로 보인다. 신이 "보시기에 좋은" 세상은 활기 넘치고 자유분방한 다원적인 세상이지, 결코 극도로 통제되고 억압되어진 획일적인 세상은 아니었던 것이다. 그래서인지 일종의 자유의지의 화신인 카인은 그의 살인죄로 인해 영벌(죽음)에 처해지는 대신에 '추방' 정도의 경미한 책벌에 머물게 되면서 오히려 조물주로부터 용서의 은혜[관용의 은총]를 입게 되는 것이다. 이러한 결과는 곧 카인에게 주어졌던 그 자유의지가 신에 의해 전적으로 심판받는 것이 아니라 그 주어진 것(자유의지)은 그것대로 기정사실화되면서, 그러나 그것이 방종의 지경으로까지 방자하게 전개되는 것을 더 이상 방치하지 않겠다는 신 자신의 강력한 의지가 발동되는 하나의 계기를 만들었다는 데에 그 의의가 있는 것으로 평가된다.

창조주인 신의 위치에 동격으로 놓일 수 있는 작가(창작가)가 그의 소설 속의 등장인물들에게 자유의지를 부여하되[31], 그런 위치의 인물들(복수 주인공)이

31) 각주1의 에머슨/모슨의 말(인용문)을 함께 참조할 것.

적어도 셋 또는 그 이상일 때 다성악 소설의 최소한의 형성 조건이 충족될 수 있는 것이다. 염상섭의 『삼대』에는 적어도 세 명의 복수 주인공이 등장하고 있다. 조덕기와 김병화, 그리고 홍경애 등이다. 여기에 한 인물을 추가하여 도합 네 사람으로 복수 주인공을 삼을 수도 있겠는데, 그때에는 덕기의 아버지 조상훈이 후보로 뽑힐 수 있을 것이다[32]. 이 네 사람의 복수 주인공들은 모두 기독교와 관련된 인사들이라는 공통점을 보여주고 있다. 그리고 이들은 모두 극단의 자유의지의 발현자들이라고 하는 공통점도 또한 보여주고 있다. 조상훈은 부정적인 의미에 있어서의 헬레니즘 신봉자라고 할 수 있다. 그는 개화기에 일본을 경유하여 이 나라에 흘러들어온 서양 문화(헬레니즘)에 맹목적으로 침윤되어 있는 인물이다. 그는 관능주의자이며 향문애적인 쾌락에만 빠져 있는 비생산적이고 퇴폐적인 인물이다. 이런 헬레니즘의 신봉자가 헤브라이즘(기독교 문화)에도 동시에 연관되어 그것의 변증법적 통일의 경지를 이루기보다는 그 역으로 그것들의 무질서한 충돌의 굉음을 내고 있는 모순투성이의 삶을 살아가고 있는 것이다. 그는 카인이 이미 우리에게 보여준바, 그 자신에게 부여된 자유의지를 부정적인 의미에서 소모하고 있는 그런 유형의 인물이라고 하겠다. 그러나 이런 인물의 역할로 말미암아 『삼대』의 작품 세계는 매우 다채로워지고 그

---

32) 거의 유일하게도, 김병익은 삼대의 주인공을 넷("주요한 네 주인공" – 조의관·상훈·덕기, 김병화)으로 본 평론가이다. 이는 그 자신이 명명한바 "네 개의 사유형식"(봉건주의, 기독교, 자유주의, 사회주의)을 담지하는 인물들로 이 네 사람을 대표시킬 수 있다고 판단한 데서 나온 결과로 보인다. 김병익, "갈등의 사회학", 『현대 한국문학의 이론』(민음사, 1972), pp.314~15 참조. 거개의 학자(평론가)들이 조덕기만을 단일 주인공으로 내세우는 것이 일반화된 풍조 속에서 네 사람을 주인공으로 보았다는 것은 당시(1970년대 초)의 견해로는 매우 독보적인 것이었다고 하지 않을 수 없다. 비록 다성악 이론에 입각한 복수 주인공의 개념에 의해 얻어진 결론이라고까지는 볼 수 없다고 하더라도 말이다. 그러나 네 명의 주인공들을 설정하는 마당에 홍경애를 완전히 빠뜨리고 있다는 사실에 대해서 필자는 전혀 수긍할 수가 없다. 말하자면 그녀는 '3대'가 아닌 '제3대'의 젊은 층을 대표하는 '트리오' 중의 한 꼭지점을 차지하고 있는 엄연한 주인공이라는 뜻이다. 그러므로 이 소설의 주인공을 넷으로 본다고 한다면, 그때는 조의관의 자리에 반드시 홍경애가 대치되어야 한다고 생각한다. 왜냐면, 만일 김병화 단일 주인공설이 내세워질 수 있다면 그때 홍경애는 남자 주인공 김병화의 짝이 되는 여자 주인공이 될 수밖에 없는, 비중 있는 인물이기도 하기 때문이다. (총 42개 章 중에서 30장 이전에만 나타나고 운명해 버려, 그 후 12개 장(章)에는 전혀 등장하지도 않는 인물을 주인공으로 삼을 수 있다는 논리를 필자는 용납하기가 어렵다. 단 필자가 주인공으로 삼은 네 인물들은 마지막 章까지 모두 생존해 있다고 하는 공통점을 보여준다.)

무대는 빛깔이 매우 영롱한 만화경을 이루고 있는 것이다. 조물주에 의해 창조된 세상에 카인의 자유의지가 그 나름의 구실을 하였듯이, 조상훈의 자유의지도 이 소설 속에서 어떻든 예술적(문학적)인 면의 제 구실을 담당하고 있는 셈이다.

김병화는 『삼대』속의 이반 카라마조프이다. 사회 개혁을 부르짖는 반항아로서의 마르크스 보이이다. 그는 제 부친의 기독교를 거부한 극단의 자유의지의 발현자라고 할 수 있다. 그러나 이반이 온전히 신을 버렸다고는 할 수 없는 것과 마찬가지로 병화도 기독교의 신을 완전히 버린 것으로는 보이지 않는다. 이반이 『카라마조프가의 형제들』의 마지막에 가서 발작 증세를 일으키지만, 병화는 그의 항일 지하운동 때문에 단지 감옥에 수감되어 있는 상태이다. 감옥 속에서의 그의 밀폐된 생활은 고래 뱃속에서의 선지자 요나의 삶과 같다. 때가 되면 그가 밝은 세상으로 토해질 것이요, 그런 연후에는 자기 자신의 길을 제 나름으로 찾아 나서게 될 것이다. 병화의 자유의지는 해방지향적인 방향으로 발산되었으므로 비교적 긍정적인 평가를 받을 만하다고 하겠다. 이반은 단순히 그 자신의 무신론적 이념의 문제 때문에 고민하는 청년이지만, 병화는 평등사회를 꿈꾸는 사회개혁의 종교적 이념 문제에 밀착되어 있다는 점에서 이반보다 더 관심을 받을 만한 인물이라고 생각된다. 그의 독자적이고도 비융합적인, 그러면서도 가치지향적인 행보가 이 작품을 다성악적 소설로 만드는 데 크게 기여하였다고 보겠다.

병화의 짝이라고 할 수 있는 홍경애는 이 소설 속에서 조상훈의 여성판이라고 할 수 있는 면을 지니고 있다. 과거 조상훈의 첩이었다는 점에서 경애는 상훈과 견주어질 수 있을 자신의 인생 역정을 갖고도 있지만, 그런 의미를 떠나서 그녀는 상훈과 대비될 요인을 자신 안에 내포하고 있다고 보아진다. 어찌 보면 그녀는 어두우면서도 일면 화려한 인생행로를 걸어온 것 같기도 하다. 사회적으로 떳떳하지 못했던 상훈과의 관계, 그리고 주점 바커스에서의 얼마 동안의 칩거 생활, 그리고 새로운 남성 병화와의 운명적인 만남 등······. 그러나 그녀는 이 마지막 단계에 이르러 자신을 온전히 투신하여 한 남성을 사랑하며 그(병화)의 이념을 실천하는 데 조금이나마 힘이 되고자 노심초사한다[33]. 그녀는 이 소설 속의 주인공들 중에서 유일하게 아버지의 신앙 노선을 고수하는 인물로 나온다. 말하자면 선친의 기독교 사회주의적 신앙 노선을 그대로 계승하는 인물이라는 뜻이다. 그런 점에서 그녀의 내재화한 이 기독교 정신이 역시 유사한 병화의 개혁지향적 이념과 만나 불꽃을 튀길 수밖에 없었던 것이다. 그녀가 선친의 신앙 노선을 이어가는 데에서는 이른바 비융합적인 태도를 발견하기가 어려울는지 모르지만, 그러나 그가 관계하였던 상훈이나 덕기와 같은 사람들의 노선과는 전혀 다른 독립적이고도 비타협적인 신앙 노선을 걸어갔다는 점에서, 그녀 역시 자유의지의 발현이라는 관점에서 숙고해 보아야 할 인물이라고 하겠다. 그리고 이러한 특색 있는 여성의 활동으로 인해 『삼대』가 더욱더 다성적 소설의 면모를 보이게 되었다고 생각한다.

조덕기는 어느 면『삼대』의 알료샤이다. 그는 알료샤가 그러했듯이 어느 누구와도 큰 불화 관계에 있지 아니한, 참으로 '인간성만은 선량한'34) '양심적인 지식인의 전형'35)이다. 병화와 더불어 이 소설 가운데서 제 아버지의 신앙 노선으로부터 가장 멀리 이탈한 경우에 해당한다고 볼 수 있다. 병화는 자기 부친의 보수적인 신앙에서 진보적인 신앙으로 나아갔다는 점에서, 그리고 덕기는 자기 부친의 퇴폐적인 기독교 신앙에서 비교적 건전한 생활종교의 신앙 수준으로 나아갔다는 점에서 그러하다. 덕기는 이 작품 속에서 자기 일가를 번영시키고 자기의 가진 것(기득권)을 지키기 위하여 매우 이성적으로 처신하는 재산가로 나온다. 그리하여 그는 예나 지금이나를 막론하고 허다한 일종의 중산층의 사람

33) 결과만을 두고 본다면, 홍경애는 마가렛 미첼의 「바람과 함께 사라지다」에 등장하는, 청중들로부터 상당히 긍정적인 평가를 받고 있는 그 유명한 화류계 여성(벨 워틀링)과도 같다. (경애가 술집 바커스의 여급 생활을 한 전력이 있다는 사실을 연관시켜 생각해 볼 때에 더욱 그런 것으로 보인다.) 김종균은 홍경애를 긍정적인 인물의 유형으로 보고 있는 바, "남자의 세계에 직접 간여해 자기의 힘을 과시하며, 사회에 기여하고 있는", 또는 "사회의 주류를 사상적으로 받아들인 자각의 생활인으로 (……) 핵심적 사건에 말려드는" 카페 마담형의 인물로 규정한다. 김종균, loc. cit.「바람과 함께 사라지다」의 카페 마담 격 여성인 벨 워틀링이 남북전쟁 당시 어떤 핵심적인─크고 위험한─사건에 말려드는 위기에 직면하나 그 위기를 슬기롭게 넘기면서 큰 인물(여걸)로 인정받게 되듯이, 홍경애 역시 마르크스 보이 병화를 만난 뒤 핵심적인(크고 위험한) 사건에 자신이 노출되면서, 오히려 여걸의 위치로 점차 성장해 가는 것이다.
34) 신동욱, "염상섭론", 『현대작가론』(개문사, 1988), p.82 참조.
35) 염무웅, "식민지적 근대인", 『민중시대의 문학』(창작과비평사, 1979), p.251.

들을 대표하고 있는 인물이다. 그러므로, "그런 식으로 돈을 모아 일가를 부흥시키는 데나 힘쓴다면 그게 무슨 의미가 있는가" 하는 식의 반론이 이어지는 속에서도, 그는 그 자신의 독자적 행보를 고집스럽게(비타협적으로) 걸어가는 것이다. 이 작품을 읽는 독자들 거개가, 그가 병화를 도와주려면 근본적인 면에서 돕거나, 아니면 그 알량한 심퍼다이저의 위치에서 내려와 차라리 그와 의절을 해 버리든지 양단의 하나를 결단하지 못하고 우물쭈물하고 있는가, 하고 마음속으로부터의 질문을 던진다고 해도[36] 역시 덕기는 그 자신이 걸어야 할 독자적이고도 비융합적인 길이 있기 마련인 것이다. 덕기가 과연 바람직한 인물인가 하는 물음은 차치하고라도, 그가 있음으로써 이 소설이 이른바 다성악적 화음을 낼 수 있는 소설로 되어 있다는 사실만은 분명한 것이다. 그의 자유의지는 막스 베버 식 프로테스탄트 자본주의 정신으로 잘 통제되어 균형을 갖춘 것이라고 표현해 볼 수도 있을 것 같다.

IV - 3.

『삼대』에 등장하는 주인공 김병화에게서 우리는 카니발화한 문학 작품 속의 역동적인 인물상을 접하게 된다. 김병화는 기독교의 권위주의 체제에 도전하는 저항자의 모습으로 맨 처음 독자들에게 그 자신을 선보이고 있는 인물이다. 일제하의 기독교가 나라를 구하고 민족을 구원하는 데 무익하다면 그런 기독교가 설령 자기의 친아버지가 목사직에 있었다고 하더라도 그런 교회와 형식적인 관계는 유지하지 않겠다고 하는 강한 의지를 병화는 표명하고 있다. 여기서 우리는 카니발 축제[37]의 세계관에 나타나는 해방과 자유에의 정신을 발견하게 된다. 그의 활달 호방한 성격에서 독자들이 기분 좋은 느낌을 받게 되는 것은 바로 그의 그러한 행위 속에서 독자들이 카니발적 세계가 주는 '즐거운(유쾌한) 상대성'[38]의 기분을 독서행위로 직접 체험하게 해 주기 때문이다. 그러나

---

36) 각주13을 참조할 것.
37) R. 스탬, "바흐친과 대중문화비평", 여홍상 편, 『바흐친과 문화 이론』(문학과지성사, 1995), p.333 참조.
38) T. 이글턴, "축제로서의 언어", 여홍상 편, 『바흐친과 문학 이론』(문학과지성사, 1997), p.79 참조.

그의, 자유와 해방 및 평등 지향의 카니발적 이념이 더욱 빛을 발하는 곳은 그 자신이 직접 사회주의 운동을 추진하는 과정에서 일제와 부딪쳐 수난을 당하는 후반의 장면에서라고 하겠다. 비록 김병화가 실패하기는 하지만 과정상의 굴복이 아닌 결과적인 패배[39] 속에서 그가 식민지의 청년다운 비극적 말로를 보여주는 장면이 독자들에게 장쾌한 맛을 느끼게 해 준다. 특히 그가 사용하는 활달호쾌한 대화 가운데서 언어의 카니발화 현상을 발견할 수 있다는 것은 당연한 일이다.

여기서 우리는, 다성적 담론은 곧 카니발적 담론과 표리일체의 관계에 있다는 결론을 이끌어낼 수 있을 것이다. 평론가 이보영은 『삼대』를 논하는 마당에서 이 작품의 중심적 매력이 다른 데 있는 것이 아니라, 오늘의 독자에게 가장 친근감을 주는 김병화와 홍경애의 대화에 나타난 언어표현에 있다고 말하는데,[40] 이러한 해석은 이 소설의 카니발화 현상을 지적해 주는 표현이라고 생각된다. 그는 이렇게 말한다. "그들의 대화가 항시 신선한 해방감을 주는 것은 그들이 대화를 할 때 활발히 발휘되는 자유로운 정신과 횡보의 해학적이요 평민적 활력이 넘치는 언어표현 감각에 기인한다."[41] 즉 언어의 카니발화에 의하여 결국은 이 소설의 카니발화가 효과적으로 이루어졌다는 설명인 것이다. 김병화의 대화 속에 보이는 평민적 해학성과 야인적 호방성의 표현이 '언어의 카니발화'의 좋은 사례로 나타나고 있는데, 결국 이것이 문학적으로 육화되는 과정을 통해 '문학의 카니발화'의 높은 경지를 보여준다는 것이다. 후기 르네상스 시대에 프랑수아 라블레가 문학의 카니발화와 언어의 카니발화의 양면에서 효율적인 활동을 보여준 바 있었는데, 염상섭도 그의 대표적인 작품을 통하여 언어의 카니발화와 문학의 카니발화 양면의 혼융일체를 보여 줌으로써 그 작품의 예술적 수준을 높은 경지로 끌어올리고 있음을 우리에게 확인시키고 있는 것이다. 결론적으로 말하자면 언어의 카니발화와 문학의 카니발화는 하나의 작품 속에서는 따로 노는 독립 항(項)이 아니라, 내적 통합 과정을 거쳐 일체화된 하나의

---

39) 이보영, "저항적 중심의 형성—『삼대』", op. cit., p.333. 그는 이를 '패배의 승리'라고 표현한다.
40) Ibid., p.323.
41) Ibid., p.324.

현상이라고 하겠다. 동시에 다성적 소설에서의 카니발적 담론이 곧 다성적 담론과 직결되는 것임을 말해주는 것이기도 하다.

그리고 이보영은 조덕기의 대화가 그의 보수적 성격을 반영하고 있음을 지적하면서, 그의 대화 속에 김병화의 그런 활달한 해학과 신랄한 풍자가 없는 사실을 지적하여, 그(덕기)가 '소심한 보수주의자'이기 때문이라고 진단했다.42) 조덕기가 이처럼 보수주의자, 또는 다른 학자(평론가)들이 거의 이구동성으로 말하듯이 중도적 온건론자(또는 온건한 민족주의자) 등으로 평가되는 위치의 인물이라고 할 때, 김병화 식의 활달함이나 호방함이 그(덕기)의 대화를 통해 드러나기가 어려울 수밖에 없음은 물론이다.

김병화 식 대화의 카니발적 특성에 대한 이보영의 언급이 어떤 의미를 지닌다고 한다면 그것은 그 대화를 통해 드러나는 발화재[병화]의 역사관이나 세계관이 지니는 독단주의적 성격이 단일 주인공의 담론을 통하여 절대주의적 관점에서 독자들에게 어떤 결정적 영향을 주는 방향으로 나아가야 한다고 말하는 (telling) 당위의 관점에서라기보다는, 당대의 사회가 다양하고도 복합적인 이데올로기의 온상이요 만화경이었음을 독자들에게 객관적(존재론적)으로 제시하고 (showing), 그에 따른 판단과 선택은 독자들에게 맡기는 일종의 열린 대화적 비평의 기능을 담당하는 데 있어야 한다고 생각되는 것이다. 결국 김병화의 담론은 절대적인 것일 수가 없고, 조덕기나 홍경애 등 복수 주인공들과의 수평적 관계망 속에서 상대적으로 객관적 평가를 받을 수밖에는 없는 처지인 것이다. 만일 그가 단독 주인공이라고 한다면 그의 모든 언행이 일종의 절대적인 담론 형식의 것이 되어 버림으로써, 그 자신 역시 절대자의 위치에 군림하게 될 것이므로 그의 이를테면 수직적 명령 일변도의 대화가 결코 카니발적 흥겨움을 자아낼 수는 없을 것이다. 카니발 축제가 흥겨운 것은 사회적 지위의 평준화 내지는 언어적 발화의 평등화 등의 현상에서 찾을 수 있는 것이라면, 김병화 역시 다른 주요 등장인물들과의 관계에 있어서 대등한 복수 주인공의 일원의 위치에 놓였을 때 그의 다성악적이고도 카니발적인 담론이 더욱 광채를 발하고 그 결과 독자들에게는 흥겹게 느껴질 수 있으리라는 것이다. 필자 개인의 독서 체험에 의

---

42) Ibid.

하면, 이 작품을 독파한 후 머리 속이 매우 맑아지고, 그 결과 자연히 명쾌한 기분에 젖어드는 경험(혹 '유쾌한 상대성'의 체험?)을 맛보았었는데, 그 이유가 다른 데 있는 것이 아니라 바로 이 소설 자체가 지닌 그 특유의 다성악적이고도 카니발적인 담론 성격에 의한 결과가 아닐까 여겨지는 것이다.

V. 마무리

염상섭의 『삼대』는 한국문학사상 맨 처음 나타나는 기독교적 다성악 소설의 의의를 지니고 있는 작품이다. 작가 염상섭이 그의 장편소설 『사랑과 죄』(1928)를 통하여 이른바 다성악 소설을 먼저 시도한 바 있으나 이 작품은 기독교적인 내용의 작품이 아니라고 할 때, 역시 기독교적인 세계를 취급하고 있는 작품으로는 『삼대』가 다성적 소설의 처음 사례에 해당한다고 하겠다. 다성적 소설을 논의하면서 그것이 기독교적이니, 아니니 하는 표현을 쓰는 데에는 그만한 이유가 있다. 물론 기독교적이지 않은 작품에도 다성악 소설이 있다는 사실은 염상섭의 『사랑과 죄』자체가 증거 해주고 있다. 그러나 다성악 소설의 모델로 제시되고 있는 도스토예프스키의 소설들, 즉 『카라마조프 가의 형제들』이나 『악령』과 같은 작품들은 그의 다른 작품들과 더불어 기독교적인 세계와 무관한 것들이 거의 없지 아니한가. 이처럼 다성악적 소설은 여러 이데올로기들의 격돌의 공간으로서의 관념소설적 성격이 매우 강한 것이다. 이들 이데올로기 가운데 특히 기독교라고 하는 종교적 이데올로기가 빠질 수 없는 것은 다성악 소설의 본격적인 탄생과 관련된 도스토예프스키의 역할 및 그가 세워 놓은, 그 흔들릴 수 없는 전통과 관계가 있다고 생각된다.

『삼대』는 그러한 다성악 소설의 전통 수립자인 도스토예프스키의 종교적 영향을 다분히 받은 염상섭에 의해 씌어진, 기독교적 이데올로기와 다른 사회 정치적 이데올로기들이 격돌하는 하나의 문학적 공간이라고 볼 수 있다.[43] 여

---

43) 이 점에 대해서는 김현이 잘 요약해 주고 있다. "30년대의 세대를 염상섭은 덕기와 병화로 대표시키고 있는데 그 두 인물이 다 같이 기독교 가정에서 자라난 것은 의미심장하다. 그것은 개화기 시대의 기독교의 악질적인 측면을 나타내 주는 동시에 기독교에서 분파된 개인주의와 사회주의 양극화를 보여 준다. 과연 덕기와 병화는 기독교 가정에서 자라났음에도 불구하고, 덕기는 진보적 리버럴리즘을, 병화는 과격한 사회주의를 각각 선택한다." 김현, "염상

기서는 봉건주의와 개화주의(기독교 사상), 그리고 자유주의와 진보주의[사회주의] 등이 서로 부딪치고 갈등을 야기(惹起)하고 있다. 도스토예프스키 다성소설의 여러 이데올로기 중 기독교적 이데올로기가 그 핵심이 되듯이, 염상섭의 이 소설 속에서도 기독교적 이데올로기 문제가 그 핵심적인 것이 되어야 한다는 관점에서, 필자는 조상훈과 김병화, 조덕기와 홍경애 등 극단의 자유의지의 발현자들인 복수 주인공들의 기독교적 이념을 중심으로 그 다성문학적 효과가 어떻게 나타나는가를 고찰해 보았다. 특히 김병화의 카니발적 담론의 특성이 이 소설의 다성적 특성과 서로 교호하는 가운데 이 작품 특유의 다성악적 담론의 세계가 펼쳐지고 있음을 아울러 살펴보았다. 필자는『삼대』가 한국 현대문학사의 봉우리에 우뚝 솟아있는 발군의 사회소설이라는 일반적 평가가 나오게 된 이유를 이 심미적[다성악적] 향기를 발하는 문학작품의 분석을 통해 다시 한번 확인하게 된 것이다.

섭과 발자크", 김윤식 편, op. cit., p.114.

10

한국 현대문학과 종교적 상상력

| 유성호 |

I. '기독교 문학'의 범주와 내포

우리가 문학 작품에 나타나는 주제나 전언(傳言)을 추출하여 그것을 일정한 종교 사상의 의미로 범주화할 때, 특별히 그것을 특정 종교와 밀접하게 관련지을 때 우리는 그 작품들을 통칭하여 '종교 문학'이라고 지칭할 수 있다. 가령 신라의 향가(鄕歌)나 한용운 등의 시에 나타나는 불교적 성격, 김만중의 『구운몽(九雲夢)』에서 감지되는 유불선적 성격 혹은 김동리의 『사반의 십자가』나 김은국의 『순교자』, 이문열의 『사람의 아들』에서 보이는 기독교적 성격 등 특정한 종교적 소재에 바탕을 두거나 종교 이념을 문제삼은 작품은 모두 그러한 '종교 문학'에 귀속될 수 있을 것이다.

이와 같이 문학의 하위 범주로서의 '종교 문학'이라는 범칭(汎稱)이 가능하다는 것은 우리 문학이 끊임없이 종교적 흐름과 교섭해왔다는 첨예한 예증이 될 수 있을 것이다. 이 가운데 기독교는 우리 고대, 중세사와는 별 인연이 없었으나 근대사 이후 폭 넓은 자장을 형성하면서 그야말로 지대한 정신사적 영향을 끼쳤다고 할 수 있다. 선교사들의 포교 활동 이후 이 땅에 기독교가 이념

---

* 『문학과 종교』 제 8권 2호(2003)에 실렸던 논문임.

적·사상적·제의적(祭儀的) 뿌리를 내린 데에는 수많은 투쟁과 견인의 역사가 있었고, 그 투쟁의 행간에 '전통과 보수/서구와 진보'라는 이분법적 도식이 거대한 그늘을 드리우고 있었음 또한 부정할 수 없다. 기독교라는 서양 종교의 유입과 착근의 역사를 통해 우리의 정신사는 그만큼 초유의 생산적 갈등과 변증법적 진보의 토양을 준비한 셈이 된다. 따라서 자생적인 것이 아닌 서구의 근대적 합리성과 마주치면서 형성되기 시작한 우리 근대사에서 기독교라는 외적 충격이 준 영향력은 매우 커다란 것이었다고 할 수 있다.

종교 문학의 하나인 '기독교 문학'은 기독교라는 역사적·이념적·윤리적 기반과 문학이라는 감각적·경험적·형상적 양식이 하나의 작품으로 결합되어 나타난 것을 지칭하는 개념이다. 마찬가지로 '불교 문학'이라든가 '이슬람 문학', '샤머니즘 문학'이라는 종교 문학의 하위 범주의 설정은 얼마든지 가능하다. 그러나 이러한 개념들은 딱히 분명한 계선(界線)을 가지는 것이라기보다는 하나의 종교적 이념이나 사상이 우성적(優性的)으로 작품 속에 나타날 경우 그것들을 편의적으로 부르는 상대적 개념일 뿐이다. 따라서 폭 넓은 기독교적 전통을 모태로 태어난 서구 문학의 경우 그것들은 말할 것도 없이 거의 '기독교 문학'으로 편입될 가능성이 높다. 반면에 우리 문학에서는 짧은 역사로 말미암아 '기독교 문학'의 비중이나 영향력은 서구의 그것에 비해 일천하고 질량 양면에서 빈곤하기 짝이 없다고 할 수밖에 없다. 따라서 우리 문학사에 '기독교 문학'이라는 범주에 실질적으로 해당하는 작가나 시인 또는 작품의 실례가 영성한 것은 어쩌면 필연적이다. 그러면 '기독교 문학'을 말할 때 그것의 필요 조건인 '기독교'라는 말이 갖는 실제적인 내포는 무엇인가?

기독교에서 낙원의 창조와 상실 그리고 그리스도를 통한 그의 복원은 하나의 일직선상의 사관(史觀)을 낳는다. 그것은 「창세기」로부터 「요한계시록」에 이르는 성경의 편집 사관과도 일치한다. 창조의 질서는 카오스에서 코스모스로 변환, 이행되는 신의 주권을 의미하는데, 이러한 역사관에서 배태되는 인간관, 우주관, 가치, 이념 등이 '기독교'라는 수사에 응집되어 있다고 할 수 있다. 그리고 그것은 실존적인 자기 각성이라는 메커니즘과 윤리적 완성이라는 또 하나의 목적을 가지게 되는데, 따라서 '기독교 문학'에서는 심미성(審美性)이 부차화

되고 종교가 지향하는 관념의 형상이 우세하게 나타난다. 사랑, 소명 의식, 희생 정신, 부끄러움, 죄의식, 구원, 소망, 종말론, 실존 의식 등이 이른바 '종교적 상상력'에서 배태될 수 있는 정서적 세목들이라고 할 수 있는데, 예의 '기독교 문학'이란 그러한 여러 성격이 담겨 있는 문학을 통칭하는 것이다.

그러나 호교성(護敎性) 선전물이나 신앙 미담 및 간증류 또는 종교적 소재가 작품의 표면에 등장하는 것들을 모두 '기독교 문학'이라고 등치시킬 수는 없다. 오히려 그것이 높은 형상적 성취와 이념적 내재화를 이룬 경우 우리는 그것을 '기독교 문학'이라 불러야 할 것이다. 따라서 '기독교 문학'은 문학의 구조적 차이에서 정립된 장르적 개념이 아닌, 작가나 시인의 상상력, 가치관, 통찰력 등에서 기독교적 요소를 지니는 내포적 개념이라고 할 수 있다. 따라서 일종의 문학 외적 요소가 중시되거나 문학을 선교 활동의 매질(媒質)로 보는 도구적 개념은 우리의 입론에 해당되지 않음을 명시할 필요가 있다.

이 글에서는 이와 같은 전제에 해당하는 기독교 문학의 실례를 시인 고진하, 소설가 이청준의 작품을 예로 들어 살펴보려 한다.

II. 문학적 욕망과 종교적 욕망의 접점

우리가 잘 알다시피, '종교적 상상력'은 일정 정도 낭만주의적 성향에 빚질 수밖에 없는 성격을 지닌다. 문예사조에 나타나는 낭만주의의 정신적 기조가 '동경(憧憬)'이고, 낭만주의 문학을 일러 '동경의 문학'이라고 극단적으로 말하기도 하는데,[1] 그와 같은 동경의 철학적 배경에는 '극성(極性)의 원리' 곧 생의 이념을 양극적인 대립에서 완성을 기하는 운동, 대립을 고차원적인 제삼자로 극복하는 운동이 깔려 있고, 따라서 모든 것을 포괄할 수 있는 통일을 추구하는 것이 낭만주의의 중심 사상이 된다.[2] 그러므로 이와 같이 유토피아적 열망을 토대로 통일을 지향하는 낭만주의의 기조가 '종교적 상상력'의 근원이 되고, 여기서 우러나오는 문학적 파토스가 그들 작품에 나타나는 관념적 진실이 된다고 할 수 있다. 이 관념적 진실이야말로 기독교적 토대에서 작품 활동을 했던 이들

1) 지명렬, 『독일낭만주의연구』, 일지사, 1988. 14쪽.
2) 지명렬, 「낭만주의와 동경의 문제」, 김용직 외 편, 『문예사조』, 문학과지성사, 1983. 61쪽.

의 삶 자체가 작품 세계와 견실하게 결합할 수 있는 개연성을 제공해 준다고 할 수 있다.

본래 인간이 갖는 '종교적 욕망'이라는 것은 두 가지 층위에서 발원되고 결정(結晶)되고 실현된다. 그 하나가 일상적 자아의 감각 및 인식을 뛰어넘는 어떤 '초월적 존재(혹은 궁극적 실재, ultimate reality)'에 대한 열망과 추구에서 발원하는 것이라면, 또 하나는 그와 반대편의 것으로서 지상적(地上的) 인간으로서의 현세적 욕망의 실현 의지와 연결된다.

전자가 인간이 근원적으로 갖는 물리적, 육체적 한계를 극복하고 좀 더 온전한 세계를 바라는 초월 혹은 성화(聖化)의 의지와 관련된다면, 후자는 인간 사회에서의 윤리적, 생활적 갱신 의지와 맞물린다. 물론 후자의 경우, 현세적 기복의 욕구가 기초적인 보상 심리를 이루고 있는 것이 사실이지만, 고등 종교의 경우 그러한 일차적인 욕망의 실현 여부와 관계없이 종교적 유토피아를 건설하려는 종교 철학 내지 종교 윤리학의 형식이 중요성을 띤다. 더구나 기복 위주의 심리적 잔영들은 문학에 반영될 경우, '형상'의 형식을 띠지 않는다. 그것들은 다만 직설적 고백과 기구의 형식을 띤 이른바 '기도문학(祈禱文學)'의 형식을 띰으로써, 이를테면 종교적 욕망의 직접화에 기여할 뿐, 그것을 성찰 내지 사유의 대상으로 삼지 않는다.

따라서 이러한 종교적 욕망, 이를테면 영원성에 대한 추구, 신성(神聖)의 지상적 복원, 초월 의지, 영성에 대한 감각, 사랑의 윤리 구현, 그리고 모든 불가시적인 세계에 대한 견자(見者)로서의 역할을 자임하는 종교적 상상력의 문학적 수용은 매우 중요한 우리의 탐구 과제가 된다. 더구나 그러한 종교적 욕망과 의지가 현실적으로 나타나고 형상화되는 데는 문학적 언어의 형식을 띠게 됨으로써, 문학과 종교는 언어적 형식에서 매우 밀접한 구조적 상동 관계를 형성하게 된다. 문학의 언어가 제한된 물리적 언어 구조를 통해, 근원적이고 불가측한 인간의 욕망이나 세계의 실상 혹은 그 이면에 살아 움직이는 세계를 파악하려는 충동으로 가득하다는 점에서, 종교와 문학의 근원 탐구적 성격은 상호 인접성을 띠게 되는 것이다.

따라서 이러한 문학과 종교의 언어적 상동성(相同性), 그리고 그것들이 추구하고 실현하려는 세계의 유사성, 마지막으로 문학 자체의 주제적, 미학적 갱신 가능성을 종교가 제공하는 측면 등은 독자적인 탐색 가치를 띤다. 이 글은 이러한 양자의 상관성에 주목함으로써, 우리 문학사를 바라보는 안목이 윤리적·이념적·미학적 형상에 치우쳤던 점을 반성하고, 우리 문학에 연면히 흐르는 형이상학의 전통 특히 종교적 초월성에 대한 긍정적 조감을 행하려 한다.

문학이 시간적으로 경험을 초월하면서 그 심미성을 가질 수 있다는 것은, 미(美)의 형식적 요소가 경험적 내용으로부터 분리되어 성립하는 것이 아니라, 경험적 내용을 기초로 하면서 이를 초월하는 이념으로 존재할 수 있다는 것을 의미한다. 쿠르트 호호프에 의하면 문학에서 '기독교적'이라고 하는 것은 경험적 내용을 토대로 하는 소재적(stofflicher) 또는 주제적(motivisher)인 상태이지, 어떤 형식적인 원칙이 있는 것은 아니다.3) 그러므로 '기독교 문학'은 현대인의 경험 그리고 그것을 초월하는 이념을 통해 종교적 충동을 자극하고 서술할 수 있어야 한다. 그뿐만 아니라 급진적 세계성과 절대적 신앙을 종합하기 위하여, 복음을 뒷받침해주며, 기독교 정신을 독자들이 받아들일 수 있도록 노력해야 한다. 세속적인 세계관과 성서적 신앙이 서로 조화를 이루는 곳에 그리고 신앙에 대한 모든 역사적 편견과 외식들을 벗어버리는 데 아마도 참된 기독교 문학의 새로운 본질이 있을 것이다. 다시 말하면, 그 같은 비의(秘義) 추구의 열정이 '기독교 문학' 또는 '종교적 상상력'의 존재 이유일 것이다.

이 글에서는 이러한 '종교적 상상력'의 외연과 내포를 높은 수준에서 달성하고 있는 두 사람의 시인과 작가를 통해 종교 문학의 가능성을 시사해보기로 하자.

III. '성'과 '속'의 공존과 화해 ─ 고진하의 시

고진하(高鎭河)는 1987년 「빈 들」, 「농부 하느님」 등을 『세계의 문학』에 발표하면서 등단한 이래, 꾸준한 시적 이력을 축적하면서 네 권의 시집을 차곡차곡 세상에 내놓은 중견 시인이다. 그는 '성(聖, the sacred)'과 '속(俗, the

---

3) 쿠르트 호호프(한승홍 역), 『기독교문학이란 무엇인가?』, 두란노서원, 1991.

profane)'이 지상에서 벌이는 치열한 갈등과 화해의 과정을 누구보다 직접적으로 겪을 수밖에 없는 개신교의 사제(司祭) 시인이기도 하다. 이처럼 목사인 동시에 시인으로서 그는 '성'과 '속' 어느 곳에도 일방적으로 깃들이지 않고, 그 사이의 통합과 균형을 특유의 종교적 상상력으로 탐색하고 드러냄으로써, 자신만의 독자적인 시세계를 줄곧 펼쳐온, 우리 시단에서 가장 이채로운 시인 가운데 하나이다.4)

그가 세상에 차례로 내놓은 『지금 남은 자들의 골짜기엔』(민음사, 1990)과 『프란체스코의 새들』(문학과지성사, 1993) 그리고 『우주배꼽』(세계사, 1997) 등의 시집에는 이 같은 '종교적 상상력'을 일관되게 추구하려는 그의 시적 욕망과 열정이 아름답게 담겨 있다. 그 세계를 단적으로 말하면, 세상에 편재해 있는 모든 신성(神聖)한 존재들을 발견하고 만나며, 그들과 적극적으로 소통하고 화해하려는 일련의 '화목제(和睦祭)'의 과정이라고 할 수 있다. 그 과정을 통해 그는 우리 시단에서 가장 빈곤한 영역 중의 하나인 '신성'과의 적극적인 소통을 추구하고 있고, 나아가 '초월' 의지와 '현실' 감각 사이의 접점을 형성하는 데도 남다른 열정을 바치고 있다.

그런데 대부분의 신앙 시편들이 종교적 관념이나 교의(Dogma)를 드러내고 확인하는 데 골몰하는 반면, 고진하의 시편들은 구체적인 생명의 세목들('나무'나 '꽃' 같은 '자연'이 가장 빈번하게 나타난다)을 이른바 '일반 계시'의 차원까지 끌어올리면서, 만물의 영장인 인간조차 사실은 신성한 자연의 망(網) 속에서 자그마한 일부를 이루고 있을 뿐이라는 '생태적 사유'를 거기에 결합시키고 있다. 고진하가 일관되게 보여주는 이 같은 '종교적 상상력'과 '생태적 사유'의 결합은, 그의 시로 하여금 근원적이고 불가해한 신성을 탐구케 하는 동시에 세계내적 존재로서의 인간의 욕망에까지 그 시선을 투시하게 하며, 나아가 그 이면에 살아 움직이는 세계의 실상을 파악하려는 충동까지 가져다준다. 그래서 그의 상상력과 시는 현실 탐색의 의지보다는 근원 탐구적 욕망에 의해 더욱더 강하게 규율되고 완성되고 있는 세계이다.

---

4) 유성호, 「'폐허'를 건너 '치유'를 꿈꾸는 종교적 상상력」, 『상징의 숲을 가로질러』, 하늘연못, 1999. 281쪽.

또한 그의 상상력과 시는 '기독교'라는 특정한 역사적 종교에서 발원하고는 있지만, 모든 종교의 속성들을 아우르려는 이른바 '통(通)종교'적 성격을 매우 강하게 띠고 있으며, 때로는 모든 생명체에서 신성의 흔적들을 발견하고자 하는 일종의 범신론(汎神論)적 충동으로도 나아가고 있음을 부정하기 어렵다. 이러한 근원적인 신성에 대한 지속적인 추구와 유기적이고 풍요로운 생태적 사유를 결합하려는 그의 시적 의지가 더욱 심화되어 풍부한 형상을 얻고 있는 세계가 네 번째 시집 『얼음수도원』(민음사, 2001)이라고 할 수 있다.

그의 이러한 유연하고 포용력 있는 '종교적 상상력'은, 살아 있는 생명체는 물론이고 죽은 생명의 흔적 속에 웅크리고 있는 신성에까지 그 시선을 확대하는 데 이른다. 다음 작품에 나타나고 있는, 시인의 눈에 비친 삶의 무늬는 참으로 아름다운 것이다. 그는 아침마다 뒷산에 올라 산책을 하다가 우리가 잊어버리거나 아예 도외시해왔던 예외적 풍경을 통해 새로운 통찰에 도달한다. 그래서 그에게 '아침'은 저절로 밝아오는 것이 아니라 '발견'에 눈을 뜬 사람의 목소리를 통해서 밝아오는 어떤 것이 된다.

이와 같은 그의 남다른 신성 발견과 형상화 능력은 "푸석푸석 부서져 내리는/진흙 가면(假面). 그걸 볼 수 있는 눈을/지니고 있다는 것"(「월식」)에 대한 오연(傲然)한 자각에서 발원하는 것이다. 나아가 그것은 "기쁘다. 내가/읽을 새 경전(經典)은 바로 나"(「범종소리」)라는 새삼스런 자기 성찰에서 오는 것이기도 하다. 그러니까 이제 시인은 세계에 편재해 있는 신성들을 찾아 "이름 짓는 자가 아니던가?"(「신성한 숲」). 고진하는 그 점에서 사물에 신성을 덧입히며 명명(命名)하는, 다시 말해 "이름 짓는" 시인이다. "미래의 불꽃만 간직한 채 숯으로 변한/순교자"(「숯의 미사」)로 '숯'을 비유하는 것이나 "성스러움의 성(聖) 자도 모르는 놈이지만/인간이 먹다 버린 뼈다귀조차/저렇게 성화(聖化)하고 있"(「누룽이」)는 미물에게서조차 신성의 움직임을 발견하는 것은 모두 이 시인의 그러한 일관된 '눈' 때문에 가능한 것이다.

그리고 한 걸음 더 나아가, 이 시인의 가장 독자적인 매력 중의 하나는 우리 인간의 구체적인 삶 속에서 발견하는 '신성'의 움직임과 힘이다. 그 대표적 형상을 그는 자신의 어머니 속에서 찾고 있다.

영혼의 머리카락까지 하얗게 센 듯싶은
팔순의 어머니는

뜰의 잡풀을 뽑으시다가
마루의 먼지를 훔치시다가
손주와 함께 찬밥을 물에 말아 잡수시다가
먼산을 넋놓고 바라보시다가

무슨 노여움도 없이
고만 죽어야지, 죽어야지
습관처럼 말씀하시는 것을 듣는 것이
이젠 섭섭지 않다

치매에 걸린 세상은
죽음도 붕괴도 잊고 멈추지 못하는 기관차처럼
죽음의 속도로
어디론가 미친 듯이 달려가는데

마른 풀처럼 시들며 기어이 돌아갈 때를 기억하시는
팔순 어머니의 총기(聰氣)!

　　－「어머니의 총기」 전문

　　"영혼의 머리카락까지 하얗게 센 듯싶은/팔순의 어머니는" 시인에게 "예수"
이자 "밥"(「밥」)이다. 그런데 이처럼 세속성('밥')과 신성성('예수')을 통합적으
로 체현하고 있는 어머니가 보이시는 "뜰의 잡풀을 뽑으시다가/마루의 먼지를
훔치시다가/손주와 함께 찬밥을 물에 말아 잡수시다가/먼산을 넋놓고 바라보시
다가" 하는 일련의 행동적 연쇄는 사실 의미없는 반복적 습관에 가까운 것이다.
그러나 시인의 눈에 "무슨 노여움도 없이/고만 죽어야지, 죽어야지/습관처럼 말
씀하시는 것을 듣는 것"은 그분의 살아계심의 확연한 증거이어서 "섭섭지 않"
다. "치매에 걸린 세상"과는 달리 "마른 풀처럼 시들며 기어이 돌아갈 때를 기

억하시는/팔순 어머니"야말로 참으로 "총기(聰氣)"로 가득한, 말하자면 신성이 머무는 장소이기 때문이다.

이 작품은 그의 제3시집 『우주배꼽』에 나오는 「어머니의 聖所」와 견주어 읽을 만한 시편이다. "어제 말갛게 닦아놓은 항아리들을/어머니는 오늘도/닦고 또 닦으신다/지상의 어느 성소인들/저보다 깨끗할까/맑은 물이 뚝뚝 흐르는 행주를 쥔/주름투성이 손을/항아리에 얹고/세례를 베풀듯, 어머니는/어머니의 성소를 닦고 또 닦으신다"(「어머니의 聖所」)이라는 표현에서 보듯, 시인에게 어머니의 장독대는 "이미 지상에서 사라진/聖所를 세우고 싶은 곳"(「즈믄마을 1」, 『우주배꼽』)이다. 우리 삶의 현장에서 사라진(또는 은폐된) 신성을 사소하기 짝이 없는 어머니의 "주름투성이 손"의 놀림에서 찾는 것도 「어머니의 총기」와 유사한 안목에서 자연스럽게 도출된 것이다. 이처럼 어머니의 오래된 습관적 노동을 신성의 발현으로 보고, 그 현장을 신성의 거소(居所)로 파악하는 이 시인의 눈은 생태적인 것이지만, 가장 아름다운 인생론의 모습을 띠고 있기도 하다.

그래서 이 작품들은 하이데거(M. Heidegger)가 재차 인용한 횔덜린(Hölderlin)의 물음 곧 "신이 부재한 시대에 시인은 무엇을 할 것인가"라는 회의에 대한 형이상적 응답의 가능성으로 읽힐 만한 것들이다. 이 시인이 지속적으로 행하고 있는 "내 목숨이 그곳의 나무들과/구름과 바위와 물소리에 이어져 있음을/섬뜩하니 깨닫곤 한다"(「대관령 수도원」)는 만물 상응(相應)의 고백이나, "그분의 밝은 눈/그분의 시퍼런 눈길"(「예수」)을 궁극적으로 피할 수 없음에 대한 신앙적 고백이나, "고통은 저의 다정한 벗"(「하늘빛 고요」) 혹은 "경건에 이르는 고통"(「대관령 수도원」)이라는 구도자적 고백이야말로, 신성 발견과 그에 따르는 고통이 결국 우리가 감당해내면서 동시에 누려야 할 몫임을 노래하고 있는 것이다. 시인의 눈에, 신성은 어디든 존재하고(은폐되어 있고), 그것은 눈 밝은 자의 '발견'을 통해서만 살아나고 발현되고 완성된다.

그래서 고진하 시인은 "돌아서면/이윽고 내 순한 욕망은 접히고/맑고 깊은 시심(詩心)이 불러주는 고마운 말씀들을/영혼의 수첩에 적"(「이렇게 깊습니다」)는 이른바 신성의 '대언자(代言者)'로서의 매개적 직능을 감당하고 있는 시인인 셈이다. 이러한 과정에서 그는 우주에 가득 차 있는, 그러나 우리가 미처 발견하지 못하고 지나쳐왔던, 새로운 '신성'들을 만나 그들로 하여금 고귀한 영성을 가진 존재로 거듭나게끔 하고 있다. 바로 이 점에 고진하만의 독자성이 있다. 산불이 나서 까맣게 타들어간 산을 보고 쓴 「소나무들을 추모함 1·2」 같은 '자연'에의 조시(弔詩)에서조차 그는 섣부른 환경론적 담론을 제출하지 않고, "푸른 수도승들의 다비식"이라는 비유를 통해 영성을 가진 존재로서의 '자연'을 노래하고 있을 뿐이다.

따라서 고진하 시인은 교의로 번안되지 않으면서도 우리의 삶에 편재해 있는 종교적인 것들에 대한 명민한 시적 재현을 감행하는 언어의 사제이다. 그는 영원성에 대한 추구, 신성(神聖)의 지상적 복원, 초월 의지, 영성에 대한 감각, 사랑의 윤리 구현, 그리고 모든 불가시적인 세계에 대한 견자(見者)로서의 역할을 해내고 있는 것이다. 이것이야말로 종교를 넘어서는 '종교성'의 외연과 내포의 확장과 심화라고 해야 할 것이다.

IV. '성'과 '속'의 갈등과 균열 – 이청준의 소설

문학은 개별성의 보편화에서 오는 체험적이고 자기 중심적인 인식 행위에 대한 근원적 도전이기도 하다. 그럴 경우 문학 작품은 '성'과 '속'이 갈등하며 균열하는 모습을 통해 종교의 융통성과 포괄성을 증언하는 실례가 되기도 한다. 그럴 경우 문학은 종교의 대언자(代言者)가 아니라 대등하게 결합되어 새로운 육체로 태어나는 언어적 파트너가 된다. 그러한 한 첨예한 사례를 우리는 이청준(李淸俊)의 단편소설 「벌레 이야기」를 통해 예시해볼 수 있을 것이다.

화자인 '나'에 의해 이야기의 실질적 주인공인 '알암이 어머니'(화자의 아내)의 삶이 회상의 형식으로 이야기되는 이 소설은 초등학교 4학년에 갓 올라온 소년 알암이가 학원 원장에 의해 유괴되어 싸늘한 시체로 발견되는 과정을 서사의 기본 얼개로 하고 있다. 아들의 뜻하지 않은 죽음을 목도한 알암이 어머니는 물을 것도 없이 엄청난 심적 고통을 겪게 된다. 그러한 그녀에게 이웃 사람 하나(김 집사)가 교회 출석을 권하고 알암이 어머니는 끊임없는 그의 권고와 정성에 탄복하여 교회에 나가게 된다. 그러는 중에 범인이 잡히고, 범인이 다른 사람도 아닌 아들이 다니던 학원 원장이라는 사실에 그녀는 형언할 수 없는 분노와 증오의 감정에 처하게 된다. 이때 전도자였던 김 집사가 이미 범인이 잡혔으니 증오로 그를 대할 것이 아니라 사랑으로 용서를 하는 것이 어떻겠느냐는 권고를 해 온다. 선뜻 동의하기 어려웠으나, 그녀는 시간이 흐르면서 어차피 사형에 처해질 범인을 충심으로 용서하리라 마음먹는다. 그러던 어느 날 그녀는 자신이 용서했다는 사실을 범인에게 보여주려고 그를 찾아간다.

그런데 이게 웬일인가. 처절하고 어쩌면 그녀보다 훨씬 더한 고통에 처해 있어야 할 범인이 어느새 기독교에 귀의하여 신의 용서를 받고 성인과도 같이 평화로운 얼굴을 하고 있는 것이 아닌가. 순간 그녀는 이제까지 용서하리라 마음먹었던 것을 까맣게 잊고 격렬한 절망과 분노를 되살리고 만다. 결국 신은 자식을 빼앗아가더니 이제는 자기보다 한 발짝 앞서서 범인을 용서하고 있는 것이 아닌가. 그녀는 흐느낀다. "나보다 누가 먼저 용서합니까? 내가 그를 용서하지 않았는데 어느 누가 나 먼저 그를 용서하느냔 말이에요. 그의 죄가 나밖에 누구에게서 먼저 용서될 수가 있어요? 그럴 권리는 주님에게도 있을 수가 없어요…". 결국 사형 집행이 있은 후 그녀는 인간적 절망을 이기지 못하고 자살하고 만다.

이 작품은 어찌 보면 반(反)기독교적인 문제 의식을 던져준다. 신(神)에 의해 철저히 파괴되어가는 한 가정 또는 한 여인의 이야기를 다루고 있으니까 말이다. 그러나 이 소설을 우리가 세심히 읽어보면 그와 같은 단선적이고 이분법적인 인식으로는 해독할 수 없는 새로운 인식의 지평을 만날 수 있다. 이른바 '기독교적/반(反)기독교적'이라는 이항대립적 인식으로는 그 두 대립항 사이에서 역동적으로 파동치는 인간의 생의 형식들을 읽어낼 수 없다는 사실을 금방 알 수 있게 되는 것이다.

결국 이 소설은 기독교의 중심적인 윤리적 문제인 '용서'에 대해 깊이 있고 진지한 성찰을 던져준 작품이다. 우리는 어떤 사람을 용서한다고 할 때 흔히 윤리적 우월감을 스스로 충족시키면서 용서를 하고 있는 자신에 대해 흡족해하기 쉽다. 나로부터 용서를 받는 사람을 통해 자신의 존재 의의는 물론 존재 가치를 확인하는 것이다. 대부분 '용서'를 윤리적 우월감 또는 관념적인 시혜의식 정도로 생각해 오던 많은 이들에게 이 작품은 충격적이고 본질적인 메시지를 던진다. 그 용서의 기회를 신이 먼저 가져갔을 때, 당장 용서의 주체는 내가 되어야 하는데 신으로부터 용서받은 사람이 오히려 편안한 미소를 띠고 있을 때, 인간은 자신이 용서를 하면서 느꼈을 법한 윤리적 정당성까지 빼앗기며 그 울분을 삭이지 못한다. 이것이 우리의 인간적·실존적 모습이다. 여기서 우리는 역설적이게도 용서를 자기 만족적으로 하는 것이 아니라 신의 뜻에 합당하게 대행할 뿐이라는 것을 알게 되는 것이다.

언뜻 보아 기독교적 소재를 빌려 정반대의 비극적인 이야기를 풀어간 소설이지만 그 안에 담겨 있는 기독교적 관념의 허위를 드러낸 이 작품을 통해 우리는 상대적이고 구체적인 인간의 형상에 접근할 수 있는 것이다. 그와 같은 수확은 성속 이원론(聖俗二元論)에 토대한 배타성으로는 이르기 어려운 이른바 '문화적 융통성'의 안목일 것이다.

이와 같은 소설은 문학과 종교가 단순히 결합되는 것이 아니라, 갈등과 균열 속에서 풍부하게 연관될 수 있는 개연성을 보여주는 실례라고 할 수 있을 것이다. 따라서 종교와 문학은 교리 차원에서 서로 보완하는 위상이나, 인간의 구체적인 갈등을 자기 중심적이거나 자기 위안적인 태도가 아닌 타자의 위치에서 바라보는 안목의 통합에서도 가능한 것이다. 이처럼 종교 문학의 범주는 이미 고전으로 정평이 나 있는 존 번연의 『천로역정(天路歷程)』이나 어거스틴의 『고백록(告白錄)』도 포괄하는 것이지만, 평소에는 기독교라는 제도적 프리즘으로 포착되지 않지만 넓게 보아 기독교적 인식과 감각으로 파악·해결할 수 있는 모든 생의 형식을 주제로 하는 작품들까지 미치게 되는 것이다.

V. '종교적 상상력'에 관한 후속 논의를 위하여

최근 국내에서 산출되고 있는 '종교'와 '문학'의 상관성에 관한 논의는, 지난 1970-1980년대보다 훨씬 더 활력 있게 이루어지고 있다. 이는 모든 근대주의적 가치가 일정한 적폐를 드러내고 있고, 성장 위주의 근대적 프로젝트들이 인간이나 자연에 부여한 희생이 더없이 컸다는 것이 하나하나 증명되고 있는 이른바 '후기 근대'에 대한 폭 넓은 자각 때문일 것이다. 따라서 '근대'와 '민족'이라는 두 마리 토끼를 통해서만 강력한 준거 체계를 형성했던 우리 근대 문학의 유산들을 조금은 다른 시각에서 조명코자 하는 움직임이 여기저기서 발원하게 된 것이다.

'종교적 상상력'이라고 불리는 일군의 경향에 대한 논의는 그 동안 작가론적 경향, 근대 초기의 이입(移入) 현상에 대한 연구 경향, 신앙 고백적 작품들을 미학적으로 인준함으로써 특정 종교의 문학적 수용을 예술의 주류로 격상시키려는 경향 같은 것들이 혼재했었다. 그러나 마땅히 이루어졌어야 할 '종교적 상상력'에 대한 원론적 천착이나, 그 원론에 귀납적인 자료를 부여해주는 시인, 작가들에 대한 탐색은 매우 부족했다고 할 수 있다. 그래서 우리는 국내의 활발한 '종교 문학' 논의 경향을 미학적·역사적으로 한 단계 끌어올려 종교의 '보편성'과 문학의 '특수성'을 매개하는 천착을 해야 할 것이다.

서구 사회에서는 매우 오래 전부터 이 분야의 연구와 탐색이 지속되어왔다. 특히 영미 계통에서 이 연구는 매우 활발했는데, 이는 오랜 기독교적 전통의 축적 때문이라고 할 수 있을 것이다. 그러나 문제는, 한국의 근대사적 특수성이 서구의 그것과 다른 까닭으로 우리의 '종교적 상상력'에는 식민지 근대나 분단 상황에 대한 예각적 인식이 매개되어 있다는 사실이다. 그래서 우리는 이 같은 한국 근대사의 특수성과 종교의 보편성을 다같이 중시하여, 서구에서 이루어졌던 원론적 탐색이나 작가론적 연구를 참조하면서, 우리의 '종교적 상상력'의 구체적인 전개 양상을 가늠해야 할 것이다.

수용된 종교로서의 한계를 일정하게 인정하면서, 그럼에도 불구하고 그것이 한국 근대사에서 매우 중요한 인식론적·형상적 원천을 제공하였음을 밝히는 것이 우리의 과제라고 할 수 있다. 사실 모든 '종교적 상상력'에 관한 연구는 '종교'와 '문학' 중에서 어디에 방점을 찍느냐에 따라, 비록 동일한 과제이면서도 천양지차의 결과를 도출한다. 전자에 치우칠 경우 미학보다는 파토스가 중요해지며, 후자에 중심을 두면 종교의 매개성이 약화되어 소재 차원으로 전락할 위험이 상존한다. 그래서 우리는 이 같은 불균형을 경계하면서, 한국 근대문학에 근대성과 합리성이라는 신화의 그늘이 짙었음에 반(反)하여, 상대적으로 종교적 상상력이나 욕망의 담론 같은 것이 약했었다는 반성적 자료를 구성해야

할 것이다. 그럴 경우 우리 근대 문학을 파악하고 해명하고 육화하는 프리즘의
풍부한 확장을 미학적으로 구축해갈 수 있을 것이다.

↯ 인용문헌

기독교학문연구회, 『신앙과 학문』 2권 4호, 1997.

김영한, 『한국기독교문화신학』, 성광문화사, 1995.

김영호 외, 『문학과 종교의 만남』, 동인, 1995.

김우규 편저, 『기독교와 문학』, 종로서적, 1992.

김종회, 『한국 소설의 낙원의식 연구』, 문학아카데미, 1990.

김주연 편, 『현대문학과 기독교』, 문학과지성사, 1984.

박두진, 『현대시의 이해와 체험』, 일조각, 1976.

박이도, 『한국 현대시와 기독교』, 예전사, 1994.

소재영 외, 『기독교와 한국문학』, 대한기독교서회, 1990.

신익호, 『기독교와 한국 현대시』, 한남대학교출판부, 1988.

유성호, 『한국 현대시의 형상과 논리』, 국학자료원, 1997.

유성호, 『상징의 숲을 가로질러』, 하늘연못, 1999.

유종호, 『시란 무엇인가』, 민음사, 1995.

임영천, 『기독교와 문학의 세계』, 대한기독교서회, 1991.

임영천, 『한국 현대문학과 기독교』, 태학사, 1995.

정진홍, 『종교학서설』, 전망사, 1980.

최문자, 『현대시에 나타난 기독교 사상의 상징적 해석』, 태학사, 1999.

최재목 외, 「현대시에 나타난 종교」, 『시와 반시』, 2001. 봄.

한국 문학과 종교학회 편, 『문학과 종교의 만남』, 동인, 1995.

한국종교학회 편, 『종교와 문학』, 소나무, 1991.

Curt Hohoff(한숭홍 역), 『기독교 문학이란 무엇인가?』, 두란노서원, 1991.

Grebstein, S. N. *Perspective in Contemporary Criticism*, New York: Harper & Row, 1968.

Perkins, David. *A History of Modern Poetry*, Harvard University Press, 1976.

Tillich, Paul, *The Courage to Be*, New Haven: Yale University Press, 1953.

Wheelwright, Philip. *The Burning Fountain*, Indiana University Press, 1959.

11

현대 기독교소설의 세 양상
─ 조성기·이승우·김영현의 경우

| 김명석 |

I

　한국 기독교소설은 작가 스스로 그 작품을 기독교 소설로 분류하는 일종의
목적의식적인 기독교 작품에서부터 단지 기독교를 소재로 한국 사회의 한 단면
을 비판하기 위해 선택하거나, 기독교를 통해 존재에 대해 질문하는 작품, 목회
자나 신학도를 주인공으로 설정해 작가가 생각하는 인간상을 추구한 작품을 모
두 포괄하는 넓은 의미에서의 기독교 소설 등 다양한 층위를 형성해왔다. 기독
교가 작품 속에서 뚜렷한 중심 소재로 떠오르지 않더라도 T.S.엘리어트가 「종
교와 문학」에서 종교문학의 제3의 형태로 설정한 "종교의 대의를 전파하는 데
성심껏 노력코자 원하는 사람들의 문학 작품"[1])에 해당된다면 마땅히 기독교 문
학의 범주에서 논의의 대상으로 포함되어야 한다. 한국에서 본격적인 기독교
소설은 "기독교 문학이라고 이름할 수 있으려면 기독교가 소재로 취급되는 것
이 아니라 문제로 취급되어야 한다"[2])는 주장을 충족시킬 박영준의 『종각』, 서

---

* 『문학과 종교』 제 2호(1997)에 실렸던 논문임.
1) T.S.엘리어트, 최종수 역, 『문예비평론』, 박영사, 1974, pp.102-103. 엘리어트는 이를 '무의식적
　인 기독교 문학'으로도 표현하고 있다.
2) 송상일, 「부재하는 신과 소설」, 김주연 편, 『현대 문학과 기독교』, 문학과지성사, 1984, p.91.

기원의 『조선백자 마리아상』, 이문열의 『사람의 아들』, 백도기의 『가룻 유다에 관한 증언』, 그리고 무의식적인 기독교 문학으로 황순원의 『움직이는 성』 등에 와서야 등장한다. 이 글에서는 그 다음 세대로 1980년대 이후부터 현재까지 한국 기독교 소설사를 대표하는 조성기, 이승우, 김영현의 작품이 기독교 소설의 구도 속에서 차지하는 의의와 가능성을 진단해보고자 한다.

II

1980년대 이후 『라하트하헤렙』, 『야훼의 밤』 등 대표적인 기독교 소설을 창작해온 작가 조성기는 동양고전의 세계, 우리 시대의 사랑과 성(性)에 관한 영역으로 꾸준히 작품 영역을 확장해나가고 있다. 그러나 90년대에도 자신의 기독교 작품들을 『에덴의 불칼』이란 연작 장편으로 집대성하는 열의를 보인다.

서울 법대 3학년인 1971년 동아일보 신춘문예에 당선된 「만화경」은 '네가 어디에 있느냐'는 종교 실존적 문제를 다룬 조성기 문학의 원형3)으로 일컬어진다. 다음해 군에 입대한 그는 시인 정호승 병장의 뒤를 이어 군종병 생활을 하는데 이 때의 체험을 소설화한 것이 훗날의 『라하트하헤렙』이다. 제대 후 한동안 고시도 문학도 포기한 채 대학생선교단체에만 전념하다가 1983년 『소설문학』에 장편 『자유의 종』을 연재하고, 1985년 『라하트하헤렙』으로 제9회 오늘의 작가상을 수상하며 문단에 복귀한다. 장로회신학대학원을 졸업한 후 소설 창작에만 몰두하여 『야훼의 밤』 4부작(1986), 『가시둥지』(1987), 『베데스다』(1987) 등 기독교 문제작을 연속적으로 발표한다. 이후 기독교적 소재에서 탈피 「우리 시대의 소설가」(1991)로 이상문학상(제15회)을 수상한 그는 다시 1992년 7부작 『에덴의 불칼』을 출간한다. 따라서 그의 문학세계를 중간 결산한 이 작품을 분석함으로써 조성기 문학의 기독교적 의미와 동시에 우리의 기독교 문학의 현 위치를 진단해볼 수 있다.

『에덴의 불칼』은 총 일곱 권으로 구성된 연작소설로서 오늘의 작가상 수상작인 『라하트 하헤렙』과 『야훼의 밤』 4부작인 『갈대 바다 저편』, 『길갈』, 『하

---

3) 양진오, 「신과 인간 사이에서 생성된 문학세계」, 『작가세계』 29, 1996 여름호, p.18.

비루의 노래』, 『회색신학교』 및 다른 두 편의 장편 『베데스다』와 『가시둥지』를 연결해 놓은 것이다. 그 중 앞의 다섯 편에는 작가를 연상케하는 주인공 신성민의 젊은 날의 신앙적 편력이 연대기처럼 나열되어 있다.4) 작가 자신도 스스로의 '젊은날의 초상'5)이라고 밝힌 바 있으므로 작가와 주인공간의 일치점에 주목하면서 작품을 읽는 것도 독자로서는 재미라 할 수 있겠으나, 무엇보다도 이 작품이 독자에게 주는 의미는 한국 기독교의 다양한 측면들을 생생하게 간접체험 할 수 있다는 점에서 찾을 수 있다.

　여기서 각각의 소설들이 최초 창작된 후 다시 『에덴의 불칼』로 모이는 과정에서 작가의 태도가 분명히 드러난다는 점에 유의해야 한다. 작품 후기인 '작가의 말'에서는 다음과 같이 밝히고 있다.

> 　이렇게 볼 때 『에덴의 불칼』 제1부에서 제7부까지는 한 개인의 정신적 종교적 편력의 기록이라기보다, 대학·군대·선교단체·여자기술원(윤락녀 직업훈련소)·신학교·교도소 같은 다양한 집단에서의 정신적 종교적 체험들을 일곱 덩어리로 묶어놓은 작품이라 할 수 있습니다. 말하자면 일곱 가지 형태로 된 우리 시대 기독교 종교체험의 집합체인 셈입니다. 이런 소설 창작 작업은 아마 『에덴의 불칼』이 처음이 아닌가 여겨집니다.6)

　이러한 점을 고려할 때 작품에 묘사된 세계와 작가의 자전적 요소들과의 일치 여부를 따지는 것은 작품을 전체적으로 이해하는 데 오히려 방해가 될 수도 있다. 그 경우에는 『에덴의 불칼』 작품 전체가 아니라 5부까지만 분석대상으로 해야 한다. 앞의 각주에서 언급한 이동하의 논문에서도 주인공 신성민이 만들어가는 삶의 궤적에서 작가 조성기의 자전적 면모를 느끼게 하는 통일성과 연속성이 5부까지만 지속된다는 점에서 심지어 '『에덴의 불칼』 5부작'이라는 명칭을 사용하고 있다.7)

---

4) 작품 형성 과정에 대한 상세한 서지적 고찰과 작가 조성기와 주인공 신성민의 경력 사이의 유사성 문제는 『작가세계』 1996년 여름호의 조성기 특집을 참고할 수 있다. 특히 이동하의 「신앙인의 길, 자유인의 길」에서 이를 집중적으로 다루었다.
5) 조성기, 『에덴의 불칼』 1부, 민음사, 1992, p.321.
6) 조성기, 『에덴의 불칼』 6부, 민음사, 1992, p.273.
7) 이동하, 「신앙인의 길, 자유인의 길」, 『작가세계』, 1996년 여름호, p.63.

그러나 이는 우선 연작의 원형인 『라하트하헤렙』과 『야훼의 밤』까지 만을 인정하는 것이어서 『베데스다』와 『가시둥지』를 연작의 범주에 포함시킨 작가 의 의도에 배치된다. 물론 이는 작가의 전기적 사실과의 유사성 여부만으로 이러한 구분을 한 것은 아니다. 주인공 신성민의 신앙적 편력이라는 서사적 통일성의 측면에서, 뒤 두 작품의 접속에 무리가 따르는 것은 사실이다. 당장 두 작품에서는 독립 장편일 경우나 연작에 포함된 후에나 모두 신성민에게 서술의 초점을 맞춘 것이 아니고, 연작이 가져야할 최소한의 구조적 동질성을 파괴한 것이기 때문이다.

여기서 더 깊이 생각해볼 문제는 5부까지의 작품구조 역시 내적 통일성을 결여하고 있다는 점이다. 앞에서 말한 서사적 통일성이란 결국 작가의 체험과 작품의 서사전개가 상당부분 일치한다는 사실에서 근거한 것이다. 그러나 작가 의 전기적 사실에 대한 집착은 텍스트의 이해를 저해한다. 원론적인 것이겠지 만 구조란 이야기의 내용과 일치하지 않는다. 같은 작가의 체험이라도 서술방 식의 차이가 생기면 텍스트는 다른 모습을 띠게 된다. "1·2·3 부는 주인공 성민의 내면에 밀착되어 성장소설적인 분위기를 이루고 있지만, 제4부는 성민 을 비롯한 다양한 등장인물들을 어떤 풍경 속에 밀어 넣고 다소 거리를 두면서 카메라로 찍어내듯이 묘사 또는 서술하는 방향으로 전개되고 있다. 굳이 이름 을 붙인다면, 시나리오 기법이라고 할 수 있을 것입니다."라고 작가 스스로도 인정하듯이 기법 측면에서만 본다면 오히려 4부 이후 작품 간의 연속성을 인정 해야 할 것이다. '한 개인의 정신적 종교적 편력'이 아니라 '다양한 집단에서의 정신적 종교적 체험'에 초점을 맞추었다는 위의 인용문도 이러한 맥락에서 다 시 읽어야 한다. 반면 전반부는 '작가의 말'과 달리 '자전적 교양소설의 한 모 형'8)이라는 개편전의 평가를 그대로 적용할 수밖에 없다. 이러한 내적통일성의 결여는 작품의 완성도에 치명적인 걸림돌이 된다.9) 자칫하면 이러한 구조적 결 함 때문에 문학적 완성도의 측면보다는 독자의 입장에서 기독교 전반에 관한

---

8) 조남현, 「자전적 교양소설의 한 모형―『자유의 종』작품해설」, 조성기 저, 『자유의 종』, 소설 문학사, 1984.
9) 여기서의 작품완성도란 『에덴의 불칼』 7부작이 새롭게 엮어지면서 생긴 구성상의 문제에 초 점을 맞춘 것이지 개별 작품이 가진 문학적 완성도를 논하는 것은 아니다.

다양한 간접체험을 가능케 함으로써 신앙적 성숙을 가져오는 교양적 가치를 인정하는 선에서 만족해야 할 것이다. 이는 작가가 여러 차례의 편집과정을 거치며 자초한 결과이다. 따라서 작가는 이에 대한 후속조치와 방어논리가 필요했다.

작가는 우선 작가의 분신이었던 성민을 주인공으로부터 화자로 물러 앉힌다. 내면적 경험이 중심이 되는 전반부에서는 성민은 주인공이었지만, 후반부로 가면서 관찰자로서 그 역할이 축소된다. 한편 7부 같은 경우도 원래의 작품들을 연작 형식으로 하나의 장편으로 묶을 때 이전의 일인칭 화자 주인공을 새로 개작하면서 일인칭 화자 주인공을 삼인칭으로 바꾸어 이전보다 좀더 원근법과 명암이 생기도록 조치했다.[10] 물론 작품은 '선택적 전지'[11]의 시점으로 통일되어 있지만 처음에는 화자가 서사적 전개에서 중심적 위치를 차지하다가 후반부에 가서는 서사 전개에서 부차적 인물로 밀리면서 화자로서의 본래 역할에만 만족한다. 이렇게 해서 표면적인 통일성은 확보되었지만 이는 더 이상 '젊은 날의 초상'으로 읽히기를 포기하고, 주인공의 눈을 통해 경험되는 '우리 시대 기독교 종교체험의 집합체'라는 의미를 강조하는 결과를 낳았다. 따라서 위의 인용한 다분히 전술적인 '작가의 말'이 창작후기가 아닌 편집후기 성격을 지니고 있음은 당연하다 하겠다.

그렇다면 이제 『에덴의 불칼』에 대한 접근에는 『야훼의 밤』 단계에서 주로 논의된 자전적인 성장소설의 측면이 아닌 다른 방법이 요구된다. 여기서 "다양한 등장인물들을 어떤 풍경 속에 밀어 넣고 다소 거리를 두면서 카메라로 찍어 내듯이 묘사 또는 서술하는" 소위 시나리오 기법은 1930년대 박태원이 『천변풍경』을 창작할 때의 방법과 거기서 촉발된 세태소설 논쟁을 연상시킨다. 청계천 천변을 중심으로 당대의 일상적 삶의 양상을 치밀한 관찰력과 뛰어난 문장력으로 묘사해낸 박태원이나 한국 기독교 사회의 다양한 공간들을 신성민이란 관찰자를 통해 세부 묘사하는 데 성공한 조성기는 언뜻 떠오르는 공통점 못지않게

---

10) 조성기, 『에덴의 불칼』 6부, pp.272-273.

11) 노오먼 프리드먼에 의하면 '선택적 전지'란 독자가 여러 사람의 정신을 통하여 이야기를 보는 것이 아니라 작중인물들 중 어느 한 사람의 정신에만 제한되어 있을 때를 말한다. 김병욱 편 · 최상규 역, 『현대소설의 이론』, 대방출판사, 1986, 4판, p.378.

차이점도 갖고 있겠지만 전자에 적용된 연구방법을 후자에 적용함으로써 그 작품세계의 본질을 탐구하는 데 도움이 된다면 한번 시도해 볼만하다. 그렇다면 세태 소설적 측면에서 살펴보았을 때의 의의를 논하기에 앞서 논의의 타당성을 검증해보기 위해 구체적인 작품 분석이 요구된다.

주인공 신성민의 기독교 체험은 앞의 인용문과 같이 다양한 공간에서 이루어지지만 그중 대표적인 것은 선교단체(UBF), 무교회주의, 오순절주의로 정리될 것이다. 신학교 체험이나 교도소 체험은 그 현장에 자신도 소속되어 있으나 주변적 인물이거나 단순히 전달자 역할만을 한다. 여기서는 그중 3부와 4부에 작가의 기독교 체험이 앞서 언급한 세태소설적 측면에서 어떻게 형상화되었는가를 간단히 살핀다.

제3부『길갈』에서 집중적으로 다루고 있는 성민의 대학생 선교단체 체험은 자신의 구원과 궁극적 존재에 대한 관심의 차원이라기보다는 한 종교단체에 대한 보고서의 성격을 지닌다. 단체의 성격과 구조를 나열하면서 주인공을 중심으로 한 서사적 전개는 관심 밖으로 밀려난다. 있다면 주인공의 가난과 할머니의 죽음, 여고생과의 사랑과 같은 삽화적 요소들뿐이지 본격적인 신앙적 대결은 없다. 민식 목자라는 카리스마적 지도자에 대한 거부감도 신앙적 문제가 아닌 단체에서의 헤게모니 쟁탈전에 대한 환멸의 형태를 띤다. 작가의 섬세한 세부묘사 속에서 기독교적·본질에 대한 침묵은 철저히 은폐된다. 이러한 작품의 성격은 결국 이 작품을 기독교 세태소설의 차원에 머물게 만든다.

그런데 작품에서는 부각되지 않았지만 실제 작가 조성기가 선교단체를 탈퇴한 이유 중에는 5、17의 충격이 있다. 이를 계기로 성경 바깥의 현실문제에 대해서 전혀 신앙적 대안을 제시하지 않는 선교단체의 개인 구원과 신앙에 대해 한계와 회의를 느꼈기 때문이다.[12] 따라서 "사회현실 속에서 소외된 사람들에게 어떻게 선한 사마리아인과 같은 작은 사랑을 베풀 수 있을 것인가"하는 문제가 이어지는 제4부의 중심주제가 되며 그 문제를 안고 일제시대에 몸부림을 친 선각자 김교신 이야기가 작품에 수용된다.[13] 선교단체를 탈퇴한 성민이

---

12) 양진오, 앞의 글, p.27.
13) 조성기, 『에덴의 불칼』 6부, pp.255-256.

찾은 곳은 김교신의 무교회주의였다. 김교신을 통해 성민은 얼마 전까지 자신이 추종했던 선교단체 지도자와 같은 거짓된 카리스마가 아닌 진정한 그리스도인의 인격적 감화를 경험하게 된다. 그러나 막상 무교회주의 신앙노선이 그의 신앙에 어떠한 갈등을 일으키고, 어떠한 변화를 일으키는지는 충분하게 서술하지 않은 채 작품의 서사적 전개 속에 미처 용해되지 않은 자료의 직접적인 인용으로 대신하고 있다. 따라서 이러한 직접인용은 일반 독자에게 성민 자신의 독립적 그리스도인으로서의 새 출발을 설득력 있게 제시하기에는 부족하다.[14]

그렇다면 그 원인은 무엇일까. 작가는 섣부른 소설화보다 김교신 전집에서의 관련 부분을 끌어오는 것이 독자들에게 더욱 감동적으로 전달될 것 같아 그런 방법을 택했다고 한다. 물론 작품이 가진 교양소설적 측면을 고려하면 나름대로의 효과는 인정할 수 있으나 그렇게 되면 문학적 형상화가 아니라 기독교 대백과사전이 될 것이며, 소재를 직접 옮겨놓는 것이 오히려 감동을 준다는 태도는 작가의 책임회피이자, 독자에 대한 배려가 아닌 떠넘기기가 된다.

그러므로 여기서 작가의 변명을 그대로 수용하기보다는 작품 내적 원인을 찾아봐야 한다. 그 원인은 한 마디로 앞에서 지적했듯 이 작품의 세태 소설적 측면 때문이다. 관찰자적 입장에서 현실을 그대로 복사하는 작업에 몰두하는 태도에서 김교신의 사상을 등장인물 속에 용해시켜 작품의 서사구조에 드러내는 일은 불가능하다. 주인공 신성민을 통해 이를 시도하는 것만으로는 작가가 전달하려는 사상을 충분히 표현할 수 없다고 판단한 작가는 동일한 태도로 김교신 전집을 복사기 위에 올려놓을 수밖에 없다.

현실에서 한발자국 물러나 이를 카메라에 담는 것이나 어떠한 사상을 그대로 복사하는 것이나 결국은 동일한 창작태도에 기인한 것이다. 앵글을 선택하는 것, 지면을 찾아 펼치는 것만이 작가가 은연중에라도 개입할 수 있는 전부이다. 사물이나 현상, 사회와 사상을 이해하고 전달하는데 한계를 느낀 작가가 다른 선택이 불가능한 상황에서 독자를 상대해야할 때 이와 같은 방법론이 등장하는 것이다. 이는 원래 사회의 복잡성을 총체적으로 파악하는데 무력한 개인이 선택하는 방법이지만, 기독교 문학에서도 기독교사회를 대상으로 같은 방식

---

14) 이상섭, 「야훼의 밤은 아직 좀 어둡다」, 『세계의 문학』, 1987 봄, p.355.

을 적용할 수 있으며, 더구나 기독교적 진리와 영적 세계를 파악 전달하는 데 한계를 느낄 경우 서사적 구조에 수용되지 못한 채 성경이나 신학체계를 그대로 인용하는 식이 되는 경우도 발생한다.

제4부 『하비루의 노래』에서는 이러한 신앙적 체험과정에서 맺어진 윤락여성들과의 관계를 묘사하면서 위의 직접적 전달방법의 한계를 극복하고, 독자들에게 이들의 세계에 대한 생생한 보고서를 제출한다. 작가의 '시나리오 기법'이 성공했다면 이는 시나리오 작가의 구성능력이나 카메라맨의 대상을 찾는 재능보다도 카메라렌즈의 성능 때문이다. 치밀한 관찰력과 섬세한 묘사력을 바탕으로 한 문장은 작품의 다른 단점을 숨겨준다.15) 그러나 따져보면 주인공이 경험하는 오순절주의는 이제까지 주인공이 보여준 지성적 면모와는 전혀 다른 신비적 체험으로서, 전혀 이질적인 성격의 이 두 개의 신앙노선이 어떻게 통합될 수 있는지 충분히 제시되지 않아, 문학이라기보다는 간증의 성격을 지닌16)는 문제점 역시 노출하고 있다.

기독교문학의 간증적 성격을 어떻게 이해해야할 것인가. 가령 감옥에서의 삶에 대한 수기적 성격과 종교적 신앙간증의 성격이 융합된 제7부 『가시둥지』는 '시대사적 상징공간'으로서 감옥의 의미를 다룬 작품이라는 평가를 받으면서도, 문학을 종교와 대체시키고 있는 듯한 종교 안전책 지향의 후반은 문학영역으로서의 한계를 동시에 지적받는다.17) 기독교인이 산출하는 작품이라면 간증적 성격을 갖는 것은 오히려 바람직한 일이겠으나 그것이 작품 내적 필연성을 갖지 못할 때 종종 문제로 지적된다. 반면 신앙고백이라기보다는 고발적 성격이 강하게 드러난 것이 제5부 『회색신학교』이다. 주인공의 신학생 생활도 자신의 회색빛 신학에 대한 갈등보다는 신학교의 회색빛 분위기에 대한 관찰자적 성격으로 인해 삶의 특별한 전기가 되지 못한다. 신과 인간 사이에서 존재론적 문제에 초점을 맞추기보다는 신학교를 둘러싼 인정세태에 초점을 맞춰 서술해

---

15) 작가는 이전 작품들을 『에덴의 불칼』로 개작하면서 '대폭적인 손질'을 가했다고 하는데, 여기서 대폭적인 손질이란 구성상의 문제와 관련된 것이 아니라 문장과 관련된 것이다. 조성기, 『에덴의 불칼』, 1부, 1992, pp.321-322.

16) 이상섭, 앞의 글, p.355.

17) 이재선, 『현대 한국소설사』, 민음사, 1994, pp.188-190.

나간 것은 연작 전체에서 나타나는 창작태도로 미루어볼 때 오히려 당연한 것이라고도 할 수 있다.

이 장의 목적은 『에덴의 불칼』을 세태소설로 규정하는 데 있는 것이 아니라, 그에 대한 논의를 발판으로 조성기 문학세계의 본질을 다양한 각도에서 조명해 보자는 데 있다. 임화의 「세태소설론」에서의 쟁점들을 정리해보면 세태소설과 내성소설의 관계 문제, 세태소설을 리얼리즘의 확대로 평가하는 시각의 타당성, 홍명희의 역사소설 『林巨正』의 세태소설적 특성, 세태소설의 문학사적 의의 등으로 요약할 수 있다.[18] 비슷한 순서로 논의를 전개해보자.

먼저 첫 번째 논의에서 외부로 향하는 작가의 정신과 내부로 파고드는 작가의 정신은 본래 대립되는 방향임에도 불구하고 한 시대에 두 경향이 함께 발생하는 데는 그 기초에 단일성이 있다고 파악된다. 『에덴의 불칼』에서도 전반부의 성장 소설적 부분은 주인공 성민의 내면에 밀착되어 있고, 후반부는 기독교 사회에 대한 외적 관찰이란 점에서 한 작가에게서 나타나는 상반되는 두 경향의 동일한 정신적 기반을 찾아낼 필요가 있다.[19] 수직적으로 자기 가운데로 들어가는 내성의 문학은 자기 자신의 개조가 궁극적으로 문학하는 이유가 되는 자기 고발의 형식으로 나아간다.[20] 조성기의 성장소설은 신과의 만남을 통한 자기 정체의 확인[21]과 구원과정이라는 점에서 일종의 자기 고발적 성격을 띠는데, 기독교 세계 전반으로 관심이 확장되는 과정에서 이러한 자기고발은 더 이상 불가능해졌고, 내성적 추구로부터 세태 묘사로 전환되는 작품 성격의 분화가 나타난다.

둘째, 역사소설인 『林巨正』을 세태소설이라 칭한 것은 의문을 자아내지만

---

18) 임화, 「세태소설론」, 『문학의 논리』, 학예사, 1940, pp.341-364.
19) 임화는 그 단일성을 작가 내부에서의 말하려는 것과 그리려는 것과의 분열이라고 파악했던 바, 조성기의 작품에 이를 그대로 적용하는 것은 무리가 따른다. 여기서 주장하고자 하는 것은 한 작가에게서 발생한 상반된 경향을 작가의 편집의도 변화로만 설명하는 데서 그치는 것은 연구의 종점이 아니란 점과 이상과 현실의 거리에서 그 실마리는 찾을 수 있지 않을까 하는 점이다.
20) 임화는 그 대표적 사례로 김남천을 들고 있다. 앞의 글, p.349.
21) 작가는 첫 장편 『자유의 종』(『에덴의 불칼』 1부)에서부터 '도대체 나는 누구인가'라는 질문을 통해 '정체 위기'(identity crisis)의 주제를 다루었다. 조성기, 『자유의 종』, 소설문학사, 1984, pp.298-299.

'조밀하고 세련된 세부묘사가 활동사진 필림처럼 전개하는 세속생활의 재현', 보다 구체적으로 세부묘사, 전형적 성격의 결여, 미약한 플롯은 현대 세태소설과의 본질적 일치를 보여준다. 이를 조성기 소설에 적용하면서 얻을 수 있는 것이 있다면 소재의 차이가 세태소설을 가늠하는 기준이 아니라는 점에서 '기독교 세태소설'이란 범주를 설정해볼 수 있지 않겠냐는 것이다. 이는 단순히 새로운 용어를 만들어보았다는 데서 의의를 찾을 것이 아니라, 한국 기독교 소설의 다양한 양상 중 한 영역을 명확히 부각시킨다는 의미가 있다.

이때 판단기준은 물론 세부묘사만이 아니다. '전형적 성격'의 관점에서 보면 주인공 신성민은 관찰자임에도 불구하고 전반부에서의 성장 소설적 측면과 섬세한 심리묘사를 통해 살아있는 인물로 그려져 있다. 그러나 굳이 리얼리즘에서 말하는 전형의 개념을 사용하지 않는다 해도 그를 한국 기독교인을 대표하는 전형으로는 보기 힘들다[22]). 물론 이를 작가의 인물묘사력 문제로 볼 수는 없다. 한 작가가 반드시 전형적 성격의 인물을 주인공으로 설정할 필요는 없으며, 이 작품이 어차피 세태 소설적 전략 하에 쓰여진 것이라면 성민과 같은 인물의 설정이 작품내적논리에 어울린다 하겠다. 그러나 기독교문학이라면 작품 속에서 한국 크리스천의 모범으로 삼을 등장인물을 선보이는 것도 커다란 의의를 가질 텐데 이 작품은 이러한 기대를 만족시켜주지 못한다.[23]) 다음은 '미약한 플롯' 문제이다. 세태소설은 모자이크적 구조를 갖는다. "전체 이야기의 핵심을 벗어나는 세부사항에 온갖 정성을 기울이며 …… 떼어놓고 보면 명문, 미문이지만 그것이 전체와 무슨 상관이 있는가?"[24])라는 질문은 이 점을 예리하게 지적하고 있다. 여기서 세부묘사와 함께 세태소설의 주요한 판단 기준이라 할 모자이크적 구조의 한계를 극복하고자 채만식의『탁류』같은 소설이 불가피하게 통속미를 가미하여 플롯을 굵게 하고 있다는 임화의 지적은 주목할 만하다. 조성기 역시 전반부에서 작품 전체가 목적하는 기독교적 문제와는 필연적 관계가

---

22) 가장 일반적인 의미의 '전형'의 개념은 '직업, 계층, 사상, 사회적 위치, 종교, 그 밖의 용인될 만한 집단성을 대표하는 인물로서 소설적 목적을 수행하는 인물'이다. 신동욱,『문학개설』, 정음사, 1986 재판, p83.
23) 작가가 신앙인의 모범으로 생각한 김교신의 경우도 엄밀히 말하면 작품의 등장인물은 아니다.
24) 이상섭, 앞의 글, p.354.

적은 가정 문제, 연애 문제와 같은 삽화적 요소가 오히려 서사적 전개의 주축을 이룬다.25) 기독교소설이면서 '통속미'를 통해 플롯의 약화를 피하려는 시도와 함께 또 다른 방향에서 '신성미'를 통한 플롯의 전개도 경계할 만한 요소이다. 기독교에만 한정된 것은 아니지만 종교적 신비 속으로 도피하여 플롯전개상의 난점을 피해보려는 것이 그것이다. 작품 속에 육화되지 않은 종교성이 밖으로 표출될 때 이는 문학이 아니라 간증이 된다.

끝으로 세태소설의 문학사적 의의에 관한 쟁점을 조성기 문학의 기독교 문학적 의의로 패러디하면 다음과 같다. 임화는 세태소설의 리얼리즘적 가치는 부정했지만 그 청신함과 존재이유로 조선소설사가 이만한 묘사의 기술을 가져 본 적이 없다고 지적한다. 조성기의 소설들 역시 묘사기술에 있어 한국 기독교 소설의 정점에 위치한다고 볼 수 있다. 세태소설의 장점이 정신적 질의 심오함에 있는 것이 아니라 묘사되는 현실의 양의 풍다함에 있다고 한 것과 같이 한국 사회의 기독교적 제 측면을 이처럼 풍성하게 묘사한 것은『에덴의 불칼』외에는 유례가 없다. 이상의 논의를 고려할 때 조성기의 소설이 기독교문학의 본질을 모두 부합시킨 것은 아니지만 한국 기독교소설의 영역을 확장시킨 대표적 양상으로서 그 의의를 평가해야할 것이다.

III

작가 이승우는 서울신학대학에 재학 중인 1981년 중편「에리직톤의 초상」으로『한국문학』신인상에 당선되면서 등단한 이래『구평목씨의 바퀴벌레』(1987),『일식에 대하여』(1989),『미궁에 대한 추측』(1994) 등 주목할 만한 단편집을 연달아 내놓았으며, 장편『생의 이면』으로 제 1회 대산문학상을 수상하는 등 기독교 문학권 외에서도 문학적 역량을 높이 평가받고 있는 작가이다. 그럼에도 한 평론가가 데뷔 이후 근 십 년의 그의 창작 작업을 "'에리직톤'과의 싸움, 더 정확하게 말해서 '에리직톤' 해석 작업으로 일관"26)한 것이라고 표현을 한 것은 설득력이 있다. 이 장에서 이승우를 연구대상으로 설정한 이유 역시 데

---

25) 이는 연작의 편집과정과 전반부의 성장 소설적 측면과도 관련이 있다.
26) 박덕규,「수직과 수평, 또는 관념과 실제」,『문학정신』, 1990. 10, p.157.

뷔 이래 이 작가가 지속적인 관심을 보이고 있는 기독교 작품들 특히 대표작 『에리직톤의 초상』을 한국 기독교 소설의 세 양상 중 하나로 제시하고자 함에 서이다.

　　작가 이승우의 『에리직톤의 초상』은 약 10년이라는 기간을 두고 발표한 두 개의 텍스트를 조합한 특이한 경로의 제작과정을 지님으로써 기간 중 작가의 문학적, 종교적 변모 상을 확인케 한다. 작품의 서사적 전개는 교황 요한 바오로 2세의 저격 사건의 진상을 밝혀나가는 형식으로 되어있지만 이는 오히려 부차적인 문제이고, 다양한 등장인물을 통해 기독교적 초월과 현실개혁의 동력으로서의 기독교의 의미가 다양한 관념의 충돌과정에서 제시된다. 작가는 1부에서 개체적이고 실존적인 사고와 신 중심의 세계인식, 그리고 추상적이고 폐쇄된 신념체계에 기울어진 한 젊은 신학도의 의식을 드러내 보이고, 2부에서는 인간의 구체적인 삶에 대한 관심과 역사적이고 사회적인 시야의 확보를 바랐다.27)

　　　　수직이 전제되지 않은 수평을 부르짖을 때 문제가 생깁니다. 절대자와 비뚤어진 수직관계를 방치하고 인간 사이의 평등한 관계만을 기획하는 것은, 감히 말하자면 환상에 불과합니다. 신을 거론하지 않은 모든 휴머니즘은 허무주의라는 기형의 자식밖에는 낳지 못할 것이며, 절망이라는 기항지가 그들의 종국일 것입니다.28)

　　　　아니다, 내게는 수직과 수평, 또는 신적인 것과 인간적인 것의 구별이 무의미하게 생각된다. 신은 인간적이고, 인간은 신적이다. 신은 인간적이다. 신은 인간적이지 않으면 안 되고, 인간은 신적이지 않으면 안 된다. 수직은 수평으로 하여 존재가 가능하고, 수평은 수직을 지향한다.29)

　　앞에 인용한 정상훈의 신중심주의와 뒤에 인용한 신태혁의 입장은 같은 문제를 전혀 상반된 시각에서 다루고 있다. 작가는 여기서 신성과 인간성, 수직과 수평의 두 구조가 팽팽하게 맞서 대결을 벌이는 긴장의 원리에 의존하고 있다.

---

27) 이승우, 「작가의 말」, 『에리직톤의 초상』, 살림, 1990.
28) 이승우, 『에리직톤의 초상』, 동아출판사, 1995, p.22.
29) 위의 책, p.194.

수직과 수평으로 대변되는 작품의 두 축은 결국 제사장적 기능과 예언자적 기능이라는 기독교의 두 역할을 형상화한 것이다. 그리고 이 두 개의 축은 결코 분리되는 것이 아니어서 이 두 축이 교차하는 그리스도의 십자가는 이를 상징해 준다.

모든 소설은 허구를 전제로 한다. 그러나 그것은 진실을 드러내는 허구이다. 사실이 아니라 진실을 지향한다는 뜻이다. 그렇다면 소설적 진실의 핵심은 무엇인가. 작가는 소설 창작의 작업을 혼돈의 삶에 형태를 부여하기 위한 인공의 혼돈으로 규정하고, 소설을 쓰는 즐거움이란 가짜의 인물, 가짜의 역사를 그럴듯하게 창조하여 생명을 불어넣는데 있다고 했다. 혼돈에 형태를 부여하고 창조물에 생명을 부여하는 행위는 바로 신의 창조 행위의 반복이다. 그런 의미에서 소설가는 신이 만든 세계에 안주하지 않고, 끊임없이 자신의 새로운 세계를 창조하는 자이며, 이는 신화 속의 에리직톤이 신성한 나무에 도끼질을 한 것처럼 신의 영역에 대한 침범이 된다. 최초의 인간 아담에서부터 인간은 신의 준엄한 명령을 거역하고, 신의 권위에 도전했다. 인간과 신의 경계선에 생명수가 자리하고 있다. 선악과란 결국 판단 능력을 의미하며 인간은 이제 신의 형상을 보다 완벽히 재현하기 위해 최후로 선악의 판단력마저 획득하는데 성공한다. 후에 메피스토의 유혹을 받은 파우스트가 지혜를 얻기 위해 악마에게 영혼을 맡기듯, 뱀의 유혹을 받은 아담은 지혜를 얻기 위해 신에 대한 복종을 거부한다. 결국 지혜는 에덴이라는 태초의 행복과만 맞바꾸어진 것이 아니라 원죄에 수반된 것이다.

여기서 작품 제목에 등장하는 '에리직톤'의 의미에 주목해 보자. 에리직톤(Erisichton)은 그리스 신화에 등장하여 신들을 멸시하는 불경한 사람으로 시어리어즈(Ceres) 여신이 사랑하는 신성한 나무에 도끼질을 한다. 여신은 그에게 굶주림의 형벌을 내리고, 따라서 에리직톤은 끊임없이 먹기를 계속하면서 계속 굶주린다. 그는 굶주림은 면하기 위해 자신의 딸까지 팔아먹고 결국은 자기 자신의 팔다리마저 뜯어먹다가 죽고 말았다. 결국 이승우의 소설은 존재의 심연에 도사린 에리직톤적 추구에 대한 기록인 것이다.

모든 소설은 결국 자신의 이야기라고 한다. 모든 소설이 어떤 식으로든 글

쓴이의 자전적인 기록이라면 소설가는 '자신의 형상대로' 작품 속의 인물을 창조한다. 이제 작가는 보다 자전적인 글을 통해 자신의 삶과 신의 문제를 정리할 필요를 느꼈다. 장편『생의 이면』의 화자는 작가이다. 처음에 독자는 이 화자 자신을 작가 이승우의 분신으로 생각하게 되지만 줄거리가 전개되면서 초점은 작가탐구의 대상인 박부길 씨에게 맞춰진다. 작가가 화자의 입장에 서는 것이 아니라 탐구대상의 입장에 놓인다. 작품의 결말에서는 "지금까지 그(박부길)의 글쓰기는 감춰진 것의 드러내기이다. 그 드러내기는 그러나 감추기보다 더 교묘하다. 그것은 전략적인 드러냄이다. 말을 바꾸면 그는 감추기 위해서 드러낸다. 그가 읽은 대부분의 신화가 그러한 것처럼"이라고 밝히고 있다. 박부길의 고향으로부터의 도피 저편에는 무엇인가가 숨겨져 있다. 고향은 단순히 공간적인 것이 아니라 오히려 시간적인 것으로 이는 결국 자신의 과거로부터의 도피이다. 박부길의 감추기와 드러내기 사이의 긴장과 화자의 집요한 추적을 통해 아버지에 대한 죄의식이 이야기 핵심임이 드러난다. 주인공이 아버지를 시인함으로써 마침내 자신의 정체성을 확인하는 이 이야기는 확실히 종교적이다. 이는 우리 속에 잠재하는 원죄의식과 신에 대한 추구를 바꾸어놓은 것이다. 그러나 '죄의 문제'를 다루기 위해 작가는 극단적으로 고립된 주인공을 설정하여 개인의 문제로 제한하면서 기독교적 초월의 문제를 여전히 관념적 차원에서 처리하고 있다.

다시『에리직톤의 초상』으로 돌아와서 논의를 발전시켜보자. 이 장에서 주목하여 살펴보려는 이승우의 특성은 앞에서도 언급한 '수직과 수평의 축'[30], '소설적 허위와 신앙적 진실'[31]의 문제가 아니라 작품이 가진 '관념소설적 성격'이다. 『에리직톤의 초상』을 관념소설의 차원에서 접근한 선행논문[32]이 있으므로 먼저 이를 소개하고 필자의 의견을 간단히 첨부한다.

이동하는 이 작품을 관념의 축에 완전한 헌신을 맹세함으로써 자신의 존재

---

30) 이 문제에 대하여는 앞의 각주 27)에서 소개한 박덕규의 논문이나 신익호의 「<에리직톤의 초상>에 나타난 수직과 수평의 축」(『문학과 종교의 만남』, 한국문학사, 1996)을 참조할 것.
31) 김윤식의 「소설적 허위와 신앙적 진실 - 이승우의 지상의 양식」(『한국문학』,1993.3·4 합본)의 표제에서 따온 구절임.
32) 이동하, 「관념소설의 전형」, 『신의 침묵에 대한 질문』, 세계사, 1992.

의의를 확립한 '관념소설의 전형'으로 평가하고, 그 관념의 구체적인 내포로서 기독교적 초월의 문제를 지적한다. 관념소설적 성격이란 첫째로 사상이 작중인물을 움직이는 원동력으로 작용하고 있다는 점과 둘째로 다성소설적 성격을 말한다. 작가는 소설에 등장하는 정상훈, 김병욱, 정혜령, 최형석, 신태혁 등의 여러 입장 가운데 어느 한 입장을 지지하지 않으며, 최종 판단을 독자의 몫으로 남긴다.

한국문학에서 '관념소설'[33])이란 용어가 구체적으로 소개된 것은 1940년에 발표된 최재서의 평론 「학슬리의 <포인트 ﹑카운트 ﹑포인트>」가 최초이다. 그는 관념소설을 전통적 소설에서처럼 성격의 전개라든가 플롯의 구성 때문에 관념과 사상이 수단으로 사용되지 않고, 도리어 그것이 주체로서 움직이면서 스토리와 성격을 수단으로 예속시키는 소설이라고 지적하고 동시에 관념소설이 사상소설과 다름을 분명히 한다. 사상소설이 특정한 사상의 배타적 선택과 주장이라는 작가의 강한 의도성이 전제된 소설이라면 관념소설은 사상이나 관념의 극화를 통해 현대적 삶 속에 생동하는 다양한 사상과 관념 자체를 충실히 반영하고자 하는 소설이다. 한국 소설사에서 최재서의 관념소설관은 창조적으로 수용﹑심화되지 못한 채, 관념이 지배적으로 표출되는 일부 작품들의 범주를 막연히 지칭하기 위한 편의적 용어로 선택되어 왔다. 그 결과 관념소설은 주관적인 관념적 작품에 대한 평가적 용어나 객관적 현실세계를 부정하는 부르주아 지식인 작가의 지적유희로 평가하는 패러다임으로까지 작용해 왔다.

이러한 관념소설의 원래의 개념에 충실하자면 『에리직톤의 초상』은 단지 기독교라는 관념의 주장을 위한 사상소설이 아니라 관념의 다성적 배열이라는 측면에서 논의의 가치가 있다. 앞에서 이동하가 적절히 지적한 대로 다성적 성격이야말로 이 작품을 이해하는 핵심이 된다. 가령 위의 수직과 수평의 문제에 관한 인용문도 작가는 정상훈과 신태훈의 어느 한 편을 선택하지 않고, 독자로 하여금 스펙트럼의 양극단 사이에서 자신의 위치를 스스로 결정토록 한다. 사실 어느 입장을 최종 선택하느냐가 중요한 문제가 아니라 다양한 주장 속에서

---

33) 이하의 '관념소설'의 개념은 황순재의 『한국 관념소설의 세계』(태학사, 1996)의 I ﹑II장을 참조했음.

신과 인간 사이의 존재론적 질문을 추구하는 행위 자체가 기독교 소설의 본질이리라는 점에서 기독교소설은 관념지향적일 필요가 있다.

1930년대의 소설적 경향을 정리하는 자리에서 최재서는 박태원의 『천변풍경』과 이상의 「날개」를 지칭하며 '리얼리즘의 확대와 심화'라는 표현을 쓴다. 앞에서 살펴보았듯이 임화는 즉각 반발하며 전자를 세태소설, 후자를 내성소설로 비판하고, 양쪽 모두 리얼리즘의 본질에서는 벗어나 있다고 지적했다. 비슷한 방식으로 최근 기독교 소설의 두 양상을 표현하자면 조성기의 소설은 범기독교 세계에 대한 성실하고 방대한 보고를 통해 한국 기독교 소설의 소재와 공간을 확대시켰으며, 이승우는 태초의 말씀이 육신이 되듯 작가가 추구하는 로고스에 육신을 부여함으로써, 현실반영보다는 관념의 다성적 추구를 통한 기독교 소설의 심화에 기여했다. 따라서 전자는 기독교 세태소설로 후자는 기독교 관념소설로 규정할 수 있을 것이다. 전자는 근대문학 초창기부터 있어온 교인과 교회의 위선과 비리를 풍자, 고발하는 소재 지향의 기독교소설의 연장선상에서 이를 극복하려 했으며, 후자가 보여준 초월의 관념적 추구는 이전의 기독교소설사의 전통에서 유례를 찾기 힘든 작가의 독자적 영역을 개척했다. 양쪽 모두 기독교 소설을 확대시키고 심화시켰다는 긍정적 의의를 갖지만, 그러나 전자는 섬세한 세부묘사에 비해 본질적 고민이 부족하고, 후자는 관념의 교직일 뿐 현실에 대한 관심이 불충분하다는 비판 역시 감수해야 했다. 따라서 이를 보완하여 진정한 기독교 정신을 모색한 작품이 요구된다. 그렇다면 그 자리에 어떠한 작품을 앉힐 것인가. 다음 장에서는 김영현의 단편소설에서 그 가능성을 모색해 본다.

IV34)

1990년 초반 소위 '김영현 논쟁'이라는 이름으로 문단의 주목을 받은 김영현은 그의 자전적인 작품 곳곳에서 발견되는 종교적 체험 때문에 기독교 문학의 범주에서도 연구 가치를 찾을 수 있다. 학생운동 경력, 수감 생활, 강제 징집

---

34) 이 장은 졸고, 「김영현 소설의 기독교적 의미」(『두레사상』 5, 1996 겨울호)를 요약한 것임을 미리 밝힌다.

등 한국 사회의 민주화 과정과 직결되는 파란만장한 젊은 날의 체험의 뒤편에 그의 신앙적인 힘이 뚜렷이 자리한다.

서울대 철학과에 재학 중 구속된 작가는 1979년 가석방된 후 군대로 끌려간다. 강원도 간성의 포병 대대에 배속된 그는 그곳 민간인 교회에서 박홍규 목사를 만난다. 박목사의 삶은 당시 그에게 깊은 영감을 주어 나중에 「포도나무집 풍경」, 「내 마음의 서부」의 중심인물로 설정된다. 1980년 삼청교육대가 수용되어 와서 그들과 함께 세례를 받고 대대 군종이 되는데 그들의 이야기 일부가 단편 「별」에 형상화 되었다.[35]

이러한 체험은 이제까지의 한국 소설사에서의 기독교 형상화와는 사뭇 다른 작품을 낳는다. 그의 작품을 '실천지향적' 기독교 소설로 분류하는 지적[36]도 나왔거니와 「포도나무집 풍경」, 「별」, 「내 마음의 서부」 등의 작품에서 신에 대한 관념적 질문보다는 한국 사회 변혁과정에서의 기독 청년의 갈등과 희망을 그리고 있다. 작가의 관심사는 늘 생동하는 사회 현실이지 교회라는 분리된 공간이 아니다. 실상 사회와 종교는 분리될 성질의 것이 아님에도 불구하고 종종 교회라는 울타리를 쳐서 가두어버리지 않았던가. 목사와 같은 직업적 종교인은 부차적 인물로 설정되어 주인공에게 정신적 영향을 끼칠 뿐이며, 흔히 등장하는 교회내의 부정 고발도 없다. 만약 소설의 무대를 교회 주변으로 제한하면, 자아와 세계와의 갈등 양상을 표현하는 소설 양식의 특성상 부정적 측면에 치중하게 된다. 그러나 김영현의 소설에서 자아와 갈등을 빚는 세계는 주로 1980년대의 부정적인 정치 현실이며, 종교는 그 내부에서 주인공에게 위안과 희망을 제공하며 현실을 견디게 하는 힘이 된다. 이때 그러한 위안과 희망이 「포도나무집 풍경」에서 볼 수 있듯 주인공 개인만을 향한 것이 아니라 같이 견디어 내며 살아가는 이 땅의 젊은이들에게 확장된다는 점에서 개인적인 결단을 종점으로 하는 조성기나 이승우의 소설과는 또 다른 차별성을 갖는다.

부정적 현실과 생명력의 회복을 다룬 「포도나무집 풍경」은 87년 대선 이후 침체된 지식인 주인공에게 민중의 건재함을 확인시킨다. 주인공의 집필과정을

---

35) 김영현, 「내 추억의 푸른 길」, 『해남가는 길』, 솔, 1992 참조
36) 임영천, 『한국 현대문학과 기독교』, 태학사, 1995, p.338.

빌어 작가는 80년대 운동사를 정리하고, 동시에 주민들과의 만남과 대화를 교차시킨다. 현실의 어둠 그 자체가 아니라 그로 인한 절망감과 무력감이 문제인 주인공에게 필요한 것은 새로운 이상과 신념 회복이다. 작가는 결말에서의 '끈질긴 생명력에 대한 낙관적 신뢰'[37]를 통해 그 가능성을 확인한다.

> "도시에서 온 놈들은 겨울 들판을 보면 모두 죽어 있다고 그럴 거야. 하긴 아무 것도 눈에 뵈는 게 없으니 그렇기도 하겠지. 하지만 농사꾼들은 그걸 죽어 있다구 생각지 않아. 그저 쉬고 있을 뿐이라 여기는 거지. ……중략…… 진짜 훌륭한 운동가라면 농사꾼과 같을 거야. 적당한 햇빛과 온도만 주어지면 하늘을 향해 무성히 솟아나오는 식물들이 이 땅에서 살아가는 민중들이구. 일시적으로 죽어 있는 듯이 보이지만 그들은 결코 죽는 법이 없다네."[38]

박목사의 입을 통해 주인공은 마침내 지쳐있는 자신의 위치가 결코 자신의 생각처럼 절망이나 무력이 아님을 깨닫는다. 햇빛이나 온도가 아니라 식물이 가진 고유한 생명력이 씨앗을 싹트게 하는 본질적인 힘이라는 사실에서 작가는 비록 추상적인 것인지도 모르나 민중의 생명력에 대한 신뢰를 포기하지 않았던 것이다.

김영현 소설에서 주인공에게 미치는 기독교 정신의 힘은 신학적 탐구나 공동체에의 헌신 경험보다는 이상적인 목회자 상으로 대표되는 박목사와 같은 개인의 인격적 감화에 의존한다는 점이 특징이다. 「포도나무집 풍경」에 나오는 박목사는 "성찬식을 할 때 형식적으로 쬐금 맛만 보여주는 빵 조각 대신 큼지막한 인절미 한 가닥씩을, 작은 잔에 감칠맛만 내는 포도주 대신 농주 한 사발씩을 준다"는 소문으로 군인 사이에 이름이 알려져 있었다. 그는 느릿한 말투로 변방에선 듣기 힘든 민주화에 대하여 꽤나 열성적으로 설교를 하였고, 그곳 교회의 장로들과 갈등을 빚는다. 5·17이 터진 후 박목사와 주인공은 각각 교도소와 보안대로 끌려가 눅신하게 얻어터지면서 서로의 소식을 듣는다.

「내 마음의 서부」에는 박목사의 공동체 건설의 꿈에 대한 좀더 자세한 이

---

37) 김철, 「낭만적 아이러니와 힘의 깊이」, 김영현, 『해남 가는 길』, p.307.
38) 김영현, 「포도나무집 풍경」, 『깊은 강은 멀리 흐른다』, 실천문학사, 1990, pp.140-141.

야기가 수록되어 있다. 유신 말기에 강릉에서 푸른 교회를 개척했다는 박목사는 「포도나무집 풍경」의 박목사의 경력과 완전히 일치하지는 않지만 곰처럼 덩치가 크고 표정이나 말투가 어눌하고 둔해 보였다는 첫인상부터 쉽게 공통점을 발견할 수 있다. 주인공을 만난 박목사는 대관령 황무지에 땅을 마련하여 밤이 되어 온 천지가 암흑에 잠기면 하늘에 가득 별만 떠오르는 그곳에 마음 맞는 사람들끼리 조그만 기독교 공동체를 만들고 싶다는 소망을 피력한다.

일 년 후 대관령 목장에서의 토론은 박목사의 공동체 운동에 초점을 맞춰 한국 사회의 변혁에 대한 다양한 입장들을 보여준다. 작가는 후배 정민의 입을 통해 고립 분산적 소공동체에 대해 일정한 비판을 가하면서도 동시에 박목사의 발언을 통해 그 투쟁적 가치를 옹호하고, 혜숙의 소박한 생각을 빌어 일반대중에게 갖는 호소력을 인정하고 있다. 그리고 이들이 함께 어울린 잊지 못할 대관령의 밤은 이러한 방법론적 차이가 인간 서로에 대한 애정 속에서 얼마든지 화해 조정될 수 있음을 암시해 준다.

박목사의 공동체는 결국 추동력을 가진 현실적 대안이 아니라 '꿈'에 불과한 지도 모른다. 그러나 비현실성 운운하지만 유신말기의 억압 속에서 어떤 대안을 모색해본다는 것 자체가 가치 있는 일이며, 용기를 필요로 하는 것이다. 또한 당시의 '과학적인' 대안이란 것들 또한 얼마만큼의 현실성을 갖고 있는 것으로 보였던가. 그러므로 박목사의 낭만적 정열이 단순한 현실도피가 아님을 화자 역시 인정할 수밖에 없다는 사실은 "희망이 보이지 않는 시대에 그런 꿈이라도 간직하며 살아간다는 사실이 오히려 부러운 느낌이 들었다."[39]는 고백에서 확인된다. 그러나 5、18은 그런 박목사의 꿈을 빼앗아가 버린다.

「별」은 기독교인의 시대적 양심이 요청되는 1980년대에 작은 목회자 역할을 담당한 주인공의 군종 생활을 묘사한 작품이다. 출옥 후 군대로 끌려온 주인공은 본능적으로 스스로를 보호할 필요를 느끼고 기독교 신자가 되며, 대대 군종병을 자청한다. 5·17로 보안대에 끌려가서는 "빨갱이가 아니라는 증거처럼 그것을 달고 다녔"고, 식사 때마다 열렬한 기도를 드렸다.

삼청교육대가 수용되자 호기심 반, 의무감 반으로 방문예배를 추진했던 주

---

39) 위의 책, p.169.

인공은 머리를 빡빡 밀고 목석과 같은 표정으로 앉아 있는 삼청교육대생을 대하는 순간 잘못 왔다는 후회에 빠진다. 그러나 막막함 속에 설교대에 선 그의 짧고 솔직한 설교는 사람과 사람끼리만 느낄 수 있는 미세한 변화를 가져온다.

설교 본문의 감동과는 별개로 이 장면의 현실성에 대해서는 몇 개의 의문이 생긴다. 첫째, 과연 80년대에, 그것도 삼청교육대 막사에서, 다른 사람도 아닌 문제 사병으로 지목되어 보안대까지 다녀온 주인공에 의해 이런 예배가 무사히 진행될 수 있었을까. 둘째, 철저한 자기보호의 목적에서 시작된 기독교 입문이 어떻게 단시일에 이와 같은 신앙적 성숙을 이룩했을까. 셋째, 작가와 상당히 유사한 주인공의 경력을 고려할 때 어디까지가 작가의 실제 체험일까. 그리고 현실인식과 용기에 있어서 영웅적인 이 주인공의 묘사가 당대가 아닌 90년대에 뒤늦게 무슨 의미가 있겠는가 등이 그것이다.

처음 두 질문은 작품의 사실성과 관련된 것이다. 첫째 질문은 당시로는 불가능한 상황을 90년대적 관점에서 무리하게 소급 적용한 결과가 아닌가 하는 것이며, 이는 작품과 현실을 구분 못하는 어리석은 질문처럼 보이는 세번째 질문이 내포하는 바, 혹 작가에게 있어 비슷한 체험이 가능했을지도 모른다는 기대가 아니라면 비현실적이라는 지적을 면하기 어려울 것이다. 둘째 질문도 완전한 '진짜 신자'라고 보기 힘든 주인공에게서 이런 신앙적 확신을 기대할 수 있겠냐는 것인데, 보안대에서의 체험만으로는 이와 같은 신앙적 비약은 설명되기 힘들다. 한편으로는 주인공의 믿음이 미리 획득된 것이 아니며, 아직 신앙적 결단을 내리지 못하고 방황하고 있는 주인공이 방문 예배 과정에서 그들과 함께 마침내 변화되는 과정으로 설명해 볼 수 있다. 아니면 여기서의 하나님에 대한 신뢰는 실상은 주인공이 이전부터 간직해온 역사에 대한 신뢰를 다르게 표현한 것에 지나지 않는다는 해석도 가능하다. 그렇다면 하나님이 굳게 지켜주시리라는 말은 주인공의 신앙적 고백이 아니라, 하나님이 계시다면 마땅히 그들을 기억해야 하며 정의의 하나님으로서 역사에 개입해야 한다는 요청으로 이해된다. 그리고 만약 이러한 확신이 당장 그 자리에서 삼청교육대를 위로하고 용기를 주기 위한 수식어에 불과하다 할지라도 작품 내에서 삼청교육대 사람들에게 현실적으로 버틸 수 있는 힘을 제공하리라는 점은 인정해야 할 것이다. 마지막 질문에 대해서는 일단 기독교 문학의 차원에서만 따져본다면 한국 기독교 문학사에서 요구되는 하나님의 형상, 올바른 기독교인상을 분명하게 제시했다는 점에서 의의를 찾을 수 있다. 또한 더 이상 우월한 위치에서 설교하는 교회가 아니라 겸손하게 그들의 고통을 이해할 수 있는 교회가 되어야 이 땅의 민중에게 호소력을 가질 수 있다는 사실을 보여준다. 이러한 역할만으로도 작품배경인 80년대에 대한 단순한 회고에 머물지 않고, 앞으로의 기독교의 방향을 구체화하는 데 도움이 될 것이다.

아울러 이 작품의 제목과도 관련하여 김영현 소설에 반복적으로 등장하여 낭만성과 서정성을 높여주는 '별'의 이미지를 언급하고 지나가야 하겠다. "나는 창공에 빛난 한 개의 별이라오 / 이 세상을 너무도 사랑했다오 / 흙바람 눈물 속을 달려간다오"라는 가수왕 박용태의 짧은 가사에서 별은 세상과 멀리 떨어진 고고한 이상이 아니라 세상과 항상 함께 하는 존재라는 사실이 부각된다. 그것은 이 땅을 항상 내려다보며 민중을 감싸안는 존재, 현실과 역사를 지키는 존재라는 점에서 신을 생각하게 한다. "찢어진 구름 사이로 별 하나가 떠올랐다"는 소설 「별」의 마지막 문장은 윤동주의 「서시」에서 시작된 한국문학사에서의 '별'의 전통과 기독교적 의미가 김영현 소설의 중심에 떠올라 있음을 확인시킨다.

작가는 "나의 절대적 관심은 인간답게 살 수 있는 '공동체'의 건설이다. 그리고 이 불쌍한 '나'라는 인간을 해방시켜 주는 일이다. 근본적인 질문에 익숙해 있다는 점에서 나는 여전히 한사람의 철학도"40)라고 밝힌 바 있다. '근본적인 질문'은 늘 종교적이다. 이러한 근본적인 물음을 통해 존재의 근원과 실존의 문제를 다루고, 사회 현실로부터 종교적 초월의 문제로 관심을 확장시킨 본격적인 작품이 「그리고 아무 말도 하지 않았다」이다. 작가는 현실에서 절망한 한 화가가 수도원의 벽화를 완성시키는 과정을 통해 작가 자신의 종교적 자화상을 그리고 있다. 예술가 소설이 본래 그렇듯 작품 속의 창작 행위는 작가의 창작 행위의 반영이며, 주인공 도재섭에게 있어서의 미술의 의미는 김영현이 소설을 쓰는 이유와 통한다. 예술가들에게 있어서 예술은 단지 대상이나 결과물이 아

---

40) 김영현, 「내 추억의 푸른 길」, 앞의 책, p.23.

니라 삶을 살아가는 방법이기도 하다. 도재섭이 그린 광야의 예수상은 작가의 종교적 태도이자 존재와 실존의 의미에 대한 결론인 것이다.

> 그리고 다른 한 가지의 문제는 종교적 초월의 세계와 현실의 세계를 어떻게 조화시키느냐하는 것이었다. 그것은 재섭에게 단지 벽화의 문제에만 한정된 것이 아니라 종교 전체에 대한 태도를 결정짓는 문제였다. 재섭에게 종교란 단지 어떤 종교를 믿느냐, 믿지 않느냐는 문제가 아니라 이 무의미하게 흘러가는 존재의 세계에 대한 근원적인 물음이었고, 한 개별적 인간의 실존에 대한 물음이기도 했다. …… 중략…… 비록 수도원에 갇혀 있는 그림이라 하더라도 재섭은 현실의 모습을 어느 정도는 담아내보고 싶었던 것이었다.41)

그러면 작가는 결국 어떠한 형상으로 예수를 완성할 것인가. 이 작품은 김동인의 「광화사」나 정한숙의 「금당벽화」와 같은 신비적인 결말에 이르지는 않는다. "벽화는 실패하였다. 그곳에는 그 어떤 절대적인 모습도 없었다. 궁핍과 불의에 고통 받는 인간을 위한 분노도 없었고, 인간 존재의 본질에 대한 고뇌도 없었다"는 재섭의 고백에서 알 수 있듯이 완성된 벽화는 초라한 인간 도재섭의 자화상일 뿐이며, 예수의 얼굴은 미완성으로 남는다. 그러나 이 작품은 신에 대한 그림이 아니라 신을 그리워하는 한 인간에 대한 이야기이다. 종교적 탐구라는 것은 신에 대한 설명이 아니라 신에 대한 질문 그 자체로서 가치를 가진다. 일을 마치고 돌아가는 재섭에게 사무장은 다음과 같이 감사의 뜻을 표한다. "누가 뭐라 하든 그게 어디 보통 벽환가요. 그게 비록 재섭 형제의 자화상이라 하더래두 말이에요. 그건 한 인간의 소중한 기도입니다. 상처 많고 고뇌 많은 …… 우리는 모두 당신이 그린 그 벽화를 향해 찬미의 십자가를 그을 것입니다. 그리고 당신을 기억할 것입니다."42) 김영현의 기독교 소설에는 신이 등장하지 않지만 작품마다 그 저변에 깔린 기독교 정신은 작가의 집요한 탐구 자세를 확인시키며, 독자들은 거기서 만족스런 답을 구할 수는 없겠지만 문제를 풀어

---

41) 김영현, 「그리고 아무 말도 하지 않았다」, 『그리고 아무 말도 하지 않았다』, 창작과 비평사, 1995, pp.36-37.
42) 김영현, 앞의 책, p.63.

나가는 열정과 인간에 대한 신뢰에서 감동의 원천을 발견할 것이다.

V

앞서 기독교 소설의 확대와 심화를 논하면서 조성기의 기독교 세태소설과 이승우의 기독교적 관념 소설의 한계를 극복하는 자리에서 김영현의 소설의 가능성을 살펴보자고 한 것은 김영현의 소설이 기독교 문학으로서 앞의 작품보다 우위의 가치를 가진다는 의미는 아니다. 이는 지금까지 한국 현대소설에서 기독교 문제를 다룰 때 소홀했던 부분이 어디인가를 따지고, 앞으로의 과제를 전망한 것이다. 따라서 '세태소설'이나 '관념소설'이라는 지칭이 앞선 작품들의 가치를 폄하하거나 일부분만을 부각시키고자 하는 의도에서 사용된 것이 아님을 다시 한 번 덧붙인다. 각 작품들은 한국 기독교 소설사의 발전 단계에서 빠뜨릴 수 없는 중요한 위치를 차지한다. 기독교 도입 초기에는 역시 외면적인 관찰에서 기인한 문제제기가 관심사로 대두할 것이며, 한국 기독교의 성장에 따라 이는 다양한 소재를 제공한다. 이 유형은 상당히 오랜 기간 기독교문학을 형성해 왔으며, 앞으로도 지속되겠지만 조성기의 소설이 일단 그 정점에 서리라고 판단된다. 반면 이승우의 소설은 이러한 전통에 획을 그으며 등장하여 그 사상적 깊이나 다성적 기법으로 신적 문제에 대한 본격적인 관념탐구의 길을 열었다. 여기에 현실인식에 기초한 김영현 소설이 또 다른 축을 형성하면서 이들 세 유형이 삼위일체적으로 앞으로의 한국 기독교 소설을 발전시켜나가리라 확신한다.

🌿 인용문헌

김영현, 『깊은 강은 멀리 흐른다』, 실천문학사, 1990.
_____, 『해남가는 길』. 솔, 1992.
_____, 『그리고 아무 말도 하지 않았다』, 창작과 비평사, 1995.
이승우, 『에리직톤의 초상』, 동아출판사, 1995.

조성기,『자유의 종』, 소설문학사, 1984.
_____,『에덴의 불칼』, 민음사, 1992.

김병욱 편·최상규 역,『현대소설의 이론』, 대방출판사, 1986.
박덕규,「수직과 수평, 또는 관념과 실제」,『문학정신』, 1990. 10.
송상일,「부재하는 신과 소설」, 김주연 편,『현대 문학과 기독교』, 문학과지성사, 1984.
신동욱,『문학개설』, 정음사, 1986.
양진오,「신과 인간 사이에서 생성된 문학세계」,『작가세계』, 1996 여름.
이동하,「관념소설의 전형」,『신의 침묵에 대한 질문』, 세계사, 1992.
_____,「신앙인의 길, 자유인의 길」,『작가세계』, 1996 여름.
이상섭,「야훼의 밤은 아직 좀 어둡다」,『세계의 문학』, 1987 봄.
이재선,『현대 한국소설사』, 민음사, 1994.
임영천,『한국 현대문학과 기독교』, 태학사, 1995.
임화,『문학의 논리』, 학예사, 1940.
T.S.엘리어트, 최종수 역,『문예비평론』, 박영사, 1974.

엔도 슈사쿠의『침묵』의 주제연구

| 박승호 |

I. 서론

『침묵』은 1966년 3월 신조사(新潮社)에서 간행된 작품이다. 이 작품은 그해 10월 제 2회 다니자키준이치로(谷崎潤一郎)상을 수상한다. 엔도 나이 43세 때의 일이다.

『바다와 독약』이 높은 평가를 얻어, 문단적 지위를 확립한 엔도는 1959년 다시 프랑스로 건너간다. 이미 그해 9월 유학 시부터 관심을 갖던 마르키 드 사드의 평전『사드전』을「群像」에 발표 한 엔도는, 그해 11월, 사드 연구자료 부족의 보충과 실지 검증을 위해, 쥰코(順子)부인을 동반하여 2개월 정도 프랑스에 건너간다.

그러나 엔도는 여행 중에 병을 얻어 귀국하여, 이후 3년여에 걸쳐 투병생활이 시작된다. 1차 유학 시절 얻었던 폐결핵이 재발하였던 것이다.

1960년 4월, 東京大 전염병 연구소병원에 입원한 엔도는 온갖 약을 투여하지만, 병세가 회복되지 않는다. 이후 1961년(38세) 1월 7일, 첫 번째 폐 수술을 받고 2주 후에 두 번째 수술을 받는데, 실패로 끝나 죽음과 마주하는 입원

*『문학과 종교』제 8권 1호(2003)에 실렸던 논문임.

생활이 계속되어 간다. 엔도는 그 절박감 속에서 기리시탄[1] 시대에 관한 책을 닥치는 대로 읽는다.

하지만 이와 같은 고난은 엔도에게 있어서 매우 중요하고 의미 있는 체험이 되었다. 삶과 죽음이 교차되는 절망의 순간에서 느꼈을 실존적 불안은 엔도로 하여금 신의 존재와 침묵에 대한 깊은 의문을 갖게 했을 것이다. 그가 퇴원한 것은 1962년 7월이 되어서였다. 이 2년 7개월이라는 긴 병상체험은 엔도 문학의 지향을 바꾸는 결정적 계기가 된다. 이제까지의 작품이 동서양의 거리감에 대한 자각과 문제제기 차원의 주제의식을 공통적으로 지니고 있었다면, 병상체험 이후의 작품에는 그 거리감 극복에의 처절한 모색이라는 주제의식이 짙게 확인된다.

그것은 한마디로 논자들이 이야기하는 바인 <약자의 복권> 문제이다. 김승철은 이 점에 대해 이르기를 '인간의 연약함과 비참함에 대한 공감'[2]이란 표현을 사용했는데 『침묵』은 엔도 문학에 있어서 이와 같은 주제의식의 변화가 시작되는 분수령을 이루는 중요한 의미를 지닌 작품이다.

본 작품은 17세기 에도(江戸)시대에 있어서의 기독교 박해를 배경으로 하고 있으며 출판이래 문제작으로 센세이션을 불러일으켰다.

인간의 연약함에 공감하고, 괴로움을 나누는 모성적인 그리스도 상이 감동을 불러일으켜, 순수문학작품으로서는 보기 드문 정도의 베스트셀러가 되는데, 한편에서 개종을 재촉하는 듯이 여겨지는「밟아도 괜찮다(踏むがいい)」라는 표현이 오해가 되어 기독교회의 일부에서는 금서 취급을 당하는 등 비판을 받아, 요츠야(四谷)의 교회에서 열린 공개토론회에서는, 오직 엔도 혼자서 다수의 상대와 논쟁하기도 했다.

한편 본 작품이 간행된 당시인 1960년대 중반의 일본은 패전으로 파괴된 경제가 한국전쟁을 계기로 회복기를 거쳐 고도성장의 기치를 드높이며 절대적 빈곤 상태로부터 벗어나는 시기였다. 정신사적으로는 세계, 국가, 사회, 타자, 사

---

1) 1549년 예수회의 프란시스코 자비에르 신부가 일본에 전한 카톨릭과 그 신도를 일컫는 말로서 이들은 에도막부(江戸幕府)가 금교 정책을 펼치자 숨어 은밀하게 자신들의 신앙을 지켜나갔다.(필자주)
2) 김승철, 『엔도슈사쿠의 문학과 기독교』, 신지서원, 1998.3 (p.70)

물, 신등과 맺어 왔던 기존의 관계가 붕괴되고 새로운 차원에서 개인과 그것들과의 관계 정립이 요청되던 시기였다.3)

이와 같은 상황 속에서 태어난 본 작품에서 엔도는 무엇을 말하려 했는가? 본 논문에서는 작품의 내적인 질서를 파악하는데 주안점을 두어 일차적으로 작품의 주제를 파악하고 나아가서 작품의 외부조건인 작가나 작품을 잉태케 한 시대와 사회적 상황 등을 유기적으로 고려해 본 작품4)이 내포하는 바의 의미를 새로이 규명해 보고자 한다.

II. 작품검토

1. 작품의 서술형식과 중심사건의 기본구조

본 절에서는 중심 인물과 그 중심인물을 이야기해 나가는 내레이터에 대한 고찰을 통해서 작품의 서술형식과 작품이 제시하는 이야기의 내용이 누구의 무엇에 관한 이야기인지를 파악해 보기로 한다.

1) 내레이터와 중심인물

본 작품의 구성은 다음과 같다. 즉, <머리말>과 <1-4장>의 로드리고의 서간, <5-9장>의 체포이후의 로드리고의 여정(9장 중반부 네덜란드 상인 요나센의 일기 포함), 마지막으로 <기독교저택 관인일기> 등이다. 각 부분의 서술형식을 구체적인 작품의 내용을 인용하여 살펴보도록 하자.

> ① 로마 교회에 하나의 보고가 들어왔다. 포르투칼의 예수회가 일본에 파견하고 있던 페레이라 크리스트반 신부가 나가사키(長崎)에서 '구멍 매달기'고문5)을 받고 배교를 맹세했다는 것이다. (중략) 그 사람이 어떤 사정

---

3) 김채수『동아시아문학기본구도1』도서출판 박이정 1995년 p311 참조
4) 텍스트는 쇼가쿠칸(小学館)에서 1996년 출판된『쇼와문학전집(昭和文学全集) 제 21권』에 실린『침묵』을 사용하고, 그것을 번역 기재한 것임을 명기해 둔다. 이하 본문의 인용시 쪽 번호만 기록함.
5) 에도시대 형벌의 일종으로 본 작품에서는 다음과 같이 설명하고 있다. 즉 손발을 움직이지 못하게 대발로 둘러싸고 구덩이에 거꾸로 매달아 귀 뒤쪽에 구멍을 뚫어 피가 한 방울씩 떨어져

때문인지 몰라도 교회를 배반했다는 사실 등은 믿어지지 않는 일이다.6)

② 오늘날 우리들은 포르투칼의 <해외 영토사 연구소>에 소장된 문서 중에 이 세바스찬 로드리고의 편지를 몇 통 찾아볼 수 있는데, 그 최초의 것은 지금까지 기술한 바와 같이 그와 동료가 발리냐노 신부로부터 일본의 정세를 들은 부분부터 시작되고 있다.7)

③ 생전 처음으로 만난 일본인에 대해서 어떻게 말하면 좋을까요? 조금 지나자 술에 취하기나 한 듯, 비틀거리는 걸음걸이로 한 사나이가 방에 들어왔습니다. (중략) 술에 취해 있는 데다 매우 교활한 듯한 눈을 가진 사나이였습니다.8)

④ 부락 밖으로 나오자 갑자기 눈부신 햇빛이 이마에 부딪힌다. 현기증을 느끼고 잠깐 멈춰 선다. (중략)햇빛이 내리쪼이는 밭에는 거름냄새가 가득 퍼져 흐르고 종달새가 즐겁게 지저귄다.9)

⑤ 관리들은 신부를 이 남녀 옆으로 데려가더니 자신들의 일은 끝났다는 듯이 서로 웃으면서 잡담을 나누기 시작했다. (중략) 따뜻한 햇살을 등에 쪼이면서 그는 차츰 어떤 쾌감마저 느끼기 시작한다.10)

죽게 하는 고문방법으로 본 작품에서는 신부를 배교케 하기 위해 사용되고 있다. (7장 p550참조)

6) ローマ教会に一つの報告がもたらされた。ポルトガルのイエズス会が日本に派遣していたクリストヴァン・フェレイラ教父が長崎で「穴刷り」の拷問をうけ、棄教を誓ったというのである。(중략) その人がいかなる事情にせよ教会を裏切るなどとは信じられないことである。(머리말 p.473)

7) 今日、我々はポルトカルの「海外領土史研究所」に所蔵された文書の中このセバスチャン・ロドリゴの書簡を幾つか、読むことができるが、その最初のものは以上書いたように、彼と二人の同僚がヴァリニャーノ師から日本の情勢を聞いたところから始まっている。(머리말 p.477)

8) 生れて始めて会った日本人についてどうお話しらいいでしょう。よろめくようにして一人の酔っぱらいが部屋に入ってきました。(중략)酔っているくせに狡そうな眼をした男でした。私たちの会話中、時々、眼をそらしてしまうのです。(1장 p.480)

9) 部落の外に出ると、突然、まぶしい光が額にぶつかる。眩暈を感じてたちどまる。(중략) 陽の光る畑には肥の臭いが一面に漂い、雲雀が樂しそうに囀っている。(5장 p.515)

10) 警史たちは司祭をこの男女の横につれていくと、仕事はすんだというように笑いながら互いに雜談をかわしはじめた。(중략)あたたかい陽を背に受けている

⑥ 기록에 의하면 이날 신부를 데려간 일행은 하카다 마치에서 가쓰야마초오를 지나 고지마치오 마을을 통과했다고 한다. 선교사가 체포되면 처형되기 전날 이와 같이 군중들에게 보이기 위해 나가사키 시내를 끌고 돌아다니는 것이 관헌의 관례다.11)

⑦ 나이든 짐승처럼 웅크린 채 페레이라는 꼼짝도 하지 않는다. 통역은 통역대로 빗장이 걸려있는 문에 귀를 대고 안의 동태를 오랫동안 엿보고 있다. 그러나 몇 시까지 기다려도 아무 것도 들리지 않음을 느끼자 불안스럽고 목쉰 소리로 "설마 죽은 것은 아니겠지요"하고 혀를 끌끌 차더니12)

상기 ①과 ②의 인용은 작품의 <머리말>에서 인용한 것이다. ③의 인용문은 로드리고가 본국의 교회관계자에게 보내는 보고문을 편지 형식으로 서술한 것으로 로드리고의 의식을 통해서 잡혀진 것을 자신이 직접 서술해 가고 있는 부분이다. ④부분은 관원에게 붙잡힌 로드리고가 끌려가면서 바라보는 부락의 풍경을 로드리고의 감각을 빌어 내레이터가 서술한 부분이다. ⑤는 내레이터의 눈에 포착된 세계와 내레이터 자신의 시각에서의 로드리고의 감정을 설명해 가는 부분이다. ⑥은 내레이터가 현대의 시점에서 과거를 묘사하는 부분으로, 로드리고가 알 수 없었던 당시의 상황을 전지적 시점에서 묘사해 낸 부분이다. ⑦은 배교하기 전 로드리고가 감옥에서 파수꾼의 코고는 소리라고 생각한 것이 구멍 매달기 고문을 받고 있는 신음 소라는 것을 알고 난 후 충격에 휩싸인 장면을 내레이터가 통역과 페레이라의 눈을 통해 극적으로 묘사하고 있는 부분이다.

이와 같이 살펴볼 때 본 작품의 서술형식은 복잡하고 통일성이 없다.

우선 <머리말>에서는 본 작품의 시대적 배경을 설정한다. 이 부분에 있어서

と、彼は次第に一種の快感さえ感じはじめてくる。(5장 p.515)

11) 記録によればこの日、司祭をつれた一行は博多町から勝山町をとおり五島町を通過したと言う。宣教師が捕まれば処刑の前日、このように見せしめのため長崎市中を引きまわすのが奉行所の慣例である。(8장 p.556)

12) 年とった獸のようにフェレイラはうずくまったまま身動きもしない。通辞は通辞で門のきつく差しこんである戸に耳を当てて中の様子を長い間、窺っている。だが、何時まで待っても何も聞えぬのがわかると、不安そうに嗄れ聲で、「まさか死んだのではあるまいな」舌打ちをして、(8장 p.561)

의 내레이터는 ①에서 알 수 있듯이 17C 로마교회 관계자의 의식을 이야기하기도 하고, ②에서 알 수 있듯이 현대의 독자에 가깝고 우리를 대표하는 의식을 지닌 인물이 되기도 한다. 우리를 대표하고 더군다나 자유자재로 시공을 뛰어 넘을 수 있는 유연함을 지닌 이러한 전지적 시점의 내레이터에 이끌려 독자는 그가 밝히는 사실을 공유하면서 이야기의 전개를 기대하게 된다.

<1-4장>까지는 1인칭 서간체 형식의 채용으로 ③에서와 같이 로드리고의 시점에서 자신이 내레이터가 되어 자신의 의식과 감각을 통해 사건의 전개를 직접 서술하여 가고 있다. <5-9장>에서는 체포된 로드리고가 배교에 이르기까지의 과정을 묘사한 압권이 되는 부분인데 서술의 형식은 장면의 극적인 설명을 위해 다양한 시점이 등장되고 있다. 먼저 내레이터는 ④에서와 같이 로드리고와 밀착하여 그를 시점인물로 세워 그가 보고 듣는 것, 즉, 그의 의식과 시점을 통해 사건의 전개를 서술해 간다. 그런 의미에서는 3인칭 내부시점이다. 그러나 작품의 전개에 따라 작가는 극적 효과를 살리기 위해 다양한 서술형식을 혼용하고 있는 바, 내레이터가 자신의 시각에서 로드리고의 신변이나 그의 생각을 직접 설명해 가기도 하고(⑤), 배교의 장면에 가까워지면서 현대의 시점에서 로드리고가 끌려가는 당시 상황을 자료를 인용하여 그려내기도 하고(⑥), 통역관이나 페레이라 측에서 로드리고의 모습을 관찰하는 등의 다양한 서술형식을 취하고 있다.(⑦) 이와 같이 외부시점과 로드리고와 일체된 내부시점과를 교차시켜서 작품의 극적 효과를 연출하고 있다.

한편 9장 중반부의 <요나센의 일기>, 마지막의 <기독교 저택 관인일기>등, 다른 등장인물의 시점을 빌리는 부분 등이 있어, 이 작품의 시점이 단순치 않음을 알 수 있으나 이러한 복잡한 구조는 모두 작자에 의해 의도적으로 삽입된 것으로 작품의 주제와도 밀접한 관련이 있다. 즉 엔도 자신이 밝히고 있듯이 유럽의 교회가 생각하고 있는 것과는 달리 로드리고가 배교한 것이 아니라 이제까지와는 다른 형태로 신앙을 유지해가고 있음을 암시적으로 보여주기 위해 설정된 것으로 이해할 수 있다.13)

---

13) 이점에 대해 엔도는 「背後をふりかえる時」(『昭和文学全集21巻』 小学館 1996. p.980)에서 다음과 같이 밝히고 있다. 즉 『침묵』의 독자가, 한문체 때문인지 모르지만 작품의 끝에 있는 <기독교저택관인일기>를 읽지 않는 경우가 많은데 자기는 다음과 같은 두 가지 사실을

이상과 같이 살펴볼 때 본 작품에 나타나는 사건, 인물 등은 거의 로드리고가 중심이 되어 보고 판단하는 것으로 로드리고가 중심인물로 설정되어 있다고 할 수 있겠다.

2) 중심사건과 중심사건의 기본구조

침묵의 중심인물은 로드리고이다. 그런 의미에서 침묵의 이야기는 로드리고의 이야기이다. 그렇다면 그의 어떤 이야기인가? 그의 무엇에 관한 이야기인가?

로드리고는 1610년 생으로 포르투칼의 예수회 소속 신부이다. 그는 17세 나이에 수도원에 들어가 은사 페레이라 신부에게서 배운 바 있다. 그러나 바로 그를 가르쳤던 페레이라가 일본 나가사키에서 구멍 매달기 고문을 받고 배교했다는 소식을 접한다. 페레이라는 일본에 체류한지 33년이 되는데 주교라는 가장 중요한 직책에 있으면서 사제와 신도를 통솔해 온 성직자이다. 이에 로드리고는 가르페, 마르타 등 페레이라의 제자들과 함께 일본에 건너가서 사실의 진상을 자신들의 눈으로 알아보고자 결심하기에 이른다.

1638년 3월 25일 로드리고 일행은 일본을 향한다. 로드리고 나이 28세이다. 기치지로를 길 안내자로 도모기 마을에 도착한 로드리고 일행은 숨어서 신도들과 은밀한 접촉을 갖는다. 그러던 중 그들이 숨어 있는 움막으로 고토오 마을 신도가 찾아와 자기 마을을 방문해 줄 것을 간곡히 청한다. 이에 로드리고는 위험을 무릅쓴 채 그 마을에 잠입해 가는데 그곳은 바로 기치지로의 고향 마을이었다. 그곳에서 로드리고는 기치지로가 8년 전 그들 일가에 원한을 가진 자의 밀고 때문에 취조 중 그의 형과 누이와는 달리, 성화를 밟고 배교한 경험이 있다는 사실을 알게 되었다. 한편 로드리고는 미사와 고해성사 등 신부의 임무를

밝혀두기 위해 일부러 삽입해 두었다. 첫째는 배반자 기치지로가 스스로 자진하여 찾아와 이곳에 수감된 사실이며, 다른 하나는 오카다 미우에몬(배교 이후 개명한 로드리고의 일본식 이름)이 관리의 명에 의해 '글을 썼다'는 사실이다. 여기에서 '글을 썼다(書きものをした)'는 말은 '서약서를 썼다'는 의미이며, 로드리고는 수감 이후 다시금 배교의 서약서를 관리로부터 강요받았다는 사실을 암시한다. 그것은 수감이후에도 자기는 비록 '후미에'는 했을망정 역시 기독교도임을 드러내어, 그 때문에 재차 고문을 받아 배교했다는 사실을 암시한다고 밝히고 있다.

충실히 함으로써 자신이 이곳에서 유용한 존재라는 희열을 느낀다. 그리고 다시 기치지로와 함께 도모기 마을로 돌아온다.

그러나 얼마 후 관리들의 손이 도모기 마을에 미쳐 기치지로와 모키치, 이치조오가 대표로 취조를 받게 된다. 결국 기치지로는 다시 성화를 밟게 되고 이치조오와 모키치는 순교를 한다. 그것은 로드리고가 상상했던 순교와는 너무도 다른 비참하고 쓰라린 순교였다. 이후 로드리고는 가르페와 헤어져 산 속을 헤매게 되는데 이 산에서 기치지로를 다시 만나게 된다. 기치지로는 로드리고에게 자신이 함께 있으면 안전하다고 안심을 시키며 말린 물고기를 준다. 그리고 자신의 배교에 대한 변명을 한다. 불쌍한 생각이 든 로드리고는 기치지로의 고해를 받는다. 그러나 이미 기치지로는, 목말라하는 신부에게 물을 갖다 준다는 핑계로 마을로 내려가 관리들에게 밀고를 한 후였다. 고해성사가 끝나자마자 산 위로 올라 온 관리들에게 로드리고는 체포된다.

감옥에 갇힌 로드리고는 그곳에서 일본 신도 몇 사람을 만나는데 그들을 위한 신부로서의 임무를 수행해 가는 과정에서 기쁨과 평안을 느낀다. 그리고 이런 생활이 오래 지속되길 바란다. 그러나 애꾸눈 사나이의 어처구니없는 순교는 다시 그를 혼란 속으로 몰아넣는다. 이어 바다에 빠뜨려지는 일본신도들을 쫓아 기도하며 바닷물로 뛰어드는 동료 가르페의 순교 장면을 목격하게 되는데 이것은 로드리고에게는 엄청난 충격으로 다가온다. 이러한 충격 상태에서 자신이 찾고 찾던 페레이라를 만나게 되는데 그의 역할은 로드리고의 배교를 설득하기 위함이었다. 그의 설득에 로드리고는 성화를 밟고 배교하게 된다. 이제는 일본 이름으로 개명한 로드리고[14]는 배교자로서 갈등을 겪다가 기치지로를 통

---

14) 이 소설의 모델이 된 오카모토 자우에몽(岡本三右衛門)에 대해서는 엔도는 다음과 같이 언급하고 있다.

오카모토 자우에몽은 소설속의 로드리고와 다르다. 그는 (본명 주제페.캬라) 시시리아에서 태어나고 페레이라 신부를 찾아 1643년 6월 27일 치쿠젠오지마(筑前大島)에 상륙하여 잠복포교 활동을 벌이다가 곧바로 체포되어 나가사키 부교소로부터 에도의 고이시가와(小石川) 감옥으로 이송되었다. 여기에서 이노우에 치쿠고노가미(井上筑後守)의 심문과 구명 매달기 형벌을 받고 배교하여 일본 부인을 처로 맞이하여 기리시탄 저택에 살다 1685년 84세에 죽었다. 그와 함께 포교차 도일했던 아로요, 카소라 등 두 사람도 모두 고문을 받은 후 배교한다. 소설속의 로드리고나 가르페와 역사상의 캬라와의 상이함 때문에 이 점을 지

하여 약자를 사랑하는 또 다른 차원의 하나님을 발견하고 자신이 이 땅에서 최후의 가톨릭 신부임을 자각한다.

이상과 같이 로드리고를 중심으로 한 작품 내 사건의 전개 과정을 살펴보았다. 로드리고는 배교를 행하는 순간까지 시종일관 신부로서 교회에서 배운 신앙을 지키려는 의식과, 그러한 신앙을 가지고서는 명확히 풀어나갈 수 없는 현실 사이에서 발생되는 의심, 회의, 두려움, 원망, 절망 등의 내적 감정 사이에서 갈등하고 있다.

그러므로 이 작품의 중심사건은 생명의 위협도 개의치 않고 스승의 배교 사건의 진상을 알아내려 일본에까지 오게 한 신앙의식이 일본이라는 특수상황에 직면하면서 변질되어 가는 과정에서 발생되는 사건들이다. 다시 말해, 중심사건의 기저를 이루는 구조는 <기존의 신앙에 따라 행동하려는 의식과 그것을 의심하여 회의하는 의식간의 대립>이라고 도출해 낼 수 있을 것이다. 이 대립은 기본적으로는 로드리고 정신세계 내부의 대립이지만 외부의 사건과 관련되어 전개, 발전되고 있다. 다음 장에서는 침묵의 기본 구조를 구축하고 있는 이러한 대립관계의 성립, 전개과정을 고찰하고 그 대립의 의미를 도출하여 논의를 진전시켜 보고자 한다.

2. 대립관계의 성립과 대립양상

앞에서 필자는 로드리고 의식 내에서의 대립관계는, 교회에서 배운 신앙의식이 일본이라는 현실에 부딪혀 변질되어 가는 과정에서 발생한다는 사실을 살펴보았다. 그 대립관계의 성립과 전개양상의 파악은 로드리고의 신앙의식의 파악에서 시작할 수 있겠다. 그럼 일본 잠입 전 로드리고는 어떤 신앙의식을 지니고 있었던 것일까?

> ① 일본인의 교회와 하나님의 영광을 위해 우리들은 오늘 겨우 이 동양에 까지 도착했습니다. 그러나 앞으로의 갈 길에는 필시 저 아프리카를 비롯해 인도양에서 맛보았던 선박 여행과는 비교도 되지 않을 고난과 위험이 있을 테지요 하지만 「이 거리에서 박해받는다면 다시 다른 거리로

___
적해 둔다.(『전집』제2권 339쪽)

가야하느니라.(마태복음) 그리고 나의 마음에는 끊임없이 묵시록의 우리 주 하나님이시여. 영광과 존귀와 능력을 받으시는 것이 합당하오니 주께서 만물을 지으신 지라. 만물이 주의 뜻대로 있었고 또 지으심을 받았나이다.」라는 말씀이 떠오릅니다. 이 말씀을 대할 때 이미 나에게는 아무런 두려움도 없는 것입니다.15)

② 우리들은 매일 그의 병이 하루라도 빨리 회복되도록 기도하고 있습니다만 병세는 좋아지지 않습니다. 그렇지만 하나님은 우리들의 지혜로서는 통찰할 수 없는 가장 선한 운명을 인간들에게 부여하시는 것입니다. 출발은 앞으로 2주 후로 박두하고 있습니다만 반드시 주 하나님은 그 전능하신 기적으로 모든 것을 조화시켜 주실 것입니다.16)

③ 가르페와 나는 서로 얼굴을 마주 보았습니다. 이 항해 동안에 모두에게 조금이나마 쓸모 있기는커녕 방해만 되어 왔던 그가 우리들과 똑같은 입장의 인간이라니 있을 수 있는 일입니까? 아니, 그런 일은 있을 수 없습니다. 신앙은 결코 한 인간을 이와 같은 겁쟁이와 비겁한 자로 만들지는 않습니다.17)

일본 잠입 전 로드리고는 앞으로 자신에게 닥쳐올 고난에 대한 두려움을 말씀으로 물리치거나(①), 항해 도중 병을 앓고 있는 동료 신부인 마르타의 늦은 회복을 염려하면서도 모든 것을 기적적으로 조화시켜 주실 하나님의 능력을 확

---

15) 日本人の教化と主の栄えの為に私たちは、今までどうにか、この東洋までたどりつきました。今後の行先にはおそらく，あのアフリカからインド洋で味わった船旅など比べものにもならぬ困難や危険が待ちうけていることでしょう。しかし「この街にて迫害せられなば、なお、他の街に行くべし」(マテオ聖福音書) そして私の心には、たえず黙示録の「主にてまします神よ。主こそ栄光と尊崇と能力とを受け給うべけれ」という言葉が浮びます。この言葉を前にする時、他の事はすべて取るに足りぬことです。(1장 p.479)
16) 我々は毎日、彼の病気が一日も早く恢復するように祈っていますが、しかし病態は、はかばかしくはありません。けれども神は、我々の知慧では洞察することのできぬもっとも善き運命を人間たちにお与になる筈です。出発はあと二週間後に迫っていますが、おそらく主はその全能の奇蹟によって、すべてを調和させて下さるでしょう。(1장 p.481)
17) ガルペと私とは顔を見合わせました。この船旅の間、皆にとってほとんど役に立つどころか迷惑な存在だった彼が我々と同じ立場の人間だということがありうるでしょうか。いや、そんなことはありえない。信仰は決して一人の人間をこのような弱虫で卑怯な者にする筈はない。(2장 p.484)

신하고 있었고(②), 약자에 대해서는 엄격한 판단을 가하는 등 확고한 신앙의식을 갖고 있었음을 알 수 있다(③).

그러나 이와 같은 그의 신앙의식은 일본에 잠입한 후 일본신도들의 비참한 현실을 눈으로 확인하게 되면서 흔들리기 시작한다.

> 그들은 기쁨도 슬픔조차도 얼굴에 드러내서는 안 되는 것입니다. 오랜 비밀 생활이 이 신도들의 얼굴을 가면처럼 만들어 버렸던 것입니다. 그것은 참으로 가슴 아프고 슬픈 일입니다. 하나님은 왜 이와 같은 고난을 신도들에게 부여하시는지 나로서는 이해할 수 없는 때가 있습니다.[18]

자신들과 동일한 하나님을 믿으면서도 박해를 받으며 생명의 위협까지 받고 급기야는 기쁨도 슬픔도 드러내서는 안 되는 가면 같은 얼굴을 하며 살아 가야할 정도로 어렵게 신앙 생활을 유지해나가는 일본인 성도들의 생활상은 일찍이 로드리고가 상상할 수 없었던 비참한 모습이다. 그러한 모습을 바라보며 로드리고는 불평등한 신적 섭리에 강한 모순을 감지하게 된다.

이렇게 하여 로드리고의 의식 내부에서의 대립관계가 성립되는데, 이와 같은 대립관계는 그의 나이 28세라는 것과 일본잠입 목적이 일본선교보다도 스승 페레이라의 배교의 확인 쪽에 비중이 더 쏠려있었다는 점에서 충분히 예상할 수 있는 결과로 여겨진다.

그럼 구체적인 사건과 연결된 로드리고의 의식 내부의 대립양상에 대해 살펴보도록 하자. 그의 이런 대립관계가 구체화되는 것은 그가 잠입해서 몰래 사역을 하던 도모기 마을에 대한 관리들의 탐색이 시작되고 나서이다.

> 그러나 그러한 것을 어떻게 이 불쌍하고 가련한 세 사람에게 요구할 수가 있었겠습니까?
> "밟아도 좋아, 밟아도 좋아."
> 그렇게 외친 뒤, 나는 자신이 사제로서 말해서는 안 되는 것을 말했다는

---

18) 彼等は悦びも悲しみさえも顔に出してはならぬのです。長い秘密の生活がこの信徒たちの顔を仮面のように作ってしまったのです。それは辛い、悲しいことです。神はなぜ、このような苦難を信徒たちの上にお与えになるのか、私にわからなくなることがあります。(3장 p.489)

사실을 깨달았습니다. 가르페가 의심하듯 나를 주시하고 있었습니다.19)

이 장면은 6월 5일 도모기 마을에 관리들의 탐색이 시작된 이후, 마을에서 두세 명 정도 나가사키로 출두하라는 명을 받고 출두하기로 작정된 세 명중 하나인 모키치가 자기가 당하게 될 후미에(踏繪)20)를 생각하며 괴로워하는 모습을 보며, 로드리고가 충고해 주는 장면이다. 이때 그는 갈등한 나머지 자신도 모르게 "밟아도 좋다"라고 인간적인 연민에 이끌린 신부로서는 용납될 수 없는 말을 해 버린다. 이 부분에서 우리는 로드리고 의식 내부의 대립구조가 그대로 드러나고 구체화되는 모습을 찾을 수 있다. 그 대립이란 다름 아닌 신앙의식에 큰 위해를 끼칠 만큼 강력한 현실적 도전에서 비롯된 것이다.

한편 이렇게 하여 성립된 갈등은 모키치와 이치조우의 1차 순교 장면을 목격한 후 더욱 심화되어 간다.

아무 것도 변하지 않았습니다. 하지만 당신이라면 이렇게 말하겠지요. 그들의 죽음은 결코 무의미하지 않다고. 그것은 결국 교회의 초석이 되는 돌이었던 것이라고. 그래서 주님은 우리들이 넘을 수 없는 그런 시련을 결코 주시지 않는다고. 모키치도 이치조우도 지금 주님 옆에서 그들보다 먼저 간 많은 일본인 순교자들과 똑같이 영원한 지복을 얻고 있을 것이라고. 나도 물론 그런 것은 백 번 알고 있습니다. 알고 있으면서 지금 왜 이런 비애와 같은 감정을 가슴 밑바닥에 남는 것일까요? 어째서 기둥에 묶여진 모키치가 숨이 끊어질 듯 불렀다는 노래가 이렇게 고통스러움으로 머리에 되살아 오는 것일까요21)

19) しかしそれをどうしてこの可哀想な三人に要求することができたでしょうか。「踏んでもいい、踏んでもいい」そう叫んだあと、私は自分が司祭として口に出してはならぬことを言ったことに気がつきました。　ガルペが咎めるように私を見つめていました。(4장 p.500)
20) 에도시대 캐톨릭을 금하고 기독교도를 색출해내기 위하여 막부(幕府)가 고안해낸 제도이다. 성모 마리아상이나 예수십자가상등을 목판이나 동판 등에 새겨 발로 밟게 하여 기독교도가 아님을 증명시켰다고 하며 나가사끼 등에서 1628년부터 1857년까지 행해졌다한다.(古川淸行『スーパー日本史』講談社 1991. p390참조)
21) なにも変らぬ。だがあなたならこう言われるでしょう。それらの死は決して無意味ではないと。それはやがて教会の礎となる石だったのだと。そして、主は我々がそれを超えられぬような試煉は決して与え給わぬと。モキチもイチゾウも今、主のそばで、彼等に先だった多くの日本人殉教者たちと同じように永遠

모키치와 이치조우의 순교는 로드리고가 기대하던 것과는 너무도 다른 비참하고 쓰라린 순교였다. 로드리고는 그 순교를 접하며 자신의 편지를 읽는 교회 관계자들에게 항변하기도하고 비애와 같은 감정을 느낄 정도로 갈등하게 된다. 이러한 감정은 산 속을 쫓기는 동안 두려움으로 바뀌고, 결국에는 하나님이 부재한 것은 아닌가에 대한 의심으로 발전하게 되는데, 이것은 이제까지의 로드리고의 신앙의식으로서는 도저히 용납할 수 없는 의심이다.

이후 로드리고는 기치지로의 배반으로 체포되어 나가사키로 이송된다. 이송 중에 한때는 카톨릭 신자들이 모여 살았던 부흥기의 그 요코세우라가 폐허가 된 것을 보게 되는데 이때 그는 하나님의 부재라는 내적인 의심을 외적인 환경을 통해 확인하게 되며, 자신의 죽음과 이 일본적 상황을 방관하는 하나님의 침묵에 대한 강한 원망의식을 갖게 된다.

그러나 나가사키 감옥 안에서의 신부로서의 역할을 수행하면서 지금까지 보아온 현실을 인정하지만 그래도 자신의 죽음에 있어서만큼은 침묵하지 않을 하나님을 기대하며 하나님께 대한 믿음과 소망을 추스른다.

그러나 현실은 그의 기대를 저버린다. 전혀 상상할 수 없었던 애꾸눈 사나이의 2차 순교를 목격하게 되는 것이다. 2차 순교를 경험한 이후 로드리고의 의식 내부의 갈등양상은 어떠했는가?

> 갑자기 비웃음과 조소가 치밀어 오름을 느낀다. 이윽고 자신이 죽음을 당하는 날 여전히 외계는 변함없이 흘러갈 것인가. 자신이 죽음을 당한 뒤에도 매미는 여전히 울고 파리는 졸음을 재촉하는 날개소리를 내면서 날아다닐 것인가. 그렇게 까지 영웅이 되고 싶은가. 네가 바라고 있는 것은 남모르는 참된 순교가 아니라 허영을 위한 죽음인가? 신도들에게 칭송 받고 기도 받고 그리고 저 신부는 성자였다는 말을 듣고 싶은 때문인가?[22]

の至福をえているだろうと。私だってもちろんそんなことは百も承知している。していながら、今になぜ、このような悲哀に似た感情が心に残るのか。頭に、なぜ、杭につながれたモキチが息たえだえに歌ったという唄が苦しみを伴って甦ってくるのか。(4章 p.504)

22) 嗤いが急にこみあげてくるのを感じる。自分がやがて殺される日、外界は今と全く同じように無関係に流れていくのか。自分が殺されたあとも蟬は鳴き蠅は眼たげな羽音をたてて飛んでいくか。それほどまで英雄になりたいか。お前が

전혀 예측할 수 없었던 2차 순교는 로드리고에게 하나의 충격이었다. 이후 그는 자신의 죽음을 상상하게 되는데 자기가 죽은 뒤에도 지금과 같이 여전히 변함없는 일상이 지속될 것임을 생각하며 방관하는 하나님의 침묵에 대해 항변한다. 자신의 죽음이 전혀 무의미한 죽음이 될지도 모른다는 상상을 하며 자기가 몸부림치며 지키고 있는 신앙이라는 것이 어쩌면 무의미한 것일지도 모른다고 회의하는 것이다. 기존에 갖고 있던 신앙의식은 죽음이라는 극한의 현실 앞에서 퇴색되어버리고 심한 회의와 혼돈만이 존재하는 것이다. 이 부분에서 그의 신부로서의 자긍심은 조소와 비웃음의 감정으로 변질되어 간다.

　　한편 이러한 로드리고 의식 내부에서의 대립은 가르페의 순교 장면을 목격하며 또 다른 차원으로 전개된다. 이제까지는 관념 속의 하나님과 현실 속에 나타난 침묵하는 하나님에 대한 갈등, 그에 따른 의심, 혼동이라는 개인적인 것이었지만, 이제는 '순교냐 배교냐'하는 자신의 선택이 다른 일본신도들의 생사의 문제와 결부되어 있고 그 선택의 기로에 자신과 자신의 동료 가르페가 서게 된 것이다. 이점은 3차 순교 장면의 설정을 살펴보면 쉽게 이해될 수 있다.

　　어느 날 관리들은 로드리고를 바다 가까이 있는 송림으로 데리고 간다. 그곳에서 그는 먼발치에서 세 명의 신도와 동료 가르페를 본다. 가르페를 제외한 세 명의 신도는 도롱이 벌레처럼 거적으로 둘러싸여 이상한 모습을 하고 있다.[23] 그들은 모두 이미 성화를 밟은 사람들이다. 통역의 말에 의하면 만일 가르페가 배교하지 않으면 그들은 돌처럼 바다에 던져진다는 것이다. 즉, 신부의 행동 여하에 따라 세 명의 목숨이 결정되는 것이다.

　　이러한 설정이 의미하는 바는 무엇인가? 작자는 대립의 극한으로 로드리고를 몰고 가 독자로 하여금 자연스레 배교라는 갈등의 해소를 지향토록 하는 것이다.

　　3차 순교의 현장에서 로드리고는 마음속으로는 가르페를 향해 배교해도 좋

望んでいるのは、本当のひそかな殉教ではなく、虚栄のための死なのか。信徒たちに讚めたたえられ、祈られ、あのパードレは聖者だったと言われたいためなのか。(6장 p.155)

23) 이 모습은 에도 막부가 기리시탄을 탄압하기 위한 수단의 하나로 조수가 밀려간 바다에 기둥을 세우고 거기에 사람을 묶어놓는 처형방법으로 만조가 되면 해수가 목까지 차 오르게 되는 수책(水磔)을 의미한다.

다고 외친다. 하지만 실제로는 아무런 말도 못한 채 그들이 죽어 가는 모습을 바라볼 뿐이다. 배교하라 소리치지 못한 것은 오로지 배교에 대한 거부감, 그것 하나 때문이다. 다시 말해 비겁함 때문이다.

가르페는 신도들을 따라 비명인지 노호인지 알 수 없는 기도를 외치며 파도 사이에 잠겨 간다. 연민은 사랑의 행위가 아니라 본능에 지나지 않는다고 배웠지만 현실에서는 연민에 이끌려 아무 것도 할 수 없는 자신, 배교한다고 말함으로써 신도들을 구원할 수 도 없었고 가르페처럼 그들을 쫓아가서 풍랑이 이는 파도 속에 사라져 갈 수도 없었던 자신을 보며 로드리고는 절망을 느낀다.

이렇게 하여 로드리고는 이전까지의 자신의 모든 신앙은 지식 차원의 그것에 지나지 않았음을 깨닫고, 이제까지의 모든 것이 부정되는 절망상태에 빠지게 된다. 갈등의 극에 달하게 되는 것이다. 여기서 잠시 그 갈등의 양상을 살펴보자.

> 하나님은 정말 존재하는 것일까. 만약 하나님이 없다면 수 없이 바다를 횡단하여 이 작은 불모의 땅에 한 알의 씨를 가져온 자신의 반생은 얼마나 우스꽝스러운 희극이란 말인가? 그건 정녕 우스꽝스러운 것에 지나지 않을 것이다. 만약 하나님이 존재하지 않는다면 매미가 울고 있는 한 낮, 목이 잘린 애꾸눈 사나이의 인생은 우스꽝스럽다. 헤엄치며 신도들의 작은 배를 쫓은 가르페의 일생도 우스꽝스럽다. 신부는 벽을 향하고 앉아서 소리를 내어 웃었다.[24]

가르페가 죽었는데도 전혀 전과 다름없이 펼쳐지는 일상 속에 로드리고는 다시 한번 절망하는 것이다. 그것은 어쩌면 영원히 계속될지도 모를 하나님의 침묵과 그러므로 영원히 바뀔 것 같지 않은 일본에 대한 절망감이다. 이미 일본 잠입 시 지니고 있던 절대적 신앙의식은 찾아보기 어렵다.

이후 관리들과 페레이라의 설득작업이 끝나고 관헌의 캄캄한 마루방으로 끌려갈 때 로드리고는 혼돈과 절망, 두려움과 수치의 감정 속에서 죽음으로, 지

---

24) 神は本当にいるのか。もし神がいなければ、幾つも幾つもの海を横切り、この小さな不毛の島に一粒の種を持ち運んできた自分の半生は滑稽だった。泳ぎながら、信徒たちの小舟を追ったガルペの一生は滑稽だった。司祭は壁にむかって声をだして笑った。(7장 p.546)

친 여정을 마감하려는 상태가 된다. 진정한 순교라고는 할 수 없지만 그래도 외면적으로는 그렇게 보이는 죽음이 신부로서 내세울 수 있는 마지막 자존심이었던 것이다. 그러나 그는 마지막 순간 자신의 의식마저도 신뢰할 수 없는 자기부정에 빠진 상태에서 페레이라의 설득으로 인해 성화에 발을 올려놓게 된다.

이렇게 하여 일본 잠입이후 그가 겪은 여러 사건과 연계되어 끊임없이 발생되었던 로드리고 의식내부에서의 다양한 대립관계는 해소되어 가는 것이다.

그렇다면 이와 같은 대립이 주는 의미는 무엇인가? 이와 같은 대립양상의 파악을 통해 우리가 알 수 있는 것은 무엇인가? 그것은 로드리고의 신앙의지가 아무리 강했다고 하여도 박해라는 일본적 현실 앞에서는 어쩔 수 없이 변질되어 갈 수밖에 없었다는 논리가 설득력을 얻어 갔다는 사실이다. 즉, 엔도는 이러한 합리화의 과정을 통해 설득력을 얻고 효과적으로 주제를 전달하고 있는 것이다. 그렇다면 작가가 우리에게 전달하려는 메시지는 무엇인가? 이 부분에서 우리는 로드리고 의식내부의 갈등구조의 해소를 가져온 전환점의 전환양상과 그 구조파악에의 필요성을 느끼게 되는 것이다.

3. 대립관계의 전환점과 전환양상

어떤 사건에 있어서 전환부분은 그 사건의 결말을 가져온 원인과, 그 사건을 일으켜간 의지의 한계성이 내재된 부분이고 새로운 차원의 주제나 세계가 드러나 있는 부분이다.

이렇게 볼 때 침묵에서의 전환점은 크게 두 곳으로 분류할 수 있는데 로드리고가 기존의 신앙으로는 도저히 용납할 수 없는 배교에 이르게 되는 원인이 서술된 부분이고, 배교한 이후 자아상의 손상 문제로 성립된 갈등요소가 완전히 해결되어 전혀 새로운 주체로 전환되어 가는 내용이 서술된 기치지로와의 마지막 만남 부분으로 볼 수 있겠다.

그렇다면 <1차 적 전환점>이라고 할 수 있는 배교를 일으키는 원인이 내재되어 있는 부분은 어디인가? 그것은 작품상으로는 <8장>의 중반부이며, 시간적으로는 일본잠입 이후 체포를 거처 9월에 이른 시기이고, 물리적 공간으로는 나가사키 관헌의 캄캄한 마루방에서이다. 그 자세한 전환양상은 다음과 같다.

나가사키 관헌의 깜깜한 마루방에 수감된 로드리고는 어둠 속에서 '찬미하라 주를'이라고 새겨진 문구를 발견하고, 침묵하지만 마지막까지 자신과 함께 해주시는 것 같은 하나님을 느끼며, 그런 하나님을 위해 다소 허영이긴 하지만 그래도 순교를 하리라는 결심을 군혀 간다. 그때 참을 수 없는 고요한 정적 가운데서 파수꾼의 코고는 소리가 들려온다. 로드리고는 그리스도를 못 박은 자들도 저런 추하고 속된 인간들이라고 생각하며 자신의 이런 비장한 순간까지 저런 속된 인간이 끼어드는 것에 대해 자신의 인생이 견딜 수 없는 우롱을 당하고 있는 생각이 들어 주먹으로 벽을 두드린다. 그러나 페레이라를 통해, 자신이 '찬미하라 주를'이라는 문구를 새겼다는 것과 저것은 파수꾼의 코고는 소리가 아니라 구멍 매달기 고문을 받고 있는 신도들의 신음소리라고 듣게 된다.

배교한 페레이라의 글을 통해 위로를 받았던 자신, 자기만이 이 밤에 그리스도와 똑같은 괴로움을 겪고 있다고 생각했던 자신의 오만과 어리석음은 엄청난 자기 부정으로 다가온다.

> 자기가 이 어둠 속에서 웅크리고 있는 동안 누군가가 코와 입에서 피를 흘리며 신음하고 있었다. 그런데 자기는 그것을 깨닫지 못하고 기도조차 하지 않고 비웃고 있었던 것이다. 그렇게 생각하자 신부의 머리는 이미 무엇이 무엇인지조차 알 수 없게 되었다. 자기는 저 소리를 우스꽝스럽게 생각하며 소리를 내서 웃기까지 했다. 자기만이 이 밤에 그분과 똑같이 괴로워하고 있는 것이라고 오만하게 믿고 있었다. 하지만 자기보다 더 그분을 위해 고통을 받고 있는 자가 바로 옆에 있었던 것이다. (어째서 이런 어리석은 일이) 머릿속에서 자기가 아닌 다른 목소리가 중얼거리고 있다. (그래도 너는 신부란 말인가. 타인의 고통을 받아들이는 신부인가)[25]

25) 自分がこの闇のなかでしゃがんでいる間、だれかが鼻と口とから血を流しながら呻いていた。自分はそれに気がつきもせず、祈りもせず、笑っていたのである。そう思うと司祭の頭はもう何が何だかわからなくなった。自分はあの声を滑稽だと思って声をだして笑いさえした。自分だけがこの夜あの人と同じように苦しんでいるのだと傲慢にも信じていた。だが自分よりももっとあの人のために苦る。(どうしてこんな馬鹿なことが) 頭の中で、自分のではない別の声が呟きつづけている。(それでもお前は司祭か。他人の苦しみを引き受ける司祭か)(9章 p.561)

인간의 가장 고통에 찬 소리를 코고는 소리로 착각한 자기를 인식하는 순간 로드리고는 그 동안자신이 겪었던 모든 갈등과 혼돈과 공포는 어쩌면 의식의 착각 속에서 만들어낸 허상에 불과할지도 모른다는 강한 자기 부정 상태에 빠져들게 되며, 한편으로는 자신을 향해 '그래도 너는 타인의 고통을 받아들이는 신부인가'라는 강한 질책을 던지는 것이다. 하나님에 대한 끊임없는 의심과 원망이 자신에 대한 의심과 원망으로 전환되는 것이다.

한편 이와 같은 강한 자기부정 상태에 빠지게 된 로드리고에게 페레이라의 설득이 가해진다.

자신이 배교한 것은 구멍 매달기 고문에도 하나님이 침묵하셨기 때문이며 지금 신도들은 로드리고가 겪어보지 못한 엄청난 고통 중에 있으므로 그들을 위해 기도하라고 한다. 이에 대해 로드리고는 지상에서의 고통대신 천국에서의 영원한 기쁨을 얻을 수 있다고 힘없이 항변한다. 그러나 페레이라는 그것은 자신의 나약함을 속이는 말로서, 교회를 배반하는 일이 두렵고, 자신처럼 교회의 오점이 되는 것이 두렵기 때문이라며 로드리고의 약점을 찌른다. 강한 자기부정에 빠진 로드리고에게 신부의 이 말은 강력한 무기가 되어 상처를 내고, 이어서 계속된 페레이라의 설득에 로드리고는 마침내 무너져 버린다.

> "나도 그랬었지. 저 캄캄하고 차디찬 밤, 나도 지금의 자네와 마찬가지였
> 어. 하지만 그것이 사랑의 행위란 말인가? 신부는 그리스도를 배우면서 살
> 아가라고 가르쳤다. 그러나 만약 그리스도께서 여기에 계셨다면 확실히 그
> 리스도는 그들을 위해 배교했을 것이다!"26)

'신부란 그리스도를 배우며 살아야 하는 직분인데 이 순간 그리스도라면 저들을 위해서 배교를 했을 것이다'라는 말은 매순간 그리스도를 생각하며 현실 상황에서의 올바른 행동규범을 찾으려 했던 로드리고에게 배교할 수 있는 마지막 기폭제가 되고 있다. 즉 자신이 배교하면 신도들의 저 극에 달한 고통이 당

---

26)「わしだってそうだった。あの真暗な冷たい夜、わしだって今のお前と同じ
だった。だが、それが愛の行為か。司祭は基督にならって生きよと言う。もし
基督がここにいられたら」フェレイラは一瞬、沈黙を守ったが、すぐはっきり
と力強く言った。「たしかに基督は、彼等のために、転んだだろう」(9장 p.563)

장 해결된다는 확실한 보장이 있고, 이미 하나님과 자신에 대한 부정으로 기존의 신앙의식이 뿌리째 흔들려버린 지금, 페레이라의 '그리스도라면 저들을 위해 배교했을 것'이라는 설득은 그에게 차라리 새로운 세계를 열어주는 스승의 안내로 여겨졌던 것이다. 배교에 대한 혐오나 저항감은 이미 힘을 잃은 것이다. 이렇게 해서 로드리고는 성화에 발을 올려놓는다.

그러나 이런 자기부정과 설득에 의한 배교는 일찍이 강한 자 로드리고가 경험치 못했던 약자, 패배자의 세계로 들어감을 의미하고, 자위와 변명에도 불구하고 교회에서 추방된 자로서의 자기연민과 자아상의 손상문제 등의 새로운 갈등을 낳게 했다.

> 페레이라에 대한 감정은 말로는 나타낼 수가 없었다. 그것은 인간이 또 다른 인간에게 갖는 모든 감정을 포함하고 있었다. 증오의 감정과 모멸의 감정을 저쪽도 이쪽도 서로 안고 있었다. 적어도 그가 페레이라를 증오하고 있다고 한다면 그것은 이 사나이의 유혹에 의해 배교했기 때문이 아닌(그런 면에서는 이미 조금도 원망하거나 노하지 않았다), 이 페레이라 속에서 자신의 깊은 상처를 그대로 느낄 수가 있기 때문이었다. 거울 속에 비치는 자신의 못생긴 얼굴을 보는 사실이 견딜 수 없듯이 눈앞에 앉아 있는 페레이라가 자신과 마찬가지로 일본인 옷을 입고 일본말을 사용하고 자신과 똑같이 교회에서 추방된 인간이기 때문이다. 바로 그 자신이기 때문이다.[27]

거울 속에 비치는 자신의 못생긴 얼굴을 보는 사실이 견딜 수 없듯이 페레이라를 보며 그 속에서 느낀다는 상처란 무엇인가? 그것은 그 동안 그가 용납할 수 없었던 배교자, 그러기에 분노와 경멸의 감정을 품어왔던, 자신을 팔아넘긴 기치지로가 느꼈던 아픔과 동종의 아픔이었다.

---

27) フェレイラにたいする感情は口では言いあらわせなかった。それは人間がもう一人の人間にもつあらゆる感情をふくんでいた。憎悪の念と侮蔑の念を向うもこちらもたがいに抱きあっていた。少なくとも彼がフェレイラを憎んでいるとすれば、それはこの男の誘惑によって転んだためではなく(そんなことをもう少しも恨みも憤りもしていなかった) このフェレイラの中に自分の深傷をそのままみつけることができるからだった。鏡の中にうつる自分のみにくい顔を見ることに耐えられないように、眼の前に坐っているフェレイラは自分と同じように日本人の着物を着せられ、日本人の言葉を使わせられ、自分と同じように教会から追われた男だった。(9장 p.566)

<2차 적 전환점>은 바로 이러한 아픔이 완전히 해결되어 의식레벨에서 완전히 새로운 차원의 인간으로 전환되어 나오는 부분이다. 작품상으로는 <9장> 후반부이며 시간적으로는 9월의 배교 이후 4개월이 지난 이듬해 1월 3일이며, 공간적으로는 나가사키이다. 그 전환양상은 어떠했는가?

　　배교 이후 나가사키의 안가에서 지내던 로드리고는 어느 날 갑작스런 기치지로의 방문을 받는다. 그는 로드리고에게 고해를 들어줄 힘이 있으면 자기의 죄를 용서해 달라고 청한다. 로드리고는 일찍이 강자였을 때 자신이 경멸했던 그 기치지로의 변명과 원망을 회상했고 그 변명과 원망은 약자로서 체험한 자신의 고통과 겹쳐져서, 그의 고통을 일시에 이해하게 된다. 약자로서, 패배자로서의 동질감을 획득하는 것이다. 이때 신부는 풀리지 않던 자신의 마지막 남은 질문을 던진다.

> "주여 당신이 언제나 침묵하고 계시는 것을 원망하고 있었습니다."
> "나는 침묵하고 있었던 것이 아니다. 함께 고통을 나누고 있었을 뿐"
> "그러나 당신은 유다에게 가라고 말씀하셨습니다. '가라. 가서 네가 할 일을 이루어라'고 말씀하셨습니다. 그렇다면 유다는 어떻게 되는 것입니까?
> "나는 그렇게 말하지 않았다. 지금 네게 성화를 밟아도 좋다고 말한 것처럼 유다에게도 '네가 하고 싶은 일을 이루어라'고 말하였던 것이다. 네 발이 아픈 것처럼 유다의 마음도 아팠을 테니까"[28]

　　이후 로드리고는 상상 속에서 기꺼이, 자발적으로 다시금 성화를 밟는다. 그의 마음에는 격렬한 기쁨이 넘쳐나며, 마지막 남아 있던 상처조차 완전히 극복되는 것이다. 이렇게 하여 로드리고는 기치지로의 고통과 상처를 자신의 직접적인 체험을 통해 완전히 이해하고 그런 기치지로를 사랑하는 또 다른 차원

---

28) 「主よ。あなたがいつも沈黙していられるのを恨んでいました」
　　「私は沈黙していたのではない。一緒に苦しんでいたのに」
　　「しかし、あなたはユダに去れとおっしゃった。'去って、なすことをなせ'と言われた。ユダはどうなるのですか」
　　「私はそう言わなかった。今、お前に踏絵を踏むがいいと言っているようにユダにも'なすがいい'と言ったのだ。お前の足が痛むようにユダの心も痛んだのだから」(9장 pp. 572-573)

의 신의 사랑을 발견하여 전혀 새로운 주체로 전환되어 나오게 되는 것이다.

이러한 과정을 거쳐 로드리고는 결국 하나님의 침묵에 대한 의미와 유다에 대한 의문, 자신에게 주어졌던 시련의 의미를 깨닫게 되는 완전한 갈등의 해소를 이루게 되는 것이다.

III. 결론

이상과 같이 엔도 슈사쿠의 소설 『침묵』의 주제를 작품의 내적인 질서를 파악하는 데에 주안점을 두어 살펴보았다. 그 결과 본 작품은 강자였던 로드리고 신부가 박해라는 일본적 상황하에 직면하여 갈등과 대립을 거쳐 배교한 후, 약자가 되어 배반자 유다를 상징하는 인물로 설정된 기치지로를 새롭게 이해하며 발견해 간다는 엔도류의 보편적 신의 사랑을 그려가고 있는 것이라고 볼 수 있겠다.

이 점에 대해 엔도는 『遠藤周作と ShusakuEnd』라는 책에서 '기치지로는 제 모습입니다. 그 기치지로가 지니고 있는 약점은 내가 지니고 있는 약점입니다. 나는 기치지로를 사랑하면서 그 인물을 썼습니다'라고 언급하고 있는데, 거기에는 저자가 전시 하에서 기독교 신자로서「적성종교」를 믿는 비국민이라고 비난받고 박해를 받는 가운데 육체의 공포에서 자신의 정신을 배반해 버렸던 체험이 있었다는 사실의 투영이 엿보인다.

한편 본 작품의 집필 동기가 된 <후미에>에 관련하여 엔도의 말을 인용하여 살펴보도록 하자.

> 수년전 나가사키에서 본 다 달아빠진 하나의 후미에(거기에는 검은 발가락의 흔적이 남아있었다.)가 오랜 세월동안 마음에서 떠나지 못하고 그것을 밟은 자의 모습이 입원하고 있던 중 내 마음속에서 살아나기 시작하고 있었다. 그리고 작년 1월부터 이 소설에 착수했다[29].

위인용에서 보아 알 수 있는 바와 같이 엔도의 뇌리에 강하게 각인되었던

---

29) 遠藤周作, 『遠藤周作文学全集』, 2권, 新潮社, 2000 (p.339)

것은 후미에의 존재 자체가 아니라, 후미에를 밟았던 사람들이 남겨놓았던 '검은 발가락의 흔적'이었고, 그 '흔적'을 남겨놓은 사람들에 대한 의문이었다.

가사이는 엔도가 이와 같이 기리시탄시대의 전향자에 대한 관심을 보이게 된 배경에는 적어도 입원 기간 중 자기도 전향자들과 같은 부류의 인간은 아닌가하는 의식을 가지고 있었기 때문임에 틀림이 없다고 지적한다.[30]

이에 대한 증거로 다음의 인용을 들어보자.

> 3번째 수술을 하기 위해 수술실로 옮겨져 갈 때, 긴 복도 천장이 눈에 비쳐졌고, 몇 번이나 몇 번이고 문이 열렸다가는 닫히는 소리가 들렸다. 그 때, 만일 회복되면 소설을 쓰고 싶다고 간절히 생각했다.
>
> 그래서 병후의 소설을 어쨌든 완성하여 이렇게 상까지 받고 보니, 감개무량하다. 이러한 것을 공개적으로 쓰는 것은 꽤나 멋적은 일이지만, 오랫동안 간호해준 하나님께 조금이나마 보답한 듯한 기분이 든다.
>
> 나는 어린 시절 기독교 세례를 받았다. 정신이 들고나서, 어느 샌가 몸에 맞지 않는 양복을 입고 있었던 것이다. 청년시절부터 내가 선택한 것이 아닌 이 헐렁한 양복을 나는 얼마나 많이 벗어버리려 했는지 모른다. 하지만 전혀 벗어버릴 수가 없었던 것은, 비록 양복이라 해도 내가 그것을 무시할 수 없었기 때문이다. 차츰 나는 그 양복을 나 자신에 맞추려고 다시 고치기 시작했다. 몸에 맞는 일본 옷으로 고쳐 입지 않으면 안되었던 것이다.
>
> 나는 이 소설을 씀으로 하여 이제까지 나에게 관대했던 많은 신부님들을 슬프게 만들고, 많은 신자들의 분노를 사버렸다. 특히, 유학 이래 친구였던 한 명의 신부님에게 상처를 주었고, 절교하지 않으면 안되게 된 것은 참으로 가슴 아픈 일인데, 어쩔 수가 없다.[31]

'몸에 맞지 않는 양복을 입고 있었'고, '이 헐렁한 양복을 나는 얼마나 많이 벗어버리려 했는지 모른다.' '차츰 나는 그 양복을 나 자신에 맞추려고 다시 고치기 시작했다. 몸에 맞는 일본 옷으로 고쳐 입지 않으면 안되었던 것이다.'라는 말에서도 알 수 있듯이 본 작품 집필 당시 엔도는 겉으로 드러나는 배교의 선언은 없었다고 하여도 적어도 이제까지 믿어 왔던 자신의 신앙에 대한 자리 매김에 골몰하고 있었음을 알 수 있다.

---

30) 笠井 秋生, 『遠藤周作論』, 双文出版社, 1987.11 (p.131,132)
31) 遠藤周作, 『遠藤周作文學全集』, 2권, 新潮社, 2000 (p.340,341)

이와 같이 본 작품은 그의 개인사적 도정에서 살펴볼 때 어릴 적 무비판적으로 받아들인 카톨릭 신앙에 대한 객관적 다시 보기의 입장에서, 기독교를 적극적으로 일본적 상황에 맞게 재해석하며 수용해 가는 과정에서 태어난 작품으로 이해해 볼 수 있겠다.

엔도의 말대로 그가 본 후미에 속의 그리스도는 달아 빠졌고 아주 초라한 얼굴을 하고 있었지만 그 얼굴이 그에게 있어서 일본인과 기독교를 메워주는 계기가 된 것은 분명하다.[32]

이로써 본 작품은 엔도의 문학적 출발 이래 제1기의 한 획을 긋는 작품으로 자리하게 되는 것이다.

한편 본 작품에서 나타난 바와 같이 중심인물 로드리고와 그의 스승 페레이라의 배교라는 설정에는 엔도 자신의 소년시절로부터의 은사인 헤르쵸크 신부의 배교라는 개인적인 체험이 은밀히 중첩되어 있다.

헤르쵸크신부는 소년 시절부터 엔도와 어머니 이쿠(郁)의 정신적 지도 사제였다. 한때는 그가 편집장으로 있던 <가톨릭 다이제스트>일본어판 편집에 엔도의 온 가족이 참여한 적도 있을 만큼 그와의 유대관계는 돈독했다. 그런데 1957년 6월, 上智학원 수도원장과 上智대학 학감이란 요직을 겸임하고 있던 헤르쵸크 신부가 실종되어 해직 당한다. 이어 나타난 그는 9월 자진하여 예수회를 탈퇴 환속하여 일본인 여성과 결혼한다. 이와 같은 헤르쵸크 신부의 배교는 그가 엔도의 소년 시절부터의 정신적 지도 사제였던 만큼 충격적이었으며, 이후 엔도의 작품에까지 영향을 끼치게 되는 것이다.

그러나 김승철에 의하면 이와 같이 엔도가 배교자에 대해 관심을 가지게 된 것은 교리적인 관심이나 신앙적 영웅에 대한 흠모 때문이 아니었다고 한다. 그에 의하면 그것은 엔도 자신의 실존적인 모습을 배교자에게서 발견하였기 때문이었고, 기독교와 일본적 영성 사이에서 안주하지 못하고 방황하던 엔도에게 있어서 신앙을 지키지도 못하고, 그렇다고 완전히 벗어버리지도 못한 배교자의 고뇌는 각별한 의미로 다가왔을 것이라고 평가한다. 이어 그는 엔도 문학의 근본 모티브가 되었던 거리감이 객관적이고 방관자적인 공간이 아니라, 자신의

---

32) 엔도슈사쿠 에세이 「이방인의 고뇌」(『별책 신평』1973.12) 『전집』(제2권) p.340에서 재인용.

신앙과 존재의 내면에서의 갈등으로서 심각하게 받아들일 수 있는 계기가 바로 배교자의 존재였다고 평하며, 그러므로 이 갈등은 기독교가 일본이라는 땅에 정착하기 위해 필요한 수정의 전주가 되는 것이라고 결론짓는다.[33]

어쨌든 본 작품으로부터 엔도는 기독교신앙에 대한 적극적 재해석에의 시도를 보였고 이후의 작품에서는 나름대로의 일본적 수용방안들이 실험적으로 제시되고 있다고 할 수 있겠다.

또한, 엔도는 1965년 여름부터 초가을에 걸쳐 가루이자와(軽井沢) 롯뽄츠 지카도(六本辻角)의, 일찍이 자그마한 병원이었던 건물을 빌려서, 그곳 정원의 작고, 어둡고, 습지고(사진을 찍으러 온 한 기자로 하여금 「엄마의 자궁의 심볼」이라 말하게 한) 작은 방에서 이 소설의 초고를 완성하는데, 이와 관련하여 엔도는 다음과 같이 언급한다.

> 엄마의 자궁 속에 있는 감각이 나의 무의식을 아프게 자극하여, 모성적 기독교의 이미지(후미에의 이미지)를 그리게 했음에 틀림이 없다(중략).
> 이후, 나의 집필 장소는 언제나 그러한 헛간 같은 장소에 한정되었다.[34]

여기서 주목할 것은 모성적 기독교의 이미지에 대한 부분이다. 『백색인』이후부터 줄곧 천착해 온바 동서양의 거리감의 핵심을 『침묵』에 이르러서는 부성적 종교와 모성적 종교의 대립이라는 새로운 차원에서 파악하기 시작했다는 사실을 알 수 있다. 이후 전개될 엔도문학에 있어서의 주제의식의 전개를 가름해 볼 수 있는 대목이다.

한편 본 작품 이후의 문제작인 『사해의 주변』(1973)에서는 이와 같은 모성적 예수 상에 대한 새로운 해석에의 가능성을 제시한다. 이른바 <동반자 예수> 상이 그것인데 적어도 엔도 문학에 있어서의 이와 같은 경향성은 적어도 1980년 『무사』가 발표되기까지 이어진다. 어쨌든 이러한 엔도의 신앙적 자세의 전환 이면에는 20세기 후반 이후 유럽이나 미국에서 활발히 논의되어 온 성경해석에 있어서의, 소위 <자유주의 신학>의 발전과도 연계되어 있기도 하다.

---

33) 김승철, 『엔도슈사쿠의 문학과 기독교』, 신지서원, 1998.3 (p.142,143)
34) 엔도슈사쿠, 「배후를 돌아볼 때」(『전집』제 2권, p.343에서 재인용.)

주지하는 바와 같이 1965년 12월, 제2차 바티칸공회의 폐막과 더불어 가톨릭교회는 동방정교회와 9백여 년에 걸친 대립과 갈등을 해소하게 되고, 열린 교회, 다양성의 존중, 타종교와의 대화 등을 골자로 하는 가톨릭교회의 획기적인 방향 전환이 시작된다. 엔도가 본 작품을 집필할 당시 이와 같은 가톨릭계의 흐름을 인식하고 그 와 같은 방향에서 본 작품을 집필했는가 에 대한 문제는 확인할 길이 없으나 적어도,『사해의 주변』(1973)에서는 그 영향성이 확실히 드러난다.

한편 서론에서도 언급한 바와 같이 당시 일본의 사회상황과 관련지어 생각해 볼 때, 본 작품은 서론에서도 지적한 바 있듯이 1964년 동경 올림픽 개최 이후 절대 빈곤상태에서 벗어난 일본이 일상생활 속에서 보다 풍요로운 존재의 의미를 향유해가기 위한 한 방법으로서 인간과 세계와의 보다 이상적인 관계 정립을 추구해 가는 과정에서 탄생된 작품으로 이해해 볼 수 있겠다.

❧ 인용문헌

笠井 秋生,『遠藤周作論』, 双文出版社, 1987.11

古川清行『スーパー日本史』講談社 1991.

김채수『동아시아문학기본구도1』도서출판 박이정 1995

遠藤周作「背後をふりかえる時」(『昭和文学全集21巻』小学館 1996.

김승철,『엔도슈사쿠의 문학과 기독교』, 신지서원, 1998.3

박승호,「엔도슈사쿠(遠藤周作)의『침묵』(沈黙)론」, 日本文学研究1, 韓国日本文学会, 1999 · 6

遠藤周作,『遠藤周作文学全集』, 1권, 新潮社, 2000

遠藤周作,『遠藤周作文学全集』, 2권, 新潮社, 2000

제 4부

영국 문학과 종교

조지 허버트의 『신전』: 심장과 예술의 신생

| 나희경 |

「시온」("Sion")이라는 시에서 조지 허버트(George Herbert)는 예표론적 전환(typological shift)에 대해서 언급하면서 예배의 중심이 외적인 건축물인 솔로몬의 신전으로부터 내적인 구조물인 인간의 심장이라는 신전으로 이미 옮겨왔음을 시사한다. 인간의 신앙이 물리적 옛 신전의 영역에 머무르는 한, 하나님에 대한 인간의 지위는 그 신전 안에서 의식(ordinance)과 그것을 지키는 행위 속에서 안정되었던 것으로 여겨진다. 그러나 그러한 차원에서는 하나님은 항상 인간의 밖에서 인간과 일정한 거리를 두고 머무를 수밖에 없었다. 이제 하나님은 그리스도로 하여금 인간의 모습을 취하게 함(incarnation)으로써, 그리고 그를 희생의 제물로 삼음으로써 인간의 심장 속에서 직접 작용하기 시작했다. 인간의 심장이라는 신전 안에서는 신앙의 모든 것이 내재화되고(internalized) 고정되지 않은 상태로 작용하기 때문에, 한 인간이 하나님의 작업에 의해서 거듭나기 위해서는 그 인간의 가변적인 심장 자체가 그 재생의 과정에 적극적으로 감응하고 참여해야만 하게 되었다.

그리고 인간 심장이 다시 만들어지는 과정은 오직 주관성(subjectivity)을 철저히 소멸시킴으로써만 신생(regeneration)에 들어갈 수 있는 역설의 과정이다.

---

* 『문학과 종교』 제 6권 1호(2001)에 실렸던 논문임.

그의 시집 『신전』(The Temple)에서 시인으로서 허버트는 독자들에게 그들의 심장이 다시 만들어지는(reformed) 방법을 알려준다. 허버트의 시는 목사로서 그가 교구민들에게 오로지 자신의 심장을 철저히 부숨으로써 하나님께 다가가는 과정, 즉 자신의 심장을 제단에 바치는 과정을 보여준다. 그가 처한 이러한 역설적 상황은 그리스도의 역설적 삶을 몸소 실천해야하는 그의 목사로서의 직분에서도 작용하지만, 그러한 그의 삶의 경험을 자신의 마음의 거울에 비추어 그것을 언어로 표현해야하는 시인이라는 직분에서 다시 복합적으로 심화된다. 말하자면 그가 처한 삶의 역설적 상황은 순수한 실천적 차원, 즉 심장(heart)의 차원에서도 사실일 뿐만 아니라, 그것은 다시 그 심장의 움직임을 인위적으로 재현해야하는 차원, 즉 예술(art)로 승화시켜야만 하는 차원에서도 작용하는 매우 복잡한 이중성을 지닌다.

롤랑 바르뜨(Roland Barthes)가 한 작가의 자아는 그의 작품 속에서 철저히 소멸되어야한다는 "작가의 죽음"을 주장하였음에도 불구하고 여전히 작가 자신의 삶이 그의 작품에 표현 혹은 구현될 수밖에 없는 측면이 있다. 목사로서 허버트는 자신의 시에서 예술과 예수를 동시에 구현해야하는 이중의 임무를 스스로에게 부과한다. 이것은 그가 시적 창조에서 목표로 하는 미적 추구와 영적 구원, 예술적 아름다움과 종교적 신생, 시적 아름다움의 추구와 고통당하는 병든 영혼을 치유라는 복합적 양면성을 어떻게 구현할 것인가의 문제로 이어진다.

이 문제에 대해 허버트는 그리스도의 심장이 구현한 자기소멸 혹은 자기희생을 통한 구원이라는 역설적 상황에서 그 해답을 찾는다. 따라서 그는 그리스도의 역설적 심장의 작용이 모든 인간의 심장이 타락의 상태로부터 신생을 향해 나아갈 때 재현되어야함을 주지시킨다. 허버트의 시는 바로 이러한 심장의 역설적 신생과정을 중심 이미지로 부각시킨다. 이것은 타락한 인간이 그리스도를 체험할 수 있는 유일한 공간이 심장이라는 사실에 의해서 더욱 명백해진다.

따라서 허버트의 시는 '예술을 위한 예술(art for art's sake)'이라기보다는 '심장을 위한 예술(art for heart's sake)'을 표방한다. 시인 자신의 자아나 그의 예술을 드러내는 것이 아니라 그리스도와 그 자신이 체험적으로 공유하는 인간 심장의 신생 과정을 드러내는 것이 그의 '예수를 위한 예술'의 목적이 된다.

아이작 월튼(Izaak Walton)의 『생명』(The Life)에서 허버트는 『신전』에 반영된 이러한 역설적 이중성에 대해 언급한다. 에드먼드 던컨(Edmond Duncon)에게 『신전』의 원고를 니콜라스 페라(Nicholas Ferrar)에게 전해주도록 부탁하면서, 임종을 맞이하는 허버트는 던컨에게 "그(페라)에게 그 시집을 읽어달라고 부탁하십시오. 그래서 만약 그가 고난에 처한 어떤 영혼에게 그 시들이 도움이 될 것이라고 판단한다면, 그것이 출판될 수 있도록 해주시고, 그렇지 않다면 그것을 태워버리십시오"(Walton 311)라고 말한다. 허버트는 그의 시가 마치 그리스도의 삶이 그랬던 것처럼 고난에 처한 영혼을 치유하는 하나의 도구이기를 바라며, 동시에 그것이 자신의 삶의 결과물로서 제단 위에서 태워져 하나님께 바쳐져야 할 제물이기를 염원한다.

허버트의 시에 내재된 이러한 양가적 본성이 그의 시에 대한 비평의 양극적 견해로 이어진다. 허버트의 시에 대한 비평은 허버트의 내적 안정과 "완벽한 자유"(Walton 311)를 강조하거나 그의 변화와 "많은 영적 갈등"(Walton 311)을 조명한다. 따라서 이러한 비평적 견해는 허버트를 하나님의 말씀을 단순히 '베껴 쓰는 사람'(transcriber)으로 정의하거나 아니면 '기예가'(craftsman)로 규정하기도 하며, 그의 시를 솟아오르는 은총의 자발적 표현으로 보거나, 아니면 철저히 연마된 예술적 산물로 보는 경향이 있다. 그러나 허버트를 둘러싼 이러한 비평적 양면성은 허버트의 시에서 작용하는 상반된 것처럼 보이는 두 기능이 그리스도의 심장에 내재된 역설적 본성이라는, 본질적으로 분리될 수 없는 하나의 원천에서 비롯된 것임을 간과한다.

이 글에서 나는 허버트가 자신의 시에서 이러한 역설과 모순, 즉 자아를 소멸시킴으로서 하나님의 말씀을 실천하는 목사이면서, 동시에 예술 작품을 창조하는 시인이어야만 하는 이중의 어려움을 어떻게 극복하는가를 탐색할 것이다. 이러한 자신의 임무를 성취하기 위해서 그는 먼저 제도로서의 종교를 상징하는 교회라는 건축물과 영적인 실천으로서의 삶을 상징하는 심장을 정교히 대응시키고 일치시킨다. 당연히 그의 관심의 초점은 제도로서의 종교라기보다는 영적 실천에 모아지며, 그의 시는 외적 묘사로부터 내적 자기성찰로 이어진다. 따라서 이 글에서 나는 허버트가 자신의 시집 『신전』에서 내적 신전인 인간 심장을 어떻게 중심 이미지로 부각시키는가를 살펴보고, 그가 관찰하고 묘사하는 그 심장의 타락한 상태를 파악하며, 나아가서 그가 그처럼 타락한 심장이 신생을 향해 나아가는 과정을 어떻게 제시하고 있는지를 조명하려 한다.

허버트는 인간 심장의 모습을 독자들에게 시각적으로 제시하여 그 타락한 상태에 대해 스스로 깨닫게 할 뿐만 아니라, 그것이 신생을 향해 나아가는 변화 과정을 교리문답 형식을 통해서 독자들에게 가르친다. 즉 목사/시인으로서 그는 자신의 교구민/독자들에게 그들의 병든 심장의 이미지를 선명하게 제시함으로써 그들 스스로 자신의 영적 타락의 상태를 확인하고 치유의 과정에 참여하도록 유도한다. 스탠리 피시(Stanley Fish)는 허버트의 시를 교리문답의 상황 속에서 "독자/학생의 마음을 변화시키기 위해 시인/문답교수자의 입장에서 행하는 진지한 노력"(*The Living* 26)으로 본다. 하나님은 인간의 부서진 심장이 다시 만들어질 수 있도록 하기 위해서 그리스도의 역설적인 심장을 통해서 확정된 해답이 아니라 하나의 가능성만을 주었다. 따라서 인간의 심장 스스로가 그 과정을 실천적으로 체험해야 한다. 페라가 지적하듯이, 허버트는 자신이 이러한 인간 심장의 신생 과정에 "봉사하도록 부름을 받았을 뿐만 아니라 의무 지워진 것"(Walton 59)을 인식하며, 그의 시집 『신전』에서 그는 독자들에게 자신들의 타락한 심장의 상태를 보여주고, 느끼게 하며, 궁극적으로 변화시켜 다시 만들도록 인도하려고 시도한다.

먼저 허버트는 인간의 타락한 심장의 상태를 생생한 이미지를 통해서 제시한다. 그는 심장에 대한 이러한 시각적 이미지들을 당시 소개되고 있었던 타락한 심장의 상태를 묘사하는 종교적인 그림책으로부터 영감을 얻었을 것으로 추정된다. 로즈매리 프리만(Rosemary Freeman)은 허버트의 시에 나타나는 심장에 관한 이러한 시각적 이미지들이 "비록 내용에 대해 반드시 어떤 특별한 근원에 의존하는 것은 아니지만 여러 면에서 상징적이다(emblematic)"(153)고 추론한다. 프리만의 추정에 따르면, "크리스토퍼 하비(Christopher Harvey)의 『스콜라 코디스』(*Schola Cordis*)[1]에 대한 번역본이 1647년까지는 출판되지 않았었다.

---

1) 17세기 당시 심장의 세속적이거나 신성한 상태를 표현한 많은 그림책들(emblem books)이 있었으며, 이 중 하나가 Christopher Harvey의 1647년 판 *Schola Cordis*이다.

그러나 그 당시 이미 허버트가 이용할 수 있는 많은 외국서적들이 있었으며, 『신전』을 쓰고 있었을 무렵 그는 이미 그 책들 가운데 하나를 보았을 것이다"(166). 프리만은 또한 『스콜라 코디스』가 "타락한 심장의 상태, 즉 그 심장의 어두움, 허영심, 탐욕, 결코 만족을 모르는 욕망 등을 묘사하는 일련의 상징들을" 표현하고 있음을 설명한다. 그런 다음 그녀는 "그 책(『스콜라 코디스』) 속에서 그 심장은 그리스도가 호소하는 [돌아오라는] 간청을 듣고 ... 실제로 돌아오며, 그런 다음 천국을 위해 준비한다"(134-35)고 설명한다.

실제로 허버트는 이러한 타락한 심장의 상태를 회화적으로 묘사한다. "층층이 쌓인 허영심의 채석장"(「죄인」, "The Sinner"), "누더기를 걸친 심장"(「자연」 "Nature"), "불결하고, 차가우며, 굳어 있고, 우둔한"(「알려지지 않은 사랑」 "Love Unknown"), "냉혹한 가슴"(「다니엘」, "Daniel") 등 심장에 대한 이 모든 이미지들은 생명이라기보다는 죽음의 장소 즉 무덤을 연상시킨다. 차갑고 어두운 무덤 같은 이 방 안는 오로지 죄와 죽음만이 작용할 따름이다. 「성령강림절」("Whitsunday")에서 타락한 심장의 상태는

> ... 우리의 땅에 심장의 생명수를 공급해 주었던
> 그 황금의 관들이
> 절단되어 버렸으므로
>
> ...
>
> [심장은] 그의 문을 닫아버리고 자신의 벽 안에 갇혀버렸다.
> 그리고 그 틈새로 선한 즐거움이 좀체 들어올 수 없다.

> ... since those pipes of gold, which brought
> That cordial water to our ground,
> Were cut ... [the heart] shut'st the door, and keep'st within;
> Scarce a good joy creeps through the chink.

「은총」("Grace")이라는 시는 이러한 단절과 폐쇄 상태에 처한 심장 속에서

> 죽음이 두더지처럼 여전히 작업하고 있으며
> 그리고 죽음이 조금씩 나의 무덤을 파들어 오며

   ...
죄가 나의 심장을 여전히 망치질해 부수고 있다
사랑이 사라진 가혹한 상태로 만들기 위해서.

Death is still working like a mole,
And digging my grave at each remove:
   ...
Sin is still hammering my heart
Unto a hardness, void of love.

라고 표현한다.

 심장에 대한 허버트의 시적 이미지가 절망감에 빠진 죽음의 영역으로부터 희망과 생명의 영역으로 옮겨오기 전에 그 심장은 일종의 과도적 상태를 경험한다. 「무덤」("Sepulchre")이라는 시는 죄로부터 은총으로 죽음으로부터 생명으로 전환하는 과도기적 상황을 묘사한다. 그 시는 화자가 그리스도의 죽은 몸에게 말하는 독백형식을 취하지만, 사실상 그것은 "이 세상의 많은 심장들에게" 말해진다. 그 시에서 독자는 자신의 무덤 같은 심장을 되살리기 위해서 그리스도의 희생적인 심장이 이미 어떤 일을 했음을 알지 못한다. 완고한 인간의 심장은 그 자체 안으로 폐쇄되고 잠겨서 "축복 받은 몸"을 거절하는 것처럼 보인다. 따라서 무덤의 "차가운 돌"이 인간의 심장보다도 그리스도의 죽은 몸을 환영하는 것처럼 보인다.

 분명히 훌륭한 창고인 우리의 심장 안에는 무엇인가를 수용할 수 있는 공간이 있다;
 그것은 수많은 죄짐을 수용할 수 있기 때문에
 수천의 유희들이 거기에 살도록 하면서도 그리스도를 문 밖에 세워둔다.

 Sure there is room within our hearts good store;
 For they can lodge transgressions by the score:
 Thousands of toys dwell there, yet out of door
     They leave thee.

그러나 우리는 그리스도의 희생적 삶이 우리들 자신도 모르는 사이에 우리의 타락한 심장 속으로 이미 들어와 있다는 것을 깨닫지 못한다. 새로운 심장의 통치시대가 그리스도의 죽음에 의해서 열렸으나 우리가 아직 그것을 받아들이지 못할 뿐이다. 이와 같이 그리스도의 죽음과 부활 사이에 존재하는 특별한 전환기는, 우리에게 타락한 헌 심장의 통치로부터 구원을 향한 새로운 심장에 의한 통치의 시대로의 정권이양의 시기이며, 「무덤」이라는 시는 바로 이러한 전환기적 상황을 구체화한다. 즉 그 기간은 하나님이 죄와 죽음이 자신들의 이득을 위해서 행사하던 권력을 인간의 구원을 위해 작용할 수 있도록 바꾸는 시기이며, 파괴적으로 작용하던 힘을 재생을 위한 힘으로 변환시키는 시기이다. 우리가 비록 깨닫지 못하고 있지만, 그리스도의 주검을 묻은 차가운 돌무덤 안에서뿐만 아니라 인간의 타락한 심장이라는 영적인 무덤 안에서도 이러한 전환이 일어나고 있다.

> 아직도 우리는 여전히 우리가 시작했던 상태에 머물러 있다,
> 그리고 우리는 파멸할 수밖에 없을 것이다, 만약 그리스도가,
> 비록 인간의 심장이 차갑고, 굳어 있으며, 오염되었다 할지라도,
> 그 인간을 사랑하는 것을 어떤 것도
> 막지 못한다는 사실이 없다면.

> Yet do we still perish as we began,
> And so should perish, but that nothing can,
> Though it be cold, hard, foul, from loving man
> Withhold thee.

하나님은 인간의 심장을 다시 지배하기 위해 권력의 이양을 이미 시작했으며 지금도 진행 중이다. 우리가 그것을 인식하지 못하고 있을 따름이다.

따라서 허버트는 우리가 우리의 심장 안에서 작용하고 있는 하나님의 숨겨진 은총을 볼 수 있을 때까지 우리 자신의 심장을 자세히 들여다보고 탐구하기를 권한다. 「아침기도」("Matins")에서 화자는 그리스도의 희생이라는 개념—「무덤」이라는 시의 끝에서 제시하는— 과 더불어 명상적인 자기 탐험을 시작한다. 그는 하나님을 만날 약속을 하며, 그의 심장을 하나님과 그를 위한 만남의

장소로 삼는다. 자신의 심장을 들여다보고 그곳이 단순히 무덤과 같은 장소가 아니라 지상과 천상의 모든 가치들을 수용하는 저장소임을 알아차린다.

> 나의 하나님, 심장이란 무엇입니까?
> 은, 아니면 금, 아니면 귀중한 보석,
> 아니면 별, 아니면 무지개, 아니면
> 이 모든 것들의 일부, 아니면 이 모든 것들을 하나로 뭉쳐 놓은 것?

> My God, what is a heart?
> Silver, or god, or precious stone,
> Or star, or rainbow, or a part
> Of all these things, or all of them in one?

허버트의 시에 있어서 인식의 운동성은 자주 "A or B"의 구조를 따라 진행된다. 이러한 인식구조는 역동적으로 진행해 나아가면서도 앞서 제시된 그 어떤 개념도 부정하지 않는다. 즉 그것은 변증법적인 움직임이라기보다는 진보적 (progressive) 움직임으로 한 단계 한 단계 계단을 따라 하나의 개념이 다음 개념을 예견해 가면서 더 높은 단계의 인식을 가능하게 한다. 따라서 이러한 역동적인 인식구조로부터 어떤 하나의 단계가 제거된다면 전체의 구조가 무의미해진다. 허버트의 시에서는, 우리의 타락한 심장이 그리스도의 희생과 더불어 시작된 새로운 심장을 향한 변화를 선택하고 받아들이는 방식은 바로 이러한 '전부 아니면 전무'의 진행적 운동성이어야 한다.

그러나 이 모든 지상의 그리고 천상의 가치들에도 불구하고 우리의 심장을 관찰함으로써 우리가 발견해야 할 최고의 가치는 그것이 하나님을 맞이하기 위한 그리고 하나님이 몹시 탐내는 장소여야 한다는 것이다.

> 나의 하나님, 심장이란 무엇입니까?
> 당신이 그것을 그렇게도 살펴보시고 사랑하시더니
> 마치 그밖에 달리 할 일이 아무 것도 없는 것처럼
> 거기에 당신의 정성어린 기술을 모두 쏟아 부으셨습니다.

> My God, What is a heart,

That shouldst it so eye, and woo,
Poring upon it all thy art,
As if thou hadst nothing else to do?

그러므로 "인간의 모든 재산"인 심장은 오직 하나님을 섬기기 위해서만 사용되어야 한다. 그 시는 화자가 자신의 심장과 아침 햇살을 동시에 공부함으로써 거기에서 창조활동 중인 창조주("both the work and workman")를 재인식하고 싶다는 간청으로 끝난다.

「교회마루」("The Church-Floor")[2]는 독자의 주의를 일깨우는 "보아라("Mark")"라는 단어로 시작하며, 우리로 하여금 하나님이 어떤 방식으로 우리의 심장 안에서 작업하는지를 보도록 인도한다. 그곳에서 하나님은 그 심장의 적극적인 요청에 의해서 죄와 죽음의 물질을 하나님 자신의 목적과 인간의 선을 위하여 이용한다. 「아침기도」에서 심장이 그 내부에 여러 가지 가치들을 포함하는 것처럼, 「교회마루」의 전반부에서도 심장은 다양한 미덕을 수용한다: "인내," "겸손," "신뢰," "자비" 등. 그러나 그 시의 후반부에 이르러서 심장의 그러한 정적인 특질들이 역동적으로 변할 때, 그 심장은 스스로를 개혁하기 위해서 적극적인 역할을 한다.

이 속으로 때로는 죄가 슬그머니 들어와서,
대리석의 산뜻하고도 진기한 돌결들을 얼룩지게 한다:
그러나 그 대리석이 눈물을 흘릴 때 모든 것은 깨끗하게 닦인다.
때로는 죽음이 문에 입김을 훅 불어대며
마루에 온갖 먼지를 날린다:
그러나 그는 그 방을 더럽히려고 의도하지만, 실제로는 청소를 한다.
건축가이신 하나님께 축복을, 그대의 위대한 솜씨는
이 연약한 심장 속에 그렇게도 강한 구조물을 지으실 수 있다니.

Hither sometimes Sin steals, and stains
The marble's neat and curious veins:

---

2) 허버트는 이 시에서 하나님을 섬기기 위한 건축물로서의 교회 내부 공간과 마찬가지로 하나님을 섬기는 공간이어야 하는 심장의 내부를 상응시키며, 교회의 대리석 바닥과 심장이라는 방의 바닥을 동일시하고 그 두 곳에 나타난 "veins"(돌결 혹은 혈관)를 정교하게 일치시킨다.

But all is cleansed when the marble weeps.
    Sometimes Death, puffing at the door,
    Blows all the dust about the floor:
But while he thinks to spoil the room, he sweeps.
    Blessed be the Architect, whose art
    Could build so strong in a weak heart.

그리스도의 피 속에 스며든 죄가 인간을 위해서 "그의[그리스도] 피의 은혜로운 흐름을 더욱 활기차게"(「기도(2)」("Prayer(2)")) 만들듯이, 인간의 타락한 심장 속에 스며 있는 죄의 능력이 그 심장이 스스로 참회를 요청하는 순간, 그것을 정화시키기 위한 수단으로 이용된다. 더럽혀진 신전의 바닥으로 상징되는 심장의 더럽혀진 바닥이 눈물의 참회로 씻겨지는 데 죄가 일종의 세제로 사용되며, 죽음은 그 결과로 생겨난 오물을 삼키는 진공청소기와 같은 구실을 한다. 이러한 내화된 알레고리(internalized allegory)의 결론에서 허버트는 우리가 우리 자신의 오염된 심장을 순수한 심장으로 다시 만드는 위대한 "건축가"를 알아볼 수 있기를 기대한다.

다음 단계에서 허버트는 우리로 하여금 우리 자신의 심장 안에서 그리스도의 희생이 일으키는 역설적 움직임 ─ 그리스도의 삶은 희생이면서 동시에 정복이고 그의 죽음은 복종이면서 동시에 승리인 ─ 을 느끼도록 유도한다. 따라서 시인 허버트가 자신의 타락한 심장을 그리스도의 심장과 약혼시키려고 애쓰는 동안, 그는[시인은] 불안감과 위안 사이에서, 슬픔과 유쾌함 사이에서, 절망과 희망 사이에서 때로는 솟구쳐 오르기도 하고 때로는 가라앉기도 하는 감정적 흔들림을 겪는다. 그러는 동안에 그는 한편으로는 불평하거나, 한숨짓거나, 신음하기도 하지만 다른 한편 감사하고 찬양하며 축하하기도 한다. 이러한 상반된 경험을 통해서 인간의 심장이 천국에 합당한 상태로 고양되거나 지옥의 상태로 추락하기도 한다. "한줌의 흙인 그대는/ 천국으로부터 지옥까지 연장된다"(「기질」("Temper(1)")).[3] 그 결과, 자연에서 인간의 지위는 "한 마리 어리석은 벌레"(「한숨과 신음」("Sighs and Groans"))가 될 수도 있고 "만물의 섬김을

---

3) temper 라는 단어는 인간의 기질, 천성을 뜻하며 동시에 금속의 불림이나 진흙의 갠 정도를 나타내기도 하여 인간 기질의 가변성을 시사한다.

받는"(「인간」("Man")) 존재가 될 수도 있다. 인간을 표현하기 위해 허버트가 사용하는 은유가 이와 같이 포괄적이고 탄력적이라는 사실은 그의 인간 본성에 대한 이해의 깊이와 폭을 시사한다.

「한숨과 신음」에서 하나님은 인간의 기질을 위해 두 가지 극단적으로 상반되는 선물을 갖고 있다: "그대의 쓰라린 분노를 담은 한 병의 물약"과 "피로 충만한 다른 용기(vessels)." 삶과 죽음을 동시에 다스리는 하나님은 "심판자이면서 동시에 구원자이고, 축제와 응징(feast and rod)을 동시에 내리며,/ 따뜻이 환대하면서 동시에 신랄하게 벌하기도 한다." 하나님이 가진 이러한 권위의 요소들을 허버트가 배열한 방식에 주목할 필요가 있다. 먼저 오는 요소들을 모아서 다시 배열하면 "생명 - 심판 - 축제 - 충심의(cordial)" 등이 되며, 후자들을 재배열하면 "죽음 - 구원자 - 응징 - 신랄한(corrosive)" 등이 된다. 인간의 심장은 하나님으로부터 전자의 요소들을 구한다. 그러나 반대로 하나님은 후자의 요소들을 먼저 인간에게 준다. 그런 다음 그 심장이 "쓰라린 상자(bitter box)"를 기꺼이 받아들일 때 비로소 축제가 그 심장에게 주어지는 것이다.

그것이 바로 그리스도가 육신의 몸으로 와서 희생을 당한 방식이고 순서인 것이다. 즉 그리스도는 고통과 죽음 속으로 스스로를 낮추었고, 그런 다음에 영광과 생명으로 들어 올려진 것이다. 「고뇌(3)」("Affliction(3)")에서 그리스도의 심장은 인간에게 축복을 주기 위해서 먼저 스스로 고통스런 응징을 당한다.

> 그로부터 나는 당신이 슬픔 속에 있었다는 것을 알게 되었다,
> 나의 구원을 위해 그것을 인도하며 지배하기 위하여,
> > 응징의 왕홀을 만들면서.

> By that I knew that thou wast in the grief,
> To guide and govern it to my relief,
> > Making a sceptre of the rod.

같은 맥락에서 그리스도는 「시온」("Sion")이라는 시에서 그것이 가진 웅대함과 영광에도 불구하고 솔로몬의 외적인 신전을 거부한다. 그 대신에 그는 생명이 아니라 죽음을 위해서 "하나의 연약한 심장"을 선택한다. "위대한 하나님이 싸

우며, 그리고 굴복한다." 그러므로 인간의 심장은 하늘로 오르기 위해서 먼저 고통을 당해야만 한다.

> 그러나 신음은 재빠르게 움직이며, 날개를 활짝 펴고,
>   그 신음의 모든 움직임은 하늘로 솟아오른다.

> But groans are quick, and full of wings,
>   And all their motions upward be.

타락한 인간 심장의 내부 구조는 하늘로 솟아오르기 위해서 거기에 내재된 죄로부터 비롯된 슬픔에 찬 참회의 신음소리를 필요로 한다. 왜냐하면 신음과 한숨은 그 심장이 타고 하늘로 오를 수 있는 날개가 되어주기 때문이다.

이제 허버트는 우리에게 그리스도의 심장이 고통과 죽음을 벗어나 정복과 생명의 상태로 나아가는 것을 보여준다. 「동터옴」("Dawning")은 부활절 아침의 특별한 새벽을 찬양한다. 거기에서 우리의 슬픔에 찬 심장은 그리스도의 부활을 받아들이며 감사에 찬 상태로 전환되도록 기대된다. "슬픔에 찬 심장이여 깨어나라, 슬픔에 익사 당한 심장/ ... 그리고 감사에 찬 마음(heart)으로 그가 베푸는 위로를 받아라." 마찬가지로 「부활절("Easter")」에서 허버트는 그 심장이 이제는 일어나서 그리스도의 승리를 목격하도록 명령한다: "일어나라 심장아, 그대의 주님이 다시 일어났으니, 그의 찬양을 노래하라/ ... 즉, 그리스도의 죽음이 그대를 구워서 석회가루로 만들었듯이, 그의 생명이 그대를 황금처럼 소중하게, 그리고 더욱 정의롭게 만들어주심을 찬양하라." 또한 「별("The Star")」에서 시인 허버트는 인간의 심장으로 하여금 그리스도의 죽음과 생명을 동시에 느끼도록 함으로써 그리스도의 심장의 움직임과 시인 자신의 심장의 움직임을 융합시키려고 노력한다. "빛과 움직임 그리고 열(heat)이라는 삼위일체와 더불어,/ 우리의 비행(flight)을 시작하자/ ... 저 빛의 꿀벌통 속으로."

「알려지지 않는 사랑」("Love Unknown")에서도 역시 시인/설교자/허버트는 교리문답 혹은 호칭기도(litany)의 형식을 통해서 어떻게 우리의 심장이 다시 새롭게 형성되어야 하는지를 독자들/신도들을 가르친다. 그는 우리의 심장에서 일

어나야 할 변화를 극화한다. 그 시의 시작 부분에서 허버트는 독자에게 "사랑하는 친구여, 앉아요, 내가 길고 슬픈 이야기를 들려주겠소"라고 청한다. 이어서 우리들/독자/청중은 그 이야기의 매 중요한 순간마다 개입하여 스스로 결론을 내릴 수 있도록 허락된다. 그리고 그 설교자가 독자의 결론을 확인시킨다.

> ... 당신의 심장이 오염되었음이 걱정스러워요.
> 정말 그것이 사실입니다.
> ...
> ... 당신의 심장이 굳어버렸음이 걱정스러워요.
> 정말 그것이 사실입니다.
> ...
> ... 당신의 심장이 우둔해져버렸음이 걱정스러워요.
> 정말 그래요, 나태하고 졸음에 겨운 마음 상태가
> 종종 나를 사로잡았어요.

> ... Your heart was foul, I fear.
> Indeed 'tis true.
> ...
> ... Your heart was hard, I fear.
> Indeed 'tis true.
> ...
> ... Your heart was dull, I fear.
> Indeed a slack and sleepy state of mind
> Did oft possess me....

허버트는 의도적으로 독자로부터 대답을 이끌어내어 그의[독자의] 심장의 변화를 일으키려고 시도한다. 그 시의 끝 부분에 가서 독자/청중은 그 이야기를 듣고 크게 감동되어 그 전체의 이야기를 요약해서 말하도록 요청 받는다. 그 결과 독자의 낡고 굳어버렸으며 둔한 심장이 "새롭고, 부드러우며, 약동하는(new, tender, quick)" 상태로 바뀌었음을 경험한다.

그럼에도 불구하고 인간 심장의 신생이라는 변화는 '한번 일어나서 종결되어버리는'(once and for all) 종류가 아니라 '한번 일어난 뒤 영원히 계속되는'(once and forever) 과정으로 여겨진다. 「자연」에서 화자는 자신의 심장의 본성을 변화시켜주기를 하나님께 간청하지만 그 말이 채 끝나기도 전에 자신의 요청을 고쳐버린다.

> 오, 나의 이 울퉁불퉁한 심장을 매끄럽게 다듬어주십시오, 그리고 거기에
> 당신의 존귀하신 법률과 두려움을 새겨주십시오;
> 아니면 아주 새로운 심장을 만들어 주십시오.
>
> O smooth my rugged heart, and there
> Engrave they rev'rend law and fear;
> Or make a new one.

앞에서 언급한 "or" 구조의 사용이 여기에서도 영적인 진보를 위한 사고의 역동적 움직임을 가능하게 한다. 타락한 심장을 매끄럽게 하는 것(to smooth)이 그것을 신생시키는 데 필수적인 단계이다. 그러나 그것은 또 다른 차원의 작업 즉 새겨 넣기(to engrave) 위한 준비단계가 된다. 이러한 노력은 다시 또 다른 차원의 변화―전적으로 새로운 심장을 만드는 것(to make)―로 이어져야만 한다. 새로운 심장을 갖는 것이 변화의 완성된 형태가 되지 못한다. 왜냐하면 신생 혹은 구원이 인간에게 한 순간에 완결된 형태로 주어지지 않기 때문이다. 따라서 이러한 각각의 경험을 통해 우리의 심장은 매번 영적으로 더 높은 단계에 이르지만, 그것은 다시 그리스도를 통해 실행된 역설적 심장―철저히 자신을 희생시킴으로써만 신생에 이르는―을 향해 나아가는 끊임없는 준비단계인 것이다.
　　허버트에게는 그리스도의 심장을 본받으려는 우리의 노력에 궁극적인 완성이라는 것이 있을 수 없다. 왜냐하면 바로 그러한 한계를 갖지 않는 것이 그리스도가 인간을 위해서 자신을 희생한 방식이며, 하나님이 인간에게 무한한 은총을 내리는 방식이기 때문이다. 「기도(3)」("Praise(3)")에서 "하나님이 나의 요구를 들어주고 그리고 더 많은 것(and more)을 들어주듯이," 그 시의 화자는 "하나님이 더 많은 것(more)을 받도록" 하기 위해 자신의 고통을 통해서―"한숨과 신음으로"―더 많은 찬양을 "짜낼(wring)" 수 있기를 기원한다. 헬렌 벤들러(Helen Vendler)는 심장을 신생시키는 데 본질적으로 내재된 이러한 미완결성을 허버트가 자신의 시에서 영적 성장의 조건으로 제시하는 "극도로 잠정적인

경향성(extremely provisional quality)"(19)으로 해석한다.

인간의 심장 안에 하나님을 향한 끊임없는 움직임을 불러일으키려는 노력 속에서 허버트는 교리(doctrine)에 집착하지도 반대하지도 않는다. 왜냐하면 그는 인간의 심장이나 교리가 둘 다 영원히 변하고 다시 변해야할 조건에 처해 있음을 믿기 때문이다. 그러므로 그는 인간의 심장을 개혁할 목적으로라면 교리를 이용할 수도 있고 그것을 기꺼이 고칠 수도 있음을 시사한다. 「성직자의 겸손떨기」("The Parson's Condescending")라는 에세이에서 허버트는 자신이 시골의 교구목사로서 낡은 관습들을 소중히 할 수도 있음을 말한다. "그 관습들에 특별한 호의를 보임으로써 그들의[교구민들] 심장을 얻을 수만 있다면(A Priest 256)", 즉 그 관습에 얽매어 있는 자신의 시골 교구민들의 심장을 신생시킬 수만 있다면 그는 기꺼이 미신적 관습도 이용할 수 있음을 말한다. 이어서 그는 "만약 그 관습에 선으로부터 잘라 버려져야 할 악이 있다면 그 사과의 껍질을 벗겨서 나머지 깨끗한 부분만을 신도들이 먹을 수 있도록 주면 된다"(A Priest 256)고 주장한다. 허버트는 심지어 "미신"에 대한 규정도 무시해버리는데, 그것은 그가 그 미신도 "형식을 새롭게 하여"(reforms) "이러한 형식적 요소(form)를 이용하기를 부끄럽게 여기는 사람들을 ... 가르칠 수 있어야 한다"(A Priest 257)고 믿는다.

스탠리 피시는 허버트의 이러한 진보적인 견해를 「기질(1)」("The Temper(1)")에서 발견한다. 피시는 그 시에서 하나님을 추구하는 화자의 딜레마가 "오직 그가 그것을 어떤 형식적인 틀로 만들려는 데 존재하며, 따라서 그 해결책은 형식화하려는 그러한 시도를 포기하고 [자신의 신앙을] 해방하는(let go)데서 생겨 난다"(Self-Consuming 160)고 주장한다. 다시 말하면, 하나님을 추구하는 그 사람이 자신의 심장을 일정한 틀로 형식화하려는 소망을 포기할 때, 그리고 그가 "확실히 당신[하나님]의 길이 최상의 길임"(「기질(1)」)을 깨달을 때, 그의 심장은 모든 피조물 속에서 작용하는—"하나의 장소를 모든 장소로"(「기질(1)」) 만드는— 하나님을 느끼게 된다.

「기질(2)」("The Temper (2)")에서 그 화자는 형식화하려는 의지를 버려야 한다는 고통을 통해서 얻은 깨달음마저도 벗어나서 다시 한번 박차고 나아가야

함을 인식한다. "그럴 수 없습니다. 지금 막 나의 온 심장을 가득 채웠던,/ 그 강렬한 기쁨이 어디에 있습니까?" 그는 또 다시 "or" 구조의 다른 쪽으로 옮겨 가야만 한다: "내가 가진 모든 권력들을 박살내어 버리십시오, 아니면 그것들을 모두 묶어 당신께 향하게 하십시오." 그는 자신의 심장이 하나님을 위한 완벽한 봉사자로서 창조주의 "더 높은 궁궐"에 철저히 고착될 때만 영적인 자유를 얻을 수 있다고 느낀다.

허버트는 「고백」("Confession")이라는 시에서 "해방함"(let go)이라는 개념과 진보적 양자택일의 구조(progressive "or" structure)를 다시 한번 강화하면서, 자신의 심장이 오직 하나님께 고착됨으로써만 자유로워질 수 있다는 역설적인 상태를 어떻게 유지할 수 있는가를 제시한다. 그 화자가 자신의 심장의 가장 내밀한 바닥에 숨겨진 자아의식 혹은 주관성을 간직하려고 하는 한, 하나님의 계획에 따라서 슬픔과 고통이 "그의 심장의 가장 연약한 부분을" 쉽게 꿰뚫어 버린다: "그 궤짝들, 상자들(chests, boxes)[4]/ 그러나 슬픔은 이 모든 것들을 훤히 알고 있어, 마음만 먹으면 언제든지 그 속으로 들어온다." 그 화자는 자신의 심장을 만들었고 지배하는 하나님께는 그렇게 꼭꼭 걸어 잠근 "벽장도 드넓은 홀"(Closets are halls)이며, "심장도 고속도로"(hearts, highways)처럼 통행할 수 있다는 것을 깨달을 때, 그는 이제 그의 심장의 문을 차라리 열어 둔다.

> 오직 열린 가슴만이
> 그들을[고통과 슬픔] 바깥에 차단하여 두며, 그래서 그들이 들어올 수 없다;
> 아니면, 만약 그들이 들어온다 할지라도, 머무를 수 없다,
> 오히려 그들은 다른 모험을 위해 재빨리 떠나간다.
> 부드럽고 열린 심장은 결코 닫아 잠그지 않는다; 그러나 거짓은
> 고통이 들어올 수 있도록 구실을 주며 그것을 붙들고 움켜쥔다.

---

[4] 「고백」에서 허버트는 심장을 표현하기 위하여 "chests," "boxes," "a till," "closets" 등 밀폐된 공간으로서의 "상자"를 뜻하는 다양한 은유를 사용한다. 이러한 은유들은 어떤 소중한 물건들을 숨겨두는 돈궤나 금고의 의미를 포함하며, 세속적으로는 우리가 가진 집요한 물질적 욕망을, 영적으로는 자존심(pride) 혹은 주관성(subjectivity)에 대한 우리의 강한 집착을 시사한다. 물론 가슴(chest)이라는 공간 속에 심장(heart)이 있고 그 심장 속에는 각각의 심실과 심방이라는 공간이 있으며, 이 가장 사적이고 은밀한 심장의 바닥에 우리는 자존심을 숨겨두고 그것을 침범 당하지 않으려고 애쓴다.

Only an open breast
Doth shut them out, so they cannot enter;
Or, if they enter, cannot rest,
But quickly seek some new adventure.
Smooth open hearts no fast'ning have; but fiction
Doth give a hold and handle to affliction.

하나님이 인간에게 주는 고뇌(God's affliction)는 그 자체로서 인간을 고통스럽게 하기 위한 수단이 아니라, 그것은 오히려 인간에게 하나님의 존재를 알려주기 위한 일종의 경종과 같은 도구이다. 그것을 고통을 주는 도구로 만드는 것은 인간 자신이거나 그의 심장에 들어앉아 있는 죄인 것이다. 즉 하나님이 주는 고난이 인간의 심장 내부에 달라붙어 있는 죄와 결탁할 때 그 죄가 심장을 괴롭히는 것이다. 그런데 만약에 죄가 인간의 심장 속으로 들어오자마자 곧 밖으로 다시 나가버린다면, 고통도 그와 함께 사라질 것이다. 허버트는 고통과 죄가 인간의 심장으로 들어올 수 없도록 그 심장의 문을 걸어 잠그도록 가르치는 것이 아니라, 그러한 것들이 심장에 달라붙어 있지 않도록 완전하게 열린 상태를 유지하는 것이라고 가르친다. 그리고 그것은 역설적이게도 그 심장이 철저히 하나님께 고정되어 있을 때에만 가능하다. 우리가 우리의 심장 속에서 우리 자신의 계획 혹은 형식화하려는 의지가 아니라 하나님의 계획이 작용할 수 있도록 그 심장을 완전히 열어두고 주관성이라는 허식을 지워버린다면, 그 심장이라는 공간은 "가장 밝은 낮이나,/ 가장 투명한 다이아몬드를 무색하게 할 정도로" 밝고 맑은 곳이 될 것이다. 허버트는 이러한 상태에 대해서 "나의 심장은 참된 기쁨만이 발견될 수 있는 그런 장소에 고착되어 있다"(Walton *The Life* 310)라고 표현한다.

허버트는 인간 심장의 신생을 위한 마지막 단계로 그것 자체를 하나님을 위한 제물로 완전히 바치도록 가르친다. 하나님이 그리스도의 모습으로 몸소 자신의 모든 것을 희생의 제물로 제공했기 때문에 인간에게는 하나님의 그러한 희생을 본받아 실천해야 할 의무가 있다. 요컨대 인간의 심장은 이제 그러한 희생의 과정을 실행하기 위해서 그 자체가 제물이면서 동시에 제단이 되어야 한다. 시집 『신전』에서 예배를 드리고 제물을 바치는 공간으로서의 신전과 이에 상응하는 영적인 공간으로서의 심장은 번번이 동일시된다. 한 가지 다른 점은 외적인 의식을 행하는 신전에서는 신전과 제단, 그리고 제물이 각기 다른 실체 이지만, 영적인 희생을 위한 공간인 심장에서는 심장 자체가 신전이면서 제단 이고 동시에 제물이 된다.

「제물」("An Offering")은 심장이 어떤 방식으로 바쳐져야 하는가를 극적인 연설(dramatic speech)과 노래(a song)를 통해서 표현한다. 그 시의 전후 두 부분 은 어조와 리듬에 있어서 상호 모순된다. 조셉 써머스(Joseph Summers)에 따르 면, "그 시의 극적인 부분은 이상할 정도로 불균형을 이룬 운율로 쓰여졌다 ... [그러나 노래 부분은] 정연하게 반복적인 운율을 이룬다"(167). 극화된 부분에 서 그 시의 화자는 수(number)의 개념을 가지고 놀이를 하는데, 이것은 타락한 인간 심장이 가진 특징들 가운데 하나를 나타낸다.

> 오 우리들 속에서 심장이 증식한다면 얼마나 좋을까,
> 왜냐하면 심장이 많다면 [하나님께] 드릴 선물이 [그만큼] 많아지므로!
> 그러나 단 하나의 선물이, 그것이 [하나님께 드리기에] 합당하다면, 여러 개
> 를 필적할 수도 있다.

> O that within us hearts had propagation,
> Since many gifts do challenge many hearts!
> Yet one, if good, may title to a number.

그는 우리의 심장이 "많은 구멍이 나 있는"(many holes) 이미 오염된 상태에 있 으며 그것이 여러 "욕망들(lusts)"과 "열정들(passions)"의 상태로 부셔져 있음을 안다. 여기에서 그리스도는 하나님 자신의 제물로서 그 시의 모순된 두 부분을 결합하는 고리로 작용할 뿐만 아니라 여러 조각으로 분열된 우리의 심장의 내 부에서 치유제로 작용한다. "그리스도 안에서 그 두 성질은 그대를 치유하기 위 해서 어우러졌다." 우리가 "많은 선물들을 하나로 통일시켜 바칠 수 있기 위해 서" 먼저 우리의 심장의 상처가 그리스도의 피에 의해서 치유되어야만 한다. 그 리고

그런 다음에 그대의 선물을 가지고 오라, 그리고 이렇게 그대의 찬송가를
부르라;
    ...

            내가 많은 것을 가졌다면,
            내가 그 어떤 것을 가졌다면,
    (왜냐면 이 심장은 아무것도 아니기 때문입니다)
            모든 것은 당신의 것입니다
            그리고 나의 것은 아무것도 없습니다:
            분명히 모두 당신의 것입니다.

Then bring thy gift, and let thy hymn be this;
    ...

            Had I many,
            Had I any,
    (For this heart is none)
            All were thine
            And none of mine:
            Surely thine alone.

이 부분에 오면 시의 전반부에서 하던 숫자 놀음은 무의미하게 된다. 우리가 하
나님께 바칠 수 있는 제물은 숫자로 계산될 수 있는 심장들이 아니라 오히려 전
부이자 전무이다. 이분된 그 시의 구조는 그리스도의 두 본성 – 구원자이면서
치유자로서의 – 을 반영한다. 그리스도의 심장이 "제물이면서 그 제물을 바치는
자이고, 동시에 제단" (Sandler 262)을 구현하기 때문에 허버트는 우리의 심장도
그렇게 되어야만 함을 가르친다. 써머스의 통찰력은 "그 시의 찬송가 부분이 시
의 전반부를 말하는 동일한 화자에 의해서 노래되었다. 그리고 그것이 제물을
바치는 사람에 의해서도 노래되어야 함을 가르친다, 즉 '그대, 교구민,' '그대, 독
자'"(168)라고 지적한다. 인간의 타락한 심장이 신생을 향해 나아가는 과정의
마무리는 그것이 스스로 제물이면서 제단이고, 그 제물을 바치는 주체이기를
요구한다. 다시 말하면 그는 자신의 심장이 오직 그 자체를 융해시킴으로써만
고통당하는 다른 "모든 것을 치유하는"(All-healing)(「제물」) 그리스도의 심장을
본받을 수 있기를 염원한다.

게다가 그리스도의 심장이 겪은 고통과 희생, 그리고 부활을 본받으려는 허버트에게는 자신의 예술품인 『신전』도 역시 자신이 하나님께 바치는 하나의 제물이며 동시에 제단이 된다. "오 당신의 성스러운 희생이 나의 것이 되게 하십시오,/ 그리고 이 제단을 당신의 것으로 성스럽게 하십시오"(「제단」).

허버트의 『신전』은 표면적으로 교회라는 공간으로서의 신전의 여러 부분과 그곳에서의 생활을 묘사하지만, 동시에 그것은 그 신전의 영적인 등가물인 인간의 심장이 타락의 상태로부터 신생의 상태로 변화되는 과정을 철저히 성찰하고 시청각적으로 제시한다. 즉 허버트는 『신전』이라는 시적 건축물 또는 예술품을 통해서 자신의 내적 신전 즉 심장의 신생을 결정하고 그것을 실행하는 작업과정을 제시한다. 그리고 그는 그것을 읽는 독자들의 심장이 그 신생의 과정에 참여하도록 유도한다.

그는 가장 위대한 예술가인 하나님이 "당신의 최고의 예술품으로(thy highest art)"(「자연」) 인간의 심장을 만들었다고 믿는다. 그런데 바로 이 완벽한 예술품을 인간은 스스로 망가뜨렸으며, 치유자로서 하나님은 인간의 부서진 심장을 고치기 위해서 그리스도의 심장으로 그 자신을 다시 제물로 바쳤다. 비록 그리스도가 인간의 몸을 받아 온 다음 자기희생을 통해서 그 부서진 심장이 다시 만들어질 수 있는 길을 제시해 주었지만, 인간이 자신의 심장을 망가뜨리는 것을 스스로의 의지로 행하였듯이 그 심장을 신생시키는 데도 인간 스스로의 결정과 참여가 반드시 필요한 것이다.

목사이면서 동시에 시인인 허버트는 자신의 시적 창조 행위가 은총(grace)과 예술(art)을 동시에 구현하기를 염원하며, "작품과 예술가"(both the work and the workman), 혹은 인간의 심장과 그것을 빚어 만드는 하나님을 동시에 비추어주는 빛을 볼 수 있는 상태를 실현하기를 희망한다. "그때 나는 햇살을 타고 당신에게 올라갈 것입니다"(「아침기도」). 한편 그는 자신의 심장에 내재된 자아소멸을 통한 구원이라는 모순적 양면성의 발원을 철저히 그리스도의 심장에 의해서 구현된 역설적 본성에서 찾는다. 따라서 『신전』에서 그는 목사와 시인 사이에서, 신앙과 예술 사이에서, 병든 영혼을 치유하는 데 수반되는 파괴의 고통과 시적 아름다움을 창조하는 데 수반되는 창조의 희열 사이에서 균형을 이루기 위해 전율하는 자신의 심장을 관찰하고 제시한다.

그런 의미에서 『신전』은 허버트 자신의 삶 혹은 심장이면서 동시에 그의 예술적 창작물이기도 하다. 목사로서 허버트가 자신의 예술창작에 대해서 가졌던 염원은 아마 그가 거기에 담으려고 애썼던 "심장과 예술"이라는 그 두 요소가 무한히 서로를 비추며 하나로 합쳐지고, 그것이 신생을 경험하며, 그리고 결국은 하나님께 제물로 바쳐지는 상태였을 것이다. 그리고 그 각각의 시들은 모든 것이 궁극적으로 지고의 예술가인 하나님께 귀속된다는 것을 믿었던 그가 그 무한의 하나님을 향해 다가가는 하나하나의 발걸음이었을 것이다.

허버트의 시가 표면적으로 쉽고 단순하며 아름답고 믿음에 충만한 것처럼 보이지만, 그 저변에 난해하고 복잡하며 고뇌와 의심을 내포한다는 사실은 그의 삶이 가지는 바로 이러한 역설적 복합성에 기인한다. 『신전』에 반영된 이러한 역설적 비결정성은 이미 허버트 자신의 시기에 크리스토퍼 하비에 의해서 인식되었다. 1640년에 출판된 『시나고그』(The Synagogue)에서 하비는 허버트 시집 『신전』의 본질에 대해 묻고 답한다.

> 이것은 무슨 교회인가? 그리스도의 교회. 누가 그것을 지었는가? 조지 허버트씨. 누가 그것을 도왔는가?
>
>   ...
>
> 그리고 이 의심스러운 질문에 대해
> 편견 없이 논하는 사람이라면 이렇게 대답할 수밖에 없다:
> 이 신전을 세우는 데 있어서 허버트씨는
> 공평하게 온전히 은총이었으며, 온전히 기지였으며, 온전히 예술이었다.

> What church is this? Christ's Church. Who builds this? Mr. George Herbert.
> Who assisted it?
>
>   ...
>
> Then he that would impartially discuss
> This doubtful question, must answer thus:
> In building of this temple Mr. Herbert
> Is equally all grace, all wit, all art.

🌱 인용문헌

Fish, Stanley. *The Living Temple*. Los Angeles: University of California Press, 1978.

_____. *Self-Consuming Artifacts*. Berkeley: University of California Press, 1972.

Freeman, Rosemary. *English Emblem Books*. New York: Octagon Books. Inc., 1966.

Harvey, Christopher. *The Synagogue*. In *George Herbert The Critical Heritage*. Ed. C. A. Patrides. London: Routledge & Kegan Paul, 1983.

Herbert, George. *George Herbert The Complete English Poems*. Ed. John Tobin. New York: Penguin Books, 1991.

_____. *A Priest To The Temple*. In *George Herbert The Complete English Poems*. Ed. John Tobin. New York: Penguin Books, 1991.

Sandler, Florence. ""Solomon Vbique Regnet": Herbert's Use of The Images Of The New Covenant." *Essential Articles For The Study Of George Herbert*. Ed. John R. Roberts. Hamdem: Archon Books, 1979.

Summers, Joseph H. *George Herbert His Religion And Art*. London: Chatto and Windus, 1954.

Vendler, Helen. "The Re-invented Poem: George Herbert's Alternatives." In *Forms of Lyric*. Ed. Reuben Brower. New York: California University Press, 1970.

Walton, Izaak. *The Life of Mr George Herbert*. In *George Herbert The Complete English Poems*. Ed. John Tobin. New York: Penguin Books, 1991.

14

『반지와 책』의 교황의 독백에 나타난 종교적 고민

| 송기호 |

I.

　　로버트 브라우닝(Robert Browning)의 대표적 장시『반지와 책(The Ring and the Book)』은 17세기말 로마에서 실제로 있었던 몰락한 귀족인 귀도(Guido)가 어린 아내 폼필리어(Pompilia)와 그녀의 부모를 살해한 사건을 문학적으로 재구성한 것이다. 이 시에서 브라우닝은 이 사건과 직간접으로 관계된 여러 인물을 등장시켜 동일한 사건을 바라보는 다양한 입장을 제시한다. 이 시에서 사건에 대한 진실은 매우 모호하고 쉽게 포착되지 않는다. 브라우닝이 이 작품을 통해서 독자에게 전하고자 하는 것은 인간 삶에서 진리를 찾는 일의 어려움이다. 많은 비평가들이 진리란 고정되거나 확정되지 않고 삶의 과정 속에서 발견된다는 브라우닝 시의 메시지에 주목해왔다. 랭봄(Robert Langbaum)은 브라우닝의 시를 '경험의 시'(poetry of experience)라고 정의하고 있는데, 이 경험의 시란 어떤 절대적 의미를 제시하는 것이 아니라 지속적으로 새로운 의미를 생산해내는 시를 의미한다. 랭봄은 브라우닝이 즐겨 사용한 극적 독백(dramatic monologue)이 "경험주의자의 시대, 그리고 상대주의자의 시대, 다시 말해 가치를 역사의 과정

＊『문학과 종교』제 7권 2호(2002)에 실렸던 논문임.

에서 변화해가는 개인적이고 사회적 요구들에 맞추어 진화해가는 것으로 보게 된 시대에 적합한 양식"(107-8)이라고 보고 있다. 암스트롱(Isobel Armstrong)은 언어와 의미에 관한 브라우닝의 회의적 태도에 관해 언급하면서, 『반지와 책』에서 어떤 전통적 고정된 의미를 찾으려 하는 것은 무의미하다고 주장한다(UP 177-97 참조). 터커(Herbert Tucker)는 브라우닝을 "영원히 알아가는 초보자"(4)라고 규정하며 브라우닝의 시적 전략은 종국이나 결말을 거부하는 것에 있다고 보고 있다. 슬린(Warwick Slinn)은 해체주의적 시각에서 『반지와 책』에서의 초월적 진리의 문제를 본다(LT 115-33 참조). 라이얼스(Clyde Ryals) 또한 브라우닝의 시는 의미의 완결성보다는 의미의 다양한 가능성에 더 초점이 맞추어져 있다고 말한다(253-4).

『반지와 책』에서 브라우닝이 보여주려 하는 진실을 포착하는 일의 어려움은 시의 구조에서 잘 구현되어 있다. 앞서 언급한 것처럼 이 시는 같은 사건을 바라보는 개별 인간의식의 산물인 다양한 관점을 병치시켜 보여준다. 그런데 이 시에서 다양한 관점을 보여주는 여러 독백들은 모두 한 사람의 시적 화자(poet persona)에 의해 수집되어 구술된다. 그리고 이 시 자체는 시인 브라우닝이라는 한 개인의식의 산물이다. 이렇듯 이 시는 여러 층위의 해석적학 지평으로 이루어져 있다. 이처럼 연속적으로 이어지는 해석학적 지평을 감안하면 이 시는 시를 읽는 독자들마저도 귀도 살인사건에 대한 총체적 진실을 알지 못할 가능성을 암시하고 있다. 따라서 이 시에서 진실은 포착되지 않고 언제나 유예된다. 슬린은 "브라우닝은 완결체로서의 진리가 아니라 과정으로서의 진리, 생성중인 진리를 강조하고 있는데, 이 과정에서 진리는 언어에 의해 전복되기도 하고 생성되기도 한다"(DS 123)고 말한다. 브라우닝이 이 시의 복잡한 구조를 통해 제시하고자 하는 것은 슬린의 지적대로 진리는 완결체로 존재하는 것이 아니고 인간 삶의 역동적 과정 속에만 존재한다는 점이다.

『반지와 책』에서 교황(the Pope)의 독백은 종교에 있어서의 진실과 지식의 문제를 다룬다. 교황의 독백은 암스트롱의 지적대로 "초월적인 선험(a priori) 지식과 경험적인 후험(a posteriori) 지식 사이의 갈등"(PR 288)을 다루고 있다. 칸트(Kant) 이후 인간에게 세계는 자체의 존재양식 그대로가 아니라 인간이 세계를 이해하는 방식으로만 인간에게 이해된다. 칸트 이후 인식의 조건이 초월적 선험지식과 경험적 지식으로 이원화된 것처럼, 교황의 종교적 담론도 신(God)에 대한 두 가지 가능성, 즉 '완결체'(product)로서의 신과 '과정'(process)으로서의 신 사이의 갈등과 긴장을 드러내고 있다. 교황은 선험적 존재로서의 신을 믿으며, 이 믿음은 그의 사고와 행동을 지배한다. 하지만 교황의 독백 전반에 걸쳐 선험적 존재로서의 신은 경험적 존재로 신을 이해하는 다양한 목소리들에 의해 끊임없이 해체된다.

II.

귀도 살인사건 재판과 관련된 온갖 서류더미 앞에 앉은 교황은 자신의 독백의 첫머리에서 귀도의 유죄에 대해 확신에 차서 말한다. "사건은 종결되고, 심판은 끝났다. / 모든 일이 다 이루어졌고 되돌릴 수 없다. / 이 프란체스키니(귀도)는 이미 죽은 목숨이니."(X. 208-10)[1] 하지만 그 후 이 천여행이나 지속되는 독백에서 교황의 확신에 찬 믿음은 유지되지 못한다. 자신의 주장과는 달리 이 시의 다른 등장인물들처럼 교황에게도 "이 다양한 말과 행위의 덩어리들"(X. 262)로부터 사건에 대한 진실을 찾아내는 일은 쉽지 않아 보인다. 교황의 독백 가운데서 자주 인용되는 다음 구절은 그가 처한 상황을 잘 말해준다.

> 진실은 어느 곳에도 없지만, 이 서류 속 곳곳에 있기도 하다—
> 어느 한 부분에 절대적으로 존재하는 것이 아니라
> 전체로부터 전개될 수 있지: 전개되어 마침내
> 고통스럽게, 내가 고집스럽게 움켜쥐게 되었지.
>
> Truth, nowhere, lies yet everywhere in these —
> Not absolutely in a portion, yet
> Evolvible from the whole: evolved at last
> Painfully, held tenaciously by me. (X. 229-32)

---

1) 『반지와 책』에 대한 모든 인용문의 출처는 Robert Browning, *The Works of Robert Browning*, (London: Smith & Elder, 1912)임.

교황은 귀도의 살인사건 재판과 관련된 "사실 자체 외에도 / 변론과 항변, 사실의 수사(修辭)"(X. 216-7)인 온갖 서류 더미 앞에 앉아있다. 각 서류들은 그 사건에 대한 어느 정도의 진실을 담고 있지만 진실은 그 어느 곳에도 완전한 형태로 담겨있지 않다. 귀도의 유죄를 확신하는 교황은 사건과 관련된 서류들을 총체적으로 검토해 볼 수 있는 상황에 있다는 점에서 다른 인물들에 비해 상대적으로 유리한 입장에 있다. 하지만 이것이 그가 이 사건에 대한 절대적 진실을 찾아낸다는 것을 의미하지는 않는다. 교황의 독백을 이 시의 다른 독백들과 병치시켜 보면 많은 모순되는 점을 발견하게 되는데 이는 결국 교황의 독백도 귀도 사건에 대한 절대적 진실이 아니라 그가 "고집스럽게 움켜쥔" 하나의 의견에 불과하다는 점을 시사한다.

교황의 독백은 종교에서의 허구(fiction), 재현(representation), 그리고 칸트(Kant) 후의 세계인식 등 다양한 인식론적 문제들을 제시한다. 자신의 독백 앞머리에서 교황은 자신이 한 인간으로서가 아니라 신의 권능을 대행자하는 자로서 심판자의 자리에 앉아있음을 강조한다.

> 하나님의 이름으로! 하나님의 소유인 이 지상에서 다시 한 번
> 일할 수 있는 마지막 석양빛과 시간이 남아 있는 동안
> 불확실한 손으로 하나님의 지팡이를 잡고,
> 내 나이 여든 여섯이 되도록,
> 하나님의 심판석에 앉아 내게 주어진 일과 슬픔을 감당하고,
> 그리고 즉시 하나님을 대신하여 생각하고 말하고 행한다.
> 그리스도를 모시는 교황.

> In God's name! Once more on this earth of God's,
> While twilight last and time wherein to work,
> I take His staff with my uncertain hand,
> And stay my six and fourscore years, my due
> Labour, and sorrow, on His judgment-seat,
> And forthwith think, speak, act, in place of Him —
> The Pope for Christ. (X. 163-9)

신의 대행자로서 "하나님 대신에 말하고 생각하고 행한다"는 교황의 말은 신의

권위를 대행하는 일과 관련된 복잡한 문제들에 대한 상념으로 이어진다. 비록 교황이 신 대신에 사고하고 행위 하지만 그 자신은 신이 아니며 단지 신을 대리해서 그 자리에 있을 뿐이다. "나도 내 자신의 판결을 내려야 한다"(X. 161)는 교황 자신의 말처럼, 비록 그가 심판자의 자리에 "하나님의 대행자(Vice-gerent)로 하나님 자리에 앉아"(X. 160)있지만 실제로 그는 한 인간으로서 귀도를 심판하는 것이다. 이러한 상황은 불가피하게 일련의 인식론적 문제점을 불러일으킨다. 교황에게 지상에서 신의 권위를 대리하는 일의 의미는 무엇인가? 그가 생각하고 행동하고 말하는 모든 것은 신에게서 오는 것인가? 아니면 인간인 그 자신의 사고와 행위와 언어인가? 교황은 스스로에게 묻는다.

> 하지만 나의 연약한 불꽃의 근원은 태양이라.
> 나는 저 곳으로 거룩한 시선을 보내
> 원천에서 빛이 나오게 한다.
> 내 모든 행위와 나 됨의 모든 것은 진리에서 오는 것이거나
> 아니면 미약한 인간의 눈으로 보거나 추측하거나
> 기억하거나 계신된 것이다.
> 내가 아는 것은 그 뿐 다른 것이 없다.
> 나는 아는 대로 말할 뿐―
> 저 위에서 기록된 다스림에 대한
> 눈이나 두뇌의 허무맹랑한 속임수라면
> 내가 무엇을 알고 어떻게 말하겠는가?
> 내 자신의 숨결로 석탄에 불을 붙여놓고
> 천상의 것이고 새벽별이라고 부르는 것이란 말인가?

> Yet my poor spark had for its source, the sun;
> Thither I sent the great looks which compel
> Light from its fount: all that I do and am
> Comes from the truth, or seen or else surmised,
> Remembered or divined, as mere man may:
> I know just so, nor otherwise. As I know,
> I speak, ― what should I know, then, and how speak
> Were there a wild mistake of eye or brain
> As to recorded governance above?
> If my own breath, only blew coal alight

I styled celestial and the morning-star? (X. 1285-95)

신의 권위를 대행하는 데서 생겨나는 인식론적 문제점을 해결하는 한 가지 방법은 모든 것을 신의 계획으로 돌리는 것이다. "너희에게는 머리털까지 세신 바 되었나니" But the very hairs of your head are all numbered) (마태복음 10장 30절)라는 성경구절처럼 교황은 단언한다.

> 이 세상이 선택되어진 것도 나란 사람이 선택된 것도 모두,
> 사물이 분류되고, 크고 작음이 구분되는,
> 이 세상 밖 어딘가에 계신
> 당신의 무서운 운용에서 비롯된 것이니
> 불가해하게도 선택은 당신의 것이라.
> 그러므로 난 머리 숙여 당신의 자리에 앉는다.

> Choice of the world, choice of the thing I am,
> Both emanate alike from Thy dreadful play
> Of operation outside this our sphere
> Where things are classed and counted small or great, —
> Incomprehensibly the choice is Thine!
> Therefore I bow my head and take Thy place. (X. 1342-7)

교황은 신(God)에 의해 "... 생명이 사는 수많은 별들 중에서 / 이 하나의 지구가 선택되었다 / 신의 초월적 행위의 무대와 장면으로"(X. 1336-40)라는 점을 부각시킨다. 당대의 과학적 상상력이 반영된 이 구절에서 동일하게 암시된 것은 그가 이 세상의 수많은 사람 중에서 오직 그가 신의 예정된 계획에 따라 교황으로 선택되었다는 점이다. 또한 암시된 것은 교황의 모든 생각, 그리고 말과 행동마저 신의 계획의 일부에 지나지 않는다는 점이다. 인간의 모든 사고와 행동이 신의 계획에 포함된 것이라면, 교황이 소개하는 일화(243-59 행)가 암시하듯, 인간은 자신의 사고와 행위가 초래할 수 있는 모든 결과로부터 자유로울 수 있다. 인간의 모든 사고와 행위 그리고 그로부터 파생하는 모든 결과를 신의 의지와 예정된 계획으로 돌리는 것은 신을 절대적이고 선험적 존재로 확립해가는 과정이고 동시에 앞서 언급한 인식론적 딜레마로부터 벗어나는 방법이다. 하지만

『반지와 책』에서 제시하는 종교적 담론은 이보다 복잡하다. 교황은 귀도의 유죄와 선험적 존재로서의 신에 대해 확신하고 있지만 그의 독백은 자신의 그러한 믿음에 대한 의구심과 회의로 가득 차 있다. 결국 교황의 독백은 선험적 신의 존재를 구성하고 동시에 해체하는 대립적이고 모순적 상황을 반복해서 드러낸다. 이러한 점은 교황의 독백의 앞머리부터 나타난다. 교황은 귀도에 대한 판결을 내리기에 앞서 전임 교황들의 판결을 회고해 본다. 제7대 교황 스테파노(Stephen)가 포르모소(Formosus)에 대해 내린 판결이 후대의 여러 교황에 의해번복되는 상황이 거듭된다. 스테파노가 포로모소를 파문하고, 이 결정이 후임자로마노(Romanus)에 의해 번복된다. 로마노의 결정은 다음 교황인 테오도로(Theodore)에 의해 번복되고, 테오도로의 결정은 또 다시 후임 교황 요한(John)에 의해 번복된다. 그리고 이 결정마저 후임자에 의해 다시 번복된다. 이렇듯신의 대행자들이 행한 거듭되는 판결의 번복을 살펴보면서 교황은 묻는다.

> 어느 판결이 오류 없는 것이었는가?
> 나의 전임자 중 누가 하나님을 대변했는가?
> (중략)
> 이곳에서 하나님의 대행자로 하나님의 자리에 앉아
> 나도 내 자신의 판결을 내려야 한다.
> 내 전임자들이 그러했듯이. 이제는 내 차례이지.

> Which of the judgments was infallible?
> Which of my predecessors spoke for God?
> . . .
> When, sitting in his stead, Vice-gerent here,
> I must give judgment on my own behoof.
> So worked the predecessors: now, my turn! (X. 151-162)

교황은 선험적 신의 존재를 증명하고, 또 인간의 삶의 모든 것을 신의 예정된계획으로 돌리려 하지만 전임 교황들에게서 있었던 이 모순 가득한 일화는 교황의 노력을 수포로 돌아가게 만든다. 이 일화에서 언급된 끊임없이 거듭되는판결의 번복은 교황의 권위를 심각하게 훼손한다. 그리고 동시에 선험적 존재로서 신의 권위 또한 심각하게 위협한다. 왜냐하면 교황의 말처럼 전임 교황들 역시 이 지상에서 신의 대행자로서 신의 권능을 대신했던 사람들이기 때문이다. 결국 이 일화는 교황이 생각하는 선험적 신의 존재는 인간이 만들어낸 하나의 허구에 불과할 수도 있다는 가능성을 암시한다.

III.

귀도 사건과 관련된 서로 모순되고 엇갈리는 증언과 주장을 담은 서류더미 앞에서 교황은 인간에게 진리를 찾는 일이 얼마나 어려운 일인가에 대한 상념에 잠긴다. 그리고 이 상념은 결국 종교의 의미와 신(God)의 존재방식에 대한 좀 더 근원적 사유로 이어진다. 교황의 독백을 관통하는 것은 두 가지 서로 양립할 수 없는 신의 존재 가능성에 대한 생각이다.

> . . . 어떤 사실,
> 절대적이고, 추상적이고, 독립적인 진실
> 역사적이고, 인간의 정신에 맞추어 축소되지 않은—
> 아니면 굴절되고, 변화되고,
> 스펙트럼을 통해 인간의 마음, 좁은 시야에 전해진
> 같으면서도 같지 않은, 그렇지 않고는 이해될 수 없는 진실.

>   . . . whether a fact,
> Absolute, abstract, independent truth,
> Historic, not reduced to suit man's mind, —
> Or only truth reverberate, changed, made pass
> A spectrum into mind, the narrow eye, —
> The same and not the same, else unconceived   (X. 1388-93)

교황에게 신은 두 가지 모습으로 나타난다. 하나는 인간 삶의 변화와는 무관하게 절대적이고 선험적으로 존재하는 신이고, 다른 하나는 인간의 감각으로 이해된 신의 모습, 즉 "굴절되고, 변화되고, 스펙트럼을 통해 인간의 마음, 좁은 시야에 전해진" 존재이다. 앞의 신이 영원하고 불변하는 존재라면 두 번째의 신은 인간의 인지와 감각의 변화에 따라 변해가는 존재이다. 다시 말해, '완결체'

로서의 신과 '과정'으로서의 신이다. 교황의 독백은 이 두 가지 신의 가능성 사이를 끊임없이 오간다.

　기독교란 종교의 최고의 수호자인 교황은 절대적이고 선험적 존재로서의 신을 믿는다.

> 어딘가에서 어떤 방식으로든 온전히 존재하지만
> 이곳에서는 우리의 감각에 맞게 변화된 전체로만―
> 그곳에서는 (그 곳은 존재하지 않으니, 말이란 이렇듯 헛소리를 하게 되고!)
> 오직 당신만이 이해하는
> 절대적 무한함과 온전함으로―
>
> Existent somewhere, somehow, as a whole;
> Here, as a whole proportioned to our sense, ―
> There, (which is nowhere, speech must babble thus!)
> In the absolute immensity, the whole
> Appreciable solely by Thyself, ―　(X. 1316-20)

교황에게 신은 영원하고 불변하는 선험적 존재이다. 비록 교황은 어느 곳엔가 온전히 존재하고 있을 신의 존재를 확신하며 그 신이 자신의 모든 사고와 행동의 근원임을 믿지만 그는 신의 존재를 경험적으로 입증해 보일 수 없다. 다른 사람과 마찬가지로 교황에게도 신은 인간의 감각으로 재현될 수 있을 뿐이지 그의 현존을 눈앞에 실현해 보일 수 없는 존재이다. 신은 오직 인간이 인식하는 방식대로 인간의 감각에 맞게 재현될 수 있을 뿐이다.

> 사람의 마음이란 하나의 볼록거울이 아니고 무엇이겠는가?
> 그곳에서 광대한 하늘로부터 온 분산된 모든 점들이
> 다시 모여서 지상의 하늘이 되고
> 우리가 아는 미지가 되고, 인간에게 신이 계시되는 것이 아닐까?
> (중략)
> 이곳에서는, 인간의 좁은 정신에 의해,
> 인간의 능력에 맞는 편협함으로 축소되어
> 또한 이해할 수 있는 정도로.

Man's mind, what is it but a convex glass
Wherein are gathered all the scattered points
Picked out of the immensity of sky,
To re-unite there, be our heaven for earth ,
Our known unknown, our God revealed to man?
. . .
Here, by the little mind of man, reduced
To littleness that suits his faculty,
In the degree appreciable too; (X. 1311-23)

교황은 인간에게 경험적으로 이해될 수 있는 신의 모습은 인간의 감각에 맞게 재현된 모습일 뿐이라는 의혹을 떨쳐버리지 못한다. 인간의 감각으로 재현된 신은 절대적 신의 모습에 바탕을 두고 있지만 "같으면서도 같지 않은"(X. 1393) 다른 존재이다. 이는 결국 교황으로 하여금 신의 다른 가능성, 즉 역사적으로 만들어진 '과정'으로서의 신을 부정할 수 없게 만든다.

'과정'으로서의 신의 가능성은 교황이 인용하는 그리스 철학자 유리피데스 (Euripides)의 다음과 같은 말에서 짐작해 볼 수 있다.

"내가 얼마나 근접하게 사도 바울이 아는 것을 짐작했던가?
"내가 의무라 여긴 일을 통해 그의 교리에 얼마나 가까이 갔던가?
"하지만 아직도 백지 상태?
(중략)
"나는 무엇보다 우선 자연이라 불리는
"감추어진 힘과 맹목적인 필연과정 있음을 알았지만
"근원은 아직 몰랐었지.
"근원으로부터 나오는데－이것들에 얼마나 의존하는지는 모르지만,
"얼마나 우리 위에 부여되었는지는 잘 알지.
"다양하거나 하나인
"내가 신이라 이름 지은 힘.
"위대하고 강하고 선한 것이 있는가 하면
"하찮고 약하고 사악한 것들도 있는데,
"지혜와 어리석음, 가령 이것들이 하나님의 뜻 아니라면
"인간 밖에서 다스리는 것이 또 무엇이 있겠는가?
(중략)

"그 힘들과 필연적 과정들이 하나님을 자라게 만든다.
"그토록 대조적이고 여러 신들처럼 보이던 존재들은
"단지 하나님의 다양하고 다채로운 운용일 뿐이다.
"마땅히 그러해야 하듯,
"우리의 감각에 맞게, 그리고 우리가 느끼도록 자유롭게 하는 만큼
"알기 쉬운 것으로 변환된 것이다.

"How nearly did I guess at that Paul knew?
"How closely come, in what I represent
"As duty, to his doctrine yet a blank?
 .   .   .   .
"I saw that there are, first and above all,
"The hidden forces, blind necessities,
"Named Nature, but thing's self unconceived:
"There follow,—how dependent upon these,
"We know not, how imposed above ourselves,
"We well know,—what I name the gods, a power
"Various or one: for great and strong and good
"Is there, and little, weak and bad there too,
"Wisdom and folly: say, these make no God —
"What is it else that rules outside man's self? . .
"The forces and necessity grow God, —
"The beings so contrarious that seemed gods,
"Prove just His operation manifold
"And multiform, translated, as must be,
"Into intelligible shape so far
    "As suits our sense and sets us free to feel. (X.1724-71)

유리피데스는 주장하기를 사도 바울(Paul)의 신(God)이 알려지기 전에 사람들은 다양한 자연의 "감추어진 힘들, 맹목적 필연과정들"에 신성을 부여했고 이를 숭배했다. 그리고 이 힘들과 필연적 과정들은 점차 다양한 형태의 신들(gods)이 되었다. 그리고 그는 계속해서 이 신들도 결국 기독교 신(God)의 다양한 운용에 지나지 않는다는 것을 후대의 지식을 통해 알게 되었다고 말한다. 결국 종교의 진화 과정에서 나타나는 다양한 신적 존재들은 현재의 지식으로 과거를 재구성해낸 것에 다름 아니다.

유리피데스의 종교 진화에 대한 설명은 '완결체'로서의 신의 존재를 입증해 보려는 교황의 입장을 심각하게 위협한다. 유리피데스의 말은 교황이 믿고 있는 선험적 신이 궁극적 절대자가 아니라 종교적 진화 단계에서 나타난 하나의 중간자적 존재에 불과할 수도 있음을 암시한다. 브라우닝의 시를 논하면서 깁슨(Ellis Gibson)은 브라우닝 시에서 "역사는 시인이 그 안에서 어떤 방식이든 질서를 발견하고 만들어내는 주어진 것"(7)이라고 말한다. 깁슨의 용어를 빌려 표현하면, 역사는 그 안에서 사람들이 종교적 질서를 발견하고 만들어내는 공간이다. 유리피데스의 신들은 고정되지 않고, 영원하지도 않고, 또 초월적이지도 않은 존재들이다. 그들은 인간의 지성이 변화해감에 따라 끊임없이 모습을 바꾼다. 따라서 역사의 각 시대는 과거에 지녔던 신의 모습을 조정해가며 새로운 신의 모습의 만들어 나간다. 유리피데스는 계속해서 말한다.

"오 그렇다면, 나의 지식을 당신의 더 우수한 지식이 타파하여
"즉시 새롭게 재구성하니, 작은 것이 커지고,
"부분과 전체가 새롭게 이름 지어졌도다.
"이천년 동안 오직 그 일을 이루어냈다!

"Why then, my scheme, your better knowledge broke,
"Presently re-adjusts itself, the small
"Proportioned largelier, parts and whole named new:
"So much, no more two thousand years have done! (X. 1777-80)

유리피데스의 말은 교황의 목적론적(teleological) 견해를 지지하는 동시에 위협한다. 종교의 점진적 진화는 교황이 믿는 신(God)이 과거에 존재했던 다른 어떤 신보다도 더 우월한 존재임을 암시한다. 하지만 동시에 교황의 신도 언젠가 인류의 지식이 더 진보하면 다른 형태의 신으로 대체될 가능성을 암시한다. 신(God) 자신은 기나긴 종교적 진화의 과정에서 한 단계에 지나지 않을지도 모른다. 이렇듯, 유리피데스의 제시하는 '과정'의로서의 신의 가능성은 선험적 신의 존재를 확립하려는 교황의 노력을 무위로 만든다. 교황 자신도 유리피데스 제시하는 '과정'으로서의 신의 가능성을 스스로에게 묻지 않을 수 없게 된다.

우리가 세상의 낡은 믿음을 타파했듯이
다음 시대에는 우리가 이 새로운—
확정된 믿음, 소문 속에 자란 믿음을
용감하게 부정해야 하지 않을까?
그 소문들이 거짓임을 증명하는 것에 대한 더 큰 믿음으로?
우리가 아직 인정되지는 않았지만
감지할 수 있는 진실에 복종하여
인정된 진실을 부정해야 하는가?
이 몰린주의자들은
영혼과 육신의 위협에도 불구하고
그렇게 하는가?
살아있는 얼굴에 맞추어 초상화를 고쳐야하는가?
인간의 신, 인간의 정신 속에 있는 신의 신 모습으로?

As we broke up the old faith of the world,
Have we, next age, to break up this the new—
Faith, in the thing, grown faith in the report—
Whence need to bravely disbelieve report
Through increased faith i' the thing reports belie?
Must we deny,—do they, these Molinists,
At peril of their body and their soul,—
Recognized truths, obedient to some truth
Unrecognized yet, but perceptible?—
Correct the portrait by the living face,
Man's God, by God's God in the mind of man? (X. 1864-1875)

여기에서 교황은 '완결체'로서의 신과 '과정'으로서의 신의 문제에 대한 핵심에
이른다. 오랜 종교적 상념 끝에 교황은 아마도 신의 모습은 이미 완성된 초상화
처럼 시간을 거슬러 영원히 선험적으로 존재하는 것이 아니며, 유리피데스의
말처럼 주어진 역사적 상황에서 인간의 지성과 감각이 허용하는 한 최선을 다
해 끊임없이 새롭게 신의 모습을 수정해 나가는 것이 인간의 숙명일지 모른다
는 점을 생각하게 된다.

IV.

카폰사키(Caponsacchi)의 독백도 교황의 독백과 유사한 종교적 문제를 제기한다. 카폰사키는 "아름다움과 유행이 지배하는"(VI. 347) 세속화된 교회에서 부유한 여성들을 위해 시를 쓰며 지낸다. 카폰사키는 자신의 언어적 재능으로 교회가 여성을 희생의 제물로 삼는 일을 돕는다. 이렇게 세속화된 교회에서 몇 년을 보낸 카폰사키는 영적 공백상태를 경험한다. 교황이 경험적으로 증명할 수 없는 선험적 신의 존재 때문에 고민하듯이, 카폰사키 역시 교회가 지향해야 할 이상과 세속화된 교회의 현실 사이에서 괴로워한다.

> . . . 어떻게 내 삶의 밑바탕이 흔들리고,
> 정말이지 갑자기 깨져
> 현재의 모습과 당위의 모습 사이의 괴리를 드러낸 것에 대한 생각에 잠겨.
> 어떤 심연으로 내 영혼이 미끄러질 수 있는지,
> 두 극단을 연결할 전능함이 부족하여
> 이곳저곳 열망과 성취를 남길 수 있는지 생각에 잠겨—

> . . . thinking how my life
> Had shaken under me, — broke short indeed
> And showed the gap 'twixt what is, what should be, —
> And into what abysm the soul may slip,
> Leave aspiration here, achievement there,
> Lacking omnipotence to connect extremes— (VI. 485-90)

이런 그에게 폼필리어와의 우연한 만남은 자신의 소외된 종교적 삶을 깨닫는 계기가 된다. 폼필리어를 통해 교회의 이상과 현실 사이의 괴리를 깨달은 후 카폰사키는 사제로서의 자신의 삶 속에 신의 존재를 다시 중심에 세우려 한다. 하지만 카폰사키는 교황처럼 이 세상에서 그 존재를 입증할 수 없는 신의 존재를 다시 불러들이고자 하는 것이 아니라, 살아있는 여인인 폼필리어를 통해 이상과 현실의 "두 극단"을 연결한다. 카폰사키는 "젊고, 큰 키의, 아름답고, 이국적이고 슬픈 표정의 여인"(V. 399)인 폼필리어를 처음 보았을 때, 그녀에게서 성모 마리아의 모습을 본다.

폼필리어; 내가 아는 제단 위 석양 속에 서 있는
똑 같이 거룩하고, 엄숙하고, 슬픈 기색의,
방을 비추는 한줄기 달빛을 제외하고는 홀로 남겨진
온갖 슬픔의 여인.

Pompilia; the same great, grave, griefful air
As stand i' the dusk, on altar that I know,
Left alone with one moonbeam in her cell,
Our Lady of all Sorrows. (VI. 704-7)

폼필리어에게서 고통 받는 성모의 모습을 보게 된 카폰사키는 그녀가 귀도의 집을 벗어나도록 돕는다. 폼필리아의 탈출을 돕는 것은 카폰사키 자신을 구원하는 일이기도 하다. 왜냐하면 카폰사키는 폼필리어를 통해 자신이 교회라는 제도화된 종교생활 속에서 경험하고 있었던 소외된 삶을 극복하기 때문이다. 귀도가 비난하는 것처럼 성직자인 카폰사키가 세속의 일에 관여하는 것은 성직자로서의 통상적 "영역을 벗어나는 일탈적 행위"(X. 1206)이다. 그런데 『반지와 책』은 그러한 일탈적 행위가 필요함을 제안한다. 그것은 화석화된 관념적 신의 초상화에 집착하지 않고 '살아있는 얼굴로 초상화를 바로잡는 일'이기 때문이다. 교황이 완성된 선험적 신의 초상화에 집착하는 반면 카폰사키는 폼필리어의 살아있는 얼굴을 통해 그 초상화를 교정한다. 카폰사키에게 신은 선험적으로 존재하는 것이 아니라 그가 계속해서 초상화를 교정해 가는 경험적 과정으로 존재한다.

카폰사키의 일탈적 행위는 교황에게 이 세상에서의 종교의 의미를 새롭게 되새겨 보게 한다. 교황은 카폰사키가 폼필리어를 도운 행위를 음미하며 카폰사키가 자신이 미처 인식하지 못한 절대자의 뜻을 인식했을지도 모른다는 생각을 하게 된다.

새로운 주장이 오래된 요구와 충돌하더니
습관화된 율법을 지나치게 대체하는 것처럼 보였다면

얼마나 놀라운 일인가?

What wonder if the novel claim had clashed
With old requirement, seemed to supersede
Too much the customary law? (X. 1070-2)

브라우닝은 여러 시편에서 종교적 문제에 관해 언급하는데, 특히 「성탄 전야
("Christmas Eve")」에서 그리스도 탄생의 진정한 의미를 잊고 종교적 제의에만
얽매인 로마교회의 모습이나 어느 복음주의 교회에서 목격하게 되는 신도들의
선민의식이나 설교자의 우매함 등에 관한 묘사를 통해 이 세상에서 신의 뜻이
제대로 구현되고 있는지 묻는다. 브라우닝은 당대 기독교가 교리적 도그마와
관습에 젖어 관념화되고 화석화 되어 사회에서 점차 유리되어 가는 것을 비판
한다. 브라우닝은 이러한 비판을 통해 진리가 고정된 것이 아니라 삶의 역동적
과정에서 발견되듯, 종교도 인간 삶의 역동적 변화에 따라 그 의미가 재조정되
어야 함을 말한다. 브라우닝은 「셸리에 관한 산문("Essay on Shelley")」에서 말
한다. "우리가 항상 관심을 가져야 하는 곳은 바로 이 세상이다. 세상은 한번 배
워 알고 나면 방치해 버려야 할 대상이 아니라, 다시 되돌아가서 배워야할 곳이
다"(CW, Vol. XII, 288). 브라우닝의 『반지와 책』은 교황의 선험적 신의 초상화
가 살아있는 이 세상의 얼굴로 끊임없이 고쳐 그려져야 한다는 점을 일깨워 준
다.

⚘ 인용문헌

Armstrong, Isobel. "The Problems of Representation in *The Ring and the Book*: Politics,
    Aesthetics, Language." *Browning e Venezia*. Venezia: Persosa, 1991. 221-40. PR
    로 약기함.

_____. "*The Ring and the Book*: The Use of Prolixity." *The Major Victorian Poets:
    Reconsiderations*. London: Routlege, 1969: 177-97. UP로 약기함.

Browning, Robert. *Robert Browning's Complete Works*. New York: Fed DeFau, 1910. *CW*

로 약기함.

_____. *The Works of Robert Browning*. London: Smith & Elder, 1912.

Gibson, Mary Ellis. *History and the Prism of Art: Browning's Poetic Experiments*. Columbus: Ohio State UP, 1987.

Langbaum, Robert. *The Poetry of Experience: The Dramatic Monologue in Modern Literary Tradition*. New York: Random House, 1957.

Ryals, Clyde De L. *Becoming Browning: The Poems and Plays of Robert Browning, 1833-1846*. Columbus: Ohio State UP, 1983.

Slinn, Warwick. *The Discourse of Self in Victorian Poetry*. London: MacMillan, 1991. *DS* 로 약기함.

_____. "Language and Truth in *The Ring and the Book*." *Victorian Poetry* 1987 (27): 115-33. LT로 약기함.

Tucker, Herbert. *Browning's Beginnings: The Art of Disclosure*. Minneapolis: U of Minnesota P, 1980.

15

테니슨의 시에 나타난 신앙의 문제

| 김숭희 |

I

　　빅토리아 시대(The Victorian Age)는, 킷슨 클락(Kitson Clark)이 말했듯, "종교에 관한 주장들이 전 국민의 삶을 참으로 널리 지배했으며, 종교의 이름으로 말하는 자들이 정말 대단한 힘을 행사하고자 했던"(Altick 203), 영국 역사상 보기 드문 시대들 중 하나이다. 오랜 기독교 전통 속에서 성장했던 대다수 이 시대 지식인들에게 있어서, 우주관과 도덕률의 기초가 되는 것은 성서였다. 기독교는 빅토리아 시대의 문화저변을 형성하는 불가결한 요소였기에, 그들의 삶의 속성과 목적을 위시하여 삶을 보는 모든 시각에 결정적 영향을 끼쳤던 것이다. 따라서 이 시대에 이르러 기독교 자체의 타당성이 의문시되었을 때, 다시 말해서 성서가 그 때까지 믿어졌던 것처럼 순수한 하나님의 말씀이요 오류가 없는 기독교 신앙의 사실적인 토대로서 더 이상 여겨지지 않게 되었을 때, 빅토리아 사회는 전반적으로 심각한 지적·종교적 위기를 맞게 되었다.

　　리처드 알틱(Richard Altick)은 『빅토리아 시대 사람들과 사상들(*Victorian People and Ideas*)』에서 자연과학의 새로운 발견들로 인하여 전통적 기독교 신

---

* 『문학과 종교』 제 5권 1호(2000)에 실렸던 논문임.

앙이 타격을 입었을 때 이 시대 사람들이 얼마나 극심한 혼란에 빠져들게 되었는지 상세히 설명한다. 일찍이 자연신론(Deism)[1]은 우주 안에 내재하는 인격적 하나님의 존재를 부인한 바 있다. 성서의 권위는, 지질학과 고생물학의 새로운 증거들에 의해서 뿐 아니라 '고등 비평'(Higher Criticism)[2] 같은 새로운 과학적·역사적 이론들에 의해서도 도전을 받았다. 생명체의 진화론이라는 가설과 더불어 '자연도태,' '생존경쟁,' '적자생존' 등의 제 이론은 만물의 영장으로서의 인간의 존엄성을 산산조각 낼 정도로 충격적이었다. 이 이론들에 따르면, 인간이란 다만 동물계에서 가장 높은 단계로 진화한 한 형태에 불과하며, 다른 동물들을 지배하는 동일한 자연법칙에 따라서 움직이는 존재일 뿐이었다. 인간에겐 심지어 '호모 사피엔스'(Homo sapiens)라는 박물관 라벨마저 붙여졌다. 게다가, 원죄설, 그리스도의 십자가의 죽음을 통한 구원, 지옥, 영원한 형벌과 같은 복음주의적 신앙의 핵심교리들이 이전처럼 선뜻 받아들여지지 않게 되자, 우주는 "생명도 목적도 의지도, 심지어 적의조차 없는 공허한 곳으로서, 죽음과도 같은 무관심 속에서 [인간을] 속속들이 가루로 만들어버리기 위해 끊임없이 돌고 도는, 생기도 없고 측량할 수도 없는 하나의 거대한 증기기관"(Buckler 88-89)인 양 여겨지게 되었다.

하나님의 신성한 계시에 의한 종교라는 기독교의 기본전제가 부인되었을 때, 신앙의 근간은 신에게서 인간으로 옮겨지게 되었고, 인간 자신이 숭배의 대상이 되었다. 스윈번(Swinburne)은 그의 시 「인간 찬가("Hymn of Man")」의 끝에서 "인간이 만물의 주인이니, 가장 높은 곳에 있는 인간에게 영광을!"이라고 노래한다. 인간숭배와 더불어, 신이 부재하는 시대의 또 다른 대안은 '도덕'을 삶의 으뜸가는 방식으로 여기는 것이었다. 아이러니컬하게도, 빅토리아 시대 사람들은 그 도덕의 모체인 기독교 자체는 거부하면서도 기독교 윤리를 삶의 방식으로 택했던 것이다. 니체(Nietzsche)는 이 현상에 대해 다음과 같이 논평한다. 빅토리아 시대 사람들은 "기독교의 하나님을 제거했다. 그리고 . . . 그 때문에 더욱 더 기독교 윤리를 따르는 것을 책임으로 여겼다 . . . 영국에서는 신학

---

1) 신은 세계를 창조했으나, 이후 창조한 세계에는 간섭하지 않고, 세계는 그 자체의 법칙에 따라 움직이며 자기 전개를 한다고 하는 사상.
2) 성서 해석의 근거나 저자·저작 연대 따위의 사실 확정을 목적으로 하는 성서의 학문적 연구.

으로부터의 해방을 모색하는 이는 누구나 광신적인 도덕론자가 됨으로써 가장 끔찍한 방식으로 그의 영예를 회복해야만 한다"(Starzyk 재인용 151). 빅토리아 시대의 "종교적 회의(懷疑)로 인해 생겨난 낯익은 역설(逆說), 즉 도덕률 형성의 모체가 되었던 바로 그 복음주의적 교리에 등을 돌리는 도덕의식"(Gilmour 87)은 기독교 교리는 버렸어도 여전히 영적인 지주를 필요로 했던 그들의 욕구와 관련해서 이해해야 한다. 그들은 윤리적 기독교를 택했다. 그 윤리가 "적어도 삶의 길잡이 역할을 할 수 있었기"(Altick 236) 때문이다.

그러나 이와 같은 대안들로써 자신들을 추스르고자 하는 노력에도 불구하고, 신앙의 상실에 의해서 야기된 소외의식은 빅토리아 시대 말까지 지속되었다. 진화가 삶의 기본법칙이라고 한다면 이 세상에 고정된 것은 하나도 없고 모든 것이 끊임없는 변화를 거듭할 뿐이며, 윤리, 종교, 역사는 물론 모든 경험은 상대적일 수밖에 없다. 그들의 고독감은 이와 같은 인식에서 비롯된 것이다. 아놀드(Arnold)의 「도버 해변("Dover Beach")」은 이러한 고독감을 잘 나타내주는 전형적 작품이다. 그리고 그가 자신의 다른 시, 「그랑드 샤르트뢰즈("Grande Chartreuse")」에서 "하나는 죽었고, 다른 하나는 아직 힘이 없어 / 태어나지 못한, 두 세계 사이에서 방황하는"(85-86) 자신에 대하여 언급했을 때, 사실 상 아놀드는 동시대인들의 입장을 대변했던 것이다. 프루드(J. A. Froude)역시 그 세대의 경험에 대하여 다음과 같이 말한다. "빛이란 빛은 모두 흔들리고, 나침반들도 모두 고장 나서, 별들 외에는 아무런 길잡이도 남아 있지 않은 캄캄한 바다를 항해한다는 것이 어떤 것인지 젊은 세대는 결코 알 수 없을 것이다"(Gilmour 재인용 88). 칼라일(Carlyle)이 요약하듯, "종교적 신앙의 상실"은 빅토리아 시대 사람들에게는 문자 그대로 "모든 것의 상실이었다"(Buckler 86).

빅토리아 시대의 특징이라 할 수 있는 '확실성 추구'의 핵심에는 바로 이와 같은 곤경이 자리 잡고 있으며, 이 시대의 어떤 다른 시인들보다도 테니슨의 시에서 '확실성 추구'에의 필사적인 노력이 더욱 현저히 두드러진다. 신앙을 획득하고자 하는 테니슨의 고투는 이와 같은 맥락에서 살펴보아야 할 것이다. 다시 말해서, 테니슨의 신앙에 관한 어떠한 연구도 그 자신의 정체성을 회복하고자 하는 노력, 그리고 "발밑의 기반을 발견하고, 불확실한 것은 불확실하게 내버려

둔 채, 그가 진정으로 진실하게 여길 수 있는 것에 대해서 배우고, 그것을 믿고, 또 그것에 의해서 살아가고자 하는"(Gilmour 88) 그의 강인하고도 단호한 의지를 간과해선 안 된다. 이 논문에서는 테니슨의 시를 통해서 표현되고 구현된 그의 신앙을 전반적으로 살펴보고 그 의미를 재평가하고자 한다. 그의 신앙의 특성, 그의 존재론적 위기의식의 표출, 신앙과 회의 사이의 긴장, 신성한 사랑에의 직관적 동의, 지식의 대안으로서의 지혜, 그리고 그의 신앙을 보증하는 신비체험의 효용성 등을 중심으로 테니슨이 어떻게 궁극적으로 신앙을 획득할 수 있게 되었는지 살펴볼 것이다.

II

테니슨의 손자, 찰스(Charles)는 「테니슨의 종교("Tennyson's Religion")」라는 글에서 조부의 신앙의 핵심을 "우주를 다스리는 사랑의 하나님," "예수 그리스도를 통해서 계시된 하나님의 사랑과 신성한 법," "인간 영혼의 불멸성," 그리고 "인간의 자유의지"(123-4)로 요약한 바 있다. 테니슨은 또한 『인 메모리엄 (In Memoriam)』[3]의 「서시("Prologue")」에서 불멸의 사랑의 본체인 강한 하나님의 아들에게 호소하기도 한다. 그러나 잘 알려진 바와 같이, 테니슨의 신앙 — 특히 그의 시에 표현된 신앙 — 을 특별히 기독교적인 것이라고 단정 지을 수는 없다. 결혼을 앞둔 무렵의 테니슨에 관한 글에서 로버트 마틴(Robert Martin)이 지적했듯, "확실히 그는 규칙적으로 교회에 출석하는 신자도 아니었으며"(322), 신앙을 유지하는 방식이 체계적인 것도 아니었다(Hair 185). 제롬 버클리 (Jerome Buckley)에 의하면, "테니슨은 광교회파(廣敎會派)[4]인 영국국교회 교

---

3) 원제는 『A. H. H.를 추도하며(In Memoriam A. H. H.)』이나 보통 위와 같이 줄여서 쓴다. 이 시는 테니슨이 그의 가장 절친한 친구이자, 누이 에밀리의 약혼자였을 뿐 아니라 정신적 지주였던 아더 헨리 핼럼(Arthur Henry Hallam)이 1833년 9월에 22세의 나이로 요절했을 때, 그 죽음을 비통해하며 일종의 일기처럼 쓰기 시작하여 그로부터 17년 후인 1850년에 출판했던 비가(悲歌)이다. 이 시는 131편의 서정시와 「서시」, 「결시」(Epilogue)로 구성되어 있고, 중심 주제는 영혼의 불멸성이다. 테니슨은 이 시를 출판함으로써 마침내 시인으로서의 탁월한 능력을 인정받게 되었으며 이 해에 워즈워스에 이어 계관시인이 되었다.

4) 19세기 후반 영국 교회 내에 일어난 일파로서, 의식·규칙·신앙·조항 따위를 자유로운 관점에서 광의로 해석하거나 널리 포교하기 위하여 교인의 자격을 완화했다.

리들을 검토하여 어떤 형태로든 종교적 신앙의 효용성을 발견해 내고자 했으며, 마침내 '주관적 경험'을 신의 실재와 인간의 가치를 온전히 수용하기 위한 충분한 근거로서 제시하게 된다"(127). 따라서 그의 시작품들은 어떤 특정 종교의 형식적 신조를 옹호하는 것이 아니다. 그 대신, 「고대의 현자("The Ancient Sage")」에서 묘사하듯, "신앙의 형식들을 초월한 신앙"(69)의 탐색과정을 보여줄 뿐이다. 그가 자신의 신조를 공식화하기를 그토록 꺼려했던 이면에는 "필요불가결한 종교적 느낌들은 극도로 다양한 형식들 안에 깃든다"(『회고록』I. 309)라는 사고가 놓여 있다. 테니슨이 믿었던 '영원한 진리들'은 "칸트(Kant)가 시인한 도덕률의 필요성, 즉 신의 섭리, 인간의 자유의지, 그리고 영혼의 불멸성과 정확히 일치한다"(Buckley 28). 요컨대, 테니슨의 생각을 끊임없이 지배했던 신앙의 핵심은, 신앙의 우주적인 함축성, 영혼 불멸성에 대한 믿음, 그리고 사랑의 하나님의 존재에 대한 믿음이라고 할 수 있다. 이러한 "믿음 없이는 그는 삶의 목적을 발견할 수 없었던 것이다"(Martin 322).

테니슨이 삶의 영원한 진리로서 받아들였던 이 믿음이 도전을 받기 시작했을 때, 그에게 닥쳐온 첫 번째 난제는 자아 정체성의 위기였다. 로렌스 스타직(Lawrence Starzyk)이 지적하듯, 인간의 "영혼을 바른 길로 인도할 정신적 길잡이가 없다면 심리적 마비 상태가 야기되기"(3) 때문이다. 칼라일의 말대로, 일단 신의 존재에 대한 믿음이 "산산조각 나고, 인간 실존의 핵심을 부정하게 되면, 그 밖의 모든 부수적 요소들은 공허함과 부조리에 휘말릴 수밖에 없다"(Starzyk 재인용 8). 인간을 바르게 인도할 외적인 빛도 없고, 종국에 인간 자신의 내적인 빛에 대한 확실성조차 없는 경우, 영혼이 취할 수 있는 유일한 활동은 끊임없이 자기 자신과 대화하면서 '자아의 소리에 귀를 기울이는 것'이며, 그 결과 "심리적으로 자신을 약화시키게 되어 궁극적으로 자아 파괴적인" 메아리(Starzyk 29)만을 무수히 되풀이하게 된다. "무한한 이상적(理想的) 존재"가 인간이 "존재하도록" 도와줄 때까지 인류는 사실상 전혀 존재할 수 없다(Buckley 222-23). 그 어느 자비로운 '영원한 존재'도 인류를 그의 총아로 불러주지 않는 광대한 우주 안에서 테니슨은 다음과 같은 인식론적 질문을 던지지 않을 수 없었다: "자아란 무엇인가? 자아는 어떤 방식으로 지식을 습득하고 인지하는 것인가?

자아가 존재하는 근거는 무엇인가?"(Fulweiler 205). 인간이 신의 존재를 부정한 이상, 불친절하고 무감각하며 말이 없고 오직 "붉은 이빨과 날카로운 발톱을" 자랑하는 자연으로는 인간의 정체성을 밝혀낼 수 없게 되었다. 사후의 생존을 보장해 주는 것 또한 아무 것도 없다. 이제 테니슨은 지극히 찰나적인 인생살이에서 맹목적으로 고투하는 것이 과연 가치 있는 행위인지 묻는다.

> 산다는 건 모두 무얼까, 우리 모두 마침내 죽어 시체 되고 관속에 누워
> 광막한 세계 안에 삼켜지고, 침묵 속에 파멸되어, 무의미한 과거의 심연에
> 잠긴다면?
> 어둠 속을 날아다니는 모기의 앵앵거림, 혹은 벌집에 갇힌 벌들의 일순간의
> 노여움 외에 무얼까? (「광막한 세계」33-35)

「페르디디 디엠("Perdidi Diem")」[5]과 「쓸모없는 고통의 가시 덩어리에 찔려("Pierced Through with Knotted Thorns of Barren Pain")」라는 두 편의 시에서 테니슨은 낙담한 자아를 "이 육체의 관속에 누운 시체"로 묘사한다(7, 17).

하나님의 부재는 자아의 기반을 황폐하게 만들 뿐 아니라, 자아가 바라보는 대상마저 파괴한다. 테니슨은, 우주의 비밀들을 설명해 줄 수 있는 '이상적 존재' 혹은 '초월적 존재'를 거부한 세상에서, "삶의 모든 현상들을 다른 현상들에 의해서 완전히 규명할 수 있다"(Fulweiler 206)는 입장을 납득할 수 없었다. 외적 현상들을 오직 다른 현상들로 규명할 수 있다는 견해도, "현상계의 표피적 연구가 인류에게 필연적으로 우주의 의미를 밝혀주고 이해시킬 수 있으리라"(Fulweiler 207)는 주장도 수용할 수 없었던 것이다. 출판되지 않은 초기의 무운 드라마인 「악마와 숙녀("The Devil and the Lady")」에서 그는 다음과 같이 묻는다:

> 오 항성들과 천체와 별들과 운상대(雲狀帶)와 천문계여,
> 그대들은 존재 하는가 그렇지 않은가?
> 그대들은 실재들인가 혹은 인간들이
> 실재라 부르는 것의 그림자들인가?

---

5) '페르디디 디엠'은 라틴어로, '나는 날을 낭비했다'는 뜻이다.

. . . .
       . . . 그대의 존재가 오직
피조물의 마음과 지성 안에만
깃든다면, 어떤 위대한 섭리가
감각의 원리를 괴멸시켜버릴 때
그대들은 소멸 되는가 존재하는가? (II. 40-43; 52-56)

만약 전능자를 계시하는 실존적 전형들이 더 이상 존재하지 않는다면, 우리가 실제로 보고 생각하는 대상과 이미지의 근거는 무엇인가? 자아가 고정된 중심 축을 갖지 못한 채, 자신을 축으로 하여 끊임없이 제멋대로 회전한다면, '보는 행위'가 실재하는 것들을 드러낼 수 있을까? 루디 러커(Rudy Rucker)의 지적대로, "선(善), 하나님, 우주, 위대한 정신, 공허, 혹은 절대자"(Davies 재인용 228) 등의 다양한 명칭으로 불려왔으며, 낭만주의자들에 의해서 존재 자체의 자비로운 근거로 제시되었던 '하나의 생명'(The One Life)이 일단 "비인격적이고, 응답하지 않으며, 인간사에 무관심한"(Starzyk 37) 존재로 인식되고 나면, 삶 자체가 의미를 완전히 상실하는 듯 여겨지는 것이다. 뿐만 아니라 혼란스러운 자아는 비실체감으로 인해 커다란 고통을 겪게 된다. 주변에 '확고부동한 장면'은 하나도 없으며 온통 "어지럽게 난무하는 왜곡된 무질서만이 가까이에서 차츰 멀리, 마침내 칠흑 같은 밤으로 사라져 갈"(Starzyk 재인용 42) 것이기 때문이다.
   테니슨의 존재론적 위기감을 가장 단순하면서도 통렬하게 나타낸 시구들 중 하나는 『인 메모리엄』에서 발견된다:

한 밤중에 울고 있는 어린 아이:
빛을 찾아 울고 있는 어린 아이,
아무 말 못하고 울기만 하는. (54. 18-20)

과민한 기질의 테니슨이 핼럼의 때 이른 죽음으로 인해서 뼛속깊이 상처를 입었을 때, 그는 이 사건을 통해서 죽음으로써 모든 것이 끝나는 죽음의 종국성(終局性), 그리고 인간사에서 너무도 멀리 떨어져 있는 듯한 하나님에 대하여 깊이 생각하지 않을 수 없었다. 삶에 대한 심각한 회의에 빠지게 된 그는 급기야 자신의 정신건강마저 의심할 정도로 극심한 혼란과 정체성의 위기를 겪게 된다. 그는 자신을 향해 "내 꿈은 이렇지만, 나는 무엇인가?"(54. 17)라고 묻고 나서, '울고 있는 어린 아이'라는 은유로써 스스로에게 답한다. 어떤 의미에서, 절망적 울부짖음에서 시작하여 "해피엔딩으로 끝나는 일종의『신곡』(Divina Commedia)"(『회고록』I. 304)이라고 할 수 있는『인 메모리엄』의 발전과정을 '울고 있는 어린 아이'라는 반복적인 이미지의 관점에서 해석할 수도 있을 것이다. 빛을 향한 어린 아이의 암중모색은, 여전히 울고 있긴 하지만, "아버지가 가까이 있음을 아는"(124. 20) 겸허한 깨달음과 더불어 끝난다.

그렇다면, 테니슨의 신앙의 지대한 관심사는 내세적인 것이라기보다는 현세적인 것이라고 할 수 있다. 사후의 삶에 대한 믿음이 중요한 것은, 그 믿음이 미래에 대한 희망을 주기 때문만이 아니라, 현재를 의미 있고 견딜 만한 것으로 만들어주기 때문이기도 하다. 테니슨의 시들을 강력하게 만드는 요소는 극렬한 슬픔과 절망의 고통스런 표현들이긴 하지만, 그는 그 절망을 무한정 견디어 낼 수는 없는 듯했다. 어떻게든 출구를 찾아야만 했던 것이다. 실존적 고뇌에서 탈피할 수 있는 유일한 방편으로서의 신앙의 추구는 그에게 '없어서는 안 될' 중요한 일인 동시에, 건강한 삶을 위한 절박한 요구였던 것이다. 동시대 사람들의 "신앙 의지," "의도적인 낙천주의, 자비로운 사랑의 하나님을 믿고자 하는 단호한 결의"(Daiches 120-21)를 정당화하는 것은 바로 이와 같은 신앙의 필요성이라 하겠다.

자비로운 하나님에 대한 신앙을 획득하기 위해서 테니슨은 힘겨운 고투를 벌였다. "믿음 혹은 신에 대한 개념을 새롭게 정의한다든가, 자연과학적 진리와 종교적 진리 사이에 어떤 조화를 시도함으로써, 불신앙을 벗어날 수 있는 출구를 찾고자"(Daiches 112) 열심히 노력했던 빅토리아 시대의 숱한 회의론자들 중한 사람으로서, 테니슨은 의심할 수 있는 모든 것을 의심했다. 그리고「어느 이류 시인의 가상고백("Supposed Confessions of a Second-Rate Sensitive Mind")」에서처럼, 그는 마침내 신앙을 발견하기까지 "우리의 이중성"을 분석했고, "모든 신조들을" 비교했다(74-76). 신앙의 필요성과 자연과학적 사실들 사이에 조화를 꾀하려는 그의 맹렬한 고투는, "회의를 객관화시키고, 또 신앙의 확신을

위해 보다 더 확고한 기반을 구축하려는"(Woodhouse 220) 방식을 통해서 해결
되었던 것이다. 브라우닝(Browning)에게 있어서 신앙의 회의가 "신실한 신자에
게 천국 길을 열어주고자" "믿음을 시험하기 위한 신성한 장치"(Altick 231)였
다면, "신조의 절반보다도 / 정직한 회의 가운데 더 많은 믿음이 있다"(『인 메모
리엄』 96. 11-12)고 믿었던 테니슨에게 있어서 회의는 "더욱 강한 믿음을 찾기
위한"(17) 수단이었다. 따라서 테니슨의 종교적 문제들은 신앙을 부인하는 회의
적인 한 음성과 신앙을 옹호하는 또 다른 음성, 말하자면 두 음성 간의 갈등양
상을 통해서 제시되는 경우가 많으며, 이로써 궁극적으로 분열된 감수성 혹은,
존 점프(John Jump)의 표현을 빌자면, 시인의 내면에서 "번갈아 존재하는 두 가
지 가능성"(91)을 나타낸다. 그의 시, 「두 음성("The Two Voices")」은 갈등하는
두 음성 사이의 긴장감을 보여주는 좋은 예가 될 뿐 아니라, 테니슨이 훗날 이
주제를 더욱 다양하게 발전시킬 수 있는 핵(核)을 제공한다는 점에서도 의의를
갖는다.

　　시인의 영혼을 상징하는 내레이터와 두 음성 간의 긴 논쟁으로 구성되는 「
두 음성」은 "그대는 참 딱할 정도로 비참하구려, / 태어나지 않았더라면 더 좋
지 않았겠소?"(2-3)라는 회의적인 음성의 빈정거림으로 시작된다. 논쟁이 진행
됨에 따라서, 그 음성은 내레이터가 무슨 말을 하든지 모두 반박하며, 내레이터
의 마음속에 자리 잡았을 법한 확신을 송두리째 없애버릴 정도로 냉혹한 반응
을 보인다. 낙담한 내레이터가, 자연이 "정신"과 "가장 제왕다운 균형미"와 "머
리와 가슴으로 다스리는 능력"(19-21)을 그에게 부여하였음을 그 음성에게 상
기시키면서, 자연의 최고 걸작인 인간의 존엄성을 옹호하고 나서자, 그 음성은
인간의 이상을 한낱 헛된 망상이라고 조롱한다. 내레이터가 자신의 유일성을
지적하자, 그 음성은 도대체 어느 누가 그 유일한 존재의 사라짐에 대해서 애석
해 하겠느냐고 아이러니컬하게 물으면서 내레이터에게 비통한 눈물을 흘리게
만든다. 또 내레이터가 인류의 업적에 대해 감탄하자, 그 음성은 광대한 우주적
차원에서 인간의 발전이라는 것이 무슨 중요한 의미를 가질 수 있겠느냐며 여
전히 냉소적인 공세를 취한다. 요컨대, 그 음성이 강조하는 바는 인간은 단지
무의미한 존재라는 것이다. 살아 있는 모든 피조물은 죽음과 더불어 영원히 사

라지는 존재이기에 의미를 추구하고자 하는 모든 노력은 헛되고 경멸 받아 마땅하며, 인간의 삶은 "탄생 이전의 최초의 무(無)에서 / 땅 속에 묻힌 후의 최후의 무까지!" (332-33) 다만 허무로 점철된 삶이라는 것이다.

그러나 회의적인 음성의 끈질긴 반박에도 불구하고, 내레이터는 사후의 삶에 대한 희망을 포기할 수가 없다. 그는, 인간도 예외 없이 다른 피조물처럼 죽음으로 끝나는 존재일 뿐이라면, 어떻게 인간들은 스스로를 예외적인 존재로 여기는지 묻는다. 죽음과 더불어 영원히 끝난다는 '단순한 사실'이 어째서 인간의 종말에 대한 확신을 주지 못하느냐는 것이다. 그의 논박은 계속 된다:

> 누가 저 다른 영향력을 만들어냈는가,
> 인간의 판단을 의심하게 하는
> 저 내적 증거의 열기를? (283-85)

내레이터는 그가 바라는 것을 증명할 수는 없다. 그러나 '내적 증거의 열기,' 즉 지각과 외적 사물들에 관하여 정직한 회의를 촉발시키는 자신만의 직관력을 신뢰할 수 있다. 그가 삶에의 본질적 갈망을 인식할 수 있게 된 것은, 자연에서는 그에 상응하는 짝을 찾을 수 없는 바로 "그의 마음속에 내재한 완전의 전형(典型)" 때문이다:

> 삶의 용기가 부족한 우리,
> 오, 죽음 아닌, 삶을 갈망하네;
> 더 많고, 더 풍성한 삶을 나 원하네. (397-99)

마침내 내레이터는, 이성을 초월하는 자신만의 이유들과 "신비스러운 빛으로 나를 감동시키는"(380) 그 무엇의 힘에 이끌리게 됨으로써, 때마침 교회로 향하는 한 가족을 축복할 마음이 되고, 이로써 안식일의 상징적 의미를 소중히 여기게 된다. 바로 이 시점에서 내레이터는 두 번째 음성이 보여주는 기쁨에 대한 조용한 확신, 즉 "숨은 희망"(441)에 대한 확신을 인정하고, 그 결과 "하늘 높이 펼쳐져 사랑을 덮는 / 모든 구름 그 자체가 사랑임"(446-47)을 느낄 수 있게 된다. 사랑이 모든 창조에 생기를 주는 원칙임을 깨닫는 순간, 내레이터는 비로소 영혼의 어두운 밤으로부터 나와서 삶을 수용하는 듯하다.

　이와 같이 극한적 절망 상태로부터 신성한 사랑에의 직관적인 동의로 옮겨가게 되는 시인의 변화를 잘 보여주는 시가 바로 『인 메모리엄』이다. 테니슨의 종교시 논의에 있어서 매우 중요한 단서를 제공해주는 이 시에서 "그의 두려움과 의심들과 고통이 사랑의 하나님에 대한 믿음을 통해서만 해결되고 위안을 찾게 되리라는 확신"이 "극적으로 주어지기" 때문이다(『회고록』I. 304). 핼럼이 죽었을 때, 테니슨을 집요하게 괴롭혔던 문제들 중 하나는 '악'의 문제였다. 선하신 하나님이 어떻게 그토록 장래가 촉망되는 젊은이를 아무런 꿈도 펼치기 전에 죽도록 내버려둘 수 있느냐는 것이다. 이 시의 초두에 묘사된, 전 존재를 송두리째 흔들 만큼 압도적인 슬픔과 불행은 머지않아 완전한 절망감으로 바뀐다. 그가 비록 "어쨌든 선이 / 악의 궁극적 목표일 것이라"6)(54. 1-2)고 믿기는 하지만, "어쨌든"이라는 불확실한 표현을 사용한 것을 보면, 그의 단정적 확신이 "자연적인 고통들, 의도적인 죄악들, / 회의로 인한 결함들, 혈통의 오점들"(54. 3-4)을 충분히 극복할 수 있을 만큼 강력한 것 같지는 않다. 이에 혼란스러운 시인은 자신의 무지를 고백하면서도 여전히 최후의 선에 대한 믿음을 다시금 천명한다:

　　보라, 우린 아무 것도 모른다;
　　　드디어―먼 훗날―드디어,
　　　모두에게 선이 도래하고,
　　모든 겨울은 봄으로 변하리라 믿을 뿐. (54. 13-6)

이렇게 그는 믿는다. 그러나 아직 분명한 것은 아무 것도 없다. 지금 그가 할 수 있는 것이라고는, 「두 음성」에서처럼, 영원한 세계에 대한 희망이 우리 안에 내재한 '신성한 속성,' 즉 "영혼에 깃든 하나님의 형상"(55. 4)에서 비롯되는 것이 아닐까 자문해 보는 것뿐이다.

　그가 다음으로 제기하는, 어쩌면 가장 조화되기 어려운 문제는, 만약 우리

---

6) "선이 악의 궁극적 목표"라는 시구는 궁극적으로 선이 모든 부분적인 악을 다 포용한다는 의미로 받아들여야 한다.

안에 내재한 신성이 불멸성에 대한 희망을 촉발시키는 것이라면, 자연은 어째서 "개체의 삶" 뿐 아니라 "전형"에 대해서조차 "그토록 무심한" 것이며(56. 1-4), 또한 아름다움, 질서, 영원함 등에 대한 모든 인간의 열망에 그토록 무관심 한가 라는 것이다. 라이얼(Lyell)이 추론하듯, 지질학적 증거에 의하면, "파멸은 개체 뿐 아니라 모든 종(種)에게 무차별하게 일어난 것"이다(Jump 재인용 102). 이런 현상이 발생하는 것은 "하나님과 자연이 서로 싸우기"(55. 5) 때문인가? 어떻게 사랑과 선의 본체인 하나님이 잔인하고 약탈적인 자연과 공존할 수 있는가? 인간의 영적 갈망과 직관력을 옹호하고자 하는 테니슨의 필사적 고투는 이러한 회의들에 의해서 철저히 침식당한다. 자연이 "아무 것에도 관심이 없고, 모두 사라질 뿐"(56. 4)이라면, 인간역시 "보다 큰 희망"(55. 20)에도 불구하고 종국엔 멸망하고 마는 것이 아닌가? 그는 묻는다:

> 붉은 이빨과 날카로운 발톱을 가진 자연이
> 협곡 가득 비명으로 그의 신조를 반박했어도,
> 진실로 신은 사랑이며, 사랑이
> 창조의 최종 법칙임을 믿었으며,
> 사랑했고, 셀 수 없는 고통을 겪었으며,
> 진리와 정의를 위해 투쟁했던 인간이
> 사막의 먼지 사이로 흩날리거나,
> 철의 언덕 안에 묻혀버릴 것인가? (56. 13-20)

"그토록 아름답게 보였던"(56. 9) 인간의 가치가 진화론의 위협 때문에 가차 없이 평가 절하된 듯하다. 인간의 모든 수고와 노력이 종국엔 "사막의 먼지 사이로 흩날려" 버린다면, 인간의 삶은 부조리하게 될 수밖에 없다. 인생은 한낱 "괴물," "꿈," "불협화음"(56. 1-2), 그리고 영은 지니고 있되 "영으로는 호흡만 할 뿐"(56. 7)인, 물질적 세계의 일시적 산물에 지나지 않는 것이다. 그럼에도 불구하고, 테니슨은 "어쨌든" 인간의 "불멸성에 대한 내적 자각이 변화무쌍한 우주의 물질들보다 더 강력하고 진리에 가깝다"(Moore 161)고 자기 자신을 설득해야만 했다. 자신만의 실제적 경험을 통해서 불멸성에 대한 직관적 확신을 성취해야만 했던 것이다.

III

영혼 불멸성에 대한 확실한 자각은 시인의 자아가 신비스러운 경험에 자신을 온전히 내어맡기는 순간에 비로소 가능해진다. 이것은 조이스(Joyce)의 '에피파니' (epiphany)[7], 또는 워즈워스(Wordsworth)가 말하는 '시점(時點)들'(spots of time)과 상통하는 개념으로서, 그의 전 존재가 갈망해 마지않은 삶의 영속성을 드러내는 순간을 뜻한다. 사실상 '신비주의자'였던 테니슨은 삶의 여정에서 간혹 체험하곤 했던, 영원한 세계를 향해 열리는 '일종의 황홀경'에 대해서 언급한 적이 있다. 그 순간 "개체성 자체는 용해되어 무한한 세계로 스며들어가는 듯했으며, . . . 거기서 죽음은 거의 불가능한 웃음거리에 지나지 않았고, 개개인의 상실은 종말이 아니라 다만 진정한 삶"(『회고록』I. 320)으로 여겨졌다는 것이다. 이러한 황홀경에 대한 묘사는 일찍이 그의 비전의 능력을 보여주었던 작품인 「신비주의자("The Mystic")」에서 가장 먼저 발견된다. 그러나 그의 "신비체험이 보다 더 상세하게 묘사되고 그만큼 더 설득력을 지니는"(Buckley 16) 시는 「아마겟돈("Armageddon")」[8]이다. 황홀한 느낌에 휩싸여 그의 자의식이 점점 고조되는 것이라든가 자아가 마침내 우주적 존재에 흡수되는 것 모두 이 시에서 더욱 잘 드러나기 때문이다:

> 난 내 영혼이 하나님처럼 자라는 것과, 내 영(靈)이
> 초자연적 흥분에 겨워 내 안에서 도약하는 것을
> 느꼈네, 그러자 광대무변한 생각과 더불어
> 내 마음의 눈이 점점 커져감에 따라서,
> 난 둥둥 떠올라, 외연의 가장자리 그리고
> 오직 전지(全知)하신 하나님의 영역에
> 서 있는 듯했네. . . .
> . . . .
> . . . 시간과 존재와
> 장소에 관한 모든 의식이 삼켜졌으며

---

7) 현현(顯現): 보통 단순 소박하고 평범한 사건이나, 경험에서 야기된 사항의 실체나 본질적인 ·뜻의 직관적인 통찰(인식)을 말한다.
8) 「팀벅투("Timbuctoo")」의 토대가 되었으나, 출판되지 않은 시.

무한한 생각의 승리 안에 파묻혔네.
나는 불변하는 존재의 일부,
영원한 정신의 불꽃 되어,
그 근원과 다시 섞여 타오르고 있었네. (163-69; 185-90)

신비체험의 의의는 그것이 인간의 내재적 영성의 강력한 증거로서 인정된
다는 데 있다. 테니슨이 자연에서도, "인간들이 시도함직한 논의들을 통해서
도"(124. 10) 하나님의 존재를 증명할 수 있는 이성적 증거를 발견할 수 없었고,
감각적인 세계가 단지 맹목적인 진화의 산물로만 여겨졌을 때, 유일하게 남은
가능성은 내적 경험의 요구였던 것이다:

얼어붙게 하는 이성의 차디찬 부분을
    가슴 속 온기가 녹일 것이기에,
    격노한 사람마냥 심장이
벌떡 일어나 대답했네, "난 느꼈소." (124. 13-16)

여기서 느낌의 의미, 즉 심장이 대답하는 바를 잘못 이해해선 안 된다. 위 구절
이 의미하는 바는 시인이 "불멸성에 대한 갈망을 느꼈다"는 것이 아니라, "감각
적 인식과 이성적 추론의 범주를 초월하는 체험을 했다"(Woodhouse 222)는 것
이다. 시인의 믿음이 뿌리를 내릴 수 있는 토양은 이와 같은 직관적 경험, 말하
자면 심장의 논리인 것이다.

결국, 『인 메모리엄』에서 시인에게 궁극적으로 믿음의 확신을 줄 수 있는
것은 황홀경과 같은 신비체험이다. 실제로 이 시 전반에 걸쳐서 신비체험을 암
시하는 부분들이 자주 등장하는데, 이 경험들은 영혼 불멸성에 대한 믿음 그리
고 우주적 법칙으로서의 사랑에 대한 믿음을 소생시키는 수단으로서 핼럼의 영
과의 접촉을 갈망하는 시인의 요구에 반응하여 일어난 것이라고 할 수 있다. 예
컨대, 제12편에서 시인은 핼럼의 시체를 고국으로 실어오는 배를 마중하기 위
해서 제 몸을 떠났다가, 다시 "몸 있는 곳으로" 돌아와서, "한 시간 동안 몸 밖
에 나가 있었음을 깨닫게 되는"(19-20) 기이한 경험을 묘사한다. 제36편에서는
"진리들이 우리의 신비스런 틀 안에 깊이 자리 잡고 있음"(2)을 설파한다. 인간

의 삶에서 불멸성의 확실한 증거를 찾고자 하는 시인의 노력은 마침내 제95편
에서 결실을 맺게 되는데, 이 시편의 결정적 순간은 어두운 밤중에 홀로 남겨진
시인이 핼럼의 편지를 "한 글자 한 글자, 한 행 한 행" 읽고 있는 동안 찾아 온
다:

> 그리고 너무도 갑작스레 마침내
> 살아있는 영혼이 내 영혼 위에서 빛나고,
> 내 영혼 그 안에 휘감겨, 지고한 천상(天上)의
> 　상념 주위로 소용돌이치는 듯했으며,
> 　존재의 근원에 당도하여,
> 세계의 깊은 고동소리 듣는 듯했네,
> 시간의 발걸음들ㅡ변화의 충격들ㅡ
> 　죽음의 공격들을 초월하여 흐르는
> 　저 영겁의 음악소리를. (35-43)

위 인용문의 "살아있는 영혼"(The living soul)와 "내 영혼 그 안에"(mine in this)
라는 어구들이 처음에는 "살아있는 그의 영혼"(His living soul)과 "내 영혼이 그
의 영혼 안에"(mine in his)였다는 점에 주목할 필요가 있다. 이는 테니슨의 신
비체험이 오직 핼럼의 영과의 개인적 접촉이었음을 뜻하며, 이 경험은 "확실히
그 자체만으로도 불멸성에 관한 모든 의심을 물리치고 믿음을 회복시킬 수 있
을"(Moore 165)만큼 의미 있는 것이었다. 그러나 테니슨은 이 시구들을 지금의
형태로 바꿈으로써, 그 경험이 신과의 만남이었을 수도 있다는 가능성을 열어
놓았다. 실제로 그는 제임스 놀스(James Knowles)에게, 당시에 그가 느꼈던 존
재는 "어쩌면 신이었을 것이며 . . . '그의'(his) 라는 표현이 마음에 걸렸다"고
털어놓기도 했다(Moore 재인용 165). 그렇다고 개정본이 테니슨과 핼럼의 영혼
과의 접촉을 배제하는 것은 물론 아니다. 핼럼의 영은 "하나님과 자연 속에 혼
합되어"(130. 11), 우주적인 하나님의 영과 분리할 수 없는 일부로서 존재하기
때문이다.

　그러나 시인이 접촉한 대상이 핼럼이었든지 혹은 '어떤 높은 존재'였든지,
아니면 둘 다였든지 상관없이, 중요한 문제는 이러한 신비체험이 심원한 종교

적 함축성을 갖는다는 것이다. 감각과 몸을 벗어나, 존재 자체의 황홀감에 넋을 잃은 그의 영혼은 우주적 영과의 합일을 이루게 된 것이다. 이 황홀경 후에 즉시 회의가 뒤따르고, 새벽이 다가옴에 따라서 그의 비전이 희미해지긴 하지만, 그럼에도 불구하고 신비체험은 테니슨의 영적 회복과 신앙을 가장 확실하게 보증하는 전거가 된다. 더구나 그가 의구심을 갖는 것은 신비체험의 "속성이지, 실제로 겪은 체험 자체가 아니다"(Moore 166). 테니슨은 일단 이와 같은 신비스러운 경험을 하게 되자, 모든 이성적 회의들과 자연의 횡포를 넉넉히 견디어 낼 수 있는 힘을 얻게 된다:

> 두려운 밤에 믿음과 형상이 산산조각
>   날지라도 만사형통하고;
>   폭풍우는 우렁차게 울려 퍼지네,
> 폭풍우 너머 더 깊은 음성을 듣는 자들의 귓가에. (127. 1-4)

여전히 회의의 순간들이 찾아올 것이나, 그것은 오직 그의 신앙을 강화하기 위해서다. 그는 이미 신성한 근원에서 들려오는 '더 깊은 음성'을 들었기 때문이다. 이제 테니슨이 냉혹한 자연과 맞서서 투쟁할 수 있는 힘의 원천은 직관이라는 것이 명백해졌다. 또한 이러한 직관적 신앙이 "영적 세계의 실재 뿐 아니라 신비주의자의 영적 소통 능력 그리고 물질세계를 초월하고 또 어떤 의미에서 무한한 세계를 파악할 수 있는 인간 정신의 수용력"(Moore 166-67)에도 기반을 두고 있다는 것이 분명해진 것이다.

테니슨의 신앙이 내포하는 신비적 속성은, 아아더(Arthur) 왕이 지상의 과업을 완수한 후 자신을 초월적인 경험에 내맡길 수 있으리라는 가능성을 시사하는, 「성배("The Holy Grail")」의 끝부분에서도 뚜렷이 드러난다:

>   . . . 여러 번 [비전들이] 나타났네,
>   그가 걷는 이 땅이 땅 같지 않고,
>   눈동자에 부딪치는 이 빛이 빛이 아니며,
>   이마에 와 닿는 이 공기가 공기가 아니라,
>   그가 죽을 수 없다고 느끼는 순간의 비전ㅡ

그렇다네, 바로 그의 손과 발— 으로 여겨질 때까지. (907-12)

이곳의 비전 또한 감각이 흐려지고 물질적인 것들이 소멸되어, 오직 영혼만이 영적인 차원에서 스스로를 인식하는 상태를 암시한다. 영혼 불멸성과 비전 사이의 밀접한 관련성에 덧붙여, 영혼 불멸성은 아아더 왕이 죽을 수 없다는 확신을 통해서도 표현된다. 이로써 비전은 확실히 "내가 느끼는 것이 모든 것의 주님"이라고 주장하는 "심장에 대한 보증"(『인 메모리엄』 55. 19)이 되는 것이다.

테니슨의 신비한 직관이 가장 잘 드러난 작품은 「고대의 현자("The Ancient Sage")」로서, 여기서 그의 "평생의 관심사였던 신앙, 자유의지, 불멸성, 신비주의와 같은 문제들이 통합되어 나타난다"(Hill 456). "매우 사적인"(『회고록』 II. 319) 이 시에서 현자는 젊은 회의론자의 의심에도 전혀 흔들림 없이, 지혜로운 사람은 '이름할 수 없는 분'(the Nameless)에 대하여 "알 수는 없지만, 아는 것처럼"(36) 행동하리라고 주장한다. "이름할 수 없는 분에겐 음성이 있기"(34) 때문이다. 그리고 그 음성만이 한낱 뜬구름에 지나지 않는 현상계에 생명과 의미를 불어넣어 주는 것이다.

여기서 지식의 대안으로 제시되는 지혜(혹은 경외심)에 주목할 필요가 있다. 테니슨에 의하면, 인간은 지식만으로는 보이는 세계 저 너머의 실재인 "이름할 수 없는 분"에게 도달할 수 없다. 지식은 "지상에 관한 것"(114. 21)으로서 "눈에 보이는 것들"과 관련되고(『인 메모리엄』 「서시」 22), "모든 심연들 중의 심연"(「고대의 현자」 40)을 깊이 파고들기엔 너무 얕막하기 때문이다. 존 로크 (John Locke) 역시 지식의 한계 그리고 인간행동의 토대로 삼기엔 부적합한 지식의 속성에 관해 다음과 같이 진술한다:

. . . 인간이 만약 진정한 지식이 확실하게 담보하는 것 외에 자신을 인도할 다른 아무 것도 갖지 못한다면 엄청난 손실을 입게 될 것이다. 진정한 지식은 매우 부족하고 드물기 때문에 . . . 분명하고 확실한 지식이 없는 상태에서 길잡이마저 없다면, 인간은 종종 칠흑 같은 암흑 속에 거할 뿐더러, 행동이 필요한 대부분의 순간에 단 한 발자국도 내딛지 못할 것이다. (Hair 재인용 189-90)

인간의 육체적 생존을 위해서는 지식만으로 충분할 것이다. 그러나 분명한 지식을 얻을 수 없는 윤리적이고 영적인 문제에 관한 한 "우리는 신앙과 개연성으로 만족할 수밖에 없다"(Hair 재인용 190). 지식이 제한될 경우, 완전한 확신으로부터 불신에 이르기까지 개연성의 정도에 따라서 행동을 결정하는 판단만이 유일한 수단이 되기 때문이다. 요컨대, 신앙은 추정에 의존하게 되며, 신앙지식은 개연적인 것일 뿐 확실한 것이 아니라는 것, 그리고 지식이 우리를 적절히 인도할 수 없는 경우 우리는 실제로 신앙에 의지하여 살아간다는 것이다. 이것이 바로 테니슨이 선택한 삶의 양식이다. 신의 존재를 증명하기 위해서 "꾸벅꾸벅 졸고 있는 여름날의 정오를 쪼개버릴" 것 같은 "기적"(「가상 고백」 10-11)은 결코 일어나지 않을 것이기 때문이다. 그는 다만 신에게 아뢸 뿐이다: "당신, 그리고 당신에 대한 믿음을 제외하면 / 제게 무엇이 남습니까?"(17-18).

증명할 수 없는 것을 수용하는 행위가 신앙이라면, 지혜는 신앙의 당위성을 인정하는 행위이다. 테니슨에게 있어서, 지혜란 "영혼에 깃든 신성"이며(『인 메모리엄』 114. 22), "지식과 신앙의 결합체"로서 "그 둘의 질서를 바로잡는 것"(Hair 194)이기도 하다. 따라서 그가 "자아의 성전-동굴"(「고대의 현자」 32) 안에서 방향을 전환하여, 자신을 존재하게 하고 지탱해 주는 우주적 마음을 발견할 수 있도록 도와준 것은 지식이 아니라 지혜다. 하나님이 인간의 육체적 경험의 대상이라면 그는 이미 하나님이 아니라는 것, 증명할 수 없을 때는 믿음이 행동의 토대가 된다는 것, "증명할 가치가 있는 것은 아무 것도 증명할 수 없지만, / 반증할 수도 없기"(「고대의 현자」 66-67) 때문에 하나님을 부인하는 것이 정당하다면 하나님의 존재를 시인하는 것 역시 정당하다는 것, 테니슨의 패러다임에서 신앙의 부정은 인간을 "물질주의로 이끌며 모든 인간적 관심사들의 토대를 허무는 경향을 나타낸다"(Hair 192)는 것, 그리고 신앙의 긍정이 "부정보다 더 쓸모 있을" 뿐더러 "신앙은 궁극적인 완전함과 조화로운 경험의 세계를 미리 바라보게 한다"(Buckley 236)는 것 등--이 모든 명제들을 깨닫기 위해서 우리는 먼저, 「사랑과 의무("Love and Duty")」의 시구처럼, "축 쳐진 지식의 꽃"이 "지혜의 열매로 바뀔"(24-25) 때까지 인내하며 기다리지 않으면 안 될 것이다.

이제 지혜가 신앙의 선결조건임이 확실해졌으므로, 고대의 현자가 젊은 시인에게 "지혜롭게 되시오" 그리고 "언제나 회의의 긍정적인 면에 치중하며, / 신앙의 형식들을 초월한 신앙에 매달리시오!"(68-69)라고 충고하는 것은 당연해 보인다. "현상들을 있게 하며 보이는 세계를 지탱하는 ... 비(非)물질적 생성의 힘"(Fulweiler 208)을 가정하는, 플라톤적이고 아우구스투스적인 긴 논의를 전개한 후, 현자는 오래 전에 「아마겟돈」에서 묘사된 바 있는 황홀한 신비체험을 회상한다. 현자는 이렇게 사적인 증거를 통해 영적 실재를 증명함으로써 시인과의 토론을 끝마친다.

그러나 이처럼 신앙이 시인 자신의 신비체험에 근거를 두는 한 어려운 문제들이 여전히 남는다. 우선, 이 경험은 모두에게 가능한 것이 아니라, 극소수의 사람들에게만 국한된다는 점을 지적하지 않을 수 없다. 그 뿐만이 아니다. 경우에 따라서는 스스로의 환각이나 환상을 하나님으로부터 온 비전으로 오해하거나 착각할 수도 있다는 가능성을 배제할 수 없으므로 신비체험의 '신빙성' 역시 문제가 된다. 게다가 개개인의 주관적 특성들을 초월하여 신앙의 확고한 토대를 세울 수 있는 공통 기반의 결여라는 문제를 어떻게 해결할 것인가? 그럼에도 불구하고 테니슨이, 현재의 삶에 목적과 의미를 줄 뿐 아니라 사후의 영원한 삶을 보증해 주는 사랑의 하나님의 존재를 확신할 수 있는 유일한 영역은 바로 이 신비체험이다. 테니슨이 자연과학에 대항하여 힘겹게 싸워야 했던 것은 바로 이 믿음을 방어하기 위함이었던 것이다.

그런데 흥미로운 것은 20세기 말에 이르러 최첨단의 자연과학 연구업적들 가운데서 하나님, 창조, 실재의 속성 등에 관한 개념들을 새롭게 긍정하는 것들을 발견할 수 있다는 점이다. 코페르니쿠스에서 시작하여 다윈에 이르러 완성된 진화론이, 하나님의 뜻과 목적에 따라 지어진 우주에서 안락하게 살아온 인류의 보금자리를 위협하는 듯 여겨진 이래, "실존주의적 사상, 즉 인생에는 인간 스스로 의미를 부여한 것 외에는 아무런 의미가 없다는 주장이 과학의 라이트모티프(leitmotif)[9]가 되어 온 것" (Davies 21)은 사실이다. 그러나 우주의 기

---

9) 라이트모티프(leitmotif): 시도동기(示導動機). 특히 바그너의 오페라에 있어서 특정 인물, 상황, 이념과 결부되어 재귀(再歸)하는 동기를 말하며, 일반적으로 되풀이되어 나타나는 주제를 말한다.

원에 관한 궁극적 해답을 찾기 위해서 진정으로 고심하는 과학자들은 마침내 고백한다. 우주에는 우리가 매일 경험하는 피상적 현실을 뛰어넘는 '어떤 것'이 있다는 것이다. 다시 말해서 실존의 배후에 어떤 '의미'가 존재한다는 것이다. 그 '어떤 것'이 과학적 명제들의 무한한 조합에 의해 생겨난 것이든지, 아니면 현실을 떠받치고 삶의 불확실한 요소들을 설명해줄 수 있는, 인간 실존의 근거 혹은 창조 원리로서의 무한한 하나님이든지간에, 과학자들이 주장하는 바는 우리가 무한한 어떤 것에 이끌리지 않기가 참으로 어렵다는 것이다. 이들 중 한 명인 프레드 호일(Fred Hoyle)은 "우주가 '초(超) 지성적 존재'(Super-intelligence)에 의해서 조정된다"(Davies 229)고 믿고 있다. 호일의 믿음은 무한한 미래의 최후의 종점을 향해서 온 세상을 운행하는 '목적론적 하나님'[10]에 대한 믿음에 다름 아니다. 폴 데이비스(Paul Davies)는 우주의 신비에 관한 전반적인 쟁점을 인간 실존의 '유의미함'이라는 관점에서 다음과 같이 요약한다.

> 나는 이 우주 안에서의 우리의 존재가 단지 운명의 변덕스런 장난이라든가, 역사의 우연, 또는 위대한 우주적 드라마의 한 우발적인 블립(blip)[11]에 불과하다고 믿을 수는 없다. 우리의 존재가 우주와 너무도 긴밀하게 연결되어 있기 때문이다. '호모'(Homo)[12]라는 종의 명칭은 어쩌면 아무 것도 아닐지 모른다. 그러나 우주 안의 특정한 항성에 거하는 유기체 안에서 작용하는 마음(mind)의 존재는 확실히 본질적인 중요성을 지닌다. 의식적인 존재들을 통해서 우주는 자의식을 생성해 오고 있는 것이다. 이것은 결코 사소하고 지엽적인 것이 아니며, 마음도 목적도 없는 맹목적인 힘들에 의해 생겨난 하찮은 부산물이 아니다. (232)

다른 몇몇 과학자들도 우주의 존재와 그 특성들이 인간의 이성적 사고의 범주를 뛰어넘는 영역에 속한다는 점을 인정한다. 그들의 주장에 따르면, 인간은 스스로의 논리적 법칙들에 묶여서 우주에 관한 궁극적 지식으로부터 차단되어

---

10) 이 개념은, 우주는 자연 발생적이 아니라 하나님의 목적에 따라서 창조되고 지배되어 움직이고 있다는 전제에서 비롯된 것이다.

11) 레이더의 스크린 상에서 비행기, 잠수함 등의 위치를 나타내는 발광휘점(發光輝點).

12) 사람 속(屬): 영장목(靈長目) 사람과(科)의 한 속을 지칭하며 현대의 사람(Homo sapiens)과 네안데르탈인 등 많은 멸절 종을 포함하는 개념이다.

있기 때문에, 초월적 실재를 파악하기 위해서는 또 다른 이해의 방식인 신비체험을 수용해야 한다는 것이다. 다시 말해서 과학자 자신들이 신비체험을 '궁극적 지식'에 도달하는 유일한 방식으로 인정하고 있는 것이다. 데이비드 피트(David Peat)에 의하면,

> 신비체험은 매우 강렬하고도 놀라운 느낌으로서, 그 체험의 순간 우리를 둘러싼 모든 세계가 의미로 가득 차 있는 것처럼 느껴진다. . . . 그 때 우리는 우주적이며 영원한 무엇을 만지는 것처럼 느끼기 때문에, 시간 세계 안의 그 특정한 순간이 신령(神靈)한 속성을 덧입게 되며 무한히 확장되는 듯하다. 우리는 또한 우리 자신과 외부 세계 사이의 모든 경계들이 사라지는 것 같은 체험을 한다. 그 순간 우리가 경험하는 바는 논리적 사고들이 포착할 수 있는 모든 범주들과 시도들 저 너머에 존재하기 때문이다. (Davies 227)

'과학적 신앙'과 '종교적 신앙' 사이에는 어느 정도 괴리가 있을 수 있다. 그러나 몇몇 현대 과학자들의 다음과 같은 견해는 매우 주목할 만하다:

> 이 세계가 창조되었다는 견해가 또 다른 견해, 즉 우주가 영원부터 스스로 존재해 왔다는 견해보다 더 타당성을 지닌다. 우주 무한 팽창설13)의 오류가 드러난 것을 위시하여 '빅뱅' 이론14)이라든가 열역학 제2법칙 등은 모두 현대 물리학이 이 세상의 형성과정과 덧없음을 설명함에 있어서 기독교의 창조론과 나란히 공존할 수밖에 없음을 보여준다. (Hancock and Sweetman 191)

이 점에서 과학은 종교와 일치한다. 특히 피트가 묘사하는 신비체험은 테니슨이 익히 경험했던 종류의 신비체험과 별로 다를 바가 없다. 둘 다 신령한 존재와 하나가 되는 압도적인 느낌, 혹은 강력하고도 사랑이 충만한 존재 안에 거하는 느낌인 것이다. 이들 현대 과학자들과 테니슨 모두에게 있어서, 신비체험은

---

13) 우주는 폭발·수축을 되풀이하지 않고, 무한히 팽창을 계속한다는 가설.

14) 우주 대폭발 생성론: 1957년 미국의 천문 물리학자인 마틴 라일(Martin Ryle)이 발표한 가설로, 우주는 한 덩어리의 수소 원자 폭발에 의해 생겨났다고 하는 학설. 이 학설에 의하면 우주는 약 50억 년 전에 있었던 이런 폭발 때 생긴 힘에 의해 아직까지도 팽창을 계속하고 있는데, 마침내는 다시 수축해서 하나의 덩어리가 되고 다시 폭발→팽창→수축의 과정을 8백억 년 주기로 반복한다고 한다.

진리에 이르는 일종의 지름길인 동시에, 영원한 무엇과 접촉하는 직접적인 방식으로서 제시된다. 과학지식이 "우주적 코드의 부서진 일부"(Davies 232)인 반면, 신비체험은 총체적인 비전으로서 "우주의 자녀들"이며 "살아 움직이는 성진(stardust)"[15](Davies 23)인 우리를 궁극적인 존재로 이끌어 준다.

IV

그의 말년의 시작품들에서 테니슨은 이미 삶 자체를 초연한 현자의 음성을 통해서 이야기한다. 「멀린[16]과 섬광("Merlin and the Gleam")」에서 "이 땅의 마지막 끝자락"(109-10)에 당도한 그는 「모래톱을 건너며("Crossing the Bar")」의 화자처럼 "한 청아한 부름"(2)에 응답하여 바다로 나아가게 될 순간을 미리 내다 본다. 이 순간은 바로 그가, 삶의 원천이자 최종 목적지로서, 그곳으로부터 모든 피조물이 나오고 또한 그곳으로 돌아가게 될, 탄생 이전과 죽음 이후의 장소를 상징하는 "끝없는 심연"(3)으로 되돌아가는 순간이다. 테니슨의 작품과 파란만장한 생애 모두의 에필로그로서 매우 적절한 작품인 「모래톱을 건너며」는 그가 이 땅의 삶을 다 마친 후 "얼굴 마주하여 내 인도자를 보리라"는 희망으로 끝난다. 이곳의 인도자(Pilot)는 물론 어디에서나 보는 보통 인도자(pilot)가 아니라, "언제나 우리를 인도하는 보이지 않는 거룩한 존재"(『회고록』 II. 367)이다. 어쩌면 테니슨의 생애 끝까지 약간의 의심은 남아 있었는지도 모른다. 이 점은 "이 난공불락의 불신의 벽(11)과 같은 삶의 온갖 혼란스러움을 초극하고자 하는 그의 궁극적 갈망을 표현한 작품인 「의심과 기도("Doubt and Prayer")」에서도 잘 드러난다. 그러나 마침내 「신앙("Faith")」이라는 시에서 신앙에 대한 최종 동의가 힘차게 선포됨을 볼 수 있다. 이 시는 「절망("Despair")」의 "오랫동안 지체된 '짝'"(Ricks III. 250)임이 분명하다.

　　　가장 높은 존재가 가장 현명하고 가장 선함을 더 이상 의심하지 말라,
　　　자연을 슬프게 하는 모든 것이 그대의 희망을 꺾거나 안식을 깨뜨리지 못하게

---

15) 성진(星塵): 작은 먼지 가루의 집합체처럼 보이는 먼 하늘의 별의 집단.
16) 아아더 왕 전설에 나오는 덕이 높은 마법사이며 예언자.

하라,

. . . .

　　기다리라 . . . 마침내 인간이 꺼지지 않는 불 속
제 미움들로 더 이상 창조주를 어둡게 만들지 않을 때까지! (1-2; 7-8)

우리에게는 이 신앙이 필요하다. "우리가 만약 삶을 지배하는 강력하고도 자비로운 능력에 대한 경외심을 잃게 된다면, 도덕적 무질서에 빠져서 우리의 정신 건강은 물론 삶 자체마저 위험에 빠뜨리게"(Wrong 62) 될 뿐더러, "야수성과 무질서의 나락으로 떨어지는"(Jump 113) 인간을 막을 수 있는 것은 아무 것도 없기 때문이다. 테니슨의 말대로, "사랑과 영혼의 불멸성에 대한 온전한 신앙이 없다면 이 세상에서 의미 있는 것이 무엇이겠는가?"(『회고록』 II. 343). 어떤 의미에서, 테니슨의 전 작품은 신앙의 회의에서 출발하여 완전한 신앙의 최후 수용으로 나아가는 여정의 충실한 기록에 다름 아니다.

　　테니슨은, 「인 메모리엄」의 1인칭 화자인 '나'(I)는 "언제나 자기 자신에 대해서만 말하는 일개 시인이 아니라, 그를 통해서 말하는 인류 전체의 목소리"라고 고백한 적이 있다(『회고록』 I. 304). 이 진술의 신빙성 여부는 차치하고서라도, 우리는 적어도 테니슨의 시에서 표현되고 실현되었을 뿐 아니라 어떤 의미에서 그의 권위 있는 음성에 의해서 승인된 종교적 회의들과 확신들을 통해서 우리 자신의 그것들을 읽어 낼 수 있다. 마치 빅토리아 시대 사람들이 그를 "자신들의 두려움과 희망, 고집스런 회의와 믿음의 필요성 등을 웅변적으로 전달하는 대변자"(Buckley 127)로 여겼던 것처럼 말이다. 자본주의, 관료주의, 그리고 자연과학과 첨단기술의 눈부신 발전 등에 의해서 가속화되는 현대사회의 세속화 현상으로 인해 삶의 종교적 의미는 나날이 퇴색하고 있다. 그러나 테니슨의 종교적 주장은 지금도 여전히 유효해 보인다. 오직 신의 존재만이 덧없이 사라지는 인간 세상에 의미와 목적을 줄 수 있으며, "윤리적 세계질서에 대한 우리의 믿음은 초감각적 세계의 개념에 기초하지 않으면 안 되기"(Gardiner 21) 때문이다. 정세에 밝고 세련된 감각의 소유자들은 으레 불가지론으로 치닫는 경향이 농후한 오늘날에도 여전히 소수의 열정적 사람들은 오래 전에 테니슨이 들었던 "하늘 친구"의 음성을 이따금 듣고 있으며, "두꺼운 베일들 저 너머"

"최후의 순간까지 일하는 손길"(「두 음성」 295-97)을 꿰뚫어 보고 있는 지도 모른다.

🌿 인용문헌

Altick, Richard D. *Victorian People and Ideas.* New York: Norton, 1973.

Buckler, William E., ed. *Prose of the Victorian Period.* Boston: Houghton Mifflin, 1958.

Buckley, Jerome Hamilton. *Tennyson: the Growth of a Poet.* Cambridge: Harvard UP, 1974.

Daiches, David. *God and the Poets.* New York: Oxford UP, 1984.

Davies, Paul. *The Mind of God: the Scientific Basis for a Rational World.* New York: Touchstone, 1992.

Fulweiler, Howard W. "The Argument of 'The Ancient Sage': Tennyson and the Christian Intellectual Tradition." *Victorian Poetry* 21: 3 (1983): 203-216.

Gardiner, Patrick L., ed. *Nineteenth-Century Philosophy,* New York: Free, 1969.

Gilmour, Robin. *The Victorian Period: the Intellectual and Cultural Context of English Literature, 1830-1890.* London: Longman, 1993.

Hair, Donald. "Tennyson's Faith: A Re-examination." *The University of Toronto Quarterly: A Canadian Journal of the Humanities* 55: 2 (1985-86): 185-203.

Hancock, Curtis L., and Brendan Sweetman. *Truth and Religious Belief: Conversations on Philosophy of Religion.* Armonk: M. E. Sharpe, 1998.

Hill, Jr., Robert W. *Tennyson's Poetry.* New York: Norton, 1971.

Jump, John D. "Tennyson's Religious Faith and Doubt." *Tennyson.* Writers and Their Background. Ed. J. D. Palmer. Athens: Ohio UP, 1973: 89-114.

Martin, Robert Bernard. *Tennyson: the Unquiet Heart.* New York: Oxford UP, 1980.

Moore, Carlisle. "Faith, Doubt, and Mystical Experience in 'In Memoriam'." *Victorian Studies: A Journal of Humanities, Arts and Sciences* 7 (1963): 155-69.

Starzyk. Lawrence J. *The Dialogue of the Mind with Itself: Early Victorian Poetry and Poetics.* Calgary: U of Calgary P, 1992.

Tennyson, Alfred Lord. *The Poems of Tennyson.* Ed. Christopher Ricks. 3 vols. London:

Longman. 1987.

Tennyson, Sir Charles. *Six Tennyson Essays*. London: Cassell, 1954.

Tennyson, Hallam Lord. *Alfred Lord Tennyson: A Memoir*. 2 vols. New York, 1897.

Woodhouse, A. S. P. *The Poet and His Faith: Religion and Poetry in England from Spenser to Eliot and Auden*. Chicago: U of Chicago P, 1965.

Wrong, Dennis H. *The Modern Condition: Essays at Century's End*. Stanford: Stanford UP, 1998.

16

진보적 제도로서의 영국 성공회의 쇠락: 데이빗 헤어의 『질주하는 악마』에 드러난 신앙의 부재

| 김 유 |

I.

　보수적인 국가 제도를 강하게 비판한 것으로 잘 알려진 영국 정치 극작가 중의 한 사람인 데이빗 헤어(David Hare)에게 있어서 1980년대의 영국 성공회 (The Church of England)의 진통은 대처주의(Thatcherism)라고 일컫는 영국 보수주의의 득세 속에서 진보적인 제도나 체제가 겪어야 했던 공통된 위기를 여실히 반영한다. 역사적으로 영국은 다분히 경험주의적 관습의 형태를 통해, 중요한 국가적 의제에 대한 사회적 합의를 도출하기 위한 비공식(비정부)적 제도들을 활성화시켜 왔다. 그러나 "기성 권력 체제"(The Establishment) 또는 "위대한 사람들"(The Great and the Good)이라고 명명되어 온 이러한 사회적 합의 도출 기관들—예를 들어, 잉글랜드 은행(The Bank of England), 지방 정부(특히, 런던 지방 의회), 예술위원회(The Arts Council), BBC, 영국 성공회와 대학—은 우익 정부의 공격적인 시장주의적 접근으로 인해 그 규모가 축소되면서 정부와 끊임없는 갈등을 빚어왔다(Hewison 75). 대처의 극우 정권은 지금껏 영국을 지탱해 온 모든 리버럴한 사회 제도나 진보적인 정치 기구의 생존 원칙으로 냉정

* 『문학과 종교』 제 7권 2호(2002)에 실렸던 논문임.

한 자본주의 시장 경제 원리를 적용했고, 영국 성공회 역시 이러한 강화된 자본주의적 공세에 대해 속수무책이었다. 헤어의『질주하는 악마』는 버나드 쇼우(Bernard Shaw)의『성자 조운(*Saint Joan*)』이래 이른바 '교회와 국가', 즉 종교와 정치권력 간의 갈등을 본격적으로 다루어 온 몇 안 되는 작품들 중 하나일뿐만 아니라 이러한 진보적 제도의 위기와 밀접한 관련이 있다. 종교를 다루는 극이 지녀야 할 '영혼'(soul)이 부재하고, 신앙을 조롱거리로 만들었다는 일련의 전통적 우익 비평가들의 비난에도 불구하고 이 극이 일반 관객들의 열렬한 호응을 받은 이유는, 급변하는 정치적, 사회적 환경에 따라 종교 역시 적응해나갈 필요가 무엇보다도 절실했기 때문이었다. 사회봉사와 개혁에 뜻을 둔 일단의 성직자들이 겪는 좌절을 통해 헤어가 보여 주는 영국 성공회의 모습은 종교적 믿음과 인간적 신의의 상실로 대변된다. 종교적 믿음과 직업으로서의 종교 간의 간극은 이 극에서 진행되는 심각한 종교적 논쟁의 핵심에 위치한다. 종교적 의무가 직업으로 격하되고 경제적 효율이 종교적 성공의 잣대로 평가받는 곳에서 성공회는 거대한 자본주의적 주식회사로 제시된다. 도덕적 진공 상태 속에서는 권력의 행사와 유지만이 유일한 현실로 남는다. 따라서 상당 부분 이 극은 어떻게 권력이 획득되고 유지되고 분배되는지에 대한 신랄한 비판이기도 하다. 진보주의적 성직자들에 있어 끊임없이 종교적 고뇌의 원인이 되는 신학적 모호함은 아이러니컬하게도 극우 성직자들에게 있어서는 정치적 현상 유지를 위한 권력과 권위의 원천이 된다. 극의 결말에서 드러나듯이 변화를 갈망하는 등장인물들의 고통과 좌절은 점차 극우화 되어가는 정치 환경 속에서의 종교의 사회적 역할에 대한 고찰인 동시에 1980년대 대처 정권 하에서의 모든 진보적 정치 기구, 또 그것이 대변하는 인본주의적 이상의 위기에 대한 경종인 셈이다.

II.

『질주하는 악마』는 런던 남부의 작은 성공회 교구에서 자신들의 종교적 임무를 사회적 책임과 결부시켜 정당화하려는 사제들의 투쟁과 이의 종국적인 실패를 다루고 있다. 1990년 런던 근교의 코테슬로(Cottesloe) 극장에서 이 극이 처음 상연되었을 때, 대부분의 비평가들은 수 년 동안 영국 무대에서 도외시되었던 "종교적인 담론" (religious conversation)이 다시 활성화된 것은 환영하였지만 극이 종교적 주제를 다루고 있는 방식에 대해서는 부정적인 견해를 피력했다. 즉 이들 비평가들은 대도시 주변의 저소득층의 빈곤 상태, 여성의 성직수임 문제, 동성애 성직자에 대한 선정적인 언론 사냥 등과 같은 사회적이고 정치적인 주제를 다루고 있는 이 극이 '믿음의 위기(crisis-of-faith)'라는 주제에 대해서 심도 있는 종교적 측면을 포착하는데 실패했다고 비판했다.[1] 즉 이들은 극의 주인공인 라이오넬 에스피(Lionel Espy) 교구 목사의 사회적 진보주의가 과연 세속적인 현대 사회에서 종교의 진정한 역할과 성격을 올바르게 반영하고 있는가에 대한 문제를 제기했다. 극 비평가인 나이팅게일(Benedict Nightingale)은 극작가의 명백한 불가지론적 성향이 현대의 종교적 주제에 대한 효과적이고 객관적인 판단에 치명적인 장애물로 작용했다고 주장한다. 그에 따르면, 헤어는 근본적으로 영혼의 문제를 다루는 기관을 지나치게 사회적 입장에서 조망하려고 했다는 것이다:

> 그[극작가]가 신이 저 위에 존재한다는 믿음이 기만이고 정신 착란이며 우매함과 올가미라고 생각한다면, 그 체제상의 오점들은 차치하더라도 그가 과연 영국 성공회를 얼마나 만족스럽게 분석해 낼 수 있을까? [이 극은] 치명적인 결함이 있다. 어떤 성직자들에게는 신이 당혹스러운 부재도 아니며 종교적 살상 무기도 아닐 뿐더러 저 위에서 보이지 않게 존재하는 자본주의적 권력가도 아니며 헤어의 등장인물들이 생각하는 그러한 다른 존재들도 아니다. 신은 그들과 다른 사람들에게 자양분의 근원으로 존재한다. 당신은 이러한 관점에 동의를 할 수도 하지 않을 수도 있다. 그러나 헤어가 그랬듯이 [이러한 견해를] 간단히 무시할 수는 없는 일이다. 더욱이 자신의 논지 자체를 옹졸하게 만드는 위험을 감수하고 싶지 않거든 말이다. (12)

그러나 종교의 정치적 분열 현상에 대한 도식적인 묘사나 종교가 지녀야 할 정신적 차원의 극단적인 상실에 대해서 불평하면서 이 극이 심오한 종교적 주제

---

1) 예를 들어 보수주의적 비평가를 대변하는 롱리(Clifford Longley)는 이 극이 종교의 핵심이라고 할 수 있는 "영혼의 문제"(a spiritual dimension)를 다루는 데 실패했으며 이러한 "기독교 신앙에 대한 조롱"(mockery of the Christian faith)은 종교적 신앙에 대한 좌익 정치 극작가의 의도적인 왜곡에 기인한다고 강하게 비판하였다 (*The Times* 9 Feb. 1990).

를 훼손하거나 단순화했다고 비판하는 것은 헤어의 논의를 상당 부분 왜곡하는 것이다. 영국 성공회 자체에 내재한 정치적 양극화 현상뿐만 아니라 교회와 정치권력 간의 증가하는 알력을 통해 헤어가 강조하고자 하는 것은 교회의 위선에 대한 일반적인 풍자도 아니며, 종교적 주제에 대한 치밀한 신학적 논쟁도 아니며 인자한 신의 부재에 대한 감정적인 비탄은 더더욱 아니다. 『질주하는 악마』에서 영국 성공회가 겪는 진통은, 전후 좌파 성향의 복지국가 체제가 주도해 온 국가적 합의가 1970년대 말부터 붕괴되기 시작한 이후 1980년대 대처주의의 약진을 통해서 더욱 첨예화된 진보주의 제도의 총체적 위기를 반영한다. 영국 성공회가 1980년대 들어 달갑지 않은 대중적 관심의 표적이 되어 온 것은 종교적 교리와 사회적 실천의 문제에 대한 내부적인 분쟁뿐만 아니라 보다 극명해진 정부와의 갈등을 통해서였다. 보수주의적 정치권력의 동업자로서 지배계급의 대변인 역할을 수행해 왔던 영국 성공회가 점차 대처 정부의 자본주의적 시장 논리에 도전하게 됨으로써 전통적으로 영국 성공회에 따라 붙었던 '기도하는 토리당'(the Tory Party at prayer)이라는 비판적 조롱은 더 이상 타당성을 상실하게 되었으며 이제 오히려 대처주의의 거센 공격의 희생자가 되었다 (Morgan 479). 켄터베리 대주교 런시(Runcie)는 1982년 대처 정부의 포클랜드 전쟁(Falklands War)을 부도덕한 제국주의적 야심이라고 강경한 목소리로 비난하였으며, 1984년 11월 신문 인터뷰를 통해 국가를 분열로 몰고 가지 않는 진정한 통합적인 지도력의 시급함을 역설하기도 하였다(Hartley 22). 더군다나 1985년 12월에 런시가 구성한 도시 빈곤 조사 위원회는 『도시에서의 신앙(Faith in the City)』이라는 보고서를 출판했는데 그것은 빈익빈 부익부 현상을 강화시키는 대처 정부의 통화 정책을 정면으로 비판하면서 보다 많은 중앙 정부의 보조금 지출을 통하여 쇠퇴해가는 도심부를 회생시키고자 하는 제안들에 대한 비판을 포함하고 있었다. 이 보고서는 정부 대변인에 의해 "맑시스트적인" 편향이라고 즉각적으로 비판받았으며 많은 보수주의자들에 의해 종교의 정치화라는 항변에 부딪히기도 하였다(Kavanagh 289).

　『질주하는 악마』는 종교의 사회적 역할에 대한 다분히 고전적인 딜레마와 더불어 1980년대 이후 정부와의 긴장된 관계로 인해 더욱 악화된 영국 성공회 내부의 분열상을 극화하고 있다. 교회 내부의 종교적이고 정치적인 긴장은 크게 세 부류의 당파들을 통해 전면에 부각된다. 형식과 제의에 집착하는 영국 성공회 가톨릭 파(Anglo-Catholic) 보수주의자들과, 변화된 정치 사회적 현실에 보다 적극적으로 적응해 나갈 필요성을 역설하는 신학적 개량주의자들(theological modernist), 그리고 전통적으로 영국 성공회의 비주류에 위치해 왔던 근본주의 성향의 복음주의들(fundamental evangelist)이 바로 그것이다. 이 극은 기존 정치 질서에 순응하는 보수주의적 사제들과 새로이 부상하는 근본주의적 복음주의자들 간의 틈바구니 사이에서 결국 자신의 교구에서 해고당하는 진보주의적 목사인 라이오넬(Lionel)의 비극적 운명을 중심으로 전개된다.

III.

1막을 여는 라이오넬의 기도는 신이 존재하는가에 대한 고뇌에 찬 회의로 특징지을 수 있으며, 보다 구체적으로는, 물질적으로 고통 받는 다인종적이며 주로 노동계급인 저소득층 교구민들에 대한 도시 거주 사제들의 현실적인 딜레마를 반영한다. 라이오넬의 떨리는 목소리와 주저하는 태도는 종교적, 물질적인 빈곤으로 전락한 세상에서 신의 개입에 대한 절망적인 갈구의 표현이기도 하다. 그에게 있어 믿음은 '현재 이곳'의 사회적인 정의에 대한 확고한 증거 없이는 결코 쉽지 않다: "주님, 당신은 어디 계신가요? 저에게 제발 이야기 해 주세요 [. . .] 주님도 아시다시피 저는 지금 영원한 부재에 대해서 말하고 있는 겁니다 - 그렇지요? - 당신은 여기에 계시지 않지요 - 그렇지요 - 제 말은, 좀 솔직해지자구요 - 우리들 중 몇몇을 실망시키는 것은 단지 시작에 불과 합니다"(1). 신의 침묵에 대한 라이오넬의 당혹감은 오히려 그로 하여금 도시 저소득층 지역의 현실적인 문제에 직접적으로 개입하고 인두세(Poll Tax)의 도입 등 사회적 부당함에 대해 설파하도록 하면서 실질적인 사회 봉사자로서의 역할을 수행하도록 만든다. 이러한 라이오넬의 독백은 극의 사실주의적 흐름을 차단하면서 관객을 신에게 간청하기 위해 무릎을 꿇는 다양한 등장인물들의 개인적인 내면으로 효과적으로 유도한다. 더욱이 이러한 특유의 회고적 독백은 개인의 믿음에 대한 위기가 당파 싸움으로 인해 분열된 영국 성공회 내의 내부적 갈등을 배경으로 설정된다는 점에서 다분히 신학적이며 정치적인 성격을 띠고 있다.

목자의 열정과 신에 대한 확신으로 충만한, 교구의 또 다른 사제인 스트리키(Streaky)의 기도는 직관적이고 단순한 믿음이라는 종교적인 경험의 또 다른 면모를 드러낸다. 성스러움에 대한 스트리키의 정의는 일상생활에서의 모든 순수한 즐거움과 본질적으로 연계되어 있다. 그에게 있어 신은 우리가 일상적인 행복함을 느낄 수 있는 바로 그 자연스러운 원천으로 존재 한다. "모든 것이 너무나 자명해요. 주님이 그곳에 있기 때문이죠. 사람들의 모든 행복 속에서 [. . .] 모든 것이 너무나 단순해요. 무한히 사랑하는 것이죠. 사람들은 왜 그것을 너무나 힘들다고 생각하는 걸까요?"(56). 선정적인 타블로이드 신문(gutter press)의 추문 폭로 기사에 의해 결국 파문당하는 동성애자 교구목사인 해리(Harry)는 자신을 파멸시킨 그 폭로 기자 또한 영혼이 있다는 믿음을 상기하기 위하여 절망적으로 기도한다. 그의 기도는 자신의 적과 똑같이 극단적이고 호전적인 입장을 취하지 않으면서 관용을 베푸는 방식을 찾기 위해 갈등하는 또 다른 종교적 딜레마를 드러낸다. "현실적인 자아를 그대로 수용하는 사람들이 있지요. 그리고 더 나아질 수 있는 미래를 그리는 사람들도 있지요. 사제의 임무는 이 둘 간의 간극을 가능한 한 좁히는 것이지요. 오, 주여, 저를 도와주세요. 저는 이해할 수 없어요. 저에게 가르쳐주세요. 우리가 어떻게 서로 증오함이 없이 투쟁할 수 있나요?"(63). 이러한 개인적 간청들은 텅 비어 있는 회색조의 십자형 무대 위에서 관객들에게 직접적으로 전달된다. 그들은 성공회와 같이 계급적으로 엄격하게 구분된 공적인 체제 안에서 개별적인 (신학적이고 정치적인) 믿음을 유지하기 위해서 사제들이 져야만 하는 십자가, 즉 궁극적인 타락과 종교적 박해로 상징되는 '비극적 결함'으로 제시된다. 교회의 비전에 대한 이들의 다양한 시각은 전통적으로 "매우 느슨한 교회"(3)로서의 성공회가 지니는 신학적인 모호함을 반영한다. 쇠퇴해가는 이들 교구에서 각각의 사제들의 기독교에 대한 개별적인 인식을 한데 묶는 것은 신학적 교리의 치밀함이라기보다는 오히려 다분히 세속적인 인본주의와 동료애로 제시된다.

라이오넬의 종교적인 갈등은 그가 교구 목사로서 예배를 주관할 때 특히 문제가 되는데 이는 자신이 회의를 느끼고 있는 종교적 신조에 대해 적어도 교구민 앞에서는 믿는 체를 해야 하기 때문이다. 플롯에서 제기되는 주요한 문제 중 하나는 점점 줄어드는 교구민의 수와 대비해 점점 증가하는 시장 주의적, 복음 주의적 성향에 직면하여 어떻게 라이오넬이 자신의 종교적 불확실성과 자기 불신에 대한 대가를 치르나 하는 점이다. 극이 라이오넬의 누추한 목사관에서 영국 성공회 조직의 핵심 세력으로 이동해 갈 때 관객들은 기존 교회 제도의 위계적 질서와 그 위선에 대한 비판적 통찰력을 제공받는다. 신이 제의적인 것 이상이어야 한다는 라이오넬의 확신은 교회로부터 모든 개혁적인 요소를 제거하려는 보수적인 대주교 서더크(Southwark)에 의해 난관에 부딪히게 된다. 대주교는 자본주의와 계급적 갈등에 대한 라이오넬의 노골적인 비난이 교회의 중산층 교구민들을 소외시킨다고 지적한다. "자네 교구에는 자네를 확신하지 못하는 요소가 있네. 사람들이 자네를 의심하기 시작했어. 아마도 자네의 확신에 대한 힘을 문제 삼는 것이겠지"(2). '소규모의 중산 계급'이 줄곧 주창하는 보다 의례적인 성찬식의 강조가 물질적으로 어려운 처지에 놓여있는 노동 계급의 현실적인 삶과 전혀 무관하다는 견해에 대한 라이오넬의 반박은 깊이 뿌리박힌 계급 갈등의 문제를 전면에 노출한다. '매우 느슨한 교회'의 한 부분인 중산 계급 신도들을 회유해야 한다는, 겉으로는 지극히 관대해 보이는 서더크의 조언은 계급적 갈등에 대한 논의 자체를 무익한 것으로 치부한다. "나는 그들을 계급으로 부르지 않네. 나는 그들을 신도들이라 부르지"(4). 교회의 역할 속에서 사회적 책임과 의례적 제의는 명확하게 그리고 논리적으로 분리되어 질 수 없는 성질임을 암시하면서 그는 라이오넬에게 되묻는다:

> 그 두 가지가 그렇게 쉽게 분리될 수 있을까? (태도를 바꾸면서 라이오넬을 날카롭게 응시한다.) 결국 우리가 누군가? 라이오넬? 영국 성공회가 무엇인가? 그건 아주 느슨한 교회이지. 자네에게 말할 필요도 없이, 우리는 거의 모든 점에 있어 의견이 다르지. 거의 모든 것에 대해서 말이야. 교구민들과 이야기를 나누다보면 우리가 수천 가지의 다양한 시각을 가지고 있다는 것을 알게 될 거야. 오직 하나만이 우리를 통합시켜 주지. 성찬식을 수행하는 것 말이야. (잠시 침묵.) 종국적으로 그것이 자네의 존재 이유이지. 사제로서 자네는 단 하나의 의무가 있네. 쇼를 하는 것이지. (3)

신학적으로 볼 때 교회의 분열과 상징적 형태의 통합 필요성에 대한 서더크의 견해는 분명히 설득력을 지니고 있다. 더군다나 그는 교회가 제례적인 요소가 제거된 채 단지 사회적 봉사 기관으로만 기능한다면 과연 신앙이 진지하게 여겨지고 더 나아가 교회 자체가 살아남을 수 있을지에 대해서 근본적인 질문을 제기한다. '만약 당신이 기적이라는 종교적인 차원을 부정한다면 당신은 신앙의 근본적인 성격을 변형시키고 더 나아가 그 근원적인 존재 목적을 파괴하는 것 아닌가?' 그러나 헤어의 관심은 이러한 역사적, 신학적 갈등의 복잡한 논쟁에 초점을 맞추는 것이 아니다. 스스로를 유연하고 섬세한 사람으로 가장하는 서더크는, 중요하기는 하지만 오랫동안 미해결로 남아 있을 수밖에 없는 신학적 질문들을 끄집어냄으로써 라이오넬의 사회적 갈등에 대한 현실적 주장을 의도적으로 무마시킨다. 헤어의 주된 관심은 복지주의 정책을 폐기하고 철두철미한 개인주의로 회귀한 대처주의적 사회라는 특정한 정치적 맥락에 있다. 극의 후반부에서 변화하는 사회 현실에 대한 노동 계급의 좌절감은 라이오넬의 고백으로 인해 발현된다. 이러한 사회적 변화는 그로 하여금 단지 고통 받은 사람들을 위한 무력한 동정적 청취자의 역할을 수행하도록 만든다:

> 아주 끔찍할 수도 있는 일이지. 나는 외부의 그 누구도 내 직업이 어떤지 실제로 이해할 수 있다고 생각하지 않아. 대부분 분노에 귀를 기울이는 일일 뿐이지. 이런 저런 이유로 인한 분노에 말이야. 최근 사회 보장 제도에 변화가 있었지. 예를 들어 젊어서 가정을 꾸리고 싶어도 나중에 빌린 돈을 상환할 수 있다는 것을 증명하지 않는다면 심지어는 전기난로를 살 돈 조차 대출 받을 수도 없는 상황이 되었어. 나는 지난주에 세 커플들을 상담했지. 그들은 좌절감에 누군가 말을 들어 줄 상대가 필요한 것 같았네. 지금 모두가 그러하다네. 단지 깨닫고 있지 못할 뿐이지. 그러나 그것이 바로 그들이 사제를 찾는 이유이기도 해. 그들은 화가 났어, 자신들의 삶에, 또 시스템에 말이야. 그들이 처한 상황에 말이야 . . . 그리고 그들이 사제를 찾아오는 이유는 그가 그들을 내칠 수 없는 유일한 존재임을 알기 때문이지. (31)

이러한 사회적인 맥락에서 서더크가 지지하고 정당화하는 중산 계급 지향의 종교적 제의는 섬뜩한 사회적 현실에 대한 회피와 보수적 정치 체제에 대한 묵인에 지나지 않는다. 라이오넬의 종교적인 고통을 야기하는 신학적 모호함은 서더크에 있어서는 권력과 권위의 근원이 된다. 아이러니컬하게도 서더크는 그의 교활한 동료 킹스톤 주교 (Bishop of Kingston)를 제외하면 기도를 통해 자기 스스로의 내면을 드러내지 않는 유일한 성직자이다. 이 극에는 다분히 회피적이며 전제적 기질을 지닌 정치적 성직자인 서더크가 라이오넬보다 더 종교적이라는 그 어떠한 암시도 존재하지 않는다. 서더크에 있어 종교적 믿음의 척도는 그가 넌지시 암시하는 것처럼 고대의 종교적 제의와 조직의 규율에 의해서 유지된다. 그에 따르면 적절한 형태의 행동 규범과 제식은 설령 그 토대가 되었던 종교적 확신과 개념이 이미 오래 전에 사라졌다하더라도 그대로 지속되어야 하는 것이다.

헤어는 개인의 파편화된 기도와 서더크의 이윤추구의 교회 정책을 강조함으로써 이미 종교적 비전을 상실한 채 단지 개인의 양심의 문제로 전락한 영국 성공회의 총체적 믿음의 부재 상태를 전면에 부각시킨다. 교회는 사회적 변화를 이끌어 나가거나 도덕적 수호자로 기능하지 못하고 오히려 사회적 분열을 통해 이윤을 획득하고 이를 유지하는 지극히 세속적인 자본주의적 기업의 형태로 제시된다. 라이오넬과의 두 번째 만남에서 서더크는 신학적 개혁주의자들이 교회에 미친 폐해를 강조하면서 격렬하지만 매우 아이러니컬하게 "교회는 소름 끼칠 정도로 정부의 패러디가 되었지"(77)라고 실토한다. 신학적 모호함과 공허한 제의, 그리고 정부와의 외교적 타협으로 믿음의 공동체를 운영하는 서더크를 중심으로 한 교회 지도층 세력을 통해 헤어는 성공회와 대처 정부의 근원적인 유사성을 노출한다. 극의 앞부분에서, 광고 회사 직원이자 나중에는 라이오넬을 지지하는 친구로 남는 프란시스(Francis)는 우연히 엿듣게 된 주교들의 대화를 전달하는 과정에서 교회 종교 회의를 기업체 간부 회의에 비유한다: "항상 그러하듯이 주교들이 모이면 늘 불평만 하지요. 체스터 주교가 말했죠. 그들이 교회를 일반 기업과 동일한 방식으로 운영할 수만 있다면 더욱 더 합리적인 결정을 내릴 수도 있을 것이라고요"(29). 이와 같이 교회의 최고 권위자로서 주교들이 추구하는 이익과 효율성의 원칙은 대처 정부의 신자본주의적 시장주의 원칙과 하등 다를 바 없으며 라이오넬에게 그의 고용 임무를 완수하라는 서더크의 조언과 맞물리면서 기업체로서의 교회의 이미지를 더욱 더 강화시킨다.

서더크가 현 상태를 유지하려는 데 총력을 기울이는 반면 라이오넬의 젊은 목사보인 토니(Tony)는 새롭고 공격적인 형태의 신앙을 통해서 성공회 내부의 변화를 기도한다. 어떤 의미에서 라이오넬의 실용주의와 스트리키와 해리의 개혁주의적 성향이 전통적인 진보주의적 관용과 유사한 특징을 보인다면, 토니의 새로운 신앙으로 대변되는 공격적인 복음주의는 1980년대 들어 불어 닥친 또 다른 거센 변화를 반영한다. 영국 국교회는 전통적으로 과도한 열정과 광신적 믿음으로 특징지어 지는 복음주의적 요소를 항상 온건하고 합리적인 신앙에 대한 부적절한 궤도 이탈로 간주해 왔다. 스스로를 영국 국교회 특유의 관용적 정신으로부터 분리시키려는 토니와 라이오넬의 사적인 갈등은 사회적으로 용인된 관용주의와 이에 반하여 부상하는 보다 공격적인 선교 정신 사이의 충돌이라는 종교적이고 역사적인 문맥 속에서 전개된다. 토니의 과도한 복음주의적 시각에서는 라이오넬의 갈등은 종교적으로 쇠퇴해가는 개인적 고행의 망설임에 불과할 뿐이며 행동하지 않고 듣기만 하는 라이오넬의 종교적 접근은 무기력과 부적절함의 악취만을 풍길 뿐이다. 토니는 라이오넬과 스트리키, 해리의 사회봉사 활동을 용기 부족으로 인한 종교적 도피로 규정하고 이들 집단을 성직자의 개인적 나약함을 눈감아 주는 "카르텔"로 치부한다. 지나치게 수세적이고 제 때에 일정한 급여조차 받지 못한 채 사회 봉사자로 전락하는 것에 환멸을 느낀 토니는 교회의 신자 수를 늘리기 위한 해결책으로서 종교가 지니는 단순한 확실성을 제안하면서 신을 종교의 중심으로 되돌려 놓고자 한다. "[신자 수에 대한] 우리의 통계 수치는 끔찍합니다. 우리들 서로가 1퍼센트만 더 끌어올 수 있다면 꽤 훌륭한 주일을 맞이할 수 있을 겁니다. 우리 지역을 통틀어 1퍼센트만 말입니다"(16). 사람들을 끌어 모으고 개종시키는 토니의 공격적인 스타일, 독선적인 믿음, 용서하는 존재라기보다 벌을 주는 존재로서의 신에 대한 관점은 어떤 의미에서는 대처 정부가 표방하는 이른바 '확신의 정치'(conviction politics)를 반영하는 것이다. 클라크(Henry Clark)는 대중주의에 기반을 두고 있는 대처주의적 정치학의 저변에 잠재되어 있는 이러한 복음주의적 측면을 강조한다:

기독교에 대한 그녀[대처]의 이해는 지극히 개인주의적인, 복음주의적 감리교(evangelical Methodism)에 토대를 두고 있다고 할 수 있다. 이러한 입장에 따르면 종교의 총체와 본질은 개인적 구원과 열정적인 자기 규율에 있으며, 이는 이상적으로는 자립과 자기 충족으로 귀결되어 지는 것이다. (10)

해리가 "가장 위험한 유혹"(54)이라 부르는 "행위의 환상"(illusion of action)은 토니가 남편에게 두들겨 맞은 흑인 노동자인 스텔라(Stella Marr)를 다루는 데에서 그 전형적인 예를 찾아 볼 수 있다. 그녀는 계급 갈등으로 첨예화된 사회적 체제의 희생자이거나 혹은 보다 구체적으로는 그녀처럼 도움이 필요한 여성에게 지원을 제공할 수 있는 여타의 사회 복지 서비스를 혹독하게 차단시켜 버린 보수 정권의 희생자이다. 따라서 그녀의 경우는 좁게는 교회 자체뿐만 아니라 교회와 사회 간의 관계에 대한 논의를 야기한다. 즉, 어떻게 구타당한 여성을 위로할 수 있는가 — 그녀를 위한 기도가 필요한 것인가 혹은 그녀의 개종을 보다 적극적으로 유도할 것인가와 같은 질문이 그것이다. 그녀에게 단지 위안, 보살핌, 우정을 제공하는 '목사의 의무'에 충실한 라이오넬의 태도는 교회를 신도들로 채우려는 욕망에 불타는 토니에게는 부적절하고 비효율적인 것으로 여겨진다. 토니는 자신의 감정을 스텔라에게 투사하고 경찰에게 가서 그녀를 보호할 것이라고 주장하면서 스텔라의 고통을 그의 종교적인 행보를 위한 좋은 기회로 여긴다. 스텔라는 결국 교회에서 잡일을 하는 사람으로 전락하게 되는데 이것은 토니의 결과적으로 무자비한 간섭의 결과로서 그 스스로가 도덕적 권위와 행위에 대한 맹목적인 환상에 함몰되어 있음을 드러낸다.

라이오넬이 마침내 서더크를 만나서 그의 해고에 대한 자초지종을 묻는 극의 클라이맥스 부분은 정치와 종교가 분리될 수 없는 관계라는 것을 다시 여실히 상기시켜준다. 여성 사제의 성직 수임 문제에 신경이 곤두서 있는 서더크는 라이오넬에게 개혁주의자들에 대한 그의 분노를 표출하는 과정에서 마침내 해고의 정치적 맥락을 명시한다:

알다시피 자네가 자초한 일이야. 다른 핑계를 댈 수 없을 거야. 자네 스스로 무덤을 판 거지. 당신들 모두가 말이야. 개혁주의자들. 이런 모든 변화들이 자네들 때문이야. 이러한 모든 사안들을 강요했지 [. . .] 자네들이 모든 것을 정치화했다네. 형편없이 전락해버린 종교 회의는 정확히 그것을 말해주고 있네. 모든 것이 논쟁으로 변하지 않았는가. 모든 사람들이 당파에 속하게 되었고 교회는 섬뜩할 정도로 정권의 패러디가 되었다네. (고개를 끄덕거리며 웃는다.) 게다가 자네는 이제야 주위를 둘러보며 그 결과가 마음에 들지 않는다고 말하고 있지 않나. (77)

이어 라이오넬이 자신과 서더크와의 정치적인 견해의 차이가 해고의 정당한 이유가 될 수 없음을 재차 강조하자 서더크는 라이오넬에 대한 개인적인 반감을 토해 낸다:

그래, 좋아. 자네가 그 이유를 알고 싶어 한다면 말이야. 내가 자네를 택한 이유 말일세. 내가 무능해서 아무 것도 하지 못한다고 감히 말 할 수 있는 자는 자네뿐이기 때문이지. 내가 너무 두려워서 싸울 수 없다고 협박을 당해? [. . .] 그래, 난 자네를 선택했네. 자네 때문에 교회 전체가 죽어가고 있으니까. 꼼짝도 못해. 완전히 좌초당했네. 쇠퇴기에 빠져 버렸다고. 자네의 그 고결함은 자네 개인 문제일 뿐이야. 사람들을 설득시키지도 못하는 주제에 말이야. 제대로 응고되지도 않은 황록색 젤리 같은 이 우유부단한 인간 아! (79)

기독교 신학에 따라 행동한다는 서더크의 공적인 주장의 이면에는 지극히 개인적인 적대감이 도사리고 있다. 더군다나 어떤 의미에서 서더크에게 라이오넬의 존재는 무력한 사제에 대한 자신의 두려움을 반영하고 있다. 서더크는 라이오넬을 해고함으로써 교회의 쇠퇴와 무력함의 원천으로 인식했던 인물을 제거할 수 있을 뿐만 아니라 스스로가 행동하고 있다는 사실을 확인하고자 한다. 그는 토니처럼 '행위의 환상'에 묶여 있는 것이다.

라이오넬의 해고는 그의 신학에 대한 결과가 아니라 서더크 자신의 정치적 결정이다. 이러한 사실은 궁극적으로 그러나 헛되게도 라이오넬이 자신의 부당 해고 문제를 노동조합의 도움을 얻어 풀고자 시도하는 사실에 의해 강조된다. 마침내 라이오넬이 서더크의 사립학교 동문에 의해 대체되어 노동계급 지역인 슬라우(Slough)로 전근가게 될 때 교회 내부의 계급적 정치학은 관객들에게 명확히 전달된다. 비이성적인 토니의 믿음과 더불어 기존 종교적 질서를 그대로 수용하고자 하는 서더크의 보수적인 태도에 반해 스스로를 예수를 위한 영업사원이 아닌 고통의 완충제로 간주하는 라이오넬의 입장은 관객의 감정적인 지지를 받는다. 하지만 동시에 그는 순진하면서도 무익하다. 토니의 '행위에 대한 환상'이 결코 비난에서 자유로울 수 없다하더라도 스텔라에 대한 라이오넬의 온화하지만 무력한 충고 역시 그녀의 근본적인 문제를 풀 수 있다는 어떠한 분명한 암시도 없다. 무엇보다도 라이오넬 자신의 입장이 분명히 정치적인 성격을 띠고 있다고 하더라도 그는 이러한 사실을 충분히 깨닫지 못하고 있으며 이는 그의 저항이 지니는 한계를 노출한다. 토니와 서더크는 진보적인 인본주의자들로 인해 점점 강화되는 교회의 세속화 현상에 대항할 적절하고도 확신에 찬 주장을 내놓는다. 이에 반해 프란시스가 라이오넬에게 정치적인 음모에 대해 경고할 때 그는 여전히 교회의 운영에 대해 순진한 믿음을 간직하고 있다: "이것은 정당 정치가 아니야. 사람들의 마음은 그렇게 움직이지 않아"(32). 하지만 이러한 사실은 라이오넬이 결국 그 자신에게까지 확장된 교회 정치의 희생자가 될 때 명백해진다.

이 극은 교회로부터 진보적인 사제들을 내쫓으면서 결론을 맺는다. 그들 간의 사적인 관계가 붕괴되며 그들이 교회 밖으로 퇴출됨으로써 진보주의의 실패의 징후는 명백하다. 라이오넬이 주교와의 논쟁에서 패배할 때, 그의 친구 중 어느 누구도 그에게 일시적인 지원 이상의 것을 주려하지 않는다. 선정적 언론에 의해 국외로 추방당하는 해리는 좌익 정치 이데올로기의 말로를 제시한다. 그는 충실하고 독실하지만 이러한 자질 중 그 어느 것도 그가 동성애자로서 마녀 사냥을 당할 때 그를 보호하지 못한다. 그는 영국 국교회와의 결코 정당하지 못한 투쟁을 다음과 같이 요약 한다: "이러한 신문 기사를 실은 사람들은 기사 작위를 받지요. 이것은 결코 우연의 일치가 아닙니다. 그게 바로 우리가 살아가고 있는 이 나라에서 벌어지는 일입니다"(83). 반면 해리와는 달리 스트리키가 결과적으로 교회에 남을 수 있는 이유는 그가 어떤 특정한 신학적 입장이 없기 때문이다. 그의 마지막 기도에서 드러나는 것처럼 그는 단지 사람들과의 삶을 사랑할 뿐이다. 그러나 정치적 측면에서 볼 때 그의 철학은 보수 정권에 의해 퇴출당한 진보주의 성향의 사람들을 옹호하는 데 전적으로 무익하다. 그는 자신의 이데올로기가 무엇이든지 간에 새로운 교구 목사 밑에서 머물 것이다. 점점 커져가는 복음주의의 열정에 사로잡힌 토니는 인간관계에서 사랑이 전적으로 제거된 전도된 삶으로 되돌아옴으로써 스트리키와 극단적인 대조를 이룬다. 그의 빌리 그래엄(Billy Graham)식의 선교 전략은 신도석에서의 궁금증을 유발할 것이지만 동시에 이러한 카리스마적인 접근은 삶에 대한 진지한 성찰을 대가로 치루기 마련이다. 교통사고로 인한 부모의 죽음을 엄격한 신의 징벌의 표시로 해석하려 하고 신의 중재를 통해서 에이즈(AIDS) 환자를 치료한 것을 목격했다고 주장하는 토니는 극단적인 메시아적 행위가 주는 환상의 피해자라고 볼 수도 있을 것이다.

마지막 기도 장면은 세 명의 주요 등장인물들의 기도를 통해 영국 성공회의 지속적인 분열을 가시적으로 드러낸다. 무대 지시문에 따르면 프란시스와 라이오넬, 토니가 제각기 기도하러 무대에 입장할 때, "세 명 모두는 서로에 대해 어떠한 관심도 없다"(87). 토니는 여전히 '교구민'을 위해 기도한다. 모든 의심을 제거한 토니에게 모든 것은 "확신의 문제"(88)로 남는다. 라이오넬의 기도는 이 극의 주요한 정서인 상실의 의미를 포착한다: "모든 것이 확고해 보이고 실재처럼 보입니다. 그러더니 당신이 방향을 바꾸어서 모든 것이 갑자기 사라졌습니다 [. . .] 우리가 고통 받고 있나요? 그것이 당신이 원하던 것인가요? 어떤 목적도 없이 싸우고 고통을 받나요? 그런가요? 모든 것이 상실인가요?"(88). 라이오넬의 마지막 절규는 의미심장하게도 신의 존재를 믿지 않는 프란시스가 "나는 그 어떤 누구도 당신에 대해 들어본 적 없는 곳으로 갈 겁니다"(87)라고 말하는 데에서 회답된다. 그녀는 "삶이 고단하기 때문에" 인간의 삶이 여전히 "가치를 지니고"(59) 있는 곳으로 가기 위해 영국을 떠난다고 선언한다. 라이오넬과 토니가 어둠 속에 정체되어 남아 있는 반면 땅에서부터 태양으로의 상승이라는 이미지 속에서 새로운 삶의 기적과 기쁨을 경험하는 것은 프란시스이다. 그러나 헤어가 프란시스의 세속적인 인본주의에 대한 언급으로 이 극을 맺고 있지만 그녀의 모호한 욕망은 교회의 운명이 서더크와 토니와 같은 등장인물들의 손에 달려있는 것으로 보이는 상황에서 실행가능한 정치적 대안을 나타내고 있지는 않는다. 헤어가 극의 주제로 영국 성공회에 매료되었던 이유는 자신이 언급했던 것처럼 영국 성공회의 특수한 상황이 "무수한 영국의 국가 제도에서 발생하는 기본적인 투쟁의 패러다임을 제공하기" 때문이다(Hassell 재인용 6). 공허한 제의의 공간으로서의 영국 성공회 내에서 드러나는 분열의 양상은 사회적 책임을 부정하면서 기존의 보수적인 정치 질서를 영속화시키는 사회 체제 전반에 대한 메타포로 기능한다. 프레이저(Scott Fraser)가 강조하는 것처럼 이 극은 "거의 모든 등장인물이 고통을 받는 개인적인 비극을 넘어서 진보적 국가 제도 자체가 비극적 반(anti)영웅이 되는 사회적인 비극이다"(144). 그러나 동시에 이 극은, 정치적 적들로 인해 때로는 자신의 개인적 결함으로 인해 비효율적이고 구시대적인 것으로 간주되는 라이오넬의 진보주의 (헤어의 말을 빌리자면 "선함")와 공동체 주의적 이념에 대한 찬가로 여겨질 수 있을 것이다.

⤳ 인용문헌

Clark, Henry. *The Church Under Thatcher*. London: Society for Promoting Christian Knowledge, 1993.

Fraser. Scott. *A Politic Theatre: The Drama of David Hare* (Costerus New Series 105). Amsterdam: Atlanta, 1996.

Hare, David. *Racing Demon*. London: Faber and Faber, 1990.

Hartley, Anthony. "Bishops, Politicians & Spiritual Times," *Encounter* (Jun. 1986): 18-25.

Hassell, Graham. "Hare Racing," *Plays & Players*, no. 435 (Feb. 1990): 5-8.

Hewison, Robert. *Culture and Consensus: England, Art and Politics since 1940*. London: Methuen, 1995.

Kavanagh, Dennis. *Thatcherism and British Politics: The End of Consensus?*. Oxford: OUP, 1995.

Morgan, Kenneth O. *The People's Peace: British History 1945-1990*. Oxford: OUP, 1992.

Nightingale, Benedict. "The Review of Racing Demon," *The Times* (9 Feb. 1990): 22.

제5부

미국 문학과 종교

17

휘트먼의 『나 자신의 노래』에 나타난 보살도

| 최희섭 |

I

    휘트먼(Walt Whitman)의 『나 자신의 노래(*Song of Myself*)』는 그 제목이 암시하듯이 시인이 자신을 노래하고 찬양하는 작품이다. 여기서 시인이 말하는 "나 자신"은 여러 가지로 해석이 가능하다. 즉 "나 자신"은 시인 자신의 어느한 면일 수도 있고, 영혼과 육체를 모두 아우르는 보편적인 인간으로서의 한 개인일 수도 있다. 특히 어느 한 측면을 가리킨다고 할 때 그 한 면이 어떠한 면이며, 그것의 속성이 어떠한가에 대하여 탐구할 필요가 있다. 또한 시인 자신과 그 주변의 사람이나 환경과의 관계에 대하여도 생각해보아야 할 것이다.

    왜냐하면 개인은 사회에서 독립된 상태로 존재할 수 없으며, 이 작품은 "자아를 종종 매우 부조리한 다른 자아들과 동일시"(Paul 209)하는 것이 주제라 할수 있기 때문이다. 다른 자아와의 동일시에 앞서서 자신의 자아를 명확하게 정의하는 것이 필요하기 때문에 시인은 자신의 자아의 정체성에 관하여 탐구한다. 이 작품에 나타난 자아를 다른 자아들과 동일시하는 것의 표현 방법과 내용에 관한 분석에는 여러 가지 방법이 가능하겠지만, 필자는 불교적인 관점에서 고

* 『문학과 종교』 제 5권 1호(2000)에 실렸던 논문임.

찰해보고자 한다. 휘트먼이 불교에 관하여 많은 지식이 있었다든지 아니면 많은 불교서적을 읽었다든지 하는 객관적인 증거는 없다. 심지어 그는 동양사상에 관하여 전혀 모른다고 말하기까지 했다.[1]

그러나 그는 동양사상에 관하여 상당히 많이 알고 있었을 것으로 짐작된다. 휘트먼이 동양사상에 관하여 상당한 지식이 있었음을 짐작하게 하는 방증이 많이 있기 때문이다. 차리(Chari)는 『풀잎』이 생성되고 있던 시대에 특히 뉴잉글랜드 주민들의 열광을 통해, 미국에서 힌두교의 종교적 개념들이 상당히 유행하고 있었고, 그 당시의 영미의 잡지들은 베단타 철학의 자료들을 많이 실었다"(Bradley 927)고 하여 휘트먼 시대에 서구에 동양사상이 널리 유포되고 있었음을 밝히고 있다. 휘트먼이 뉴잉글랜드 지방에 체류하고 있었으므로 그가 동양사상을 체계적으로 연구하지는 않았다 하더라도 상당한 자료를 접했을 가능성이 많다.

그가 수년 동안 잡지를 편집하거나 인쇄업에 종사했다는 사실[2]과 다독하는 습관을 지니고 있었던 것을 볼 때, 그 당시에 유행한 힌두교와 불교를 포함한 동양사상의 다양한 영향을 받았을 개연성은 충분하다. 시인이 동양사상에 관련된 서적을 직접 접하지는 않았다 하더라도, 에머슨의 에세이에서 "자아와 자아의 거의 자기목적적인 힘"(Paul 202)에 관하여 읽었고, 쏘로우 등의 초절주의자를 통하여 간접적으로 그 개념을 파악했을 가능성도 많다.[3]

---

1) 쏘로우(Thoreau)가 1856년에 휘트먼에게 힌두교의 시를 읽은 적이 있는지 물었을 때 그는 읽은 적이 없다고 하면서 그에 관하여 말해달라고 했다(Allen 398).
2) 휘트먼은 1830년부터 1834년까지 인쇄업을 배우고 1835년에는 뉴욕 시에서 인쇄업에 종사했으며, 1838년부터 1839년까지 헌팅턴에서 『롱 아일랜더(Long Islander)』라는 주간지를 편집했다. 또한 1841년 5월에는 뉴욕에 있는 『신세계(New World)』지 사무실에서 인쇄업자로 일했으며, 『민주 평론(Democratic Review)』에 글을 쓰기 시작했다. 1842년 봄에 뉴욕 시에서 『여명(New World)』이라는 일간지를 편집하며 잠시 동안 『이브닝 태틀러(Evening Tattler)』지에 글을 썼다. 1845년 9월부터 1846년 3월까지 『롱아일랜드 스타(Long Island Star)』지에 글을 실었다. 1846년3월부터 1848년 1월까지 브루클린의 『매일 독수리(Daily Eagle)』를 편집했고, 1848년 9월부터 1949년 9월까지 브루클린의 『자유인(Freeman)』이라는 신문을 편집했다. 1850년부터 1854년까지 인쇄소를 운영했으며, 1857년 봄부터 1859년 여름까지 브루클린의 『타임(Times)』지를 편집했다(Bradley 757).
3) 휘트먼이 그 당시에 널리 유포되었던 서적을 통해서든, 아니면 에머슨과 쏘로우 같은 초절주의자를 통해서든 동양사상을 상당한 정도로 알고 있었다는 것은 분명하다. 그러므로 라자세크

따라서 우리는 휘트먼이 그의 정신적 성장기에 직접적이든 간접적이든 동양사상, 특히 인도의 사상들에 노출되어 있었고, 의식적, 무의식적으로 그 사상들을 흡수했다고 할 수 있다.[4] 그가 동양사상에 접했을 가능성이 있는 시기가 그의 정신적 성장기이므로 그 사상들이 그의 정신적 성장에 도움을 주고, 그의 작품에 표현되는 것은 당연할 것이다.[5] 김영호도 휘트먼과 한용운을 비교한 글에서 휘트먼이 동양사상을 알고 있었음을 밝히고 있다.

> 휘트먼은 유럽의 형이상학 철학과 힌두교와 불교를 포함한 동양의 신비주의의 다양한 요소들에 관한 지식을 얻었다. 이것들은 초절주의에 관한 그 자신의 개인적 개념에 영향을 주었다. 그러므로 그는 실제로 신비적 경험을 통하여 자신의 시편들을 창조했다. 휘트먼이 힌두교와 불교 철학을 막연히 알고 있는 신비주의자였던 반면에 한용운은 평생토록 삶과 세상의 신비 가운데서 진리를 추구하는 불교승려였다. 휘트먼은 실제로는 불교도가 아니었으나, 불교를 알고 존중했다. 불교는 뉴잉글랜드의 초절주의의 요소, 특히 휘트먼의 정신적 스승으로 생각되는, 에머슨과 쏘로우의 글에 반영되어 있다(9).

이 연구는 휘트먼이 동양사상에 관한 상당한 지식을 갖고 있었으며 특히 불교

하라이아(Rajasekharaiah)는 휘트먼이 심지어는 그의 형성기에도 인도철학의 속성과 본질에 대해 우연한 정도 이상으로 이해하고 있었고, 그의 시편들의 철학적 재료 전체가 이 원천으로부터 유래되었다고 단언한다(Allen 401).

4) 차리는 휘트먼이 에머슨을 통하여 인도사상을 알고 있었다고 다음과 같이 주장한다. 에머슨(Emerson)의 논고들은 인도의 사상들이 휘트먼에게 전달되는 통로였을 것이다. 휘트먼이 1847년에 에머슨의 '영혼의 법'(Spiritual Laws)을 평한 것은 중요한 사실이다. 영적인 존재의 실체성을 긍정하는 그 논고에 있는 구절들, 영혼이 하나의 밑바탕이라고 말하는 구절들, 다른 사물들의 근저에 있는 동일성, '일하고 고통을 겪은 것은 단지 유한성이고, 무한성이 미소지으며 안온하게 펼쳐져 놓여 있다'고 말하는 구절들이 그의 영적 '개종'에 도움을 주었을 것이다. 1847년부터 1848년까지의 기간은 휘트먼의 영적 발전에 중요했다. 그것은 잠재의식의 오랜 잠복기의 정점을 표했다. 그 해에 휘트먼은 힘의 주목할 만한 증가, 즉 새로운 탄생을 경험했다(Bradley 928).

5) 휘트먼이 1857년에 에머슨의 "브라마"(Brahma)라는 작품을 평한 것을 보면 그가 베다의 사상을 확실히 파악하고 있었음을 알 수 있다(알렌 398). 유병천이 말하듯이 휘트먼은 그가 말하는 것보다 동양사상을 훨씬 많이 알고 있었으며, 동양이 그의 창작 생활에 중요한 역할을 했고, 그 자신의 자아를 규정하는 데 도움을 주고, 그 자신의 개인적 삶의 확실함과 보편성을 확신시켜주었다(앞의 책 399에서 재인용).

사상이 그 핵심이라는 것을 말하고 있다. 휘트먼이 신비적 경험을 통하여 자신의 시편들을 창조했다는 말에서 우리는 그가 불교도는 아니었으나, 신비적인 경험을 함으로써 그 과정에서 불교적인 수행방법이나 그와 유사한 방법을 통하여 불교적인 것으로 해석될 수 있는 어떤 상태를 경험하고, 그것을 작품에 써놓았다는 것을 알 수 있다.

시인 자신의 산문에도 자신이 동양사상의 영향을 받았음을 보여주는 구절들이 많이 있다. 『나 자신의 노래』가 수록된 『풀잎(Leaves of Grass)』의 초판 서문에 있는 "우리는 무수한 신이 있을 수 있다고 생각한다", "자신의 내면에 있는 자신의 주권", "영혼의 내면에서 계속 분노하고 요동하라고 말하는 것", "내가 여기서 주인", "하늘의 발작을 조종하는 지배자", "자연과 정열과 죽음, 그리고 모든 공포와 고통을 조종하는 자의 파편의 주인"(Bradley 719-20) 등과 같은 어구들은 대표적인 구절들이다. 여기서 말하는 주권이나 지배자, 주인은 자신의 밖에 있는 어떤 존재가 아니라 바로 자신의 내면에 있는 무언가를 가리킨다. 시인은 이 세상에 단 하나의 신만 있는 것이 아니라 무수한 신이 있을 수 있다고 말하여, 시인 자신만이 아니라 모든 생명체가 지배자, 주인이 될 수 있음을 긍정한다. 여기에서 평등, 민주주의 사상이 나오고, 또한 자신의 자아를 다른 자아들과 동일시할 수 있는 근거가 마련된다.[6]

이와 같은 논의와 고증들로 볼 때 휘트먼의 작품을 동양사상적인 관점, 특히 불교적인 관점에서 고찰하는 것이 무리한 작업은 아니다. 비록 휘트먼 자신이 밝힌 독서목록에 동양사상에 관한 서적이 없고, 동양사상을 알지 못한다고 말한 바가 있지만, 실제로는 동양사상을 많이 알고 있었음이 정황적 증거로 드러났다. 필자는 이러한 논리적 근거를 바탕으로 『나 자신의 노래』에 나타난 타인 내지는 자기 이외의 대상에 관해 보여주는 휘트먼의 태도를 불교적인 관점

---

[6] 시인은 『민주적 조망들(Democratic Vistas)』에서 "종교의 성숙함은 개인이라는 영역에서 찾아져야함이 분명하고, 어떤 조직이나 교회가 달성할 수 없는 결과", "개인의 완전한 무오염(無汚染)과 고독에서만 종교의 영성(靈性)이 긍정적으로 나올 수 있다"고 말하고 있다. 시인은 이 영성을 얻는 방법으로 명상, 경건한 황홀, 솟아오르는 비상을 제시한다(Miller 481). 시인이 정통 기독교도가 아니기 때문(Creenspan 37)에 그의 작품에서 종교적인 면모의 연구는 서구사상의 바탕을 이루고 있는 기독교적인 방법에 의존할 것이 아니라, 개인의 신성을 인정하고, 추구하는 종교적인 관점에서 접근하는 것이 당연하다.

에서 고찰하고자 한다. 휘트먼이 자신과 주변 사물들을 어떻게 파악하고 있는 가를 살펴보는 것이 필요하므로 불성을 우선 고찰하고 보살도를 고찰한다.

II

휘트먼은 모든 시의 원천, 모든 사물의 근원을 이해하고, 소유하기 위해서 는 밖을 찾아보는 것이 아니라 자신의 내면을 성찰해야 한다고 말하고 있다.

> 오늘 낮과 밤에 나와 함께 머무시오 그러면 당신은 모든 시편들의 원천을 소유할 것이오, 당신은 지구와 태양의 좋은 부분을 소유할 것이오, (수백만 의 태양이 남아 있소,) 당신은 더 이상 사물들을 간접적으로 취하거나 죽은 자들의 눈을 통해 보지 않고, 책 속의 유령에서 취하지도 않을 것이오, 당신 은 내 눈을 통하여 보지도 않을 것이고, 나로부터 사물들을 취하지도 않을 것이오, 당신은 모든 측면에 귀 기울이고 당신 자신으로부터 그것들을 거를 것이오.(33-37행)[7]

시인은 여기서 모든 시편들의 원천을 소유하라고 권고하며 그 방법을 설명하고 있다. 시인은 모든 시편들의 원천이 지구와 태양의 좋은 부분과 다르지 않음을 말하며, 이것을 이해하고 소유하기 위해서 다른 시인들의 눈으로 보거나 다른 사람들의 글에서 찾지 말고, 각자 자신에게서 찾으라고 한다. 이는 각자가 자신 의 마음속을 깊이 성찰하라는 말이다. 그는 독자들이 각자 자기 자신의 모든 측 면에 귀를 기울이고, 자신의 자아로부터 그것들을 걸러내야 한다고 말한다. 모 든 시편들의 원천을 이해하고 소유하기 위해서는 밖을 찾아보는 것이 아니라 본인의 마음속을 깊이 성찰해야 한다는 것이다.

이것은 불교에서 수행하는 선의 방법과 동일하다. 자신의 마음속을 가만히 들여다보고 궁극적인 해답을 얻으면 그것이 각성이고 깨달음이다. 이러한 자기 내면 탐구의 방법은 신비주의적인 방법과 크게 다르지 않으므로, 동양사상, 특 히 불교의 선에 관하여 잘 알지 못하는 서구인들은 불교의 선사상을 신비주의

---

7) 휘트먼 시의 인용은 밀러(Miller)가 편집한 『월트 휘트먼 시 전집과 산문 선집』에서 하며 행수 만 표기함.

로 잘못 이해하는 경우가 많다. 예를 들어 밀러는 이 작품이 "신비적 경험의 극화"(xlviii)로 읽혀질 수 있다고 하면서 시인이 신비한 상태로의 입장을 묘사하고 있다고 말하고 있다. 순수한 내면적 직관과 직접적 체험에 의하여 최고 실재자를 인식하는 이러한 방법은 신비주의와 다를 바 없으므로 밀러와 같은 학자가 이를 신비주의적 경험으로 해석하는 것은 일면 당연할지도 모른다.

이 작품의 화자는 다른 사람의 책이나 심지어는 자신의 책, 또는 자신의 안내를 통하여 모든 사물의 원천에 이르는 것이 아니라 각자가 자신의 마음속을 탐구함으로써 그것에 이른다고 이야기하고 있다. 이는 다시 말하면 모든 사람들이 각자 자신의 내면에 있는 주권을 찾음으로써 자신의 주인이 된다는 것이다. 이렇게 말하는 근저에는 모두가 그렇게 될 수 있는 요소를 지니고 있다는 생각이 깔려 있다. 자신이 주인이 될 수 있는 요소는 불교적으로 해석하면 불성(佛性)이고, 그것은 휘트먼이 말하는 자신의 주권이다. 휘트먼은 자신뿐만 아니라 모든 인간이 불성을 지니고 있으므로 모두가 해탈, 각성하여 부처가 될 수 있음을 인식하고 있다.

이 작품은 시인 자신이 다른 사람들과 동일함을 선언하는 것으로 시작된다.

>· · · 내가 취하는 것을 당신도 취할 것이오
>왜냐하면 나에게 속하는 모든 원자는 당신에게도 마찬가지로 속하기 때문에.(2-3행)

화자가 취하는 것을 당신 즉 독자도 취하리라고 하는 말은 화자와 독자가 동일한 자격과 권리를 갖고 있음을 말한다. 시인 자신만 존귀한 존재가 아니라 인간 모두가 그러한 존재인 것이다. 그의 눈에는 모든 사람들이 사회적으로가 아니라 내적인 세계에서 동등하게 보인다(Bradley 870). 이러한 평등사상은 이 작품의 중요한 뼈대를 이룬다. 화자가 취하는 것을 상대방도 취한다는 것은 단지 물질을 소유하는 관점에서 하는 말이 아니다. 이 말은 물질적인 측면뿐만 아니라 정신적, 영적인 측면까지도 포함한다. 왜냐하면 피어스(Pearce)가 말하듯이 마음과 그 마음이 과감히 들어가는 물질세계가 그 종류에 있어서는 궁극적으로 다르지 않기 때문이다(81). 이를 불교적인 술어를 사용하여 말하면 현상계가 자아와 다르지 않다. 다시 말하여 현상계와 불성이 서로 대립하고 있는 둘이 아니라 하나라는 의미가 된다.

시인은 자신이 지닌 모든 원자를 다른 사람도 지니고 있다고 말한다. 이 말은 화자가 지니고 있는 내면의 모든 요소를 다른 사람들도 지니고 있다는 일반적인 진술로 해석된다. 물론 여기서 원자라는 말의 직접적인 의미는 물질적인 면을 가리키는 것이지만, 마음과 그 마음이 들어가는 물질세계가 궁극적으로 다르지 않기 때문에 정신적인 것도 포함한다.

이 작품의 다른 부분에서 시인은 독자에게 "당신이 스승이 될 수 있는가 보라" (559행)고 말하여 독자 모두가 스승이 될 수 있음을 강하게 긍정한다. 또한 자기 자신이 "최고의 존재 중의 하나가 될 때를 기다리고"(1050행) 있다고 말하여 인간은 누구든지 능력 있는 초인적인 존재가 될 수 있다고 생각하고 있음을 보여준다. 설명이 불가능한 초자연적인 존재가 될 수 있는 시인은 자신이 최고의 존재, 절대자가 될 때를 기다리고 있다. 여기서 시인은 자신을 "myself"로 지칭하고 있다. 시인은 이 작품에서 육체적인 자아를 나타낼 때에는 "I"를, 영적인 자아를 나타낼 때에는 "myself"를 사용하고 있다. 여기서 시인은 자신을 영적인 자아로 지칭하며 그 영적인 자아가 절대자 중의 하나가 될 때를 기다리고 있다고 한다. 절대자도 역시 복수로 사용되어 시인 이외의 다른 사람들도 그와 같은 위치에 오를 수 있음을 암시한다.

시인 자신뿐만 아니라 모든 사람이 신과 같은 최고의 존재가 될 수 있다. 왜냐하면 카울리(Cowley)가 말하듯이 인간은 누구나 자신의 내면에 있는 자신의 주권을 인식함으로써 위대해지고 선해질 수 있기 때문이다(13). 신과 같은 초인적인 존재가 된 인간은 신처럼 인간의 모든 것을 재단할 수 있는 능력도 지닐 것이다(심인보 13). 이는 불교에서 해탈함으로써 부처가 되는 것과 동일하다. 해탈은 모든 인간, 아니 모든 생명체가 불성을 지니고 있음이 전제되어야 한다. 그러므로 휘트먼의 이 말은 인간을 포함한 모든 사물이 불성을 지니고 있다는 사실을 긍정하는 것이다.

시인은 자신의 주변에서 박해받는 사람들을 보며 그들이 자신과 다르지 않음을 느낀다.

순교자의 경멸과 침착함,
자식들이 보는 가운데, 마른나무와 함께 불타버린, 마녀로 비난받은 늙은 어
머니
울타리에 기댄, 숨을 몰아쉬는, 땀으로 범벅된, 달리다 기력이 떨어진 쫓기는
노예,
그의 다리와 목에 바늘처럼 꽂히는 아픔, 살인적인 총알과 탄환,
이 모든 것을 나는 느끼거나 되오. (833-837행)

시인은 순교자에 대한 경멸 및 순교자의 침착함, 어머니, 마녀, 노예, 전쟁의 아
픔을 느끼면서 동시에 자신이 그러한 존재임을 이야기한다. 이는 개체와 전체
(개별과 보편)와의 융합·섭리를 나타내는 것이다(중촌원 258). 이는 인간이 모
두 동일한 신성, 즉 불성을 지니고 있음을 이야기하는 것이다.

이러한 인식은 반야심경에 나오는 구절인 색불이공(色不異空) 공불이색
(空不異色)의 원리의 이해를 바탕으로 가능하다. 여기서 색이란 말은 물질이
란 뜻이고 공은 아무 것도 없는 진공(眞空)이란 뜻이다.[8] 색은 외계의 사물과
일체 현상을 존유하는 것으로 믿고 분별하는 객관, 관념이다(박희선 59). 색은
형상 있는 모든 것, 개별적이며 차별적인 존재를 가리킨다. 즉, 색은 사람, 산,
물, 집과 같은 물질적 존재를 가리킨다. 그런데 이것들의 참 모습은 공하다. 왜
냐하면 이것들의 고정불변한 실체는 없기 때문이다. 그러므로 색불이공 공불이
색, 색즉시공 공즉시색이다. 존재의 실상에 눈뜨고 보면 사람도 산도 물도 집도
그대로 공하다. 그대로 공이기 때문에 공이면서도 또 사람이며 산이고 물이며
집이다.[9]

---

8) 이청담 스님의 설명에 따르면 색불이공이라는 말은 물질이나 물체가 아무 것도 없는 진공하고
다르지 않다(229, 245). 즉 허공과 다르지 않다는 말이다. 다시 말하여 형체를 갖고 존재하는
모든 물체, 세계의 모든 것이 사실은 아무 것도 없는 것이고 그렇게 보일 뿐이라는 것이다. 또
한 공불이색이라는 말이 성립하는 것은 진공이 만법(萬法)의 본체이고, 이 세상의 모든 물질,
물체는 그 본체 가운데 본래 일체의 만법을 갖추고 있기 때문이다.
9) 반야심경은 색이 공과 다르지 않고 공이 색과 다르지 않으며 색이 공이며 공이 색(색불이공
공불이색 색즉시공 공즉시색, 色不異空 空不異色 色卽是空 空卽是色)이라고 말하여 보
통 사람들이 현상계를 참된 것으로 믿고, 육체적 자아를 자심이라고 오인하고 있으나 눈에 보
이는 모든 것이 허망한 것이며, 허망한 것 자체가 현상계라고 밝히고 있다. 다시 말하여 모든
것이 우리의 마음의 작용에 의하여 인식되고, 존재한다고 한다(불교교재편찬위 342).

시인은 순교자나 어머니, 마녀, 노예 등에게 자비와 동정을 느끼는 것이 아니라 바로 자신을 그들과 동일시한다. 종교적 신념을 위해 자신을 희생한 순교자, 잘못된 종교적 신념의 희생물인 마녀와 인간 이하의 대우를 받으며 고달픈 생을 영위하는 노예의 아픔을 시인은 자신의 아픔으로 받아들인다. 시인은 피어스의 말처럼 여기서 그들과 합체하고 스스로를 희생한다(21). 이러한 시인의 태도는 그가 현상계가 공한 것이며 현상계가 공과 다르지 않다는 불교의 원리를 인식하고 있기 때문에 가능한 것이므로, 그가 그 원리를 이해하고 있음을 간접적으로 보여준다. 시인은 여기서 불교적인 용어를 구사하지 않지만 불교적인 개념을 보여주고 있다.

그들도 시인 자신과 마찬가지로 불성을 지니고 있기 때문에 시인은 그들을 모두 자신과 동일시하며, 심지어는 사물들까지 자신과 동일시한다(Cowley xix).

(나는 알고 있소) 창조의 요체가 사랑임을,
들판에서 뻣뻣해지거나 축 늘어지는 잎사귀들이,
그 아래의 작은 웅덩이에 있는 갈색 개미들이,
그리고 구불구불한 울타리, 돌더미, 딱총나무, 현삼, 미국자리공 등의 이끼
낀 상처가 끝이 없음을.(95-98행)

창조의 중심은 사랑이며 이는 만물에 모두 적용된다. 만물에 대한 사랑으로 인하여 각각의 사물이 생명을 갖고, 육체를 지니고 생활하게 된다. 이는 모든 생명은 동등하다는 불교적인 인식을 보여준다. 창조의 중심이 사랑이며, 나뭇잎이나, 개미 또는 벌레나 나무들도 사랑에 의하여 창조된 것이라는 구절에 이르러 우리는 불교적인 자비와 만물이 윤회한다는 점에서 동일하다는 사실을 생각하게 된다. 시인은 사물의 핵심으로 뚫고 들어가 외적인 표현의 배후에 있는 영속적인 본질인 내적이고 영적인 실체를 거기에서 발견한 것이다(Bradley 858). 시인은 주변의 모든 동물들도 신성, 즉 불성을 지니고 있음을 긍정한다.

추운 밤에 자기 무리를 이끄는 기러기,
．．．．
북부의 날카로운 굽이 있는 큰사슴, 문지방에 있는 고양이, 박새, 프레리도그,

어미젖을 빠는 툴툴거리는 돼지 새끼들,
칠면조 새끼들과 날개를 반쯤 펼친 칠면조,
나는 그들에게서 그리고 나 자신에게서 동일한 옛 법칙을 보오. (245-52행)

시인이 예로 드는 동물들은 기러기나 박새, 칠면조와 같은 날짐승뿐만 아니라 보잘것없는 파충류인 거북이(242행), 또는 고양이나 돼지, 말(244행)과 같은 포유류에 이르기까지 다양하다. 이 동물들도 시인 자신과 마찬가지로 존귀하며, 그들 나름대로의 영혼을 지니고 있고 발전한다. 시인은 이러한 모든 동물들이 화자와 마찬가지의 "옛 법칙"을 지니고 있다고 한다.

이 "옛 법칙"은 이 작품 전체에 스며들어 있는 것으로 재생과 영혼의 윤회에 대한 휘트먼의 태도를 보여준다. 또한 이것은 물질계를 신과 동일하거나 신이라고 보는 범신론과도 연관된다. 그렇기 때문에 많은 비평가들이 이 구절을 범신론적으로 해석하고 있다. 그렇지만 범신론적으로 해석하는 것보다는 불교적인 의미 즉 개유불성(皆有佛性)의 뜻으로 해석하면 보다 쉽게 이해된다. 세상의 만물이 불성을 지니고 있으므로 시인은 자신의 정체성, 즉 불성을 다른 생명체들과 공유하고 있는 것이다. 모든 사람들, 생명체들, 물체들, 경험들이 그에게는 진정한 가치가 있고, 이 세상을 지배하는 법칙을 상기시켜준다(Keenan 35-6). 그러므로 휘트먼은 모든 생명체와 자신을 동일시한다(Price 50).

시인은 이러한 생각을 다음과 같이 산문에서도 말하고 있다.

영혼이나 심령은 그 자신을 모든 물질 속으로—바위 속으로, 그래서 바위의 삶을 살 수 있다—바다 속으로, 그러면 그 자신을 바다로 느낄 수 있다—참나무 속으로, 아니면 다른 나무 속으로—동물 속으로, 그러면 자신을 말, 물고기 또는 새로 느낀다—대지 속으로—태양과 별들의 움직임 속으로 (브래들리 58에서 재인용).

이 말에서 밝혀지듯이 시인은 자신의 영혼이 다른 모든 사물들 속으로 들어가기 때문에 그것들이 자신이 지배받는 것과 동일한 법칙의 지배를 받고 있다고 느낀다. 자신의 불성과 다른 사물들의 불성이 다르지 않음을 느끼는 것이다.

이러한 생각은 이 작품에 여러 번 표현되어 있다.

나는 하나의 풀잎이 별들의 운행과 마찬가지라고 믿소,
그리고 개미도 마찬가지로 완전하고, 모래 한 알, 굴뚝새 알,
그리고 청개구리가 높은 자에게는 걸작임을,
그리고 덩굴진 산딸기가 천국의 거실을 장식할 것이오,
내 손안의 작은 경첩이 모든 기계를 경멸하고
고개를 수그리고 걸어가는 암소가 어떤 조각상보다 낫소,
그리고 쥐는 수천만억의 이교도를 비틀거리게 할 기적이오.(663-669행)

시인은 만물이 그 자체로 완전하며 따라서 자신과 동일한 것으로 인식한다. 만물이 그 자체로 완전한 것이라는 것은 불성과 관계있다. 시인은 무생물도 자신과 일체가 된다고 함으로써 생물과 무생물을 구별하지 않는다.10) 불교의 부처는 전지전능한 창조주가 아니라 이 세상의 존재원리 그 자체이다. 그 속에 모든 것이 들어 있으나 그것들을 지배하지는 않는다. 휘트먼이 하나의 풀잎에서 발견한 우주의 운행원리는 바로 부처와 다르지 않다. 그 부처는 불성의 형태로 인간 각자에게도 있으며, 우주에도 있고 하찮은 생명체인 곤충, 심지어는 무생물에게까지도 있는 것이다. 차이점이라면 보통사람들은 그것을 깨닫지 못하고, 해탈한 사람은 그것을 깨닫고 있다는 것뿐이다. 우리는 깨달은 상태와 깨닫지 못한 상태를 구분하여 부처와 불성으로 나누고 있으나 실상 그것은 동전의 양면과 같이 하나이다.

시인은 이러한 깨달음을 다음과 같이 말하고 있다.

나는 나 자신의 복제물들을 인정하오, 가장 약하고 천박한 자들은 나와 함께 불멸이오,
내가 행하고 말하는 것. 똑같은 것이 그들에게도 기다리고 있소,
내게서 허둥대는 모든 생각, 똑같은 것이 그들에게서도 허둥대고 있소.(1080-82행)

---

10) 무생물에게 불성이 있는가 없는가하는 문제는 보다 깊은 연구가 필요하다고 생각된다. 왜냐하면 불성이 있음을 인식하고 해탈에 이르기 위해서는 인지능력이 있어야한다고 보는 것이 일반적이기 때문이다. 이산 혜연선사의 발원문은 "유정들도 무정들도 일체종지 이루어지이다"라는 말로 끝난다. 여기에서 유정은 생물을, 무정은 무생물을 일컫는다. 따라서 이 글은 무정, 즉 무생물도 불성을 지니고 있다는 견해를 택한다. 필자는 이 의견을 따른다.

시인은 자기 주변의 사물들이 자신의 복제물이고 그들도 자신과 동일한 생각을 한다고 말한다. 시인이 궁극적 깨달음에 이르지는 못했으나, 자신이 결국에는 궁극적 깨달음을 얻을 것임과 마찬가지로 다른 사물들도 언젠가는 그 경지에 도달할 것임을 인식하고 있다. 그들이 비록 연약하고 천박한 존재이기는 하지만, 그들도 시인과 마찬가지로 죽음이 없는 영원한 생명의 존재이다. 자신이 행하고 말하는 것과 생각이 다른 사람들에게도 그대로 있다는 것은 남들도 자신과 마찬가지로 불성을 지니고 있다는 말과 다르지 않다.

III

모두가 자신의 내면에 불성을 지니고 있지만, 그 사실을 깨닫지 못하고 있는 사람들을 위하여 시인은 가르침을 주고자 한다.

> 사람들이여, 나는 내가 당신들을 얼마나 좋아하는지 말할지도 모르오, 그러나 할 수 없소,
> 그리고 나의 내면에 있는 것 당신들의 내면에 있는 것이 무엇인지 말할지도 모르오, 그러나 할 수 없소,
> 그리고 내가 가진 그 갈망, 내 밤들과 낮들의 맥박을 말할지도 모르오.
>
> 보시오, 나는 강의를 하지도 사소한 자선을 베풀지도 않소,
> 나는 줄 때 나 자신을 주오. (991-5행)

휘트먼은 자신이 불성을 지니고 있다는 사실을 인식하지 못하고 있는 사람들에게 그들은 사랑하며, 그들에게 자신이 알고 있는 사실을 알려주고자 한다. 그러나 그는 말을 앞세워 권고하지도 않고, 값싼 도움을 베풀려고도 하지 않는다. 시인은 사소한 자선이나 동정을 베푸는 것이 아니라 자신을 바쳐 그들을 깨닫게 하려고 한다. 시인은 그들에게 자신의 전부 즉 자기 자신을 준다. 타인을 위하여 자신을 주는 것, 자신을 희생하는 것은 큰 자비심이 있기 때문이다.

다음의 인용문은 불교에서 말하는 자비가 어떤 연유에서 베풀어지는가를 보여준다.

대승보살의 자비행은 모든 존재는 공(空)이라는 반야의 공관에서 비롯된 것으로, 개별적 존재에 대한 집착이 사라지면 너와 나는 절대적으로 분리된 존재가 아니라 한 몸의 다른 면일 뿐이다. 다시 말하여 일체의 사물이 차별되지 않고 절대적으로 공이라면, 모든 사물은 공이라고 하는 점에서 동등한 일체(同體)이며 대비(大悲)는 이 같은 경지에서 실현될 수 있다(불교교재편찬위 143).

앞에서 살펴보았듯이 시인은 자신과 주변의 모든 사람과 동물, 심지어는 식물들까지 불성을 지니고 있다는 점에서 동일함을 인식하고 있으므로, 자신을 개별적 존재로 생각하지 않는다. 자신에 대한 집착이 없으므로 남들을 자신과 동일하게 생각하고 그들에게 자비를 베풀고자 한다.

시인은 나와 남을 구별하지 않으므로 자신이 자비를 베푸는 대상을 구별할 필요도 없고, 자신이 소유한 것을 아까워하지도 않는다. 그러므로 그는 자신이 가진 것은 무엇이든 줄 수 있다. "나는 내가 가진 것은 무엇이든 준다"(1000행). 시인이 자신의 모든 것, 즉 자기 자신을 주는 대상은 어느 특정한 사람이 아니다. 누구든지 자신의 도움이 필요한 사람에게 자신의 모든 것을 준다.

시인은 여러 부류의 사람들을 열거함으로써 자신이 자비를 베푸는 대상이 자신의 자비를 필요로 하는 모든 사람임을 밝힌다.

나는 당신이 누구인지 묻지 않소, 그것은 나에게 중요하지 않소,
당신은 아무 것도 할 수 없고 될 수도 없소 다만 내가 당신을 감싸는 것 이외엔.

면화농장의 일꾼이나 화장실 청소부에게 나는 기울이고,
. . . .
수태하기에 적합한 여인들에게 나는 보다 크고 보다 영리한 아이들을 잉태시키고,
. . . .
죽어가는 사람 누구에게든, 나는 그리로 급히 가서 문손잡이를 돌리고,
. . . .
나는 떨어지는 사람을 잡아서 저항할 수 없는 의지로 그를 올리고,
. . . .
분명히, 죽음이 그대에게 손을 대지 못할 것이오,

　　· · · ·
　　나는 병자들이 누워 헐떡일 때 그들에게 도움을 주는 그이고,
　　그리고 강한 똑바로 선 사람들에게 나는 더 필요한 도움을 가져다주
　　오.(1001-22행)

시인은 자신이 자비를 베푸는 대상이 누구인지를 구분하지 않는다. 누구라도 그의 도움을 필요로 하는 사람은 그 대상이 된다. 면화농장의 일꾼, 화장실 청소부, 죽어가는 사람, 병든 사람 등 모두에게 자비를 베풀어주고자 한다. 시인은 누구든지 요구하기만 하면 그에게 자신의 풍부한 저장품을 나누어주겠다고 하면서, 자신이 갖고 있는 것은 무엇이든지 나누어주겠다고 한다. 이와 같은 결심을 할 수 있는 것은 시인이 모든 사물이 일체라는 사실을 깨닫고 자비심을 갖기 때문이다. 요구하는 사람이 누구든지 그를 알려고 하지도 않으며 감싸주겠다고 하는 시인의 말은 자신을 아낌없이 주는 무주상보시를 나타내며 또 한 편으로는 자신을 희생하여 타인을 구하고자 하는 보살도의 표현이다. 인간의 직업에는 귀천이 없고 그 존재 자체가 고귀한 것이기 때문에 시인은 가장 고된 노역을 하는 사람에게도 자신의 사랑을 아낌없이 나누어주고자 한다. 자신의 희생을 감내하며 그러한 일을 맹세하고 그것을 실천하는 것은 보살도의 구현이다.

　　이처럼 보살의 길을 가려고 하는 시인은 자신이라는 존재를 동서양의 여러 신들과 비교한다.

　　확대하고 적용하며 나는 오오,
　　처음부터 예전의 조심스런 행상인들을 능가하며,
　　나 자신이 여호와의 정확한 크기를 취하며,
　　크로노스와 그의 아들 제우스와, 그의 손자 허큘레스를 석판으로 인쇄하며,
　　오시리스, 아이시스, 벨루스, 브라마, 붓다의 초고를 사며,
　　· · · ·
　　그들을 현재의 가치로 단 한 푼도 더하지 않고 취하며,
　　그들이 살아있었고 그 시대의 일을 했음을 인정하며,(1026-34행)

　　자신을 바쳐 필요한 사람들에게 필요한 도움을 주는 시인은 자신이 "여호와의 정확한 크기"를 취하고, "크로노스와 그의 아들 제우스와, 그의 손자 허큘레

스를 석판으로 인쇄"하고, "오시리스, 아이시스, 벨루스, 브라마, 붓다의 초고"를 산다고 한다. 시인은 자신이 여호와와 같은 크기라고 말하여 자신이 기독교의 신과 같은 위치에 있고, 동서양의 여러 신들을 열거하여 그들과도 동등한 위치에 있음을 말한다. 동서양의 여러 신들은 그들의 시대에 그들의 역할을 충분히 했다. 그들도 남을 위하여 봉사하고 자신을 희생하는 삶을 살았다. 시인은 그들과 마찬가지로 자신을 희생하며 남을 위하여 봉사하는 자비의 삶을 영위하고자 하므로 그들과 자신이 본질적으로 다르지 않다고 생각한다. 아니 시인은 그들이 "깃털이 나지 않은 새들처럼"(1035행) 미숙했으므로 오히려 자신이 그들보다 우월하다고 생각하고 있다. 이는 오만에서 나오는 말이 아니라 천상천하 유아독존(天上天下 唯我獨尊)을 선언하는 말이다. 이 말은 오직 자신만이 이 세상에서 가장 고귀한 존재이고 남들은 무가치하다는 말이 아니다. 모든 사람, 모든 사물이 불성을 지니고 있기 때문에 각자 자신의 입장에서는 세상에서 가장 존귀한 존재라는 말이다. 그렇기 때문에 시인은 다른 모든 사람들, 사물들과 자신을 동일시하고, 그들에게 자신을 줄 수 있는 것이다. 그는 "내 자신 속에 보다 잘 채울 거친 신의 스케치들을 받아들이며, 그들을 내가 보는 모든 남녀들에게 자유로이 나누어 준다"(1036행)고 한다. 수 천 년 동안 존재한 동서양의 종교 사상을 자신의 내면에서 보다 낫게 발전시켜, 주변의 모든 사람들에게 나누어준다는 것은 그 핵심을 이해했으며, 이제 자신은 보살의 길을 가겠다는 다짐이다.

시인은 자신이 계속하여 노력할 것임을 "구심적이고 원심적인 그 무리들 중의 하나인 나는 여행을 떠나기에 앞서 책임을 벗어놓는 사람처럼 돌아서서 말한다"(1111행)고 한다. 한 번의 여행을 떠난다는 것은 해탈, 각성을 통해 윤회의 사슬에서 벗어남을 뜻한다. 그리고 책임을 내려놓는다는 것은 육체를 지닌 인간으로서 짊어지고 있는 서로에 대한 책임을 완수하겠다는 말이다. 시인은 현상계가 모두 공(空)함을 알았으므로, 그 현상계의 현란함에 매달려 삶을 낭비하지 않고, 해탈, 각성을 통해 영원한 삶을 얻고자 노력하려는 각오를 밝히는 것이다. 그러나 시인은 자신만 혼자서 해탈, 각성의 길로 나가는 것이 아니다. 그는 돌아서서 다른 사람들에게 그 길을 알려주고 함께 길을 가자고 권한다.

시인은 형제자매들을 부르며 영원한 삶의 여행을 떠난다. 여기서 형제자매들은 모든 인류를 일컫고, 영원한 삶은 영혼의 삶을 가리킨다.

> 나는 영원한 여행을 터벅터벅 걷소, (모두 와서 들으시오!)
> . . . .
> 나도, 다른 어느 누구도 당신을 위해 그 길을 여행해줄 수 없소,
> 당신이 그곳을 스스로 여행해야 하오.
>
> 그곳은 멀지 않소, 그곳은 손을 뻗으면 닿을 수 있소,
> 아마도 당신은 태어난 이후 계속 그곳에 있었으나 몰랐을 것이오,
> 아마도 그곳은 물 위에 땅 위에 모든 곳에 있을 것이오.(1202-15행)

시인은 자신의 삶이 영원한 여행임을 알고 있다. 현재의 육신의 삶이 끝난다 하더라도 해탈에 이르러 윤회의 수레바퀴에서 벗어나지 않으면 자신의 여행이 끝나는 것이 아니기 때문에 그는 영원한 여행을 하는 여행자이다. 그 여행은 자신이 몸소 길을 가야하고 다른 누가 대신하여 길을 가줄 수 없는 여행이다. 왜냐하면 그 여행은 영혼의 완성을 향해 가는 자신의 내면으로의 여행이기 때문이다. 자신의 영혼은 자신이 완성시켜야한다. 시인은 모든 사람들에게 자신과 더불어 여행을 떠나자고 한다. 이 여행을 위해 가는 길은 우리에게 불교의 팔정도[11]를 상기시킨다(Cowley xxv). 현실의 삶을 살면서 불교적인 수행의 길인 팔정도를 택하는 것은 대승불교의 보살이 행하는 수행방법이다. 대승불교의 큰 나룻배는 모든 영혼이 타고 피안으로 건너갈 수 있을 만큼 크다. 그러나 그 나룻배에 타는 것은 각자가 해야 할 일이고, 그 배에 타기 위해 치르는 요금은 팔정도이다. 팔정도를 수행하며 피안의 길로 나아가는 사람은 모두가 보살인 것이다.

함께 길을 간다고 하여 다른 사람들이 대신하여 길을 갈 수 없다. 우리가 인식하고 있었든 인식하지 못하고 있었든지 간에 우리는 나면서부터 영혼의 완성으로 나아가는 길을 가고 있었으며, 앞으로도 우리가 해탈에 이를 때까지 계속

---

11) 팔정도는 정견(正見), 정어(正語), 정업(正業), 정명(正命), 정념(正念), 정정(正定), 정사유(正思惟), 정정진(正精進)이다.

갈 것이다. 그 목적지는 멀리 있는 것이 아니라 자신의 내면에 있고 모든 사물들의 내면에 있으므로 손만 뻗으면 닿을 수 있다. 자신의 내면에 있는 불성과 모든 사물들의 내면에 있는 불성이 다르지 않으므로 어느 한 곳에만 도달하면 모든 곳에 도달하는 것이다. 이것이 해탈이고, 열반이다.

시인은 내면으로의 여행을 하면서 자신이 본 피안의 환상을 설명하며 다른 사람들도 그 길을 함께 가자고 권한다.

> 오늘 동트기 전에 나는 언덕에 올라 붐비는 천국을 바라보았소,
> 나는 내 영혼에게 우리가 이 구체의 포용자가 되고, 그 안에 있는 모든 것들
> 의 기쁨과 지식이 될 때, 우리가 충만해지고, 만족할지를 물었소.
> 그러자 내 영혼이 대답했소, 아니, 우리는 단지 그 높은 곳을 평탄케 하고
> 지나가며 그 너머로 계속 간다고.
>
> 당신은 또한 나에게 질문을 묻고 나는 듣소,
> 나는 내가 답할 수 없고, 당신이 스스로 발견해야 한다고 답하오.(1220-24
> 행)

시인은 자신이 새벽이 오기 전에 산에 올라가 군중들이 붐비는 천국을 보았다고 한다. 시인은 개념적으로 아니면 체험적으로 이와 같은 피상적 인식을 얻었을 것이다. 이것이 궁극적인 깊은 반야가 아닌 것은 그 다음에 나오는 구절에서 명백해진다. 시인은 자신의 영혼에게 자신의 육체와 영혼이 그 구체들을 감싸게 될 때 자신이 충족되고 만족할 것인가 하고 묻는다. 그러자 그의 영혼은 그렇지 않다고 대답을 한다. 그러한 상태에 도달하는 것이 궁극적인 목표가 아니라 지나야 하는 과정에 불과하기 때문에 그 상태에서 충족되고 만족할 수 없다. 궁극적 깊은 반야는 지식이나 분별로 달성되는 것이 아니라 직관에 의해 달성될 수 있고 그러한 세계에서는 현상계와 공의 세계가 다르지 않다. 시인은 뭇사람들이 그 길로 가도록 권유하기 위하여 자신이 본 피안의 환상을 방편으로 제시하는 것이다.

자신이 어렵게 길을 가서 해탈에 이르면 다른 사람들을 도와서 그들이 쉽게 해탈에 이르게 할 수 있을까? 그것은 불가능하다. 우리가 길을 알려줄 수는 있

지만 그 길을 가고 안 가고는 그 사람에게 달린 것이고, 그 사람이 길을 간다고 해도 그 사람의 능력 여하에 따라 목표에 쉽게 도달할 수도 있고 그렇지 못할 수도 있기 때문이다. 그렇기 때문에 각자가 자신의 길을 가야한다. 시인에게 쉬운 길에 대하여 질문을 해도 그의 대답은 대답할 수 없다는 대답밖에 없다.『대반열반경』에서 붓다는 제자들에게 수행의 방법으로 각자 자기 자신을 등불로 삼고 자기 자신을 피난처로 삼으라고 설법했다(Varma 169). 시인이 여기에서 각자 스스로 길을 찾고 그 길을 가야 한다고 하는 것은 붓다가 말한 수행의 방법과 동일하다.

남을 위하여 자신을 희생하고 남을 돕는 일이 보살이 하는 일 가운데 가장 중요한 일이다. 보살은 아무 의미 없이 남을 돕기만 하는 것이 아니다. 그것은 그의 수행방법이다. 또한 보살은 다른 사람들로 하여금 진리의 길을 가도록 인도한다. 자신이 수행하는 것과 같은 방법으로 수행하면 그들도 자신과 마찬가지로 아니 자신보다 더 빨리 궁극적인 깊은 반야의 세계에 들어갈 수 있다, 즉 해탈할 수 있다고 알려주고 함께 길을 가도록 권유하는 것은 보살의 행함이다. 왜냐하면 보살의 자비행은 물질적인 보시가 아니라 정신적인 보시가 더 중요하기 때문이다. 현실의 어려움에 처한 사람들에게 물질적인 도움을 주는 것은 당장은 도움이 될 수 있다. 그러나 보다 큰 도움은 그들로 하여금 영혼의 구원을 얻도록 하는 것이다. 시인이 여기서 다른 사람들이 깨닫지 못하고 있던 열반의 세계로 이르는 길을 그 세계에 도달하는 과정에서 겪게 되는 천국의 환상을 제시하여 보여줌으로써, 그들이 그 길을 갈 결심을 하도록 촉구하는 것은 보살의 행동인 것이다.

이 작품은 시인이 자기 자신을 줌으로써 궁극적인 보살행을 행하는 것으로 끝난다.

> 나를 한 곳에서 놓치면 다른 곳에서 찾으시오,
> 나는 어딘가에서 당신을 기다리며 서 있소(1345-6)

자기 자신을 주는 것보다 더 큰 보시는 없다. 자신이 소유한 물질과 자신의 육체로 도와주는 것은 작은 보시이다. 시인은 도와준다는 의식도 없이 남을 돕고 그들의 어려움을 자신의 것으로 인식한다. 다른 사람의 아픔을 자신의 아픔으로 여기고 그들에게 자비를 베풀었다. 자신이 해탈에 이르지 못하더라도 다른 사람들을 해탈의 길로 이끄는 것보다 더 큰 보시는 없다. 자신을 희생하며 자신의 모든 것을 보시하며 해탈의 길을 가는 것이 보살의 행함이다. 여기서 시인은 자신의 해탈의 늦어지더라도 다른 사람들과 함께 그 길을 가기 위하여 걸음을 멈추고 기다린다. 이것은 보살의 길과 다르지 않다. 그는 궁극적으로 무주상보시를 하는 것이다.

IV

논의하는 과정에서 자연스럽게 밝혀졌듯이 모든 사람과 사물은 그 내면에 불성을 지니고 있으며, 이것을 충분히 각성하면 부처가 된다. 시인뿐만 아니라 모든 사람과 사물이 불성을 지니고 있으므로 모두가 부처가 될 수 있는 자질을 갖추고 있다. 시인은 이러한 불교적인 개념을 충분히 이해하고 있었으며 그 개념들이 이 작품에 표현되어 있다.

휘트먼이 이와 같은 불교의 지식을 얻은 과정은 분명하게 밝혀져 있지 않다. 그러나 그가 불교의 핵심을 알고 있음은 많은 방증과 작품의 내용을 통하여 증명되었다. 그가 자신의 사상을 형성하던 시기에 그의 주변에 동양사상이 상당히 널리 유포되어 있었으며, 그의 직업상 그 사상을 담은 서적을 접했으리라는 것은 충분히 짐작된다. 또한 그는 에머슨이나 쏘로우 등의 초절주의자를 통하여 간접적으로 자신도 모르는 사이에 동양사상을 흡수했을 가능성도 있다. 어찌되었든 그는 동양사상, 특히 불교사상을 이해하고 있었으며 그 핵심 교리가 그의 작품에 적어도 일부의 토대를 구성하고 있다.

본 논문에서 살펴본 불성과 보살도는 불교의 핵심 교리의 일부이다. 시인은 『나 자신의 노래』에서 불교적인 용어를 구사하지는 않았지만 불성과 보살도를 묘사하고 있다. 시인이 이해하고 표현한 불성의 개념은 정통 불교에서 말하는 불성의 개념과 다르지 않다. 모든 인간은 불성을 지니고 있기 때문에 기본적으로 신, 즉 부처와 동등하다. 보통 사람들은 그 불성을 각성하지 못한 상태에 있을 뿐이다. 누구라도 해탈하여 열반에 이르면 신과 같은 존재, 즉 부처가 된다.

그러므로 모든 생명체는 평등한 것이다. 그렇지만 이 세상에 있는 사람들과 사물들은 각자 처해 있는 위치와 입장이 다르다. 고통 받고 있는 경우도 있고, 보다 편안한 경우도 있다. 상대적인 입장이 보다 나은 자가 보다 못한 자에게 도움을 베풀어야 한다. 왜냐하면 대승 불교적 관점에서는 자신만의 해탈로 그치는 것이 아니라 모두가 함께 해탈의 길로 나아가야 하기 때문이다.

현상계가 나와 다르지 않고 내가 현상계와 다르지 않다. 즉 색불이공 공불이색이다. 현상계 자체가 바로 나이고 내가 바로 현상계이기 때문에, 즉 색즉시공 공즉시색이다. 그러므로 나를 사랑하는 것은 현상계의 모든 것들을 사랑하는 것이다. 시인은 이 작품에서 현상계의 모든 사물들을 지극히 사랑한다. 어려움에 처해 있는 사람들뿐만 아니라 모든 동물과 식물들까지 사랑한다. 이러한 지극한 사랑은 바로 자비이다. 시인은 자비심을 지니고 자신을 희생하여 주변의 모든 사물들에 대해 필요한 도움을 준다. 육체적, 물질적 도움만 주는 것이 아니라 정신적, 영적인 도움을 준다. 남을 위해 자신을 희생하고 남을 돕는 것은 불교에서 말하는 보살의 행함과 다르지 않다. 보살의 행함은 자신이 돕는다는 의식조차 하지 않고 자신의 모든 것을 바쳐서 돕는 것이다. 시인은 자기 자신 전부를 주며 다른 사람들로 하여금 자신이 가는 길, 즉 해탈의 길로 함께 나아가기를 촉구한다. 이러한 삶을 사는 것을 불교에서는 보살행이라고 한다. 시인은 타인에 대한 보살행을 동정이나 자선으로 행할 것이 아니라 지극한 자비심으로 행하라고 하며, 실제로 그러한 모범을 이 작품에서 보여준다.

휘트먼은 인간뿐만 아니라 모든 생명체, 나아가 모든 무생물도 불성을 지니고 있으며 다만 해탈에 이르지 못한 상태에 있다고 인식하고 있다. 그는 다른 사람들과 사물들이 자신과 마찬가지로, 아니 자신보다 앞서서 궁극적인 깨달음에 이르도록 하기 위해서 자기 자신까지 주는 무주상보시를 행함으로써 보살의 길을 밝혀주었다. 시인은 자신의 출발점이 최초의 "무"(1149행)였다고 말한다. 여기의 "무"는 태초의 무, 궁극적인 무로서 유무의 구분을 뛰어넘은 무이다. 이제 그는 그 무의 상태로 되돌아가고 있다. 그는 보살행을 행함으로써 해탈의 길로 나아가고 있는 것이다.

🌱 인용문헌

박희선. 『선의 탐구: 증도가의 세계』. 서울:홍법원, 1982.

불교교재 편찬 위원회. 『불교사상의 이해』. 동국대학교 불교문화대학, 1997.

심인보. 『현대 미국시인론』. 서울: 한신문화사, 1998.

이청담. 『해설 반야심경』. 서울: 보성문화사, 1988.

중촌원, 삼지충덕. 혜원 역. 『바웃드하: 불교』. 서울: 김영사, 1990.

Varma, Vishwanath Prasad. 김형준 역. 『불교와 인도사상』. 서울: 예문서원, 1996.

Allen, Gay Wilson & Folsom, Ed, eds. *Walt Whitman and the World*. Iowa: U of Iowa P, 1995.

Bradley, Sculley & Blodgett, Harold W. eds. *Leaves of Grass*. New York: W.W. Norton, 1973.

Cowley, Malcolm, ed. *Walt Whitman's Leave of Grass*. New York: The Viking P, 1959.

Creenspan, Ezra, ed. *The Cambridge Companion to Walt Whitman*. New York: Cambridge UP, 1995.

Keenan, Randall. *Walt Whitman's Leaves of Grass*. New York: Monarch P, 1956.

Kim, Young-Ho. *Whitman and Han Yong-Un*. Seoul: Soongsil UP, 1987.

Miller, James E. Jr. ed. *Complete Poetry and Selected Prose by Walt Whitman*. Boston: Houghton Mifflin, 1959.

Paul, Sherman. *Six Classic American Writers*. Minneapolis: U of Minne- sota P, 1970.

Pearce, Roy Harvey ed. *Whitman: A Collection of Critical Essays*. Engle- wood Cliffs, N.J.: Prentice-Hall, 1962.

Price, Kenneth M. ed. *Walt Whitman: The Contemporary Reviews*. New York: Cambridge UP, 1996.

18

신앙적 성숙: 흑인 민족과 마야 앤젤로우

| 김명옥 |

I

미국을 중심으로 형성된 흑인 작가들의 문학 세계는 백인의 그것과는 어쩔 수 없는 차별성이 있다. 이들은 미국의 전통적인 문학의 틀을 의식하고 모방하면서도 한편으로는 그들만의 고유한 역사적 배경과 민족사를 의식하고 이를 문학으로 표현하려는 이중적인 과제를 안고 있기 때문이다. 인간 본연의 실존적인 갈등과 고뇌 이전에 백인 사회에서 뿌리를 내리면서 겪었던 흑인의 민족적 수난사는 흑인 작가들이 의식 혹은 무의식 속에 간직하고 있는 작품의 공통 소재이었으며 때로는 헤어나기 힘든 감정적 표출과 편견의 걸림돌로 그들을 지나치게 사로잡고 있었다고 할 수 있다. 그런 이유로 문학이 순수 예술보다는 민족 해방이나 과거 역사 들추기의 수단으로 이용될 수 있었으니 이러한 경향은 흑인 작가 뿐 아니라 미국내의 소수 민족 작가들에게 공통적으로 나타나고 있다. 특히 흑인 작가의 경우 백인 작가들과의 차별성은 자연히 "가치, 이상, 역사적 선례 혹은 문학적 인유의 출처"(a source of values, ideals, historical precedent, or literary allusion)(Perkins 391)등에서 다른 양상을 보이고 있다. 더구나 문학에

---

* 『문학과 종교』 제 8권 2호(2003)에 실렸던 논문임.

서 다루어지는 신앙의 문제에서도 신앙적 감수성과 비중 그리고 강조되는 내용 면에서 백인들과 엄연한 차이를 보이지 않을 수 없다.

이처럼 백인 사회에서 작품활동을 해온 흑인 작가들은 대체적으로 인간의 보편적인 문제보다는 그들에게 시급한 현실 문제에 우선적인 관심을 두고 이를 문학 소재로 삼았던 만큼 백인 중심의 문학 전통에서 그들의 문학 활동은 자연히 변방으로 밀리고 그 중요성도 무시당할 수밖에 없었다. 그 한 예로는 17세기부터 최근까지의 미국 시의 발전을 섭렵하는 퍼스(Roy Harvey Pearce)의『미국시의 연속성』(*The Continuity of American Poetry*)이나 와거너(Hyatt H. Waggoner)의『미국 시인들: 청교도부터 현재까지』(*American Poets: From the Puritans to the Present*)에서 흑인 시인들의 작품을 전혀 언급하고 있지 않다는 사실만 보더라도 미국 문학의 전통 속에 흑인 작가의 시들이 소외되는 경향을 발견하게 된다. 이는 최근까지 여성 시인들이 미국 시 전통에서 특별 취급을 받아온 것과 유사한 사례라 할 수 있다. 그러나 다행한 일은 포스트모더니즘 시대에 그 시대적 특성상 역사적으로 변방으로 밀려나 있던 여성 문학과 소수 민족의 문학들이 제자리를 찾게 되고 세인의 관심과 연구의 중심으로 자리 매김 하면서 서서히 그 구체적인 양상과 특성들이 부각되고 있다는 점이다. 이 경우 그들에 대한 연구를 통해 우리는 대체로 두 가지 뚜렷한 양상을 발견하게 된다. 그 중 하나는 작가들의 관심이 자신들의 정체성 발견에 지나치게 치우친 나머지 그들의 관심이 특수 민족 혹은 특수층의 범위를 벗어나지 못하는 경우가 있고 또 하나는 자신의 정체성 발견을 발판으로 하여 그들의 시각이 점차 범인류적인 차원으로 확대, 발전해 가는 경우를 볼 수 있다. 물론 전자의 근시안적인 시각보다는 후자의 보편적인 시각이 문학사적 측면에서 더욱 바람직하지만 이는 취사선택의 문제라기보다는 문인 자신의 활동 시기와 개인의 역량에 따른 문제로 볼 수 있다. 이 논문에서는 현재 미국에서 활동하고 있는 흑인 여류 시인이자 전기 작가인 마야 앤젤로우(Maya Angelou)가 극히 개인적인 혹은 민족적인 문제를 소재로 다루면서 어떻게 그 범주에 안주하거나 얽매이지 않고 이를 보편적인 인간의 문제로 발전시키고 있는지를 주로 그녀의 시에 투영된 신앙적 시각을 중심으로 조명해 보고자한다. 이러한 추적은 가정이나 교육적인 배경으로는 자랑할 것이 없는 그녀를 흑인 작가로 혹은 존경받는 시민으로 당당히 설 수 있도록 한 그 힘의 근원이 바로 그녀의 기독교에 뿌리를 둔 신앙적인 성숙에서 온다는 사실을 밝혀 줄 것이다. 이러한 고찰에 앞서 그녀 이전의 흑인 시인들이 이루어놓은 시 전통의 흐름을 잠시 훑어보기로 하겠다.

II

이미 앞에서 언급한대로 흑인 시인들의 작품은 백인 시인들과는 그 "논제와 주제, 느낌과 관심"(Perkins, *From the 1890s to the High Modernism Mode* 391) 등에서 다르게 나타나고 있으며 흑인들 사이에서도 그들의 활동 시기에 따라 그리고 개인의 의식 정도에 따라 많은 차이를 보이고 있다. 예를 들면 1920년의 할렘 르네상스(Harlem Renaissance) 시기의 대표 시인인 랭스톤 휴즈(Langston Hughes)나 스터링 브라운(Sterling A. Brown)등은 흑인 특유의 영가(the Spirituals)나 블루스(the Blues), 재즈 혹은 흑인 민요에서 형식과 기법을 가져와 자기 민족의 경험, 생활 방식, 태도 등을 작품의 소재로 쓰고 있다면 그들과 동시대에 활동한 카운티 쿨렌(Countee Cullen)이나 브레잇웨이트(W. S. Braithwaith)같은 시인들은 자신들의 민족적인 주제보다는 당시 미국 전통 시의 형식과 느낌을 주로 다루고 있다(391-401). 특히 전자들은 흑인들의 방언이나 음악적인 가락을 시에 최대한으로 살려 흑인 문학의 정체성을 확립하고자 노력했다. 이러한 노력은 흑인들의 삶과 경험을 적극적으로 작품화하여 미국 시에서 흑인 시의 전통을 수립하고 감상적 틀에 머물던 그 이전의 흑인 시에 정통성의 근거를 마련하는 계기를 제공하게 된다(396). 이 시기의 민족 문학 운동은 브라운의 『남부의 길』(*Southern Road* 1932)의 출판을 정점으로 흑인 작가의 시들이 "새로운 차원의 관심과 우수성을 달성하였을 뿐만 아니라 다음 세대의 시인들이 그 위에 세우거나 혹은 그로부터 반발할 수 있는 전통과 정체성"(414)의 토대를 마련하는데 기여하게 되었다. 바로 이러한 할렘 르네상스 시인들이 세운 흑인의 시적 전통을 중심으로 그 이후의 흑인시인들은 때로는 토속적인 소재와 기법을 활용하거나 아니면 미국의 모더니즘시의 전통을 흡수하면서 활발한 시작 활동을 벌이게 된다.

모더니즘의 연장선에서 활동한 1960년과 1970년대는 미국 내에서 흑인 정치인들이 민족적 정체성을 실제생활 속에서 적극적으로 확립하려고 구체적으로 활약했던 시기인 만큼 비교적 자연스럽게 흑인의 자부심이 형성되면서 지나친 민족적인 아집이나 편견 없이 자유롭게 시 활동이 이루어질 수 있었다 (Perkins, *Modernism and After* 679). 특히 1970년대 중반까지 흑인 작가들도 민족이나 피부색에 대한 지나친 자의식이나 정치적인 열등감 없이 자연스럽게 개인의 삶을 솔직히 고백하면서 미국의 고백 시 전통에 합세하는 경향을 보이고 있다. 1960년대 후반에 마틴 루터 킹(Martin Luther King)이나 맬콤 엑스 (Malcolm X) 같은 민족 운동가에 의해 독립 의식이 뿌리를 내리면서 흑인들은 그 어느 때보다 민족적인 자긍심을 가지게 되었고 민족 문학으로 치우쳤던 문학인들도 지나친 민족적인 편견에 기울지 않고서 인간 본연의 실존적인 문제를 다루게 되었다는 점에서 흑인 문학의 진일보 발전을 이루게 된다. 왜냐하면 역사적으로 소외 계층의 진정한 해방은 타인으로부터 현실적인 구속에서 벗어나는 것뿐만이 아니라 편협한 자의식에서 비롯되는 열등감 내지는 우월감으로부터 해방하는 일이기도 하기 때문이다.

　　흑인 문학 속에서 종교 특히 기독교 신앙은 그들 삶의 특성상 중요한 소재가 되고 있다. 모든 인간의 해방을 목적으로 하는 기독교 신앙은 백인 사회에 억압당해 살아가던 흑인들에게는 그들이 의지할 수 있었던 개인 혹은 집단의 유일한 보루였던 만큼 그들의 정체성을 찾고 불평등의 상황에서 해방을 추구하는데 결정적인 영향을 주었다. 특히 미국 남부에서 인간의 존엄성을 상실했던 흑인들은 하나님의 도우심으로 이 굴욕적인 현실 세계를 그들의 최종 정착지인 천국으로 가는 순례로 생각하고 이 순례의 삶에서 고통과 아픔이 클수록 이를 인내로 참으면서 극복할 때 천국에서의 상급도 크다는 순교자적인 신앙을 가지고 살지 않을 수 없었다. 그러기에 바로 이러한 신앙적 삶의 자세는 문학의 소재로 다루어지기 이전에도 노예 생활 속에서 흑인들이 스스로를 위로하면서 부르던 민속 민요나 영가 속에 진솔하게 그대로 등장하고 있다.

　　그 한 예로 「아이들아 함께 걷자」("Walk together Children" *BP* 1)는 지치고 힘든 아이들을 달래면서 고단한 몸을 이끌고 말씀이 선포되는 약속의 땅으로

가면서 부르던 민요로 당시 흑인들의 유일한 위로가 무엇인지를 잘 보여주고 있다. 그들에게 "약속의 땅"(the Promised Land)은 바로 이스라엘 민족이 애굽에서 종의 삶을 청산하고 멀고 험한 사막을 지나 하나님이 이스라엘 백성에게 주겠다고 약속한 가나안 땅인 동시에 모든 믿는 자들에게는 현생을 마감하고 가는 천국이기도 하다. 현세의 삶이 괴로울수록 천국에 대한 소망이 더욱 간절할 수밖에 없었던 미국 땅에서 노예로 살아가는 흑인들은 하루 빨리 그곳으로 가고 싶은 소망을 간직하고 날마다 살아가는 순례의 삶이었다. "약속의 땅에서 커다란 야외 집회가 열린다"(There's a great camp meeting in the Promised Land)는 구절이 각 연의 후렴으로 반복되어 힘겨운 삶 속에서 말씀의 위로를 받고 싶은 소망을 잘 전하고 있다.

당시 힘든 노동으로 지친 몸을 달래면서 부르던 노래 중에서 특히 흑인 영가들(the Spirituals)은 힘든 노예의 삶으로부터 오직 위안자가 되시는 예수에게로 달아나고 싶은 간절함을 잘 표현하고 있다.

> 달아나라, 달아나라 몰래 예수님에게로 달아나라,
> 달아나라 집에서 몰래 달아나거라,
> 나는 여기에 오래 머물지 않을 테야.
>
> 나의 주님, 그 분이 나를 부르신다,
> 번개 소리로 나를 부르신다,
> 트럼펫이 나의 영혼 속에서 울린다,
> 나는 여기에 오래 머물지 않을 테야.
>
> Steal away, steal away, steal away to Jesus,
> Steal away, steal home,
> I ain't got long to stay here.
>
> My Lord, He calls me,
> He calls me by the thunder,
> The trumpet sounds within-a my soul,
> I ain't got long to stay here. (*BP* 27)

온갖 학대와 힘든 노동으로부터 몰래 도망하여 피신할 곳은 오직 주님 품임을 고백하는 이 노래에서 "천둥"과 "나팔 소리"는 성경에서 인간에게 들려주는 하나님의 음성이기에 육신의 귀로 그리고 영혼 속에서 그 분의 음성을 들으면서 영혼의 본향으로 달아나고 싶은 애절한 심정을 동일한 구절의 반복으로 잘 표현하고 있다. 이 세상에서 죽어 마침내 자유를 얻은 것을 감사하는 「나는 마침내 자유하여 하나님께 감사 하네」("I Thank God I'm Free at Las'")는 죽어서 힘든 순례의 삶을 마감하고 본향인 하늘나라에서 그토록 그리던 자유를 얻어서 감사하다(Way down yonder in de graveyard walk,/ I thank God I'm free at las')(31)는 보다 적극적인 신앙 고백을 수식 없이 진솔하게 잘 보여준다.

이러한 흑인 민요나 영가의 노래가 아니더라도 할렘 르네상스 시대의 시인들 중에는 이 세상 삶보다 내세의 위로를 사모하는 내용을 주제로 한 시들이 많다. 그러나 그 중에는 신앙적으로 힘든 현실을 도피하려는 소박하고 수동적인 내용도 있지만 백인에 대한 증오와 흑인들의 해방의 필요성을 보다 적극적으로 표현한 시가 더 많다. 클라우디 맥케이(Claude McKay)는 이 세상을 복수의 천사가 불살라 거대한 자궁 같은 땅속으로 삼켜지기를 소원하고 자신들을 노예의 삶에서 해방시켜 달라고 주님께 부르짖는 절규를 그리고 있다("Enslaved" 62). 할렘 르네상스 시대의 대변자인 휴즈 역시 「주님밖에 누가?」("Who But the Lord?" 81)에서 자신을 쫓는 백인 경찰을 "살아있는 지옥"(the living hell)이라 부르고 「호랑이」에서는 백인을 자유와 빛의 날이 곧 임한다는 거짓말로 흑인의 목을 물고 피를 빨아먹는 흡혈귀 같은 "호랑이"에 비유하면서 백인들의 위선을 고발한다("Tiger" 62). 백인에 대한 증오와 하나님께로 도피를 직설적으로 묘사하는 이 시대의 작품들은 대부분 백인에 대한 적개심을 그대로 노출하고 있을 뿐 아니라 그들의 신앙적인 태도 역시 고난으로부터의 탈출과 복수를 호소하는 초보 단계에 머물고 있다. 하나님의 말씀 위에 국가 건설의 기초를 세운 백인이 저지르는 신앙적인 부조리를 고발하는 흑인 또한 "눈은 눈으로, 이는 이로 갚는"(레 24:20) 응징의 신앙에 머물고 있어 그리스도의 용서나 사랑과는 거리가 멀다. 이러한 단계에서는 학대하는 백인이나 이들을 원수로 고발하는 흑인 모두 격앙된 대립구도에 얽혀 화해나 용서의 기회를 찾기 힘든 상태이기에 그 어느 편도 "내가 너희를 사랑한 것 같이 너희도 서로 사랑하라"(요 13:34)는 예수님의 "사랑과 용서"의 말씀과는 거리가 먼 미성숙의 자세를 보여 신앙적으로 자유로운 모습을 보여주지 못한다.

그러나 본템스(Arna Bontemps 1902-)의 「흑인이 추수를 말 한다」("A Black Man Talks of Reaping")는 백인의 착취를 고발한다는 점에서는 상위의 시인들과 일치하지만 그러한 주제를 세련된 은유와 시어로 다루어 시인의 격앙된 감정을 절제된 어조로 다스리고 있어 신앙 면에서나 문학의 기법 면에서 한 단계 성숙한 면모를 보이고 있어 주목을 끈다.

> 나는 캐나다로부터 멕시코까지 줄지어 땅에
> 넉넉히 심기 위해 씨를 뿌렸으나
> 추수한 것으로 내놓을 수 있는 것은 고작
> 당장 손에 쥘 수 있는 것이 전부이다.
>
> 내가 씨 뿌려 과수원이 소출한 것을
> 내 형제의 아들들이 줄기와 뿌리 채 거두고 있다.
> 그러니 뿌리지 않은 밭에서 우리 아이들이
> 이삭을 줍고 쓴 열매를 먹는 것은 놀랄 일도 아니다.
>
> I scattered seed enough to plant the land
> in rows from Canada to Mexico
> but for my reaping only what the hand
> can hold at once is all that I can show.
>
> Yet what I sowed and what the orchard yields
> my brother's sons are gathering stalk and root;
> small wonder then my children glean in fields
> they have not sown, and feed on bitter fruit. (*BP* 94)

'뿌린 대로 거둔다'는 성격적 진리에 순종하여 풍성한 결실을 꿈꾸면서 열심히 물가에 뿌리고 싶었으나(I have sown beside all waters in my day) 결국 거둔 것은 한줌의 곡식 뿐이며, 성경의 말씀과는 달리 뿌리지 않은 자들이 모두 거두어 가는 삶의 모순을 성격적 은유를 활용하여 매우 절제된 어조로 고발하

고 있다. 이 시는 심은 자가 거두지 못하는 비극적 상황을 고발하면서 시인은
수고하지 않은 자가 과수원의 소산뿐 만 아니라 줄기와 뿌리까지 몽땅 거두어
가는 삶의 아이러니를 감정적인 노출 없이 이야기한다. 이 시가 백인에 대한 증
오를 고발하는 대신 성경적 진리가 전도된 냉혹한 현실을 은유와 절제된 시어
로 표현한다는 점에서 그 이전의 시들과 차별성을 보인다. 이 시에서 남이 심은
것을 송두리째 빼앗아 가는 장본인들을 "나의 형제들"라고 표현하여 그들을 미
워할 수 없는 신앙적인 갈등이 숨어 있다. 원수를 포함한 이웃을 모두 사랑하라
는 성경적 진리를 수용해야하는 신앙인의 딜레마는 사실 예수의 십자자의 희생
이 원수 사랑의 절정의 모델이라면 내 자식들이 굶주려야하는 현실 속에서 그
모델을 따르기란 쉽지 않다. 악을 선으로 갚으라는 예수님의 적극적인 신앙이
실제 삶에서, 그리고 좀더 나아가 문학 속에서 실천되기 위해서는 좀더 많은 시
간을 기다릴 수밖에 없었으니 바로 이러한 신앙적 성숙을 우리는 이 시대에 살
고 있는 흑인 여류 시인인 마야 앤젤로우의 삶에서 그리고 그녀의 시에서 발견
하게 된다.

III

하버드 대학에서 석사학위를 받은 브라운은 『남부의 길(1932)』에서 매우
감동적인 시들을 발표하고 있다. 이 시집에서 그는 주로 흑인의 토착어를 사용
하여 민요풍의 시를 쓰고 있는데 그 중에서 우리는 특히 「강한 사람들」("Strong
Men")에 주목할 필요가 있다. 이시는 표준 영어의 진술과 흑인 고유의 토속어
로 된 민요와 흑인 영가를 교대로 병치시켜 학대하는 백인들에게 노래와 웃음
으로 응대하여 승리하는 피지배계급의 피맺힌 민족사를 잘 그려주고 있다. 특
히 이 시에서 주목할 점은 학대하는 백인과 학대받는 자의 상황이 뒤바뀌는 기
독교적 역설의 진리를 잘 보여준다는 점이다. 잔인하게 학대하는 백인들은 그
당당하던 모습이 차츰 불안의 상태로 바뀌는 반면에 흑인들은 백인들의 학대의
정도가 심해질수록 오히려 웃음과 노래로 그 아픔을 인내하면서 점점 강해지고
있다.

그들은 너를 그들의 부엌에 가두었고
그들은 너를 공장 안에 감금했다.

. . . .

너는 노래했다.
　나와 내 아기는 빛나고 있어요, 빛나요
　나와 내 아기는 빛나고 있어요.
　　강한 사람들이 계속 오고 있다
　　강한 자들이 점점 더 강해진다.

. . . .

한 가지를 그들은 금할 수 없다 —
강한 자들이 ...오고 있다
강한 자들은 더욱 강해지고 있다...

They cooped you in their kitchens,
They penned you in their factories,

. . . .

You sang:
　Me an' muh baby gonna shine, shine
　Me an' muh baby gonna shine.
　　The strong men keep a-comin' on
　　The strong men git stronger....

. . . .

One thing they cannot prohibit —
　　The strong men...coming on
　　The strong men gittin' stronger...(*BP* 114-5)

　　흑인 아내를 빼앗고 쇠사슬에 묶어 팔아서 소처럼 낙인을 찍고 회초리로 때
리면서 짓밟지만 묵묵히 영가를 부르면서 웃는 흑인들은("You followed a way./
Then laughed as usual.") 오만한 자들의 핍박이 심해질수록 오히려 더욱 강인해
진다. 백인은 이웃인 흑인을 짐승처럼 학대하여 그들의 신앙인 기독교의 교리
를 더럽혔지만 자기들이 더럽힌 기독교를 흑인들에게 가르침으로써("They
taught you the religion they disgraced.") 낮아진 흑인들의 주인 되신 예수님은
그들을 강하도록 높이셨다. "세상의 약한 것들을 택 하사 강한 것들을 부끄럽게
하려 하시는"(고전 1:27) 가르침 그대로 약한 흑인들은 점점 강해지고 반면에

짓밟는 백인들은 자기들의 조상들이 부르던 신앙의 영가로 그리고 웃음으로 응대하는 흑인 앞에서 불안과 공포로 떨고 있다("They heard the laugh and wondered;/ Uncomfortable;/ Unadmitting a deeper terror..."). 백인들은 마치 예수님 당시에 율법으로 기독교인들을 정죄하던 유대교인들처럼 각종 금기로 흑인을 속박하지만 그럴수록 그들은 속박의 어둠 속에서 빛을 발한다. 백인들의 학대와 멸시를 분노와 미움으로 갚는 대신 웃음과 기쁨으로 인내하는 흑인들은 빛으로 오신 예수님처럼(요 1:4-9) 갇혀서도 빛날 수 있는 신앙적 승리를 보인다. 바로 이러한 신앙적인 승리를 우리는 마야 앤젤로우의 삶 속에서 그리고 그녀의 작품에서 발견하게 된다.

현재 미국에서 왕성한 작가로서 그리고 다양한 재능을 살려 다방면의 예술인으로 활동하고 있는 흑인작가 마야 앤젤로우는 현재 문인으로, 교수와 강사로 주로 활동하고 있으며 특히 연설 및 강연 등으로 대중에게 미치는 그녀의 영향력은 매우 크다 하겠다. 많은 미국인들의 사랑을 받는 오늘이 있기까지 그녀의 신앙이 그녀의 아픔과 고난을 사랑과 포용의 능력으로 승화시키는 역할을 하고 있음을 그녀의 삶과 시를 통해 섭렵해 보기로 한다.

그녀의 개인 삶은 민족적 고난 사 만큼이나 험난했다. 백인 사회에서 흑인 여자로 태어난 그녀는 8세에 어머니의 남자친구에 의해 강간당하는 불행과 16세에는 사생아를 낳아 미혼모로 아이를 혼자 키우면서 겪은 생존적 고난은 자칫 타락의 나락으로 떨어질 수도 있었으나 그녀 주변에서 그녀를 믿음으로 돌보던 '선한 사마리아인'(눅 10:30-37)이 있었으니 독실한 기독교인인 외할머니가 그 중 한 분이었다. 마야가 일정한 주거지 없이 이혼한 어머니와 외할머니 사이를 오가면서 성장하던 8살 당시 어머니의 남자 친구로부터 폭행을 당한 사건으로 그녀는 거의 5년 동안 말을 못하는 실어증으로 최악의 위기를 겪게 되고 (Pettit 20-21) 바로 이러한 위기에서 그녀를 회복시켜 준 사람이 바로 외할머니인 애니 헨더슨(Annie Henderson)이었다.

당시 말 못하는 손녀딸의 머리를 빗겨 주면서 할머니는 "이 할미는 네가 말을 하지 않아도 아무렇지 않아. 할미는 사람들이 너를 틀림없이 백치거나 멍텅구리라고 말해도 개의치 않아. 얘야, 왠지 아니? 이 할미는 선하신 주님이 언젠

가 너를 설교자로 준비하실 것이라는 것을 알고 있지."[1] 라는 위로의 말로 당시
로는 상상하기 힘든 미래의 꿈을 그녀에게 심어 주곤 했다. 한 마디 말도 못하
는 손녀딸이 장차 대중 앞에서 설교하는 모습을 믿음의 눈으로 바라보면서 그
아픈 상처를 감싸주던 할머니의 격려는 믿음을 가진 자만이 가능한 신앙적 비
전이었다. 이는 마치 아들 하나 없는 아브람(Abram)에게 하늘의 별만큼 많은
자손으로 큰 민족을 이루도록 하겠다는 하나님의 비전적 약속과 다를 바가 없
다(창 15:1-5). 실제로 할머니의 이러한 예언은 수십 년 후에 그대로 실현되었
다. 후일 영어를 포함한 6개 국어를 능숙하게 구사하면서 웨이크 퍼레스트 대학
(Wake Forest University)에서 미국 학을 가르치는 평생 교수로 일하고 있는 그
녀는 1993년 클린턴 대통령의 취임식에서 자작 축시인 「아침이 고동칠 때」
("On the Pulse of the Morning")를 낭송하는 시인으로 뽑혀 세계가 주목하는 가
운데 가히 미국을 대변하는 시인이자 엘리트를 대상으로 많은 강연에 초청을
받는 명사가 되었으니 할머니의 신앙적인 꿈은 현실로 실현된 셈이다.

그녀가 살면서 늘 어두운 현실에 좌절하지 않고 그 너머에 펼쳐질 미래를
바라볼 수 있었던 것은 바로 믿음의 눈으로 현실의 어려움을 극복하는 할머니
의 신앙의 힘을 배웠기 때문이었다[2]. 그녀는 구름 너머에 늘 존재하는 찬란한
태양이 있다는 것과 하나님은 그 사실을 증거 하는 약속의 징표로 하늘에 '무지
개'를 두셨으며 우리 모두는 구름처럼 어두운 현실에서 좌절한 이웃에게 바로
그러한 소망의 "무지개"가 되어야한다고 역설한다. 그녀의 신앙적인 신념을 담
은 「태양이 더 이상 빛나지 않을 것처럼 보일 때 하나님은 구름 속에 무지개를
놓으셨네」("When it Looked Like the Sun Wasn't Going to Shine Anymore, God
Put a Rainbow in the Clouds.") 라는 자작 산문시는 바로 그 제목처럼 어둠이
덮인 현실 속에서 희망찬 미래를 예비하시는 하나님의 계획을 바라보는 마야

---

1) 마야 엔젤로우 박사, "저명한 애니 클락 태너 강연", 《제 16차 생존가족 년 회의》 웨버 주
   립 대, 1997년 5월 8일, http://departments.weber. edu/.../angelouspeech.htm p.12. 앞으로의 인용
   은 *ACT Lecture*로 표기함.
2) 마야는 웨버주립대학(Weber State University, 1997)의 명예박사학위 수여식의 강연에서 네 명
   의 대통령과 5분의 영부인 그리고 콜린 파월 장군(General Colin Powell)이 모인 대통령 정상회
   담에 격려사를 위해 초청 받은 사실을 밝히면서 이 모든 것이 오래 전에 돌아가신 할머니의
   신앙적인 믿음의 결실임을 밝히고 있다(*ACT Lecture* 11).

자신의 신앙적 혜안을 그대로 보여주고 있다(*ACT Lecture* 1). 이처럼 할머니에게서 배운 마야의 '무지개' 신앙은 바로 백인 사회에서 굴욕적인 노예처럼 살았던 흑인들을 지탱해준 힘이었으며 모든 희생을 감수하면서 자손을 지켰던 흑인 여성들을 힘이었다는 사실을 깨닫게 하였으니 마야는 이를 자신의 시속에 담고 내고 있다.

그녀는 종종 자신과 민족의 아픔과 동일시하면서 대비시킨다. 그녀의 조상들이 생활고의 아픔을 웃음과 노래로 달래면서 자신의 낮아진 삶을 수용했듯이 그녀 역시 눌리고 천대받는 삶을 웃음으로 삭이면서 그로부터 해방하기를 원한다.

이 민족의 삶 속에서 60년
내가 돌본 아이가 나를 소녀라 부르고
나는 일을 위해 "네, 마님"이라 대답한다.
너무 거만하여 굽힐 수 없고
너무 가난해서 캘 수도 없으니
내가 나를 생각하면
배가 아플 때까지 웃는다.

나의 백성은 나의 옆구리를 찢게 할 수 있다.
너무 심하게 웃어서 나는 거의 죽게 되었다
그들의 이야기는 오직 거짓말 같다
그들은 과일나무를 키우지만
껍질만 먹는다.
내가 내 민족을 생각하면
울 때까지 나는 웃는다

Sixty years in these folks' world,
The child I work for calls me girl,
I say "Yes ma'am" for working's sake.
Too proud to bend,
Too poor to break,
I laugh until my stomach ache,
When I think about myself.

My folks can make me split my side,
I laughed so hard I nearly died,
The tales they tell sound just like lying,
They grow the fruit,
But eat the rind,
I laugh until I start to crying,
When I think about my folks. (*CP* 29)

「내가 나 자신을 생각할 때」("When I think of myself")라는 이 시의 제목처럼 시인은 돌보는 어린아이에게 "예 마님"이라는 존대를 해야 하는 자신의 치욕적인 삶과 과일나무를 키워도 과일 껍질밖에 먹지 못하는 동족의 수치를 동일한 아픔으로 느낀다. 그리고 그 아픔을 인내하기 위해 웃는 화자의 웃음은 울음 이상의 아픔을 전한다. 거의 숨넘어갈 듯이 옆구리가 터지도록 웃으면서 인간적인 굴욕과 아픔을 안으로 끌어안고 참으려는 모습에서 우리는 웃음과 노래로 스스로의 아픔을 달래던 마야 조상들과 백인 사회에서 가게를 운영하면서 백인들에게 비굴할 정도로 봉사하던 마야 할머니의 모습을 엿보게 된다(Lupton 58). 시인은 이 시에서 흑인으로 겪어야하는 현실적인 굴욕을 용서라는 적극적인 행동으로 통제하지는 못하나 대신 웃음으로 인내하는 모습에서 흑인의 삶의 지혜를 표현하고자 한다. 이 시가 그녀에게 퓰리처상을 안겨준 최초의 시집 『내가 죽기 전에 시원한 물 한 모금 주세요』(*Give Me a Cool Drink of Water 'fore I Diiie* 1971)에 실린 점으로 미루어 아직은 자신과 동족의 비극적인 삶을 사랑으로 포용하기에는 시기적으로 이르다 하겠다.

한편 4년 뒤인 1975년에 출간한 『제발 내 날개가 내게 꼭 어울리기를』(*Oh Pray My Wings Are gonna Fit Me Well*) 의 시집은 그 제목이 19세기 흑인 영가에서 따온 것으로 미루어 가슴에 새겨진 자신과 동족의 아픔을 보다 적극적인 노래로 달래고 싶은 시인의 마음과 함께 무거운 짐으로부터 해방되고 싶은 심정을 동시에 읽을 수 있다. 그리고 짐작한 대로 이 시집에 실린 「노인들에게 바치는 노래」("Song for the Old Ones")에서 우리는 그녀가 조국을 바라보는 시각이 첫 시집의 그것보다 성숙되어 있음을 발견하게 된다.

모두 창백하고 깊이 연소된
　　그들은 부러진 양초처럼 고개를 끄덕인다
　　그들은 말 한다 "오직 이해만이
세상을 돌아가게 하는 것"이라고.

그 주름잡힌 얼굴에서
　　나는 경매대를
　　쇠사슬과 사슬에 묶인 노예들을
채찍과 회초리와 개머리판을 본다.

우리 아버지들은 나의 현실과
　　소리를 갈기갈기 찢는 목소리로 말 한다
　　"우리의 순종만이
세상을 돌아가게 하는 것"이라고.
　·　　·　　·　　·　　·　　·

나는 그들의 뜻을 이해한다
　　죽음의 벼랑에 살면서
　　얻을 수 있었고 또 얻은 의미라는 것을
그들이 우리 종족을 생존케 했음을.

They nod like broken candles
　　all waxed and burnt profound
　　They say "It's understanding
That makes the world go round."

There in those pleated faces
　　I see the auction block
　　The chains and slavery'd coffles
the whip and lash and stock.

My fathers speak in voices
　　that shred my fact and sound
　　they say "It's our submission
that makes the world go round."
　·　　·　　·　　·　　·

        I understand their meaning
                it could and did derive
                from living on the edge of death
        They kept my race alive. (*CP* 108-9)

    노인들의 주름살 속에서 민족의 과거 아픔과 애환을 보는 화자는 그들의
"이해"와 "순종"이 세상을 움직이는 힘이었다는 말을 들으면서 조상들은 웃음
속에 감추어진 울음과 고통의 비명을 노래로 만든 것을 기억한다("They've
laughed to shield their crying/ ...to write the blues with screams"). 물론 처음에는
그들이 웃음과 노래로 아픔을 삭이면서 "이해"와 "순종"의 덕목을 실천하여 생
존할 수 있었다는 참 의미를 이해하기 힘들었으나 결국 그들이 생존할 수 있었
던 것은 악을 악으로 갚는 것이 아니라 모든 것을 이해하고 또 모진 학대에 순
종했던 신앙적인 지혜이었음을 깨달으면서 비로소 이해하게 된다. 이러한 깨우
침으로 바라본 자신의 조국 "아프리카"는 마야의 눈에 결코 미약하거나 힘없는
나라가 더 이상 아님을 알게 된다. 나아가서 조상의 신앙적인 겸손과 지혜는 오
히려 그들의 힘이라는 사실과 교만과 위선의 미국의 앞날에는 오히려 연약한
미래가 기다린다는 신앙적인 시각을 가지게 된다.

        하얗게 부서지는 바다 너머로
        희고 찬 서리가
        난폭한 약탈자가
        대담한 고드름이
        그녀의 어린 딸들을 데려갔고
        그녀의 튼튼한 아들들을 팔았고
        그녀를 예수님과 교회로 데려갔고
        총으로 피 흘리게 했다.
        그렇게 그녀는 누워있었다.

        지금 그녀는 일어나고 있다
        그녀의 고통을 기억하라
        패배들을 기억하라
        엄청나고 헛된 그녀의 비명을

그녀의 부유함을 기억하라
살해된 그녀의 역사를
비록 그녀는 누워있었으나
지금 그녀는 활보하고 있다.

Over the white seas
rime white and cold
brigands ungentled
icicle bold
took her young daughters
sold her strong sons
churched her with Jesus
bled her with guns
Thus she has lain.

Now she is rising
remember her pain
remember the losses
her screams loud and vain
remember her riches
her history slain
now she is striding
although she had lain. (*CP* 84)

　신앙적 눈으로 바라본 모국 "아프리카"가 과거에는 무기력하게 짓밟혀 누워있었으나 낮은 자로의 순종과 인내는 결과적으로 분연히 일어나 밝은 미래를 향해 걸어가는 모습을 비전의 눈으로 바라본다. 흑인들을 팔아넘긴 무자비한 약탈자를 마야는 계절적인 이미지인 서리, 고드름에 비유하여 그들의 삶의 역사를 불가항력의 운명으로 돌리려는 시인의 암시적 의도가 숨어있다. 역사적인 아이러니는 흑인을 팔아넘기던 그 장본인들이 자신의 교회로 흑인의 딸들을 데려갔고 바로 그 신앙의 힘으로 무기력한 노예들은 이제 당당히 미래를 향해 걸어가게 된 사실이다. 짓밟혀 무기력하게 누워있던 아프리카가 지금은 아픔과 패배를 극복하고 회생의 삶을 향해 미래로 활보하게 되었다면 반대로 신앙 위에 나라를 세웠던 미국은 그들의 오만한 행위로 인해 어두운 미래를 향해 가고 있다. 정의의 경계선을 무시하고 이웃을 학대하면서 풍요로운 땅의 결실을 가난한 이웃과 나누지 않은 탐욕과 오만의 죄("Her borders of justice/ not clearly defined/ Her crops of abundance/ the fruits and the grain/ Have not fed the hungry/ nor eased that deep pain" *CP* 85)로 얼룩진 미국의 "자랑스러운 선언서는/ 바람 타고 떨어지는 낙엽"(Her proud declarations/ are leaves on the wind)처럼 힘을 잃어 버렸다.

이러한 죄의 결과 "그 누구에게도 양도할 수 없는 권리"를 천명하면서 영국으로부터 자유를 선포했던 미국이 이제는 그 반대의 입장에 서있다. 흑인의 자유를 억압하는 상황에서 시인은 그들의 독립선언서 대신에 아무도 비난할 수 없는 "고상한 기념 판" 즉 신앙의 규범을 다시 세우고 이미 죽은 나라를 다시 찾으라고 경고한다.

> 이 나라를 찾으라
>> 죽은 수세기가 운다
>
> 고상한 계명 판을 세워라
>> 아무도 비난할 수 없는
>
> "그녀는 밝은 미래를 죽이고
>> 한 푼을 위해 강탈 한다
>
> 그 후 그녀의 아이들을
>> 거짓된 전설로 가둔다"

> Discover this country
>> Dead centuries cry
>
> Erect noble tablets
>> where none can decry
>
> "She kills her bright future
>> and rapes for a sou

Then entraps her children
    with legends untrue" (*CP* 86)

이처럼 하나님의 계명인 이웃 사랑을 무시한 힘센 나라 "미국"은 그들의 자손들에게 거짓된 역사 이야기를 가르쳐 그들의 밝은 미래를 죽이는 무서운 결과로 치닫고 있다. 「아프리카」와 「아메리카」의 역사의 진행 속에서 보여주는 서로 엇갈린 흥망의 모형은 이미 살펴본 할렘 르네상스 시기의 브라운의 「강한 사람들」과 유사하다. 이 두 시는 모두 하나님의 섭리에 근거하여 아무리 과거에 기독교의 기초 위에 나라를 세웠다 하드라도 현재 하나님의 말씀을 무시한 채 스스로 불순종의 길을 걷는다면 그 나라의 미래는 멸망할 수밖에 없다는 하나님의 보편적인 진리가 어느 나라 그리고 누구에게나 동일하게 적용된다는 사실을 보여주고 있다.

그녀는 미국에서의 흑인들의 삶을 예수님의 일생처럼 "봉사자의 역사"(the history of servers)로 표현한다. 이는 예수님의 고난이 거룩한 부활의 승리로 종결되었듯이 미국 내의 흑인들 역시 늘 섬기는 자리에서 모진 연단의 기간을 인내로 통과하여 승리할 것을 믿고 있다. 그녀는 스스로를 "나는 어느 곳도 하나님이 없는 곳이 없다고 확고히 믿는 신앙인이다"(Elliot 50)라고 고백한 것처럼 인류 모두에게 공통으로 적용되는 하나님의 진리에 초점을 두고 있기에 그녀는 지구상의 모든 인류에게 구름 저편에 태양은 여전히 비치고 있음을 알리는 "무지개"의 역할을 하기를 권고한다.

그녀의 세 번째 시집인 『여전히 나는 일어서리라』(*And Still I Rise* 1978)는 불굴의 의지로 어떤 어려운 불행에도 굴복하지 않겠다는 개인적인 결단을 보이는 시들을 포함하고 있다. 그 중에서 시집의 표제명인 「여전히 나는 일어서리라」("Still I Rise")는 그러한 불굴의 의지를 선포한 대표 시이다.

달처럼 해처럼
변함없는 조수처럼
힘껏 솟는 희망처럼
나는 일어날거야

·   ·   ·   ·   ·

그대는 나에게 말을 쏘아댈 수도 있지
눈으로 나를 난도질할 수도 있어
그대의 증오로 나를 죽일 수도 있어
그러나 나는 공기처럼 다시 일어나겠어.

.   .   .   .   .

역사의 수치스런 헛간에서
나는 일어설 테야
고통 속에 뿌리를 내린 과거로부터
나는 분연히 일어설 테야.

.   .   .   .

공포와 두려움을 뒤로 한 채
나는 일어서리라
놀랍도록 투명한 새벽 속으로
나는 일어서리라
나의 조상이 물려준 선물을 가지고
나는 노예의 꿈이며 희망이다.
나는 일어서리라...

Just like moon and the sun,
With the certainty of tides,
Just like hopes springing high,
Still I'll rise

.   .   .   .   .

You may shoot me with your words,
You may cut me with your eyes,
You may kill me with your hatefulness,
But still, like air, I'll rise.

.   .   .   .   .

Out of the huts of history's shame
I rise
Up from a past that's rooted in pain
I rise

.   .   .   .   .

Leaving behind nights of terror and fear
I rise
Into a daybreak that's wondrously clear
I rise

Bringing the gifts that my ancestors gave,
I am the dream and the hope of the slave.
I rise... (*CP* 163-4)

여기서 "너"는 "나"를 학대하고 짓밟는 백인 사회이면서 신앙적으로는 "우리 모두 속에 있는 파괴적인 요소"(the element in all of us which is destructive)(*Elliot* 113)인 '악마'의 세력이기도 하다. 바로 이런 세력 즉 과거의 수치스런 역사와 고통으로부터 그리고 현재의 '공포와 두려움'에 굴하지 않고 마치 자연의 섭리에 따라 어김없이 해와 별이 그리고 간만의 조수가 다시 솟아오르듯이 분연히 일어나 희망의 미래인 새벽을 향해 일어날 것을 결단한다. 공기가 결코 눌리지 않듯이 고통과 수치를 딛고 반드시 "일어나리라"는 반복적인 선포는 어쩌면 시인 자신과 민족을 향한 피맺힌 절규일 수 있다. 그녀가 스스로를 "노예의 꿈과 희망"이라고 밝힌 정체성은 바로 흑인사회에 그리고 미국 사회에서 희망의 징표인 "무지개"로 봉사의 의무를 다 하겠다는 숭고한 신앙적 다짐이기도 하다. 마야는 조상이 준 선물 즉 삶의 "이해와 순종"이라는 지혜를 가지고 희망의 미래를 향해 나아가리라는 결단은 끝까지 인내로 견디어 축복의 자리를 다시 찾은 욥처럼 승리할 것을 믿고 있다("Just like Job" 172).

그녀의 성장 과정 속에서 할머니 못지않게 "무지개"의 역할이 얼마나 위대한 것인가를 절감하게 해준 사람은 그녀의 외삼촌 윌리(Willie)였다. 그 삼촌이 죽은 후 마야가 방문한 고향에서 윌리 삼촌의 영향력에 말을 잃고 만다. 어릴 때 불구가 되어 평생 절름발이로 살았던 왜소한 삼촌은 많은 인재를 길러낸 숨은 일군이었다. 그의 도움으로 미국에서 최초의 흑인 시장이 나오고 희망 잃은 아이들을 도와서 존경받는 인물들로 키웠기에 그의 장례식에서 마을 사람들이 입을 모아 "미국은 윌리를 잃게 되어 한 위대한 인물을 잃은 것입니다"(*ACT Lecture*)라고 고백할 수 있었음을 보고 외모와는 상관없는 신앙의 위대함이 어떤 것인가를 실감할 수 있었다.

윌리는 명성도 없는 한 사람이었다.
거의 그의 이름을 아는 자가 없었다.

절름발이로 절뚝거리며 항상 절면서 걸어가는
그는 "나는 계속 가고 있어
늘 똑 같이 움직이면서"라고 말했다.

"나는 울 수도 있고 또 죽을 꺼야
그러나 나의 정신은 매년 봄의 영혼이다.
나를 기다리면 당신은 알게 될 꺼야
아이들이 부르는 그 노래 속에 늘 함께 있음을."

.   .   .   .   .

태양이 떠오르면
나는 시간이 된다.
아이들이 노래할 때
나는 시가 된다.

Willie was a man without fame,
Hardly anybody knew his name.
Crippled and limping, always walking lame,
He said, "I keep on movin'
Movin' just the same."

.   .   .   .   .

"I may cry and I will die,
But my spirit is the soul of every spring,
Watch for me and you will see
That I'm present in the songs that children sing."

.   .   .   .   .

"When the sun rises
I am the time.
When the children sing
I am the Rhyme." (*CP* 150-1)

남부 백인들의 무서운 린치의 위협 속에서 그것도 불구자로 살았던 윌리는 "나
는 아이들이 노는 놀이 속에서/ 살고 있다"(I'm living/ In the games that children
play)는 동문서답을 하여 사람들의 눈에 멍청하게 보이던 인물이었다. 그는 외
롭고 고통스런 삶 속에서도 죽지 않는 영으로 영원히 존재할 것을 믿고 있었기
에 현실적으로 어떠한 생명의 위협도 그를 좌절시킬 수 없었다. 위로 받아야할

그는 오히려 많은 자들을 위로하는 위로자가 되었고 자신의 출세가 아니라 이웃의 성공을 도왔으니 그야말로 예수님이 말씀하신 선한 '이웃'이었으며 늘 소망을 주는 '무지개'의 역할을 한 자였다.

마야 자신은 인간적인 고난이 클수록 그것이 신앙과 결부될 때 보다 더 큰 인격적인 성숙과 승리가 있다는 하나님의 섭리를 잘 알고 있었다. 그러기에 흑인 여성으로 태어난 생태적 조건은 역으로 남성보다 더 큰 시련과 희생을 요구받았으며 그 만큼 없어서는 안 되는 존재로 스스로의 정체성을 확고히 세울 수 있었다고 역설한다(Elliot 17). 바로 이러한 생각은 1990년에 발표한 『나는 움직이지 않으리라』(I Shall Not Be Moved)에 실린 비교적 긴 「우리의 할머니들」("Our Grandmothers")에 잘 나타나 있다. 이 시에서 마야는 흑인 어머니들의 인고의 삶의 역사를 존경의 시선으로 섭렵하고 있다. 그 이유는 인간적으로 그들이 우수한 재능을 소유한 것도 아니며 존경할 만 위치에 있기 때문도 아니다. 오직 어떤 위협에도 굴하지 않고 망부석처럼 "나는 결코 움직이지 않으리라"(I shall not be moved)고 계속 다짐하면서 자리를 지켜온 여인들의 삶이 민족의 생존을 가능케 했기 때문이다. 미국 전역으로 팔려 가는 위기 속에서도 ("Momma, is Master going to sell you/ from us tomorrow?/ Yes." CP 253) 어머니들은 한결같이 자리를 지키겠다고 다짐하고 자식들이 "어린 잡초"(young weeds)처럼 커갈 때 그들을 무지의 칼날에서 보호할 능력이 없어 배움을 찾아 육지로, 해상으로 뿔뿔이 보내면서 "너희가 배우면 가르쳐라./ 너희가 얻으면 주어라."(When you learn, teach./ When you get, give.)고 지혜로운 충고를 한다. 바로 이러한 지혜로운 충고와 우직한 희생의 결단은 하나님을 믿는 믿음에서 온 것임을 알 수 있다.

> 그녀는 바다 한가운데 서서 마른땅을 찾고 있었다.
> 하나님의 얼굴을 찾았다.
> 확신에 차서,
> 그녀는 봉사의 불을
> 제단에 올렸고 비록
> 신앙의 용광로 속에서 옷을 입은 채
> 성전의 문에 나타났을 때에도

어떤 표시판도
흑인 할머니를 환영하지 않았다.

She stood in midocean, seeking dry land.
She searched God's face.
Assured,
she placed her fire of service
on the altar, and though
clothed in the finery of faith,
when she appeared at the temple door,
no sign welcomed
Black Grandmother. (*CP* 255)

　흑인 어머니들은 위험한 바다 한가운데에서 살길을 찾았으며 확신에 차서 하나님의 도우심을 구하였다. 스스로를 하나님께 드리는 산 제물로 희생하려 했으니 이러한 믿음을 시인은 오직 하나님에 대한 믿음을 지키다가 풀무 불에 던져졌던 다니엘의 세 친구의 고난과 승리에 견주고 있다. 다만 성경의 인물들은 머리털 하나 다치지 않고 살아나 왔을 때 왕의 환호를 받았지만(다니엘 3:19-28) 마야의 어머니들을 환영하는 이는 아무도 없다. 그럼에도 불구하고 그들은 "아무도, 아니 백만의 사람 누구라도/ 감히 내게 하나님을 부인토록 못 한다"(No one, no, nor no one million/ ones dare deny me God)고 부르짖으면서 신앙적 절개를 다짐했다. 바로 그러한 힘은 그녀의 양편에서 자유의 길로 인도하시는 하나님(*CP* 255)의 능력에서 비롯된 것이며 어떤 고난 속에서도 믿음의 절개를 지켜갈 수 있었던 것은 하나님의 도움이 늘 그들과 함께 한다는 확고한 신앙 때문이었다. 자신의 인내와 신앙적 확신으로 버틴 삶의 종국이 자유로 가는 길임을 신앙의 힘으로 믿고 있었기에 늘 삶의 무대의 중심에 서서 학대 자와 비방자들을 향하여 노래 부른다(*CP* 256). 어떠한 경우에도 요동치 않고 자기 자리를 지키겠노라고. 마야 조상의 여인들의 이러한 결단은 결국 역사의 흐름을 흑인 해방의 길로 이끌어간 원동력이 되었고 그 원동력은 약한 자를 높이시고 강한 자를 부끄럽게 하시며 "세상의 천한 것들과 멸시받는 것들과 없는 것들을 택하사 있는 것들을 폐하려 하시는"(고전 1: 27-8) 하나님에 대한 믿음에서 온 것이다. 여인의 굳건한 신앙심에 바탕을 둔 흔들리지 않는 삶의 자세는 후렴처럼 반복되는 "움직이지 않으리라"(I shall not be moved)는 구절을 통해 잘 표현되고 있다. 바로 이러한 어머니들의 신앙적인 굳건함은 바로 마야를 포함한 자손들에게 "나는 일어서리라"는 불굴의 강인함으로 이어진 셈이다.

이처럼 마야가 자신의 민족이나 개인의 삶을 바라보는 신앙적인 시각은 신앙이 자기 위안이나 보호의 차원에 머무는 소극적인 믿음에 근거하지 않으며 원수까지도 사랑으로 품으려는 적극적인 신앙 자세에서 나온다. 그리고 개인의 삶에 안주하지 않고 범 인류의 신앙적 승리에 목표를 둔 성숙한 그녀의 믿음은 모든 생명체들이 하나님의 창조 섭리에 따라 하나의 생명의 고리로 연결되어 있다고 본다. 하나의 나무가 넘어지면 먼 산의 바위가 떨고 위대한 한 영혼은 죽어서 평화의 꽃으로 피어 열매 맺는다는 생각은 「영광이 하강 한다」("Glory Falls")에서 다루고 지고 있다. 그녀의 포기하지 않는 인간에 대한 신뢰는 십자가에서 예수님이 죽는 그 절망의 순간에도 하늘의 영광이 이 땅위에 임한다 ("God falls around us/ as we sob/ a dirge of / desolation on the Cross")는 믿음에서 비롯되기에 어떤 상황에서도 흔들리지 않는다.

이제 그녀는 자신의 동족을 그토록 학대한 미국을 자신의 조국으로 끌어안기를 서슴치 않는다. 그녀는 더 이상 자신과 동족을 과거사에 묶으려 하지 않는다. 왜냐하면 예수님은 한 민족이 아닌 모든 인류의 구원을 위해서 십자가의 고통을 감당하셨기 때문이다. 바로 이러한 희생과 봉사의 신앙이 그녀로 하여금 미국 국민을 대표하여 다음과 같이 외치게 한 동인이 되었던 것이다.

> 오라, 평화의 옷을 입고서
> 나는 나와 나무와 바위가
> 하나이던 때 창조주가
> 내게 주신 노래를 부르리라.
>
> ·　　·　　·　　·　　·
>
> 너의 눈을 들어
> 너를 위해 동터오는 날을 보라.
> 다시 꿈을
> 낳으라.

Come, clad in peace,
And I will sing the songs
The Creator gave to me when I and the
Tree and the Rock were one.

. . . . . .

Lift up your eyes
Upon this day breaking for you.
Give birth again
To the Dream. (*CP* 271-2)

　세계의 온 인류가 지켜보는 미국 대통령의 취임식에서 미국을 대표하여 마야는 과거 정복의 역사를 종식하고 창조주 하나님의 상징인 바위를 발판으로 다시 설 것을 그리고 생명의 말씀의 물가(시편 1:3)로 다시 모여 하나로 연합할 것을("The Rock cries out to us today,/ You may stand upon me.../ A River sings a beautiful song. It says,/ Come, rest here by my side.") 그리고 역사의 새로운 시작을 알리는 새벽을 맞이하여 다시 한번 '미국의 꿈'을 설계하자고 호소한다. 그 꿈은 결코 세속적인 성공의 꿈이 아니라 하나님의 말씀에 뿌리를 둔 참된 신앙의 꿈 즉 이웃에게 소망을 주는 '무지개'가 되는 '꿈'이며 온 인류가 사랑으로 하나 되는 신앙적 승리의 '꿈'인 것이다.

　이상으로 우리는 흑인 시인들의 정체성 확립을 신앙적인 측면에서 특히 흑인 작가인 마야 앤젤로우의 시를 통해 추적해 보았다. 그것은 백인과 흑인의 수평적인 대결 구도 속에 지배자와 피 피지배자의 정복과 복종의 논리가 아니라 창조주와 피조물의 수직 관계를 근간으로 원수까지도 하나로 끌어안는 기독교 신앙에서 가능하며 굴욕과 고통을 노래와 웃음으로 인내하면서 미래를 향해 굳굳이 전진하는 승리의 모습으로 나타나고 있다. 바로 마야의 시들은 어떠한 삶의 여건이나 상황도 절망이 아니라 신앙적 지혜로 인내하면서 이웃을 위해 열린 마음으로 봉사하는 흑인 민족 특히 흑인 여성들의 삶 그 자체가 바로 원수를 사랑으로 품는 예수의 마음이고 그 실천으로 이웃에게 소망을 주는 "무지개"의 삶임을 증언하고 있다.

🌱 인용문헌

Angelou, Maya. *The Complete Collected Poems of Maya Angelou.* New York: Random House, 1994. *CP*로 표기

Elliot, Jeffrey M. ed. *Conversations with Maya Angelou.* Jackson: The Mississippi UP, 1998.

Lupton, Mary Jane. *Maya Angelou: A Critical Companion.* Westport: Greenwood P, 1998.

Perkins, David. *A History of Modern Poetry: From the 1890s to the High Modernist Mode.* Cambridge: The Belknap P of Harvard UP, 1976.

_____. *A History of Modern Poetry: Modernism and After.* Cambridge: The Belknap P of Harvard UP, 1987.

Pettit, Jayne. *Maya Angelou: Journey of the Heart.* New York: Puffin Books, 1996.

Randall, Dudley. ed. *The Black Poets.* New York: Bantam Books, 1971. *BP*로 표기

Waggoner, Hyatt H. *American Poets: From the Puritans to the Present.* New York: A Delta Book, 1968.

"The Distinguished Annie Clark Tanner Lecture", 16th-annual Families Alive Conference. Weber State U (May 8 1997), p.1-21. http://departments.weber.edu/.../angelouspeech.htm

"Biography Information," p.1-6. http://www.mayaangelou.com/LongBio.htm

19

『수병, 빌리 버드』에 나타난 불교적 초탈과 그 한계

| 김정희 |

죽는다네, 모두 죽는다네!
풀은 죽는다, 그러나 봄날의 빗속에서
싹이 돋아 오르며 다시 살아난다;
다시 또 다시, 되풀이해서
그건 살고, 죽고, 그리고 다시 산다.
모두 죽는다고 한숨짓는 자가 누구인가?

멜빌의 시 "폰투수스"(Pontoosuce)에서

작가의 평판은 독자가 살고 있는 시대의 감수성에 따라 달라진다. 우리는 작가의 당대에는 평가받지 못했다가 후세에 그 중요성이 재평가되면서 집중 연구의 대상이 되는 경우를 자주 본다. 19세기 미국 소설가 허만 멜빌(Herman Melville)은 바로 그런 예이고 그에 대한 평가의 변화는 19세기와 20세기 간의 가치관의 변화를 잘 반영하고 있다. 19세기 말 출판된 미국문학 개관서인『미국문학: 1607-1885(*American Literature 1607-1885*)』은 호손 (Hawthorne), 쿠퍼 (Cooper), 포우(Poe) 등 멜빌의 동시대 작가들에게 각 각 별도의 장을 할애하여 논의한 반면 멜빌은 "군소 작가들"이란 장에서 간단히 처리하고 있다. 이 책의 저자, 찰스 리차드슨(Charles F. Richardson)은 멜빌이 "확고한 생각과 안정적 필력이 부족했기 때문에 완전히 실패한" 작가라고 평가하고 있다(Richardson, 404-405). 20세기의 독자는 이 주장이 담고 있는 아이러니를 주목하지 않을 수

---

* 『문학과 종교』 제 8권 1호(2003)에 실렸던 논문임.

442 ● 문학과 종교

없다. 멜빌의 작품이 담고 있는 불가해성, 단정적 사고에 도전하는 불확정성, 다양한 해석의 가능성을 열어 두는 모호성 등이야말로 바로 멜빌이 20세기 독자를 끌어들이는 매력이기 때문이다. 멜빌의 마지막 소설, 『수병, 빌리 버드(Billy Budd, Sailor)』는 이런 불확정성이 두드러진 작품이면서 말년의 멜빌이 던지는 여러 질문들이 투사되고 있는 작품이다. 특히 이 작품은 삶에서 어떤 상충적 힘들이 작용하는지를 정직하고 충실하게 관찰, 제시하면서도 일견 작가 자신의 의견을 유보한 듯이 보이기 때문에 독자들이 작가의 의도에 대해 혼란을 겪게 하는 특징이 강하다. 멜빌은 더욱이 생애의 마지막 5년에 걸쳐 이 작품을 수정, 확장하는 작업을 통해 작품 내의 갈등요소를 심화시키는 동시에 다각화시킴으로써 독자의 혼란을 가중시키고 있다.

『수병, 빌리 버드』 비평에서 나타나는 다양한 해석들은 독자가 한 작품에서 보는 이미지가 어느 정도는 자기 자신의 이미지일 수 있다는 가설을 잘 증명해 준다. 멜빌은 『모비 딕』에서 에이합 선장이 내건 스페인 금화에 대해 그것이 보는 이의 "신비로운 자아를 반영해 준다"고 말하면서 한 사물이 함축하는 다양한 상징성을 주목하고 있다(Moby Dick, 359). 『빌리 버드』는 바로 이 스페인 금화와도 같이 독자들의 다양한 해석을 야기한다. 천진하고 아름답지만 흥분하면 언어 장애가 생기는 청년 빌리 버드가 그를 시기하는 클래가트(Claggart)의 모함을 받자 흥분해서 한 대 침으로써 클래가트를 죽게 만들고 그 결과로 교수형을 당하게 되는 이 이야기에서 독자들은 당연히 빌리 버드의 죽음을 안타까워하게 되고 작품 속에서 이 부당한 죽음에 대한 항변의 목소리를 찾으려고 노력하는 경우가 많다. 이런 경우 빌리의 무죄를 인정하면서도 교수형을 결정짓는 비어 선장이라는 인물에 대해 멜빌은 어떤 태도를 가졌는가라는 문제 때문에 고심하게 될 수 있다. 이 작품에 대한 논란은 멜빌이 전쟁과 전시의 엄격한 법을 고발하기 위해 아이러니한 입장에서 비어 선장을 그리고 있는지, 또는 비어 선장의 갈등과 고통, 고뇌어린 결정과 그 불가피성을 이해하는 긍정적 입장에서 쓰고 있는지에 주로 초점이 맞춰지고 있다. 특히 1950년대 이래로 이 작품에서 아이러니를 주목하는 비평이 부상하면서 멜빌이 사회의 경직된 구조나 우주의 섭리 자체가 인간에게 부과하는 억압에 대해 마지막 항변을 제시하기 위해 이 작품을 썼다고 해석하는 주장이 힘을 얻고 있는 것이 사실이다. 에이합 선장의 스페인 금화가 보는 이에 따라 그 의미와 이미지가 바뀔 수 있듯이『빌리 버드』에도 독자 자신의 "신비로운 자아"가 투사될 것이라는 것을 멜빌이 예측하고 있다는 증거는 쉽게 찾을 수 있다. 이 증거는 앞으로 논의과정에서 제시될 것이지만 다른 한편 이 작품에는 멜빌 자신의 "신비로운 자아"가 투사되고 있다는 가설 역시 부정할 수 없을 것이다. 이 논문은 멜빌의 회의적 글쓰기가 만들어 내는 불확정성의 안개를 뚫고『빌리 버드』에 담긴 작가의 의도를 규명해 보려는 시도에서 출발한다.

『빌리 버드』비평가들이 흔히 주목하는 특징으로 이 비극을 전하는 화자의 목소리가 보여주는 담담한 초탈의 자세를 들 수 있다. 왓슨(E. L. Grant Watson)은 "젊은 시절의 호방한 언어가 여기서는 초연성의 위엄을 담은 언어로 바뀌어 있다"(Watson, 74)고 지적하고 있고, 포스터(E. M. Forster)는 "[『빌리 버드』에 나타난 멜빌의] 불안은 개인적 심려로부터 자유롭다"(Forster, 206)고 주장한다. 버소프(Warner Berthoff)는 이 초연한 어조에 대해 보다 본원적 해석을 제시한다. "『빌리 버드』의 서술에는 의분이나 격노가 없다. [멜빌은] 신이나 사회, 법, 또는 자연 등과 같은 인간에게 고통을 주는 어떤 동인에 대해서도 싸움을 걸지 않는다"(Berthoff, 202)고 화자의 특징을 규명하고 있다. 일흔을 바라보는 멜빌의 이런 초연하고 관조적인 목소리는 말년의 그가 불교에 쏟은 관심과 상관관계가 있다고 볼 수 있다. 이 작품을 쓰던 시기에 멜빌은 "부다(Buddha)"라는 시를 통해 열반(nirvana)에의 갈구를 표현하고 있고 또한 "라몬(Rammon)"이라는 스케치에서는 초탈이라는 불교의 명제에 매혹되면서도 또 다른 불교의 명제, 윤회사상 때문에 갈등하는 인물, 라몬을 그리고 있다. 같은 시기에 멜빌은 또한 불교 철학에 심취한 것으로 알려진 소펜하우어의 철학서[1]들을 깊이 탐독했고 "삶에 대한 의지의 거부(the denial of the will to live)"라는 소펜하우어의 명제

---

1) 소펜하우어는 그의 철학서『의지와 사념으로서의 세계』(*The World as Will and Idea*)에서 "내 철학의 결과물들을 진리의 기준으로 삼는다면, 나는 다른 어떤 철학의 유파들보다 불교에 상위의 자리를 내어줄 수밖에 없다"고 선언하면서 자신의 철학적 가르침이 불교의 가르침과 매우 근접한 관계에 있음을 인정하고 있다. (Vol. II, p. 371).『빌리 버드』에 미친 소펜하우어의 영향에 대한 논의는 Gupta의 "*Billy Budd* and Schopenhauer"를 참조할 것.

와 열반이라는 불교의 궁극적 이상 간의 유사성에 주목했다는 것을 알 수 있다. 이런 사실들을 고려할 때 빌리 버드(Budd)라는 이름에서 부다(Buddha)를 쉽게 떠올릴 수 있게 되기도 한다.

지금까지 찾아본 바로는 월터 서튼 (Walter Sutton)이 『빌리 버드』와 불교를 직접 연관시켜 해석한 유일한 비평가이다.[2] 서튼은 "소펜하우어에 의해 해석된 불교의 사상이 말년 멜빌의 마음에 와 닿았던 것 같다. 이 사상은 『빌리 버드』에서 드러나는 동기의 문제들을 일부 설명해 줄 수 있으며 이 작품에 대한 일관성 있는 읽기를 제공해준다"(Sutton, 128-29)고 지적한다. 서튼은 나아가 멜빌이 "고통스럽고 불확실한 인간 존재에 대한 반가운 대안"(Sutton, 1339)으로서 불교적 이상인 "공(空, nothingness)"의 개념을 받아들이고 있는 것으로 해석하고 있다. 그렇지만 멜빌이 몇 년 간에 걸쳐 『빌리 버드』를 확장시키고 수정한 과정과 내용을 살펴보면 서튼의 해석은 멜빌과 불교의 관계를 지나치게 단순화하고 있음을 알 수 있다. 멜빌은 이 "空"의 개념을 하나의 대안으로서 반겼다기보다는 그 개념의 적용 범위와 한계에 대해 치열한 탐색을 계속하면서 힘겨운 씨름을 했다고 봐야 한다. 즉 이 작품은 빌리 버드와 같은 천진한 자연인에게는 불교적 열반이 도달 가능한 궁극점이 될 수 있지만 전시에 전함을 책임지고 있는, 따라서 사회적 책임을 벗어날 수 없는 비어 선장에게는 열반은 결코 도달할 수 없는 열망의 대상일 수밖에 없다는 것을 보여주고 있기 때문이다. 본 논문은 멜빌과 불교 철학의 관계는 양가적이라는 가설을 증명하고 그 과정에서 비어 선장은 불교와 소펜하우어에 대한 멜빌 자신의 의문과 망설임을 체화하는 인물임을 밝히려 한다. 또한 모호성이 이름표처럼 따라다니는 멜빌이 이 작품에서 진행한 해체작업이 궁극적으로 우리에게 제시하는 것은 가치의 부재나 불교적 열반, 空의 개념, 또는 "삶에 대한 의지의 거부"가 아니라 오히려 비어 선장을 통해 나타나는 사회적 책임을 지키려는 의지, 즉 모든 고통에도 불구하고 명예롭게 살고 또 죽으려는 의지라고 보아야 한다는 결론을 제시하려 한다.

---

2) 존 해이독 (John Haydock)은 발작의 『세라피타』가 멜빌의 『빌리 버드』에 미친 영향을 추적하면서 그의 시 "부다"를 언급하고 있다. 해이독은 처형 전날 밤 빌리가 보여주는 갈등이 그 시에서 나타나는 열반에의 갈구를 잘 표현해 주고 있다고 지적하는데, 본 논문은 그 갈구가 비어 선장을 통해 표현되고 있고 빌리는 열반에 대한 의식적 갈구 없이 열반에 이른다고 보고 있음.

비어 선장이나 빌리 두 사람은 모두 자신의 의지와는 무관한 외적 상황에 의해 곤경에 처하는 인물이다. 그러나 그 갈등의 성격은 판이하다. 빌리의 갈등은 흥분한 상태에서 생기는 그의 언어장애와 클래가트의 타고난 사악함에 의해 야기되는 것이고, 이 두 요소는 모두 자연이 인간에게 부여한 인간의 조건에 해당하는 것들이다. 빌리는 말 그대로 "자연인"이라 할 수 있다. 그는 "올곧은 야만인"에 가깝고, 타락 이전의 아담과 유사하다고 소개되고 있다(330-1).[3] 멜빌은 빌리의 인물형성과정에서 최대한 문명에 물들지 않은 인간을 제시하려 한 것으로 보인다. 빌리는 혈통을 알 수 없는 "사생아"이고 오직 하나님만이 그의 부모를 알고 있을 것이라고 멜빌은 강조한다. 그는 가족관계의 끈으로부터 자유스러울 뿐만 아니라, 문맹이기 때문에, 그에게서 나타나는 덕성은 문화나 교육과는 무관한 것이다. 빌리는 노래를 잘 한다고 소개되고 있지만, 멜빌은 그의 노래가 "무지한 나이팅게일 새가 작곡해준" 노래 같다고 설명한다(330). 작품의 초반부에서 우리가 만나는 빌리는 또한 사회적 자각의 징표라 할 수 있는 "자의식"을 거의 보이지 않는다. 멜빌의 표현에 의하면 빌리의 자의식은 "세인트 버나드 종의 개에게서 찾아볼 수 있는 정도"의 수준으로, 거의 존재하지 않는다. 빌리는 우리가 문명사회에 존재한다고 상상해볼 수 있는 한 가장 자연인에 가깝게 형상화 되고 있다.

이와는 대조적으로 비어 선장의 딜레마는 인간이 인위적으로 만들어 낸 사회 환경과 밀접한 관계를 갖고 있다. 비어의 본성은 문명화의 담금질에 깊게 노출되어있다. 비어나 빌리가 모두 고귀한 혈통이라고 소개되고 있지만, 빌리의 고귀한 혈통은 "순종 말에서 명백히 드러나는 것처럼 뚜렷하다"(330)고 묘사된 반면 비어 선장의 경우에는 문화/사회적 차원에서 "보다 높은 가문과 연관"되어 있다(338). 비어는 "지적인 모든 것에 경도되어 있고, 책을 사랑하며, 선상 도서실을 새로운 책으로 가득 채우지 않고는 항해를 시작하지 않는 사람"(340)이다. 어떤 의미에서 빌리와 비어 선장은 멜빌이 상상하는 "위대한 자연의 보다 고결한 체계"를 양극화하여 각각 체현한다. 하나는 언어적 장애가 있을 정도로 모든 인위적 문화적 영향과는 무관한 고결함이고, 다른 하나는 문화가 제공할

---

3) 『빌리 버드』에 대한 인용 쪽수는 펭귄판 *Billy Budd, Sailor and Other Stories*를 근거로 함.

수 있는 모든 혜택에 의해 갈구어진 고결함인 것이다. 이 두 인물의 본성과 사회적 상황의 대조적 차이는 그들의 운명에서도 극명한 차이를 만들어 낸다. 즉 빌리가 죽음을 통해 "열반"에 이르는 자유인이라면, 비어 선장은 사회적 책임과 강박 속에서 이루지 못한 열반에의 갈구에 멈추는 비자유인이다.

멜빌 자신은 빌리 같은 자연인이 결코 아니었음을 우리 모두 알고 있다. 어머니와 여동생들, 자녀들을 포함하는 대가족의 생계를 책임져야 했고, 나아가 죽을 때까지 작가의 사회적 소명의 문제로 고뇌했던 지식인이라는 점에서 그는 오히려 비어 선장과 근접한 삶을 살았던 사람이다. 굶어 죽을 때까지 끈질기게 "난 하지 않는 걸 선호한다"는 주장을 반복하고 실천하는 필경사 바틀비 (Bartleby, the scrivener)를 매우 감동적으로 그려낸 멜빌이지만, 그는 또 실생활에서는 자발적으로는 결코 택하고 싶지 않았을 관세청 직원 자리를 가족의 생계를 위해 받아들인 사람이다. 초기의 대중적 성공과는 달리 중기 들어 소설가로서 실패를 거듭한 이 작가는 가족에 대한 책임감과 작가로서의 소명의식 사이에서, 즉 하고 싶지 않은 일과 하고 싶은 일 사이에서 어떤 절충을 모색할 수밖에 없었음을 기억할 필요가 있다. 그의 생전에 출판된 마지막 소설 작품인 『사기꾼(The Confidence Man, 1857)』이 실패작이 된 이후 멜빌은 소설쓰기를 중단하고 약 30년 동안이나 시작활동에만 창조적 에너지를 쏟아 부었던 작가이다. 그가 산문이야기로 회귀하려던 마지막 시도의 산물인 『빌리 버드』역시 개작과 확장을 거듭하며 미 출판 상태로 남겨졌다는 사실은 멜빌이 죽음의 순간까지도 계속 질문을 던지는 구도자의 자리를 견지하고 있었음을 시사한다.

기독교 교리와 실천의 관행에 대한 끝없는 해체작업을 보여주는 『사기꾼』의 작가, 어떤 믿음에도 안주할 수 없었던 회의론자, 가장으로서의 책임, 인정받지 못함에도 스스로 떠안고 갔던 작가로서의 사회적 책임과 씨름을 계속할 수밖에 없었던 구도자 멜빌이 그의 시 "부다"에서 "열반"을 실현 가능한 목적지로서 제시하기보다 다만 그에 대한 갈망을 그리고 있다는 것은 시사하는 바가 크다.

유영하듯 더 작은 것으로, 작은 것으로 사라져 가는
空을 열망하는 사람!

세상들 때문에 흐느끼고, 비탄하면서
　　　묵묵히 견뎌내는 사람들—
　　열반이여! 우리를 당신의 하늘로 흡수하소서,
　　　　당신 속으로 우리를 소멸시켜 주소서. (Cohen 144)

　　이 시에서 시인은 아직도 고통 속에 있는 사람들 중의 하나이고 열반을 갈구하
며 비탄을 삼키면서 묵묵히 견뎌내는 사람이다. 당신 속으로 우리를 소멸시켜
주소서"라는 마지막 행의 수동성은 열반을 실체화하지 못한 채 그 가능성에 기
대고 싶어 하는 화자를 떠올리게 한다.
　　이런 갈구는 『빌리 버드』에서 비어 선장에게 투사되고 있다. 작품이 끝나갈
무렵 "이교도"라는 적함과의 전투에서 포탄에 맞아 부상을 입은 뒤 결국 육지
로 옮겨져 죽어가는 비어 선장이 약에 취한 상태에서 마지막으로 내뱉은 말은
"빌리 버드, 빌리 버드"이다. 그러나 자신의 명에 의해 처형된 바로 그 수병의
이름을 부르는 비어 선장의 목소리에 "회한의 기미는 없었다"라고 멜빌은 전하
고 있다(406). 그렇다면 비어 선장이 이 이름을 어떤 어투로 불렀는지, 그 의미
는 무엇인지 궁금할 독자를 위해 멜빌은 어떤 설명도 제공하지 않는다. 독자는
바로 앞에서 매우 시적으로 묘사되었던 빌리의 처형장면을 떠올리며 그 해답을
유추해볼 수밖에 없다. 어떤 사회적 굴레로부터도 자유로운 자연인 빌리가 완
벽한 평온 속에 죽음으로 흡수되는 그 장면은 멜빌이 열반으로의 입적을 아름
답게 상상해낸 것으로 볼 수 있고, 따라서 비어 선장의 수수께끼 같은 마지막
말은 열반에 이른 빌리를 기억하며 스스로는 이를 수 없는 열반에의 갈구를 표
출한 것으로 해독될 수 있다. 죄 없는 젊은이를 처형시키는 고통스런 책임을 택
할 수밖에 없었던 비어 선장은 "空"을 열망하지만 여전히 "세상들 때문에 흐느
끼고, 비탄하면서/묵묵히 견뎌내는 사람"이고, 결코 빌리가 될 수 없었던 멜빌,
"부다"의 시적 화자의 모습을 투사하고 있는 것은 아닐까?
　　처형 순간의 빌리는 죽음에 대한 공포나 다른 모든 고통을 완벽히 초월한
인물로 그려지지만, 그 극복과정은 세상을 "空"으로 보는 불교적 비젼이나 소
펜하우어가 제시한 "삶에 대한 의지의 거부"를 통한 것이 아니다. 그는 비어 선
장의 신뢰에 찬 우정을 통해 복구된 그의 생래적이며 거의 무의식적인 의지, 명

예를 사랑하는 의지를 통해 극복하는 것으로 그려진다. 클래가트를 죽이게 된 후 빌리는 고통에 빠진다. 자신의 처형 전날 밤 포열 갑판에 누워있는 빌리는 "광대뼈의 해골이 따뜻한 색조를 띤 피부 아래서 이제 막 정교하게 그 형태를 드러내기 시작"하는 모습으로 제시된다. 그리고 그 현상은 "배 화물칸에서 아무도 몰래 일어난 불길이 짬짝 속의 목화솜을 소진시키듯이 어떤 짧은 경험이 인간의 피질을 잠식하기 때문"이라고 설명되고 있다(396). 그러나 "그 고뇌의 팽팽한 긴장감은 비어 선장과의 밀실 면담에서 생성된 어떤 치유력에 의해" 이제 사라지고 없다고 화자는 설명하고 있다(396). 빌리의 고뇌가 치유된 것은 빌리와 비어 선장이 밀실에서 나눈 소통 때문이지만 그 소통의 현장은 우리에게 소개되지 않고 있다. 우리는 다만 그것이 명예를 소중히 아는 두 남자가 나눈 상호존중의 장이었을 것이라는 화자의 추측을 들을 수 있을 뿐이다:

> 비어 선장이 그 상황에서 사형수에게 아무 것도 숨기지 않았다면 그건 아마도 비어 선장의 정신적 품성에 잘 맞는 일이었을 것이다— 그가 특히 그런 결정에 이르는 데 있어 자신이 맡았던 역할을 있는 그대로 솔직히 밝히고, 그런 결정을 내릴 수밖에 없었던 동기까지 알려주었다면 말이다. 빌리 또한 선장의 그런 고백이 담고 있는 정신, 바로 그런 정신으로 그 고백을 받아들였다고 본다면 틀린 말은 아닐 것이다. 빌리는 선장이 자신에게 모든 것을 털어놓았다는 사실이 함축하고 있는 신뢰, 자신을 높이 평가해주는 마음을 기꺼워하고 고마워했을 것이다. 그리고 판결 자체도 그것이 자신을 죽음을 두려워하지 않는 사람으로 보았기에 가능했다는 점을 모르지는 않았을 것이다 (392).

그러나 화자가 굳이 직접 묘사하길 거부하고 자신이 유추한 개략적 내용만을 전달해 주었던 이 "밀실 면담"이 실제로 어떤 치유효과가 있었는지는 텍스트에서 상세히 묘사되고 있다. 빌리는 임박한 죽음에도 불구하고 "마치 꿈결 속에 빠진 듯 누워있고" "요람에서 잠든 아이의 모습"을 하고 있다. 나아가 "어떤 느닷없는 추억이나 꿈이 야기함직한 평온하면서 행복한 빛"이 빌리의 얼굴에 퍼지기도 한다(396). 멜빌은 그러나 이 평온한 상태가 기독교적 성격을 띤 것이 아님을 강조한다. 선상 군목이 죽음을 앞둔 빌리를 방문했을 때 빌리는 "정중히 거의 쾌활한 태도로" 그를 맞이하지만 "구세주를 통한 구원의 개념을 빌리에게 전달하려는" 목사의 노력은 완전히 무위로 돌아간다(398). 멜빌은 "죽음에 대한 비이성적 공포는 오염되지 않은 순수 자연과 모든 면에서 더 친근한 관계에 있는 소위 야만인들 사이에서보다는 고도로 문명화된 집단에서 훨씬 더 우세하고" 빌리에게서 이런 문명인의 비이성적 공포는 전혀 찾아볼 수 없다고 명시한다. 『사기꾼』에서 타락한 기독교 관행과 위선을 통렬히 비판했던 멜빌이 이 작품에서는 순수 자연과 더 가까운 인물, 소위 야만인이라 불리는 사람" 같은 천진한 남자 빌리를 통해 기독교적 구원과 내세에의 약속에 의존하지 않는 죽음과의 화해 가능성을 그리고 있다는 사실은 그가 다른 대안을 찾고 있었음을 보여준다.

목사가 전달하려는 기독교적 구원에 대해 전혀 무관심한 이 "젊은 야만인"은 오히려 불교적 색채가 강한 죽음을 맞이한다. 멜빌은 처형시간을 새벽으로 미룸으로써 동방에서 오는 새벽빛의 효과를 활용하고 있다. 빌리의 처형장면에서 작가는 동방(East)이라는 단어에 대문자 E를 두 차례 사용한다. 만약 이 동쪽이라는 단어가 단순히 지리적 방향만을 뜻한다면 굳이 대문자로 쓰지 않았을 것이다.4) 처형 당일 동트는 아침을 묘사하면서 멜빌은 "흰빛 골을 이룬 증기가 투명한 양털구름이 되어 뻗쳐있는 동방"에 모습을 드러낸 "온화하면서 수줍은 하늘"의 이미지를 제시한다. 특히 "부다"시의 머리에 권두사처럼 포함되어 있는 문장, "당신의 생명이 무엇이길래? 그건 잠시 나타났다 곧 사라지는 증기에 다름 아니다"(For what is your life? It is even a vapor that appeareth for a little time and then vanisheth away)라는 표현을 떠올린다면 멜빌이 동방의 하늘에 "흰 증기의 투명한 양털 구름"(a diaphaneous fleece of white vapor)이 퍼지는 것으로 묘사한 것은 생명이 증기가 되어 사라지는 불교적 세계관을 염두에 두고 이 처형장면을 그렸다는 추측을 가능하게 한다. 그리고 사형집행의 마지막 신호가 떨어진 순간 우리는 열반을 상기하게 하는 매우 이례적인 죽음의 현상을

---

4) 멜빌은 자신의 단편 "Cock-A-Doodle-Doo"에서 동양을 뜻할 때는 대문자 E로 East를 쓰고 방향을 뜻할 때는 소문자 e로 east를 쓰고 있는 것을 볼 수 있다. 111쪽에서는 "동양의 크세르세스처럼 like Xerxes from the East"라고 쓰는 반면 112쪽에서는 "그 닭 울음 소리는 서쪽이 아니라 동쪽에서 들려왔다 the crow came from out of the east and not out of the west"라고 쓰고 있다.

목격하게 된다.

> 바로 그 순간에 동방에 낮게 매달려 있던 증기 품은 양털구름이 마치 신비
> 로운 환상에서 보이는 하나님의 양털처럼 부드러운 광휘에 휩싸였다. 그리
> 고 그와 동시에 빌리는 위를 향해 고정된 얼굴들의 무리가 지켜보는 가운데
> 하늘로 올라갔다; 그리고, 상승하면서 새벽의 만개한 장미를 껴안았다.
> 　그 포박된 형체가 밧줄 끝에 도달했을 때 보고 있던 모든 이들은 경이에
> 휩싸였다. 그 형체는 온화한 날씨에 선체가 천천히 출렁거리며 만들어 내는
> 움직임, 육중한 포로 장착된 큰 배에서는 매우 위엄 있게 큰 동작을 만드는
> 그 움직임 외에는 다른 어떤 움직임도 보이지 않은 것이다 (400-01).

빌리의 몸이 하늘로 올라가는 동작, "새벽의 만개한 장미"를 껴안는 동작은 "부
다"의 두 번 째 연 "열반이여 우리를 당신의 하늘로 흡수하소서"에 담긴 갈망의
실현으로 볼 수 있고, 빌리가 죽음의 순간에 어떤 경련이나 움직임도 보이지 않
았다는 사실은 "당신 속으로 우리를 소멸시켜주소서"라는 시구에 담긴 소망을
이루면서 빌리가 삶과 죽음이 동시에 소멸되는 열반으로 입적했다는 가능성을
제시한다. 멜빌은 배의 사무장과 의사가 이 "근육 경련의 부재"라는 특이한 현
상의 원인과 의미를 두고 논의하는 장면을 "여담(A digression)"이라는 제목으
로 한 장에 걸쳐 제공함으로써 독자 역시 그 의미에 대해 숙고해보도록 초대하
고 있다.

　빌리의 처형 장면이 멜빌의 상상력이 만들어 낸 열반에의 입적으로 비유될
수 있다는 가설을 지원하는 또 다른 증거로 "부다"의 시작 시기를 따져볼 수 있
다. 이 시는 1891년, 멜빌이 사망하던 해에 출간된 시집 『티몰레온』(Timoleon)
에 포함되어 있어 멜빌이 위에서 논의한 장면들, 즉 밀실 면담, 처형을 앞 둔
빌리의 평온한 모습, 빌리와 군목의 면담, 빌리의 처형, 그리고 비어 선장의 죽
음 등을 썼던 바로 같은 시기에 창작되었을 가능성이 매우 높다. 헤이포드
(Hayford)와 실츠(Sealts)는 이 장면들이 모두 『빌리 버드』원고 수정 개작 과정
의 제 3단계의 후반, F기에 저술되었다고 밝히고 있다. "수갑 찬 빌리"(Billy in
Darbies)라는 한편의 시에서 시작한 이 중편 소설이 어떤 과정을 거쳐 어떤 모
습으로 확대 수정되었는지, 그 시기별 모습을 살펴보는 일은 멜빌이 비슷한 시

기에 쓴 불교 관련 작품, "부다"나 "라몬"(Rammon), 그리고 그 시기에 멜빌이 읽었던 소펜하우어의 철학서 등이『빌리 버드』의 성장과 어떤 상호작용을 하는지를 밝혀줄 수 있을 것이다.

헤이포드와 실츠의 포괄적이고 치밀한 연구 덕분에 우리는『빌리 버드』의 개작 과정에서 멜빌의 초점이 어떻게 바뀌어 갔는지를 알 수 있다. 그들은 이 작품의 저작과정 5년을 세 단계로 구분하고 있다. 1886년 초, 그러니까 멜빌이 관세청 직원의 자리에서 은퇴했던 무렵, 이 작품은 우리가 아는 빌리보다 조금 더 나이가 많고 또 실제로 선상반란을 도모했던 한 수병에 관한 시에 불과했다. 이 단계에서 멜빌의 초점은 처형 전야에 이 수병이 갖는 상념과 몽상에 맞춰져 있어서 이 작품이 멜빌 자신의 죽음에 대한 관심에서 출발한 것이라는 유추를 가능케 한다. 2년여의 시간이 흘러 1888년 11월이 되면 이 시는 원고로 150장에 이르는 하나의 이야기로 발전해 있게 된다. 여기서는 우리가 알고 있는 바로 그 빌리 버드, 즉 훤칠한 외모의 젊은 수병이 클래가트라는 새로운 인물과 갈등 관계를 이루고 있다. 비어 선장이 주된 인물로서 전면적으로 묘사되는 것은 제 3단계의 작업의 소산이다. 그렇다면 그 5년의 기간 동안 멜빌의 초점은 죽음 자체에서 빌리가 체현하는 생래적 선과 클래가트가 체현하는 생래적 악의 대결과 갈등으로 옮겨 갔고, 그리고 다시 비어 선장을 통해 한 인간의 타고난 성향과 사회적 책임간의 내적 갈등으로 점진적으로 바뀌어 갔다고 볼 수 있다. 멜빌은 작품의 수정 확대 과정에서 갈등구조를 점점 더 복합적으로 그리고 사회 현실적으로 심화시켜온 것이다.

많은 비평가들이『빌리 버드』에서 주목하고 있는 초연한 어조는 이 작품의 저작시기의 멜빌의 마음상태를 반영한다는 데 이의를 달 수 없을 것이다. 그러나『빌리 버드』의 저작 과정은 하나의 답에 안주하기보다 마치 사다리를 올라가듯이 계속 새로운 단계의 질문에 도전하고 있는 멜빌을 보여준다. 앞 단계에서 찾은 답이 유예될 수밖에 없는 새로운 질문을 찾아내는 엄격한 구도자임에도 불구하고 멜빌은 또한 인간의 한계와 불완전성, 그리고 피할 수 없는 악에 대해 매우 너그러운 연민을 보여준다. 버소프가 지적하듯이 이 작품의 화자의 목소리에는 어떤 의분도 격노도 담겨있지 않지만 그것은 현실 속에서 갈등과 모순을 제거할 수 있는 궁극적 답을 아는 선지자의 관점은 아니다. 오히려 풀 수 없는 삶의 수수께끼를 계속 제시함으로써 모든 수수께끼를 풀 수 있다고 믿는 인간의 오만에 도전하고 있는 것이다. 이 화자의 평온한 목소리는 죽음과 고통의 필연성을 인정하고 있고 무고한 빌리의 처형을 아름답게 그릴 수 있을 만큼 초연하다. 아들을 잃고 비탄에 빠진 여인이 죽은 아기를 살려달라고 탄원하며 찾아 왔을 때 부처님은 사람이 죽은 적이 없는 집을 하나라도 찾아오면 아기를 살려주겠다고 약속했다는 일화가 있다. 해결할 수 있는 부당한 고통 앞에서는 격노가 필요하겠지만 해결할 수 없는 고통 앞에서는 연민 밖에 줄 것이 없다. 그리고 그 연민의 대상이 모든 중생으로 확대되기 위해서는 어떤 초연성이 필요하다. 불교적 초탈은 내세의 보상이라는 기대에 의존하여 현실의 고통을 견뎌내거나 갈등을 회피하는 것과는 아주 다른 개념이다. 진정한 초탈은 현상을 직시하면서도 그 현상이 부과하는 고통을 느끼지 않는 것이다. 이런 초탈이 주는 평정심은 태풍의 눈이 갖는 평온과 닮아있다. 일단 어떤 현상의 핵심에 도달하게 되면 그 현상에 의해 휘둘리지 않게 되는 상태라고 할 수 있을 것이다. 멜빌이『빌리 버드』에서 보여주는 초연성은 고통과 죽음을 삶의 필연적 조건으로 받아들임으로써 더 이상 태풍에 휘말리지 않는 그런 종류의 것이다.

『빌리 버드』에서는 죽음이 태어남과 마찬가지로 자연스럽게 다루어진다. 작품의 주요 인물들은 모두 죽음을 맞이한다. 죽음을 절망이나 통증 없이 인식하는 이런 경향은 또 하나의 유작인 "라몬"에서도 뚜렷이 나타난다. 이 작품은 멜빌이 불교에 대한 제한적 지식 내에서나마 불교적 세계관에 대해 부분적으로 공감하고 있음을 증명해준다. 라몬은 솔로몬이 노년에 얻은 가상의 아들로서 아버지의 "우울한 철학"(despondent philosophy)을 물려받은 인물이다(Tilton 57). 라몬은 시바의 "총명한 여왕의 경쾌한 잡담"(the sprightly chat of a clever queen)을 통해 불교에 대해 듣게 된 후 "부다라는 인물에 대한 존경어린 사랑과 불교 가르침에 대한 혼란과 두려움 사이에서 당황하게 된다(Tilton 63). 라몬이 혼란을 느끼는 점은 불교적 초탈에 대한 가르침이 아니라 불교의 윤회사상이다. 인간의 영혼이 우주 속에서 또 다른 생명체의 모습으로 끝없이 되돌아 올 수밖에 없다고 가르치는 그 윤회 사상이 죽음을 자연스럽게 받아들이고자 하는 라몬에게는 매우 당혹스럽기 때문이다. "만약 현세에 대한 부처님의 평가가 나의 현명하신 아버님의 관점을 그대로 확인해 주는 것이라면 그분의 아들인 나는 부처님의 또 다른 가르침, 즉 죽음 뒤에 끝없이 반복되는 피할 수 없는 생에 대한 주장 역시 진지하게 경청해야 하는 것이 아닌가"(Tilton 61)라고 라몬은 고민한다. 부처님의 현세에 대한 평가의 정당성은 쉽게 수긍하면서도 윤회사상을 수용해야하는 당위성 앞에서는 불편함을 느끼는 라몬은 그에 대한 답을 찾아 헤매지만 찾지 못한 상태에 머물러 있다.

이 작품에서 라몬은 열반에 도달한 사람, 즉 부처는 윤회의 사슬에서 자유롭다는 불교 교리에 대해 무지한 것으로 보인다. 라몬의 당혹감은 열반의 참뜻을 모르기 때문이든지 또는 자신은 열반에 이를 수 없다는 인식 때문일 수 있다. 그러나 열반이란 어휘가 이 작품에서 한번도 언급되지 않고 있고 불교가 시바 여왕의 "경쾌한 잡담"을 통해 라몬에게 전달되었다는 사실에서 유추할 때 라몬이 열반과 윤회의 관계에 대해 알지 못했다고 보는 것이 더욱 타당할 것이다. 그렇다면 멜빌 자신은 어떠했을까 라는 의문이 남게 된다. 엘리너 틸턴은 멜빌이 이 스케치에 부다를 도입하는 것에 약간의 망설임이 있었다는 증거를 제시하고 있다. "멜빌은 부다가 언급되는 부분들을 빈 스페이스로 남겨 두었다가 나중에 연필로 적어 넣었고 마지막 두 차례 부다가 언급된 부분에는 의문부호를 달아놓고 있다"(Tilton, 59)고 멜빌의 원고를 통해 밝혀내고 있다. 이 증거에 비추어 볼 때 멜빌은 불교 철학에 대한 자신의 지식에 자신감이 없었고 부다를 언급하는 일을 불편해했다고 추측해볼 수 있다. "라몬"은 1887년 가을에서 1888년 여름 사이에 집필된 것으로 추정되고 있고 이 시기는 『빌리 버드』의 제2단계에 해당된다.5) 이 단계는 멜빌의 초점이 빌리와 클래가트의 갈등에 머물러 있고 비어 선장의 사회적 책임을 둘러 싼 고뇌와 갈등은 아직 그 모습을 갖추기 이전의 시기이다. 라몬은 과연 고뇌해야 할 사회적 책임이 없는 인물이고

---

5) 틸턴은 "라몬" 원고에 사용된 종이를 분석하는 한편 "라몬"의 일부였다가 따로 분리되어 그의 시집 『존 마』(*John Marr*)에 포함된 시, "소망스러운 섬들"(The Enviable Isles) 원고의 쪽 번호를 "라몬"의 쪽 번호와 비교하여 "라몬"의 집필시기를 추정하고 있다. 『존 마』 시집의 원고가 1888년 여름에 출판사에 넘겨졌으므로 "라몬"이 이 시집의 출간 이전에 집필된 것이라는 틸턴의 추정은 타당성이 있어 보인다.

악이 선과 공존하고 있는 고통스런 삶에 대한 대안으로서 기꺼이 죽음을 받아들이고 싶어하는 것으로 설정되어있다.

> 여기서 우리가 뭘 찾게 되는가? 수많은 선, 압도적 선이다; 말하자면 선을 따라 다니며 더럽히는 부수적 악으로부터 따로 추려낼 수 있을 때 선이라 부를 수 있는 그걸 말하는 거지. 하지만 악이란 우연한 것이 아니다. 선처럼 그건 제거할 수 없는 요소다. 당신 개인의 배에서 만이라도 그걸 퍼내보라, 할 수만 있다면 말이다, 바닷물이 여전히 차고 들어올 것이다. . .
> 그러니 라몬에겐 존재의 정지가 바람직한 사건이었다. 그걸 원하건 않건 종말 또는 종말처럼 보이는 상태는 찾아오게 마련이다. 그는 거기서 편히 쉴 수 있었을 것이다, 부다만 아니라면 말이다 (Tilton 57-8).

멜빌이 불교에 대해 갖는 부분적 공감을 대변하는 라몬은 악이 우연한 것이 아닐 뿐만 아니라 "제거할 수 없는 요소"임을 인정할 수밖에 없기 때문에 죽음을 "바람직한 사건"으로까지 상상하고 있다.

"라몬"에 반영된 심리 상태의 특징은 제 2단계의 『빌리 버드』에서도 뚜렷이 드러나고 있다. 멜빌은 이 단계에서 악이 "선을 따라 다니며 더럽히는" 과정과 선한 자와 악한 자가 모두 죽음에 이르는 현상을 극화하고 있다. 그는 클래가트의 악한 천성을 빌리의 선한 천성처럼 도저히 "제거할 수 없는 요소"로 제시한다.

> 자신 속에 있는 근본적인 악을 적시에 감출 수는 있지만 그걸 무력화할 수 있는 힘은 없고, 선을 알아차릴 수는 있지만 선이 될 능력은 없는 클래가트와 같은 그런 본성은 언제나 과도한 에너지로 넘쳐나고 있다. 그러니 그런 본성이 자기 자신으로 되돌아가 창조주만이 그 행동에 대해 책임이 있는 전갈처럼 자신에게 맡겨진 역할을 끝까지 수행해내는 것 말고 어떤 길을 갈 수 있겠는가? (356)

클래가트는 자신 속의 악을 제거할 수 있는 힘이 없을 뿐만 아니라 마치 전갈처럼 자신의 넘치는 에너지를 독소를 뿜는 일에 사용할 수밖에 없는 사람이다. 악의 화신이라 할 수 있는 클래가트를 그려내는 멜빌의 시선에는 관대하고 초연한 연민이 담겨있기 까지 하다. 멜빌의 시선을 통해 클래가트는 악을 행하도록 운명 지워진 사람, 자신의 타고난 악한 본성에 대해 어떤 통제력도 갖지 못한 사람, 때때로 선을 갈망하는 "슬픔을 지닌 남자"로 그려진다. "쾌활한 하이페리온[빌리]를 쫓아가는 그의 눈길에는 사색적이고 우울한 표정이 자리 잡으면서, 기이하게도 열에 들뜬 것 같은 눈물이 고이기도하고" 때로는 그의 "우울한 표정 속에 운명과 금지 때문만 아니라면 빌리를 사랑할 수도 있었을 것 같은 부드러운 동경의 기운이 섞여들기도 하는"(365)남자로 그려진다. 클래가트를 묘사하는 이런 어조와 시각은 오직 삶 속에 악이 존재하게 만든 신과의 시비를 중단한 작가에게서만 가능할 것이다.

"라몬"을 쓰던 무렵 멜빌은 소펜하우어를 집중적으로 공부하기 시작했다. 멜빌이 소유한 소펜하우어의 저작 다섯 권 가운데 출판연대가 가장 빠른 책은 1888년에 인쇄된 『의지와 사념으로서의 세계』(멜빌이 소유한 책은 제 2판임)이고 나머지 책들은 1890년과 1891년에 출판된 것들이다(Sealts, 1949, 417). 1888년에서 1891년 사이에 멜빌이 소펜하우어를 집중적으로 탐독했다는 사실은 라몬이 보이는 불교에의 관심과 당혹감이 멜빌의 마음을 대변한다는 가설을 강화해준다. 즉 멜빌은 소펜하우어를 통해 불교에 대한 보다 확고한 지식을 얻게 되고 또한 열반과 空이 불교의 궁극적 지향점이라는 사실을 깨달았다고 볼 수 있을 것이다. 멜빌의 소펜하우어 탐독 시기는 바로 그의 시 "부다"의 저작 시기와 나아가 『빌리 버드』의 제 3단계와도 일치한다. 따라서 제 3단계의 수정 확장 과정은 『의지와 사념으로서의 세계』를 읽으며 멜빌이 품게 된 의문을 반영한다는 가설을 제시하는 것도 가능할 것이다. 예를 들어 한 인간이 사회적 관계망의 소용돌이 속에서 불교적 초탈을 추구한다면, 그 초탈은 어느 정도까지 가능할 수 있을까, 그리고 불교적 空 이나 "삶에 대한 의지의 거부"가 과연 궁극적 답이 될 수 있을까? 이런 질문들을 멜빌이 스스로 묻고 그 답을 모색하는 과정이 제 3단계의 수정작업에 반영되었다고 볼 수 있다는 것이다.

올리브 피트(Olive Fite)는 "빌리 버드, 클래가트, 그리고 소펜하우어"라는 논문에서 "빌리와 클래가트는 멜빌이 소펜하우어의 삶에의 의지에 대한 논의를 읽고 만들어 낸 인물일 가능성"을 제시한다. 그녀는 빌리와 클래가트를 각각 소펜하우어가 그리는 "아름다운 영혼"과 "사악한 인간"에 환치시키고 있다. 즉 빌리는 "삶에의 의지를 거부할 능력"이 있는 "아름다운 영혼"으로 클래가트는 "삶에의 과도한 의지"에 빠져 있는 "사악한 인간"으로 보고 있는 것이다(Fite 338). 이 대치는 우리가 알고 있는 이야기 내에서는 타당성을 갖는 것 같이 보이지만 연대별 『빌리 버드』의 성장과정을 고려할 때는 피트의 주장에 문제가 있어 보인다. 빌리와 클래가트에 대한 기본적 인물형성은 멜빌이 소펜하우어를 읽기 시작하지 않았던 제 2단계에서 이미 그 틀이 완성되어 있었다. 더욱이 비어 선장이 빌리에게 준 사랑과 인정이 없었더라도 과연 피트가 주장하듯이 빌리가 그처럼 "완벽한 체념으로" 사형선고를 받아들이고 "놀랍게 밝은 태도로 죽음을 맞이했을 것인지"(Fite 339)에 대해서는 의문의 여지가 있다.

이 작품의 초기 단계에서는 인물들이 아니라 화자의 목소리에서 초탈이 주목된다. 빌리는 그 밀실 면담 이전에는 무의식에서조차 삶에 대한 초연함을 보이지 않는다. 오히려 삶에 대한 강한 의지와 본능적 생명력을 보여준다고 할 수 있다. 채찍질로 처벌하는 현장을 보며 빌리는 겁에 질리고 자신은 그런 처벌이나 책망을 당할 일은 하지 않아야겠다고 결심한다. 또 클래가트가 자신을 잘 생긴 수병이라 불렀을 때는 아주 기분이 좋아지기도 한다. 빌리가 클래가트에 대해 어떤 반감도 품지 않는 것은 악을 초탈했기 때문이 아니라 너무 천진해서 클래가트의 본성을 알 수 없기 때문이다. 또한 도발을 당하면 클래가트나 "붉은 수염"을 즉각 후려칠 만큼 생존 본능이 강한 인물이기도 하다. 위에서 주목했듯이 클래가트에게 치명타를 휘두른 뒤 어떤 고뇌에 시달린다는 사실 역시 아직 초탈에 이르지 못한 심리상태를 보여준다고 할 수 있다.

멜빌이 소펜하우어를 탐독한 영향이 나타나는 곳은 오히려 제 3단계 저작 과정이다. 멜빌이 비어 선장의 인물형성을 구체화시키는 동시에 그의 비중을 높이게 되고 빌리가 선장과의 교감을 통해 삶과 죽음을 초탈하게 만드는 과정에는 분명 멜빌과 소펜하우어의 대화의 흔적이 강하게 감지된다. 피트는 멜빌이 소장한 『의지와 사념으로서의 세계』의 찾아 보기표를 보면 "필연성"(necessity) 항목 옆에 체크마크가 있다고 지적한다. 소펜하우어는 "삶에 대한 의지의 거부"를 통해 "필연"의 사슬로부터 벗어나는 자유를 설파하고 있지만 비어 선장은 죽음의 순간까지 자신의 사회적 직분이 만드는 필연의 사슬로부터 결코 자유롭지 못하다. 멜빌이 비어 선장에 대해 공감하고 있다고 본다면 비어 선장은 멜빌이 소펜하우어에게 던지는 어떤 질문을 대변하는 인물이 된다. 한 인간이 자신에 대한 책임에 선행하여 다른 사람들에 대한 책임에 묶여 있을 때 그 사람은 과연 필연의 사슬로부터 스스로를 해방시킬 수 있을까? 비어 선장의 딜레마는 자기 자신의 삶에의 의지가 아니라 자기가 사랑하는 사람의 삶에의 의지를 거부해야하는 상황 속에서 더욱 심화되고 있다. 비어 선장이나 빌리 두 사람이 다 이 필연으로부터 해방되는 것은 죽음을 통해서이고 삶 속에서는 아니다. 삶이 계속되는 한 이 필연의 사슬로부터 해방될 수 없다고 멜빌이 보았다면, 그는 "삶에 대한 의지의 거부"가 삶의 철학이 아니라 삶 자체를 거부하는 죽음의 철학이라 판단했을 수도 있다.

멜빌은 초탈을 지향하는 그의 추구를 어떤 지점에서 멈춰야 했던 것으로 보인다. 그는 세속적 욕망으로부터의 자유를 통해 인간이 명예롭게 살고 또 죽을 수 있는 단계까지만 초탈을 추구한 것 같다. 자신의 모호하고 난해한 작품에 대한 대중의 몰이해 때문에 무명의 작가로서 삶을 견뎌야 했던 멜빌에게 있어 명예란 사회적 지위, 성취, 대중의 인정이나 명성 등과는 무관한 것이다. 그에게는 자긍심이 대중의 피상적 평가보다 중요한 것이었다. 멜빌에게 있어 명예는 주관적인 것이었지만 동질적 영혼을 가진 사람들 간의 상호인정의 가치는 중요했다는 것을 알 수 있다. 멜빌은 제임스 빌슨에게 보낸 편지에서, "[제임스 톰슨]이 명성을 얻지 못했다는 것, 그게 무슨 상관인가? 그는 그 때문에 더 못한 사람이 아니라 그만큼 더 훌륭한 사람이지"라고 사적 영역의 존중을 강조하고 있다(Metcalf, 269). 멜빌이 피상적이고 대중적인 평판이란 것을 무시하는 면모는 『빌리 버드』의 종결 부분, 그러니까 빌리의 처형 이후에 그것이 대중에게 어떻게 전달되는가를 묘사하는 부분에서도 잘 드러난다. 당시의 해군 소식지인 한 "공인된 주간지"는 "지중해에서 온 소식"이라는 제목 아래 빌리와 클래가트의 사건을 싣고 있다. 이 보고서는 빌리를 선상모반의 주모자로 규정할 뿐만 아니라 "강력한 애국 충정"에 빛나는 "존경스럽고 신중한" 사관, 클래가트를 살해함으로써 당연히 처형된 수병으로 매도하고 있다. 그러나 멜빌은 이 지극히 왜곡된 보도를 실은 출판물이 "이미 오래 전에 폐쇄되고 잊혀졌다"고 부연 설명함으로써 공식 보고라는 것의 단명성을 강조하고 있기도 하다(406-7).

이와 반대로 빌리를 추모하는 한 수병이 쓴 "수갑찬 빌리"라는 설화시는 여전히 살아남아 있는 것으로 그려진다. 이 발라드는 빌리의 죽음에 대한 정확한 묘사는 아니지만, "빌리가 고의적 살인은 물론 선상반란 같은 걸 저지를 위인"이 아니라고 거의 "본능적으로" 믿고 있는 다른 선원들의 진정한 느낌을 전달하고 있다. 빌리의 마음과 육신이 보여준 순수한 아름다움은 선원들의 마음에 남아있고 그들은 "내면에 있는 야비한 변덕이나 조롱으로 일그러져 본 적이 없는 그 얼굴, 그 잘 생긴 수병의 신선한 젊음의 이미지"(480)를 회상하면서 그의 처형에 쓰였던 나무기둥에서 조각을 잘라 내 간직하기도 한다. 그들에게는 "이 나무 조각이 십자가의 조각"과 같은 의미를 갖는다고 멜빌은 쓰고 있다. 공인된 기록에는 모반의 주모자로 낙인찍힌 빌리가 이처럼 그에 대한 기억을 아름답고 신성하게 간직하는 수병들 마음속에, 그리고 그 감정을 시로 표현한 한 수병의 발라드를 통해 살아남게 된다는 점을 멜빌이 작품의 말미에서 강조하고 있다는 사실은 그의 세계관이 염세적이라기보다 긍정을 지향한다는 징표가 될 수 있을 것이다. 인생의 후반을 작가로서의 실패 속에 보낸 멜빌이지만 그를 진정으로 존경하는 몇몇 숭배자들이 있어 그들과 정신적 교분을 지속했다는 사실을 기억할 때 멜빌에게 있어 명예란 다수의 인정을 통해 성취되는 것이 아니라 소중한 몇몇 사람의 인정을 통해 확인되는 사적이고 주관적인 것으로 봐야할 것이다.

『빌리 버드』에서 멜빌은 명예에 대해 두 가지 정의를 제시한다. 즉 "타고난 위엄(natural regality)"을 가진 사람의 명예와 "명예에 대한 사랑"과 "충직한 의무감"을 통해 스스로 계발한 명예로 구분하고 있다. 작품의 시작 부분에서 "타고난 위엄"을 가진 "잘 생긴 선원," 빌리는 "동료 선원들의 저절로 우러나는 존경"(321)을 받는다. 빌리가 "주목의 초점"이 되게 만드는 "타고난 위엄"이 그의 타고 난 "힘과 아름다움"에 기인한다는 멜빌의 설명은 초기의 빌리가 아무 노력 없이도 명예를 얻을 수 있게 태어났다는 사실을 강조한다. 그러나 작품이 진행되면서 빌리의 이 "타고난 위엄"의 힘은 크게 약화된다. 『인간의 권리(the Rights of Man)』라는 의미심장한 이름을 가진 상선에 타고 있는 동안 빌리는 이 배의 "보석"같은 존재이고 타고난 "평화제조자"이다(325). 이 배에서는 아무 의식적 노력 없이도 "시큼한 것을 달콤한 것"으로 만들 수 있었던 빌리지만 영국의 전함 『벨리포턴트(H.M.S. Bellipotent)』6)로 징병된 후에는 더 이상 "주목의 초점"일 수 없고 "시골에서 미를 칭송 받다가 궁정으로 옮겨 와서 귀족 여성과 경쟁하게 된 여자"(329)에 비유되는 상황에 놓이게 된다. 하지만 처형당하면서 빌리가 보내는 축도, "비어 선장님께 하나님의 축복이"라는 말을 다른 선원들이 자신도 모르게 함께 반복했다는 사실은 빌리가 죽음의 순간에 "충직한 의무감"과 "명예에 대한 사랑"을 통해 후천적 명예를 성취했음을 보여준다.

『빌리 버드』의 저작 과정에서 멜빌의 관심이 "타고난 위엄"으로부터 노력을 통해 성취하는 명예로 초점을 바꾸고 있다는 사실은 그의 원고에서도 드러난다. 멜빌은 제3단계 초에 넬슨 제독에 대한 여담을 담고 있는 제4장을 작품에서 떼어내어 별도 폴더로 옮겼다고 한다. 그리고 "타고난 위엄"을 최대로 갖춘 사람, "영예를 지나치게 사랑하는 사람"의 예로 제시된 넬슨 제독에 대한 여담 대신에 바로 이 타고난 능력이 부족한 비어 선장과 그래블링 선장(Captain Graveling)의 성격을 묘사하는 장을 첨가하고 있다. 넬슨은 반란성향을 보이는 선원들을 "그저 자신의 모습을 드러냄으로써 그리고 자신의 영웅적 인품의 힘을 통해 즉각적으로 충성스런 사람들로 되돌려 놓는 능력"(337)을 갖춘 사람인 데 반해 상선 『인간의 권리』의 선장 그래블링은 스스로 통솔력이 전혀 없는 사람임을 털어놓고 있다. "이 젊은 친구[빌리]가 승선하기 전엔 이 배의 선실은 싸움이 끊이지 않는 쥐의 소굴 같았다오. 암흑기였죠. . . 걱정에 시달려서 담배 파이프조차 위안이 될 수 없었지요"(325). 그래블링은 "속이 깊은 사람"으로 묘사되고 있지만 사람을 매혹시키는 타고난 능력은 없다는 점에서 비어 선장과 닮아있다. 멜빌은 비어의 "탁월한 능력 중에 찬란한 요소는 없었다"고 지적하고 있다.

그러나 비어 선장은 규율을 철저히 행사한다는 점에서 그래블링 선장과 차별화되고 있다. 그래블링 선장은 빌리가 전함으로 징집되었을 때 솟구치는 울음을 억제해야만 할 정도로 여린 마음의 소유자로 어떤 엄격함도 보이지 않는

---

6) 이 전함의 이름은 호전성을 말하는 belligerent와 강력한 힘을 말하는 potent란 단어를 조합한 것으로 상선의 이름이 "인간의 권리"인데 반해 인권이 제대로 지켜질 수 없는 전쟁 상황을 야기하는 인간의 호전성이 지배하는 상황을 상기시키는 명칭이다.

인물이지만 비어 선장은 "부하 선원들의 안위에 깊이 마음을 쓰는 장교이면서도 규율의 위반은 결코 허용하지 않는"(338)지휘관이다. 넬슨 제독과 같은 "타고난 위엄"이 없는 지휘관으로서 비어 선장이 전함을 통솔하고 선원들의 안위를 지켜주고 전함이 "싸움이 끊이지 않는 쥐의 소굴"이 되는 것을 막기 위해서는 규율에 의지할 수밖에 없었다는 논리를 멜빌은 강조하고 있는 것으로 보인다. 멜빌 스스로가 선원으로 오랜 시간을 보냈고 그가 『빌리 버드』를 헌정한 대상인 잭 체이스(Jack Chase)가 『화이트 재킷(White Jacket)』에서 "약간의 독재자적 면이 있는 사람"(*White Jacket* 15) 그리고 "항해 중인 선상의 규율 앞에 머리를 숙이는 사람"(*White Jacket* 18)으로 묘사되고 있다는 사실을 떠올리면 멜빌이 선상 규율의 필요성을 존중하는 사람이라 추정해도 무방할 것이다.7)

멜빌이 비어 선장에 대해 깊은 연민과 공감을 가지고 있었다는 주장은 비어를 멜빌의 비판대상으로 읽는 비평가들의 관점과 정면으로 대치된다. 『빌리 버드』에 대한 소위 "반어적 읽기 비평(ironist criticism)"을 택하는 비평가들은 이 작품이 "경직된 사회구조나 우주 자체가 부과하는 억압에 대한 멜빌의 최종적 반발의 항변"을 담고 있다고 봄으로써 멜빌이 비어 선장을 고발하고 있다고 주장한다(Sealts 7).8) 조이스 애들러(Joyce Adler)는 비어가 "전쟁의 신을 신봉하도록 훈련된 사람이고 전쟁에 헌신하는 사람"(Adler 268)이라고 매도하고 있고, 바바라 존슨(Barbara Johnson)은 비어 선장의 판결을 "살인 행위"(Johnson 592)라고 규정한다. 비어를 고발할 근거를 찾는 데 몰두하고 있는 이런 비평가들은 대개 비어의 내면세계, 그리고 빌리에 대한 그의 깊은 애정의 감정을 무시하고 있다. 이 작품의 부제가 "내면의 이야기(Inside Narrative)"라는 사실이 시사하듯이 『빌리 버드』는 겉으로 드러난 현상보다는 어떤 행위를 촉발하는 인간 내면의 움직임을 조명하는 작품이라 할 수 있다. 많은 비평가들이 빌리의 내면의 무죄를 옹호하기 위해 비어의 내면의 움직임은 완전히 무시하는 읽기를 하고 있

---

7) 『빌리 버드』 원고의 표제 아래에는 "영국인 잭 체이스에게 바침. 그 드넓은 마음을 가진 분이 지금 이 땅에 살아 계시건, 낙원에 귀의하셨건, 1843년 미국 군함 『유나이티드 스테이츠』의 망루장을 지낸 그 분께 바친다"라고 쓰여 있다.

8) 이 인용은 실츠 자신의 견해를 담은 것이 아님. 실츠가 "반어적 읽기 비평가"의 입장을 정리하는 부분에서 인용한 것임.

다는 사실은 참으로 흥미로운 아이러니이다. 멜빌은 비어 선장이 "내용을 전달하는 매개물보다는 전달된 내용 자체를 더 중히 여기는 사람"(340)이라 지적한다. 비어 선장이 내린 빌리의 처형 판결이 하나의 매개물이라면 "전달된 내용"은 빌리에 대한 그의 사랑과 믿음이라 할 수 있다. 비어 선장의 표면적 행동만을 고려하는 비평 태도는 빌리의 의도와 빌리의 행위를 분리하여 고려하는 군사법정의 태도와 다르지 않다. 비어 선장은 다음과 같은 말로 군법의 특징을 정리해준다: "전쟁은 앞면, 즉 외관만을 본다. 그리고 전쟁의 아이인 반란법은 아버지를 닮고 있어 빌리가 의도했는가 의도하지 않았는가는 전혀 문제 삼지 않는다." 이 작품의 "반어적 읽기 비평가"들은 비어 선장을 외면 이야기 속의 인물로 만들면서 군법처럼 겉모습과 결과만을 문제 삼고 있는 것이다. 전쟁과 비어 선장을 고발하는 그들의 틀은 그들 스스로를 군법재판소의 판사가 되게 하는 아이러니를 만들어낸다.

빌리의 일격이 살인이 아니라면 비어 선장의 판결 역시 살인이 아니다. 빌리의 언어장애가 클래가트의 거짓 고발에 의해 심화되었듯이 전시 지휘관으로서의 비어의 책임감 역시 진행되고 있는 전쟁 상황과 선상반란의 위협 앞에서 강화되고 있다. 빌리의 언어장애나 클래가트의 도발이 빌리의 탓이 아니라면 진행 중인 전쟁, 그리고 이 사건이 일어나기 직전에 다른 배에서 일어난 노어 선상반란 역시 비어 선장의 탓이 아니다. 멜빌이 면밀히 짜놓은 플롯은 비어 선장의 선택의 불가피성을 공감하도록 유도하고 있다. 어떤 독자들은 비어 선장이 빌리의 재판을 연기해서 제독이 주관하는 법정에 사건을 넘겼어야 한다고 주장한다. 『벨리포턴트』의 군의관이나 장교들 역시 같은 주장을 하지만 멜빌은 군이 이들의 판단이 신뢰할 만하지 않다는 가능성을 제시하고 있다. 군의관은 자신의 과학적 논리를 벗어나는 어떤 것도 볼 능력이 없는 사람이다. 빌리가 처형 순간 어떤 신체적 움직임도 보이지 않은 기이한 사실을 두고 사무장과 토론하는 장면에서 이 군의관은 완강하게 자신의 과학적 지식에만 의존하다가 결국 논리적 설명이 불가능하다는 사실을 깨닫자마자 그 자리에서 도망치는 인물이다. 이보다 앞서 처형판결을 내린 비어 선장이 이상한 흥분상태를 보였을 때 역시 이 과학적 의사는 그 원인을 결코 이해하지 못한다. 비어 선장의 내적 고뇌를 반영하는 이 현상을 보고 그는 비어 선장이 정신이상이 된 것으로 의심하기까지 한다. 다른 장교들도 이 "너무나도 이상하고 특이한 비극"의 핵심을 제대로 이해하기에는 한계가 있는 것으로 그려진다. 해무담당 장교는 "지극히 성품이 좋은 사람이지만 비극성을 갖는 도덕적 딜레마의 문제 앞에서는 전혀 의존할만한 사람이 못 된다"(379)고 평가되고 있고 나머지 두 사관 역시 "그들의 지적 능력은 실제 선박조종술이나 직업상의 전투의무와 관련된 문제에 국한"(382)되어있다. 멜빌은 이처럼 그들의 맹점을 강조함으로써 독자가 빌리와 관련한 그들의 판단에 큰 비중을 주지 않도록 이끌고 있는 것이다.

멜빌은 나아가 선장이 이 재판을 연기했을 경우 빌리의 생명을 구할 수도 있었을 것이라고 믿고 싶어 하는 독자를 위해 그 가능성을 배제해야만 하는 다른 근거도 제시한다. 그 당시 "전시의 법령에 의하면 빌리의 일격은 결과와는 상관없이 그 행위자체가 극형에 해당하는 범죄"(388)이다. 그 가격이 치명적이었거나 아니거나를 따질 필요도 없이 그 행위자체가 하극상 반란이 된다면 제독이 주관하는 법정 역시 그 법을 행사할 수밖에 없을 것이다. 비어 선장이 재판을 미루었다면 빌리의 육신의 생명을 구하지는 못하면서 다만 해이해진 군기 때문에 더 많은 죄 없는 생명들을 위험에 빠뜨릴 수밖에 없었을 것이다. 멜빌이 제시하는 표지판을 면밀히 따라가는 독자라면 빌리의 무죄를 마음으로부터 인정해주는 것 외에는 어떤 그럴듯한 대안도 없다는 현실을 직시하게 될 것이다. 멜빌이 법에 충실한 군인정신을 고발하기 위해 빈정거리는 마음으로 비어라는 인물을 만들었다면 이처럼 비어의 결정의 불가피성을 철저히 설명하지 않았을 것이다. 작품 속에서 멜빌이 비난의 기색을 담아 창조했다고 볼 수 있는 인물은 그나마 댄스커(Dansker) 한사람 밖에 없는 것 같다. 댄스커의 주된 특징은 "단단히 보호막을 치고 있는 냉소주의"(349)이다. 그는 "어떤 일에도 간여하지 않는 쓴 맛의 신중성을 가졌으며 남에게 충고를 주는 일이 절대 없는" 사람이다 (363). 빌리는 그러나 댄스커가 자신의 혼란을 풀어줄 수 있는 최상의 적임자라 생각하고 그에게서 충고를 구한다. 만약 빌리의 비극을 미연에 방지하는 것이 조금이라도 가능했다고 본다면 그 일을 해줄 수 있었던 유일한 인물은 댄스커였을 것이다. 그는 클래가트를 꿰뚫어볼 능력이 있는 사람으로 "자신이 들은 말보다 더 많은 것을 직관적으로 파악하는 것처럼 보인다"(362). 그러나 그는 빌리에게 "신탁처럼 모호한 견해"(363)를 제공함으로써 빌리를 더욱 혼란에 빠뜨리고 빌리가 앞으로 다가올 비극적 상황에 대비할 수 있는 어떤 도움도 주지 않는다. 『빌리 버드』비평에서 흥미로운 점은 댄스커의 이 지극히 자기방어적인 "쓴 맛의 신중성"은 거의 비판받는 일이 없는 반면 비어 선장의 공인으로서의 책임에 따른 객관적 신중성은 그가 한 무고한 남자를 처형해야 하는 고통스런 책임을 떠맡았다는 이유로 잦은 비판의 대상이 되고 있다는 사실이다.

비어 선장의 신중성은 타자에 대한 책임의 "긴박성"에서 나온 것이다. 그는 선상 반란의 위협에 직면해 있을 뿐만 아니라 언제라도 프랑스 함대와 격전해야 하는 전시상황의 군함 지휘관이다. 이런 상황은 그에게 엄격히 규율을 지켜야 하는 사회적 책임이라는 짐을 지우고 있다. 그러나 애들러가 주장하듯이 그를 "전쟁에 몰두하는 사람"이라 부를 수는 없다. 그는 전쟁을 도발한 사람도 아니고, 군법 내용을 만드는 데 참여한 사람도 아니다. 비어 선장은 "전쟁이 선포될 때 전투에 파견되는 우리에게 미리 상의하고 선포되는가? 우리는 다만 명령에 따라 싸울 뿐이다"(387)라고 지적한다. 더욱이 그는 어떤 국가를 공격하는 것이 아니라 자기 나라를 방어하는 전투에 임하고 있는 것이다. 우리는 비어 선장이 "텅 빈 바다를 망연히 지켜보며" 홀로 서있는 습관이 있고 그런 때면 "어떤 꿈결에 빠진 듯한 분위기"를 내비치는 것을 볼 수 있다. 이런 모습은 그가 평소에도 자신의 군인으로서의 역할에 대해 편안하지 않다는 것을 보여준다. 빌리의 클래가트 공격 이후에 그가 보이는 반응은 이 불안증이 극도로 심화되는 현상이다. 클래가트가 죽었다는 것을 확인한 순간 비어 선장은 한 손으로 얼굴을 가리고 "그의 발치에 있는 시체만큼이나 꼼짝 않고"(377) 서 있다. 그가 이런 정적 상태와 열에 뜬 듯한 흥분상태를 계속 오가며 반복하는 모습은 그의 도덕적 딜레마의 파동을 반영한다고 할 수 있을 것이다.

멜빌이 전쟁을 매도하고 전쟁 속의 인간의 충성심을 비판하기 위해 이 작품을 썼다면, 즉 전쟁에 대한 자신의 혐오감 자체를 극화하려는 저작 의도를 가지고 있었다면 작품 속에서 비어 선장의 법적 판단을 변호하는 수많은 변명거리를 제공하기 위해 그처럼 수고하지는 않았을 것이다. 멜빌은 마치 자신의 의도를 왜곡하는 독자를 예견하기라도 하듯이 전투현장에 있지 않았던 구경꾼의 판단이 어떻게 부적절할 수 있는지 지적하고 있기도 하다.

> 아는 사람이 거의 없는 한 작가가[9] 이런 말을 하고 있다. "전투가 끝나고 40년이 지난 뒤에 그 전투에 참가하지 않았던 사람이 그때 어떠어떠하게 싸웠어야 한다고 말하는 것은 쉬운 일이다. 모든 것을 모호하게 만드는 전쟁터의 연기 속에서 그리고 전쟁터의 불길 아래서 전투를 직접 지휘하는 건 그와는 전혀 다른 일이다. 도덕적 고려와 실제적 고려를 모두 요구하는 다른 위기상황에서 즉각 어떤 행동을 취해야 하는 절박한 상황 역시 마찬가지다. 안개가 짙을수록 배는 더 큰 위험에 놓이게 되고 누군가를 치일 위험에도 불구하고 속력을 낼 수밖에 없다. 선실에서 안락하게 카드를 즐기는 사람이 함교에서 잠을 빼앗기고 있는 사람이 걸머진 책임을 상상하는 건 거의 불가능하다 (391).

이 작품에서 멜빌이 추구하는 명제는 전쟁 자체가 아니라 사회적 상황의 모순을 심화하는 하나의 배경으로서, 그리고 자유의지를 구속하는 사회적 강박요인으로서의 전쟁이다. 전쟁은 멜빌에게 있어 매우 곤혹스런 명제였다는 것을 이 작품의 "서문"에서도 알 수 있다. 초기의 편집자들은 텍스트에 포함시켰으나 헤이포드와 실츠는 제외한 이 서문에서 멜빌은 프랑스 혁명의 양가적 측면에 대해 언급하고 있다. 멜빌은 이 작품의 배경이 되는 시점을 1797년 즉 프랑스 혁명이 끝나가던 무렵으로 설정하고 그 혁명이 구시대의 잘못을 바로잡는 과정에서 많은 유혈을 초래했음을 지적한다. "그 혁명 자체가 왕들보다 오히려 더 억압적인 가해자가 되었지만" 또한 시간이 지나면서 그것이 "유럽 전역에 걸쳐 어떤 정치적 발전을 가져다 준"계기가 되었다는 사실 역시 인정할 수밖에 없다.[10] 우리는 멜빌이 여기서 프랑스 혁명을 고발하는 것인지 또는 승인하는지 단정하기 어렵다. 멜빌은 폭력이나 유혈적인 것을 싫어한 사람이긴 하지만 또한 그 유혈 혁명이 어떤 정치적 발전을 가능하게 했다는 사실 역시 부정하지는 않고 있다. 이 서문에서 드러나는 멜빌의 모호성과 또한 멜빌이 이 서문의 원고

---

9) 헤이포드와 실츠는 이 무명의 작가가 "의심할 여지없이 멜빌 자신"을 지칭한다고 주를 달고 있다. (183)
10) 본 논문이 인용하는 책에는 이 서문이 없기 때문에 *Billy Budd and Typee*에서 인용함. (p. 3)

세 페이지를 버렸다는 헤이포드와 실츠의 연구 결과는 멜빌이 전쟁의 정당화 가능성의 문제를 회피하고 있다고 보게 만든다.

그렇다면 멜빌의 초점은 전쟁이라는 극한 상황 속에서 일어나는 인간의 내면의 움직임에 있다고 보아야 할 것이다. 말년의 멜빌이 이 작품에서 고통스런 삶의 문제를 극복하는 가능성을 탐색하는 과정을 담고 있다면 "라몬"을 썼던 제 2단계에서는 개인적 욕망을 벗어나고 선과 악이 공존하는 삶의 조건을 수용할 때 고통에서도 벗어날 수 있다는 답에 이르렀다고 볼 수 있다. 그러나 불교적 가르침을 닮은 이 초탈의 태도가 어디까지 적용될 수 있는가를 시험하는 과정에서 멜빌은 개인적 욕망의 문제가 아니라 관계 속에 살고 있는 인간의 사회적 책임의 문제를 비어 선장을 통해 부각시키게 되고, 초탈이 답이 될 수 없는 고통의 영역을 확인해주고 있다. 멜빌은 "처형당하는 사람이 그 사형선고에 주된 역할을 한 사람보다 오히려 고통이 덜하다"는 역설을 제시한다(392). 빌리는 라몬처럼 개인적 욕망을 버림으로써 고통을 넘어서고 죽음을 평화로이 받아들이는 반면 비어 선장은 클래가트의 죽음을 "하나님의 천사에 의해"(378) 야기된 것으로 믿으면서도 그 천사를 처형시킬 수밖에 없는 현실 앞에서 고통을 받는다. 멜빌이 이 초탈이 가능하지 않은 영역, 즉 거부할 수 없는 사회적 책임과 필요성을 수용하고 존중한다는 점에서 우리는 멜빌과 소펜하우어의 차이를 확인할 수 있다. 즉 『빌리 버드』 제 3 단계는 멜빌이 소펜하우어와 같은 염세주의자가 되기를 거부하고 있음을 증언한다.

1885년 1월 22일 제임스 빌슨에게 쓴 편지에서 멜빌은 자신의 염세적으로 보이는 시들에 대해 다음과 같이 설명하고 있다.

> 비록 나 자신은 염세주의자도 낙관주의자도 아니지만 그럼에도 불구하고 내가 시에서 염세주의를 즐기는 것은 오늘날 거세게 파장을 일으키고 있는 — 최소한 어떤 집단 내에서는 말이네 — 과도한 낙관주의, 청소년적이고 얄팍한 낙관주의에 대항하여 어떤 균형을 제시하기 위해서일세. (Metcalf 268)

멜빌은 삶에 대해 터무니없이 희망에 찬 태도를 만나면 염세주의자가 될 수도 있다. (그는 에머슨(Emerson)의 초절주의가 보이는 낙관적 관점에 대해 비판적이었다). 그러나 스스로 천명하듯이 멜빌의 염세주의는 다분히 기능적이다. 이와 반대로 소펜하우어의 염세주의 앞에서는 멜빌은 낙관주의라는 기능적 관점을 택했을 수도 있다. 멜빌이 "믿음을 가질 수도 없었고 믿지 않는 상태에서 편안할 수도 없었다"(Leyda 529)라는 호손(Hawthorne)의 평가는 멜빌의 이런 면을 잘 포착해주고 있다. 멜빌에게 있어서는 믿는 상태건 믿지 않는 상태건 지나친 자신감과 확신은 현실로부터의 자아기만적 도피이거나 현실의 호도나 왜곡이 된다. 말년의 멜빌이 소펜하우어의 철학과 그 철학이 제시한 "空"이라는 불교의 이상에 매력을 느낀 것은 분명하지만 "삶에 대한 의지의 거부"라는 그의 철학적 명제가 멜빌의 답이 될 수는 없었다. 거부할 수 없는 필연성, 사회적 강박에 대한 책임을 걸머져야 하는 인간에게 있어 "삶에 대한 의지의 거부"는 책임감의 회피일 수밖에 없다. 죽을 때까지 질문을 계속한 멜빌이 염세주의자도 낙관주의자도 되기를 거부하면서 우리에게 제시하는 긍정적 가치는 "명예롭게 살고 또 죽으려는 의지"로 축약될 수 있을 것이다.

멜빌의 손녀 엘리너 멜빌 메트카프는 할아버지의 서재 벽에 "네 젊은 시절의 꿈에 충실하라"(Keep true to the dreams of thy youth)는 표제가 붙어있었다고 기억하고 있다 (Metcalf 284). 그 꿈이 무엇이었던 간에 자신의 청년기의 꿈에 충실하려는 끈기를 지키려 했다는 사실은 역설적으로 멜빌이 "삶에 대한 의지의 거부"가 커다란 유혹이 되는 고단한 삶을 살았다는 반증이 되기도 한다. 계속되는 시련과 좌절 속에서도 멜빌은 낙관주의가 함축하는 성공에의 갈구를 버리는 동시에 염세주의가 함축하는 "삶에 대한 의지의 거부"라는 유혹 역시 버리고 있다. 그 표제는 세속적 성공은 추구하지 않으면서도 순수한 삶에 대한 열정은 지키도록 촉구한다. 구도자 멜빌의 해체과정이 우리에게 남겨준 가치가 있다면 그것은 고귀하고 명예로운 삶에 대한 의지, 특히 동료 인간에 대한 사랑과 책임을 지키려는 의지가 아닌가 싶다. 『빌리 버드』는 화자의 초연한 어조에도 불구하고 하나의 비극이다. 이 작품에서 제시된 삶은 운무처럼 나타났다 사라지는 고통스러운 것이다. 그러나 모든 주요 인물의 죽음에도 불구하고 이 작품이 우리에게 남기는 것은 "空"에의 갈구가 아니다. 버소프가 잘 표현해주듯이 "지극히 고뇌스러운 세상의 강압 아래서도 여전히 살아있는 크고 넓은 너그러움의 움직임"을 우리는 기억하게 된다. 멜빌이 이 작품을 헌정한 대상 잭 체이스에 대해 기억하는 것이 바로 이 드넓은 마음의 움직임이다. 그는 잭 체이스가 이미 세상을 떠났거나 아직 살아 있거나 상관없이 그의 "크나큰 마음"(great heart)에 이 작품을 바친다고 쓰면서 오래 전 그가 젊은 수병 멜빌에게 보여 주였던 대범하면서도 자애로운 마음을 기리고 있다. 이런 마음이 추구하는 명예로운 삶이란 보상과 대가, 대중적 명성과 같은 실리적 이득과 무관하다. 그러나 이런 삶을 지향하는 의지는 이 모순투성이의 세상에서 손쉬운 낙관주의나 절망적 허무주의의 유혹을 극복하고 삶 자체를 긍정하는 힘이 되어준다. 청년기의 꿈을 지키려 했던 멜빌의 그 꿈은 어쩌면 죽음의 순간까지 명예롭게 살려는 의지가 아니었을까? 『빌리 버드』는 이런 의지가 악과 고통을 수반하는 삶을 살아가는 불완전한 인간이 궁극적 선을 지향할 때 삶과 죽음을 감당하는 원동력이 된다는 사실을 부각시키고 있다. 그리고 멜빌은 명예롭게 살려는 그 의지가 과연 우리에게 지복이란 보상을 줄 것인가 아닌가 라는 질문으로부터는 초연해져 보라고 제안하고 있는 것 같다.

❧ 인용문헌

Adler, Joyce S. "*Billy Budd* and Melville's Philosophy of War". *Publications of Modern Language Association* No. 91(March 1979). Reprinted in Adler, *War and Melville's Imagination*. New York: New York University Press, 1981.

Berthoff, Warner. "'Certain Phenomenal Men': The Example of *Billy Budd*". *The Example of Melville*. Princeton: Princeton University Press, 1962.

Cohen, Hennig.(Ed). *Selected Poems of Herman Melville*. Carbondale: Southern Illinois University Press, 1964.

Fite, Olive L. "Billy Budd, Claggart, and Schopenhauer". *Nineteenth Century Fiction*, 23 (1968). 336-43.

Forster, E. M. *Aspects of the Novel*, New York: Harcourt, Brace & Co., 1927, 1954.

Gupta, R. K. "*Billy Budd* and Schopenhauer". *Schopenhauer-Jarbuch*, No. 73 (1992).

91-97.

Haydock, John. "Melville's Seraphita: *Billy Budd, Sailor*. *Melville Society Extracts*, No. 104 (March 1996). 2-13.

Hayford, Harrison and Merton M. Sealts. Introduction, *Billy Budd, Sailor (An Inside Narrative): Reading Text and Genetic Text*. Herman Melville. Chicago: University of Chicago Press, 1962.

Johnson, Barbara. "Melville's Fist: The Execution of *Billy Budd*". *Studies in Romanticism*, No. 18 (Winter 1979). Also printed in Johnson's *The Critical Difference: Essays in Contemporary Rhetoric of Reading*. Johns Hopkins University Press, 1980.

Leyda, Jay. *Melville Log*. New York: Harcourt, Brace and Co., 1951.

Melville, Herman. *Billy Budd, Sailor & Other Stories*. Ed. with an Introduction. Harold Beaver. Penguin Books, 1976.

_____. *Billy Budd* and *Typee*. Ed. & Introduction by Maxwell Geismar. New York: Washing Square Press, Inc., 1962.

_____. *The Confidence Man: His Masquerade*. Ed. Hershel Parker. New York: Norton, 1971.

_____. *Moby Dick*. Ed. Harrison Hayford and Hershel Parker. New York: Norton, 1967.

_____. *White Jacket*. Oxford: Oxford University Press, 1966.

Metclaf, Eleanor Melville. *Herman Melville: Cycle and Epicycle*. Cambridge: Harvard University Press, 1953.

Richardson, Charles Francis. *American Literature: 1607-1885*. New York & London: G. P. Putnam's Sons, 1886.

Schopenhauer, Arthur. *The World as Will and Idea*. Trans. R. B. Haldane and J. Kemp. 3rd Edition, 3rd Volume. Boston, 1887.

Sealts, Merton M., Jr. *Innocence and Infamy: Resources for discussing Herman Melville's Billy Budd, Sailor*. Madison: The Wisconsin Humanities Committee, 1983.

_____. "Melville's Reading: A Check-List of Books Owned & Borrowed". *Harvard Library Bulletin* (1948-50)

_____. *Melville's Reading*. Columbia: University of South Carolina Press, 1988.

Sutton, Walter. "Melville and the Great Godd Budd". *Prairie Schooner*, No. 34 (1960). pp. 128-33.

Tilton, Eleanor M. "Melville's 'Rammon': A Text and Commentary". *Harvard Library Bulletin*, 13 (Winter 1959), 50-91.

Watson, E. L. "Melville's Testament of Acceptance", *Billy Budd and the Critics.* Ed. William T. Stafford. Belmont, California: Wadsworth Publishing Co. Inc. 1961.

초월의 내재화 가능성을 찾아: 멜빌과 믿음의 공동체

| 손영림 |

I.

멜빌(Herman Melville, 1819-1891)이 말년에 쓴 「예술("Art")」(Selected Poems 144)이라는 시는 예술 및 예술가에 대한 그의 생각을 가늠케 하는 의미 깊은 단서를 제공하고 있다. 이 시에서 멜빌은 예술가의 노력을 구약의 인물 야곱의 씨름에 빗대어 말하고 있다. 야곱이 20년간의 타향살이를 마감하고 고향인 가나안에 들어가기에 앞서 야뽁강 나룻가에서 밤을 보낼 때 정체를 알 수 없는 한 남자(천사)를 만나 날이 샐 때까지 끈질기게 맞붙어 싸운 것으로 성서는 기술하고 있거니와(창세기 32장 22-33절), 멜빌은 이 시에서 예술가 또한 야곱처럼 예술이라는 자신의 천사를 붙들고 집요하게 싸워야 하는 것으로 그리고 있다. 야곱이 환도뼈를 다치면서까지 하느님과 싸웠다는 것은 그가, 그리고 그 누구라도 선과 악, 밝음과 어둠, 기쁨과 슬픔이 공존하는 객관적 현실을 냉정하게 받아들이면서도 하느님에 대한 믿음을 갖는다는 것이 결코 쉽지 않음을 보여준다. 마찬가지로 예술가가 현실의 구체적인 문제들에 눈감은 채 한가로이 꿈꾸는 시적 비상이나 백일몽이 아닌, 생명력을 갖는 예술작품을 창조하기 위

---

* 『문학과 종교』 제 7권 1호(2002)에 실렸던 논문임.

해서는 엄청난 고통을 감수해야 할 것임을 암시한다.[1] 더구나 야곱이 이 싸움에서 하느님뿐만 아니라 '사람들'을 이김으로써만이 비로소 믿음의 백성인 이스라엘의 이름을 부여받게 되었다는 성서의 대목은 멜빌과 독자들과의 관계를 생각해 볼 때 특히 뜻 깊은 시사를 하고 있다. 형 에사오에게서 장자권을 탈취한 후 20년 간 고향을 떠나 살아야 했던 야곱처럼 멜빌 또한 미국에서 작가로서의 자신의 처지를 고향에서 추방당한 이방인으로 인식하였고, 하지만 야곱이 끝내는 '사람들'과 싸워 이겨 이스라엘이 될 수 있었던 것처럼, 멜빌도 당대의 미국 독자들과 믿음의 공동체를 구축할 수 있게 되기를 간절히 희망하였기 때문이다.

에른스트 피셔(Ernst Fischer)는 신이란 원래 집단을 가리키는 이름이며, 신들림이라는 것은 개인 속에 그 집단이 재생산되는 현상으로 파악한다. 그리고 신들린 사람들, 즉 예언자들, 무당들, 그리고 가인(歌人)들의 과제는 훼손된 집단의 통일성과 조화를 회복시키는 것이라고 말하고 있다(56). 여기에서 피셔는

---

1) 꿈은 우리가 평온한 시간에 한가로이 즐기는 것.
   그러나 그 꿈에 형태를 부여하고,
   박동치는 생명 있는 것으로 창조하기 위해서는
   그 얼마나 상이한 것들이 만나 짝지어져야 하는가.
   뜨겁게 녹일 수 있는 불같은 마음과
   차갑게 얼어붙게 하는 바람 같은 마음,
   슬픈 인내심과 유쾌한 열정,
   겸손함과 동시에 자긍심과 경멸,
   무모한 용기와 외경심, 이것들이 만나
   야곱의 신비한 마음으로 녹여져 용해되어야
   예술이라는 천사와 싸울 수 있다.

   In placid hours well-pleased we dream
   But form to lend, pulsed life create,
   What unlike things must meet and mate;
   A flame to melt — a wind to freeze;
   Sad patience — joyous energies;
   Humility — yet pride and scorn;
   Audacity — reverence. These must mate,
   And fuse with Jacob's mystic heart,
   To wrestle with the angel — Art

   "예술" (Art)

원래 종교와 예술의 기원 및 역할이 같음을 암시하고 있다고 볼 수 있다. 멜빌에게도 작가란 이상적인 의미에서 한 집단—사회, 국가, 인류, 나아가 존재의 궁극적 총체—의 대표자로서 공동체 전체의 진리와 믿음을 구하고 전달하는 자이다. 멜빌은 자신이 존경하던 선배 작가 호손(Nathaniel Hawthorne)의 단편집, 『구목사관의 이끼』(*Mosses from an Old Manse*, 1846)에 대한 서평 「호손과 그의 이끼」("Hawthorne and His Mosses," 1850)에서 호손을 예수 및 구약의 예언자들과 연결시키고 있는데(541-44), 이들을 연결시키는 공통점은 모두가 한 국가 내지 민족 전체의 대표자로서 동포들에게 진실을 가르쳐주는 구원자의 역할을 한다는 점이다. 이들은 한 나라가 그것이 표명하는 전체적 이상을 배반하고 소외와 분열로 떨어지고 있을 때 전체의 이름으로 다시 통합을 이루려 하는 자들이다. 멜빌은 신세계라는 새로운 가나안 땅에 새로운 이스라엘을 세우려 했던 청교도 선조들의 이상, 그리고 개인의 자유와 평등을 근간으로 하는 민주주의국가의 모델을 세우려는 독립혁명의 이상을 배반하고 있는 당대 미국민들에게 끊임없이 그 이상을 환기시키려 하였다.

그러나 사회가 파편화되어 전체적 이상과 현실의 괴리가 커갈수록 전체의 조화로운 통일성을 회복시키려는 예언자 및 예언자적 작가의 상황은 점차 어렵고 문제적이게 된다(피셔 63). 옛 이스라엘 백성들이 다가올 이스라엘의 멸망을 경고하며 회개하고 하느님께로 돌아갈 것을 촉구하는 구약의 예언자들의 말에 귀기울이지 않았던 것처럼, 미국의 독자들 또한 진실을 깨우치고자 하는 멜빌의 작가적 노력을 외면하려 하였다. 그럼에도 불구하고 멜빌에게 참다운 믿음이란 자신 개인에게만 유효한 비의적이고 초월적인 진리에 대한 믿음이 아니라, 현실 속에서 살아있는 원리로서 공동체가 공유해야 하는 것이기에 멜빌은 독자와의 교섭을 끈질기게 계속하였다. 참된 종교가 '하늘나라'를 지향하면서도, '지상'을 완전히 떠나가는 것이 아니라 '하늘나라'의 질서가 '지상'에서 이루어지는 '내재적 초월'을 믿고 그것을 위해 노력하는 것처럼, 멜빌 또한 작가로서 현실로부터 독립적 위치를 취하면서도 동시에 끊임없이 현실에 적극적, 긍정적 충격을 가하고자 고투하였다.

이처럼 이상과 현실 양자에 공정한 채로 참된 공동의 믿음을 찾아가는 과정에서 멜빌은 당대 독자들과 있을 수 있는 거의 모든 소통의 방법을 실험하였던 바, 멜빌 작품 속의 작가들은 때로는 예언자-메시아-예수적 인물로, 때로는 광대-광인-바보의 이미지로, 필경사-죄인으로, 또는 사기꾼인지 예수같은 인물인지 정체 모를 사람으로 모습을 달리하며 나타난다. 본 논문에서 필자는 멜빌의 주요 몇 작품들을 통해 멜빌이 당대 독자들과 참된 믿음의 공동체를 구축하고자 했던 다양한 노력을 살펴보려 한다.

II.

'미국주의'(Americanism), 즉 세계사 속에서의 미국의 특수한 역할에 대한 미국민들의 믿음은 미국역사의 단초를 이루는 청교도들의 신세계 이주에서부터 발원한다. 종교적 양심, 정치적 자유를 찾아 뉴잉글랜드로 이주해 온 청교도들은 자신들이 구약의 이스라엘 민족과 같은 역할을 하고 있는 것으로 이해하였다. 즉 하느님의 뜻에 따라 애굽을 탈출하여 가나안 땅에 온 이스라엘인들처럼, 청교도들은 자신들을 구세계를 탈출하여 뉴잉글랜드라는 새로운 가나안 땅에 신의 뜻이 이루어지는 새로운 이스라엘을 세우도록 운명 지워진 사람들이요, 선민들로 생각하였다. 가령, 메사츄세츠만 식민지의 초대총독이었던 존 윈드럽(John Winthrop, 1588- 1649)의 아벨라(Arbella)호 선상에서의 설교, 「기독교적 사랑의 모델」("A Model of Christian Charity," 1630)는 하느님께서 그들에게 하느님 나라의 모델 역할을 할 "언덕 위의 도시"(a City upon a hill)를 건설할 "임무"(Commission)를 주셨으며, 이 일을 위해서 자신들이 하느님과의 "계약"(Covenant)에 들어간다고 밝히고 있다(Miller 82-83). 비록 청교주의가 하나의 살아있는 종교적 교의로서는 17세기 말부터 쇠퇴하기 시작하였고 18세기 중엽에는 세속적, 실용적인 양키주의에 밀려나게 되었지만, 청교도인들의 특별한 자기 정체성의 영향력은 이후에도 계속 남아있게 된다.

가령 미국 독립혁명의 선조들은 청교주의의 종교적, 정치적 자유의 이념이 미국독립혁명을 통해 완성되는 것으로 파악하였다. 미국은 독립선언문을 통해, 신이 모든 인간에게 부여한 본래적 평등, 자유, 존엄성의 이념을 미국 한 나라의 국지적 차원을 넘어 전 인류의 공동의 원칙으로 옹호하면서, 미국이 모델 공화국으로서 전 세계의 정치적 후진국들에게 민주주의의 혜택을 전파해야 할 '명백한 운명'(Manifest Destiny)을 수행해야 한다고 주장했다. 그리고 독립 당시 대서양 연안의 13개 주로 시작한 아메리카 신생국은 19세기 전반동안 '명백한 운명'이라는 이름으로 이상화된 대대적인 팽창정책을 실행하여 반세기 동안에 오늘날과 같은 대륙국가의 모습으로 확장되게 되었다.[2]

멜빌은 이처럼 미국의 우월성에 대한 믿음이 팽배하던 시기에 작가로서의 활동을 시작하였다. 멜빌의 초기작, 가령 『레드번』(*Redburn*, 1849)과 『화이트 자켓』(*White-Jacket*, 1850) 역시 부분적으로 전 세계 민주주의의 지도국으로서의 미국에 대한 믿음을 보여준다. 그러나 멜빌은 건국 선조들이 표방했던 만인의 자유, 평등이라는 보편적 민주주의 원칙이 차츰 백인 중산계급만의 선택적 이념으로 변질되고 나아가 '명백한 운명'이라 불리는 제국주의로 화함에 주목하게 되면서, 미국사회에 대해 비판적 태도를 취하게 된다. 그리고 멜빌의 작품에는 민주주의의 참 정신이 배반당하고 있는 '거짓 세상'에서 진실을 추구하는 개인의 원형으로서의 작가적 인물이 중요한 의미를 갖고 등장하게 된다. 이같은 문학의 역할에 대한 새로운 인식은 「호손과 그의 이끼」에 천명되는 바, 여기에서 작가는 사회의 기성 관념을 모사하여 현상의 유지에 협력하는 것이 아니라 독자들이 기피하고 거부하려는 두려운 "진실을 말하는 위대한 기술의 대가들"(masters of great Art of Telling the Truth 542)로 정의된다. 이 글에서 멜빌은 호손을 비롯한 위대한 미국작가들과 일반 독자들 간의 불화를 암시하는 한편, "기독교의 해방적이고 민주적인 정신"(unshackled, democratic spirit of Christianity 546)을 현양하는 "미국의 문학적 메시아의 탄생"(the coming of the literary Shiloh of America 550)의 가능성을 알리고 있다. 이처럼 미국사회에 대해 멜빌이 보이는 긍정과 비판의 양면적인 듯한 태도는 미국의 민주적 이상에 대한 믿음과 아울러 실제 역사적 현실에 대한 어두운 인식에서 연유하는 것이라 하겠다.

---

2) 아메리카 신생국은 1803년 프랑스로부터 루이지애나를 사들이는 것으로부터 시작, 미영전쟁 (1812-14), 잭슨(Andrew Jackson) 대통령의 인디언 이주령(1830), 타일러(John Tyler)의 텍사스 합병(1845), 포크(James K. Polk) 대통령의 멕시코 전쟁(1846-48) 등의 팽창주의 정책을 시행하여, 대서양에서 태평양까지 이르는 현재와 같은 대륙국가를 이루게 되었다(데글러 120-26).

[1]『모비딕』(*Moby-Dick*, 1851)의 외면적, 극적 줄거리를 이루는 것은 에이헙(Ahab) 선장이 이끄는 미국 포경선 피코드(Pequod)호의 고래잡이 활동, 특히 흰 고래 모비 딕을 추격하는 극인 행위이다. 그러나 다른 한편으로는 에이헙에 의해 주도되는 백경 추격활동에 대한 화자 이슈미엘(Ishmael)의 부단한 성찰과 반성 작업이 병행되고 있다. 즉 피코드호의 선원으로서 백경 추격 활동에 참여했던 이슈미엘이 차츰 그것의 궁극적 파괴성에 눈뜨게 되면서, 다른 방식으로 백경을 파악하고자 하는 탐색을 병행하며, 독자들에게도 그 탐색 과정에 동참하기를 유도하고 있다.

피코드호의 지도자 에이헙은 미국 민주주의 및 산업주의의 정신을 극단까지 추구하여 그 정점에서 삶의 모든 부면에서의 소외와 단편화ㅡ인간의 자기 분열, 타인들로부터의 단절, 세계로부터의 소외ㅡ의 양상을 초래하고 마침내 자신은 물론 공동체 전체의 파탄을 초래하는 인물이다. 그에게 자신 이외의 모든 것은 자신의 욕구를 달성하는 데 필요한 수단으로서의 의미만을 가질 뿐이다. 이슈미엘이 인간과 자연 세계를 설명하기 위해 자주 사용하는 '식인주의'(cannibalism)의 이미지는 에이헙들의 세계, 즉 모든 존재 사이의 조화와 통합이 깨어지고 먹느냐 먹히우느냐의 약육강식의 관계만이 존재하는 상태를 표현하고 있다. 이처럼 나의 자유를 침해하는 외부의 어느 권위도 인정하려 들지 않는 에이헙은 모든 것을 자기중심적으로 파악하는 유아론적 인식론을 대표한다. 그러기에 그는 백경을 잡는 자에게 보상으로 주기로 한 금화 (Doubloon)ㅡ세상의 상징ㅡ에 새겨진 그림들에서 오직 자신의 모습만을 볼 수 있을 뿐이다.

그러한 에이헙에게 타인들은 오직 자신의 개인적 욕망 달성을 위한 도구일 수밖에 없다. 26장 "기사와 종자"(Knights and Squires)에서 이슈미엘은 포경인들을 자신의 서사시의 주인공들로 삼을 수 있는 이유로, 신이 가장 하찮은 사람에게도 부여한 "민주적 고귀함"에 근거한 "거룩한 평등"을 들고 있다. 즉 포경인들의 고귀함은 모든 인간에 내재한 신성(神性)에 근거한 것으로, 평민 출신 대통령 잭슨(Andrew Jackson)에게서 발견되는 "왕다운 평민"의 위대함과 같은 것이다(104-05). 또한 이슈미엘은 여러 다양한 인종으로 구성된 피코드호를 프랑스혁명 당시 전 세계의 자유주의자들을 규합하여 범세계적 민주공동체를 이룩하고자 했던 아나카시스 클로우츠(Anacharsis Clootz) 대표단에 빗대고 있다. 이는 피코드호가 자유민주주의라는 미국혁명의 이념 하에 다양한 인종과 민족이 연합하여 하나의 국가를 이룩했음을 말하고 있는 것이라 할 수 있다. 그러나 미국이라는 배를 이끄는 선장 에이협이 선원들을 제압하고 마치 자신의 수족인 양 지배하고 조종하게 될 때, 미국 민주주의의 근간을 이루는 "왕다운 평민"들은 에이협의 미친 추격을 저지하지 못하고 수동적인 대중들로 전락, 비극적 결말을 향해 함께 곤두박질치게 된다.

에이협의 백경에 대한 원한에 찬 추격 자체가 그가 다리 절단에 의해 상징되는 자아의 손상을 받아들일 수 없음을 보여준다. 여기에서 백경은 절대화된 자아의 표상인 에이협 앞에 놓여있는 지배 대상으로서의 세계를 의미한다. 따라서 백경은 구체적으로는 에이협의 다리를 앗아간 특정의 고래이면서, 나아가 인간의지로 상품으로 변환시켜야 할 자원으로서의 자연이며, 또한 이슈미엘이나 에이협이 파악하듯 그 물질적 자연이 표상하고 있다고 생각되는 존재의 궁극적 총체를 상징한다. 백경에 대한 에이협의 태도에서 드러나듯 자연과 세계는 그에게 소유와 지배의 대상이다. 자연을 파헤치고 분쇄해야 할 알 수 없는 어둠과 악의 힘으로 파악하는 그의 태도는 자연의 무자비한 정복을 정당화하려는 문명인들의 무의식적 동기에서 비롯되는 것이라 할 수 있다. 인간이 자연의 지배자요 주인으로 군림하기 위해 자연을 인간의 욕구에 따라 정복되어야 할 악의 힘으로 파악하는 것이다. 그리고 백경에 의해 야기된 에이협의 세계 지배 욕구의 좌절은 그로 하여금 삶의 모든 의미를 오로지 백경 추격이라는 한 가지 목적을 관철하는 데 두는 강박적이고 편집적인 욕망에 시달리는 인간으로 만든다.

이렇게 볼 때, 에이협이 이끄는 피코드호의 침몰은 멜빌이 한 편지에서 호손의 소설 『일곱 박공지붕의 집』(*The House of the Seven Gables*, 1851)에 대해 언급했던 것과 마찬가지로 "인류사의 한 비극적인 단계"를 전형적으로 보여주고 있다(서간집 124). 결국 에이협은 민주주의의 이상인 자유가 개인적으로나, 국가적으로, 나아가 생태학적 차원에서 극단적으로 주장될 때 초래되는 위험과 불행을 구현하고 있다고 보여진다. 멜빌은 민주주의, 자본주의, 산업주의 등으로 불리는 서구 근대문명의 개인주의, 인간주의의 한계와 위험을 보여주고 있는 것이다. 그리고 멜빌은 이 같은 서양역사의 전개에서 미국의 특수한 위치를 인식하듯, 미국 포경선 피코드호 참사의 의미를 강조하고 있다.

"나만 가까스로 살아남아 당신에게 이야기를 전합니다."(470)에서 드러나듯 독자들은 이슈미엘을 통해 피코드호의 백경 추적의 의미를 전해 듣는다. 그리고 이슈미엘의 이야기는 그가 바다로 떠나기 전 낸텃키트(Nantucket)의 한 포경선원 교회에서 들었던 매플(Mapple) 목사의 요나서에 관한 설교와 마찬가지로, 신의 응징에 관한 긴 설교라고 볼 수 있다. 작품 곳곳에 산재한 이슈미엘의 확연한 의미의 유보에도 불구하고 작품 전체를 지탱하고 있는 요지는 에이헙의 백경 추적의 결과는 파멸이라는 것, 그리고 에이헙과는 다른 방법으로 백경을 이해하는 것이 구원의 길임을 알리려는 것이다. 이슈미엘은 에이헙의 길이 증오-분열-파멸과 죽음이라는 것을 깨닫고, 다른 길 즉 사랑-통합-구원과 생명의 길을 택한다. 이슈미엘의 모든 회의와 의심에도 불구하고 이 같은 선택이 소설의 말미에서 그의 유일한 생존을 보장해 주는 것이며 그의 이야기의 처음부터 끝까지를 지탱해주고 있다. 에이헙의 과도한 자기의지의 주장은 세상에 존재하는 것들 간의 관계의 조화를 위태롭게 하였다. 이에 반해 이슈미엘의 모색은 나와 타인들, 나와 세계의 조화를 회복, 창조하면서 동시에 참된 자아를 찾으려는 작업이다.

이슈미엘이 고래잡이 항해에서 삶의 조각나고 흩어진 부분들을 통합의 상태로 끌어 모으려 하는 예술가적 자아로 탄생하게 되는 과정은 그가 에이헙의 백경 추적의 파괴성을 깨닫고 그의 영향력으로부터 차츰 벗어나게 됨과 동시에 퀴퀙(Queequeg)의 영향 하에 들어가게 되는 것을 의미한다. 폴리네시아 섬 출신의 야만인이요, 유색인종 이교도 작살잡이인 퀴퀙이 구현하고 있는 여러가지 긍정적인 자질은 그가 자기자신과, 타인들, 그리고 세계와 조화로운 관계를 맺음으로써 가능해지는 것들이다. 그는 헛된 욕망에 시달림으로써 오는 조바심이나 안달이 없이 내적 평화와 자족감을 누린다. 퀴퀙의 자기충족감은 나 이외의 존재를 무시함으로써 가능한 자기탐닉이 아니다. 이 점에서 퀴퀙은 에이헙과 좋은 대조를 보여주며 이슈미엘의 갱생에 중대한 영향을 주게 된다.

가령 이슈미엘이 94장 "손으로 쥐어짬"(A Squeeze of the Hand)에서 동료 선원들과 함께 굳어버린 경뇌(sperm) 덩어리를 손으로 짜서 액체로 만드는 공동 작업 중에 인간과 인간 사이의 화합에 대한 강렬한 인식을 하게 되는 것은 자신과 퀴퀙 사이의 만족스러운 유대관계의 연장, 발전으로 볼 수 있다. 이슈미엘은 인간과 인간 사이의 유대뿐 아니라 나아가 세계와 나의 근원적인 일치감도 경험한다. 87장 "대함대" (The Grand Armada)는 이슈미엘이 창조와 파괴, 생명과 죽음, 선과 악, 기쁨과 비애, 밝음과 어두움이 공존하고 있는 세계와 자아의 현실을 전체적으로 파악할 수 있게 됨을 보여준다. 이슈미엘 일행은 수많은 향유고래의 군단을 만나 좇아가던 중 퀴퀙이 던진 작살에 맞은 고래가 보트를 끌고 돌진하는 통에 고래들의 한 가운데에 갇히게 된다. 그리고 그들 일행은 작살에 맞은 고래들이 일으키는 혼란과 광란의 중심에 존재하는 이상한 고요 ("that enchanted calm which they say lurks at the heart of every commotion" 324) 속에서 평화롭게 새끼 고래들에게 젖을 물리고 있는 어미 고래, 새끼를 가져 배가 불룩한 암 고래, 아직 탯줄로 어미 고래에 연결되어 있는 갓난 새끼 고래, 사랑의 행위 중에 있는 젊은 고래들의 신비한 모습들을 보게 된다. 그리고 이처럼 온갖 소요와 파괴, 죽음, 피의 한가운데 고요와 평화, 사랑, 생명, 젖이 존재하는 모습을 보며 이슈미엘은 세계와 인간의 마음의 깊은 바다에도 고요의 핵심이 있음을 알게 된다(326). 온갖 모순과 대립으로부터 놓여난 조화와 화해의 순간, 역동적인 고요의 순간에 이슈마엘은 문득 세계의 통일성, 자아의 통일성, 그리고 이 양자 사이의 근원적 일치의 가능성을 깨닫게 되는 것이다.

이슈미엘의 구원은 개인적, 도덕적 의미를 지님과 동시에 사회적, 나아가 생태학적 의미를 지닌다. 이슈미엘이 추구하는 바는 현실의 것이 아닌 반대 명제로서의 또 하나의 세계에 대한 직관이지만, 이 직관은 현실과는 전혀 무관한 별개의 것으로 향유되는 것이 아니라 지상의 삶을 해석하고 변화시킬 적극적인 힘으로서의 의미를 지닌다. 멜빌이 살아남은 자 이슈미엘의 고백을 통해 의도했던 바는 19세기 중반의 미국사회에 대한 비판과 대안의 제시라고 보여진다. 미국 독립혁명의 토대가 된 자유민주주의의 이념이 개인적, 국가적, 인종적, 종족적 차원에서 제국주의화하는 시점에서 멜빌은 그 위험성을 지적하고 민주주의의 이상적인 가능성을 환기하려 하고 있다. 이슈미엘이 해상과 육지의 에이헙들에게 제시하는 대안은 나만의 자유가 아닌 모두가 함께 자유로움을 누리는 상태이다. 즉 신이 모든 인간에게 부여한 본래적 자유와 평등, 그리고 우애가 구현되는 기독교 민주주의(Democratic Christianity)의 실현이요, 더 나아가 인간과 세계의 본래적 관계의 회복이라 할 수 있다.

멜빌은 미국의 도덕적, 정치적 우월성을 굳게 믿고 있던 당대의 미국독자들에게 유쾌하지 않을 진실을 전달하려 하고 있는 자신의 입장을 충분히 의식하였지만, 자신의 인식이 보다 넓은 층의 독자들에게 확산되어야 한다고 생각했기 때문에 이슈미엘로 하여금 사회로 돌아오게 하여 의사소통의 어려움을 인식하는 가운데서도 자신의 모험의 의미를 전달하게 하고 있다. 그리고 "허위의 면전에 진실을 설파하라"고 외치는 매플 목사의 설교가 "살아있는 신의 파일롯 "(50)으로서 진리를 전하는 사람들의 궁극적인 기쁨에 대한 확신으로 끝났듯이, 『모비딕』을 쓸 때까지의 멜빌 또한 아직 진실의 가능성, 그리고 작가와 독자의 소통의 가능성을 믿으려 하고 있다. 그가 소설을 독자들과의 공동의 만남의 장소로 만들기 위해 기울이는 노력을 보라. 이슈미엘은 진리에 대한 우월한 입지에서 독자들을 가르치려 하고 때로 회유하고 매달리고, 유혹하고 명령하는 등, 끊임없이 독자 쪽으로부터의 활발한 참여를 유도하려 노력하고 있다.

그러나 다른 한편 『모비딕』에는 이와는 상충되는 작가로서의 불안 의식 또한 존재한다. 사실 소설 속의 이슈미엘은 피코드호의 멸망을 막을 수 있는 아무런 영향력을 미치지 못하고 에이헙의 복수극에 수동적으로 참여하는 인물이며, 유일하게 살아남아 독자들에게 구원의 메시지를 전하는 이로 설정된 그가 사회에서 추방된 자라는 함의를 지닌 이슈미엘이란 이름을 갖고 있다는 사실 자체가 아이러니가 아닐 수 없다. 이는 이슈미엘이 제시하는 대안이 현실적으로 사회의 중심부에 영향을 미칠 수 없다는 작가의 불안이 반영된 것이라 하겠다. 즉 멜빌은 엘리야-요나-매플 목사-이슈미엘-멜빌 자신으로 이어지는 예언자적 작가(또는 말하는 사람)의 진실이 '사람들'에 의해 받아들여지지 않을 것임을 우려하고 있는 것이다. 그리고 『모비딕』에 대한 당시의 독자들과 비평가들의 부정적 반응은 멜빌이 이슈미엘의 입을 통해 전하려 했던 미국의 미래 현실에 대한 경고와 예언이 무시되고 배척당했음을 보여 준다. 대부분의 평자들은『모비딕』중 고래와 고래잡이에 관련된 부분들을 가장 잘된 것으로 칭찬하는 반면, 이슈미엘의 대담한 사변을 사회의 근본적인 가치들을 침해하는 위험스러운 것으로 비난하였다. 그리고 이러한『모비딕』의 실패에 대한 멜빌의 고통스러운 의식은 다음 소설『피에르 또는 애매성들』(*Pierre or, The Ambiguities*, 1852, 이하『피에르』)에 본격적으로 반영되게 된다.『피에르』에서 멜빌은 예술의 자율성 및 사회적 기능을 믿을 수 없게 된 작가를 다루고 있다. 예술에 대한 현실의 우위가 확인되며 작가는 죽음을 맞이하게 된다.

[2]『모비딕』이 존재하는 모든 것들로부터 다성적 화음을 이끌어 낼 수 있는 작가의 창조적 상상력의 작용에 대한 찬미라 할 수 있다면, 멜빌의 다음 소설『피에르』에서는 잡다한 구성 요소들이 서로서로를 부정하고 중화시켜 시끄러운 소음을 자아내고 있을 뿐, 이것들을 의미 있는 화음으로 종합해 낼 상상력은 탕진되어 있다. 많은 평자들은 멜빌이 불과 일 년도 못 되는 시차를 두고『모비딕』과『피에르』처럼 현격하게 다른 두 작품을 쓴 사실에 당혹스러워해 왔다. 백색이 모든 색의 합이면서 동시에 색의 부재를 나타내듯이, 멜빌의 이 두 작품은 각각 의미의 충만함-통일성과, 텅빔-해체를 드러내 주고 있다. 이 차이는 두 작품의 결말에서 단적으로 드러난다.『모비딕』이 피코드호의 침몰에서 살아남은 이슈미엘이 구원의 메시지를 전하는 작가로 탄생하는 것으로 끝나고 있는 것과는 대조적으로,『피에르』의 경우 의미 있는 글쓰기 활동을 할 수 없게 된 작가의 좌절과 죽음으로 끝나고 있다. "진리, 사랑, 연민, 양심"(Truth, Love, Pity, Conscience)과 같은 "거룩한 충동"(heavenly impulse)에 감화되어, 버림받은 이복누이 이자벨(Isabelle)을 돕고 위대한 책을 쓰고자 했던 피에르의 의도는 결과적으로는 일련의 불행한 사태 – 이자벨과의 근친상간적인 관계, 어머니 글렌다이닝(Glendinning) 부인의 죽음, 사촌 살해, 약혼녀 루시의 죽음, 이자벨의 죽음, 자살, 그리고 실패로 끝난 책 – 만을 초래하고 있는 것이다.

소설의 처음 부분에서 주인공 피에르는 19세기 미국사회의 축도라고 할 수 있는 새들 메도우즈(Saddle Meadows) 세계에서 완벽한 행복을 누리고 있는 것으로 그려져 있다. 그는 부와 지위를 자랑하는 글렌다이닝 가문의 유일한 직계 후손으로, 미국혁명의 영웅이었던 할아버지의 공적과 뒤이어 아버지 세대가 더욱 공고하게 쌓아놓은 가문의 전통과 구조를 자신이 완성하겠다는 포부를 품고 있는 젊은이였다. 동시에 그는 그러한 기성사회의 현실을 반영하고 옹호함으로써 작가로서의 명성도 얻는다. 그러나 이처럼 평화롭게 유지되었던 피에르의 세계는 어느 날 갑자기 나타나 스스로를 이복누이라고 밝히는 한 낯선 여인의 침입에 의해 여지없이 무너지게 된다. 새들 메도우즈 세계의 사회적, 문학적 관습을 따르며 무반성적인 행복을 누리고 있던 피에르에게 그러한 행복은 허구요, 환상임을 깨닫게 한 것이다. 이자벨은 다양한 차원 – 심리적, 도덕적, 문학적, 사회적 차원 – 에서 피에르의 세계에서 억압되고 누락되어온 존재로서, 피에르에게 그것을 복원시켜 삶에 대한 전체적 해석을 하도록 촉구한다. 그동안의 자신의 행복이 이자벨과 같이 존재를 인정받지 못하고 소외되어 있는 형제들의 고통에 대한 무지와 외면에 기초한 거짓행복임을 깨닫게 된 피에르는 이제 아버지의 과오를 청산하는 한편, 새로운 진리로써 세상 사람들을 가르칠 위대한 책을 쓰기로 결심한다.

그러나 피에르는 곧 자신의 개인적, 작가적 노력의 성공 가능성 및 진실성에 대해 의심하게 되면서 좌절과 죽음으로 치닫게 된다. 우선 피에르는 미국사회의 강고한 벽을 뚫을 수가 없었다. 피에르는 글렌다이닝 부인에게 이자벨의 존재를 알리고 글렌다이닝가 내에서 그녀의 정당한 위치를 찾아주는 것은 현실적으로 불가능하다고 판단할 뿐 아니라, 그 스스로도 공개적으로 아버지의 명예와 어머니의 믿음을 깰 수는 없다고 생각하기 때문에 이자벨의 정체를 밝히지 못한다. 대신 그녀와 자신이 이미 비밀리에 결혼한 사이인 것처럼 글렌다이닝 부인에게 통고한 후 그녀와 함께 고향을 떠나 뉴욕에서 전업 작가가 되고자 한다. 이로써 피에르는 글렌다이닝가에서의 모든 권리를 박탈당하게 될 뿐 아니라, 새들 메도우즈에서 누렸던 작가로서의 명성 또한 잃고 독자들과 출판업자들로부터 배척당하게 된다. 다른 한편으로 피에르는 이자벨을 돕고자 했던 자신의 동기 배후에는 그녀에 대한 성적 욕구가 숨겨져 있었으며, 또한 작가로서도 자신이 거짓말쟁이요, 사기꾼이라는 데에 절망하게 된다. 결국 피에르가 마지막에 처하는 입장은 극단적인 회의주의 및 자포자기이다. "모호성"이라는 부제가 말해주듯이 이 소설 전체의 주제는 작가를 포함한 어느 누구도 무엇인가에 대해 확실히 알 수 없고 또 말할 수 없다는 것이다. 다음의 인용문은 진리란 알 수 없을 뿐만 아니라 아예 존재하지조차 않는다는 함의를 전달하는 것으로 주목할 만 하다.

> 오래 된 미이라가 헝겊을 칭칭 감고 누워 있다. 이 이집트 왕을 휘감고 있는 헝겊을 풀려면 오랜 시간이 걸린다. . . . 지질학자가 지구 안으로 아무리 깊이 파고 들어간다 할지라도, 지구는 끝없이 이어지는 층으로 이루어져 있을 뿐이다. 지구의 핵심에 이르기까지, 이 세계는 계속 덧붙여진 껍질들뿐인 것이다. 우리는 엄청난 노력으로 피라미드 안으로 파고 들어간다. 그러나 우리가 어둠 속을 더듬어 마침내 중앙에 있는 방에 도착하여 기쁘게 석관을 발견하고 그 뚜껑을 여는 순간 관 속에는 아무 것도 없는 것이다! 인간의 영혼이 끔찍하게 텅 비어있는 것처럼.(335)

여기서 화자는 지구가 그 핵심에 이르기까지 계속적인 지층으로 이루어져 있는 것처럼, 인간의 영혼의 중심 또한 텅 비어있다고 말하고 있거니와, 이는 이슈미엘이 마음의 밑바닥 깊은 곳에서 세계의 총체적 의미를 접했던 것과는 대조적이다.

주인공인 작가 피에르의 좌절은 평자들의 지적처럼 상당 부분 멜빌 자신 작가로서의 좌절을 보여주고 있다. 멜빌에게 진리와 믿음에 대한 회의, 그로 인한 작가의 죽음은 결코 문학 공간 내에서의 사변적 성찰만이 아닌, 사회 그리고 보다 구체적으로는 그 사회를 이루는 독자들과의 직접적인 관계 속에서의 경험이었다. 멜빌에게 진실을 진실이게끔 보증해 주는 것은 궁극적으로 사회적 상황이었기 때문이다. 사실 이유도 없이 어느 날 갑자기 멜빌이 진실에 대한 믿음을 잃게 된 것은 아닐 게다. 그동안 멜빌에게 문학은 파편화된 근대자본주의 사회에서 총체적인 비전을 담지하는 마지막 보루라고 생각되었다. 그러나 멜빌은 이미 「호손과 그의 이끼」에서 문학이 사회의 중심부에서 사회 변화의 동력으로 작용하지 못하고 제한된 소수의 독자들에게만 숨은 의미를 겨우 암시하는 방법으로만 사회에 존재할 수 있음을 시사했었다. 일반 독자들이 진실을 거부하려 하기 때문이다. 『모비딕』에서도 이슈미엘은 시적 초월에의 의지뿐 아니라 공동체와의 소통의 본능을 고수하려 애쓰고 있지만, 그러한 노력에도 불구하고 이슈미엘과 나머지 동료 선원들의 관계는 주변적이었다. 실제로 『모비딕』을 거의 써갈 무렵, 멜빌은 호손에게 보낸 다음 편지에서 동일한 어려움을 토로하고 있다.

> 내가 가장 쓰고 싶은 것은 금지되어 있고, 돈벌이도 되지 않습니다. 그렇다고, 다른 방식으로는 쓸 수가 없습니다. 그러니, 나의 소설은 결국 뒤죽박죽이요, 엉터리가 되고 마는 것이지요. (서간집 128)

이처럼 화해하기 힘든 상반되는 두 가지 요구 사이에서 찢기우면서 멜빌은 『모비딕』에서 현실의 기성 가치를 넘어가면서도 동시에 현실 속에 침투하고자 안간힘을 썼던 것이다. 그러나 『모비딕』에 대한 당시의 부정적 평가는 결정적으로 멜빌로 하여금 자신의 노력이 일방적으로 실패했음을 절실하게 느끼게 하였다. 이러한 실패 후 멜빌은 독자들의 공감과 지지를 얻지 못하는 작가의 신념체계는 허구일 뿐 아니라 나아가 불가능하다는 인식에 다다르게 된 것 같다. 『피에르』에 와서 멜빌이 작가의 진리 인식 및 전달 문제뿐만 아니라 아예 진리의 존재 자체를 문제삼게 되는 것은, 결국 진리란 한 초월적 개인의 소유가 아닌 사회적 차원의 것이기 때문에 작가가 독자 대중의 지지를 받지 못할 때 진리의 존재 자체에 대한 회의에 부딪히게 되는 것이기 때문이다.

이에 따라 「호손과 그의 이끼」와 『모비딕』에서 멜빌이 작가에게 부여했던 예언자, 현인, 메시아의 이미지는 『피에르』에 와서 들켜 버린 사기꾼, 광대, 세일즈맨, 광인, 바보, 죄수 등 부정적인 이미지로 바뀌게 된다. 소설가로 등장하는 피에르뿐만 아니라 화자, 그리고 아마 이 시기 멜빌 자신의 독자들에 대한 태도는 이전처럼 구원의 메시지를 전하는 우월하고 진지한 태도(이는 독자가 작가의 진실을 듣고 따라줄 것에 대한 어느 정도의 믿음이 있을 때 가능하다)에서 분노, 원한, 증오, 냉소, 경멸로 바뀐다. 그리고 이같은 파괴적인 감정은 작가 자신에게도 향해져 절망, 허무, 자멸을 초래한다. 이러한 이유로 해서 『피에르』는 멜빌의 전 작품들 중 가장 어둡고 허무주의적인 작품이 되고 있다.3)

③ 대부분의 평자들은『피에르』이후의 모든 작품을『피에르』에서의 환멸의 연장 및 심화로 보려는 경향이 있다. 그러나 필자는 그러한 의견에 동조하지 않으며, 오히려『피에르』이후의 작품의 의의는 모든 가치와 의미가 상실된 폐허에서 또 다시 일말의 희망과 긍정을 찾아내려는 멜빌의 노력에 있다고 보는 배렛((Laurence Barret)의 입장에 동조한다(74).

멜빌이 단편소설을 쓴 1853년에서 1856년까지의 기간은 작가로서『피에르』에서의 상상력의 탕진으로부터 『컨피던스맨: 그의 가면극』(*The Confidence-Man: His Masquerade*, 1857, 이하『컨피던스맨』)의 상상력의 소생의 세계로 나아가기 위해 필요한 과도기적 기간이었다고 생각된다. 단편들의 주인공들은 많은 경우 가난, 소외, 배반, 실패, 좌절 등 부정적인 경험을 하지만, 그 죽음과도 같은 체험으로부터 소생하여 살아남는다. 물론 멜빌의 초기 소설들의 젊은 주인공처럼 패기 있고 생동감이 넘치는 모습이 아니라 쓰라린 실패를 경험한 활기 없고 볼품 없는 중년의 남녀들이지만, 이들은 피에르의 죽음 대신 삶─그 삶의 모습이 아무리 이지러진 것일지라도─을 선택한 사람들이다.

가령 시간적으로『피에르』와 가장 가까운 시기에 쓰여진 단편인「필경사 바틀비」("Bartleby, the Scrivener: A Story of Wall Street," 1853, 이하「바틀비」)에서 작가의 상징 바틀비는 사회의 지배적 가치를 복제하도록 강요받고 있고, 독자의 대표자격인 변호사와 의미 있는 소통을 하지 못한 채 피에르와 마찬가지로 감옥에서 죽음을 맞이한다. 이 두 작가 모두 미국사회의 지배적 가치를 거부하고 진실을 독자들에게 전달하려 하였으나 실패하고 만 것이다. 이들은 미국사회에서의 작가의 상황이란 감옥에 갇힌 수인임을 인식하고 미국적 상황의 벽을 뛰어 넘고자 고투하였으나 이들에게 벽은 끝내 뛰어 넘을 수 없는 막다른 벽이었다. 그러나 피에르와 바틀비는 몇 가지 점에서 차이를 보이고 있다. 우선 바틀비는 피에르의, 독자들과 자기 자신 양자에 대한 파괴적 감정을 극복한 것으로 그려져 있다. 변호사는 여러 차례에 걸쳐 바틀비의 온유함과 침착함을 강조하고 있거니와(13, 21), 이는 피에르의 독자들에 대한 경멸감과 분심(忿心),

---

3) 멜빌이『피에르』쓸 당시의 불행한 상황에 대해서는 마일더(Robert Milder 193-95), 브래즈웰 (William Braswell 424-26)의 글 참조.

그리고 스스로에 대한 모멸감과 구별된다. 또한 바틀비는 변호사(독자) 및 자신에 대해 정확한 인식을 하고 있다는 점에서도 피에르와 구별된다. 굳어진 현실 논리 속에 갇혀 있는 변호사에게 바틀비는 끝내 이해할 수 없는 '낯선 사람'인 반면, 바틀비는 변호사를 잘 알고 있으며("I know you"), 또한 자신의 상황을 정확하게 인식하고 있다("I know where I am." 43). 피에르가 선과 악이 모호한 도덕적 환멸에 굴복하였다면, 바틀비는 비록 현실의 구조를 대신할 구체적 대안을 제시하고 있지는 못하지만 "그렇게는 하고 싶지 않다"(I would prefer not to)라는 일관된 부정으로 기존의 가치를 정면으로 거부하고 있다. 또한 작가 바틀비의 소외와 죽음은 스스로의 자의적인 선택이 아니었다. 변호사로부터, 그리고 빌딩 내 다른 사람들로부터 거듭거듭 떠날 것을 종용 당하지만 그는 경찰에 의해 강제로 그 곳을 떠날 수밖에 없을 때까지 그곳을 떠나려 하지 않았었다 (33). 더욱이 피에르의 죽음이 단지 실패와 좌절의 의미만을 남기는 것과는 달리, 바틀비의 경우 가느다란 희망의 암시를 보여주고 있다. 소설의 말미에서 바틀비의 좌절의 원인이었던 감옥 벽에도 생명의 씨앗이 뿌려질 틈은 존재하며, 바틀비는 그 감옥 안에서 단순히 죽은 것이 아니라 부활과 "사자(死者)의 승리"(cadaverous triumph 32)을 꿈꾸며 잠자는 것으로 그려져 있다. 바틀비는 독자들의 인지와 소환에 언제라도 되살아날 준비가 되어 있는, 사회의 어느 한 "구석에 존재하는 영원한 파수꾼"(a perpetual sentry in the corner 16)으로서의 작가의 모습인 것이다.

『모비딕』이후로 멜빌이 문학의 진리 인식 및 전달의 문제에 대해 회의적이 된 것은 사실이지만 「바틀비」에서 문학은 여전히 작가가 독자에게 보내는 "생명의 전언"(errands of life 47)이다. 비록 그 편지가 바틀비의 절망의 원인이었던 "수취인 없는 편지"(dead letter)로 번번이 소실된다 하더라도, 멜빌에게 문학은 자신들이 죽음의 상태에 있음을 알지 못하는 독자들의 마음에 삶의 충동 —'사랑,' '용서,' '희망,' '기쁜 소식'(47) — 을 일깨우려는 송신이었다. 마치 소설 속에서 새가 떨어뜨린 씨앗이 강고한 벽의 균열 사이로 파고 들어가 감옥 속에서도 파란 잔디를 자라게 하고 있는 것처럼, 멜빌은 자신의 "생명의 전언" 또한 독자들의 닫힌 마음의 벽 어디엔가 존재할 빈틈 사이로 비집고 들어가 생명 있는 것으로 자라나게 될 것을 간절히 바랐을 것이다.

④ 근대 자본주의 사회에서 설 곳을 잃고 끝내 추방되어 버리는 작가의 딜레마를 그린 「바틀비」 이후, 멜빌은 어떤 작가의 모습을 그릴 수 있었을까. 우리는 멜빌 생전에 발표된 마지막 소설 『컨피던스맨』에 등장하는 정체 묘연한 일단의 컨피던스맨들에게서 그 해답을 찾을 수 있을 것이다. 다시 한번 멜빌은 독자들과 공동의 믿음의 가능성을 타진하기 위해 예수 같기도 하고 사기꾼 같기도 한 도무지 알 수 없는 인물들을 창조하고 있다. 실제로 최근에까지도 대부분의 평자들은 컨피던스맨들을 그저 악마적 인물, 또는 말 그대로 사기꾼으로만 보아왔던 것이 사실이다. 그러나 필자는 컨피던스맨들을 멜빌이 당대 독자들의 여러 가지 형태의 잘못된 믿음—불신에서부터 갖가지 거짓 믿음에 이르기까지—을 드러내고 시험하여 참된 믿음으로 유도하기 위해 고안해낸 장치라는 입장에 동의한다(Tuveson 254).

나아가 컨피던스맨들은 작가의 상징으로, 멜빌이 자신의 소설들을 통해 독자들과의 믿음의 관계를 구축하려 하는 것처럼 피델호의 승객들(독자의 상징)과 믿음의 관계를 맺고자 한다.[4] 여기에서 컨피던스맨들은 앞서 우리가 살펴보았던 작가적 인물들의 발전적 연장선상에 있다. 즉 그들은 피에르의 좌절과 허무뿐만 아니라, 바틀비의 침묵과 소외와 죽음을 넘어 더욱 성숙한 모습을 보여주고 있다. 컨피던스맨들은 무모한 행동이나 행동의 포기 모두를 지양하고 이상과 현실 양자에 공정하며, 다시금 화해하는 마음으로 투쟁하고자 한다. 컨피던스맨(작가)의 그의 맞수들(독자)에 대한 태도는 우월감이나 경멸, 또는 체념이 아니라 이해와 연민에 근거하여 그들과 공동의 믿음을 구축하고자 노력하는 태도이다. 즉 컨피던스맨들은 오직 '나'만의 자유와 이익을 추구하며 뿔뿔이 흩어져 있는 피델호의 승객(19세기 미국독자들)을 모아 '우리'로 규합하고자 한다. 이러한 컨피던스맨이 '사기꾼'(confidence-man)인지, 아니면 사람들에게 '우리'에 대한 신뢰를 회복시키려는 '믿음의 사람'(man-of-confidence)인지의 결정은 그가

---

4) 컨피던스맨들의 정체에 대한 논의로는 졸고 「『컨피던스맨』에 나타난 믿음의 문제」(『문학과 종교』 제5권 2호, 2000, 49-52) 참조.

상대하는 사람의 마음과 선택에 달려있다. 모든 것을 자기이익의 견지에서만 판단하는 사람에게 동료 인간들, 자연, 나아가 초월자(존재의 궁극적 총체)에 대한 믿음을 회복시키려는 컨피던스맨의 노력은 거짓이요, 사기이다. 그러나 자신의 이익만이 아닌 전체를 생각하는 사람에게 컨피던스맨의 말을 따르는 것은 경제적 손실을 입을 수 있다는 점에서는 속은 것이지만, 실은 총체적인 진실에 충실한 것일 수 있을 것이다. 이 소설은 컨피던스맨들이 상대자들과, 그리고 궁극적으로는 멜빌 자신이 소설『컨피던스맨』을 읽는 독자 일반과 함께 총체적 진실에 대한 공동의 믿음을 구축할 수 있을지를 시험하고 검증해보려는 시도였다고 보여진다.

그렇다면 소설 속의 작가의 상징인 컨피던스맨들은 그들의 상대역들과, 그리고 멜빌은『컨피던스맨』의 독자들과 과연 공동의 믿음을 구축할 수 있었는가. 이에 대한 대답은 멜빌이 자신의 소설관을 피력하고 있는 44장에서 발견되어진다. 화자는 소설 속의 어떤 인물이 그저 "기이한 인물들"(odd characters)이 아닌 "독창적인 인물들"(original characters)이 되기 위해서는 단지 "기이한 형태"(singular forms)만이 아닌 "독창적인 본능"(original instincts)을 가져야 한다고 주장한다. "독창적인 인물"은 실제 역사상의 "새로운 법의 제공자," "혁명적인 철학자," 또는 "새로운 종교의 창시자"처럼 실로 "경이로운 인물"로, 진정 "독창적인"이라는 이름에 값할 수 있으려면 캄캄한 어둠 속에서 주위를 밝혀주는 "드러몬드 등불"(Drummond light)[5]처럼 독자의 마음 속에 창세기적 새로운 시작을 일으킬 수 있는 인물이어야 한다는 것이다(205). 그러나 화자는 모든 생명체가 알에서 시작되는 것처럼, "독창적인 인물"은 작가의 상상 속에서 임의로 만들어지는 것이 아니라면서 이발사의 친구들이 컨피던스맨 중의 하나인 '세계인'을 두고 "독창적인 인물"이라고 칭한 것은 부적절하다고 논하고 있다.

화자의 진술을 표면 그대로 받아들일 경우 '세계인'을 포함한 여러 컨피던스맨들은 "독창적인 인물"이 아니다. 소설 속의 인물이 "독창적인 인물"이 되는 것은— 나아가서 어느 시대, 어느 사회에서 작가가 "독창적인 인물"이 되는 것

---

5) 스코틀랜드 발명가 드러먼드(Thomas Drummond, 1797-1840)가 발명해낸 석회광(石灰光) 조명기구. 드러몬드 등불이 뉴욕의 미국박물관 꼭대기에 설치되어 첫선을 보였을 때 그 강력한 빛은 세인들의 큰 관심을 끌었다 한다.

은 – 작가의 순수한 창조에 의한 것이 아니라, 그의 "독창적인 충동"이 그가 상대하는 등장인물들 또는 독자들의 마음의 토양 속에서 생명 있는 것으로 자라나 이 세상에 출산될 수 있는 행운에 의해서라는 점과 결부시켜 볼 때, 이발사가 잠시 '세계인'의 설득에 매료되어 '외상 사절-신뢰 거부'(No Trust) 간판을 떼어내긴 하지만, '세계인'이 가버리자 곧 평상적인 자아를 되찾아 다시 간판을 다는 데서 보이듯, 근본적인 전환과 새로운 시작이 아닌 경우라면 '세계인'은 이발사에게 '독창적인 인물'로서의 기능을 하지 못하였다는 뜻으로 받아들여야 할 것이다. 물론 이 경우 뿐 아니라 컨피던스맨들의 거듭되는 실패는 화자의 주장처럼 소설 속의 인물이 "독창적인 인물" 또는 "드러몬드 등불"이 되는 것이 참으로 힘들다는 것을 반증하고 있다. 이는 컨피던스맨, 그리고 일반적으로 작가가 "독창적인 인물"이 되고 빛이 되는 것은 그 한 사람의 희망이나 의지로 되는 것이 아니라 독자와의 공동의 협력 작업에 의해서 가능한 것이기 때문이다. 멜빌이 생각하는 "독창적인 인물" 즉 위대한 작가의 정체란 작가 개인의 사사로운 자아가 아니라 한 사회의 공동의 자아, 집단적 자아이기 때문이고, "드러몬드 등불" 또한 독자가 그 빛을 받아들이기를 거부하고 어둠 속에 안주하려 할 때는 참다운 빛의 역할을 할 수 없기 때문이다. 컨피던스맨은 "독창적인 인물"이 될 수 있는 잠재적 가능성을 갖고 있을 뿐, 실제로 공동체가 그를 받아들일 때에야 비로소 "독창적인 인물"로 탄생되는 것이다. 그리고 멜빌은 자신의 시대를 아직 계시의 현현이 유보되어 있는 어둠의 시대로 파악하였다. 셰퍼드(Gerard W. Shepherd)는 컨피던스맨들의 실패를 피델호 승객들 – 19세기 미국 독자들 – 이 정신적인 마비와 안일을 떨치고 새로운 시작을 시도하기를 거부하고 있다는 멜빌의 판단이 작용한 것으로 본다(200).

⑤ 컨피던스맨들의 거듭되는 실패, 그리고 당대 독자들의 『컨피던스맨』의 이해 불능은 자신의 시대에 공동선에 대한 믿음이 구축될 수 있는 가능성에 대한 멜빌의 회의를 보여주었다. 그리하여 일부 비평가들은 '세계인'이 하나 남은 불을 끄고 세상을 어둠 속에 남겨 둘 때 멜빌 또한 자신의 창작의 등불을 꺼버리고 '긴 침묵'으로 침잠하는 것으로 해석한다.

그러나 『컨피던스맨』을 멜빌이 당대 독자들에게 보낸 고별사로 본다든지, 이후 멜빌의 '인간혐오증'이 심화일로에 있었다고 보는 태도는 부분적으로 수정될 필요가 있다. 12년 동안 여덟 권의 장편소설과 15편의 중단편을 발표해 온 것에 비하면, 30년이 넘는 여생 동안의 멜빌의 창작 활동은 결코 활발한 것은 아니었다. 그러나 멜빌은 『컨피던스맨』 이후로도 시집 『전쟁시편』(Battle-Pieces, 1856), 『클래럴』(Clarel, 1876), 『존 마와 다른 선원들』(John Marr and Other Sailors, 1888), 『티몰리언』(Timoleon, 1891)을 발표하며 독자와의 교섭을 중단하지 않았고, 마지막까지 『빌리 벋』(Billy Budd, 1924)의 집필을 계속하고 있었다. 물론 이때의 멜빌이 젊은 시절의 활기 있고 희망에 찬 멜빌이 아니라는 것을 부인할 수는 없다. 그러나 컨피던스맨 중의 하나인 '세계인'이 인간의 모든 어리석음과 악함을 꿰뚫어 보면서도 여전히 인간에 대한 애정과 연민을 보유하고 있는 사람인 것처럼, 멜빌 또한 독자들에 대한 환멸 때문에 스스로 독자들과의 연계의 사슬을 내동댕이쳐 버리고 소외의 길을 재촉한 작가는 아니었다.

또한 진실에 대한 인식 또는 믿음의 문제에 대해서도 말기의 멜빌을 한마디로 불가지론자나 불신론자였다고 볼 수 없다. 호손의 『영국의 기록』(The English Notebooks, 1941) 중의 다음 귀절은 멜빌이 결코 아무 것도 믿지 않는 '불신'(disbelief)의 상태에 만족할 수 없었던 사람이라는 것을 잘 보여주고 있다. 『컨피던스맨』의 집필을 끝낸 후, 악화된 육체적 정신적 건강의 회복을 위해 유럽 및 성지 여행을 하던 중 멜빌은 당시 리버풀의 영사로 있던 호손을 찾아가는데, 그 때 멜빌에게서 받은 인상을 호손은 다음과 같이 적고 있다.

> 멜빌은 늘 하던 대로 신의 섭리와 내세, 그리고 인간의 이해의 영역을 넘어선 모든 것들에 대해 논하기 시작했고, 자신은 파멸될 각오를 하고 있다고 말했다. 그러나 내게는 그가 그러한 자신의 예측에 오래 머물러 있을 것 같아 보이지 않았고, 아마 그는 앞으로도 확실한 믿음을 잡을 때까지는 결코 어느 곳에도 머무르지 않을 듯 생각되었다. 내가 그를 알기 전부터, 아니 어쩌면 그보다 훨씬 오래 전부터 지금까지 그 오랜 기간을 그는 마치 우리가 지금 앉아 있는 모래 언덕처럼 황량하고 단조로운 광야를 이리저리 헤매왔던 것인데, 사람이 어떻게 그럴 수 있는 것인지 참 기이한 일이다. 멜빌은

믿을 수도 없고 그렇다고 불신앙 안에서도 마음이 편할 수 없는 사람이다. 그가 믿음과 불신앙 그 둘 중 어느 하나를 버리지 못하는 것은 너무도 정직하고 용감하기 때문이리라.[6]

멜빌이 믿음과 불신 어느 한 쪽에 안주하지 못하는 것이야말로 보통 사람들이 갖지 못한 멜빌의 정직과 용기를 보여 주는 것이며 그러한 멜빌의 방황은 그가 "확실한 믿음"을 붙잡을 때까지 계속될 것이라 한 호손의 통찰은 숙고할 가치가 있다. 멜빌이 쉽게 믿을 수 없었던 이유는 무엇이었을까. 그에게 믿음이 오로지 개인적 행복에 대한 믿음이었다면, 그저 현실의 고통을 잠시나마 잊게 해주는 환각에 대한 믿음이었다면, 또는 홀연한 계시처럼 주어지는 초월적 진리에 대한 주관적 믿음이었다면, 그는 서둘러 믿음이 주는 위안을 붙잡았을 것이다. 그러나 멜빌에게 참된 믿음이란 전체에 대한 믿음이기에, 현실 속의 실천원리로서의 믿음이기에, 또한 공동체가 공유해야 하는 믿음이기에, 그는 이에 미달하는 거짓 믿음의 위안에 만족할 수 없었다. 다른 한편 믿지 않는 상태에서 또한 행복할 수 없었다는 의미는 무엇인가. 멜빌에게 믿지 않는다는 것은 있을 수 있는 더 나은 세계의 존재 자체에 대한 부정이요, 나아가 그러한 세계의 실현을 위한 노력을 포기하고 현실의 불행을 암묵적으로 수용하는 것이기 때문이리라.

작가의 고통은 사회의 다양한 힘들 간의 갈등 사이에서 찢기우며 종합을 이루고자 애쓸 때 느끼는 아픔일 것이다. 그리고 갈등하고 있는 힘들 간의 통합의 가능성에 회의적이 된 멜빌은 앞서의 인용에서 "파멸될 각오가 되어 있다"고 말하고 있다. 멜빌의 이러한 각오는 손쉬운 타협을 받아들이느니 차라리 스스로 파멸을 받아들이겠다는 것을 의미한다. 평자 로렌스 톰슨이 멜빌의 필생의 노력을 "신과의 싸움"(Quarrel with God)으로 표현한 것은 진리에 대한 열정, 그리고 진리를 위해서라면 고통과 수난을 피하려 하지 않았던 그 격렬한 진지성이 거의 종교적 높이에 다달아 있음을 말하려 한 것이리라.

호손의 예견대로 멜빌은 끝까지 "확실한 믿음"에 도달하기 위한 끈질긴 노

---

6) F. O. Matthiessen, American Renaissance: *Art and Expression in the Age of Emerson and Whitman* (1941; rpt. New York: Oxford UP, 1979), 490 에서 재인용.

력을 중단하지 않았다. 그러나 마지막까지 그 "확실한 믿음"에 도달할 수 있었는지는 아무도 알지 못한다. 어쩌면 멜빌 또한 자신이 호손에 대해 말한 것처럼 스스로도 "아직은 탐색자요, 발견하지 못한 사람"(「호손과 그의 이끼」 547)으로 머물 수밖에 없었을 지도 모른다. 다만 밤을 지새며 천사와 씨름하던 야곱처럼 멜빌 또한 "확실한 믿음"을 얻기 위한 노력을 중단하지 않았다는 것만을 알수 있을 뿐이다.

믿음에 관한 멜빌의 마지막 입장은 미완성 유고작품인 『빌리 벋』을 통해 추측해 볼 수 있지 않을까 한다. 멜빌은 이 소설에서 진실이 현실과의 관련에서 무력하기 짝이 없음을 시사하고 있다. 예수적 인물인 빌리가 결국 죽을 수밖에 없었듯이 멜빌 또한 자신의 작가로서의 경력이 모든 노력에도 불구하고 현실적인 의미에서 실패로 끝난 것이라고 생각하고 있는 것 같다. 일찍이 「호손과 그의 이끼」에서 "위대한 천재는 시대의 일부이다. 천재는 시대 자체이다"(543)라고 말하며 미국에서 천재적 작가의 탄생 가능성을 미국민의 민주주의의 역량으로 돌렸던 멜빌이었지만, 이제 자신의 시대에 진정으로 위대한 작가의 탄생 가능성, 그리고 그것을 가능케 해 주는 조건으로서의 미국 민주주의의 탁월성을 유보하고 있는 것이다. 이렇게 볼 때 멜빌이 작가로서 새로운 통일성에 대한 비전을 산출하지 못한 것은 멜빌 개인의 한계라기보다는 그 시대, 그 사회의 문제라 할 수 있다. 그러나 빌리의 죽음이 현실 원칙 앞에서 진실의 허약함을 보여 주고 있다면, 다른 한편 진실은 죽음으로도 쉽게 없어지는 것이 아님도 시사하고 있다. 이 소설이 빌리의 죽음의 의미를 기억하려는 한 선원의 발라드 「사슬에 묶여 있는 빌리」("Billy in the Darbies")로 끝나고 있는 것은, 멜빌이 자신의 작가적 노력이 미래 독자들에 의해 계승, 발전될 것에 희망을 걸고 있음을 암시한다.

멜빌은 자신의 시대에 가능했던 창조성의 가능성 및 한계를 직시하며, 그 안에서 총체적 진실의 여지를 마련하기 위한 나름의 최대한의 노력을 보여 주었다. 그리고 멜빌은 자신의 시대에 쓰여지지 못했던 것을 미래 독자들의 몫으로 남겨둘 수밖에 없었다. 오늘날에도 멜빌의 소설들은 우리에게 말을 걸어오고 있다. 소설이라는 의미 창조의 공간에서 작가와 함께 새로운 의미 창출의 공동 협력자가 되자고. 독자들 또한 자신 안에 잠재해 있을 창조의 씨앗을 자각하고 작가와 함께 그것을 세상 속으로 출산시키려는 협동적 노력을 할 때 비로소 공동의 믿음, 그리고 그 믿음에 근거한 새로운 삶이 가능할 것이기 때문에.

⤵ 인용문헌

손영림. 「『컨피던스맨』에 나타난 믿음의 문제」. 『문학과 종교』 5.2 (2000): 45-63.

C. N. 데글러. 『현대미국의 성립』. 李普珩 외 역. 서울: 일조각, 1977.

에른스트 피셔. 『예술이란 무엇인가 ― 예술의 필요성』. 김성기 역. 서울: 돌베개, 1984.

Barret, Laurence. "Fiery Hunt: A Study of Melville's Theories of the Artist." Ph. D. dissertation, Princeton University, 1949.

Braswell, William. "The Satirical Temper of Melville's *Pierre*." *AL* 7.1 (1936): 424-38.

American Renaissance: Art and Expression in the Age of Emerson and Whitman. 1941; rpt. New York: Oxford UP, 1979.

Melville, Herman. "Hawthorne and His Mosses." *Moby-Dick.* Ed. Harrison Hayford and Hershel Parker. New York: W. W. Norton & Co., 1967.

_____. *Moby-Dick.* Ed. Harrison Hayford and Hershel Parker. New York: W. W. Norton & Co., 1967.

_____. *Pierre or, The Ambiguities.* Ed. Henry A. Murray. New York: Hendricks House, 1962.

_____. "Bartleby." *Selected Writings of Herman Melville.* New York: Random House, 1952.

_____. *The Confidence-Man: His Masquerade.* Ed. Hershel Parker. New York: W. W. Norton & Co., 1971.

_____. *The Letters of Herman Melville.* Ed. Merrell R. Davis and William H. Gilman. New York: Yale UP, 1960.

_____. *Selected Poems of Herman Melville.* Ed. Hennig Cohen. Carbondale, Ill.: Southern Illinois UP, 1964.

Milder, Robert. "Melville's 'Intention' in *Pierre*." *Studies in the Novel* 6. 2 (1974): 186-99.

Shepherd, Gerard W. "Melville: Versions of the Author and the Audience, 1850-1856." Ph. D. dissertation, Washington University, 1981.

Tuveson, Ernest. "The Creed Of The Confidence-Man." *ELH,* 33.2 (1966): 247-70.

Winthrop, John. "A Model of Christian Charity." *The American Puritans: Their Prose and Poetry.* Ed. Perry Miller. New York: Columbia UP, 1956.

21

윌리엄 포크너의 종교성과 『8월의 빛』

| 김명주 |

　한국 영문학계의 담론이 정치 문화적 성격을 띠는 탓에 윌리엄 포크너 (William Faulkner)의 종교성에 대한 논의는 다소 낯설지도 모른다. 국내의 포크너 연구를 살펴보면 대체로 인종과 여성주의, 생태 등, 이데올로기 담론이 차지하는 비중이 높다. 미국에서도 마찬가지로 근래 들어 부쩍 정치 문화적 연구가 수적으로 우세한 편임은 부인할 수 없으나,1) 한 편에서 포크너의 종교성에 관한 논의도 90년대 초반까지 꾸준히 이루어져 왔다. 그중 1973년에 출판된 죤 웨슬리 헌트(John Wesley Hunt)의 『윌리엄 포크너: 신학적 긴장 속의 예술』 (*William Faulkner: Art in Theological Tension*)은 포크너의 신학적 입장을 규명하였고, 그 후 1981년 J 로버트 바쓰(J. Robert Barth)가『종교적 관점에서 본 포크너 소설』(*Religious Perspectives in Faulkner's Fiction*)라는 제목으로, 포크너 초기 비평의 클린스 브룩스(Cleanth Brooks)의 논문을 비롯하여 다른 여러 논문

＊『문학과 종교』제 6권 2호(2001)에 실렸던 논문임.
1) 포크너의『8월의 빛』에 대한　최근 비평경향은 마이클 밀게이트(Michael Millgate)가 편집한 『「8월의 빛」에 대한 새로운 에세이들』(*New Essays on* Light in August)이란 책과 헤롤드 불룸 (Harold Bloom)이 편집한 『20세기 문학 「8월의 빛」』(*20C American Literature*: Light in August)을 보면 알 수 있다. 그러나 언급된 두 권의 책은 주제별로 고르게 안배하려는 의도가 보이므로 수적으로 우세한 경향이 무엇인지 아는 것은 어려울 수도 있다.

들을 편집 출판한 바 있다. 1989년에는 해마다 미시시피, 옥스퍼드에서 열리는 포크너 컨퍼런스에서 "포크너와 종교"라는 주제를 다루었다. 그만큼 종교와 관련된 포크너에 대한 논의가 중요하게 인식되었다는 뜻이다.

종교와 관련하여 포크너 비평가들 사이에 대체로 합의되는 사항은 포크너가 특정한 제도종교에 뜻을 두고 그것을 대변하는 것은 아니라는 사실이다. 종교에 관련된 기존의 논문들은 대체로 포크너가 작품에서 행하는 신랄한 기독교 비판에 주목하거나, 그의 신학적 입장을 밝히는 전기적인 연구, 당시 남부사회의 기독교가 포크너의 작품에서 어떻게 반영되는가, 혹은 포크너의 기독교적 상징을 추적하는 연구들이다. 기존의 종교관련 포크너 연구와 달리, 필자가 본 논문에서 주장하는 것은, 흔히 무신론적 세계관을 표방하는 실험적 모더니스트로 알려진 포크너와 특히, 편협하고 배타적인 남부 기독교에 대한 비판으로 가득한 그의 주요작품 중의 하나인 『8월의 빛』(Light in August)이 실상 깊은 의미에서 종교적임을 증명하려는 것이다.

I. 현대문학과 포크너 문학에서 종교성 논의의 가능성

인간의 이성과 합리성에 대한 낙관적 신념의 쇠퇴와 기존의 믿음체계에 대한 위기의식과 도전을 특성으로 하는 현대문학에서, 종교성에 대한 논의가 어떻게 가능한가? 더불어, 현대문학의 현대성2)을 반영하는 작가인 윌리엄 포크너의 작품 속에서 종교성을 논의하는 것은 과연 가능한 일인가? 삶 자체의 무게에 눌려 움츠린 인간, 앞뒤를 잴 수 없는 어두운 공간에서 헤매는 사람들로 뒤엉킨 어두운 그림인 포크너의 소설 속에서 어떻게 종교성을 말할 수 있는가?

---

2) 영어로 모더너티 (modernity)는 다양하게 정의될 수 있으나, 대체로 합의된 것은, 17세기 이후 종교정신의 쇠퇴와 인간의 이성에 대한 낙관적인 신념을 주로 하는 지적 경향을 일컫는다. 실제로 문학에서 이런 정신이 본격적으로 반영되는 것은 19세기 말에서 20세기 초가 된다. 비록 20세기 후반에 이르러 포스트모더너티가 논의되긴 하지만, "종교정신의 쇠퇴와 인간의 이성에 대한 낙관적인 신념의 상실"은 여전하다는 의미에서 포스트모더너티는 모더너티의 연속으로 볼 수 있다. 문학에서도 20세기 이후의 대체적인 특성을 보면, 초월적 의미의 부재로 인한 인간존재의 위기, 그에 따른 문명의 위기의식이 고조됨을 볼 수 있다. 따라서 현대문학이라고 말할 때 현대성(modernity)이란, 근대와 탈근대, 모두를 관통하는 특성이라고 볼 수 있다.

포크너 소설의 종교성에 대한 논의 가능성은 한 신학교 원장의 다음과 같은 권유에서부터 우회하여 타진해 볼 수 있을 것이다. 유럽의 한 신학교 대학원 과정을 마친 학생 하나가 원장에게 물었다. "이제 다음 단계엔 무엇을 해야 합니까?" 그 질문에 원장은 "이제 현대 문학을 읽도록 하시오"라고 대답했다. 기독교적 세계관 속에서 글을 썼던 전 시대의 문학이 아닌, 왜 하필 "현대"문학이었을까? 우주와 인간의 삶을 조리 있게 설명해줄 신을 떠나보내고 절망과 허무투성이, 자못 무신론적인 현대문학이 신학생에게 어떤 도움을 줄 수 있었을까?

종교와는 달리, 현대문학은 우주와 인간에 대한 궁극적 질문에 대해서 명쾌하게 답하지 않는다. 인간 존재의 시원은 신으로부터이고, 삶의 기쁨과 고통 모두 신의 뜻이며, 구원은 위에서 온다고 더 이상 말하지 않는다. 왜냐하면, 현대문학에는 모든 문제에 대해 명쾌한 해답을 내려줄 초월자가 존재하지 않기 때문이다. 따라서 현대문학은 절망과 허무주의로 치닫거나 혹은 산등성이까지 돌을 올리는 노력 자체에서 의미를 찾으려 하기도 한다.

손쉬운 대답으로 안주하는 대신에, 현대문학은 끊임없이 질문하고 탐색한다. 그들은 지도에 명확하게 표시된 성지, 확실한 도착점을 향하여 순례하는 것이 아니라, 길이 없는 오지를 이리저리 탐험하고 있는 것이다. 비록 탐험이 순례보다 더욱 버거운 것이어도 분명 순례와 다른 장점과 보상이 있는 까닭이다. 지도에 표시된 길을 따라 오로지 성지만을 바라보며 길을 걷는 순례자보다, 탐험하는 자들은 서있는 주변의 정황을 더욱 정확하게 파악할 수 있는 장점을 갖게 된다. 다시 말해서, 확실한 목적지를 향해 주변을 살필 여유 없이 외길을 걷는 순례자보다, 시행착오를 겪으며 이정표 없는 길에서 우왕좌왕하는 탐험자가 주변의 지형에 더욱 익숙할 것은 뻔한 일이다. 원장이 현대문학을 권한 것은 바로 그런 이유에서이다. 위로부터 계시된 종교를 아래로 전달하는 목자보다는, 인간 삶에 허다한 고통과 절망, 그리고 열망, 즉, 아래의 정황을 제대로 느끼고 이해하는 목자가 훨씬 설득력을 가지고 있기 때문에 그렇게 권한 것이다. 문학과 종교 담론의 권위자인 내이든 A. 스코트(Nathan A. Scott)는 『현대문학과 종교적 프론티어』(*Modern Literature and the Religious Frontier*) 란 책에서 "전통적으로 종교가 다루었던 영역인 인간 존재의 신비와 비극적 의미는 이제 현대적 상상력에 의하여 진지하게 성찰되고 있다"(46)고 말했다. 또한 아모스 와일더(Amos Wilder) 역시 『신학과 현대문학』(Theology and Modern Literature)란 저서에서 "인간의 보다 심오한 도덕적, 정신적인 쟁점이 오늘날 신학자들에 의해서보다 작가들에 의해 더욱 힘있게 토의되고 있다"(25)고 말한 바 있다.

현대문학과 포크너의 종교성이 논의 가능한 것은 이런 맥락에서이다. 특정 종교의 교리를 담고 있어서가 아니라, 고통받는 인간의 운명, 운명을 결정하는 궁극적 실재에 대한 관심, 그리고 구원에 대한 열망으로 인하여 종교성이 논의될 수 있는 것이다. 비록 초월자의 계시나 교리를 형상화하는 것이 아닐지라도, 우주와 인간의 삶에 던지는 모든 질문에 명쾌한 해답을 제시하지는 않는다 할지라도, 질문을 던지고 해답을 추구하려는 모든 탐색과 시도에서 종교성을 발견할 수 있을 것이다. 문학은 본시, 명쾌한 해답을 제시하기보다는 그저 질문을 던지거나, 혹은 다양한 해답으로 결말을 열어놓는 것이 자체 특성이 되고 있음은 주지의 사실이다. 따라서 문학은 초월적 존재를 열망하되, 그 존재를 재현함으로써 유한한 존재로 축소 고정시키지 않는다. 또한 구원의 가능성을 탐색하되, 가능성을 하나로 결론짓지도 않는다. 탐색을 거쳐 도착한 지점을 명명하는 것은 이미 특정한 도그마를 담게 되고, 특정한 도그마는 문학적 상상력을 제한할 뿐 아니라, 다양한 층의 독자를 감동시키는데 실패한다. 독자와의 관계에 있어서 문학이 굳이 목표하는 바가 있다면, 그것은 존재의 확대이지, 특정한 도그마의 주입이 아니기 때문이다.3)

한편, 문학의 종교성은, 종교학자 정진홍 교수의 지적대로, 내러티브 자체가 지닌 종교적인 성격에서도 찾아 볼 수 있다. 즉 "없음"을 "있음화"하는 허구로서의 내러티브, 그 자체가 이미 죽어 없어지고 말 인간의 생명을 영속화하려는 가장 원초적이면서 동시에 종교적인 욕구를 담고 있는 것이다.4) 그러나 내러티

---

3) 물론, 개인의 신념과 문학이 분리될 수는 없을 것이다. 그렇다 할지라도 문학은 자신이 믿는 특정한 믿음을 강요해서는 안된다고 생각한다. 영원한 존재가 시간과 역사 속으로 잠시 들어와 구체성을 띠게 되는 것처럼, 궁극적 실재에 대한 인간의 열망은 구체적인 제도로서의 종교 형태를 갖게 되는 것이지만, 그 자체가 이미 지극히 개인적인 선택일 뿐이다. 특정한 문화 안에서 혹은 시공 안에서 살게 된 까닭에 지극히 우연하게 선택하게 된 것이라고 생각한다. 따라서, 우연하고 사적인 선택을 문학이라는 공적인 영역에서 강요할 수는 없을 것이다.
4) 정진홍교수는 「문학적 상상의 구원론적 함의-멀치아 엘리아데의 『만툴리사 거리』를 중심으로」

브 자체가 갖는 "구원론적 함의"는 이론적인 논의를 요구하므로 본 논문에서 다루지 않고 『8월의 빛』이란 특정 소설에 나타난 종교성만을 다루기로 한다.

II. 『8월의 빛』과 종교성

『8월의 빛』은 포크너의 다른 어떤 작품보다 더욱 종교적 색채가 짙은 작품으로 알려져 있다. 작품에 나오는 주요인물들 – 맥이천(McEachern), 하인즈 (Hines), 하이타워(Hightower) – 이 기독교인이고, 작품의 모든 인물들이 성경에 나오는 인물의 원형을 닮고 있으며, 내러티브의 틀 자체가 성경적이기 때문이다.[5] 그러나, 본고에서 다루는 종교성은 표면적인 소재나 틀에 관한 문제는 아니다. 익히 알려진 대로, 포크너는 성경지대(The Bible Belt)라고 불리는 남부, 기독교 종교의식이 생활화, 집단 무의식화 되어 있는 문화권 출신이다.[6] 포크너 역시 감리교도인 친부 밑에서 교회에 출석하고 성경을 암송하며 성장했다. 청년기엔 교회와 멀어졌지만 결혼 후 다시 미국성공회 교회에 정기적으로 출석했는데, 이는 자연스럽게 그가 속한 지역의 문화에 동화되어 살았음을 의미한다. 그러나, 그의 작품들 속에 기독교인들이 등장하고 기독교적 상징을 사용하는 것은 작품의 배경일 뿐, 그로 인하여 그의 작품들이 종교적이라고 말하기는 어렵다. 포크너는 오히려 자신이 속한 문화를 비판적으로 바라보았는데, 이는 남부문학의 르네상스(1920-1950)가 남부의 역사에 대해 아이러니컬한 시각이 있을 때 비로소 가능했던 것과 같다.

따라서 포크너의 『8월의 빛』에 나타난 종교성은 작품의 소재나 기독교적

(『문학과 종교』제 4호, 1999)에서 문학은 일종의 제의적인 성격을 지니면서 이야기의 짓기, 말하기, 듣기는 구원에의 몸짓과 다르지 않다고 말한다.

5) 『8월의 빛』에 대한 종교적 연구들은 상당수 기독교적 상징에 초점을 맞추고 있다. C. 휴 홀만 (C. Hugh Holman)은 주인공 죠 크리스마스를 그리스도적 인물로 해석하며 다른 인물들도 그리스도의 성격을 조금씩 나누어 갖고 있다고 설명한다. 버지니아 흘라브사(Virginia Hlavsa)도 바이런을 요셉으로, 레나를 마리아로, 브라운을 유다로, 하이타워를 빌라도, 혹은 니코데모스로 해석하면서 성경과 평행되는 사실들에 주목하고 있다.

6) 「미국 남부의 종교생활」(『미국학논집』제 30집 1호)에서 김병서는 미국남부 근본주의의 특성과 "연방주의"라 불리는 지역적, 문화적 특색에 관하여 잘 요약하고 있다. 그는 남부 근본주의의 특성을 성경무오설, 악의 유혹을 저지하기 위한 신앙생활, 교회 부흥적 추세, 사회정의구현보다는 개인구원에 대한 관심으로 요약한다.

상징을 넘어서는, 다른 차원에서 논의되어야 할 것이다. 앞서 언급되었듯이 종교성이란 대략 두 단계로 구분하여 논의 가능하다. 첫째, 종교성이란 인간과 인간의 삶을 바라보는, 결코 소박하게 낭만적일 수 없는 특이한 시각을 의미한다. 즉, 인간은 악하고, 삶은 고통으로 가득하고, 인간에게 선이 있다면 악을 극복하려는 자유의지만이 선하다고 보는 시각이다. 두 번째로 이러한 시각은 자연스럽게 악과 고통으로부터 해방, 혹은 구원을 모색하게 한다. 구원을 탐색하는 과정에서 인간은 악과 고통의 근원을 캐묻게 되고, 스스로 고통과 악의 문제를 해결할 수 없는 유한성을 절감한 후 무한한 실재를 열망하게 된다. 이 무한한 실재와 만나는 방법이 무엇이든, 그 만남은 더 이상의 고통과 악, 갈등이 없는 영원으로의 회귀라는 의미를 지닌다.

특별히 포크너는 고통의 근원을 시간으로 보았고, 고통이 없는 영원은 시간이 소멸된 곳으로 묘사된다. 삶 속에서 영원, 혹은 무한한 실재를 체험하는 것이야말로 넓은 의미의 종교체험이라 할 수 있다. 또한 모든 종교적 제의는 영원, 혹은 무한한 실재를 체험하기 위하여 일상적 공간을 비일상적 공간으로, 일상적 시간을 비일상적 시간으로 구분하는 행위가 된다. 그 종교적 제의 안에서 인간은 자신을 재발견하고 그 존재가 확대되는 변화를 겪게 된다.7) 문학은 일종의 종교적 제의처럼 등장인물들의 변화를 통하여 독자의 의식도 함께 확대시키는 역할을 수행하는 것이다. 그렇다고 포크너가 이 작품에서 무한한 실재는 바로 기독교의 하나님이라고, 혹은 불교의 붓다라고 해답을 제시하는 것은 아니다. 도린 파울러(Doreen Fowler)의 지적처럼 포크너는 "무한한 존재를 정의하는 것이 아니라, 알 수 없는 무한한 실재, 혹은 영원에 대한 한없는 열망만을 드러낼 뿐이다"(ix).

그러한 포크너의 열망은 현실에 대한 비극적 인식에서 비롯된다. 많은 포크너 비평가들이 지적하듯이, 포크너는 인간존재를 비극적인 것으로 보았다. 포크너 자신이 말콤 코울리(Malcolm Cowley)에게 다음과 같이 말한 적이 있다. "인생이란 목적 없이 달리는 광적인 장애물경기와도 같다. 인간은 어느 시간 속에

---

7) 엘리아데는 『성과 속』에서, 종교학자 징진홍교수도 그의 저서 『종교문화의 이해』에서 종교를 그와 같이 정의한다. 자세한 인용은 작품을 분석하면서 뒤에 하기로 한다.

있든지 간에 늘 부패하기 마련이다"(Kazin 4, 재인용). 즉, 인생은 본질적으로 허무하며 인간은 본질적으로 악하다고 보고 있는 것이다. 이러한 포크너 특유의 인간관을 J 로버트 바쓰(J. Robert Barth)는 칼비니즘적 전통 안에 있음을 지적한 바 있다(11). 인간의 선천적인 죄악성과 예정설을 골자로 하는 칼비니즘의 영향이, 포크너 자신의 칼비니즘에 대한 신랄한 비판에도 불구하고 실제로 작품의 곳곳에 드러나 있다. 작품에서 반복되는 운명, 불운, 저주와 같은 단어들이 이를 증명하고 있다고 말한다.

그러나, 인간이 참으로 악하기만 하도록 <운명>지워진 것이라면 고통이 있을 까닭이 없다. 죠 크리스마스(Joe Christmas)를 무참히 살해하는 퍼시 그림(Percy Grimm)과 같은 인물에게 고통은 없다. 한치의 의심도 없이 자신의 종교적, 인종적 신념을 실행하는 맥이천이나 하인즈에게도 고통은 없다. 오로지 자신의 이득과 안위만을 생각하는 브라운(Brown) 같은 인물에게도 고통은 없다. 정 반대이지만, 천사처럼 착하고 한없이 낙관적이기만 한 레나그로브(Lena Grove)같은 인물에게도 흡사하게 고통은 있을 수 없다. 그들 모두에겐 더 나은 실재에 대한 열망이 없기 때문에 갈등이란 있을 수 없고, 따라서 고통도 있을 수 없다. 고통받을 수 있는 인물은 끊임없이 자신의 현재를 인식하며 더 나은 것을 향하는 자들이다. 앞에 언급된 인물들의 현실성이 떨어지는 이유는 바로 그들이 보통 인간의 모습이 아니기 때문이다. 인간은 악하지만 그것을 극복하려는 자유의지를 지닌 존재이기 때문에 인간은 고통받는 것이고, 그 고통은 인간조건이 된다.

고통받을 수 있는 인물, 즉 현실성 있는 인물로서 본 작품에서는 세 사람, 크리스마스 (Christmas), 하이타워(Hightower), 번취(Bunch)를 들 수 있다. 이 세 사람이 겪는 고통의 원인을 살펴보면, 그들이 열망하는 지점을 알 수 있다. 왜냐하면 그들이 처한 보편적인 인간조건인 고통은 더 나은 차원으로 향하는 열망으로 인하여 생기기 때문이다. 고통 속에서 자신을 발견하고 존재론적 변화를 일으키는 주제는 많은 문학작품의 전유물이다시피 하지만, 굳이 세 인물의 고통과 열망이 종교적일 수 있는 이유는, 그들의 고통이 시간 속에 머무는 존재이기에 발생하고, 고통을 소멸하기 위하여 열망하는 것이 시간이 소멸된 영원에의 회귀이기 때문이다. 즉, 그들이 고통을 겪고 변화하는 모든 과정이 종교적 제의를 닮아 있기 때문이다.

1. 죠 크리스마스

죠 크리스마스가 겪는 고통은 그가 시간 속 존재이기 때문에 발생한다. 자신이 흑인인지 백인인지 알 수 없는 정체성의 위기로 인하여 그는 평생 고통받는데, 흑인이기 때문에 받는 고통은 남부 특유의 역사적 산물이고, 시간이 흐르면서 축적되는 역사가 바로 크리스마스가 겪는 고통의 조건인 인종차별을 만들어 낸 것이기 때문이다. 그가 태어나자 마자 흑인의 피가 섞였다는 추측만으로 자신의 조부에 의하여 버려져 고아원에서 키워지며 흑인이라고 놀림받으며 유아시절을 보낸다. 그 후, 맥이천에게 입양되지만 자신이 흑인일지도 모른다는 의심 때문에 누구와도 정상적인 관계를 맺지 못한다. 마침내 집을 떠나 길 위에 있을 때에도 흑인이기 때문에 어느 곳에서도, 어느 사람에게도 뿌리를 내리지 못하고 부초처럼 떠돈다. 제퍼슨에 도착하여 3년 간 한 곳에 머무르는 듯하나 죠애나 버든(Joana Burden)이 그에게 철저하게 흑인이 되기를 강요하자 그녀를 살해하고 7일 동안 길 밖에서 헤매다 결국 자발적으로 잡히게 되고, 다시 도망치다가 퍼시 그림에게 잔인하게 살해, 거세되어진다. 크리스마스가 겪는 고통은 자신이 흑인인지 백인인지 알 수 없는 정체성의 위기에서 비롯되고, 흑인일수도 있다는 추측이 낳는 위기 자체는 바로 시간이 만들어낸 남부라는 공간의 특수한 역사가 만들어낸 편견 탓이다.

시간의 축적인 역사가 만들어내는 고통은 정체성의 위기에서 그치지 않는다. 정체성의 위기가 공동체적 과거의 산물이라면, 크리스마스의 여성에 대한 혐오감은 그의 개인적인 과거의 산물이며 그의 삶을 고통스럽게 하는 또 하나의 원인이 된다. 그가 다섯 살 때 고아원에서 우연히 목격한 영양사의 불륜은 치약 냄새와 연결되면서 이후 모든 여성과 여성적인 것, 즉, 부드럽고 친절한 것, 유약함을 거부하게 된다. 여성적인 것에 대한 거부는 결과적으로 그의 삶을 거친 폭력으로 점철시킨다. 양모인 맥이천 부인의 따뜻한 사랑과 관심을 거부하고 폭력을 선택하는 것도 그녀의 유약한 감성에 대한 거부를 의미한다. 17세

때, 친구들과 흑인소녀를 윤간할 때 불현듯, 있지도 않은 치약 냄새를 기억의 저편으로부터 되살리면서 거의 구토에 가까운 여성에 대한 거부감을 느끼는데, 이는 흑인소녀를 구타하는 폭력으로 표현된다. 많은 여성들 중, 하필 매춘부를 첫 애인으로 삼는 것도 궁극적으로는 여성에 대한 혐오감 때문이다. 여성이면서도 남성처럼 보이는 버든을 처음 범한 후, "마침내 그녀[버든]를 여성으로 만들어 놓았어. 그러니 이제 나를 미워하겠지. 최소한 그것을 가르친 셈이지"(223)[8]라고 의기양양하게 말한다. 강간함으로서 여성으로 만들고, 여성이 되었기 때문에 적대관계가 성립되었다는 논리, 유린함으로써 유약하게 만들어 맘껏 혐오하겠다는 그 의도는 성장과정에서 삐뚤어진 여성관의 소산인 것이다. 흑인대학에 가고 흑인들을 위해 일함으로써 흑인이 되기를 요구하는 버든을 살해하는 것도, 앞서 말한 대로 흑인으로 자신의 정체성을 결정하기를 거부하는 탓인 동시에, 여성에게 자신의 의지를 반납하고 좌지우지되면서 유약화, 즉, 여성화되는 것에 대한 공포와 불안을 의미한다. 인종차별이라는 남부 역사의 죄악이 크리스마스의 삶을 뒤틀리게 하는 것처럼, 개인의 역사에서 일어난 한 과거의 한 사건이, 또한 여성이라는 타자와의 정상적인 만남을 불가능하게 하고 있는 것이다.

　남부라는 역사적 산물인 인종차별에 의한 고통이든, 개인적 역사에서 발생한 한 사건에서 비롯된 고통이든, 크리스마스가 겪는 고통은 모두 시간과 연결되어 있다. 시간이 1차원 공간의 선으로 인식될 때, 과거는 현재로, 현재는 미래로 연결되면서 시간의 축적과 연결이 만들어내는 역사의 공간에서 불행은 끊이지 않는다. 『음향과 분노』(The Sound and the Fury)의 퀜튼 콤슨(Quentin Compson)이 자살을 선택하는 것은 시간과의 싸움을 이길 수 없다는 절망에서 비롯된다. 그래서 차라리 시간을 소멸시키고자 시계를 부수지만 시계 속 톱니바퀴의 움직임은 멈추지 않는다(73). 그러나, 시간의 소멸은 1차원 선을 끊고 단절시킴으로써 가능한 것이 아니라, 삶의 시작과 끄트머리를 하나로 묶어 버린 원으로 인식할 때 가능하다. 그 원은 시작도 끝도 없는 영원한 지속을 의미하며 1차원 선상의 인과율이 만들어내던 고통이 사라지게 되는 지점이다. 그러나 시

---

8) 『8월의 빛』(Vintage, 1972)의 인용은 이제부터 쪽수만을 기입한다.

간을 원으로 인식할 수 있는 것은 역설적으로 시간 밖에서만 가능하다. 즉, 시간이 멈춘 영원의 순간에만 시간을 제대로 인식할 수 있다는 뜻이다. 시간을 "동그란 줄"(115), 즉 원으로 인식한 『내가 죽어 누워있을 때』(*As I Lay Dying*)의 다알 번드런(Darl Bundren)이 마침내 정신병원에 수감되는 것도, 그가 이미 일상적 시간의 바깥에 서있음을 의미한다.

크리스마스가 자신을 발견하고 평화를 얻는 지점도 일상적 공간이었던 길에서 벗어난 숲 속에서다. 전통적으로 길은 인생과 시간의 객관적 상관물이 되는데, 길에서 벗어났음은 그가 일상적인 시간과 공간을 떠났음을 의미한다. 마치, 헤엄치던 강을 떠나야 강줄기가 보이고, 산을 떠나야 산의 지형이 눈에 들어오듯, 잠시나마 일상적 삶을 떠나야 삶 전체를 조망할 수 있는 안목을 확보하는 것과 같은 이치다. 버든을 살해하고 쫓기면서 길을 벗어나 숲 속에서 머무는 칠일 동안, 크리스마스는 스스로 자신이 평생 걸어온 거리보다 훨씬 더 먼 거리를 왔다고 말한다(320). 실상 숲 속에서 제자리걸음으로 빙빙 돌던 거리는 그가 평생 도망친 물리적인 거리보다 결코 멀 수는 없는데도 말이다. 역설은 그 뿐이 아니다. 숲 속을 헤매면서 자신이 어느 지점에 있는지도 전혀 모름에도 불구하고 그는 어느 때보다도 확실하게 "자신이 어디에 있는지 아는 자"(320)라고 말하며, 현재가 몇 월 몇 일인지 시간선상의 어느 지점에 손가락을 짚어 내진 못해도, 시간은 원이기에 어느 지점이든 상관없음을 깨닫게 된다. 흔히, 크리스마스의 자각을 설명하는 "그는 아직도 원 안에 들어있다"(320)를 숙명론자적인 자각으로 오인하는 경우가 허다하다. 그러나, 여기서의 "원"이란 숙명을 의미하는 것이 아니라, 시작도 끝도 없는 영원을 의미하며 기억된 과거가 크리스마스를 불행하게 하는 일직선적 시간관을 뒤바꾸는 인식의 전환점을 의미한다. 그렇다 할지라도, 즉, 시간을 제대로 인식하는데 성공했을지라도, 선이 만들어 낸 원의 공간 <안>에 머무르는 한, 시간의 소멸은 불가능하다. 육신의 옷을 입고 있는 한, 원이 만든 공간 바깥으로 뛰쳐나가는 것은 불가능하기 때문이다. 그가 다시 길로 나가는 것처럼 다시 시간 속으로 나갈 수밖에 없다. 잠시 시간에서 빠져나와 시간의 모양이 원임을 발견했으나, 다시 시간 속으로 들어갈 수밖에 없는 것이다.

따라서 크리스마스가 절망하고 체념했다고 보는 많은 비평가들의 견해는 옳지 않다. 그는 분명 긍정적으로 변화했다. "수영할 줄 모르면서 실제 물에 대한 느낌을 멋대로 상상하고 기억하고 이제, 실제처럼 알고 믿는 선원"(320)과 자신이 똑같다고 고백하는 장면은, 크리스마스가 이제 더 이상 스스로를 기만하지 않고 있음을 의미한다. 즉, 그는 과거에 자신의 흑인성을 거부했으나, 그의 거부는 실상 흑인이 무엇인지 그 실체를 모르는 상태에서 막연히, 역사가 만들어 낸 흑인에 대한 편견을 그대로 답습한 것에 불과했음을 깨닫는 것이다. 허구를 상상하고, 이를 기억한 다음 시간이 지나면서 기억 속에서 허구는 확고한 사실과 신념으로 둔갑해 버리듯이 말이다. 그가 흑인의 신발을 아무런 거부감 없이 신는 장면은 상징적으로 그가 자신의 실체를 조작 없이 있는 그대로 받아들이고 있음을 의미한다. 그 장면은, 숙명을 어쩔 수 없이 받아들이는 수동적인 자세가 아니라 적극적으로 숙명을 수용하는 태도라도 볼 수 있다. 그는 마침내 자신을 있는 그대로 발견하게 되고, 새롭게 발견된 자아와 화평할 수 있게 되는 것이다.

시간이 소멸되는 영원 안에서의 평화는 종교적인 체험이다. 일상적인 공간이 갑작스럽게 깨달음이 일어나는 성스러운 공간으로 변화하는 것도 종교적인 제의의 일부이다. 『하늘과 순수와 상상』에서 정진홍 교수는 종교라는 것을 "제의를 사는 삶"이라 정의하고 제의의 특징을 다음과 같이 정의한다.

> [종교적] 제의의 가장 특징적인 것은 그것이 지닌 비일상성 이다. 일상으로부터의 단절이 극화되고, 그렇게 단절된 시간과 공간 속에 참여하는 그 참여행위 자체와 그 참여 속에서 이루어지는 비상식적인 행위를 통하여 인간은 문제[고통] 있음의 정황을 전도시켜 문제[고통] 없음이게 하는 것이다. 그러한 과정을 통하여 인간은 자신의 존재 양태가 변화하는 것을 경험한다. 이러한 경험을 우리는 '제의를 사는 삶'이라고 말한다. (365)

크리스마스는, 일상적인 길을 떠난 비일상적인 숲이라는 단절된 공간에서, 정체성의 위기로 인한 고통의 문제를 해결한다. 그의 깨달음의 과정은 정진홍 교수의 표현대로 "문제 있음의 정황"에서 "문제없음"의 정황으로 옮겨지는 종교적 제의의 성격을 지닌다. 또한, 강에서 몸을 빼듯 시간으로부터 단절된 어느 순간 시간의 실체를 발견하며, 동시에 그 안에 들어있는 자신을 발견하는 것도 매우 종교적인 행위이다. 그래서 그의 "존재양태"는 변화하게 되는 것이다. 시간의 원형 속에 갇혀있는 존재의 작음을 보고서야 비로소 그의 존재는 새롭게 변화하고 확대되듯이 말이다. 일상성과의 단절 속에서 분리된 것은 성스러운 존재로 변화하며 그것은 동시에 궁극적인 실재를 의미한다고 엘리아데는 말한다 (50). 또한 인간은 성스러움에 직면할 때, "스스로 전혀 무가치함을 느끼고 자신이 하나의 피조물에 지나지 않음"(48)을 느끼게 된다고 말한다. 크리스마스가 성과 속의 경계를 가로지르는 거대한 심연을 넘어 시간 속에 갇힌 자아를 발견하는 것은 존재의 작음, 유한함을 인식한 것이고, 자연스럽게 무한을 열망하게 되는 것이다.

크리스마스가 스스로 체포되리라는 사실을 알면서도 당당하게 자신이 태어난 태초의 공간인 모츠타운으로 돌아가는 결정 역시 종교적인 행위라고 볼 수 있다. 엘리아데는 모든 종교는 우주가 창조되는 태초의 순간을 재현하고자 한다고 말한다.

> 우주 창조는 신적인 것의 최고의 현현이고, 힘과 충실, 창조성의 가장 강력한 표현이다. 종교적 인간은 실재를 갈망한다. 그는 가능한 모든 수단을 동원하여 세계가 생성의 선상에 있었던 때에, 원초적인 실재의 근원에 머무르려고 한다. (97)
> 기원의 시간으로의 복귀하는 희망은 신의 현존으로 회귀하고자 하는 희망인 동시에 그때에 존재했던 강하고 신선하고 순수한 세계를 회복하고자 하는 희망이다. 그것은 성스러운 것에 대한 갈망인 동시에 존재에 대한 향수이다. (107)

종교의 제의가 태초의 시간과 공간으로 되돌아가려는 상징적인 몸짓이라고 본다면, 자신이 태어난 모츠타운으로 돌아가는 크리스마스의 행동은 지치고 체념했기 때문이 아니라, 성스러운 영원으로의 회귀를 의미하는 것이다. 흔히 말하듯, 크리스마스가 살기를 체념하고 죽기 위해 모츠타운으로 들어간 것이라면 이후, 그가 다시 도망치는 것에 대해서는 설명할 수가 없게 된다. 죄인수송 중 수갑을 찬 채로 도망하는 것은 분명 살기 위해서였다. 그러나, 불운하게도 그는 탈출에 실패하며 잔인한 퍼시 그림의 총에 살해된다. 실패할 수밖에 없었던 그의 상황은 불운하지만, 자신의 불운을 평온하게 바라볼 수 있을 만큼 그의 존재는 이미 확대되어 있다. 후세 사람들이 그의 죽음을 오로지 "평온함과 승리"(440)로 기억하는 것은 바로 그런 까닭이다.

　평생 여성에 대한 비뚤어진 인식으로 인하여 스스로 고통을 자처했던 크리스마스가 마지막 순간 퍼시 그림에 의해 거세되어 비남성화 되는 것도 사실상 매우 상징적이고 나아가서 종교적이다. 부드럽고 친절한 여성성을 유약함으로 보고, 유약함을 유린함으로서 스스로 강한 남성이 될 수 있다고 믿었던 그의 믿음이 강제로 제거되는 상징적인 순간이다. 크리스마스는 여성을 "하수구"(246), "바닥을 알 수 없는 늪"(246), "어두운 심연"(246) 라는 명사로 은유하고, 형용사로는 <태초>와 <생산>이란 의미가 교묘하게 합성된 "프리모제니티브" (primogenitive)(107)라는 단어를 사용하여 묘사한다. 여성을 상징하는 이와 같은 이미지는 모두 물과 연관되어 있는데, 이때 물은 창조에 선행하는 카오스의 물인 동시에 죽음, 즉 무정형 상태로의 환원을 상징한다. 여성주의문학이나 실제 여성작가 중에서 좌절의 끄트머리에 많은 여성들이 익사를 죽음의 방법으로 선택하는9) 것도 창조이전의 미분화상태로의 환원을 의미한다. 크리스마스가 두려워하는 것은 여성 그 자체가 아니라, 여성이 상징하는 가장 근원적인 존재에 대한 두려움이다. 깊이를 알 수 없는 심연으로서의 여성이 자신을 함몰시켜 버릴 것만 같아서 두려워하는 것이다. 실제로 버튼을 죽이기 전 거리를 배회하면서 그는 거리의 사람들의 목소리와 몸, 그리고 빛이 모두 함께 어둠 속으로 함몰되어 액화되는 환상을 보기도 한다(107). 그리고 이어서 그 어둠은 "캄캄하고 뜨겁고, 축축한, 태초의 여성" (107)으로 의인화된다. 그런데 숲 속 체험이후, 그에겐 여성에 대한 두려움이 없다. 이제 거세되어 비남성화 됨으로써 창조이전의 미분화 상태, 가장 태초의 순간을 상징적으로 수용하면서 태초의 순수를 회복하는 순간으로 볼 수 있다. 그렇다면 그의 거세는 할례처럼 오히려 종교적인 정화의식과도 흡사하다.

---

9) 언뜻, 떠오르는 예로, 케이트 쇼팽(Kate Chopin)의 에드나(Edna), 마가렛 앳우드(Margaret Atwood)의 『떠오름』(Surfacing)의 여주인공, 그 외, 버지니아 울프도 스스로 강에 몸을 던져 목숨을 끊었다.

흔히 사회적 편견의 희생자로 해석되는 크리스마스는 시간 속에서 살아가는 보편적 인간이 겪는 고통, 즉 공동체의 과거와 개인의 과거가 만들어내는 환상 때문에 고통받지만, 실상 그는 그 고통을 통해서 자신의 정체성을 수용하고, 늘 자신을 함몰시키려는 위협적 존재로 인식되었던 여성을 수용하게 되는 것이다. 그리고, 각각의 수용과정은 종교적 제의와 동일하게 그려지고 있다.

2. 하이타워

시간 속 존재이기 때문에 고통받는 사람은 크리스마스 이외에도 하이타워가 있다. 그 역시 과거가 만들어내는 환상 속에서 살다가 아내마저 잃고 평생 고립되어 살아가는 목사다. 번취의 요청으로 레나의 아이를 낳는 과정을 도우면서, 그는 문득 생명의 탄생에 동참하게 되고 그로써 다시금 사람들과 관계를 맺기 시작한다. 그런 과정에서 그는 자신이 진리를 전하는 진정한 목사가 아니라, 과거의 환영에 사로잡힌 거짓 목사였음을 부끄러워하고, 과거 아버지와 어머니, 그리고 여자흑인 노예라는 유령들 속에서 자신이 성장했음을 깨닫게 된다. 그는 목사가 되기 20년 전, 제퍼슨에서 전쟁영웅이라 착각했던 조부가 죽는 순간, 자신도 죽었다고 믿는다. 그리고 조부와 자신이 함께 죽은, 과거 20년 전의 시간과 공간 속에 들어가 다시 살기 위하여 그는 신학교를 졸업한 뒤 제퍼슨으로 가기를 고집한다. 마침내 제퍼슨으로 가게 되었을 때, 그는 20년 간의 시간을 소멸시키면서 과거로 돌아가 설교자 대신 전쟁 숭배자로 변신해 버린다. 남부의 역사와 개인적 과거가 만들어 낸 편견으로 인하여 고통받는 크리스마스와 비슷하게, 하이타워도 자신이 스스로 만들어낸 과거의 환영을 진실이라 믿고 스스로 고립과 고통을 자초하면서, 목사직에서 쫓겨나 평생 마을의 한 구석에서 사람들과의 발길을 끊고 살아간다. 그리고 그는 고립이라는 고통을 통하여, 자신은 "과거의 잘못에 대한 적절한 대가를 지불했다"(464)고 믿는다.

그러나 대가를 지불했다는 나름대로의 반성은 아직 충분하지 않다. 왜냐하면, 그는 자신의 광적인 과거 집착으로 인한 무관심 때문에 자살한 아내에 대해서는 거의 마지막 순간에 이르기까지 하등의 책임감도 느끼지 못하기 때문이다. 그의 진정한 각성은 바로 아내의 절망과 죽음이 결국 자신 때문임을 깨닫는 일이다. 시간을 거슬러 회상하면서 갑자기 그는 시간이 멈춘 듯한 순간에 이르게 되고 거기에서 진정한 각성이 이루어진다. 그 순간, 자신의 존재가 긴 시간의 흐름 속에서 "어둠으로 가득한 단 한 순간"(465)에 불과하다는 인식에 도달한다. 자신이 영원 속에 작은 찰나에 불과하다는 인식에 이어서 여러 사람의 얼굴이 하나로 중첩되어 떠오르는데, 특히 크리스마스의 얼굴과 퍼시 그림의 얼굴이 중첩되는 것은 심오한 의미를 지닌다.

크리스마스에게서 시간의 경과가 길로 상징되는 반면에, 하이타워에게는 바퀴라는 이미지로 묘사되는데, 하이타워에게 이러한 각성이 일어나는 순간, 그가 사유하는 속도에 맞춰 움직이던 바퀴가, 돌긴 도는데 더 이상 나아가지 않는 장면이 있다(465). 이러한 멈춤의 이미지는 크리스마스와 마찬가지로 일상적 시간에서의 탈출을 의미하며, 이러한 비일상적 순간에 그는 존재의 찰나성과 더불어 개체의 무의미함을 인식하게 된다. 개인의 존재는 찰나에 불과하여 "어둠으로 가득한 단 한 순간"으로 응고되고, 동시에 개인의 찰나적인 삶은 역설적으로 뒤이어 태어나는 자녀들에 의하여 그 생명이 이어져 지속된다. 단절 속의 연속, 그것은 계절의 순환과도 같아서 겨우내 생명이 소멸되나 이듬해 다시 생명이 피어나듯, 개체의 죽음과 단절에서 끝나는 것이 아니라 또 다른 개체 속에서 생명이 원처럼 순환되고 지속된다는 의미이다. "조부가 죽은 순간 내가 조부가 되었다면, 나의 아내, 즉 그의 손자의 아내는. . . 또 내 손자의 아내를 파괴하는 자가 될 것이다"(465). 다시 말해, 개인은 죽음과 동시에 사멸하지만 동시에 다음 세대에서 다른 모습으로 생명이 지속된다는 깨달음에 이른다. 그러나, 지속되는 생명 안에 꿈틀거리는 것은 생산적인 생명이 아니라, 하이타워에겐 원죄와도 같은 파괴적 생명이다. 고립만으로 결코 속죄될 수 없는 자신과 인간 전체의 파괴성을 인식하는 장면이다. 또한 살해자와 피해자가 하나로 겹치면서 개체의 구분이 더 이상 의미 없는 영원에의 회귀를 상징적으로 말하고 있다. 세대 간의 시간이 소멸하고 개체간의 구분이 무너지는 체험은 분녕 종교적인 체험이 아닐 수 없다.

3. 바이런 번취

크리스마스와 하이타워만큼 강렬한 경험은 아니지만, 바이런 번취 역시 일종의 종교적 체험을 겪는다. 브라운의 아이를 임신한 레나를 만나는 첫 순간부터 그녀를 사랑하는 번취는 끊임없이 남의 눈을 의식하면서도 임신한 레나를 도와준다. 그녀를 사랑하고 그녀를 돕는 것이 그의 일상이 되어버린 것이다. 그런데 어느 날, 전혀 깨닫지 못한 "무시무시한 일"(377)이 벌어진다. "무시무시한 일"이란 말을 여러 번 반복함으로써 번취에게 일어난 충격과 그로 인한 변화가 심상치 않음을 강조한다. 일상적으로 지속되던 레나에 대한 사랑이 갑자기, 그러니까 레나의 불룩한 뱃속에 실제로 아이가 들어있었고 이제 그 아이가 자신의 아기가 아닌, 브라운의 아이라는 사실이 문득 현실로 다가오는 것이다. 모든 것을 분명히 알고 있었으면서도, 그러한 사실은 단지 "아무런 뜻 없이 존재하는 그저 언어에 불과했다"(380)고 깨닫는다. 하이타워가 과거의 환상에 사로잡혀 진실에 무지했다면, 번취는 의식적이든 무의식적이든, 지극히 평범한 진실을 외면하고 있었다는 말이다. 이런 깨달음 이후 번취는 브라운이 레나와 아기를 만날 수 있도록 주선하고, 자신은 다른 지방으로 가기 위해 떠난다. 그러나, 차마 떠나지 못하고 머뭇거리다가, 무책임한 브라운이 자신의 아내와 아기를 버리고 도망하는 것을 먼발치에서 지켜보게 된다. 그리곤, 자신이 질 것이 뻔한데도 브라운과의 싸움을 마다하지 않고 뒤쫓는다. 체구가 작은 번취는 예상대로 브라운에게 흠씬 얻어맞고, 수풀 속에 누워있게 된다. "잠시 후에 세상 속으로, 또 시간 속으로 되돌아갈 여유가 있겠지"(416) 라고 그가 말하는데, 이 말은 지금 누워있는 현재는 세상과 시간 속이 아니라는 의미이다. 마치 일상적 공간인 세상을 떠나 정지된 영원 속에 있는 것처럼 그는 누워있는 것이다. 그 정지된 순간에, 그는 이제 의미 없는 그저 "언어"가 아닌, 책임 있는 선택으로서 다시 레나에게 돌아가기로 결심한다. "비록 더 멀리 갈 수는 없을지라도, 문을 열고 들어가 거기 서 있으리라. 그리고 그녀를 바라보리라"(418) 라고 말한다.

일상으로 돌아와 레나에게 돌아가기 위해 마차를 얻어 타는 번취는 이미 존재론적 변화를 겪은 상태이다. 포크너는 마차 주인의 눈을 통해 번취가 기쁨과 흥분을 동시에 느끼고 있다고 증언하고 있으며 스스로도 번취의 상태를 "황홀경적 경이"(417)라고 묘사하고 있다. 이러한 다분히 종교적인 체험 이후, 대상과 유리된 "언어"에 불과했던 레나는 이제 마음뿐 아니라 몸으로도 사랑할 수 있는 진정한 실체로 변화되어 있는 것이다.

작품의 제목인 8월의 빛은 뜨거운 여름이 서서히 수그러드는 팔월, 아직도 덥지만 어딘가 시원한 가을을 예감하게 하는 한결 부드러워진 여성적인 빛이다. 인간의 욕정과 폭력이 뜨겁게 난무하는 삶의 한 가운데를 지나, 삶의 언저리에서 삶에 대한 보다 지혜로운 전망을 얻게 되는 시점이다. 작품의 세 주인공들--크리스마스, 하이타워, 번취--은 시간이 만들어내는 고통의 한 가운데를 지나, 시간의 수레가 멈추는 정지된 비일상적 순간에 자신과 삶에 대한 새로운 전망을 얻게 되는 것이다. 비일상적 영원의 순간, 존재의 심연과의 만남에서 그들의 존재는 변화하고 확대된다. 그리고 그들의 경험은 일반적으로 종교적 체험이라 불리는 제의과정과 매우 흡사한 것이다.

포크너의 소설이 보편적인 종교성을 지닌다는 사실은 그의 소설 안에서 이처럼 충분히 증명될 수 있다. 그런데 소설뿐 아니라 실제 인터뷰에서도, 포크너가 소설 쓰기에서 종교적인 의도를 지니고 있다고 스스로 말한 바 있다. 물론, 매번 강조되었듯이, 그가 특정종교를 거론하는 것은 아니다. 인간이 보편적으로 지니는 종교성이 문화의 옷을 불가피하게 입는 탓에 그는 기독교라는 특정종교의 이름을 사용하고 있더라도 말이다. 1956년 『파리리뷰』와 가진 인터뷰에서 포크너는 이렇게 말한다.

기독교라는 말의 의미에 대하여 우리가 서로 의견이 일치한다면, 우리들 중 누구도 기독교인이 아닌 사람은 없습니다. 기독교란 각 개인의 행동 규범이며, 이런 행동규범을 통해 개인은 자기의 본성에만 따랐을 경우 본성이 원하는 바보다 더 나은 인간으로 자신을 만들어 나가려고 합니다. 기독교의 상징이 무엇이든─ 십자가이든, 초승달이든, 혹은 그 어떤 것이든─ 그 상징은 인류 안에서 인간의 의무를 상기시켜 주는 것입니다. 이에 대한 여러 가지 우화는 인간이 자신을 측정하게 하고, 또 자신이 누구인가를 깨닫게 해주는 지표와도 같습니다. 그것은 교과서로 수학을 가르치듯이 인간에게 선을 가르칠 수 없습니다. 기독교는 다만 인간에게 어떻게 자신을 발견해야 할지, 또 어떻게 인간의 능력과 열망의 범주 안에서 자신의 도덕 규범과 기준을 설정해야 할지를 보여 줍니다. 그것은 바로 인간에게 고통과 희생의 뛰어난 예를 보여 주고, 희망의 약속을 해 줌으로써 가능합니다. 작가들은 항상 도덕적 양심의 우화를 그려 왔고, 또한 앞으로도 그리게 될 것입니다. (250)

포크너의 말에 의하면, 인간이 자신을 측정하고 깨닫게 하며, 단순히 본성에 따르지 않고 더 나은 차원을 향하게 하는 무엇이든지 기독교라고 정의할 수 있다는 것이다. 여기서 그는 기독교라는 특정종교에 무게를 두는 것은 아니고, 자신에 대한 깨달음과 이상적인 행동규범에 대한 열망을 의미하는 보편적인 종교성에 대해 언급하고 있는 것이다. 그리고 맨 마지막, 작가의 사명이 그러한 종교적 각성과 열망을 그린다고 말함으로써, 작가로서 소설 쓰기가 사실상 종교와 다르지 않음을 시사해 주고 있다.

문학과 종교 모두, 인간의 운명을 그리고, 그 운명으로부터 구원을 모색한다는 면에서 서로 다르지 않다. 인간을 불행하게 하는 육신의 한계와 시간에서 탈출하고 영원을 갈망하는 것은 인간 모두에게 내재된 원초적인 욕구이고, 이 원초적인 욕구는 종교라는 이름으로, 때로는 문학이라는 이름으로 표현되는 것이다. 물론, 표현의 방식이 결코 동일한 것은 아니지만 말이다. 본 논문의 서두에 인용했듯이, 종교가 이러한 원초적인 욕구를 제대로 표현하지 못하는 현대에 이르러 문학이 그 자리를 대신했으니, 문학은 더더욱 종교성을 강하게 지니게 되는 것이다. 포크너의 장편 9권과 단편 30 여 편 전체는 한편의 대하소설처럼 남부의 역사가 남긴 죄악과 고통을 고해하고 이를 구원하려는 열망으로 가득 차 있다. 『8월의 빛』도 마찬가지로, "고통의 뛰어난 예"를 그리면서, 마침내 고통을 추스리고 고통으로부터 구원받는 "희망"을 제시함으로써, 종교성을 지니고 있는 것이다.

인용문헌

김병서. 「미국남부의 종교생활」 『미국학논집』 30: 1, 1998.

엘리아데, M. 『성과 속』 이은봉 번역. 서울: 한길사, 1998.

정진홍. 『종교문화의 이해』. 서울: 서당, 1992.

_____. 「문학적 상상의 구원론적 함의 – 멀치아 엘리아데의 『만툴리사 거리』를 중심으로」, 『문학과 종교』 제 4호, 1999.

_____. 『하늘과 순수와 상상』. 서울: 강, 1997.

Barth, J. Robert. "Faulkner and the Calvinist Tradition," *Religious Perspectives in Faulkner's Fiction*. Ed. by J. Robert Barth. Nortre Dame: University of Notre Dame Press, 1972.

Bloom, Harold. Ed. *20C American Literature:* Light in August. New York: Chelsea House Publishers, 1988.

Faulkner, William. *As I Lay Dying*. New York: Penguin Books, 1963c.

_____. "Interview with Paris Review" in 『윌리엄 포크너』. 김욱동 편저. 서울: 문학과 지성사, 1986.

_____. *Light in August*. New York: Vintage edition, 1972.

_____. *The Sound and the Fury*. New York: Penguin Books, 1964c.

Fowler, Doreen. "Introduction," *Faulkner and Religion*. Eds. Doreen Fowler and Ann J. Abadie. Jackson: University Press of Mississippi, 1989.

Hlavsa, Virginia V. "The Crucifixion in *Light in August*: Suspending Rules at the Post," *Faulkner and Religion*. Eds. Doreen Fowler and Ann J. Abadie. Jackson: University Press of Mississippi, 1991.

_____. "The Levity of Light in August," *Faulkner and Humor*. Eds. Doreen Fowler and Ann J. Abadie. Jackson: University Press of Mississippi, 1986.

Hunt, John Wesley. *William Faulkner: Art in Theological Tension.*. New York: Haskell House Publishers, 1973.

Kazin, Alfred. "William Faulkner and Religion: Determinism, Compassion, and the God of Defeat," *Faulkner and Religion*. Eds. by Doreen Fowler and Ann J. Abadie. Jackson: University of Mississippi, 1991.

Millgate, Michael. Ed. *New Essays on* Light in August. New York: Cambridge University Press, 1987.

Scott, Nathan A. *Modern Literature and the Religious Frontier*. New York: Harper, 1958.

Waggoner, Hyatt H. "*Light in August*: Outrage and Compassion" *Religious Perspectives in Faulkner's Fiction*. Ed. by J. Robert Barth. Notre Dame: University of Notre Dame Press, 1972.

Wilder, Amos N. *Theology and Modern Literature*. Cambridge: Harvard University Press, 1958.

22

플래너리 오코너의 단편소설에서 보는 깨달음의 여정

| 박정미 |

I. 오코너의 종교적 관심

　20세기의 미국 작가 플래너리 오코너(Flannery O'Connor, 1925-1964)의 소설은 장단편을 막론하고 종교적 존재로서의 인간에 초점을 맞추고 있다. 오코너의 창작 활동 초기에 조언자였던 캐럴라인 고든(Caroline Gordon)은 일찍이 "오코너 양의 단편소설들은 모두가 자연인 남녀의 삶에서 일어나는 초자연적인 은총의 작용에 관한 것들"이라고 관찰한 적이 있다(Robert Giroux xv). 오코너 생전에 그녀의 작품을 애독했던 토마스 머튼(Thomas Merton)은 오코너의 업적을 소포클레스와 같은 거장들의 것과 견주면서 특히 "인간의 타락과 치욕을 보여주기 위하여 그녀가 사용한 모든 기법들과 온갖 진실"(Merton 71)에 대하여 경의를 표한다고 말한 바 있다. 이런 관찰들은 오코너의 작품 전반에서 드러나는 종교적 관심을 단적으로 지적하고 있다. 오코너 소설의 공통적인 관심사는 인간이 겪는 실존적 고뇌와 결단, 그리고 그로 인한 자기인식의 변화를 수반하는 종교적인 체험이라고 할 수 있다. 오코너는 1958년에 쓴 편지에서 "모든 좋은 이야기들은 회심(回心, conversion)에 대한 것, 인물의 변화에 관한 것"이라

---

*『문학과 종교』 제 6권 2호(2001)에 실렸던 논문임.

고 말하고 또 "은총의 작용이 인물을 변화시킨다"(『존재의 습관』 The Habit of Being 275)라고 서술함으로써, 소설을 통하여 종교적 회심의 체험을 재현하고자 하는 자신의 주된 관심을 분명히 밝히고 있다.[1] 오코너의 단편소설들의 상당수는 자기 무지와 교만에 사로잡힌 인간이 삶의 현실 속에서 뜻밖의 사건을 계기로 근본적인 위기를 맞게 되고, 그 위기 상황 속에서 자기 나름의 결단과 행동을 해 나가는 동안에 지금까지의 자아 및 세계에 대한 표상이 부서지게 되면서, 철저한 자기 비움을 체험하고 마침내 아집에서 벗어나는 과정을 그리고 있다. 작가는 이런 과정을 통하여 회개와 구원의 필요를 암시하거나 구원의 길에 필연적으로 내포되어있는 고통과 포기의 신비를 드러내 보인다. 이런 종교적인 주제를 다룸에 있어서 오코너는 자신이 잘 알고 있는 1950년대 전후의 미국 남부의 역사적인 현실과 풍습을 바탕으로 삼고 있다. 역사적 현실과 시대 상황에 뿌리내리고 있는 20세기 현대인의 삶을 여실하게 재현하면서 종교적인 주제를 줄기차게 탐색하고 있다는 점에서 오코너의 문학적 시도는 가히 독보적인 것이라고 할 수 있다.

오코너 소설의 배경이 되는 미국 남부 사회는 소위 바이블 벨트(Bible Belt)라고 일컬어지는 지역으로서 그리스도교의 개신교 전통, 그 중에서도 근본주의적 개신교 전통이 강한 지역이다. 오코너 자신은 다수의 동향인들과는 달리 가톨릭 신자로서 신앙생활을 하였으며, 가톨릭 정신이 자기 작품 세계의 바탕을 이룬다고 거듭 밝힌 바 있다. 예를 들면, 오코너는 연설문 「소설가와 신앙인」 ("Novelist and Believer")에서 현대의 소설가가 "인간의 궁극적 관심의 목적인 하느님"과의 만남을 글로 쓰고자 할 때에 겪는 고충을 언급하면서, 이런 소설가가 관심을 기울이는 중요한 종교적 체험은 "신앙을 통하여 인정하게 되는 지존하신 존재와의 관계"이고, "만남의 체험이며, 믿는 이의 모든 행동에 영향을 미치는 일종의 지식"이라고 설명하고 있다(『신비와 풍속』 Mystery and Manners 160-1)[2]. 오코너는 또 편지글에서 자신이 작품에서 다루는 종교적인 관심은

---

1) 『존재의 습관』(The Habit of Being: Letters of Flannery O'Connor. Edited by Sally Fitzgerald. New York: Farrar, Straus, and Giroux, 1979)은 오코너의 편지글들을 모아 출간한 책이다.

2) 『신비와 풍속』(Flannery O'Connor, Mystery and Manners. New York: Farrar, Straus, and Giroux, 1962)은 오코너의 연설문, 수필 등 소설 이외의 글을 모아 출간한 책이다.

"하느님에 대한 개인적 인식이나 사랑 때문이 아니라 오히려 자신 안에 있는 교회, 혹은 교회의 가르침의 영향 때문에" 특정한 방향으로 나아가게 된다고 설명한 적이 있다(『존재의 습관』 92). 그러므로 오코너의 작품을 읽을 때에 가톨릭 신앙의 관점을 지닌 작가가 개신교 전통이 지배하는 남부의 풍습과 인물들을 그리면서 복합적인 그리스도교의 전통을 어떻게 문학적으로 재현하고 있는가를 고찰하는 것은 의의 있는 작업이며, 상당수의 비평가들이 이 문제에 관심을 기울여 왔다. 그 중에서도 로버트 브링크마이어(Robert Brinkmeyer)의 책 『플래너리 오코너의 예술과 비전』(*The Art and Vision of Flannery O'Connor*, 1989)은 오코너의 작품 세계가 미국 남부 지역 특유의 근본주의적 개신교 전통과 작가 자신의 가톨릭 신앙의 전통이 부딪치고 만나면서 생기는 긴장과 대화적 관계를 통하여 고유한 의미를 생성하고 있음을 고찰한 중요한 연구서이다. 오코너와 오래 동안 친분 관계를 유지했던 테드 R. 스피비(Ted R. Spivey)는 『플래너리 오코너: 여성, 사상가, 예언자』(*Flannery O'Connor: the Woman, the Thinker, the Visionary*, 1995)라는 연구서에서 남부 사회 속에서 오코너가 차지했던 백인 중산층 지식인으로서의 내부인(insider)적 위치와, 개신교 지역의 가톨릭 신자, 남성 우위 사회 속에서의 여성 작가, 건강 문제로 모친에게 의존하는 장애인이 지니는 외부인(outsider)적 안목 사이에서 체험하는 긴장과 갈등을 통하여 성장해 가는 여성 사상가, 예언적 작가로서의 오코너의 모습을 복합적으로 다루고 있다. 이처럼 오코너가 그리스도교 전통을 작품 속에서 어떻게 다루고 있는가 하는 문제는 상당히 여러 각도에서 고찰되어 왔다. 그러나 이 작가가 소설 속에서 재현하는 종교적인 체험의 보편적 특징을 좀 더 면밀하게 고찰해 볼 필요가 있다. 즉 오코너의 작품에서 거듭 반복되는 특징적인 서사 구조를 살펴봄으로써, 인간의 보편적인 종교 체험이라고 할 수 있는 인간 존재의 신비와 절대자 혹은 하느님의 신비에 대한 새로운 인식과 깨달음에 천착하는 작가의 일관된 노력을 고찰해 볼 수 있다. 본고에서는 서사 구조의 분석을 통하여 오코너가 단편소설에서 그리고 있는 깨달음의 체험이 어떤 공통적인 특징을 띠고 있는지를 살펴보고, 그런 체험이 어떤 의미에서 그리스도교 전통 안에 자리잡고 있으며, 또 어떤 면에서 특정 종교를 뛰어넘어 인간의 보편적인 종교적 체험을 재현하는 것인지를 고찰해 보고자 한다.

　오코너의 소설에서는 주인공들이 자기무지(自己無知)와 왜곡을 벗어나 자신의 참 모습을 대면하는 장면을 거듭 볼 수 있는데, 이런 회심의 체험과 깨달음의 과정은 일련의 특징적인 서사 구조를 이루고 있다. 워런 코우피(Warren Coffey)는 오코너의 작품에서 거듭하여 볼 수 있는 이야기의 원형을 "지적인 오만[흔히 비종교]이 타락한 인간의 마음[흉악범, 광인, 때로는 성도착자]에 직면하여 산산조각이 나는 체험을 하고서 빛을 보거나 아니면 죽게 되고 때로는 그 두 가지를 다 겪게 되는 일종의 도덕극(morality play)"이라고 규정하면서 이야기의 "요점은 인간 마음의 나락으로부터 하느님이 선포되는 것"이라고 평한다(Warren Coffey, 41). 클레어 케이언(Claire Kahane)은 오코너의 작품에 대하여 논평하면서 "거듭 거듭 한 인물이 자율적으로 살려는 시도를 하고 스스로 자신을 규정하고 자기의 가치를 규정하려고 노력하지만 결국 그녀가 '실재'(實在, reality)라고 일컫는 것, 곧 삶의 불확실성 앞에서 무력함을 인정하고, 그리스도의 힘에 대한 절대적인 승복의 필요에 끌려 돌아오게 되는 그런 소설을 만들어낸다"고 묘사하며, 결과적으로 종교적 주제를 다루는 오코너 소설의 원형적인 "주인공은 수모를 당한 후에야 자신의 죄스런 상태를 인정하게 되며, 따라서 은총과 구원에 마음을 열게 된다"라고 관찰한다(Kahane 120). 인간이 스스로 자기 힘으로 살려는 태도를 코우피처럼 오만으로 보는 경우와 케이언처럼 자율 혹은 독자성으로 보는 경우는 근본적으로 인간을 보는 견해의 양면을 대변한다. 오코너가 작품 속에서 집중적으로 재현하는 인간은 흔히 자기무지를 수반하는 오만에 사로잡혀 있고 따라서 늘 회심할 필요가 있는 유한한 존재이다. 즉 작가가 보는 인간의 근원적인 모습은 하느님 앞에 선 존재, 하느님과의 관계 속에서 사는 존재로서의 인간이다. 이처럼 오코너의 작품 세계에서는, 종교적인 신앙과는 전혀 상관이 없는 인물을 묘사하거나 때로는 노골적으로 무신론을 고백하는 인물을 그릴 때에도, 작가가 지닌 그리스도교적 인간관이 준거가 되고 있다.

　오코너의 소설에서는 흔히 인간의 유한성 내지는 실존적 곤경을 부각시키기 위해 폭력을 동원하는 것을 주저하지 않으며, 때로는 죽음이 초자연적 실재와 가치를 암시하는 중요한 도구 역할을 하기도 한다. 이는 악의 실재성을 빼어

놓고 인간의 종교적 실존을 생각할 수 없기 때문이다. 폭력과 죽음은 오코너의 소설에서 악의 현실을 드러내는 효과적인 표상이 된다. 「착한 사람은 찾아보기 어렵다」("A Good Man is Hard to Find"), 「강」("The River"), 「숲의 조망」("A View of the Woods") 등의 작품들은 플롯이 주인공의 죽음으로 마무리되는 예를 보여준다. 「착한 사람은 찾아보기 어렵다」에서는 주인공 할머니가 연쇄살인범에게 피살되기 직전에 자기에게 총을 겨누는 미스핏(Misfit – '어울리지 못하는 자', '맞지 않는 자'라는 의미)이라 불리는 남자도 역시 자신의 아들일 수 있음을 알아보고 짧은 순간 각성하게 되지만 결국 냉혹한 범죄자의 총격에 죽음을 맞는다. 미스핏은 세상 도처에서 우연히 부딪쳐 만날 수 있는 악의 화신으로 묘사된 인물이다. 그러나 그는 예수의 이야기를 심각하게 받아들이며, 예수의 생애와 가르침이 사실이라면 철저하게 믿고 따라야 한다는 주장을 하고, 그렇지 않다면 철저하게 악을 행할 수밖에 없다는 과격한 이원론적 입장을 제시한다. 「강」에서는 부모의 무관심 속에 버려진 어린 소년 베블(Bevel)이 설교자의 말을 곧이곧대로 받아들이고 세례를 통해 더 나은 삶으로 나아가고자 스스로 강물 속으로 걸어 들어가 빠져 죽는다. 어린이의 자살이라는 끔찍한 사건을 통하여 보살핌을 받지 못하는 어린이의 곤경을 묘사하고, 일그러진 사회를 통렬하게 비판하면서, 동시에 그리스도교의 세례 성사의 의미를 심각하게 재고해 보기를 촉구하는 이야기이다. 「숲의 조망」에서는 숲을 바라볼 수 있는 땅을 팔아버리려는 할아버지에 반항하며 다투던 소녀 메리 포튠 피쓰(Mary Fortune Pitts)의 머리를 그 할아버지가 바윗돌에 쳐서 죽게 하고, 그 과정에서 노인도 손녀의 발길질에 맞아 심장에 충격을 받고 마비를 일으켜 죽음을 맞게 된다. 이 이야기는 초월적 가치, 생태계의 안정 등을 상징하는 숲을 소중하게 여기는 자손들의 소망을 무시하고 돈벌이와 개발에만 집착하는 할아버지의 물질적인 세계관에 대한 매몰찬 비판을 제시한다. 「착한 사람은 찾아보기 어렵다」의 할머니와 「숲의 조망」의 할아버지는 죽음을 맞기 직전에 잠시나마 새로운 각성을 한다. 「강」의 주인공인 어린 소년은 삶의 변화를 소망하면서 죽음을 맞는다.

이런 작품들에서는 폭력적 사건을 통하여 변화의 필요성이 암시되지만 주인공들이 죽어버리기 때문에 작중 인물 안에서 현실적으로 바람직한 변화가 일어나지는 않는다. 죽음 자체가 커다란 변화이기는 하나 그 변화 후의 삶을 감당하는 몫은 작중 인물들의 것이 아니다. 작품 속 사건의 전개가 불러일으키는 충격적인 효과는 작중 인물을 향한 것이라기보다는, 비록「착한 사람은 찾아보기 어렵다」에서는 죽기 전에 각성의 순간이 있는 듯하지만, 오히려 독자를 향한 충격이요 예언적인 도전이 된다. 이런 폭력적인 결말은 오코너가 단편소설에서 즐겨 구사하는 서사 구조의 한 가지 전형적인 특징이 되고 있다. 이들 작품에서 폭력적 사건의 결과는 세상을 보는 인간의 시각을 근본적으로 변화시키는 것이기 때문에 종교적인 의미를 띠게 된다. 오코너의 이런 작품을 처음 읽고 난 독자는 흔히 당혹감을 느끼거나 아니면 작품의 의미에 대하여 일련의 질문을 갖게 된다. 비록 작가가 재현하고 암시하는 존재의 신비에 대하여 즉시 공감하지 못하는 경우에도 그녀의 작품은 독자를 불편하게 하고 뒤흔들어 놓는 힘이 있다.

죽음으로 결말을 맺는 작품들과는 대조적으로 오코너의 몇몇 단편들에서는 작중 인물 자신들이 사건을 통하여 의식의 변화를 체험하고 전적으로 변화된 삶을 살아나가야 하는 경우를 그리고 있다. 이제 이런 종류의 작품들에 특별히 주목해보고자 한다. 삶이 근본적으로 변하는 중요한 체험을 하고 난 후 살아남아 새로운 방법으로 삶을 추스를 수밖에 없는 상황을 그리는 작품 중 대표적인 것으로는「인조 흑인상」("The Artificial Nigger", 1955),「착한 시골 사람들」("Good Country People", 1955), 그리고「계시」("Revelation", 1965)를 들 수 있다. 이 단편소설들은 머튼이 지적한 것처럼 인간의 타락과 치욕을 그릴뿐만 아니라 인간이 타락에서 오는 충격을 견뎌내는 과정에서 새로운 깨달음을 얻고 삶이 변하게 됨을 암시하고 있다. 이 세 작품이 재현하는 인물들의 구체적인 상황을 점검하면서, 인간이 경험하는 깨달음과 변화의 과정에 대한 오코너의 통찰이 제시하는 의미를 살피고, 그런 과정을 구현하는 데에 동원된 서사 기법의 특징과 성과를 조명해보고자 한다.

II. 「인조 흑인상」 – "너는 네가 스스로 생각하는 것처럼 똑똑하지 않다는 걸 알게 될 날이 올 것이다."

「인조 흑인상」은 오코너 자신이 매우 즐겨 읽은 작품으로서, 조지아 출신의 한 시골 노인이 겪는 타락과 고뇌, 그리고 은총의 체험과 회심의 이야기이다. 주인공 헤드 씨(Mr. Head)는 미혼모인 딸이 남긴 열두 살짜리 외손자 넬슨(Nelson)을 시골 벽촌에서 혼자 키우며 사는 65세의 노인이다. 이들 할아버지와 손자는 서로에게 유일한 혈육이다. 할아버지는 손자를 보호하고 양육하며 손자는 할아버지를 믿고 의존하는 관계이면서도 은근히 서로 경쟁하고 견제하려는 태도를 지니기도 한다. 두 사람은 외모뿐만 아니라 자부심이 강하고 오만하다는 점에서도 서로 닮았다. "그들은 형제, 그것도 나이 차이가 별로 나지 않는 형제라고 할 정도로 닮아보였다"(『오코너 작품 전집』 O'Connor: Collected Works 212)는 묘사에서도 볼 수 있듯이 넬슨은 헤드 씨의 분신(double)으로 그려져 있다.[3] 헤드 씨는 자신의 분신인 넬슨을 보호하고 기르며 교육시켜야 하는 인생의 스승이자 "젊은이를 위한 적절한 안내자"(210)로서의 자신의 역할과 책임을 의식하는데, 이 역할을 수행하는 중에 그가 겪게 되는 뜻밖의 체험이 이 이야기의 핵심 사건이 된다.

넬슨이 자기가 애틀랜타에서 태어난 것을 알고 도시에 대한 관심을 보이며 할아버지에게 불손하게 대하자, 그를 본때 있게 가르칠 심산으로 노인은 손자를 데리고 도시로 여행을 떠난다. 그는 자신도 겨우 세 번째로 가보는 도시행이지만 슬기로운 어른으로서 어린 손자를 잘 안내할 수 있으리라고 상당한 자신감을 보인다. 그러나 막상 도시에 닿자 노인은 얼마 가지 않아 길을 잃어버리고 만다. 지친 행색으로 거리를 헤매던 두 사람은 낯선 거리 한 귀퉁이에서 휴식을

---

3) 이 『오코너 작품 전집』(O'Connor: Collected Works. New York: The Library of America, 1988)은 오코너의 2편의 장편소설 『슬기로운 피』(Wise Blood, 1952)와 『폭력을 쓰는 자들이 그것을 앗아가리라』(The Violent Bear It Away, 1960), 그리고 2권의 단편소설집 『착한 사람은 찾아보기 어렵다』(A Good Man Is Hard to Find, 1955)와 『일어나는 모든 일은 한 점으로 모이기 마련이다』(Everything That Rises Must Converge, 1965)에 수록된 작품 전부와 선별된 수필 및 편지글을 모은 것이다. 앞으로 오코너 작품의 인용은 이 책에서 하고 쪽수만 밝힐 것이다.

취하게 된다. 손자가 피곤하여 잠에 빠지자 헤드 씨는 어른을 무시하는 아이의 버릇을 고치고 단단히 교훈을 주고자 짐짓 숨어버린다. 잠이 깬 손자는 할아버지가 없어진 것을 알고 놀라서 뛰어가다가 길 가던 노파와 부딪치는 사고를 당한다. 당황한 헤드 씨는 손자를 뒤따라가지만, 노파가 경찰을 부르겠다고 위협하자 자기에게 매달리는 손자를 뿌리치며, "이 아이는 내 아이가 아니오. . .나는 이 아이를 전에 본 적이 없소"(226)라고 말하며 부인해버린다. 베드로가 예수를 부인하는 사건(마태오 26:69-75; 마르코 14:66-72; 루가 22:56-62; 요한 18:15-18)을 연상시키는 이 장면은 마땅히 보호하고 지켜야 할 절친한 혈육을 모른 체하는 헤드 씨의 죄를 부각시킨다. 따라서 이 죄의 결과는 무엇인가? 이 죄는 과연 용서받을 수 있는가? 어떻게 용서받을 수 있는가? 하는 것이 이야기 전개의 기본 요소가 된다.

헤드 씨는 순식간에 저지른 자신의 배신행위에 깜짝 놀라고, 처음으로 손자 앞에서 죄를 지어 떳떳하지 못한 처지가 되었음을 깨닫는다. "소년은 용서하는 성미가 아니었지만 이번에야말로 처음으로 용서할 만한 일이 생긴 것이었다."(227) 자신이 저지른 배신의 깊이를 절실하게 느끼는 헤드 씨는 마치 독을 마신 듯 절망에 빠져 황량한 도시 거리를 배회하면서 하수구에라도 빠져버리고 싶은 심정이다. "하느님의 정의가 지체 없이 자기에게 다가올 것을 기대하지만, 자신의 죄가 넬슨에게까지 영향을 미치게 되리라는 것과 지금도 그 아이를 파멸로 이끌고 있다는 사실을 견딜 수가 없었다."(227) 이렇게 괴로워하던 헤드 씨는 마침내 "나는 길을 잃었어. 길을 찾을 수가 없어"(228)라고 절규한다. 이것은 낯선 도시에서 길을 잃었음을 인정하는 고백일 뿐만 아니라 삶의 여정에서 방향 감각을 잃고 한탄하는 절규이기도 하다. 손자 넬슨은 할아버지의 배신에 엄청난 충격을 받았으면서도 아직은 혼자 길을 갈 수 없는 의존적인 처지이기에 노인을 외면하며 일정한 거리를 두고 뒤를 따른다. 그도 할아버지와 마찬가지로 비참한 상태이다.

마침내 조손은 어느 주택가의 정원에 세워놓은 비참한 모습의 흑인 조각상을 함께 바라보게 되는데, 이때 두 사람의 모습은 한번 저지른 죄의 결과로 지독한 소외와 단절을 체험하고 비참함을 느끼는 닮은꼴이다. "두 사람은 거의 똑

같은 각도로 목을 내밀고 있었고 어깨도 거의 같은 식으로 움츠린 채 호주머니에 넣은 손들도 똑같이 떨리고 있었다. 헤드 씨는 나이든 어린이같이 보였고 넬슨은 축소판 노인같이 보였다."(230) 작가는 이런 묘사를 통하여 죄의 결과를 체험하는 것은 어른이나 아이를 막론하고 똑같이 비참한 것임을 보여주고, 또 두 인물이 똑같이 불행의 구렁텅이로부터 구원받아야 할 필요를 느끼고 있음을 암시한다. 똑같이 지독한 불행을 겪으면서도 결코 이어질 수 없는 엄청난 간격을 느끼는 두 사람은 길가다 우연히 목격한 흑인 조각상 앞에서 함께 멈추어 선다.

> 그들은 어떤 위대한 신비에 직면한 듯, 공동 패배에 처한 그들을 하나로 묶어주는 또 다른 사람의 승리를 기리는 기념비를 바라보듯, 그 흑인 조각상을 바라보고 서 있었다. 그들은 둘 다 은총의 작용인 양 그것이 그들의 차이를 녹여버리는 것을 느낄 수 있었다. 헤드 씨는 전에는 늘 착하게 살았기 때문에 하느님의 자비가 어떤 것인지를 체험할 기회가 없었으나 이제는 알 것 같다고 느꼈다. (230)

스스로 범한 배신행위 때문에 절망의 나락을 헤매고 있던 노인과 할아버지의 배신으로 차갑게 마음이 닫혀버린 소년이 함께 비참한 몰골의 흑인 조각상을 바라볼 때에, 그들은 놀랍게도 그 흑인의 모습이 자신들의 비애를 하나로 묶어주면서 불화와 차이를 녹여버리는 듯 신비스런 체험을 한다. 그리고 헤드 씨는 난생 처음으로 자기 죄를 인정하는 자만이 알 수 있는 하느님의 자비를 체험하게 된다.

　이 장면을 읽는 독자는 이런 갑작스런 변화가 부자연스러운 것으로 느낄 수도 있고, 또는 흑인 조각상이 그리스도의 십자가 수난을 연상시킨다고 느낄 수도 있다. 오코너는 1955년에 쓴 편지에서 "이 인조 흑인상을 통하여 암시하려고 한 것은 흑인의 고통이 지닌 우리 모두를 구원하는 자질이었다"라고 말하고 있다(『작품 전집』 931). 또 오코너는 '인조 흑인상'이 "[미국] 남부가 스스로에게 행한 바를 가리키는 끔찍한 상징"이라고 말한 적도 있다(『존재의 습관』 92). 이런 언급과 관련하여 어떤 비평가는 인종차별주의로 인하여 고통당하는 흑인들의 엄청난 고난의 역사를 몇몇 사람들의 영성적 목적을 위해 이용한다는 사실 자체에 대하여 반감을 느끼는 독자도 있다고 지적한다.(레이놀즈 Raynolds 144). 그러나 평소에 당당하고 자신만만하던 헤드 씨가 자신의 과오를 의식하고 지푸라기라도 부여잡고 싶을 정도로 방황하고 있음을 볼 때, 그리고 믿고 의지하던 할아버지로부터 버림받은 넬슨의 비참한 심경을 헤아려 볼 때, 두 사람이 전혀 예상하지 못하던 장소에서 거저 다가오는 신비로운 힘을 체험하게 되는 가능성은 설득력을 얻게 된다. 오코너는 이것을 은총의 작용이라고 설명한다. 이런 관점에서 볼 때 작품 말미에 이어지는 신학적 성찰은 군더더기 부연설명이 아니라 헤드 씨가 체험하는 초자연적 은혜의 신비에 대하여 화자가 뜻 깊은 통찰을 하는 것으로 볼 수 있다. 긴 방황 끝에 하루의 여정을 마치고 시골집으로 되돌아오면서 노인은 용서받은 죄인만이 알 수 있는 초자연적인 체험, 곧 하느님의 자비를 깊이 체험한다.

> 헤드 씨는 가만히 멈추어 서서 은총의 힘이 자신을 감싸는 것을 느꼈으며, 세상의 어떤 말로도 이것을 이름 지어 부를 수 없다는 것을 알았다. . . 자비의 일하심이 자신의 오만을 불꽃처럼 불사르는 동안, 그는 하느님의 철저함으로 자신을 심판하면서 충격을 받아 놀란 상태로 서있었다. 그는 전에는 스스로 큰 죄인이라고 생각해 본 적이 없었으나 자신이 절망하지 않도록 자신의 진짜 타락상은 여태까지 자신에게 가려져 있었다는 것을 이제야 알아보았다. 그는 아담의 죄를 자신의 마음속에 품은 시간의 태초부터 불쌍한 넬슨을 모른다고 한 현재에 이르기까지의 모든 죄에 대하여 용서받았음을 깨달았다. (230-1)

이처럼 하루의 여정을 마친 헤드 씨에게 있어 젊은이의 훌륭한 안내자가 될 만한 슬기로운 인물이라는 자기인식은 무너져버리고, 오직 용서받은 죄인일 뿐이라는 자기이해가 대신 자리 잡게 된다. 그리고 자신의 죄스러움을 보는 동시에 그 죄를 용서해주시는 하느님의 한량없는 자비를 보게 된다. 전혀 상상조차 할 수 없었던 엄청난 죄를 너무나도 쉽게 범하는 자기의 현실적인 모습을 보고, 그는 과거에 알고 있던 교만에 찬 자기이해가 거짓이었고 진실의 왜곡이었음을 깨닫는다. "너는 네가 스스로 생각하는 것처럼 똑똑하지 않다는 걸 알게 될 날이 올 것이다"(211)라고 손자에게 했던 말이 오히려 자신에게 적용되는 예언으로 실현된 셈이다. 이런 깨달음은 자기 자신과 세상을 보는 의식이 확장되는 것이며, 거짓에서 진실로 사고가 전환되는 것이므로, 일종의 회심이다. 헤드 씨는 자신의 잘못을 뉘우치면서 죄의 경중(輕重)에는 상관없이 무조건 용서하시는 하느님의 자비를 체험함으로써 하느님께로 돌아서는 회심을 하고 있다.

그러나 헤드 씨의 회심의 체험은 본인의 내심에서는 전면적인 것으로 묘사되고 있으나 사회 현실에 적용되었을 때에는 다분히 제한적인 것임이 드러난다. 「인조 흑인상」에서 헤드 씨가 범하는 구체적인 죄는 혈육인 손자를 부인하는 배신의 죄이며, 그는 범행 직후 자신의 잘못을 알아보고 뉘우치며 괴로워한다. 주인공은 단 한 번의 구체적인 죄를 통하여 자신이 어떤 죄도 지을 수 있는 죄인임을 깨달았다고, 즉 "너무나 끔찍해서 자신의 죄라고 인정할 수 없는 죄는 없다는 것을 알았다"(231)고, 소설의 화자는 말미에서 설명하고 있다. 이야기 속의 하루가 시작될 때만 해도 자기 자신을 제대로 알지 못하던 주인공이 하루의 끝에 가서 자신의 참모습을 새롭게 보게 되는 것이다. 그러나 헤드 씨는 자신의 죄스러움을 통렬하게 깨닫게 되는 시점에서도 인종적 편견의 죄스러움은 여전히 의식하지 못한다. 비록 헤드 씨는 '인조 흑인'과의 대면을 계기로 손자와의 관계에서 겪는 갈등을 푸는 실마리를 찾게 되지만, 자신의 죄스러움에 대한 커다란 각성을 하는 시점에서도 끝내 살아있는 흑인을 대하는 자신의 태도에 문제가 있다는 것을 의식하지 못한다. 「인조 흑인상」의 서술은 계속하여 헤드 씨가 흑인을 대하는 태도에 문제가 있음을 독자에게 상기시킨다. 기차 안에서 흑인을 처음 보는 넬슨에게 설명을 하면서 그는 무의식적으로 인종차별적인 발언을 한다. 그의 인종차별주의는 사회적 존재로서 그가 지닌 근본적인 무지를 단적으로 보여주고 있다. 그만큼 인종차별주의는 한 시골 노인이 손자를 배신한 죄를 회개하는 여정에서 의식화하기에는 너무나도 깊이 무의식 속에 뿌리박혀 있으며, 사회 속에 널리 퍼져 내재하는 사회적인 죄, 즉 지역민이 공유하는 원죄(原罪)의 성격을 띠고 있다. 그러므로 「인조 흑인상」에서 묘사하는 헤드 씨의 회심의 체험은 근본적인 것이면서도 현실적으로는 계속하여 그 범위를 넓혀가야 하는 미완성의 체험이다. 혈육인 손자를 모른다고 부인하는 헤드 씨의 죄는 인류 동포인 타 인종, 즉 흑인을 모른다고 하는 죄와 중첩되어 묘사된다. 그러나 헤드 씨는 인종차별주의의 죄에 대해서는 아무런 자각이 없다. 이런 점에서 「인조 흑인상」의 결말은 개인적인 회심의 체험과 사회적 원죄의 근본적 회개는 반드시 일치하지는 않는다는 작가의 현실적인 통찰을 보여주고 있다.

한편 손자 넬슨이 흑인을 대하는 태도의 묘사는 인종차별주의가 습득, 전파되는 과정을 보여줄 뿐만 아니라 인간 존재의 신비를 체험하는 과정을 재현하고 있다. 넬슨에게 있어 일종의 통과의례인 도시여행에서 그가 주로 만나게 되는 사람들은 흑인들이다. 흑인을 본 적이 없는 넬슨은 기차 속 통로를 걸어가는 흑인들을 보면서 별다른 차이를 알아보지 못한다. 그에게는 기차 여행을 포함하여 많은 일이 새로운 것이었지만 특히 흑인이 백인과 구별되는 다른 정체성을 지닌 사람이라는 것을 처음으로 배운다. 흑인을 몰라본다고 놀리는 할아버지 앞에서 넬슨은 흑인이 자신을 난처한 지경에 빠지게 한 원인제공자라고 생각하며 본능적으로 흑인을 미워하는 경험을 한다. 넬슨은 헤드 씨의 인종차별주의와 편견을 은연중에 습득하게 되어 도시 속 흑인 거주 지역을 지날 때에는 이유 없이 경계심을 갖는다. 반면 원초적인 관능미와 모성을 대변하는 뚱뚱한 흑인 여자와 마주치게 될 때, 넬슨은 자기도 모르게 그 모습에 빠져들게 되고 그 여자의 품에 안기고 싶은 충동을 느낀다. 이는 할아버지 밑에서 외롭게 자란 소년이 느끼는 모성에 대한 끌림일 수도 있고, 헤드 씨의 이름이 가리키듯 그가 대변하는 이성적인 통제와 교훈의 세계와는 다른 원초적인 충동과 감각의 세계에 대한 끌림일 수도 있다. 흑인 여인이 헤드 씨나 넬슨이 미처 "인정하지 않고 있는 어두운[미처 알지 못하는] 자아"를 구현하고 있다고 설명하는 프레드릭 아잘스(Frederick Asals)의 관찰은 이와 관련하여 적절한 것이라고 하겠다(87). 넬슨이 흑인을 만나는 경험은 흑인 조각상을 보는 것에서 절정을 이룬다. 이 흑인상은 할아버지와 손자 사이의 불화와 차이를 녹여버리는 결정적인 역할을 하지만, 사람이 만들어 세운 석고상이기 때문에 이 만남은 오히려 역설적인 의미, 곧 아이러니를 담고 있다. 넬슨은 살아있는 흑인을 진정으로 알게 되었다기보다는 흑인에 대한 인위적인 인상만을 갖게 되고, 석고상에 오히려 자신의 비참함을 투사하는 경험을 하게 된다. 흑인과의 첫 만남, 여성과의 만남, 그리고 할아버지의 배신이라는 충격적인 사건들로 이어진 도시여행을 통하여 넬슨은 결코 쉽게 이해할 수 없는 엄청난 인간 존재의 신비를 체험하게 된다. 헤드 씨의 죄와 회심을 그리는 중심 플롯 속에서 어린 넬슨이 겪는 경쟁심, 방황, 고달픔, 절망, 그리고 곤혹스러움의 체험은 인간 존재의 신비를 더욱 절실하게 강조하고 있다.

III. 「착한 시골 사람들」 – "우리는 스스로의 빛이 되지는 못한다."

「착한 시골 사람들」의 여주인공 조이-헐가 호프웰(Joy-Hulga Hopewell)은 농장을 경영하는 홀어머니에게 얹혀사는 32세의 철학박사 노처녀로서 모든 인간은 허무 속에 던져진 존재라고 확신하는 자칭 무신론자이다. 그녀는 10살 때 총기 사고로 한 다리가 날아간 이래 의족을 달고 사는데, 이 의족은 그녀의 존재가 지닌 근본적인 결함과 불균형을 가리키는 상징이 된다. 호프웰 부인은 혼자 힘으로 농장을 경영한다는 사실이 보여주듯 세속적으로 생활력 있고 유능한 여성이지만, 지식인 딸이 보기에는 통속적인 세계관에 매몰되어 사는 속물이다. 헐가는 어머니의 세계관에 반발하여 무례하게 행동하고 거칠고 매몰찬 언사로 비판하기도 한다. 그녀는 어머니가 대변하는 모든 것에 반항하는 딸이며, 특히 미국 남부 사회의 중산층이 선호하는 여성상, 곧 숙녀(lady)상에 대하여 강력하게 반발한다. 어머니가 지어준 조이라는 이름을 버리고 헐가로 이름을 바꾸는 행위는 어머니에 대한 반항의 정점을 이루며, 또한 새로운 자아정체성을 찾으려는 그녀의 소망을 드러낸다. 헐가는 어머니와의 관계를 건설적으로 통합시키지 못하고 사춘기의 반항적인 태도에 고착되어 있으며, 또한 여성으로서의 정체성을 긍정적으로 수용하지 못하고 있는 점에서 일종의 성장 장애인이다. 그녀는 일찌감치 데이트를 하고 결혼을 하는 프리맨 부인(Mrs. Freeman)의 두 딸을 우습게 여기지만, 그들은 헐가 자신이 이루지 못한 길을 가고 있다는 점에서 대조가 되는 젊은 여성들이다.

어느 날 성경판매원 맨리 포인터(Manley Pointer)가 집에 찾아왔을 때 헐가는 그를 순수하고 착한 기독교 신자로 여기고 그를 유혹하여 신앙생활의 헛된 꿈을 깨게 하려는 의도로 함께 소풍 길에 나선다. 남자가 사랑한다는 말을 듣고 싶어 하자, 헐가는 "내게 [사랑에 대한] 망상 따위는 없어. 나는 만사를 꿰뚫어 허무를 보는 그런 사람 중의 하나야"(280)라고 말한다. 마침내 숲속 헛간 이층에서 정사(情事)에 몰두하는 체 하던 성경판매원은 헐가의 의족에 남다른 관심을 보이고 그것을 벗겨낸 뒤 헐가의 손이 닿지 않는 곳으로 밀쳐놓는다. 가방에 든 성경책 갈피에서 술과 카드, 콘돔을 꺼 내놓는 남자의 모습에서 예상과는 전혀 다른 전문적 유혹자를 알아본 헐가가 의족을 돌려달라고 요구하지만, 남자는 가방 속에 의족을 집어넣고는 유유히 떠나가 버린다. 마지막으로 그는 무신론을 과시하던 헐가에게 "당신은 그다지 똑똑한 것도 아냐! 나는 태어나면서부터 아무 것도 믿지 않았어!"(283)라는 말을 던짐으로써 헐가보다 더 철저한 무신론자임을 드러낸다. 안경마저 빼앗긴 헐가의 흐릿한 시야에 잡히는 그 남자의 멀어져 가는 모습은 "녹색 들판 호수 위를 성공적으로 기어 넘어가는"(283) 유혹자 뱀을 연상시킨다.

「착한 시골 사람들」은 거듭되는 반전과 아이러니를 통해 효과를 축적해 가는 서사 기법을 쓰고 있다. 성경판매원을 보고 '착한 시골 사람'이라고 판단하는 호프웰 부인의 의견을 부지부식간에 내면화한 헐가는 위기 상황에서 그에게 "당신은 착한 시골 사람이 아니오?"(282)라고 묻는다. 이런 질문은 자신도 타인도 제대로 알아보지 못하는 헐가의 무지(無知)를 드러낸다. "여인이여. . . 당신은 자기 속을 들여다보고 자기가 하느님이 아닌 줄을 봅니까?"라거나 "우리는 스스로의 빛이 되지는 못해요"(268)라는 말은 헐가가 어머니를 향해 내뱉은 말들이다. 그런데 이야기의 끝에 가서는 바로 이 말들이 자기 자신에게로 되돌아오는 부메랑이 된다. 안경과 의족을 빼앗기고 헛간 다락 짚더미 위에 버려진 채 앉아 있는 헐가의 모습은 자신의 무지와 잘못된 판단에 철퇴를 맞은 기막힌 상황이다. 그러나 작가는 더 이상 그녀의 내면을 보여주지 않는다. 「인조 흑인상」의 결말에서 헤드 씨의 내면적 은총의 체험을 설명하였던 것과는 달리 「착한 시골 사람들」의 결말에서는 주인공의 내면 움직임은 오직 독자의 상상에 맡겨져 있을 뿐이다. 헐가의 처지가 암시하는 충격, 상처, 그리고 환멸 이후에 펼쳐질 그녀의 삶은 결코 지금까지의 삶의 단순한 연속일 수는 없으리라는 것을 독자는 추측할 수 있다. 오만에서 비롯된 맨리 포인터와의 만남으로 인해 그녀가 지금까지 지니고 있던 자신과 세계에 대한 이해의 표상이 모조리 무너져 버린 것이 아닐까? 의식적으로 상대방을 유혹하겠다는 의도로 남자에게 접근했다가 오히려 더 완전하게 농락당하는 결과를 가져온 점이 인간에 대한 그녀의 무지를 더욱 역설적으로 부각시킨다. 오만이 자기무지와 동일선 상에 놓인 것이라면, 부서지고 낮추어진 헐가의 처지는 오히려 땅에 밀착해 있는 현실적인 존재, 곧 자기의 있는 그대로의 모습에 가까운 진실과 겸손(humility)을 드러내는 모습이다. 이와 관련하여 '겸손'이라는 의미의 영어 단어의 어원인 라틴어 [humilitas]가 땅 혹은 흙이라는 뜻의 단어[humus]에서 유래한 것을 유의할 만하다.

「착한 시골 사람들」에서 주인공 헐가가 자신의 진실한 모습을 깨닫게 되는 회심의 체험을 하는 데 있어서 변화의 촉매 역할을 하는 인물은 바로 사기꾼 성경판매원인 맨리 포인터이다. 맨리 포인터 자신은 속과 겉이 철저하게 다른 사기꾼이며 악의 화신이지만, 헐가에게는 은총의 매개체로 작용한다. 오코너는 존 호크스(John Hawkes)에게 쓴 편지에서 "가톨릭적인 사고방식에 따르면 은총은 불완전한 것, 순수하게 인간적인 것, 심지어 위선적인 것까지도 매개체로 쓸 수 있고 또 쓰기도 한다"(『존재의 습관』389)라고 말하는데, 맨리 포인터의 인물 설정은 바로 이런 구도에 따른 것이라고 할 수 있다.

헐가는 오코너의 작품 속에 종종 등장하는 합리주의적 지식인, 기성 종교 전통에 반발하는 무신론자, 그러면서도 독립하지 못하고 부모에게 얹혀살며 반항하는 노총각 혹은 노처녀의 한 예이다. 「일어나는 모든 일은 한 점으로 모이게 마련이다」("Everything That Rises Must Converge")의 줄리안(Julian)이나 「지속되는 한기」("The Enduring Chill")의 애쉬베리(Ashbury), 그리고 「집의 안락함」("The Comforts of Home")의 토마스(Thomas)도 같은 인물 군에 속한다. 이들은 공통적으로 편협하고 미숙한 인물들로서 작품의 끝에 가서야 자신의 오만이 무지에서 나오고 반항적 몸짓이 헛된 것임을 깨닫게 되는 호된 충격을 경험한다. 「착한 시골 사람들」의 헐가는 지적으로 세련되고 자부심에 차 있지만, 교양 있는 숙녀에게 기대되는 모습과는 정반대로 허름한 차림에 자신의 신체적 장애를 의도적으로 드러내어 행동함으로써 어머니와 세상에 대한 반항심을 표현한다. 이 복합적인 성격의 주인공 헐가는 이 작품에서 유일하게 변화하도록 도전을 받는 인물이다. 도전이 되는 사건이 이야기의 끝에 벌어지기 때문에 헐가의 변화는 다만 암시될 뿐이며, 어떤 방향으로 변화하는가는 보여주지 않는다.

주인공 헐가가 봉변을 겪고 새로운 자각을 하게 되는 체험의 배경이 되는 시골 사회는 제목이 암시하는 것과는 반대로 단순하게 착한 사람들이 사는 마을이 아니다. 헐가의 어머니 호프웰 부인은 프리맨 부인과 상투적 표현을 주고받는 허물없는 관계를 유지하면서도 사회적 계층이 다름을 확실하게 의식하고 있으며, 상대방의 약점을 자신에게 유리하게 이용한다. 한편 '착한 시골 사람'으로 묘사되는 프리맨 부인은 헐가의 의족에 유난히 관심을 보이며, 그녀의 약점을 교묘하게 파고드는 악랄함을 보이기도 한다. 또 다른 '착한 시골 사람'의 표본으로 제시되는 맨리 포인터는 실상 전혀 양심의 가책을 느끼지 않는 악의 화신으로 묘사되고 있다. 이처럼 「착한 시골 사람들」의 세계에서 회심이 필요한 것은 헐가만이 아니다. 시골 마을 전체가 진실의 왜곡과 속임수 속에 휘말려있는 작은 우주로서, 테드 스피비(Ted Spivey)가 말하는 "마비된 세계"(paralyzed world)이며(122), 따라서 회심하도록 도전받는 구원이 필요한 세계이다.

IV. 「계시」 – "너는 네 자신이 누구라고 생각하느냐?"

「계시」의 여주인공 루비 터핀(Ruby Turpin)은 오코너의 작품에 자주 등장하는 자작농가의 주부로서 자신이 가난한 '백인 무지렁이'(white trash)도 아니고 흑인도 아닌 것을 예수님께 늘 감사드리는 '근면 성실하고 독실한' 기독교 신자이다. 그러나 그녀는 자기보다 못한 하층민들을 차별대우하는 계급의식에 사로잡혀 있다. 다리를 다친 남편의 치료를 위해 함께 병원에 간 그녀는 대기실에서 다른 사람들을 둘러보며 내심 계속적으로 비판을 한다. 이때의 터핀 부인은 겉으로 하는 말과 속으로 하는 생각이 판이하게 다른 이중성을 보인다. 속으로는 다른 사람들, 특히 자기보다 가난하고 교양이 없는 하층민들에 대하여 사정없이 판단하기를 그치지 않지만, 겉으로는 교양 있는 남부 숙녀답게 상냥하고 예의바르게 행동하고 말한다.

세상의 축소판인 병원 대기실에는 터핀 부인이 가장 하치않게 여기는 가난한 백인계층 출신으로 보이는 한 여자가 있는데, 그녀는 옷차림도 형편없고 예의바르지도 않고 말씨도 거칠다. 그러나 이 여자는 스스로 자기만족에 빠져서 자신의 처지를 드러내놓고 다행스럽게 여기는 점에서 터핀 부인의 분신이다. 터핀 부인은 자신이 흑인도 아니고 가난한 백인도 아닌 것을 마음속으로 늘 감사하며 지내는데, 이 가난한 여자는 자신이 흑인도 아니고 미치광이도 아닌 것을 드러내놓고 다행하게 여긴다. 터핀 부인은 내심으로 이 여자를 대단히 멸시하지만, 자기 자신도 그 여자와 별로 다를 바 없음을 알아보지 못한다. 터핀 부인은 남을 멸시하고 차별하는 마음을 말로 표현하지 않는데 비하여 이 여인은 거침없이 자기 심정을 털어놓는 점이 다를 뿐이다.

병원 대기실에 함께 앉아있던 한 여대생이 갑자기 터핀 부인을 공격하는 것이 이야기의 전환점이 된다. 여대생 메리 그레이스(Mary Grace)는 터핀 부인의 이중성을 꿰뚫어보고 못마땅해 하는 신경증 환자이다. 터핀 부인이 자신의 처지에 대해 만족감을 느끼며, "오 감사합니다, 예수님. 예수님, 감사합니다."(644)라고 소리를 내어 외치는 것을 보고 그녀는 별안간 터핀 부인에게 책을 던지며 덤벼든다. 갑작스레 봉변을 당한 터핀 부인은 그 처녀가 어쩐지 자기를 꿰뚫어 알고 있다는 확신을 느끼며, "내게 무슨 할 말이 있는 거야?"(646)라고 거친 목소리로 묻고는 "마치 계시를 바라는 듯 기다린다."(646) 메리 그레이스는 터핀 부인을 쏘아보며 "네가 떠나온 지옥으로 되돌아가 버려, 이 늙은 혹돼지야"(646)라고 외치고는 발작을 일으킨다. 터핀 부인은 충격 속에서 하필 왜 자기에게 이런 도전이 주어졌는가 하고 의아해한다. 농장의 돼지우리로 간 그녀는 분노를 터뜨리며 하느님에게 시비를 따진다. "'왜 나에게 그런 메시지를 보냅니까?' 그녀는 나지막하나 맹렬한 목소리로 거의 속삭이듯이 그러나 응집된 울분을 고함으로 토해내 듯 힘주어 말한다. '어떻게 내가 돼지이면서 동시에 나입니까? 어떻게 구원받았으면서 또한 지옥에서 왔단 말입니까?'"(652) 터핀 부인의 넋두리는 구원받은 존재라는 기독교인으로서의 정체성과 "지옥에서 온 혹돼지"라는 죄인으로서의 정체성이 어떻게 함께 공존할 수 있는가를 묻는 것이다. 이어서 그녀가 농장의 들판을 가로질러 석양 비치는 하늘을 향해 토해내는 질문들과 불평은 그녀가 여태까지 중시해 온 백인 중산층 기독교 신도의 윤리관과 계급의식을 토로하는 것이다. "일도 그만 두고 편하게 지내며 더럽게 살 수도 있어요. 거리에서 음료수나 마시며 빈둥거릴 수도 있어요. 담배나 질겅거리고, 아무데나 침을 뱉고 . . 무례하게 굴 수도 있어요. . . 좋아요. 맘대로 하세요."(652-3)

마침내 터핀 부인은 울분에 찬 목소리로 신을 향하여 "당신은 자신을 누구라고 생각합니까?"(653)라고 따져 묻게 된다. 그런데 이 소리는 들판을 가로질러 메아리가 되어 그녀에게 되돌아온다. "너는 네 자신이 누구라고 생각하느냐I?" 그녀의 질문은 하느님의 정체성을 묻는 질문이면서 동시에 인간의 정체성을 묻는 근본적인 질문이다. 하느님은 누구이며, 인간은 누구인가? 하느님과 인간의 관계는 어떤 것인가? 병원 대기실에서 메리 그레이스와 '우연한' 충돌을 한 후에 그녀는 자기 존재에 대한 가장 근원적인 질문을 제기하며 씨름을 하고 있는 것이다. 사건의 발단이 '그레이스', 곧 '은총'으로부터 온 것이기에 이 충돌은 결코 우연한 것이 아니라 바로 은총의 일하심이기도 하다. 터핀 부인이 허공을 향해 넋두리를 늘어놓는 동안, 석양이 비치는 들녘은 하느님의 길과 인간의 길이 다름을 보여주는 신비로운 빛을 띠게 되고 마침내 그녀는 하나의 환시(vision)를 본다.

> 신비로운 영상의 빛이 그녀의 눈에 깃들었다. 그녀는 그 빛줄기를 불길이 이글거리는 들판을 거쳐 땅에서 하늘을 향해 올라가는 거대한 흔들다리로 보았다. 그 위로 수많은 영혼들의 무리가 천국을 향하여 올라가고 있었다. 난생 처음 깨끗해진 가난한 백인들과 흰옷을 입은 흑인들의 무리와 불구자들과 미치광이들의 큰 무리가 하나로 어울려 소리를 지르고 손뼉을 치고 개구리처럼 팔딱거리고 있었다. 그리고 행렬의 끝을 이루는 것은 클로드나 그녀처럼 모든 것을 조금씩 다 누리면서 하느님이 주신 기지로 그것들을 올바르게 사용해 온 사람들의 무리였다. 그녀는 그들을 더 가까이에서 보려고 몸을 굽혔다. 그들은 언제나 질서를 지키고 상식에 맞게 존경스러운 행동을 해 왔던 것처럼 매우 위엄 있게 다른 사람들 뒤에서 행진해 가고 있었다. 그들만이 제대로 발걸음을 맞추고 있었다. 하지만 충격을 받아 변해버린 그들의 얼굴에서는 그들의 덕행조차 모두 불살라져버리고 있음을 그녀는 볼 수 있었다. (653-4)

이 강렬하고 환상적이면서도 괴기스러운 군상들을 함께 모아놓은 터핀 부인의 환시는 그리스도교의 교리에서 말하는 종말론적 신비체험을 형상화하고 있다(Raynolds 140). 종말론적 관점에서 볼 때 터핀 부인이 평소 중시해온 사회의 계급 차이는 무색해져 버린다. 이것은 주인공의 자기 인식과 사회적 타자에 대한 이해를 근본적으로 바꾸어 놓는 근본적인 인식의 전환을 암시한다. 그녀는 평소에 자신의 남다른 처지에 만족하고 그 만족감을 "예수님, 감사합니다"(644)라고 친밀하게 표현하는 사람이었다. 그녀의 자만심은 다른 사람들과의 차이를 강조하고 구별을 일삼는 것에 바탕을 두는 것이었다. 그러나 이 이야기의 말미에서는 타인들과 별로 다를 바 없는 한 인간으로서 절대자 하느님 앞에 승복해야 하는 자신의 처지를 새롭게 깨닫게 된 것이 아닐까? 터핀 부인 같은 중산층 백인이 중시하는 가치관과 그에 따른 사람들 사이의 차이라는 것은 하느님 보시기에는 무의미한 것이다. 각계각층의 사람들은 결국 평등하게 같은 길을 가고 있으며, 이 세상 나그네 길의 동행일 뿐이다. 이런 대안적인 안목이 바로 그녀에게 드러난 계시의 핵심을 이룬다.

「착한 시골 사람들」에서 주인공에게 충격을 가하는 사기꾼 맨리 포인터의 의족 탈취 사건이 작품의 끝에 일어나고 그 후의 상황을 작가가 더 이상 설명하지 않는 것과는 대조적으로, 「계시」에서는 터핀 부인에게 충격을 주는 메리 그레이스의 공격이 위기를 유발하는 플롯의 전환점이 되며, 그 이후 작가는 터핀 부인의 내면에서 일어나는 혼란과 분노의 소용돌이를 계속하여 묘사하고 있다. 터핀 부인이 새로운 깨달음에 다다를 수 있었던 것은, 광인의 공격적 언사를 간단히 무시해버리지 않고, 심각하게 받아들여서 고민하고 씨름하였기 때문이라고 볼 수 있다. 그녀의 내적 고뇌의 묘사가 하느님과 씨름하는 야곱의 모습(창세기 32:22-32 참조)을 연상시키는 것도 이런 관찰을 뒷받침한다. 이야기의 전반부에서 바리사이처럼 자기만족에 빠져있는 터핀 부인을 묘사하는 화자의 시각은 거듭하여 그녀의 겉과 속이 다른 이중성을 부각시킨다. 이와는 내조적으로 후반부에서 농장의 넓은 들판을 배경으로 하느님께 울분을 토하며 따지고 드는 주인공의 모습을 그리는 화자의 목소리는 그녀의 영적 투쟁이 뚱뚱한 몸집만큼이나 무게 있고 심각한 것임을 암시하고 있다.

「계시」는 오코너가 39세에 죽음을 맞기 전 거의 생의 마지막까지 손질을 한 작품이다. 작가는 터핀 부인의 환시를 통하여 인종 및 계층 구별과 사회적인 차이를 뛰어넘어 같은 인류로 하나로 어울려 하느님 앞으로 나아가는 인간의 모습을 보여주고 있다. 이것은 세상 종말, 곧 인류 역사의 완성 시점에 전개될 현세의 삶을 초월하는 인류의 모습을 보여주는 신비로운 영상이다. 이 영상에 따르면 인간 세상에서 차이라고 하는 것이 하느님 보시기에는 "저울에 앉은 먼지처럼"(지혜서 11:22) 구별이 무의미한 것임이 드러난다. 이런 깨달음 이후에 터핀 부인이 어떻게 살아나갈 것인지는 열려있는 질문이다. 그러나 내심의 생각과 겉으로 드러나는 말의 거리가 조금은 좁혀질 수도 있지 않을까? 작품의 말미에서 그녀는 "귀뚜라미의 합창 속에서 할렐루야를 외치며 별무리 진 하늘로 올라가는 영혼들의 목소리"(654)를 들으며 천천히 발길을 집으로 돌린다. 즉 계시를 통해 깨달음에 이른 터핀 부인은 자연 현상과 초자연적인 영상이 하나로 어우러지는 체험을 하는 것이다.

V. 영적 시련과 회심: 보편적 깨달음의 길

「인조 흑인상」의 헤드 씨가 손자를 부인하는 죄를 범한 후 고뇌를 거쳐 자비를 체험하는 것과 「계시」의 터핀 부인이 미친 여대생의 공격을 받은 후 하느님과 시비를 따지는 영적인 투쟁을 거쳐 신비로운 영상을 보는 것은 모두 영적 시련의 과정을 보여준다는 공통점이 있다. 「착한 시골 사람들」의 헐가의 경우에는 자기와 타인에 관한 망상을 깨는 충격적인 체험이 이야기의 말미에 일어나기 때문에 그 후의 내적 움직임에 대한 묘사는 제시되지 않고 있다. 이 세 작품들은 모두 단편소설들로서 하루 혹은 이틀에 걸쳐 일어나는 주인공의 극적인 변화 과정을 다루고 있다. 인간이 삶 속에서 충격적인 체험이나 위기에 맞닥뜨려 그에 대처하여 행동하면서 그 의미를 알아듣게 되는 과정은 실제로는 하루 이틀에 완결되는 것이 아니라 이어지는 시간 속에서 실타래를 풀어나가듯 깊게 또 폭넓게 진행되는 것일 수 있다. 오코너는 시간 속에서 전개되는 인간의 내적 변화의 가능성을 단편소설의 형식에 담은 특유의 서사기법을 동원하여 결정적인 사건을 계기로 삼아 단기간에 전개되는 과정으로 서술하고 있다.

인간의 종교적 체험을 서술하는 오코너의 문학적 상상력은 몇 가지 공통적으로 반복되는 서사기법 및 구조를 통하여 구현되고 있다. 첫째로, 오코너는 인간의 언어활동, 즉 말이 지니는 계시적 힘을 중요시한다. 작중 인물들이 의도적으로 타인을 향해서 내뱉는 말이 자기 자신을 위해서 예상치 않은 예언적인 기능을 다하게 되는 예를 이 세 작품에서 공통적으로 볼 수 있다. 타인을 가르치기 위해 한 발언이 자신을 향한 교훈이 되거나, 남을 향해 던진 질문이 자신의 반성을 촉구하는 질문으로 되돌아오는 경우들이 그 예이다. 한편, 존 R. 메이 (John R. May)가 관찰한 것처럼, 주인공이 듣게 되는 "계시적인 언어"가 주인공의 회심을 유발하거나 아니면 단순히 처벌을 선포하는 효과를 가질 때도 있다 (20). 본고에서는 회심의 체험을 주로 살펴보았으며, 「계시」의 경우는 바로 계시적인 언어가 주인공의 회심을 유발하는 단적인 예가 된다.

둘째로, 예상치 못했던 충격적인 사건이 발생하여 주인공이 그때까지 지니고 있던 자기 이해나 타인에 대한 인식을 깡그리 무너뜨리고 부수어 버리게 된다. 따라서 주인공은 자신의 인간적 도모와 계획의 실패를 체험하게 되는데, 이는 일종의 자기 비움(kenosis), 혹은 옛 자아의 죽음이라고 할 수 있다. 주인공은 자기기만, 자기무지, 거짓에서 출발하여 새로운 깨달음으로 옮겨가게 되며, 이는 거짓에서 진실로, 교만에서 겸손으로, 왜곡에서 있는 그대로의 모습으로 돌아서는 회심의 체험으로 나타난다. 오코너가 그리는 회심의 체험은 어느 특정 종교의 의식이나 수행 과정을 통해서 이루어지는 것이라기보다는 일상생활에서 부딪히는 사건이나 다른 인물과의 만남을 통해서 이루어진다. 오코너의 작품에서 작중 인물의 삶에 결정적인 영향을 미치는 과격한 사건들은 단순한 사건 이상의 의미를 띠는 점에서 일종의 비유(比喩, parable), 곧 "행동으로 드러나는 비유"(parable in action)의 성격을 띤다. 개인의 윤리적인 실족 (「인조 흑인상」), 상습적 악인이 가하는 폭행(「착한 시골 사람들」), 혹은 광인의 무절제한 욕설과 공격(「계시」) 등이 바로 깨달음을 촉발하는 비유가 된다. 이 비유를 지나쳐버리지 않고 "눈으로 보고 귀로 듣고 마음으로 깨달아 돌아 서[는]" (마태오 13:15; 이사야 6:10) 과정을 이야기하려는 오코너의 노력이 바로 작가의 문학적 상상력과 종교적 탐색이 만나는 자리가 된다. 즉 삶의 구체적인 체험을 심각하게 받아들여 씨름을 하고 성찰할 때에 이것이 곧 회심의 계기가 된다.

셋째로, 오코너의 작품에서는 위기에 처한 인간이 자신의 공로와는 무관하게 뜻밖의 은총을 체험하는 가능성을 그리고 있다. 앞에 이미 인용한 같은 편지에서 오코너는 "나의 단편소설들은 모두 은총을 받아들일 용의가 별로 없는 인물 위에 은총이 작용하는 것에 대한 것이다"(『존재의 습관』 275)라고 말한 바 있다. 「인조 흑인상」과 「계시」는 오코너의 작품 중에서 은총의 체험을 비교적 긍정적으로 재현하는 대표적인 작품들이다. 「인조 흑인상」에서는 특정 종교에 대한 언급은 전혀 없지만, 은총의 일하심을 통한 하느님의 자비 체험을 그리고 있는 점에서, 주인공 헤드 씨의 체험은 다분히 그리스도교적 종교 체험이다. 「계시」에서는 세속적인 안목으로 보게 되는 인간의 차이란 하느님 앞에서는 미미한 것임을 강조하면서 인간의 평등성과 일치성의 영상을 제시하고 있다. 이 이야기에서도 창조주 하느님 앞에 선 피조물인 인간의 처지를 그리고 있는 점에서 그리스도교적인 신관과 인간관을 전제로 하고 있다. 이 작품들이 묘사하는 은총의 체험은 주인공들이 자신의 죄를 어느 면에서든 깊이 인식하는 것과 관련된다. 「인조 흑인상」의 헤드 씨는 혈육을 부인한 자신의 구체적인 죄를 스스로 인정하고서 하느님의 자비로운 용서를 체험한다. 인간의 죄를 조건 없이 자비로이 용서하는 하느님은 곧 그리스도교의 하느님이다. 이런 그리스도교 관점에서 보면 헤드 씨의 죄의식 뒤에는 같은 하느님의 자녀로서 형제인 다른 인간, 나아가 다른 인종을 부인하고 무시하고 경계하는 인류 공통의 죄에 대한 무지가 깔려있음을 이미 살펴보았다. 「계시」에서 터핀 부인의 의식 속에 깊이 박혀 있는 인종차별과 계층차별 역시 한 지역 사회인들이 공유하는 사회적 죄일 뿐만 아니라 인류 보편의 죄라고 할 수 있다. 터핀 부인은 정신병 환자의 도전을 받고서 하느님 앞에서 자신이 지닌 습관적 의식의 타당성을 주장하는 시비를 걸지만, 마침내 신비로운 영상을 통하여 하느님의 생각과 사람의 생각이 다름(이사야 55:8-9 참조)을 보게 된다. 「착한 시골 사람들」의 헐가의 경우에는 충격적인 사건의 결과를 긍정적으로 수용하는 모습은 전혀 보여주고 있지 않지만, 적어도 자기무지나 오만의 벽이 무너지는 것 자체가 주인공을 진실로 이끄는 은혜임을 암시하고 있다. 이미 살펴본 것처럼 「착한 시골 사람들」의 배경

역시 죄에 물들어 마비되어 있는 세계이다. 이처럼 회심하여 새로운 깨달음을 얻는 인물들을 그리는 오코너의 이야기들은 근본적으로 구원이 필요한 일그러진 세상 속에서 펼쳐지고 있다.

오코너의 단편소설에서 인물들이 자신의 공로와는 상관없이 은총을 체험하게 된다는 사실은 바로 은총의 무상성(無償性)을 강조한다. 그리고 은총의 통로 혹은 도구가 되거나 아니면 은혜로운 변화를 가져오는 사건의 촉매 역할을 하는 인물들도 자신들의 자질이나 도덕성과는 상관없이 그런 역할을 수행한다는 점도 이와 관련이 있다. 「착한 시골 사람들」의 맨리 포인터나 「계시」의 메리 그레이스가 바로 이런 은총의 매개 역할을 하는 인물들이다. 「인조 흑인상」의 석고상은 인물도 아닌 사물이 변화를 촉발하는 역할을 하는 것으로 그려져 있다. 일상의 평범한 사물이나 사건, 혹은 흉악한 인물이나 끔찍한 사건마저도 은총의 통로와 매체가 될 수 있다는 설정은 바로 은총의 신비, 종교적 회심 체험의 신비성을 강조하는 것이라고 할 것이다.

오코너가 전하는 인간 변화의 이야기는 인간의 궁극적인 관심사인 자기이해 및 세계 이해와 관련된 것이며, 이런 근본적인 변화의 이야기는 곧 종교적인 회심의 이야기이다. 이 변화 과정에는 합리적으로 설명하기 어려운 면이 있음을 작가는 극적인 사건을 통하여 힘주어 개진하고 있다. 오코너는 그리스도교적 세계관을 더 이상 공유하지 않고 있는 현대 세계 속에서 은총이 무엇인지를 알지 못하는 독자들을 위해 글쓰기를 하는 것이 어려움을 고백한 바 있지만 (『존재의 습관』 275), 인간이 변화하기 위해서는 은총이 필요하다는 그리스도교의 관점으로 인간의 변화에 대한 이야기를 서술하고 있다. 또한 「인조 흑인상」, 「착한 시골 사람들」, 그리고 「계시」 등의 작품에서 볼 수 있는 인간 변화의 이야기는 거짓에서 진실로, 교만에서 겸손으로, 자기무지와 타인에 대한 왜곡된 이해에서 새로운 눈뜸[開眼]의 체험으로 옮겨가는 크고 작은 움직임을 보여준다는 점에서 인간이 체험할 수 있는 보편적인 깨달음의 여정을 재현하고 있다. 인간 변화의 가능성을 하느님의 계시와 은총의 일하심에 역점을 두어 설명하는 것이 계시의 미학이라면, 인간의 눈뜸과 각성에 초점을 맞추어 설명하는 것은 인간의 응답에 역점을 두는 깨달음의 미학이라고 할 수 있을 것이다.

(계시를 말하지 않고 깨달음에만 역점을 두는 것이 동양의 종교적 전통, 특히 선불교에서 말하는 인간 변화[頓悟] 이야기의 특징이라고 할 수 있다.) 앞에서 살펴본 오코너의 단편소설들은 계시를 알아듣는 인간의 깨달음의 과정을 그리고 있다는 점에서 부르심과 응답이 오가는 통교성(通交性)을 드러내고 있다고 하겠다. 이런 깨달음은 특정 종교의 의식적인 수행을 통해서 이루어지는 것이 아니라 일상생활 속의 만남과 사건을 통해서 이루어지고 있다. 따라서 일상의 만남과 사건이 은총의 통로 역할을 하는 성사(聖事)적 도구이자 상징이 됨을 암시하고 있다. 이런 깨달음의 이야기를 주로 하루 이틀의 짧은 시간에 일어나는 사건의 전말로 엮으면서도 독자를 뒤흔들어놓는 힘찬 작품들로 엮어낸 것은 종교적 존재로서의 인간에 대한 작가의 절실한 이해가 특유의 문학적 상상력을 통하여 결실을 맺은 결과라고 할 것이다.

↘ 인용문헌

Asals, Frederick. *Flannery O'Connor: The Imagination of Extremity.* Athens, Georgia: University of Georgia Press, 1982.

Brinkmeyer, Robert H. Jr. *The Art and Vision of Flannery O'Connor.* Baton Rouge: Louisiana State University, 1989.

Coffey, Warren. "Flannery O'Connor," *Critical Essays on Flannery O'Connor.* Ed. Melvin J. Friedman & Beverly Lyon Clark, Boston, Massachusetts, G. K. Hall, 1985, 37-45.

Giroux, Robert. "Introduction" to *The Complete Stories.* New York: Farrar, Straus & Giroux, 1971.

Kahane, Claire. "Flannery O'Connor's Rage of Vision" *Critical Essays on Flannery O'Connor.* Ed. Melvin J. Friedman & Beverly Lyon Clark. Boston: C. K. Hall (1985), 119-130.

May, John R. *The Pruning Word: The Parables of Flannery O'Connor,* Notre Dame: Univ. of Notre Dame Press, 1976.

Merton, Thomas. "Flannery O'Connor: A Prose Elegy" in *Critical Essays on Flannery*

O'Connor. Ed. Melvin J. Friedman and Bevely Lyon Clark. Boston: C. K. Hall (1985), 68-71.

O'Connor, Flannery. *O'Connor: Collected Works.* The Library of America. 1988.

_____. *The Complete Stories.* New York: Farrar, Straus, and Giroux, 1971.

_____. *The Habit of Being: Letters of Flannery O'Connor.* Edited by Sally Fitzgerald. New York: Farrar, Straus, and Giroux, 1979.

_____. *Mystery and Manners.* New York: Farrar, Straus, and Giroux, 1962.

Raynolds, Guy. *Twentieth-Century American Women's Fiction: A Critical Introduction.* London: Macmillan Press, 1999.

Spivey, Ted R. *Flannery O'Connor: the Woman, the Thinker, the Visionary.* Macon, GA: Mercer University Press, 1995.

23

엘리 비젤 문학의 구원론적 의미

| 박규태 |

I. 들어가는 말

"사랑할 때는 그저 '사랑한다'라고, 울고 싶을 땐 '울고 싶다'고 말하면
된다. 삶이 너무나 무거운 짐이라는 사실을 알게 될 때 우리는 '죽고 싶다'고
말해야 한다.… 아담을 낙원에서 추방할 때 신은 단지 아담에게서 단순해질
수 있는 능력을 빼앗는 것으로 충분했다."[1]

"삶이 너무나 무거운 짐이라는 사실을 알게 될 때", 인간은 서둘러 궁극적
실재(ultimate reality)를 찾았다. 그 노정에서 인간은 특별히 악과 고통의 문제로
씨름해 왔다. 종교사는 인간의 삶이 온갖 악과 고통의 문제에 어떻게 반응해 왔
는가를 잘 보여 준다.[2] 이런 의미에서 종교는 인간의 경험내용 가운데 가장 지
속적이고 강렬한 실존적 물음에 직면하면서 형성되어 온 신념체계라 할 수 있
다.

다른 한편, 종교는 혼돈(chaos)을 질서의 의미있는 구조(cosmos)로 변화시켜

---

* 『문학과 종교』 제 5권 2호(2000)에 실렸던 논문임.
1) Elie Wiesel, *The Town Beyond the Wall*, New York : Avon Books, 1970, 124-25쪽.
2) 종교사에 나타난 악과 고통의 문제에 관해서는 특히, J. Bowker, Problems of Suffering in
   Religions of the World, Cambridge : Cambridge Univ. Press, 1970을 참조할 것.

온 노정, 다시 말해서 끊임없이 걸러진 '해답의 상징체계'[3]를 지칭하는 것이기도 하다. 이 때 '해답의 상징체계'로서의 종교는 전통적인 물음에 대한 해답으로서는 적절히 기능할 수 있으나, 아직 여과되지 않은 채 혼돈의 덩어리로 부유하는 현대의 새로운 문제군들에 대해서는 충분한 해답체계로 기능하지 못하는 경우가 있을 수 있으며, 때로는 아예 정당한 물음조차 가능케 하지 못할 수도 있다.

본고는 이런 새로운 문제군 중의 하나라고 여겨지는 홀로코스트[4]의 의미 및 그것이 야기한 물음과 해답의 변형을 이해하고자 하는 동기와 무관하지 않다. 그런데 이와 같은 동기는 더 깊이 내려가면 종교와 문학의 관계성에 대한 관심과 만나게 된다. 왜냐 하면 악과 고통의 문제는 오랫동안 철학, 종교, 예술의 주제로 다양하게 나타났으며, 때로는 무엇보다도 문학작품이 이런 문제에 대한 보다 강력하고 호소력 있는 이해의 틀을 제공해 준다[5]고 여겨지기 때문이다.

본고에서 다루고자 하는 엘리 비젤의 작품도 위와 같은 맥락에서 선택되었다. 그에게 있어 '아우슈비츠'(Auschwitz)로 상징되는 대규모적인 고통의 문제는 전통적인 종교적 신념체계와의 양립 가능성에 대한 치열한 회의를 배태시킨다. 그 결과 '이야기'(storytelling)의 구원론적 의미가 부각됨으로써 엘리 비젤 문학은 종교성의 차원을 획득한다. 본고의 목적은 바로 이런 '이야기'의 구원론적 의미를 밝힘으로써, 특히 홀로코스트 이후 시대(post-holocaust)에 문학이 보여 줄 수 있는 종교적 통찰력의 문제를 살피는 데에 있다. 이를 위해 이하에서는 먼저

---

3) 정진홍, 『한국종교문화의 전개』, 집문당, 1986, 15쪽.

4) 이 <holocaust>란 용어는 원래 희랍어의 <holokautoma>라는 어원에서 나온 것이며 '번제'(燔祭)라는 뜻을 지니고 있다. 영어 <holocaust>에는 거기에 '대재난'이라는 의미가 첨가되었는데, 1950년대말부터 일반적으로 나치 독일에 의한 유대인 대학살 사건을 지칭하는 용어로 널리 쓰이게 되었다. 그런데 본래 유대교에는 '대학살'에 상응하는 다른 용어가 있다. 그 하나는 이디쉬어 <hurban>인데, 이는 '공포의 날' 즉 예루살렘 성전파괴에 대한 기억을 수반하는 용어이다. 또 하나는 히브리어 <shoah>로서 이는 '우주적 조화의 황폐'를 의미한다. 그러나 본고에서는 엘리 비젤이 처음 사용함으로써 널리 쓰이게 된 <holocaust>란 용어를 쓰기로 하겠다. A.L.Berger, "Academia and the Holocaust", *Judaism vol.31, no.2*, 1982, 172쪽.

5) A.L.Berger, "Evil and Suffering", T.W.Hall, ed., *Introduction to the Study of Religion*, San Francisco : Harper and Row, 1978, 182-83쪽.

종교와 문학의 관계에 대한 간략한 개념설정을 시도해 본 후, 이어서 엘리 비젤 문학의 텍스트에서 발견되는 '이야기'의 구원론적 의미를 '자기 아이덴티티', '물음과 해답', '신화와 역사', '기억과 증언' 등의 교차적 맥락 안에서 규명해 보기로 하겠다.

II. 예비적 고찰 : 종교와 문학의 관계

종교와 문학은 양립할 수 없는 전혀 별개의 영역인가? 오늘날 양자는 각자 양보할 수 없는 서로의 고유한 영역을 확보하고 있는 듯이 보인다. 그럼에도 불구하고 양자를 함께 말할 수 있는 근거는 어디에 있을까?

사실 우리는 어느 정도 종교와 문학의 친화성에 대해 긍정적일 수 있다. 가령 아우얼바하(E. Auerbach)에 의하면, 2천여 년 이상의 역사를 지닌 유럽문학은 그리스 신화, 유대교, 기독교에 대한 정당한 관심 없이는 이해가 불가능하다. 역으로 이는 그리스 종교, 유대교, 기독교 전통에 대한 이해 또한 그 문학적 유산에 대한 특별한 고려 없이는 대단히 불완전한 지식이 될 것임을 시사해 준다.6) 바꾸어 말하자면, 종교에 대한 정당한 평가를 위해서는 문학에 대한 고려가 수반되어야 하며 그 역도 그렇다는 것이다.

이런 이해는 포스트 홀로코스트 시대에 있어 종교와 문학의 관계를 언급할 때에 특히 요청된다. 홀로코스트 이후 많은 이들에게 전통적 개념으로서의 신은 죽었거나 혹은 '침묵하는 신'(deus otiosus)7)으로 경험되어 온 것이 사실이다. 그에 따라 신에 관한 전통적인 담론 양식들도 심각한 굴절과 변형을 겪지 않을 수 없게 되었다. 여기서 우리는 하나의 가설을 상정할 수 있다. 즉 그런 변형된 종교 표현양식이 다른 어떤 문화형식에서보다도 문학 안에 가장 잘 나타나 있을 것8)이라는 가설이 그것이다. 거기서 더 나아가 우리는 현대의 문학작품 안에는 분명히 종교적 차원이 스며 있다9)고도 말할 수 있다. 이 경우 종교적 제현

---

6) 아우얼바하, 김우창(외) 옮김, 『미메시스』, 민음사, 1985, 86쪽.
7) deus otiosus에 관해서는, 정진홍, "하늘님 考 : deus otiosus를 중심으로", 『宗敎學 序說』, 전망사, 1980, 313-24쪽 참조.
8) 글릭스버그, 최종수 옮김, 『문학과 종교』, 성광문화사, 1981, 203-15쪽 참조.
9) S.B. Kauffmann, "Charting a Sea Change : On the Relationships of Religion and Literature to

상을 반영하고 있는 문학에 대한 연구가 종교연구와 불가분의 관계를 갖게 되며 거기서 종교학도는 실질적인 도움을 기대할 수 있게 된다.[10]

이와 관련하여 카우프만(S.B. Kauffmann)은 '종교와 문학'을 하나의 학문영역으로 간주하면서, 문학작품이 지닌 그 나름의 종교적 통찰력을 분석하는 것을 '종교와 문학'연구의 현저한 목표로 제시하고 있다.[11] 또한 군(G.B. Gunn)은 종교와 문학의 내적 관계에 대한 연구에 있어 가능한 접근방식을 (1)개념적 용어로 양자의 관계를 설명하는 경우, (2)그런 관계가 발생하는 구체적인 문학작품을 탐구하는 경우, (3)상호간 끼치는 영향을 평가하는 경우 등의 세가지로 대별하고 있다.[12]

엘리 비젤이라는 특정작가의 구체적인 문학작품을 자료로 삼는 본고는 물론 이 중 (2)의 경우에 해당될 것이다. 이 때 종교와 문학의 관계를 바라보는 시각은 다시 (1)호교론적 입장 : 문학을 종교의 대용품 내지는 신앙입문교육으로 보는 입장, (2)탈호교론적 입장 : 종교와 문학의 관계를 양립할 수 없는 것으로 보는 입장, (3)양자의 중간적 입장 등 세가지로 나누어 볼 수 있다. 본고는 이 중 (3)의 중간적 입장에 입각하고 있는데, 군은 이 중간적 입장에서 제기될 수

Theology", *The Journal of Religion, vol.58, no,4*, 1978, 408쪽.

10) 이와 관련하여 종교학자 스마트(Ninian Smart)는 종교학자가 문학으로부터 많은 도움을 받을 수 있음을 지적한다. 그는 현대의 소설가들이 종교학자들보다 종교의 살아 움직이는 모습을 더 잘 묘사한다고 말한다. 니니안 스마트, 강돈구 옮김, 『현대종교학』, 청년사, 1986, 41-43쪽.

11) '종교와 문학'연구는 60년대 이후 미국 학계에서 커다란 관심을 불러 일으켰는데, 거기서 주체는 종교학자라기보다는 주로 일군의 문학비평가들이었다. 이들은 종래의 문학비평이 주로 기독교 신학의 틀 안에서 수행되어 온 것에 반발하면서, 문학비평의 자율성을 강조하였다. 그런데 흥미로운 것은 이 '종교와 문학'연구가 종교학과 내에 설치되었다는 점이다. 카우프만의 정의에 의하면, 이 때의 '종교와 문학'은 "종교연구의 영역 안에서, 어떤 문학작품이 지닌 종교적 혹은 신학적 전망과 의미에 대한 공통의 관심을 제각기 다른 전공의 학자들이 참여하여 연구하는 분야"로서, 특히 종교학에서는 이 분야를 위한 일정한 교육과정, 학위, 전문화 등을 제도화하고 있다는 것이다. S.B. Kauffmann, 앞의 책, 405-27쪽 참조 ; 한편 군(G.B. Gunn)은 60년대 미국에서의 '종교와 문학'연구 흐름을 다음과 같이 세가지로 구분하고 있다. (1)특정작품, 작가, 문학운동의 종교적 의미와 중요성을 규정하려는 문학비평가들의 작업 (2)종교적 시학(religious poetry)의 근거를 마련하려는 문화신학자들의 작업 (3)종교 및 예술 전통을 연구함으로써 한 시대의 내적인 도덕적, 정신적 추진력의 단서를 찾아 내려는 문화사 및 종교사상가들의 작업. G.B. Gunn, ed., *Literature and Religion*, London : SCM, 1971, preface.

12) G.B. Gunn, 앞의 책, preface.

있는 관점의 사례를 다음과 같이 들고 있다.13)

(1) 문학이 현대의 종교적 곤경을 비추어 주는 거울로서 기능한다고 보는
관점
(2) 문학은 종교의 대안물(alternative)로서, 가치의 혼란을 겪는 현대인들에
게 종교적 안정감을 제공해 줄 수 있다고 보는 관점
(3) 문학을 통해 작가는 자신의 인간성과 내면성을 철저히 비움으로써 범례
적인 종교정황(가령 십자가 사건과 같은)을 재현한다고 보는 관점
(4) 이와 반대로 작가는 자신의 인간성을 최대한 궁극적으로 표현함으로써
어떤 종교적 기능을 지닌다고 보는 관점
(5) 위대한 작가는 늘 존재 그 자체(Being itself)의 대변자임을 보여 줌으로
써 종교적이 된다고 보는 관점

그런데 사실 종교와 문학의 만남에서 빚어지는 경험영역을 충분히 조명할
만한 포괄적인 이론이나 방법론이 아직까지 확정되었다고 보기는 어렵다. 앞에
서 제시된 관점의 사례들 역시 부분적이며 상호보완적이어서 어느 것도 독립적
으로 따로 떼어 생각할 수는 없다. 본고는 이 점을 염두에 두면서, 군이 제시한
다섯가지 관점 가운데 (1)과 (5)에 특히 주목하고자 한다. 종교와 문학의 관계가
오늘날 특별한 관심의 대상이 될 수 있는 이유로서, 첫째, 포스트 홀로코스트
시대에 새롭게 대두된 문제군들에 대해 전통종교의 해답체계가 갖는 설득력이
점차 약화되어 가고 있다는 점, 둘째, 그 대안의 한 형태로서 문학이 인간조건
에 대한 새로운 이해를 제시해 줄 수 있으리라고 기대된다는 점 등을 들 수
있을 것이다. 그러므로 본고가 종교와 문학의 관계로서 (1)과 (5)를 전제로 한다
는 것은, 곧 한 작가가 존재의 불가사의한 측면을 어떻게 묘사하고 있으며, 그
결과 드러나는 현대의 종교적 정황 속에서 문학이 어떤 위상을 지닐 수 있는
가4) 하는 문제에 유념하겠다는 것을 의미한다.

---

13) G.B. Gunn, 앞의 책, 3-4쪽.
14) 가령 현대적 상황 속에서 문학이 종교의 대리물로서 기능할 가능성을 생각해 볼 수 있겠다.
이 가능성에 관해서는, 박규태, "이야기가 우리를 구원할 수 있을까 : 종교와 문학", 박규태
(외), 『종교읽기의 자유』, 청년사, 1999, 169-78쪽 참조.

III. 엘리 비젤 문학의 종교적 배경: 홀로코스트의 의미

> "나의 하느님, 당신은 무엇입니까? 저 고통 받는 무리들에 대해 당신은
> 무엇입니까? 저들은 당신에게 저들의 신앙과 분노 그리고 반역을 호소하고
> 있습니다. 그러나 이 모든 약함과 부패와 붕괴 앞에서 우주의 주재자이신
> 당신의 전지전능함은 무슨 의미가 있는 겁니까? 왜 당신은 아직도 그토록
> 병든 마음과 불구의 육신에 끊임없이 고통을 주시는 겁니까?"[15]

엘리 비젤은 지금은 루마니아로 불리우는 트란실바니아(Transylvania)의 시게트(Sighet)에서 태어나 16세의 어린 나이로 아우슈비츠 수용소에 끌려갔다가 극적으로 살아 남은 이 후, 프랑스 소르본느 대학에서의 수학 시절을 거쳐 1986년에 노벨 평화상을 수상받기에 이른다. 그의 삶은 이 시대의 가장 어두운 '밤'을 살면서 그 악몽의 '기억'에서 묻어나는 집요한 죽음의 그림자와 정면에서 대결하려 했던 인간의 삶이며, 나아가 가장 어두운 밤의 기억을 창조적 상상력으로 재구성하여 거의 종교적이라 일컬을 만한 경지에까지 문학을 승화시킨 인간의 삶으로 말해질 수 있다. 문학을 포함한 그의 모든 인권 활동은 홀로코스트에 대한 기억과 증언이라는 동기에 토대하고 있다. 이런 의미에서 그의 문학은 '아우슈비츠 문학' 혹은 '홀로코스트 문학'이라고 불리워지기도 한다.

노르웨이 노벨상 위원회가 비젤을 수상자로 선정하면서 그를 "폭력과 탄압 및 인종차별주의로 얼룩진 세계를 이끌어 가는 가장 중요한 정신적 지도자 중의 한 사람"으로 평가한데서도 엿볼 수 있듯이, 홀로코스트는 일차적으로 정치적, 사회적 사건임에 틀림없다. 그러나 홀로코스트는 단지 역사적 범죄사건으로만 끝나지 않는다. 그것은 신과 인간의 본질 및 그 관계에 대한 근본적인 재고를 요청하는 정신적, 영적인 사건이기도 하다.

> "홀로코스트는 신의 딜레마가 아니라 바로 인간의 딜레마이다. 그것은
> 신의 죽음이 아닌, 인간에 대한 인간의 인간성이 죽었음을 증명해 준 사건
> 이다. 인간은 선택할 자유를 가지고 있다. 그런데 대부분의 사람들은 방종한
> 악과 침묵과 무관심을 선택했다."[16]

---

15) Elie Wiesel, *Night,* New York : Hill & Wang, 1960, 63쪽.

전통적인 신정론(theodicy)에서 신은 악에 대해 책임이 없으며, 오히려 신은 미래의 보다 선한 목적을 위해 악을 허용할 수도 있는 신으로 간주되었다. 그러나 홀로코스트 이후 종래의 신정론은 그 문제구성 자체가 거부된다. 가령 유대인 신학자 파켄하임(Fackenheim)은 정의로운 신이 어떻게 홀로코스트와 같은 엄청난 불의를 허용할 수 있었을까 라는 물음과 관련하여, 풀리지 않는 신정론의 관점에서 벗어나 랍비적 사고방식으로 현실문제에 초점을 맞춘다. 예컨대 파켄하임에 의하면 홀로코스트의 경험은 종교적 유대인에게는 계속 종교적이어야 함을, 그리고 비종교적인 유대인에게는 신앙 대신 유대 민족과 유대교의 보존을 요청한다는 것이다.17)

이런 파켄하임과 대조적인 입장에 서 있는 루벤슈타인(Rubenstein)은 잘 알려진 저서 『아우슈비츠 이후』(1966)에서, 죽음의 수용소에서의 신에 관한 물음을 현대 유대교에 대한 가장 결정적인 단 하나의 도전으로 상정한다. 그는 "어떻게 유대인들이 아우슈비츠 이후 전능하고 자비로운 신의 존재를 믿을 수 있겠는가?" 라는 물음을 던지면서, 히틀러와 그의 친위대를 신의 도구로 간주한다는 것은 어불성설이며 홀로코스트에서 신의 목적을 찾을 수는 없다고 단호하게 끊어 말한다. 이는 고통을 죄에 대한 신의 징벌로 이해하는 자유의지 신정론의 입장을 정면으로 거부한다는 것을 뜻한다. 요컨대 루벤슈타인은 유대인의 종교적 삶에 있어 유신론적 신이 반드시 필요한 것은 아니라고 결론지으면서 이렇게 지적한다.18)

"본 훼퍼의 문제는 종교가 부재하는 시대(an age of no religion)에 어떻게 신에 대해 말할 수 있는가에 있었다. 그러나 우리의 문제는 신이 부재하는 시대(an age of no God)에 어떻게 종교에 대해 말할 수 있는가 하는 데에 있다."

이 밖에도 홀로코스트의 의미에 대한 시각은 매우 다양하다. 그러나 어떤

---

16) S. Arian, "Teaching the Holocaust", *Jewish Education*, Fall, 1972, 44쪽.

17) J. Neusner, "The Implication of the Holocaust", *The Journal of Religion, vol.53, no.3*, 1973, 300-301쪽.

18) R.L. Rubenstein, *After Auschwitz*, Indianapolis : Bobbs-Merrill, 1966, 153-54쪽.

경우든 포스트 홀로코스트 시대에서는 그 이전의 어떠한 신정론 유형도 지배적인 설득력을 가지지 못하게 되었다는 이해에 있어 대체로 일치하고 있다. 이는 홀로코스트를 경험한 현대인에게 신정론과 같은 전통종교의 신념체계가 더 이상 적절한 설명 틀로 기능하지 못하게 되었다는 현대적 정황을 시사해 준다. 다시 말해, 홀로코스트는 전통적인 신정론 문제 자체의 해체를 의미하기도 한다. 이제 신이 부재하는 시대, 신정론이 더 이상 기능하지 못하게 된 시대의 인간에게 윤리적으로 불가능한 일이란 존재하지 않게 되었다. 그에게는 무엇이든 가능한 것처럼 보인다. 어쩌면 이것이야말로 홀로코스트의 참된 의미일지도 모른다.

거기서 구원의 문제는 중심축이 인간을 향하여 이동한다. 이전에는 고통의 의미가 신의 존재와 손을 잡았지만, 이제 그것은 인간의 존재 의미에 더 가까이 밀착된다. 바꿔 말하자면, 고통과 구원의 문제는 신의 정의에 대한 문제(theodicy)라기보다는 차라리 인간의 정의에 대한 문제(anthropodicy)[19]로 전개된다. 이는 곧 고통의 문제에 대한 해답이 아니라 물음 자체가 바뀌어야 한다는 인식의 변화를 뜻한다.

IV. 엘리 비젤 문학과 '이야기'의 구원론적 의미

우주의 주재자시여, 난 당신이 무엇을 원하며 무슨 일을 하고 있는지를 알고 있습니다. 당신은 인간을 압도하고 압살시키는 절망을 원하고 있습니다. 당신은 인간이 이제는 더 이상 당신을 믿지 않으며 기도하지도, 찬양하지도 않게 되기를 바라고 있는 겁니다. 그러나 결단코 당신은 성공하지 못할 겁니다. 그럼에도 불구하고 난 당신을 긍정하고 동시에 부정하면서 카디쉬를 그리고 믿음의 송가를 소리높여 외칠 것이기 때문입니다. 이스라엘의 하느님이시여, 당신은 이 송가를 잠잠케 하지는 못할 것입니다.[20]

그렇다면 비젤 문학은 '누구에게', '어떤' 물음을 던지고 있는가? "나는 '내 안의 신'에게 '올바른' 물음을 던질 수 있는 힘을 달라고 기도한다."(작은 따옴표

---

19) anthropodicy의 문제에 관해서는, F. Sontag, "Anthropodicy and the Return of God", S.T. Davis, ed., *Encountering Evil : live options in theodicy*, Atlanta : John Knox Press, 1981 참조.
20) Elie Wiesel, *A Jew Today*, New York : Random House, 1978, 164쪽.

는 필자)21) 여기서 '올바른 물음'이란 무엇인가? 그것은 하나의 고정된 '해답'이
라기보다는 물음 자체의 특수한 성격에 대한 인식과 관련이 있다. "인간의 본질
은 그것이 하나의 물음이라는 사실에 있고, 그 물음의 본질은 그것이 대답 없음의
물음이라는 사실에 있다."22) "인간은 인간이 신에게 묻는 물음을 통해서 신을 향
해 자신을 일으켜 세운다. 그것이야말로 참된 대화이다. 인간은 신에게 묻고 신
은 인간에게 대답한다. 그러나 인간은 신의 대답을 이해하지 못한다."23)

이처럼 '대답없음의 물음' 혹은 '이해할 수 없는 대답'이야말로 비젤에게 있
어 홀로코스의 의미를 단적으로 대변해 주는 실마리일지도 모른다. 그런데 에
스테스(T.L. Estess)에 의하면, 이 때 물음의 관점이란 개인과 전통간의 창조적
긴장을 유지하는 해석학적 관점이며, 비젤 문학은 역설적인 해석을 통해 전통
을 재생시키려는 지향성을 내포한다는 것이다.24) 곧 언급되겠지만, 비젤 문학
에 나타나는 극단적인 독신(瀆神)은 결코 신의 존재 가능성 자체를 배제하려는
의도에서 나온 것이 아니다. '대답없음'에도 불구하고 끝내 물음을 포기하지 않
는 비젤 문학은 신정론과 같은 전통적인 해답체계 대신에 '물음의 한 형태'로서
의 '이야기'(storytelling)를 제시함으로써 문학 자체가 지닌 종교성의 내적 측면
을 보여 준다.

후술하겠지만, 비젤 문학에서 자아의 자기정체성은 위와 같은 물음의 과정
을 통해 은총의 새로운 가능성 앞에 열려지게 된다.25) 이 때 '이야기'는 그 '이
야기'를 말하는 사람과 듣는 사람 모두를 새롭게 변형시킴으로써 구원론적 동
기를 드러내며, 그것을 통해 작품 전체의 내적 구조를 구성한다. 바꿔 말하자면,
비젤 문학의 내적 구조는 물음을 통해 새로운 통찰력을 일깨워줌으로써 인간을
새롭게 변형시키는26) '이야기'의 기능에서 찾아 볼 수 있으며, 바로 이 점에서

21) Elie Wiesel, *Night*, 16쪽.
22) Elie Wiesel, *The Town Beyond the Wall*, 186쪽.
23) Elie Wiesel, *Night*, 16쪽.
24) T.L. Estess, "Elie Wiesel and the Drama of Interrogation", *The Journal of Religion*, *vol.56, no.1*, 1976, 19쪽.
25) 같은 글, 23-24쪽.
26) G.B. Gunn, 앞의 책, 22쪽. 여기서 군은 새로운 통찰력을 부여함으로써 삶을 변화시키는 것, 즉 변형(transforming)과 신조(新造, new making)의 기능이야말로 문학의 참된 기능이며, 이 점에서 종교와 문학을 관계지을 수 있음을 시사한다.

비로소 비젤 문학을 종교적이라고 말할 수 있게 되는 것이다. 다음에는 이와 같은 '이야기'가 드러나게 되는 과정을, 신의 정의에 대한 물음(theodicy)이 인간의 정의에 대한 물음(anthropodicy)으로 바뀌는 과정을 통해 살펴보기로 하겠다.

IV-1. 신의 정의에 대한 물음

비젤은 종종 신이 부재하는 시대의 정황을 묘사한다. 가령 그의 최초의 작품인 『밤』(*Night*)이 보여 주는 세계는 사랑, 인간성, 신이 부재하는 세계이며 또한 책임이 유기된 암흑의 세계이다. 그리하여 비젤 문학은 더 이상 메시아의 도래를 믿지 않게 되었음을 선언한다. "나는 더 이상 메시아의 도래를 믿지 않는다. 메시아는 왔으나 아무 것도 변하지 않았다. (중략) 메시아가 왔지만 세상은 이전보다 더 거대한 도살장이 되어 버렸으며, 박해자는 박해를 계속하고 있다."27)

이와 같은 신은 "한 민족을 선택하여 희생제단 위에서 살육되도록 허락한 잔인한 신"28)이며, 거기서 "신의 형상을 따라 창조된 인간은 창조주인 신의 잔인성도 유전으로 물려받은"29) 것으로 묘사된다. 그리고 신이 이처럼 잔인하다는 사실을 알게 되면, 다시 말해서 "만일 인간이 신의 얼굴을 바라보게 되면 인간은 더 이상 신을 사랑하지 않게 될 것"30)이다.

비젤이 볼 때 홀로코스트는 유대인의 영원한 기도가 응답받지 못했다는 증거이다. 그것은 무익하고 쓸데 없는 기도였다. 왜냐 하면 잔인한 신은 그의 눈을 닫고 모든 일들이 일어나도록 내버려 두었기 때문이다. 따라서 이제 신은 곧 침묵이고, 그런 신의 대답 역시 침묵일 수 밖에 없으며 인간은 그의 대답을 이해할 수가 없다. 그럼에도 불구하고 구약의 욥(Job)과는 달리 비젤 문학은 "그렇다면 이제 우리가 해야 할 일은 무엇인가?"31)라는 물음을 끝내 포기하지 않는다. "신은 죽었다"는 사신 신학(God is dead)의 결론은 이런 물음과 전혀 무관

---

27) Elie Wiesel, *The Gates of the Forest*, New York : Avon Books, 1967, 47쪽.
28) Elie Wiesel, *Night*, 73쪽.
29) Elie Wiesel, *Dawn*, New York : Avon Books, 1970, 18쪽.
30) Elie Wiesel, *The Accident*, New York : Avon Books, 1962, 11쪽.
31) Elie Wiesel, *The Gates of the Forest*, 199쪽.

한 손쉬운 해답일 뿐이다. 왜냐 하면, 신이 죽었다고 외치는 그 순간에도 인간은 여전히 고통 속에 있고 그 고통은 끊임없이 인간으로 하여금 무엇인가 행동하도록 물음을 요청하고 있기 때문이다. 비젤 문학에 있어서는, 인간이 고통 속에서도 행동을 추구하는 한, 신은 불멸의 존재로 묘사된다. "신은 죽지 않는다. 신은 죽을 수 없다. 그는 불멸이다. 그의 이와 같은 불멸성과 영원성은 인간의 고통에 의해 입증된다."32)

쇼윈(Sherwin)은 사신 신학과 비젤 문학의 차이를 이렇게 지적한다.33) 즉 사신 신학은 "홀로코스트 이후 어떻게 신의 존재를 믿을 수 있겠는가?"라는 물음으로써 해답 자체를 삼지만, 비젤 문학은 거기에 머물지 않고 계속해서 "홀로코스트 이후 어떻게 신의 존재를 믿지 않을 수 있단 말인가?"34)라는 역설적인 물음을 던진다는 것이다.

하지만 이 때 비젤 문학이 신의 존재를 고백하는 방식은 전통적인 방식과는 사뭇 다르다.

"그러나 인간은 신이 없는 세계에서는 살 수가 없다. 신없이 사느니 차라리 미쳐 버리든가 아니면 신을 모독하는 편이 낫다."35) 비젤은 가면을 벗은 잔인한 신의 얼굴을 보았으면서도 지독한 절망 속에서 여전히 신을 사랑하고 싶어 하는 걸까? 그렇다면 비젤 문학에 나타나는 독신은 신을 사랑하는 독특한 표현 방식으로 보아야 할 것이다. 그 때 독신은 물음과 대답의 해석학적 순환구조 안에서 그 구체적인 형태를 드러낸다.

신은 전지전능하지 않은가? 신은 그의 권능을 희생자들의 구원을 위해 사용할 수 있었음에도 불구하고 그렇게 하지 않았다. 그렇다면 도대체 신은 누구의 편인가? 살인자가 과연 신의 은총 없이, 신의 공모 없이 살육을 행할 수 있었을까?36)

---

32) Elie Wiesel, *The Accident,* 32쪽.
33) B.L. Sherwin, "Elie Wiesel and Jewish Theology", *Judaism, vol.18, no.1,* 1969, 50쪽.
34) Elie Wiesel, *The Gates of the Forest,* 194쪽.
35) Elie Wiesel, *The Town Beyond the Wall,* 165쪽.
36) Elie Wiesel, *The Trial of God,* New York : Schocken Books, 1979, 129쪽.

그런데 비젤 문학에서는 이런 물음에 대한 대답이 『욥기』에서처럼 신으로부터 직접적으로 주어지지 않는다. 침묵의 신이 인간에게 던지는 대답은 결코 이해될 수 없기 때문이다. 그리하여 비젤 문학에서 물음에 대한 대답은 차라리 물음의 연장선상에 놓여 있는 것으로 여겨지게 된다. 하지만 그에 앞서 비젤 문학은 신에 대한 유죄 판결을 선고한다.

> 　죽음의 수용소에서 작업이 끝난 어느 날 저녁, 한 랍비가 그의 동료 랍비 세 사람과 함께 특이한 법정의 개정을 선포했다. 그는 머리를 높이 쳐들고 다음과 같이 말했다. '나는 신을 살인죄로 고소하는 바입니다. 왜냐 하면 신이 그의 백성에게 시나이산에서 부여해 준 율법을 스스로 파괴했기 때문입니다. 나는 누구도 반박할 수 없는 증거를 갖고 있습니다. 여러분은 공포나 슬픔 또는 편견없이 판정해 주시길 바랍니다. 여러분이 잃어 버릴 만한 것은 모두 오래 전에 잃어 버리지 않았습니까?' (중략) 만장일치로 '유죄'임이 판결되었다.[37]

　이렇게 신이 유죄로 판결됨에 따라, 창조와 인간의 타락 그리고 악의 문제에 대한 대답이 달라지게 된다. "태초에 신은 살해하기 위해 인간을 창조했다."[38] "인간을 파멸에서 구원하기 위해 신에게 불순종하는 것이 우리의 의무이다. (중략) 필요하다면 하늘에 반항하라."[39] "인간의 타락은 창조주에 대한 항의이다. 왜냐 하면 창조주 역시 인간의 반역에 대해 책임이 있기 때문이다."[40] "악은 창조의 부산물로 생겨난 필연적인 것이므로 신도 악에 대해 책임이 있다."[41]

　그러나 위와 같은 비젤 문학의 묘사는 그것이 신에 대한 사랑의 독특한 표현인 한, 독신에만 머물지는 않는다. 비젤은 독신가일 뿐만 아니라 동시에 가장 강렬한 희망의 숭배자이기도 하다. "신 안에서 희망을 가진다는 것은 신을 부정함으로써 희망을 가진다는 것이다."[42] "인간이란 희망으로 변형되는 먼지이다."[43]

---

37) Elie Wiesel, *The Gates of the Forest*, 197쪽.
38) 같은 책, 134쪽.
39) 같은 책, 46쪽.
40) 같은 책, 196쪽.
41) 같은 책, 201쪽.
42) Elie Wiesel, *The Oath*, New York : Avon Books, 1970, 78쪽.

그리하여 비젤 문학은 포스트 홀로코스트 시대에 신을 부정하고 모독하는 것이 결국은 신에 대한 새로운 열림일 수도 있음을 시사한다.

> 내 아들아, 신의 승리란 그를 부정할 수 없다는 데에 있단다. 넌 네가 신을 저주한다고 생각하겠지만, 그것은 저주가 아니라 찬양일 뿐이다. 넌 네가 신과 투쟁하고 있다고 생각하겠지만, 네가 하는 모든 일은 결국 신에게 너 자신을 열어 놓는 일이 될 뿐이란다. 넌 네가 증오와 반역을 부르짖고 있다고 생각하겠지만, 그건 단지 네가 얼마나 신의 도움과 용서를 필요로 하는지를 말해 줄 뿐이란다.[44]

이로써 독신은 하나의 대답이라기보다는 물음의 한 형태였음이 드러나게 된다. 그것은 비젤 문학에서 '고통받는 신'에 대한 새로운 물음으로 이어진다.

이와 같이 물음과 대답의 해석학적 순환구도 안에서 독신을 통해 신의 존재를 재긍정하는 비젤 문학의 역설에는 인간의 고통을 공유하는 신에 대한 물음이 수반된다. 쇼윈(Sherwin)은 이 점을 '죽은 신'(God who is dead)이 아닌 '죽어가고 있는 신'(God who is dying)의 개념을 빌어 설명한다.[45] 죽음의 수용소에서 교수대에 매달린 한 소년의 죽음을 목격하면서 비젤은 다음과 같은 물음과 대답을 그려 내고 있다. "'신은 지금 어디에 있는가?' 그 때 나는 나의 내부에서 이렇게 대답하는 한 목소리를 들었다. '어디 있느냐고? 신은 여기에 있어. 그는 여기 교수대 위에서 목이 매달려 죽어가고 있어.'"[46]

이 순간부터 비젤에게는 "날마다 살해당하는 신"[47]의 형상이 각인되었고, 그렇게 죽어가는 신은 종종 (신의 형상을 닮은) 인간의 잔인성과 무관심에 의해 희생된 어린 아이의 얼굴, 순진무구하고 무의탁한 자의 얼굴로,[48] 혹은 "산 채로 매장된 신"[49]으로, 혹은 고통받는 인간과 동일시된 메시아의 이미지로[50] 그

---

43) Elie Wiesel, *The Gates of the Forest*, 87쪽.

43) Elie Wiesel, *The Gates of the Forest*, 87쪽.
44) 같은 책, 33쪽.
45) B.L. Sherwin, 앞의 책, 49-50쪽.
46) Elie Wiesel, *Night*, 71쪽.
47) Elie Wiesel, *The Gates of the Forest*, 129쪽.
48) Elie Wiesel, *Dawn*, 48쪽 ; *The Gates of the Forest*, 82쪽 ; *Night*, 73쪽.
49) Elie Wiesel, *The Accident*, 32쪽.
50) Elie Wiesel, *The Gates of the Forest*, 60쪽.

의 작품 속에 등장하게 된다. 그럼으로써 전통적인 탈무드의 메시아, 즉 거지들과 불구자들과 버림받은 자들의 한가운데서 자신이 불리워질 날을 기다리면서 앉아 있는 메시아, 또는 유대 신비주의의 카발라 전통에서처럼 인간에게 멀리 떨어져 자신을 숨기면서 시간을 초월하여 영원히 인간을 관조하는 메시아는 이제 홀로코스트 이후 그 새로운 형상을 획득하였다. 죽어가고 있는 신은 곧바로 아우슈비츠의 한가운데서 다른 희생자들과 함께 현존하게 된 것이다. 이 때의 신은 죽은 신이 아니므로 기독교의 그리스도처럼 부활하지도 않는다. 굳이 말하자면 부활한 것은 신이 아니라 바로 인간일 것이다. 그리하여 이제 비젤 문학은 신의 정의 대신 인간의 정의에 대한 물음을 던진다.

IV-2. 인간의 정의에 대한 물음

방금 살펴 본 고통 받는 신과 같은 개념의 상정은 곧 신정론 문제의 우회를 뜻한다. 그 때 신정론 문제를 구성하는 전통적 요인 가운데 신의 전지전능성은 잠시 유보된다. 전능한 신이 아우슈비츠의 한가운데서 고통 받는 어린아이의 얼굴로 죽어가는 장면은 쉽사리 상상될 수 없기 때문이다. 하지만 신이 가장 극단적이고 불가해한 고통의 상황 속에서 인간과 함께 그 고통을 공유함으로써, 최소한 신정론 문제의 첫 번째 요인 즉 신은 절대적으로 선하다는 관념은 아직 완전히 폐기되지 않고 있다. 여기서 비젤 문학은 신이 인간의 도움을 필요로 하고 있음을 선언한다.

> 언젠가 나는 카발리스트인 나의 스승 칼만에게 다음과 같은 질문을 한 적이 있다. '신은 무슨 목적으로 인간을 창조했습니까? 인간이 신을 필요로 하고 있다는 사실은 이해가 가지만, 신이 인간을 필요로 하는 까닭은 무엇입니까?' 이 때 스승님은 이렇게 대답하셨다. '경전은 우리에게 인간이 만일 자신의 힘을 의식하게 되면 믿음을 잃거나 이성을 잃게 된다는 사실을 가르쳐 주고 있는데, 그것은 인간이 자신을 초월하는 어떤 역할을 내부에 지니고 있기 때문이다. 신은 <하나>가 되기 위해 인간을 필요로 한다.'[51]

---

51) Elie Wiesel, *The Accident*, 42쪽.

신이 인간을 필요로 하는 맥락은 인간과 삶의 비밀 곧 잔인하면서도 아름다운 삶, 자기 안에 이 모든 삶의 비밀과 모순된 힘을 가지고 있는 인간, 견디기 힘든 고통 속에서 가장 찬란한 희망을 캐내는 인간에 대한 이해와 맞닿아 있다. 비젤 문학이 아우슈비츠의 굴뚝에서 피어 오르는 검은 연기 가운데서도 기도할 수 있는 인간의 모습을 그리고 있는 것은 바로 그런 역설적인 인식의 토대 위에 서일 것이다.

> 일찍이 신비주의자였던 나는 이렇게 생각했다. '그렇다! 인간이야말로 신보다 훨씬 강하고 위대하다. 신은 아담과 이브에게 속임을 당했을 때 그들을 낙원에서 추방했고, 노아의 세대가 신을 불쾌하게 하자 그들을 홍수로 다스렸으며, 소돔이 눈 밖에 나자 신은 그들에게 불과 유황비를 내렸다. 그러나 이 사람들, 신이 배신한 이 사람들, 고문당하고 학살당하고 독가스를 마시며 불에 타죽도록 신이 내버려둔 이 사람들, 이들은 무엇을 하고 있는가? 이들은 지금 신에게 기도하고 있다. 이들은 지금 신의 이름을 찬미하고 있다.52)

이처럼 극한적인 상황에서도 기도할 줄 아는 인간에게 비젤 문학은 감옥에 갇힌 신을 해방시켜야 할 역할을 부여한다. "신은 감옥에 갇혀 있다. 그러므로 인간이 신을 해방시켜야 한다. 이것이야말로 창조 이래 가장 은폐되어 온 비밀이다."53)

이 때 신을 해방시켜야 한다는 인간의 역할은 인간이 신보다 자유롭다는 자각에 토대하고 있다. "자유는 오직 인간에게만 주어져 있다. 신은 자유롭지 못하다."54)

> 신의 손길을 강요해서는 안 된다. 신으로 하여금 그가 원하는 시간과 도구를 선택하도록 해야 한다. 그럼으로써 우리는 다만 자유를 신에게 줄 수 있다. 만일 신이 그의 백성에게 백만 명의 어린 아이의 생명을 강요한다면, 그것은 진실로 신이 그들에게 자신의 이름과 권능을 찬양하도록 요구하는

52) Elie Wiesel, *Night*, 64쪽.
53) Elie Wiesel, *The Town Beyond the Wall*, 10쪽.
54) 같은 책, 94쪽.

거라고 생각하자. 왜냐 하면 신은 삶뿐만 아니라 죽음의 모든 것이기 때문이다. 만일 신이 강같은 피를 필요로 한다면, 신을 불쌍히 여기자. 왜냐 하면 그건 다만 신의 상상력이 결핍되어 있다는 사실을 말해 주는 것이기 때문이다.[55]

이와 같은 인간의 역할에 대한 비젤 문학의 묘사는 동시에 인간의 자기 아이덴티티 회복이라는 과제를 수반하고 있다. 비젤이 볼 때 홀로코스트 이후의 세계는 "광기의 시대"[56]이며 인간의 정체성이 상실되어 버린 세계, 신도 인간도 부재하는 끔찍한 세계이다. "수용소 안의 인간은 그저 단순한 숫자로 전락하여 인간으로서의 정체성과 한 개인으로서의 인간의 운명을 동시에 모두 상실해 버렸다."[57]

이처럼 잃어버린 자기 아이덴티티의 확인을 위한 비젤의 노력은 인간을 박해자, 희생자, 구경꾼의 세 부류로 나누어 보는 그의 사유 안에서 구체화된다. "나는 인간이란 심층 깊이 내려가면 박해자이거나 희생자이거나 혹은 구경꾼일 뿐만 아니라, 동시에 이 세 가지 모두이기도 하다고 생각한다."[58]

비젤은 이 때 희생자 자신이 그 희생에 책임이 있으며, 만일 그런 책임을 회피한다면 그가 설령 희생자라 할지라도 구경꾼의 부류에 속하게 될 수도 있음을 지적한다. 그런데 구경꾼은 자기 아이덴티티를 상실한 하나의 기계일 뿐이며 그저 사물(it)에 지나지 않는다. 그래서 비젤은 이렇게 묻는다. "이것이야말로 내가 홀로코스트 이후 이해하고 싶었던 유일한 물음이었다. 그 밖의 것은 없었다. '어떻게 인간이 무관심할 수 있을까?'"[59] 이 무관심이야말로 희생자마저도 구경꾼으로 전도시킬 수 있는 비인간적인 것이다. "악은 인간적이다. 약함도 인간적이다. 그러나 무관심은 그렇지 않다."[60]

그런데 신도 인간도 부재하는 세계에 홀로 내동댕이쳐진 자아를 발견했다고 해서 그 고독에 침잠하는 것은 무관심을 극복하는 데 전혀 도움이 안 된다.

55) Elie Wiesel, *The Gates of the Forest*, 190쪽.
56) 같은 책, 120쪽.
57) Elie Wiesel, *Legends of Our Time*, New York : Avon Books, 1970, 211쪽.
58) Elie Wiesel, *The Town Beyond the Wall*, 174쪽.
59) 같은 책, 149쪽.
60) 같은 책, 177쪽.

수도원 안에 갇힌 우주에서 나 혼자 신을 대하고 나 혼자 신을 부정하며 사는 것보다 더 쉬운 일은 없을 것이다. 고립을 선택하여 그 고독에 깊이 침 잠하고자 하는 사람은 인간을 부정하는 사람들 편에 서 있는 것이다.[61]

앞에서 유죄로 판결된 신에 관해 언급한 적이 있는데, 이런 맥락에서 보자 면 신 역시 무관심한 구경꾼이었기 때문에 유죄가 된다. "인간이 죄인으로 기소 되는 이유는 단 한가지이다. 방관자였다는 것, 무관심했다는 것. 신도 마찬가지 다."[62]

'구경꾼으로서의 신'은 희생자로서의 유대인과 동일시되었던 '고통 받는 신', '감옥에 갇힌 신'이면서 동시에 '박해자의 뒤에 서 있는 신'[63]이기도 하다. 이런 신을 해방시키는 것은 곧 인간의 책임이며 그것은 고독과 고립을 극복하는 인 간의 연대를 통해서 가능해 진다.

우리가 혼자라는 것은 사실이지만, 그 고독의 내부에서 우리는 서로 도 우면서 걸려 넘어짐 없이 앞으로 나아가야 할 형제이다. 그럴 때 우리는 신 이 더 이상 방관자로서 존재하지 않도록 강력하게 신을 일깨워 줄 수 있게 될 것이다.[64]

이와 같은 연대감은 다름 아닌 고통의 인간학에 대한 자각과 인간의 정의에 대한 물음(anthropodicy)에 기초하고 있다. "내가 고통 받음으로써 당신이 존재 한다."[65] "욥의 고통은 헛되지 않았다. 욥으로 인해 우리는 신의 불의를 인간의 정의와 연민으로 변형시켜야 할 과제가 인간에게 주어졌다는 사실을 알게 되었 기 때문이다."[66]

그리고 이처럼 신의 정의가 인간의 정의로 되물어지는 자리에서 비로소 '이 야기'(storytelling)가 시작될 수 있다. "'신이란, 그리고 친구란 무엇인가?'라고

---

61) Elie Wiesel, *The Gates of the Forest*, 219쪽.
62) Elie Wiesel, "The Last Return", *Commentary*, March, 1965, 49쪽.
63) Elie Wiesel, *The Gates of the Forest*, 21쪽.
64) 같은 책, 193쪽.
65) Elie Wiesel, *The Town Beyond the Wall*, 118쪽.
66) Elie Wiesel, *Messengers of God*, New York : Random House, 1976, 235쪽.

묻는다는 것은, 내게 함께 이야기 나눌 누군가가, 어디로 가야 할 지 그 방향을 물을 수 있는 누군가가 있다는 사실을 말하는 것이다."67)

비젤은 바로 이 '이야기' 안에서 모든 물음에 대한 대답과 모든 대답을 위한 물음을 발견한다. 이처럼 인간의 정의를 통해 신의 정의를 되묻는 비젤 문학은 '이야기' 안에서 인간과 신의 변형을 지향한다. 이 점에서 우리는 비젤 문학의 구원론적 의미를 언급할 수 있게 된다.

IV-3. '이야기'의 구원론적 의미

"위대한 랍비 이스라엘 바알 셈 토브는 유대 민족을 위협하는 재난의 조짐을 보면 어떤 숲으로 들어가 명상하곤 했다. 그곳에서 그가 불을 피우고 특수한 기도를 올리면 기적이 일어나 재난을 면할 수 있었다. 그 후 그의 제자인 고명한 메즈리츠의 마기드는 같은 이유로 하늘에다 항의할 일이 생기면 선생이 갔던 숲에 들어가 이렇게 말하곤 했다. '우주 만물의 주인이시여, 들으소서! 나는 어떻게 불을 피워야 할 지 모릅니다. 그러나 기도문은 알고 있습니다.' 그러면 다시 기적이 일어났다. 그 후 사소브의 랍비 모세 레입은 또 다시 백성을 구원하기 위해 숲으로 들어가 이렇게 말했다. '나는 어떻게 불을 피우는지 모릅니다. 기도문도 모릅니다. 그러나 이 장소만은 알고 있습니다. 그것이 전부입니다.' 과연 그것으로도 충분했다. 기적이 일어났던 것이다. 그런데 이제 재난을 해결해야 할 책임이 리츤의 랍비 이스라엘 프리드만에게 떨어졌다. 그는 자기 팔걸이 의자에 앉아 머리를 감싸 쥐고는 이렇게 신에게 기도했다. '나는 불을 피울 줄도 모르고 기도문도 모릅니다. 숲속의 장소 또한 찾을 수 없습니다. 내가 할 수 있는 것은 그 이야기를 말하는 것 뿐입니다. 그것이 전부입니다.' 이번에도 그것만으로 충분했다. 신은 이야기를 좋아하기 때문에 인간을 창조했다."68)

'이야기'라는 메타포는 서구의 가장 기본적인 형이상학적 메타포 가운데 하나로서,69) 특히 1960년대 이후 문학비평가, 철학자, 역사가 등에 의해 다양하게 추구되어 왔을 뿐만 아니라, 주로 종교의 영역에서 활발하게 논의되어 왔는데,70) 이 점은 대단히 흥미로운 사실이 아닐 수 없다. 사실 '이야기'에 대한 관

---

67) Elie Wiesel, *The Town Beyond the Wall*, 187쪽.
68) Elie Wiesel, *The Gates of the Forest*, prologue.
69) Sam Keen, *To a Dancing God*, New York : Harper & Row, 1970, 85쪽.
70) T.L. Estess, "The Inenarrable Contraption : Reflections on the Metaphor of Story", *JAAR*,

심은 고대로부터 신화나 제의 또는 문학의 제형식을 통해 오늘날에 이르기까지 끊임없이 표출되어 왔다고 볼 수 있으므로 결코 새로운 것이라고 말할 수는 없지만, 일면 포스트 모더니즘의 시대에 있어 이야기 형식(narrative) 자체에 대한 회의적인 시각이 확대되고 있을 때, 한 쪽에서 다시금 '이야기'(story)에 대한 종교적 관심이 대두되고 있다는 점이 하나의 아이러니로 여겨지기 때문이다. 가령 크로산(J.D. Crossan), 크라이트(S. Crites), 샘킨(Sam Keen) 등의 이른바 이야기 신학자들은 '이야기'라는 메타포를 통해 인간의 자기 아이덴티티가 회복될 수 있으리라는 기대를 가지고 있었다. 이와 관련하여 특히 샘킨의 주장이 주목할 만하다.

샘킨에 의하면, 전통적 인간의 자기 아이덴티티는 숲으로 가는 자신의 길을 찾고 거기서 불을 피우며 기도문을 외우는 등, 자신의 삶을 궁극적인 맥락에 자리 잡게 하는 '이야기'를 말할 수 있는 여러 능력 위에 기초하고 있었다는 것이다. 다시 말해 전통적 인간은 종족을 우주 안에, 다시 우주를 초세계 안에 위치하게 하는 이야기묶음(stories)을 가지고 있었다는 것이다. 이 때 개인의 과거, 현재, 미래는 그가 소속해 있는 종족의 기억이나 희망에 묶여 있었다. 그런데 세속적이고 다원적인 기술사회의 등장과 더불어 새로운 형태의 인간, 즉 '이야기'를 결여한 인간, 자부심을 가지고 기억할 만한 전통이나 열심히 기다릴 만한 미래의 확실성없이 살아가는 임기응변적인 인간이 출현했다. 샘킨이 볼 때, 이런 현대인은 숲으로 가는 길을 잃어 버렸고 불을 피우거나 기도를 드릴 수도 없게 되었으며, 자칫하면 자신의 삶을 '이야기'의 한 부분으로 볼 줄 아는 능력마저 상실할 위기에 처해 있다.[71]

이렇게 샘킨이 인간의 자기 아이덴티티를 기억(memory)과 이야기하는 기술(storytelling)에서 찾고자 한 것처럼, 비젤 문학 또한 끊임없이 "하나의 이야기를 찾아 다니면서"[72] 오래된 유랑과 박해(특히 홀로코스트)로 인해 상실해 버린 자기 아이덴티티와 고향 그리고 과거의 기억과 회복을 추구한다. 이 점은 '이야기' 개념을 신화와 역사의 개념과 함께 생각할 때 보다 구체적으로 드러날 것이다.

---

vol.42, no.3, 1974, 415쪽.

71) Sam Keen, 앞의 책, 85-86쪽.

72) Elie Wiesel, *A Beggar in Jerusalem*, New York : Avon Books, 1970, 157쪽.

비젤이 "진실이 아니면서도 일어난 사건이 있고, 진실이면서도 일어나지 않은 사건들이 있다."[73]고 말할 때, 그는 신화와 역사를 보는 독특한 시각을 보여준다. 비젤은 기본적으로 신화에 대해 역사가 특권적인 위치를 점유하고 있다고 이해한다. "신화는 사멸하지만 역사는 사멸하지 않는다. 역사는 오히려 신화의 과거에 뿌리박고 있을 뿐만 아니라 미래에도 보장되어 있으므로 존중받지만, 신화는 과거에만, 그것도 불가능한 과거에만 거주하는 것"[74]이기 때문이다.

일반적으로 신화와 역사는 이처럼 상반된 개념으로 설명되어져 왔다. 예컨대 비드니(D. Bidney)의 경우, 역사는 사실이지만 신화는 사실이 아니다. 신화는 인간 지성이 진보함에 따라 점차로 사라지고 말 종교적 표현물이므로 믿을 수 없는 것이다.[75] 그러나 신화와 역사를 대립적인 개념으로 파악하는 입장은 점차 설득력을 잃어가고 있는 듯이 보이며,[76] 그 대신 종교학자 엘리아데(M. Eliade)[77]나 신화학자 캠벨(J. Campbell)[78] 등과 같이 신화의 가능성을 높이 평가하는 입장이 널리 확산되고 있다. 그러나 비젤이 신화와 역사를 말할 때 그것은 우선 홀로코스트라고 하는 특정한 역사적 사건과 그 배경으로서의 반유대주의라는 신화, 또는 이에 대한 유대인의 전통적 대응방식으로서의 신화를 염두에 둔 것이므로, 종교학적 혹은 신화학적 논의와는 다소 상이한 맥락을 가진다. 하지만 인간의 자기 아이덴티티의 회복이라는 관점에 있어 학문적인 입장과 비젤의 입장이 서로 만날 수 있는 가능성을 배제해서는 안 될 것이다. 비젤은 이

---

73) Elie Wiesel, "Myth and History", A.M. Olson, ed., *Myth, Symbol, and Reality*, Notre Dame : Univ. of Notre Dame Press, 1980, 20-21쪽.

74) 같은 책, 20-21쪽.

75) D. Bidney, "Myth, Symbolism and Truth", T.A. Sebeock, ed., *Myth : A Symposium*, Bloomington : Indiana Univ. Press, 1965, 23쪽.

76) 신화와 역사의 접점이 좁혀지고 있는 현대적 맥락에 관해서는, 임현수, "신화와 역사의 경계를 넘어서", 『종교학연구』 17, 서울대 종교학연구회, 1998, 103-24쪽 참조.

77) 역시의 공포를 말하면서 신화야말로 참(true)임을 주장하는 엘리아데의 신화 이해에 관해서는 대표적으로, 엘리아데, 정진홍 옮김, 『우주와 역사』, 현대사상사, 1976 및 정진홍, 『종교학서설』, 앞의 책 참조.

78) 현대인은 신화의 심리학적 의미를 추구함으로써 신화를 수용할 수 있고 그럴 때 삶은 의미를 회복하며 현대사회가 처한 혼란이 극복될 수 있다고 주장하는 캠벨의 신화 이해에 관해서는 대표적으로, 조셉 캠벨, 이윤기 옮김, 『신화의 힘』, 고려원, 1992 및 김현자, "캠벨의 신화론", 『종교와 문화』 제6호, 서울대 종교문제연구소, 2000, 41-64쪽 참조.

민족에 의한 박해에 대해 유대인들이 취했던 전통적 대응방식(신정론)을 한마디로 신화적 대응방식이었다고 보는데, 이에 대한 비판은 다음과 같은 글에 잘 나타나 있다.

> 유대인으로서 나는, 우리의 힘은 역사에 있었고 아직도 그렇다고 말해야만 한다고 생각한다. 반면에 신화는 우리를 허약하고 공격받기 쉽게 만들어 왔다. 우리는 신화 때문에 고통받아 왔고, 우리의 역사 때문에 생존해 왔다.[79]

그러나 다른 한편, 유대인에게 있어 역사는 광기의 역사이기도 하다. "만일 역사가 미친 것이 아니라면, 한 세대 전의 홀로코스트는 도대체 무엇이었단 말인가?"[80]

이처럼 역사 또한 유대인을 외면했음에도 불구하고 비젤이 "그래도 우리는 신화를 거부한다."고 말할 때, 그리고 그가 계속해서 "역사의 반대는 신화가 아니라 망각이다."[81]라고 말할 때, 그에게 있어 신화와 역사가 서로 상반되는 개념이 아니라는 점이 분명히 드러난다. 오히려 비젤에게 "오늘의 시대는 과거 어느 때보다도 신화와 역사를 혼동하는 시대"[82]이다.

그렇다면 비젤이 역사를 긍정(for history)하는 자리에서 반신화적(against myth)이라고 말할 때의 신화의 의미는 엄격하게 한정되지 않으면 안 된다. 바로 거기에 '이야기'가 개입할 공간이 마련되기 때문이다. 즉 비젤이 비판하는 신화는 반유대주의라는 신화 및 그것에 대한 유대인의 전통적인 신화적 대응방식(신정론)을 가리킨다. 그는 출애굽이라든가 시나이산에서의 계약사건과 같은 신화적 사건이 유대인의 역사의식 속에 불변하는 구조로 자리잡고 있다고 말해질 때의 신화를 부정하지는 않는다. 이 경우, 신화는 명백히 기억을 통해 자기 아이덴티티의 회복을 지향하므로 오히려 비젤 문학이 지닌 '이야기'의 구원론적

---

79) Elie Wiesel, "Myth and History", 앞의 책, 21쪽.
80) 같은 책, 22쪽.
81) 같은 책, 30쪽.
82) 같은 책, 30쪽.

구조를 가능케 해 준다.

한편 비젤이 "역사는 곧 기억"[83]이라고 말할 때의 역사는 방금 언급한 신화적 요소(출애굽이나 계약사건)를 내포하는 개념이다. 따라서 이를 신화의 역사화라 할 수 있다면, '홀로코스트는 신의 뜻이었다'는 식의 설명방식(신정론)은 역사의 신화화라고 규정될 수 있을 것이다. 물론 비젤은 후자 즉 역사의 신화화를 강하게 거부한다. 그 대신 비젤 문학은 역사적 사실에 대해 기억이 지니는 구속적 성격을 강조한다. 기억을 통해 역사는 어리석은 신화와 혼동되지 않은 채 역사 자체로 남을 수 있으며, 더 나아가 참된 신화를 역사 안에 계속 유지할 수 있다는 것이다. 이런 태도는 출애굽사건이나 계약사건과 같은 신화를 '일어나지는 않았지만 참된 사건'으로, 그리고 홀로코스트와 같은 역사적 사건을 '진실이 아니면서도 일어난 사건'으로 분별할 수 있게 해 준다.

이제 비젤은 진실이 아니면서도 일어난 역사적 사건에 대해 '그것은 진실이 아니었다'라고 증언함과 동시에, 일어나지는 않았지만 진실된 사건이 분명히 있음을 증언하고자 한다. 바로 이런 기억과 증언 안에서 자기 아이덴티티의 회복이 가능한 것이다. 거기서는 신화만이 참이라든가 또는 역사만이 사실이라고 강변할 필요가 없다. 비젤이 말하는 기억과 증언은 전통종교가 수행해 온 역사의 신화화가 아닌, 신화의 역사화를 지향한다. 비젤은 특별히 문학을 통해 이런 신화의 역사화를 추구했다. 바꿔 말하자면 그것은 곧 '이야기'를 통한 기억과 증언을 뜻한다. 신화의 역사화는 비젤 문학에서 '이야기'의 개입을 의미한다. 왜냐하면 비젤은 신화적 실재에 대한 기억과 역사적 실재에 대한 증언을 '이야기'를 통해 교차시키고 있기 때문이다. 그는 이렇게 신화를 말하는 대신 '이야기'를 말한다. 결국 비젤 문학의 '이야기'(story-telling)는 신화 말하기(myth-telling)이기도 하다.[84]

비젤은 1969년의 한 강연에서 "우리는 무관심으로부터 세계를 구원하기 위

---

83) 같은 책, 30쪽.

84) "온갖 합리적 이성의 논리가 만발하여도 역사를 쓰고 읽고 이야기하는 그 이야기도 결국은 신화적이고자 하는 이야기일 수 밖에 없다. (중략) 인간은 처음의 이야기, 끝의 이야기, 그래서 물음과 해답을 안은 하나의 이야기를 들으며 살기 때문이다." 정진홍, "이야기와 몸짓", 『불교사상』 1987년 2월호, 52-55쪽.

해 홀로코스트의 이야기를 말한다."85)고 밝히고 있다. 그는 특히 문학을 통해 자기 아이덴티티의 회복과 인간, 신, 세계의 구원을 추구했다. 즉 그는 문학을 통해 물음의 한 형식으로서의 '이야기'86)를 말함으로써, 가해자에게는 그가 저지른 범죄를 상기시켜 주고, 구경꾼에게는 기억을 일깨워 주며 궁극적으로는 파편화된 인간 공동체의 자기 아이덴티티 회복을 지향한다. 비젤에게 문학은 실로 "무관심의 안티 테제"였다.87)

이야기꾼(storyteller)임을 자처하는 한 작중인물은 "누구든지 이야기를 듣는 자는 그의 삶에 물음을 던지게 된다."고 말한다. 이 때의 물음이란 전술했듯이 신과 인간 모두의 변형을 추구하는 물음이다. 요컨대 물음과 대답의 해석학적 순환 안에서 역사의 신화화(myth-telling) 혹은 기억과 증언을 통해 무관심을 극복하고 인간의 인간됨(자기 아이덴티티)을 회복하기, 이것이 곧 비젤 문학에 나타난 '이야기'의 구원론적 의미라 할 수 있다.

V. 나오는 말

문학도 종교도 '구원의 이야기'이다.88) 문학이 지닌 종교적 차원은 문학의 본성 안에 내재해 있다. 바꿔 말하자면, 문학은 그 본질 가운데 하나로 종교성을 수반한다.89) 본고는 '이야기'의 구원론적 동기를 함축하고 있는 비젤 문학의 분석을 통해 바로 이와 같은 점을 밝히고자 시도해 보았다. 하나의 문학작품을 충분히 파악하기 위해서는 거기에 내재된 종교적 차원을 소홀히 할 수 없다. 이

---

85) Elie Wiesel, "Storytelling and the Ancient Dialogue", lecture delivered at Temple University, November 15, 1969.

86) 물음으로서의 '이야기'는 그 안에 이미 변형을 추구하는 실천적 행위의 지향성을 함축하고 있다는 점에서, 달리 표현하자면 제장(祭場)으로서의 '이야기'라고도 할 수 있다. 정진홍, "이야기문화 : 문학과 종교", 『하늘과 순수와 상상』, 강, 1997, 354-60쪽.

87) "An Interview with Elie Wiesel", conducted by R. Franciosi and B. Shaffer, *Contemporary Literature, vol.28, no.3*, 1987, 287-300쪽 참조.

88) 문학이라는 이야기는 가능성을 창조하는 창조성에의 자기봉헌이라는 의미에서 '구원의 이야기'라고 부를 수 있다. 정진홍, "이야기문화 : 문학과 종교", 앞의 책, 336-54쪽 참조.

89) "이야기를 듣든, 이야기를 쓰든 그 '태도'는 언제나 존재론적인 동기와 지향성을 갖지 않으면 안 되는 것이라고 말할 수 있는데, 이 때 이러한 태도는 근원적으로 '종교적'인 것이다." 정진홍, "종교와 문학", 『종교학서설』, 앞의 책, 225쪽.

점은 홀로코스트 이후 시대에 일면 종교의 대리자로서 기능할 수 있는 문학의 가능성을 시사해 준다. 어쩌면 이 때 작가는 새로운 종교의 '사제'로 표상될 수도 있을 것이다. 왜냐 하면 오늘날 작가들은 전통종교가 제시해 온 '해답' 대신에 새로운 '물음'을 통해 구원의 주제를 다루고자 하기 때문이다. 샘킨이나 벨(D. Bell)이 기억의 부활을 말할 때, 또는 엘리아데가 신화의 현대적 대용으로서의 소설을 말할 때, 우리는 이들에게서 '이야기'의 구원론적 의미가 메아리쳐 반향되는 소리를 듣는다.

비젤은 그의 작품을 통해 주로 자기 아이덴티티의 회복이라는 문제와 관련하여 구원이라는 테마를 다루었다. 이 경우 자기 아이덴티티의 회복은 단순히 인본주의의 영역에 한정되기를 거부하고 신에 대한 강렬한 기대와 사랑의 창구를 열어 놓는다는 점에서 여타의 현대문학과의 현저한 차이를 노정한다. 신의 부재를 역설하는 현대문학의 풍토 속에서, '죽어가고 있는 신', '인간과 함께 고통받는 신', '인간에 의한 구원을 기다리고 있는 신'에게 끊임없이 신의 정의 대신 인간의 정의를 되묻는 독특한 비젤의 음성은, 신과 인간에 대한 전통적인 관점으로부터 빗대어 서서 – 때로는 등을 보이면서 – 우리로 하여금 다른 이야기에 귀기울일 것을 요청한다.

그렇다면 어떻게 인간이 '바로 저기에 매달려 죽어가고 있는 신'을 구원할 수 있을까? 그리하여 악과 고통의 기억에도 불구하고, 순진무구한 어린아이의 얼굴을 회복함으로써 인간 자신도 구원받을 수 있겠는가? 이제 비젤은 스스로에게 물었고 또한 신에게 집요하게 캐물었던 물음을 우리 모두에게 던지고 있다. 특별히 그는 이런 물음을 박해자나 희생자가 아닌 구경꾼들에게 묻고 있다. 이것이 곧 그가 뜻하는 '이야기'의 핵심적인 의미이다. 박해자나 희생자로서의 신과 인간이 아니라, 구경꾼으로서의 신과 인간을 무관심으로부터 구원하기, 이 것이야말로 '이야기'(문학)의 구원론적 의미이자 그 궁극적인 목표이기 때문이다.

24

아서 밀러의 극에 나타난 죄의식의 변화:
개인에서 사회와 신화로

| 김 강 |

I

　　1956년『다리로부터의 전망』(*A View From the Bridge*) 이후 이혼과 결혼, 그리고 반미활동위원회 조사와 재판 소송 등의 개인적인 시련을 겪으며 8년이라는 긴 공백을 가진 아서 밀러가 1964년 연극계에 다시 복귀했을 때, 그는 새로운 극적 주제와 목적을 지니고 있었다. 그는 초기 극에서 가정에 대한 이야기를 배경으로 하여 보다 큰 사회적, 정치적 이슈들을 제기하고 탐구했던 반면에, 그는 이제 개인적인 경험들 그 자체에 초점을 맞추고자 했다. 그의 특별한 주제는 죄지음(guilt) 혹은 죄의식(guiltiness)으로, 이는 어떤 추상적이거나 구체적인 도덕적 의무를 다하지 못했다는 인식, 따라서 스스로를 부적당하다거나 가치 없다는 점을 드러내려는 생각에 관한 것이었다. 이제 밀러는 인간이 죄의식에서 느끼는 고통을 극화하고, 그러한 고통을 완화하는데 도움이 되는 조언과 위로를 제공하는 쪽에 주의를 돌리게 되었다(Berkowitz 156).

　　진지한 예술가로서 아서 밀러는 그동안 본질적으로 변하지 않은 인간의 본성으로부터 기인하는 현대 삶의 근본적인 문제들에 대해 지대한 관심을 표명해

---

* 『문학과 종교』 제 5권 1호(2000)에 실렸던 논문임.

왔다. 이러한 문제 중에서 죄라고 불리는 조건은 아마도 그의 새로운 극적 목적에 부합하는 가장 흥미 있는 주제였다. 죄지음의 상태는 밀러에게 인간 삶의 심리적, 도덕적 그리고 신화적 양상들에 대한 내재적인 긴장감과 이원성을 제공하였다. 따라서 그는 인간 삶의 다른 양상들 보다 인간의 죄지음이라는 주제에 더 많은 관심을 갖게 되었다.

그리스 비극의 시대부터 비극적 행위의 패턴은 비극적 주인공이 자신의 잘못된 행위에 대해 느끼는 중요한 각성을 중심으로 이뤄진다는 점에 있어서 거의 획일적이었다. 밀러는 "비극은 자기 스스로를 공정하게 평가하려는 인간의 총체적인 충동의 결과"라고 주장한다(*American Theatre* 136-7). 따라서 죄라는 주제에 대한 밀러의 관심은 전통적인 것이라 할 수 있으며, 잘못된 행위와 그 결과라는 보편적 양상을 따르고 있다.

그러나 죄지음은 또한 유대-기독교적 문화의 유산이다. 그 죄의식은 신이 우주를 선함(goodness)과 아름다움, 그리고 조화와 완벽함(perfection)으로 창조하였으며 무질서를 야기한 자는 바로 인간이라는 믿음과 더불어 시작된다. 이른바 신의 은총으로부터 "타락(fall)"한 후에 인간들은 그들이 상실했던 완벽함을 아주 드물게 그리고 순간적으로 경험해왔다. 그러나 인간들은 대체로 자신들의 타락한 본성과 이로 말미암은 삶의 불완전함, 그리고 잔혹함에 대해서 잘 인식하고 있다. 이러한 인간 조건에 대한 책임이 자신 스스로에게 있다고 느끼는 것이 바로 인간의 죄의식의 시작이다. 이것이 바로 원죄(Original Sin)에 대한 생각이자, 인간의 계속되는 타락의 근원이 되는 셈이다. 밀러는 이러한 개념을 그의 후기 극들에서, 더욱 구체적으로는 『천지창조와 다른 일들』(*The Creation of the World and Other Business*, 1973)에서 고찰하고 있다.

이 원죄에 대한 개념은 밀러의 주된 문화적 유산이 되었다. 여기에 더해진 것은 죄의식의 "미국성"(Americanness), 즉 미국적 원죄 의식이다. 이 의식은 미국에 정착할 때부터 그 땅은 원래 지상 위에 두 번째 낙원인 새로운 에덴동산이고, 미국인은 태초의 아담과 이브의 순수함(innocence), 젊음 그리고 미를 구체화하고 있다는 믿음에서 비롯되었다. 달리 표현하자면, 미국인은 죄에서 자유로운 인류였다. 밀러는 이러한 배경을 바탕으로 죄의식에 대한 그의 견해를 신화의 차원에서 다루고 있다.

우리는 밀러의 작품들을 크게 세 그룹으로 분류함으로써 죄의식의 주제에 대한 그의 관심이 단계적으로 발전하는 과정을 살펴볼 수가 있다. 먼저, 첫 번째 그룹에 속하는『나의 모든 아들들』(*All My Sons*, 1947),『세일즈맨의 죽음』(*Death of a Salesman*, 1949),『다리로부터의 전망』(*A View from the Bridge*, 1955)에서 밀러는 인간의 잘못된 행위와 그에 필연적인 결과들을 보여주는 전통적인 접근방식을 취하고 있다. 죄의식의 제시에 대한 극적 호소는 주로 개인적이고 심리적인 측면에 의존하고 있다. 두 번째 그룹의 작품들은『시련』(*The Crucible*, 1953),『추락 이후』(*After the Fall*, 1964) 그리고『비시에서의 사건』(*Incident at Vichy*, 1965)이다. 이들 작품에서 밀러는 방향을 바꾸어 보편적 악의 존재와 세상의 악에 직면하여 본능적 그리고 도덕적 죄의식의 필요에 관한 문제를 다루고 있다. 개인적 죄지음과 이에 동반하는 죄의식에 대한 생각은 이제 이들 작품 속에서는 더 이상 중요한 문제가 아니다. 마지막으로『천지창조와 다른 일들』에서 밀러는 죄의 기원과 본성에 대해 인간 삶의 형이상학적 영역의 차원에서 고찰하고 있다.

II

밀러의 첫 번째 성공작인『나의 모든 아들들』은 과거로부터 현재에 스며들어 파괴하는 과거의 죄에 대한 입센식의 이야기다. 백만장자가 된 조 켈러(Joe Keller)는 그의 죄를 사회적, 경제적 성공 속에 감추어왔다. 그는 공장기업가로 이중의 범죄를 저지른다. 그는 전시 동안에 한 뭉치의 고장 난 실린더헤드를 정부에 팔았는데, 이 때문에 조종사 스물 한명이 죽게 된다. 나중에 그는 그의 무고한 매니저인 디버(Deever)에게 모든 비난을 돌린다. 디버는 여전히 감옥에 갇혀있고, 반면에 켈러는 한때 파산했지만 다시 부유한 사업가가 되었다. 등장인물들은 극의 스토리로부터 마지막 모든 아이러니와 암시적 의미를 끌어낼 수 있도록 세심하게 구별되어있다. 전쟁에서 전투에 참가하여 고통 받는 인물들은 전쟁에 가지 않고 뒤에 머물러 성공했던 다른 인물들과 대비적으로 묘사된다.

이 작품의 중심주제는 배반이다. 켈러는 사람이 사업을 할 때는 위험도 무릅써야 한다는 해묵은 주장으로 그가 사회를 배반하였음을 용케 숨겨왔다. 그러나 그의 실패는 개인적 차원을 반영했을 때 명백해진다(Wells 7). 작품 대부분에서 그의 죄는 그가 상당한 사회적 지위와 성공이라는 외관을 지니고 있기 때문에 여전히 사적인 것으로 남아있다. 그러나 헨릭 입센의 극에 잘 나타나있는 것처럼, 한 사람의 잘못된 행위의 실체를 간직하고 있는 과거는 필연적으로 현재에 투사된다. 바꿔 말하자면, 이것이 바로 죄의 전통적인 양상이며, 사람은 자신의 행위에 대한 결과로부터 결코 도피할 수 없다는 점을 명시해준다. 조 켈러의 경우에 그의 죄의식은 아들 래리(Larry)의 죽음에 대한 끊임없는 기억과 아들의 죽음이 자신의 회사가 공급한 결함이 있는 비행기 실린더헤드에 의해 비롯되었다는 사실의 폭로를 통해서 드러난다.

『다리로부터의 전망』도 또한 어찌할 수 없이 그러나 의식적으로 어두운 열정의 희생자가 되어 필연적으로 자신을 파괴하는 폭력을 분출함으로써 자신의 죄의식을 표현하는 한 남자를 묘사하고 있다. 밀러는 특별히 이 용납할 수 없는 그렇지만 억누를 수도 없는 열정이 지닌 파괴성에 많은 관심을 가지고 있었다. 그는 "열정은 온갖 종류의 경고에도 불구하고, 심지어는 한 개인의 도덕적 신념을 완전히 파괴함에도 불구하고, 그 개인을 파멸시킬 때 까지 그를 지배하기 위한 힘을 그치지 않는다"고 설명한다(Collected Plays 48). 에디(Eddie)의 도덕적, 심리적 죄의식의 양상은 그가 속한 공동체에서 뿐만 아니라 그의 가족으로부터의 점차적인 소외를 통해 명백하게 드러나고 있다. 이러한 맥락에서 조(Joe)의 자살과 에디의 거의 스스로 자초한 죽음은 "자기정화의 의식"(rites of self-purification, Gross 12)이자, (『세일즈맨의 죽음』에서 밀러가 반복적으로 사용한 패턴인) 자신들의 가족들과 그리고 일반 사회와 화해하려는 한 방법으로 볼 수 있다.

『세일즈맨의 죽음』에 나타난 죄의 외양은 전통적이지만, 더욱 복잡하고 심리적인 것이다. 윌리 로만(Willy Loman)은 조(Joe)보다도 훨씬 복잡한 인물이다. 윌리가 지닌 죄의식의 주된 근원은 성공의 꿈(sucess dream)의 실패에서 유래한다. 윌리의 "성공"에 대한 생각은 로만 가족의 모두의 삶을 지배하고 있다. 그는 성공이란 학교에서의 뛰어난 운동경력을 좋은 직장과 수많은 영향력 있는 친구들 그리고 감탄하는 이웃들에 둘러싸인 삶으로 이끌어주는 사다리라고 생각한다(Jacobson 45). 윌리는 성공에 대한 두 가지 낭만적인 이미지에 사로잡혀 있다. 하나는 그의 형 벤(Ben)이다. 그는 열일곱 살 때 정글에 들어가서 스물한 살에 부자가 되어 다시 나왔다. 다른 하나는 데이브 싱글맨(Dave Singleman)이라는 여든네 살 된 세일즈맨이다. 그는 여전히 인기가 많아서 삼십 여개의 어느 도시에서든 단지 호텔방에 머무르며 전화만 걸어대고서 편안하게 바이어가 그에게 찾아오기를 기다리기만 하면 되는 인물이다. 윌리는 그의 인생의 중심인 두 아들들이 오직 최고가 되기를 원한다. 그러나 성공 이미지에 몰입된 그는 자식들을 버릇없게 만들고, 그들의 정직하지 못함을 눈감아주며, 자식들을 향한 그의 야망으로 그들을 괴롭힌다.

환상에 사로잡힌 그의 긴 생애동안 윌리는 손쉬운 성공을 추구하기 위해 계속하여 잘못을 저지른다. 이는 그의 거창한 이야기들과 자식들의 도둑질, 거짓말과 같은 사소한 비행들을 그가 대수롭지 않게 받아들이는 태도를 통해서 나타난다. 이러한 잘못은 마침내 두 아들 비프(Biff)와 해피(Happy)의 인생을 파괴한다. 윌리의 성공에 대한 환상은 간단한 공식에 불과하다. 남자가 거창하게 말하고 과감한 성격을 지니고 있다면 세상을 정복할 수 있다고 그는 확신하고 있다. 그의 부인도 잘 알고 있는 것처럼 사실 윌리의 거창한 태도는 정작 사기일 뿐이다. 그는 실제로는 사회에서 별로 인정받지 못하는 볼품없는 소시민이고, 자신도 이를 깨닫고 있다. 그는 사기꾼이지만 끝까지 그러한 태도를 견지한다. 이것이 바로 그의 내적 고뇌이자 무모함, 그리고 죄의식의 주된 근원이다 (Popkin 233).

이와 같은 윌리의 죄의식은 자신이 결국 자식들을 망쳤다는 그의 자의식으로 확대된다. 그는 아들 비프에게 그가 세상의 최고이며, 새끼손가락만으로도 세상을 이길 수 있는 가장 특별한 멋쟁이 아도니스(Adonis)라는 생각을 부추겨왔다(*Death* 33). 그러나 수년 동안 그의 아들들이 현실에서 몰락해가는 모습을 지켜본 윌리의 심리적 부담감과 아들들의 실패에 대한 그의 책임감은 거의 견딜 수 상태에 이르게 된다.

극적인 면에서 작품의 마지막 장면에서 윌리와 비프 두 사람이 모두 진실을 깨닫게 된다는 점은 매우 만족할 만하다. 윌리는 깨달음 속에 자살하기 전 마당에 상징적인 씨앗을 뿌린다. 이는 그가 마지막에 무엇인가 가치 있는 일을 했다는 느낌을 그에게 제공한다. 비프가 진실을 깨닫는 장면은 더욱 구체적으로 표현되어 있다. "아버지! 나는 아무것도 아니에요. 그리고 아버지도 마찬가지죠!"(*Death* 132) 그리고 다시 한 번 "아버지, 무슨 일이 일어나기 전에 그 거짓 꿈을 태워 없애버리세요."(*Death* 133)라고 외친다.

『세일즈맨의 죽음』이 상연된 직후에 비평가들은 윌리가 그의 진실이나 혹은 그의 죄에 대해 어떤 의식을 가지고 있었는지에 대해 논쟁한 바 있다. 다시 말해서, 윌리가 과연 비극적 인물에 합당한 인물인지에 대한 논의였다. 밀러 자신의 입장은 비교적 옹호적인 것으로 윌리의 죄의식이 다분히 자의적인 성질을 지니고 있다고 언급했다.

> 만약 윌리가 그를 지탱해왔던 가치들로부터 자신이 단절되었다는 것을 깨닫지 못했다면, 아마도 일요일 오후 라디오에서 흘러나오는 야구 중계를 들으면서 자신의 차를 광내던 중에 느긋하게 죽었을 것이다. 그러나 그는 자신이 잘못된 상태에 빠져 있다는 깨달음으로 고뇌한다. 그가 신뢰했던 모든 것에서 오는 공허감으로 끊임없이 시달렸다. 요컨대 그는 그의 영혼을 다시 채우던지 아니면 자유롭게 놓아주어야 한다는 것을 잘 알고 있었기에, 그는 결국 자신의 목숨을 걸어야했다. 윌리가 자신의 상황을 지적인 말로 유창하게 표현하지 못했다고 해서 그가 깨달음이 부족하다고 말할 수는 없을 것이다. . . (*Introduction to Collected Plays* 7)

그러나 이러한 의미를 고려하여 작품을 살펴볼 때, 우리는 한 문제점에 마주치게 된다. 밀러의 유명한 에세이 "보통사람과 비극"("Tragedy and the Common Man," *New York Times*, Feb. 27, 1949)은 위에서 인용했던 구절들과는 사뭇 다른 내용과 초점을 제시하고 있기 때문이다. 혹자는 이 경우 밀러의 에세이와 『세일즈맨의 죽음』은 모두 1949년에 쓰였기 때문에 이 작품이 에세이에 표현된 그의 생각들에 대한 모델이 될 수 있다고 결론짓고 싶을 것이다. 따라서 그의 에세이에서 밀러가 인간의 죄의식에 대한 심리적인 양상들을 완전히 무시하고 인간적 가치들을 철저하게 경시한 채 그의 비극적 주인공을 전적으로 자본주의 사회의 희생자로 취급하려했다는 점을 발견하기는 그리 쉬운 일이 아니다 (Gascoigne 178). 다시 말하자면, 밀러는 "오렌지 껍질"(orange peel) 이론을 강조한다. 작품에서도 이에 대한 구체적 근거를 찾을 수 있다. "당신은 오렌지 알맹이만 까먹고 그 껍질은 내던질 수는 없을 것이요 – 사람은 과일 조각이 아니거든!"(*Death* 82). 밀러는 『회곡선집』(*Collected Plays*) 서문에서처럼 다른 곳에서도 윌리가 자신의 "추락(fall)"에 대한 개인적 책임감과 필연적인 깨달음, 그리고 죄의식을 지니고 있다는 점을 인정하고 있지만, 이 에세이에서 그는 악과 인간 파멸의 원인을 오직 인간의 환경 속에서 탐색하고 있다. 따라서 혹자는 에세이에 제시된 밀러의 견해들을 구체적으로 『세일즈맨의 죽음』에 적용하려는 어떠한 시도도 필연적으로 혼란을 초래할 것이고, 따라서 극의 깊이와 의미를 감소시킬 수 있다고 말할 수도 있을 것이다.

그러나 그는 에세이에 나타난 자신의 생각들을 계속 유지하고 더욱 강화한 것처럼 보인다. 왜냐하면 이후의 극들에서 밀러는 사회악과 그 악의 존속에 대한 인간의 직간접적인 책임에 관해 더욱 관심을 드러내고 있기 때문이다.

III

『시련』에서 우리는 이제 밀러가 다른 종류의 잘못된 행위와 그것으로 말미암은 죄의식에 관심을 갖기 시작했음을 볼 수 있다. 그는 초기 극들에서 죄에 대한 동정적인 이해를 구하기 위해 인간을 나약하고 불완전한 존재로 묘사하였다. 이러한 맥락에서 보자면, 『시련』 역시 주인공 존 프록터(John Proctor)가 하녀 에비게일(Abigail)을 유혹했다는 도덕적 결함으로 인한 개인적 죄라는 주제를 다루고 있다. 이러한 개인적인 죄의식의 발전과 해결은 비록 극적으로는 만족할 만한 것이지만 이 작품의 주된 관심사는 아니다.

『시련』에서 중요한 상황은 사회적 선으로 위장하여 관례적으로 행해지는 보편적 악과 비행에 관한 것이다. 이것은 개인의 억압과 마녀사냥이라는 악이며, 이 때문에 다수의 죄 없는 개인들이 희생된다. 그렇다면 만약 사회 전체가 불의의 행위에 연루되어 있다면, 그 죄는 과연 누구의 것인가 그리고 그러한 상황에서 지각 있는 개인의 책임은 무엇인가에 대해 물을 수 있을 것이다. 대개는 분노를 소극적으로 표현하고, 이것은 죄의식과 개인의 책임을 가리는 방패가 된다.

『희곡선집』의 서문에서 밀러는 『시련』이 쓰여 졌던 상황에 대해 언급하고 있다. 1950년대 매카시즘(McCarthyism)의 출현은 미국 사회 전역에 두려움과 의심의 분위기를 조성했고, 대부분의 악의 없는 사람들은 침묵으로 동조했다. 이러한 관점에서 살렘 마녀 재판(Salem witch-trials)이라는 역사적 사건은 동시대 삶의 알레고리가 된다.

> 그러나 『시련』에서 현대의 죄, 즉 인격을 말살하는 죄를 파헤치고 폭로하는 것 이상의 시도를 하였다. 나는 과거 작품을 통하여 이 주제에 대해 많은 변화를 거쳤기 때문에, 지난날처럼 죄의식을 폭로하는 극을 쓰면서 그 대가를 치러야 하는 죄인의 운명에 전적으로 의존한다는 것이 나에게 더 이상 충분치 않다는 것을 깨닫게 되었다. 이제 내게 죄의식은 더 이상 탐사봉이 뚫을 수 없는 지하의 암반이 아니었다. 나는 지금은 죄의식을 일종의 배반적인 것, 즉 우리의 환상들을 가장 현실적으로 만들어 줄 수 있지만 언제나 전복될 수 마음의 본질로 보게 되었다. (Collected Plays 14)

이 작품은 1950년대 초반 미국사회에 논쟁적 이슈였던 조셉 매카시(Joseph McCarthy) 상원의원이 주도한 이른바 '반미 공산주의자 전복활동' 수사에 대해 다루고 있다. 밀러는 그 같은 정치적 행위에 대한 비난을 1692년 매사추세츠 살렘에서 행해진 똑같이 악명을 떨쳤던 마녀사냥에 대한 이야기로 교묘하게 위장하고 있다. 이 작품의 배경은 매사추세츠 식민지지만 두 사건간의 유추는 너무나 분명하다. 정부는 퓨리탄 신권정치체(theocracy)고, 검사는 댄포스(Danforth) 부지사이며, 공산주의 전복자들은 평범한 마을주민들로 위장한 사탄의 대리자들인 셈이다.

사회적 악이라는 죄의 문제에 관하여 밀러가 『시련』에서 함축적으로 제기된 몇 가지 문제들은 적어도 『비시에서의 사건』에 이르러서야 분명하게 풀리게 된다. 그러나 『시련』에서 보여준 광범위한 악에 대한 묘사는 다음의 두 가지 의미를 우선 제공한다. 첫째, 그러한 악에 참가하는 것은 일반적으로 타인에 대한 독선적인 고발을 은폐하는 죄의식의 표현이다. "어떤 남자가 마사 코리

(Martha Corey)가 밤에 그의 침실로 들어와 부인이 옆에서 자고 있는 데도 가슴 위로 엎드려 그를 거의 질식시켰다고 말하는 것이 어느 날부터인가 갑자기 가능해지고 또한 애국적이며 성스러운 것으로 여겨지게 되었다. 이러한 의미에서 죄의식은 카타르시스적인 동인으로서 또는 고백을 통한 정화의 수단으로서 기능하고 있다"(Moss 40). 둘째, 한 공동체의 누적되고 무의식적인 죄의식은 다양한 형태의 폭력과 억압으로 분출된다. 보통 이러한 폭력은 희생양을 찾게 되고, 그 희생양에 대한 번죄 의식(ritualistic sacrificing)은 개인 자신이 지닌 악의 배출과 정화에 도움이 된다.

죄의식에 대한 밀러의 입장은 『추락 이후』에서도 근본적으로 동일하게 유지되고 있다. 이 극은 밀러의 작품 중에서 가장 복잡한 극으로 간주될 수 있을 것이다. 그 이유는 모든 극적 행위가 주인공의 마음속에서 일어나고 있고, 또한 밀러가 이극을 그가 초기 작품들에서 제기했던 주요 관심사와 관련시키고 있기 때문이다. 예를 들면 『추락 이후』는 아버지와 두 아들의 관계라는 평범한 이야기를 다시 반복하고 있지만, 그 관계는 전적으로 배경으로만 제시된다(Moss 57). 극의 초점은 변호사인 작은아들 퀜틴(Quentin)에 맞추어져 있다. 그의 비참했던 어린 시절과 두 번의 결혼 실패는 이제 세 번째로 결혼하려는 그의 결심을 ―이 같은 극적 배경 때문에 이 작품은 밀러의 자서전적 내용이 가장 강렬하게 드러난 극으로 간주되고 있다(Stanton 159)― 가로막고 있다. 극의 마지막 부분에서 자기 자신과 죄에 대한 모든 심리적 분석의 과정을 거친 다음에야 퀜틴은 비로소 홀가(Holga)와 결혼하기로 결심한다(Moss 67).

퀜틴은 영원히 심리적, 도덕적으로 미숙아가 되는 것으로부터 자신을 구하기 위하여 불안정한 가족상황으로부터 도피했다. 그는 성장해야만 했다. 그러나 자신의 가족이 저지른 악과 이로 인한 실패를 알게 된 후에 퀜틴은 타인의 결점에 대해 죄의식을 느끼게 된다. 극의 초반에 퀜틴은 리스너(Listener)에게 자신이 이기적이며 독선적으로 살아왔다고 고백한다. 또한 전 부인인 루이즈(Louise)와 매기(Maggy)는 퀜틴이 자신들의 행동을 심하게 판가름했다고 비난한다. 그러나 퀜틴은 마치 "비어있는 재판관석 앞에서 벌이는 존재에 대한 이 무의미한 소송"처럼 지금 자신의 독선에 대한 아무런 종교적 혹은 윤리적인 제재가 없다는 인식에 이르게 되고, 잇따르는 고뇌 후에는 그는 더욱 더 현실적인 차원에서 관계를 맺으려 노력한다. 루이즈와 매기와의 깊고 강렬한 관계를 통하여 퀜틴은, 만약 어떻게든 심판을 내려야 한다면, 타인보다는 자신의 결점에 대한 인식의 범위 안에서 내려야만 한다는 점을 뼈저리게 깨닫게 된다. 이러한 깨달음을 겪은 후 그는 다른 사람도 자신의 본보기를 따르기를 원한다. 그는 루이즈와 매기에게 그들의 이기심에 대하여 조금이라도 죄의식을 느끼도록 간청한다. 그러나 이 같은 호소는 소용이 없고, 퀜틴은 자신의 죄의식만으로 혼자가 된다.

자신의 이기주의, 잔인함, 그리고 사악함에 대한 퀜틴의 자기 인식이 그가 죄의식을 느끼게 되는 주된 원인이라는 점은 이미 암시한 바 있다. 이를 단순히 강조하는 것은 퀜틴의 딜레마를 선과 악이라는 진부한 종교적 대립으로 바꿔 놓을 우려가 있을 것이다. 퀜틴의 죄의식의 원인은 훨씬 복잡하고, 심리적이며 동시에 사회적인 것이다. 이 죄의식은 그의 어머니의 기대에서 비롯되었다. 그녀는 퀜틴이 "하늘의 특별한 운을 타고" 태어났기 때문에 특별한 사람이 되어야 한다고 생각했다. 가족의 경제적 붕괴는 어린 시절 그에게 사람은 보통 견딜 수 있는 것보다 훨씬 더 무거운 책임감을 어깨에 져야 한다는 점을 가르쳐주었다.

그의 두 전 부인들과 관련하여, 퀜틴은 그들의 사랑이 소멸되었다는 죄의식을 갖는다. 또한 루이즈와 매기가 늙어가기 때문에 죄스러워하고, 결국에는 모든 인간들의 사악함과 불완전함 때문에 죄를 느끼며 괴로워한다. 극에서 나치 강제수용소(concentration camp)의 감시탑은 퀜틴이 죄의식을 느끼는 바로 그 순간에, 그것이 어떤 의미에서는 죄의 보편적 상징이라는 것을 보여주기 위해서 불을 비춘다(Stanton 170). 그러나 퀜틴에게 있어서 루이즈와 매기와의 긴박한 관계는 개인적인 결심을 필요로 한다. 따라서 그는 루이즈, 매기 그리고 홀가 세 여자와 교제하면서 그의 죄의식으로부터 벗어나고 평화와 불변성, 그리고 사랑을 추구하기 위해 계속해서 노력한다. 그러나 퀜틴은 자기 자신을 항상 죄 지은자로 보고 있기 때문에, 그는 먼저 루이즈를 그리고 다음으로 매기를 죄 없는 순수함과 관련짓는다. 아이러니컬하게도, 이 두 여인들은 점차적으로 퀜틴이 그들에게 요구한 역할들을 받아들인다. 즉, 그들은 퀜틴을 모질게 심판하고, 그의 실패들을 더욱 심각하게 여기기 시작한다.

『추락 이후』는 그가 '영원히 심판받는 존재'라는 사실과 이미 상실한 것으로 여기고 있는 고상한 순수함에 맞서는 퀜틴의 최종적인 저항에 관한 이야기이다. "만약 내가 죄를 보게 된다면, 왜 그것이 나의 내부에 있는 것인지"에 대해 그는 스스로에게 묻는다. 그는 단순한 겉치레를 위해 그의 진실을 포기할 수 없기 때문에 말하자면, 그에게 기대되는 이미지에 맞서서 자연인이 될 수밖에 없기 때문에 그는 거짓(falsehood)으로 고발당한다. 결국 인간을 재판하기 위한 편파적인 이상들을 정해놓은 모든 질서에 대한 퀜틴의 거부는 "나는 가짜 순수함으로 가득 찬 저 모든 고관대작들을 저주하노라"와 같은 말로 표현 된다.

바로 이 순간 순수함과 완벽함은 정치적 순수 또는 의로움과 동일한 것이 되고, 퀜틴은 이것들을 가짜로 간주한다. 극의 이러한 측면을 통하여 밀러는 진보적이며 독립적인 사람들을 심문하려는 정치적 도덕가들의 권리에 문제를 제기하고, 그들의 진실성에 의심을 드리운다. 따라서 퀜틴의 정치적이며 개인적인 경험은 에덴으로부터의 추락이라는 원형에서 비롯된 근본적인 사실에 대한 관심을 유도하고 있는 것처럼 보인다. 이는 바로 완전한 순수함의 상태는 비현실적인 것이며, 삶의 요구에 모순되는 것이라는 점이다(Trowbridge 126).

순수함이라는 이상에 대한 거부는 자연적 또는 "추락한" 인간에 대한 인식, 즉 죄와 수치심으로부터 자유로운 인식을 간절히 바라고 있음을 암시한다. 퀜틴은 이 같은 깨달음에 이르게 되고, 홀가를 통하여 세계 대전과 나치 강제수용소라는 인간의 순수하지 못한 유산을 보게 되었기에 그는 사랑과 이해가 가득한 새로운 관계를 희망한다. 성공할 것이라는 확신은 없지만, 이러한 관계는 실제적이고 굳건한 것이 될 것이다. 왜냐하면 그는 "우리가[두 사람이] 에덴을 거짓되게 꾸미고 있는 밀랍 과일과 그림 나무들로 채워진 어떤 정원에서가 아니고, 그 후에, 추락 후에, 많은 죽음들 후에 . . . 축복받지 못한 채 만난 것을 오히려 행복하게 여기고" 있기 때문이다. 희망의 어조는 명백하지만 완벽함, 권위, 그리고 순수함과 같은 전통적 가치들의 재평가를 받아야 할 것이다.

"세상의 악에 대한 우리의 죄"라는 글("Our Guilt for the World's Evil," *New*

York Times, Jan. 3, 1965)에서 밀러는 폰 베르그(Von Berg)가 최종 결심을 내리기 전에 그의 마음속에 깃들었던 생각에 관하여 상세한 설명을 한 바 있다. 비록 밀러의 설명은 폰 베르그의 동기를 극적으로 보여주지 못하는 작품의 단점을 상쇄하지는 못했지만, 죄의식과 보편적 악이라는 주제에 관한 밀러의 사고를 이해할 수 있는 중요한 식견을 제공하고 있다:

> 그가 여기서 어떤 참사도 목격하지 못했다는 것은 그에게 정말로 놀라운 일이다. 그가 오래전부터 알고 있었던 것처럼, 금지된 것은 더 이상 아무것도 없다. 이곳에서 그가 발견한 것은 그가 경멸하는 세력들과 자발적으로 공모했고, 실제로는 나치이자 압제자인 사촌을 향해 대물린 사랑을 키웠으며, 요컨대 전에는 일반적인 죄라고 여겼던 것, 즉 결국 그는 유태인이 아니기에 죽지 않을 것이라는 그 자신의 은밀한 기쁨과 안도감에 대한 구체적인 이유를 알게 된 것이다. ("Our Guilt" 11)

이 에세이에 나타난 다소 상세하고 복잡한 밀러의 생각들을 다음의 몇 가지 결론으로 보다 명확하게 설명할 수 있을 것이다. 첫째, 만약 인간이 죄의식이라는 자극을 통하여 책임감을 갖게 되거나 긍정적인 행동하게 된다면, 그 죄의식은 유익하다는 것이다. 물론 이러한 종류의 노력은 언제나 희생을 필요로 할 것이다. 둘째, 만약 죄의식이 책임감으로 바꿔지지 않는다면 – 말하자면, 죄의식을 느낀 후에도 스스로를 개선하려는 능동적인 통로(active path)가 열리지 않는다면 – 그것은 그 자체로 '도덕성'이 된다. 즉, 죄의식은 사람에 내재된 악에 대한 방패가 된다. 셋째, 죄의식은 또한 선행에 대한 방해물이 된다. 죄의식은 사람에게 스스로가 '나쁘다'라고 생각하게 함으로써, 사람이 '선하게 되는 것'을 오히려 방해한다. 죄의식은 인간이 타고난 미덕을 발휘하여 악에 맞서고 선을 옹호하는 자세를 약화시킨다.

이처럼 다소 정교하게 표현된 인간의 죄의식에 대한 생각이 내포하는 순수성과 숭고함을 인식하는 것은 그리 어려운 일이 아니다. 밀러는 앞서 언급했던 인용문에서처럼, 그의 에세이를 통하여 매우 강력하게 제기했던 생각을 이 작품에서도 강조한다. 그러나 문제는 밀러가 『비시에서의 사건』에서 이 같은 생각을 적절한 극적 형태로 만들지 못하고 있다는데 있다. 필자는 이미 앞에서 폰 베르그가 자신이 나치라는 악과 스스로 "공모"했다는 것에 대한 인식과 이를 뒤따르는 "영웅적(heroic)" 행위가 극적으로 설득력이 없다는 점을 언급한 바 있다. 만약 폰 베르그가 정신적이며 도덕적인 각성을 경험하게 된다면, 우리가 그러한 점을 극적인 형태로 충분히 인지할 수 있도록 객관화하기는 어려울 것이다. 아마도 밀러가 만일 이 스토리를 장막극으로 확대하여 폰 베르그의 배경과 개인적 삶에 대하여 더 많은 정보를 제공했었다면, 우리는 그의 행동의 동기들을 극적으로 살펴볼 수 있었을 것이다. 달리 말하자면, 폰 베르그는 충분하게 실제화 된 인물이 아닌 셈이다.

밀러는 한 인터뷰에서 작품의 이 같은 해석을 뒷받침하는 주장을 내놓는다. "예를 들면, 『비시에서의 사건』에서 나는 심리적인 유형들을 묘사하려 하지 않았다. 사실, 나는 등장인물들에게서 심리적인 측면들을 제외하기 위하여 모든 시도를 하였다. 등장인물들은 사회적 역할을 지니고 있었다. 따라서 나는 그들이 어떤 욕망을 가지고 있었는지에 대해서는 별 관심을 두지 않았다("Writing Plays" 37). 바로 이러한 점이 정확하게 이 작품이 극적 성격묘사에 실패한 원인으로 보인다. 혹자는 밀러가 극의 현재의 외형에 비해서 아마도 너무 거대한 자신의 생각에 필요한 적절한 성격묘사와 적당한 극적 형태를 제공할 수 없었기 때문에 『비시에서의 사건』이 문제점을 갖게 되었다고 결론짓고 싶을 것이다.

일반적으로 말하자면, 한 극작가가 어떤 생각을 취급하려할 때, 그것이 얼마나 거대한 것인가에 상관없이, 극작가가 당면한 환경에 처해있는 인지할 수 있고 그럴 듯한 개인들의 차원에서 자신의 생각을 묘사한다면 『시련』과 『몰락 이후』의 경우에서처럼 충분히 가능할 것이다. 밀러는 『대가』(The Price, 1968)에서 이 같은 점에 어느 정도는 성공하고 있다. 이 작품에서 밀러는 또다시 죄의식의 근원에 대해 탐구하며, 모든 사람이 잘못된 일에 대한 책임감을 가져야 한다고 시사한다. 그러나 이 같은 생각은 긴밀한 가족 상황에 대한 극적인 묘사를 통해서 엄밀하게 표현되고 있다. 형제간인 빅터(Victor)와 월터(Walter)는 아버지가 죽은 지 한참 후에 그에 대해 가차 없이 비판한다. 퇴직을 앞두고 있는 경찰관 고참인 빅터는 그의 아버지가 자신을 착취하고 이용하였으며, 나이든 아버지 자신을 부양하기 위해 자신이 대학 교육을 받지 못했음을 알게 된다. 사실 아버지는 충분한 돈이 있었으며, 그 돈으로 빅터를 대학에 보낼 수 있었던 것이다. 그러나 조 켈러의 결연한 죄의식과는 다르게『대가』에서 아버지의 죄의식은 뚜렷하게 드러나지 않는다. 다른 아들인 월터는 자신의 이기심에 대한 죄책감을 가지고 있고, 빅터는 질투심이 강하고 자신의 실패를 남의 탓으로 비난하는 경향이 있는 것으로 제시되고 있다.

여기서 밀러는 과거『나의 모든 아들들』과『세일즈맨의 죽음』에 나타난 유사한 상황에 대한 취급으로부터 보다 명백하게 확대된 태도를 견지하고 있다. 죄와 나약함 그리고 실패는 보편적인 것이다. 빅터와 월터, 그들의 아버지는 조와 윌리와 마찬가지로 모두 극심한 생존경쟁 사회의 희생자들이다. 이러한 맥락에서 우리는 과연 그 사회는 이들 인물들의 실패에 대한 책임이 없으며, 무죄한 지에 대해서 물을 수 있을 것이다. 만약 죄에 대한 책임이 사회에 있다면, 그들의 죄는 어느 정도는 모든 사람들이 범할 수 있는 보편적 죄인 것이다.

IV

『천지창조와 다른 일들』에서 밀러는 죄의식과 책임에 대한 그의 기본적 관심은 변화하지 않은 채 그대로 유지하고 있지만 에덴동산이라는 신화의 세계로 우리를 이끌어간다. 밀러는 이미 "패턴들과 원형들을 인식할 수 있을 정도로 삶에 대해 충분하게 관찰해왔다"("Writing Plays" 37)고 말하며, 그는 더 이상 인간을 현실적으로 묘사하는 것에 관심이 없다고 선언한 바 있다. 실제로 밀러는 그의 이전에 취급했던 인물들 모두가 신화적이거나 유형적인 이물들이었다고 말해왔다. 이제 밀러는 창조의 행위 그 자체가 무엇인가 잘못되었고, 그 결과 중의 하나가 바로 인간의 죄의식이자 고통이라는 점을 제시하려 한다. 그가 이전에 표현했던 개인적이고 보편적인 모든 다양한 형태의 죄의식은 이 같은 신화의 형식으로 구체화된다.

밀러는 이 극에서 창세기(Genesis)로부터 아버지(Adam), 그의 부인(Eve), 서로 닮지 않은 두 명의 자식들인 카인(Cain)과 아벨(Abel), 그리고 가장 위대한 사탄 루시퍼(Lucifer)로 이뤄진 가족을 구성한다. 서로 충돌하는 가치는『대가』에서처럼 형제들에 의해서, 혹은『나의 모든 아들들』,『세일즈맨의 죽음』에서와 같이 아버지와 아들에 의해서가 아니라 논평자(the commentator)와 아버지의 아버지(the father's father)인 신(God)에 의해서 마치 월터와 빅터, 켈러와 크리스, 마녀 사냥꾼들과 존 프록터, 알피에리(Alfieri)와 에디, 혹은 레덕(Leduc)과 폰 베르그 사이에 벌어지는 검사-변호사 간의 상호격론과 흡사한 법정 논쟁의 형식을 통해서 논의된다. 각 논쟁자는 자신의 입장을 극단적으로 주장 한다. 즉, 현실주의와 이상주의, 생존 혹은 성공과 존경 혹은 사랑, 환멸로 인한 분리와 순수한 믿음이라는 이원적 원리들이 서로 대립한다.

다른 극들에서는, 소수의 인물들이, 알피에리의 표현을 빌자면 "절반의 해결"(settle for half)을 거부하고, 적어도 잠정적으로나마 이들 이원성의—예를 들면, 퀜틴은 이론적으로, 폰 베르그와 레덕은 협력적인 행동으로, 그리고 솔로몬(Solomon)은 그의 인격의 힘을 빌어서—차이를 중재하려한다. 더욱 흔하게는, 크리스와 조 켈러, 게이(Gay)와 로슬린(Roslym), 거스(Gus)와 케네스(Kenneth), 혹은 비프와 밀러의 가장 복잡한 실패자인 윌리처럼—두 사람 모두 벤처럼 현실적 삶을 이상화하고, 데이브 싱글맨처럼 근심어린 삶을 합리화 한다—연약한 개인들은 삶의 이원성을 극복하기 위해 노력하지만 실패한다. 그러나 『천지창조와 다른 일들』에서는 실패에 대한 동정이나 제한적인 성공에 대한 예증적 토론은 밀러의 주요한 대항자들 사이에 더 이상 존재하지 않는다 (Moss 88).

『천지창조와 다른 일들』의 개막 장면은 동물처럼 살고 있는 아담과 이브를 보여준다. 그들이 이른바 완벽한 삶에 대해 표면적으로 만족하고 있지만, 그들은 스스로의 마음과 생각이 없는 자동인형에 불과하다. 때때로 그들은 신의 위대성에 대하여, 그리고 신이 행한 창조의 완벽함에 대하여 커다란 감사를 표명한다. 다른 어떤 것보다도 이른바 완벽함은 아담과 이브의 "순수함"(innocence)으로 구체화된다. 이것이 바로 그들이 금지된 과일을 먹지 않는 까닭이다. 그러나 신은 염려한다. 그의 창조에 결함이 있다는 것을 알게 된다. 그것은 바로 아담과 이브가 번식하기로 예정되어 있다는 점이다. 그러나 그들은 그 순수함 때문에 번식할 수가 없다. 따라서 아이러니컬하게도, 신의 완벽함이 최고로 발현된 순수함이 그의 창조의 주된 결함이 된 것이다.

이러한 국면에서, 루시퍼는 신의 완벽함에 대한 자의식으로 등장한다. 그는 "당신이 저 아래에서 순수한 것들을 좀 숨아내야 할 텐데"라고 말하거나 "저 아래 세상의 문제는 당신이 너무 완벽하게 만들어 놓았다는 것이요"라고 부추긴다. 그러나 신은 인간들에게 지식을 주지 못하는 다른 이유가 있기에 여전히 완고하다. 신은 "그들이 더 많이 알게 될수록, 나를 덜 필요로 하겠지"라고 속내를 밝힌다. 그리하여 자신의 이익에 자극된 신은 아담과 이브가 지식을 갖게 되는 것을 거부한다. 이브를 유혹하여 신의 창조를 완벽한 것으로 만들기 위해서 신의 명령을 따르지 않겠다는 루시퍼의 결정은 사악한 행위와는 거리가 멀다. 그의 의도는 오히려 신의 목적을 달성하고 인간을 완전하게 만들려는 것이다.

창조에 대한 이 같은 혼란한 배경 속에 아담과 이브는 마침내 사과를 먹게 된다. 그들은 부끄러움을 느끼게 되고, 그들의 존재에 대해 질문하고, 자신들의 불복종에 대해 죄의식을 느끼게 된다. 원죄가 인간 죄의식의 주요한 근원이 된 것이다. 여기서 밀러는 인간에게 그 막대한 책임을 지우려는 것처럼 보이지는 않는다. 밀러가 그러한 상황에 대한 희극적 가능성을 탐구하려했다는 것은 충분히 가능한 일이다. 그러나 이러한 점은 그의 죄의식의 추구에 대한 문화적 배경을 고찰하는 밀러의 진지함을 전혀 손상시키지 않는다.

이 고차원적인 음모의 결과는 이제 아담과 이브가 무력하고, 자신들의 통제를 넘어선 힘에 의해서 조종되는 존재가 되었다는 사실이다. 그들의 죄의식은 오로지 그들의 추락에 대해서 끊임없이 상기하는 것이다. 가장 종교적인 인물인 카인은 가장 죄의식을 느끼고 후회하는 마음을 갖는다. 아담의 가족에게 있어서 죄의식의 한 가지 중요한 양상은 죽음에 대한 깨달음이다. 죽음은 신이 그들에게 신이 내린 저주의 일부분이다. 따라서 신을 노여움을 달래기 위해 생명과 순수함을 되돌려주고 죽음을 쫓아달라는 카인의 기도는 죄의식을 떨쳐버리려는 인간의 필사적인 노력의 증거가 된다. 루시퍼는 논평은 적절하다. "저 노인네 정말로 천재야. 죽음이라는 꿈 한방으로 모두를 죄인들로 만들어버렸으니 말이야!" 루시퍼의 신과의 갈등은 요약하면 다음과 같다. 죄의식을 통하여 신은 자신에 대한 존경과 경외심을 인류에게 영속시킬 것이다. 루시퍼는 신을 '죄의 아버지'(Father guilt)라고 부른다. 그리고 자신이 신에 맞서는 존재라는 기세뿐

만 아니라, 자신의 행위가 프로메테우스(Prometheus)의 그것과는 전혀 다른 인
도주의적 동기(humanitarian motive)에서 비롯되었다는 점에 의해서 고무된 루
시퍼는 인류가 잘못된 행위와 죄에 대한 의식으로부터 벗어나기를 기원한다.

최종적으로, 밀러의 연극 세계에 대해 다음 두 가지 점을 강조할 수 있다.
밀러의 기존 입장 모두를 아우르는 하나의 분명한 결론은 인간은 결코 완벽하
지 않으며, 심지어는 신조차 그러하다는 것이다. 따라서 우리 인간의 일반적인
결함에 대한 완벽함을 요구하는 것은 우리의 죄와 이에 대한 이해를 공유하도
록 이끌 것이다. 이는 결국 인간이 신이라고 부르는 존재를 포함해서 그 자신의
한계 밖에 있는 힘에 의해 통제되는 존재라는 점을 고려함과 동시에, 우리에게
더욱 위대한 인간성과 동료의식에 필요한 상호이해를 생성하게 할 것이다. 나
아가 우리 인간은 소극적 무관심이라는 거짓된 안정 속에 안주할 것이 아니라
이 지구상의 어느 장소, 어느 사회에서 행해지는 불의에 대한 책임과 그 죄에
대해 자각해야 한다. 이러한 각성이야말로 인간으로 하여금 보다 적극적인 행
위를 진작케 함으로써 영웅적인 성장을 거듭하게 할 것이다. 아서 밀러의 극에
나타난 인간의 궁극적 관심으로서 죄의식은 인간의 행위를 억제하는 장치가 아
닌 인간의 한계에 대한 이해의 영역을 넓히고, 그 극복의 대안을 제시하고 있음
이다.

✒ 인용문헌

Berkowitz, Gerald M. *American Drama of the Twentieth Century*. New York: Longman, 1992.

Bigsby, C. W. E. "The Fall and After: Arthur Miller's Confession." *Modern Drama* (Sep. 1967): 124-36.

Corrigan, Robert W., ed. *Arthur Miller: A Collection of Critical Essays*. Englewood Cliffs, N. J.: Prentice-Hall, 1969.

Gascoign, Bamber. *Twentieth-Century Drama*. London: Hutchinson & Co Ltd, 1974.

Gross, Barry. "All My Sons and the Larger Context." *Critical Essays on Arthur Miller*.

ED. James J. Martine. Boston, Ma.: G. K. Hall & Co, 1979: 10-20.

Kushner, Tony, ed. *Arthur Miller: Collected Plays* 1944-1961. New York: Library of America, 2006.

Miller, Arthur. *Death of a Salesman*. New York: Viking Press, 1973.

_____. "Writing Plays" *The Theater Essays of Arthur Miller*. Ed. Robert A. Martin. New York: Viking Press, 1978: 25-41.

_____. "Our Guilt for the World's Evil." *New York Times*, Jan. 3, 1965, Sec. VI, 10-11.

_____. "Tragedy and the Common Man." *New York Times*, Feb. 27, 1949, Sec. II, 1-3.

Moss, Leonard. *Arthur Miller*. Boston: Twayne Publishers, 1980.

Mottram, Eric. "Arthur Miller: the Development of a Political Dramatist in America." *American Theatre*. Ed. J. R. Brown & B. Harris. London: Edward Arnold Publishers, 1967: 127-162.

Popkin, Henry. "Arthur Miller: The Strange Encounter." *American Drama and Its Critics: A Collection of Critical Essays*. Ed. Allan S. Downer. Chicago: U of Chicago P, 1975: 218-239.

Stanton, Stephen S. "Pessimism in After the Fall" *Arthur Miller: New Perspectives*. Ed. Robert A. Martin. Englewood Cliffs, N. J.: Prentice-Hall, 1982: 159-172.

Trowbridge, Clinton W. "Arthur Miller: Between Pathos and Tragedy." *Critical Essays on Arthur Miller*. Ed. James J. Martine. Boston, Ma.: G. K. Hall & Co, 1979: 125-136.

Wells, Arvin. "The Living and the Dead in All My Sons." *Critical Essays on Arthur Miller*. Ed. James J. Martine. Boston, Ma.: G. K. Hall & Co, 1979: 5-9.

제6부

유럽권 문학과 종교

모파상의 『삼종기도』 속에 나타난 신의 개념의 일탈 연구: 신의 사악성

| 류재한 |

I. 서론

기 드 모파상 (Guy de Maupassant)의 작품을 접하는 독자는 누구나 많은 작중 인물들의 신에 대한 부정적이고 일탈된 사고에 놀라게 된다. 바로 그 순간 독자는 모파상이 혹시 무신론자가 아닌가하는 의문을 제기할 수 있다. 하지만 그는 신을 부정하지는 않는다. 다만 작가는 신을 혼돈과 무질서, 파괴 특히 생명 파괴의 '사악한' 주재자로 제시한다.

우리가 분석의 자료체로 선택한 모파상의 미완의 소설 『삼종기도』 (L'Angélus)는 모파상이 생각하고 있는 '사악한' 신의 속성과 일탈된 신의 개념을 확연히 드러내주고 있다. 신에 대한 부정적이고 일탈된 사고의 집적이라 할 수 있는 이 작품의 마지막 장은 신을 다음과 같이 묘사하고 있다. 이 작품 속에서 신은 자신이 창조한 인간존재를 "다시 죽이려는 필사적인 열정" 속에서 "창조의 기쁨을 누리는 것처럼 보이는 불멸의 살인자"요, "주검의 영원한 생산자"이다. 또한 신은 "채워지지 않는 파괴의 갈증을 끊임없이 채우기 위해 씨를 뿌리고, 생명의 근원을 살포하기를 즐기는 묘지의 제공자"이다. 따라서 신은 "인

---

* 『문학과 종교』 제 7권 1호(2002)에 실렸던 논문임.

간존재를 모든 질병으로 후려치기 위해 공간 속에 숨어 있는 죽음에 굶주린 살인자"라는 것이다.[1]

본 연구의 목표는 모파상 작품 속에 나타난 이와 같은 '사악성'을 바탕으로 한 신의 개념의 일탈이 어디서 유래하며 어떤 의미작용을 하는지를 살펴보고자 하는 것이다.

II. 본론

소설 『삼종기도』는 미완의 작품임에도 불구하고 이 소설 속에 등장하는 세 명의 등장인물, 즉 귀족계급의 제르멘느 드 브레몽딸 (Germaine de Brémontal) 백작부인과 성직자인 마르보 (Marvaux) 신부 그리고 부르주아 계급의 의사 빠뛰렐 (Paturel) 박사의 종교와 신에 대한 사고와 성찰은 모파상의 종교와 신에 대한 사고의 중추적인 핵심부분을 보여준다고 할 수 있다.

세 인물 중 제르멘느 드 브레몽딸 백작부인은 이 작품 속에서 차지하고 있는 큰 비중에도 불구하고 가장 미완성적인 인물이다. 그렇지만 우리는 이 인물의 소설적 삶을 통해서 도덕적, 철학적, 종교적 투쟁의 대서사시의 서곡이라 할 수 있는 대혁명 시기 이후 약화된 프랑스 종교의 시대적 배경을 이해하고자 한

---

1) *L'Angélus* (R), p. 1223. : "Eternel meurtrier qui semble goûter le plaisir de produire que pour savourer insatiablement sa passion acharnée de tuer de nouveau, de recommencer ses exterminations à mesure qu'il crée des êtres. Eternel faiseur de cadavres et pourvoyeur des cimetières, qui s'amuse ensuite à semer des graines et à éparpiller des germes de vie pour satisfaire sans cesse son besoin insatiable de destruction. Meurtrier affamé de mort embusqué dans l'espace, pour créer des êtres et les détruire, les mutiler, leur imposer toutes les souffrances, les frapper de toutes les maladies, comme un destructeur infatigable qui continue sans cesse son horrible besogne." ("인간존재를 창조하고 그들을 다시 몰살시키려는 필사적인 열정을 탐욕스럽게 만끽하며 창조의 기쁨을 누리는 것 같은 불멸의 살인자. 주검의 영원한 제작자이자, 채워지지 않는 파괴의 갈증을 채우기 위해 생명의 씨를 뿌리기를 즐기는 묘지의 제공자. 인간존재를 창조하고 파괴·절단하며 그들에게 모든 고통을 부과하고 자신의 끔찍한 일을 끊임없이 추구하는 지칠 줄 모르는 파괴자. 인간존재를 모든 질병으로 후려치기 위해서 공간 속에 숨어 있는 죽음에 굶주린 살인자.") 차후의 인용되는 모파상의 모든 작품의 출전은 그의 『소설』 (*Romans*. Paris. Gallimard, <Bibliothèque de la Pléiade>, 1987)과 『단편과 중편』(*Contes et nouvelles*. Paris. Gallimard, <Bibliothèque de la Pléiade>, 1974-1979, 2 vol)을 가리킨다. 그리고 이 두 작품집을 대문자에 의한 약자 *R*과 *CN*으로 표기하기로 한다.

다. 종교적 신앙에 무관심한 아버지와 거의 신을 믿지 않는 어머니 사이에서 태어나 성장한 백작부인은 독실한 신앙과는 거리가 먼 인물이다. 특히 그녀의 어머니 부뜨마르 (Boutemart) 부인의 성장배경을 살펴보면 백작부인의 종교적 무관심을 금방 이해할 수 있게 된다. 그녀의 어머니는 『여자의 일생(Une vie)』의 잔느 (Jeanne)처럼, 믿음 깊은 신앙이 도덕적, 철학적, 종교적 투쟁으로 인해 가정으로부터 사라져 가는 대혁명의 시기에 태어나 아버지가 주입시킨 자유분방한 사고를 평생 동안 지켜온 여인이다. 따라서 딸은 세례를 받고 첫 성체배령을 행한 이후에도 어머니로부터 어떤 교리도 어떤 종교적 열정도 받지 못한다.

두 번째 인물인 의사 빠뛰렐 박사는 소설의 무대배경인 노르망디 최고의 의사이지만 자신의 현재의 상태에 만족하지 못하는 인물이다. 그가 좋아하고 바라는 전부는 수준 높은 의학적 경험을 쌓고 사회적 친분관계를 넓히며 의학 아카데미의 회원이 되는 것이다. 고귀한 신분의 환자를 고객으로 삼는 것 또한 그의 꿈의 중요한 일부이기도하다. 그는 이러한 꿈을 이룰 수 있는 곳은 지금의 활동무대인 시골이 아니라 빠리라고 생각한다. 따라서 그는 자신이 원하는 것을 갖고 있지 못하다고 말한다. 그는 의사가 시골에서 "인류의 떨거지들 (le rebut de l'humanité)"이나 보살피고 치료하는 것이 "자신을 위해 그리고 과학을 위해 일할 수 있는 것이냐?"[2]고 반문하기도 한다. 또한 박사는 자신은 "남을 위해 사는 것이 아니라 자기 자신을 위해 산다."[3]고 말한다.

반면에 마르보 (Marvaux)신부는 사회적 약자를 위해 사는 것은 숭고하고 위대한 일이며 아름다운 일이라고 말한다. 신부는 귀족 출신으로 어린 시절 훌륭한 교육을 받고 철학적 사고 속에서 성장한다. 전투와 같은 폭력 행위를 경험하고 싶은 갈망은 그의 영웅주의를 자극하여 그를 군대생활에 투신하도록 만든다. 수많은 해외 전장에서 세운 혁혁한 무훈을 통해 실현된 영웅주의에 대한 그의 욕구는 그의 급작스러운 사고의 전환으로 인해 전쟁에 대한 염증과 혐오로 바뀐다. 군복무 이후 공부와 독서 그리고 소책자의 출간으로 소일하던 중 마음에 드는 젊은 과부를 만나 결혼을 한다. 딸의 탄생 속에서 절정에 이른 행복한 결

---

2) *Ibid.*, p. 1220 : "Est-ce que je peux travailler pour moi, ici, travailler pour la science?"

3) *Ibid.*, p. 1221 : "Je ne vis pas pour les autres, je vis pour moi."

혼생활은 가족의 질병과 죽음으로 끝이 난다. 장티푸스로 아내와 딸을 잃은 뒤 그는 사제가 된다.[4] 마르보 신부는 성직자로서 빛나는 미래를 보장받을 수도 있었지만 자의반 타의반으로 즉 독립적 사고와 성격 그리고 대담한 언변으로 주교구의 미움과 의심을 산 결과로 자신의 고향 시골 사제로 남게 된다. 신학과 교리 논쟁에서 주교에게 여러 번 대든 것과 그 때마다 박학한 지식과 논리적 설득력을 바탕으로 주교와의 논쟁에서 승리했던 것이 화가 되었던 것이다. 꿈과 야심을 포기하고 고향에 정착한 신부는 상당한 재력을 토대로 많은 선행을 베풀며 사람들의 사랑과 존경을 받는 자비로운 사제가 된다.

이처럼 "인간 영혼의 의사"인 마르보 신부는 다른 여느 성직자처럼 사회적 약자를 위해 사는 것은 숭고하고 위대한 일이며 아름다운 일이라고 말한다. 그렇지만 신에 관한 그의 사유는 상궤를 벗어난다. 특히 과거 주교구의 미움과 의심을 사게 했던 그의 독립적 사고와 대담한 언변은 "인간 육체의 의사"인 빠뛰렐 박사와의 논쟁 속에서 구체화된다. 두 인물의 논쟁을 통해서 우리는 그들의 일탈된 신의 개념과 더 나아가 신과 그리스도의 기존의 관계의 부정을 확인할 수 있다.

1. 유일신의 부정 : "만져볼 수 있고 볼 수 있는 신"과 "알려지지 않고 알아 볼 수 없으며 알 수 없는 엄청난 또 하나의 다른 신"[5]

먼저 신에 관한 성직자로서의 마르보 신부의 태도는 대단히 이교적이다. 더 나아가서는 그의 신학적 사고를 의심케 한다. 그는 "자신이 신을 이해하고 있다

---

4) 『삼종기도』는 중편 『올리브나무 밭』(Le Champ d'olivier, CN, t. II, pp. 1179-1204)과 더불어 모파상에게 한 가지 소중한 주제를 제시해 주고 있다. 그것은 바로 '결혼한 사제' (prêtre marié)의 주제로 결혼 이후 '속죄' (expiation)의 삶과 밀접하게 연결되어 있다. 『삼종기도』의 마르보 신부처럼, 『올리브나무 밭』의 빌부아 (Vilbois) 신부 역시 사제가 되기 전 한 여배우와 4년 동안 혼인과 다름없는 동거 생활을 한다. 그는 결혼을 결심할 즈음에 동거녀의 부정 그것도 가장 친한 자신의 친구와의 부정을 확인하고 모든 것을 포기한 채 신부가 된다. 헤어질 때 동거녀의 뱃속에 자라고 있는 태아가 친구의 것이라는 그녀의 말은 목숨을 건지기 위한 거짓말이었음을 신부는 감옥 출소 후 친아버지 즉 자신을 찾아온 불량배 자식을 통해 확인하게 된다.

5) 지각과 이해가 불가능한 존재에 대한 인간의 두려움은 모파상의 또 다른 중편 『르 오를라』(Le Horla)에 잘 묘사되고 있다. 이 작품은 만져볼 수 없고 볼 수 없다는 사실 그 자체가 인간에게 얼마나 큰 공포인가를 잘 보여준다.

고 생각하지는 않는다"고 말한다. 그 이유는 "신이란 우리 인간의 사고로 이해하기에는 너무 널리 확산되어 있고 너무 보편적이다"라는 것이다. 또한 "신이라는 단어는 특수한 한 이해 방식이고 하나의 어떤 설명이며 의혹에 대한 은신처, 두려움에 대한 피난처, 죽음에 대한 위안, 이기주의에 대한 치료수단"으로서 "종교적인 관용표현"에 불과하다는 것이다.

> "저로 말하자면 제가 신을 이해하고 있다고 생각하지 않습니다. 신이란 우리 인간의 사고로 이해하기에는 너무 널리 확산되어 있고 너무 보편적입니다. 신이라는 단어는 특수한 한 이해 방식이고 하나의 어떤 설명이며 의혹에 대한 은신처, 두려움에 대한 피난처, 죽음에 대한 위안, 이기주의에 대한 치료수단입니다. 신이란 단어는 하나의 종교적 관용표현인 것입니다."6)

따라서 마르보 신부는 신이란 유일신이 아닌 두 신이 존재한다고 주장한다. 첫 번째 신은 인간이 신을 이해하는 "특수한 한 이해 방식이고 하나의 어떤 설명"의 수단으로서 종교적인 관용표현에 불과한 "만져볼 수 있고 볼 수 있는 하나의 신"(un Dieu tangible et visible)이며 "인간은 이러한 구체적이고 '물질적인' 신만을 좋아할 수밖에 없다"는 것이다. 다른 한편의 신은 "알려지지 않고 알아볼 수 없으며 알 수 없는 엄청난 또 하나의 다른 신"으로 "인간에게 자신을 이해하도록 하기 위한 어떤 감각도 주지 않았기 때문에 인간에 대한 연민으로 인간에게 그리스도를 보낸 것"이다.

> "신이란 하나의 신이 아닙니다. 우리 인간들은 만져볼 수 있고 볼 수 있는 신만을 좋아할 수밖에 없습니다. 다른 신, 알려지지 않은 신, 알아볼 수 없는 신, 자신의 존재를 이해하도록 하기 위한 하나의 감각을 우리 인간에게 부여하지 않은, 우리가 알 수 없는 거대한 신이 우리 인간에 대한 연민으로 그리스도를 보냈습니다."7)

"만져볼 수 있고 볼 수 있는 하나의 신"은 바로 인간이 자신의 두려움과 죽음에 대한 공포, 교만과 이기주의를 극복하기 위한 수단으로 삼은 신 즉 인간이

---

6) *L'Angélus*, p. 1222.
7) *Ibid.*

자기 마음대로 조작할 수 있는 우상으로 변형된 신이다. 따라서 인간이 만든 "만져볼 수 있고 볼 수 있는 신"의 존재를 인정하는 것은 비록 신의 볼 수 있는 표상이라 할지라도 그것은 분명 인간이 신을 자기 마음대로 조작할 수 있음을 인정하는 것이 된다.

"다른 신, 알려지지 않은 신, 알아볼 수 없는 신, 자신의 존재를 이해하도록 하기 위한 하나의 감각을 우리 인간에게 부여하지 않은, 우리가 알 수 없는 거대한 신"이 바로 모파상이 증오하는 '초월적인 신'으로 그의 특징은 '맹목적인 창조'와 인간에 대한 '사악함'이다.

모파상은 자신의 작품 속에서 인간의 고통을 만들어내는 다양한 해악의 창조자에게 어떤 명칭을 부여할 필요가 있을 때만이 신을 언급하고 있다. 그런데 여기서 우리는 모파상의 작품 속에서 신에 대한 언급이 짧고 상당히 불분명하다는 사실과 신에 관한 짧은 이 언급들은 대개 욕설에 가까운 강렬한 비난으로 얼룩져있다는 사실에 주목할 필요가 있다.[8] A. M. Schmidt는 인간의 비극의 작가이자 연출가인 신의 사악성에 대해 다음과 같이 언급하고 있다.

> "모파상에게 있어서 신은 소극적인 위대한 존재가 아니다. 고대 그리스의 철학자 에피쿠로스가 만족한 올림포스의 신들과 상당히 유사한 신은 세상의 연극에서 무엇이 공연되는지를 주시하기를 즐긴다. 그렇지만 신은 차례로 비극의 작가이자 연출가로서 노예의 역을 맡은 인간들에게 그들이 연기를 해야만 할 어두운 드라마의 초안과 그들이 준수해야 할 규약들을 가르쳐주는 것을 소홀히 하지 않는다."[9]

---

8) 신의 맹목적인 창조 행위와 인간존재를 깎아 내리려는 사악한 의지에 대한 강렬한 비난은 모파상의 다른 작품 속에서도 두드러지게 드러나고 있다. 『죽음처럼 강하다』(*Fort comme la mort*)의 여주인공 드 기이유루아 부인 (Mme de Guilleroy)은 친정어머니의 사망 앞에서 인정에 끌리지 않는 신의 냉정함과 지상에 가엾은 모든 피조물을 던져놓은 신의 무책임성을 비난한다. 같은 소설의 남자 주인공인 무신론자 올리비에 베르뗑 (Olivier Bertin) 역시 자신의 임종의 순간에 신의 이름을 지칭하고 있지 않지만 "이러한 삶을 고안해내고 인간들을 만들어낸 그는 정말로 눈이 멀었으며 정말로 심술궂다"("Ah ! celui qui a inventé cette existence et fait les hommes a été bien aveugle, ou bien méchant...")고 신을 고발한다. 『여자의 일생』(*Une vie*)에서는 행복에 대한 기대가 무너져버린 쟌느(Jeanne)가 예전에는 공평무사하다고 생각했던 신을 저주한다.

9) Albert-Marie Schmidt. *Maupassant par lui-même*. Paris. éditions du Seuil, « Ecrivains de toujours », 1962, p. 73.

그런데 인간이 자기 마음대로 조작할 수 있는 우상으로 변형된 신에 대한 마르보 신부의 견해는 빠뛰렐 박사의 신에 대한 그것과 거의 일치하고 있음을 발견할 수 있다.

빠뛰렐 박사는 창세기 이래 인간의 사고가 고안해낸 모든 신들은 괴물들이며 "신이 자신의 형상에 따라 인간을 만들었다할지라도 인간이 신의 형상에 따라 신을 올바르게 재현했다"라고 말한 볼떼르 (Voltaire)의 주장에 동조한다.

> "신부님, 이 세상이 존재한 이래로 인간의 사고가 고안해낸 모든 신들은 괴물들입니다. "성서는 신이 자신의 형상에 따라 인간을 만들었다고 주장하지만 인간이 신의 형상에 따라 신을 올바르게 재현했다." 하고 말한 사람이 바로 볼테르가 아닙니까?"10)

신이 자신의 형상에 따라 인간을 창조했다할지라도 "인간이 신의 형상에 따라 신을 재현한 것"이라는 볼테르의 말의 인용 역시 모파상의 신에 대한 개념과 사고를 이해하는데 하나의 중요한 단초를 제공해준다. 즉 "신이 자신의 형상에 따라 우리를 만들었다할지라도 우리가 신의 형상에 따라 신을 올바르게 재현했다"는 말은 신에 대한 두 가지 해석의 가능성을 보여준다.

첫 번째는 "인간이 신의 형상에 따라 신을 올바르게 재현했다"는 것은 신이 아무리 인간 존재를 자신의 형상대로 만들었다할지라도 '인간이 신의 모상을 만들어 그것을 구체적인 신으로 삼아 신을 올바르게 표현했다는 것'이 된다. 즉 인간이 만든 볼 수 있는 신은 비록 신의 볼 수 있는 표상이라 할지라도 그것은 분명 신을 인간이 자기 마음대로 조작할 수 있는 우상으로 변형시킨 것을 의미한다. 이러한 해석은 마르보 신부의 "볼 수 있고 만져볼 수 있는 신"에 대한 사고와 완벽하게 일치하고 있음을 알 수 있다.

"신이 자신의 형상에 따라 우리를 만들었다할지라도 우리가 신의 형상에 따라 신을 올바르게 재현했다"는 말의 두 번째의 해석은 '신의 형상에 따라 신을

---

10) *Ibid.,* p. 1221. 이 인용문은 볼테르 (Voltaire)의 『우언집』(*Le Sottisier*) 속에서 발췌된 부분으로 원문에는 다음과 같이 쓰여 있다. "Si Dieu nous a faits à son image, nous le lui avons bien rendu". ("신이 자신의 형상에 따라 우리를 만들었다할지라도 우리가 신의 형상에 따라 신을 올바르게 재현했다.")

올바르게 재현한 주체가 바로 우리 인간'임을 의미한다는 것이 된다. 이러한 해석은 한편으로는 신의 창조의 의지와 계획의 불완전성을 가리키며 다른 한편으로는 "신의 불의와 잔인성과 악행 (les injustices, les férocités, les méfaits de la Providence)"[11]을 가리키는 것으로 해석될 수 있다.

두 번째 해석의 의미는 빠뛰렐 박사가 가난한 자들의 진료행위를 통해서 확인한 혼돈과 무질서, 파괴 특히 생명 파괴의 '사악한' 주재자로서의 신의 악행을 고발하는 대목에서 더욱 뚜렷해진다. 그가 저술하고자 하는 책은 바로 신의 악행에 관한 자료 모음집이며 그 책의 표제는 무시무시한 내용을 담은 <신의 파일>이라는 것이다.

> "가난한 자들의 의사인 저로서는 신의 이러한 악행을 보고 있으며 날마다 확인하고 있습니다. 더욱이 가난한 자들의 영혼을 보살피는 신부님은 물론 이시겠지요? 신부님, 제가 책 한 권을 쓴다면 그것은 신의 악행에 대한 자료 모음집이 될 것이며 그 책의 표제를 <신의 파일>이라 붙일 것입니다. 그 <신의 파일>은 무시무시할 것입니다."[12]

마르보 신부의 보이지 않는 사악한 신과 그 신의 잔인성에 대한 고발처럼 빠뛰렐 박사 역시 '신의 형상에 따라 신을 올바르게 재현한 주체가 바로 우리 인간'이라고 말함으로써 신의 권능과 기능의 불완전성을 고발하고 있는 것이다. 이것은 신학 차원에서 인간의 원죄에 해당하는 부분을 신의 통치의 불완전성으로 돌리고 있음을 의미한다. 다시 말해서 '우연'과 '결정론'으로 특징지어지는 인간조건의 문제 즉 조건지어진 인간 사고의 한계, 피할 수 없는 번식의 법칙, 본능, 그리고 유혹의 덫에 저항할 수 없음과 같은 인간조건의 문제를 신의 권능과 기능(특히 맹목적인 창조의 기능)의 문제로 환원하고 있는 것이다.

---

11) *Ibid.*, p. 1222.
12) *Ibid.*

2. 신과 그리스도의 관계

1) 단절의 관계 : 수직적 존속관계의 단절

모파상의 무신론에 가까운 그의 사고와 신성모독은 그에게 있어 종교 특히 신이 자신의 과거와 정체성을 비추어줄 수 있는 거울이 되지 못한다고 생각한 데서 유래하는 것으로 보인다. 특히 부모의 이혼이후 모파상 부자의 만남이 모 파상이 죽는 날까지 세 번의 스쳐 가는 만남에 그치는 데에서 이러한 가정의 정 당성을 찾아 볼 수 있다. 이들 부자간의 관계는 수직적 존속관계의 단절 더 나 아가 부정이라고 해도 과언이 아닐 것이다.

또한 신은 모파상에게 사랑하는 동생 엑토르 (Hector)와의 수평적 형제관계 를 단절토록 만든다. 발작적인 광증의 노예가 되어 버린 동생을 형은 정신병원 에 강제 입원시킨다. 그리고 동생은 바로 그곳에서 죽는다. 모파상이 동생에 관 한 아픈 과거를 회상하며 던지는 다음의 말은 모파상이 얼마나 신에 대해 부정 적 사고를 하고 있는지를 극명히 보여주고 있다.

> "내가 당신들의 종교의 신(혹은 하느님)을 믿었더라면 그 신에 대한 혐오가
> 얼마나 끝이 없었을 것인가!"[13]

모파상이 부자간의 관계에 대한 사고와 언급 자체를 애써 외면해왔음에도 불구하고 모파상의 작품 속에서 부자 관계의 테마는 대단히 중요한 위치를 차 지하고 있음을 간과해서는 아니 된다. 작가의 전기적 사실에 토대 한 부자간의 부정적 관계 즉 단절의 관계는 그의 작품 속에 그대로 투영되고 있기 때문이 다.[14]

---

13) 모파상이 뽀또카 백작부인에게 보낸 편지 (Lettre à la comtesse Potocka, in *Chroniques, Etudes, Correspondance de Guy de Maupassant* (recueillies, préfacées et annotées par René Dumesnil, avec la collaboration de Jean Loize). Paris. Gründ, 1938, p. 367).

14) 모파상의 작품 중에서 『투안느』(*Toine*)라는 단편은 부자간의 부정적인 단절의 관계가 아니라 행복한 부성애를 다루고 있는 유일한 작품이다. 여기서 흥미로운 사실은 주인공 투안느 (Toine)의 부성애가 자식에 대한 부성애가 아니라는 것이다. 그는 생식 능력이 없는 남자로 2 세의 생산대신에 10개의 달걀을 어미 닭처럼 품어 10마리의 병아리를 탄생시키는 '모성적 부 성애'를 발휘한다. 이처럼 주인공 투안느의 '모성적 부성'은 모파상의 전 작품 중에서 유일한

모파상 작품 속에서 신(하느님)과 그리스도의 관계가 부정적 부자관계로 묘사되는 것 역시 동일한 맥락에서 이해될 수 있을 것이다. 그 한 예로 앞에서 언급했던 중편『올리브나무 밭』(Le Champ d'olivier)을 살펴보기로 하자. 여기서 흥미로운 사실은 이 작품의 제목이 예수가 체포되기 직전 기도를 올리는 장소인 예루살렘 동쪽의 '감람산 혹은 게쎄마니'(Mont ou Jardin d'Oliviers)에 비교되고 있다는 것이다. 이 작품의 무대인 '올리브나무 밭'은 자식간의 관계 즉 단절의 관계가 끝내 회복되지 않는 장소이다. 결혼을 앞두고 자신의 동거녀의 부정(그것도 가장 친한 친구와의 부정)을 확인하고 모든 것을 포기한 채 신부가 된 빌부아 신부는 자신을 찾아온 불량배가 과거 동거녀와 헤어질 때 그녀의 뱃속에 자라고 있던 바로 그 아이였음을 알게 된다. 그 당시 그는 동거녀의 말을 믿고 아이가 친구의 것인 줄 알았으나 사실 그 태아의 아버지는 자신이라는 것을 불량배의 말을 통해 확인하게 된다. 그리고 두 부자간의 만남은 늦은 저녁식사 중의 난투극과 아버지 즉 빌부아 신부의 죽음 (불량배 아들이 휘두른 칼에 아버지가 찔려 숨짐), 즉 영원한 존속관계의 단절로 끝을 맺는다.

더욱이 빌부아 (Vilbois) 신부의 이름 역시 이러한 우리의 가정의 제시를 뒷받침해준다. <vil 비천한>이라는 형용사와 <bois 숲>라는 명사의 결합으로 이루어져있는 신부의 이름 속에서 우리는 <비천한 숲>이라는 의미론적 결합체를 발견할 수 있다. 즉 <비천한 숲>인 '올리브나무 밭'에서의 부자간의 만남은 어둠 속에서의 난투극과 죽음을 미리서 예고하고 있는 것처럼 보인다.

여기서 '올리브나무 밭'과 예루살렘 동쪽의 게쎄마니의 간접적인 비교를 통해 모파상은 무엇을 의미하고자 하는가? 그것은 바로 예수가 체포되기 전 기도를 올린 게쎄마니가, 부자관계의 영원한 단절이 이루어지는 '올리브나무 밭'처럼, 신과 예수 사이의 단절의 부자관계, 다시 말해서 인류를 구원하라는 사명을 띠고 인간으로 온 예수와 '신' 사이의 단절의 부자관계를 내포하고 있음을 의미하는 것이다.

긍정적 부성을 나타내고 있다.

2) 속임의 관계 : 그리스도의 잘못된 사명

우상으로 변형된 물질적 신이 아니라 "알려지지 않고 알아 볼 수 없으며 알 수 없는 엄청난 다른 신"이 자신의 존재를 인간에게 알리기 위해 그리스도를 인간의 세계로 보냈다고 하는 마르보 신부의 해석은 그리스도를 구약성서의 모든 약속을 실현하기 위해 온 메시아가 아니라 지배의 도식과 결부된 메시아로 바라보는 것을 의미한다. 다시 말해서 그리스도의 사명이 구약에서 신이 약속한, 사랑과 형제애로 평등해지는 대안적 사회의 건설과 인류의 구원에 있는 것이 아니라 "알려지지 않고 알아 볼 수 없으며 알 수 없는 엄청난 다른 신"의 존재와 권능을 인간에게 알리는 '소극적 메시아'로서 그러한 신을 두려워하는 인간을 신의 지배구조 속으로 환원시키는 것에 있다는 것이 된다.

따라서 '소극적 메시아' 그리스도는 "새로운 종교"를 통해 "알려지지 않고 알아 볼 수 없으며 알 수 없는 엄청난 다른 신"의 존재와 권능을 인간에게 알리고 인간을 신의 지배구조 속에 가두려는 "잘못된 사명을 신으로부터 받은 것"이다. 이러한 사명은 "새로운 종교로 우리 인간을 현혹시키는 잘못된 사명"인 것이다. 이처럼 인류 구원과는 관계없는 사명을 수행해야만 하는 "그리스도는 인간들처럼 신에게 속은 것"[15]이며 이런 점에서 볼 때 그리스도 역시 신의 희생양인 것이다.

> 그리스도 역시 신의 희생양임에 틀림없습니다. 그리스도는 신으로부터 잘못된 사명 즉 새로운 종교로 우리를 현혹시키라는 잘못된 사명을 받은 것입니다.[16]

마르보 신부의 말처럼 새로운 종교로 인간을 현혹시키라는 잘못된 사명임에도 불구하고 그리스도는 그 사명을 매우 훌륭하고 상상할 수 없으리만큼 위대하게 수행해냄으로써 그리스도는 인간에게 있어서 신의 위치를 차지하게 된

---

15) *Angélus*, p. 1222 : "le Christ aussi a peut-être été trompé par Dieu dans sa mission, comme nous le sommes." ("우리가 신에게 속은 것처럼 아마도 그리스도 역시 자신의 사명에 있어서 신에게 속았을 것이다.")

16) *Ibid.*

것이다.

> "그렇지만 신의 사자(使者)는 그 사명을 어찌나 보기 좋게, 어찌나 장엄하게, 어찌나 헌신적으로, 어찌나 고통스럽게, 어찌나 상상할 수 없으리만큼 위대하고 감동적으로 수행했던지 신의 사자(즉 그리스도)는 인간에게 있어서 그의 인도자(즉 신)의 위치를 차지하게 됐던 것입니다."[17]

3) 탈취의 관계 : 신의 위치를 차지한 그리스도

위에서 살펴보았듯이 자신의 지배의 구조 속에 인간을 묶어 두기 위해 그리스도를 파견한 신은 인간의 하찮은 감각기관으로는 포착되지도 않으며 "우리 인간으로서는 그의 존재도 의도도 권능도 그의 어떠한 것도 상상해 볼 수 없는 암흑의 신"에 불과하다. 또한 인간이 신에 대해 알고 있는 것으로는 고작해야 "그의 서투르고 보잘것없는 창조의 습작으로서의 땅"밖에 없으며, 그 창조의 습작으로서의 땅은 인간에게 고통을 주는 "일종의 도형장"인 것이다.

> "아무것도 모르고 보잘것없는 감각기관을 통해서 만을 제외하고는 어떤 것에도 결합되지 못하는 우리 인간이 의미를 이해하지 못하는 이 글자들(즉 성서)을 숭배할 수 있겠습니까? 그리고 우리 인간으로서는 그의 존재도 의도도 권능도 그의 어떠한 것도 상상해 볼 수 없는 암흑의 신을 숭배할 수 있겠습니까? 그런데 우리는 그 암흑의 신에 대해서는 그의 서투르고 보잘것없는 창조의 조그만 습작으로서의 땅 즉 지식 때문에 고통받는 영혼에게나 건강이 좋지 못한 육신에게나 일종의 도형장인 땅만을 알고 있습니다. 아닙니다. 우리는 그러한 것을 사랑할 수 없습니다."[18]

그래서 그리스도는 "스스로 고통 받는 자들과 보잘것없는 인간들로 뒤덮인 초라한 땅의 신이 된 것"이다. 보잘것없는 인간들의 신이 된 "그리스도는 약자인 인간을 위해 죽는다."[19] 그리스도는 인간의 감각기관으로 확인할 수 없는 신의 존재와 권능을 알리는 소극적 메시아의 사명보다는 인류의 고통의 감내자 즉 적극적 메시아로서의 사명을 스스로 수행한 것이다. 따라서 마르보 신부는

---

17) *Ibid.*
18) *Ibid.*
19) *Ibid.*, p. 1221 : "Le Christ est mort pour les petits." ("그리스도는 약자들을 위해 죽었다.")

그리스도가 "신이며, 우리 인간의 신이고, 자신의 신"이라고 말한다. 신부는 인간의 온 마음과 성직자의 온 영혼을 다해 그리스도를 사랑하며, 자신을 "골고다 언덕 위 십자가에 못 박히신 주님의 아들이자 종"이라고 하며 그리스도를 찬양한다.

> "그리스도는 신이며, 우리 인간의 신이고, 제 자신의 신입니다. 저는 인간의 온 마음과 성직자의 온 영혼을 다해 그리스도를 사랑합니다. 오, 골고다 언덕 위 십자가에 못 박히신 주님, 저는 당신의 아들이자 종입니다."[20]

여기서 주목해야할 사실은 마르보 신부가 그리스도를 세 단계의 신 즉 "신이며, 우리 인간의 신이고, 자신의 신"이라고 구분하고 있다는 것이다. 이 세 단계의 구분은 그리스도를 먼저 초월적인 신으로, 그리고 인간과의 관계 속에서 정의된 신 즉 "우리 인간의 신"으로, 마지막으로 개인적 신앙의 대상으로서의 신 즉 "내 자신의 신"의 구분과 일치한다. 다시 말해서 그리스도는 세 단계의 신의 위치를 차지한 것이다. 먼저 그리스도는 죽음과 파괴를 일삼는 '만져볼 수 없고 볼 수 없는' 초월적인 신의 위치를 차지한다. 다음으로 그리스도는 인간과의 관계 속에서 정의된 "우리 인간의 신" 즉 "만져볼 수 있고 볼 수 있을 것 같은 신"의 위치를 차지한다. 마지막으로 그리스도는 마르보 신부의 개인적 신앙의 대상으로서의 신 즉 "내 자신의 신"의 위치를 차지한다. 이와 같은 세 단계의 신이 해체된 채로 존재하는 것이 아니라 삼위일체와 같은 상태로 존재하며, 이러한 상태의 신이 바로 작가 모파상이 생각하는 이상적인 신이 아닌가 생각된다.

III. 결론

지금까지 살펴보았듯이 소설 『삼종기도』에 나타난 신의 개념의 일탈은 신을 믿는 방식이 아니라 신의 권능과 기능에 대한 문제제기이다. 모파상은 이 작품을 통해서 '초월적 신'에 대한 기대가 없음을 밝히고 있다. 인간의 불완전한

---

20) *Ibid.*

오감으로 확인할 수 없는 '초월적인 신'은 "우리 인간에 대해 아무 것도 모르는 괴물과 같은 창조기관으로 바다에서 생선이 알을 까듯 수많은 세상의 씨를 뿌린다. 신은 창조한다. 왜냐하면 그것은 신의 기능이니까. 그렇지만 신은 자신이 무엇을 하는지 모르며 어리석을 정도로 다산이며 자신이 뿌린 씨앗에 의해 창조된 모든 종류의 결합을 의식하지 못한다."21) 이처럼 창조자의 기능 속에서 부정적 특성을 지니고 있는 '초월적인 신'은 '인간의 악의 책임자(responsable des maux de l'homme)'이다. 모파상은 초월적인 '사악한 신'의 권능과 기능에 대한 문제제기를 통해서 인간조건의 문제를 신의 통치의 불완전성의 문제로 환원하고 있는 것이다.

또한 모파상은 지각 가능하고 이해 가능한 신, 역으로 우리 인간을 이해해 줄 수 있고 불완전한 인간의 고통을 함께 느끼고 나눌 수 있는 신에 대한 긍정적 사고를 그리스도의 문제와 결부시킴으로써 초월적인 신에 대한 문제제기를 그리스도의 존재 안에서 해결하려고 하고 있다. 모파상은 그리스도를 보고 만질 수 있는 신, 즉 인간과의 관계 속에서 정의된 신과 동일선상에 위치시킴으로써 초월적인 신의 문제점을 해결하고 있다. 그 문제점은 지금까지 살펴본 바와 같이 다음 몇 가지 사실에 토대를 두고 있다. 첫째 신은 인간에게 이해나 지각이 가능하지 않다는 것이다. 둘째 신은 인간의 고통을 함께 하지 않는다는 것이다. 마지막으로, 신은 인간을 불완전하게 창조하고 그대로 방치한 것이다. 따라서 초월적인 신의 문제점은 바로 그의 창조의 계획이 무엇이며 그의 가르침이 무엇인지를 알 수 없다는 것이다.

따라서 모파상은 '초월적인 신'의 부정적 기능의 문제를 그리스도의 문제로 해결하고 있는 것이다. 직접 만져볼 수 있고 볼 수 있는 신에 대한 기대가 우상숭배의 위험을 내포하고 있음에도 불구하고, 모파상은 『삼종기도』 속에서 그러한 인간적 기대를 보편적인 인간사고의 한 틀로서 제시하고 있는 것이다. '초월

---

21) 『무용의 미』(L'Inutile beauté, CN, t. II), p. 1217 : "comme un monstrueux organe créateur inconnu de nous, qui sème par l'espace des milliards de mondes, ainsi qu'un poisson unique pondrait des oeufs dans la mer. Il crèe parce que c'est sa fonction de Dieu; mais il est ignorant de ce qu'il fait, stupidement prolifique, inconscient des combinaisons de toutes sortes produites par ses germes éparpillés."

적인 신'의 부정적 기능의 문제제기는 알려지지 않고 알아볼 수 없으며 알 수 없는 보이지 않는 신에 대한 구원의 기대가 끝없는 인내를 요구하느니 만큼, 결국 그러한 신에 대한 모파상 자신의 불평과 증오의 한 표현은 아닐까?

그럼에도 불구하고 신에 대한 믿음은, 마르보 신부가 그리스도를 세 단계의 신 즉 초월적인 "신이며, 우리 인간의 신이고, 자신의 신"으로 삼은 것처럼, 항상 작가의 마음속에 존재하고 있다. 따라서 이와 같은 세 단계의 신은 해체된 채로 존재하는 것이 아니라 삼위일체와 같은 결합으로 존재하며 이것이 바로 작가 모파상이 생각하는 이상적인 신이 아닐까한다.

결국 모파상 작품 속에 나타난 신의 사악성과 신의 개념의 일탈은 결국『삼종기도』의 제목처럼 "주님의 종이오니 그대로 제게 이루어지소서!"를 간구하는 또 다른 형태의 기도는 아닐까 ?

주님의 천사가 마리아께 아뢰니
성령으로 잉태하셨나이다. (성모송)
"주님의 종이오니
그대로 제게 이루어지소서!" (성모송)
이에 말씀이 사람이 되시어
저희 가운데 계시나이다. (성모송)
천주의 성모님, 저희를 위하여 빌어주시어
그리스도께서 약속하신 영원한 생명을 얻게 하소서.
기도합시다.
하느님, 천사의 아룀으로
성자께서 사람이 되심을 알았으니
성자의 수난과 십자가로
부활의 영광에 이르는 은총을
저희에게 내려주소서.
우리 주 그리스도를 통하여 비나이다.
아멘.

↘ 인용문헌

Besnard-Coursodon, Micheline. *Etude thématique et structurale de l'oeuvre de Maupassant : le piège.* Paris. éditions A.-G. Nizet, 1973.

Cogny, Pierre. *Maupassant l'homme sans Dieu.* Bruxelles. La Renaissance du Livre, 1968.

Maupassant, Guy de. *Chroniques, Etudes, Correspondance* (recueillies, préfacées et annotées par René Dumesnil, avec la collaboration de Jean Loize). Paris. Gründ, 1938

Maupassant, Guy de. *Contes et nouvelles* (texte établi et annoté par Louis Forestier). Paris. Gallimard, <Bibliothèque de la Pléiade>, 1974-1979, 2 vol.

Maupassant, Guy de. *Romans* (texte établi et annoté par Louis Forestier. Paris. Gallimard, <Bibliothèque de la Pléiade>, 1987.

Schmidt, Albert-Marie. *Maupassant par lui-même*, Paris. éditions du Seuil, « Ecrivains de toujours », 1962.

빅토르 위고의 작품에 나타난 신(神)의 이미지

| 전금주 |

여는 글

빅토르 위고(Victor Hugo)의 작품세계에서 또 그의 정신세계에서 신(神)의 주제는 중요한 위치를 차지하고 있다. 이러한 그의 깊은 관심은 초기 시집,『오드와 발라드: Odes et Ballades』[1])에서부터 말년의 작품인『신(神): Dieu』에 이르기까지 많은 작품에 일관되게 나타나고 있다. 특히 말년의 작품인『신』은 이러한 그의 오랜 사색의 결과로 간주될 수 있다. 여기에서 시인은 무신론, 회의론, 이원론, 그리고 다신론과 일신론 등의 여러 종교와 그 이론들을 차례대로 답습한 후, 최후에 그의 이상적인 종교인 "사랑-신의 빛"에 이르는 여정을 그리고 있다.

신에 대한 고찰은 궁극적으로는 인간과 자연의 기원, 더 나아가 우주 생성

---

* 『문학과 종교』 제 5권 1호(2000)에 실렸던 논문임.

1) 이 논문에 인용된 Victor 위고 작품은 로베르 라퐁(Robert Laffont)출판사의 빅토르 위고 전집을 사용했으며, 시는 P, 소설은 R, 비평서는 C, 그리고 기타는 O로 표기하며, 소설이나 시처럼 여러 권으로 이루어진 경우에는 I, II등으로 구분하고, 인용된 쪽수를 병기한다. (예: P. IV : 222) 단, 라퐁 출판사 이외의 작품인 경우에는 따로 출판사를 명기한다. 또한 작품집만 우리말 제목과 원어 제목을 병기하고, 그 이외에는 우리말로만 표기한다.

이론에 대한 고찰로 연결된다고 볼 수 있는데, 일반적으로 세계 많은 나라의 건국 신화나 설화에 나타난 우주 생성 이론을 크게 네 가지로 정리할 수 있다[2]. 첫 번째는 이 세상이 직접 신으로부터 만들어졌다는 이론으로서, 여기에는 생각이나 말로써 세상을 만들었다는 창조설(創造說)과, 신의 본질의 유출이나 그의 변신(變身)으로 세상이 만들어졌다는 유출설이 포함된다. 창조론은 생각이나 말을 우위에 두는 반면, 발현설은 본질적 인과성에 더 중심을 둔다고 하겠다. 두 번째는 신을 신화적인 인물이나 동물로 간주하는 이론으로, 신이 원시의 대양에 잠수하여 거기에서 가져온 한 줌의 진흙으로 세상이 만들어졌다는 것이다. 세 번째는 태초에 미분화된 원시적 물질이 분할되면서 세상이 만들어졌다는 이론이며, 마지막으로는 신은 거인이나 바다 괴물 등인데, 이들이 세분화되어 세상이 만들어졌다는 이론을 들 수 있다.

1. 신-창조주

위고는 자신의 여러 작품에서 "우주 생성에 관한 이론"[3]을 전개시키는데, 이제 그의 이론은 어떠하며, 그의 신은 어떤 특징을 지니는지 살펴 볼 필요가 있겠다. 위고의 신은 무엇보다도 창조주이다. 그는 신이 "무(無)에서 모든 것을 창조했다"고 전제한다. "물질은 비 물질에서 만들어졌으며"[4], 이 세상은 신의 정신에서 생겨난 것이다. 위고는 무(無)에서 유(有)를 창조하는 신을 설정함으로써, 한편으로는 물질과 정신의 대립을 극복하고, 다른 한편으로는 정신의 자율성과 우월성을 인정하는 유심론자에 속한다. 보이지 않는 것이 보이는 것을 만들었고, 보이는 것은 보이지 않는 것을 전제로 하므로, "이 세상은 신의 발현이다."[5] 즉, 이 세상은 보이지 않는 신을 대신해서 나타냄과 동시에 그의 존재를 암시해 준다.

---

2) 미르치나 엘리아데, 「창조: Création」, 『유니버설 백과사전 : Encycloepedia universalis』, 6권
3) 「무한히 작은...: Infiniment petit...」, 프랑스 국립 출판사: Imprimerie nationale, p. 594
4) O: 134
5) P. III: 1072

1-1. 신-순수 정신

위고의 신은 "순수정신"이며, 절대자의 모습으로 나타나는데, 이 절대-신은 창조주-신이기도 하다. 위고에 의하면, '순수 정신'은 영원이며 절대이고, 이 영원과 절대의 속성은 바로 창조력이기 때문이다. 위고에게는 신은 순수 정신인 창조주이며, 이는 존재하는 것, 창조하는 것, 그리고 사유하는 것이 모두 하나임을 의미한다. 위고는 이러한 존재와 창조, 그리고 정신의 등식(等式)을 자신의 글에서 분명히 밝히고 있다.

> 존재하는 것과 창조하는 것, 그것은 존재의 양면성이다.
> 창조하기 위해서는 존재하는 것으로 충분하다. (존재하는 자는 창조하기 마련이다. 다른 말로 표현하자면 존재하는 것은 창조하는 것이다) (O: 37)

절대자가 제한되어 있다면 그는 더 이상 절대자일 수 없으며, 그에게 창조력이 없다면 그는 더 이상 절대자일 수 없다. 따라서 신은 지치지 않고 끊임없이 "창조하는 힘"[6]을 지닌 영원하고 절대적인 존재인 것이다. 또한 절대자의 고유한 특성은 시간적으로 항상 존재하고 또 동시에 공간적으로 어디에나 존재하며, 따라서 두 개의 절대자는 존재할 수 없고, 언제나 하나의 절대만이 존재할 뿐이다. 위고에게 신은 절대자이며, 창조주이고 유일한 존재이다. 또 만일 신이 모든 것을 창조하는 전능한 신이라면, 이는 바로 정신의 능력을 의미한다. 신이 대원칙이며, 이상이고 생명 그 자체라면, 창조된 삼라만상은 신의 "찬란한 사유"의 의도적인 작품인 것이다. 우주에서 창조된 모든 것이 창조자의 의지와 사유이며, "모든 것이 신의 정해진 섭리 속에서 각자의 길을 따른다."[7] 다른 말로 바꾸면, 궁극적으로 창조는 신의 전능의 표시로서 또 절대 선(善)에 부합하는 것으로서 생겨나는 모든 것을 구성한다.

> 힘찬 분출로 우주가 돌진해 나오는 의지,
> 그 재료로는 어둠과 침묵,

---

6) O: 21
7) P. I: 251

허공, 무(無), 그리고 하찮은 것; 그리고 밑그림으로는
어슴푸레한 여호와를 반영하는 무한(無限)
기적으로 귀결되는 찬란한 사유(師儒) (『마지막 꽃다발, Dernier Gerbe』, P.
IV: 879)

창조물은 신의 생각인 그의 꿈과 비전이며, 이러한 창조에 대한 위고의 생각은, 위에서 언급했듯이, 유심론적인, 창조론적 우주 생성 이론을 반영하는 듯 보이는데, 이는 창조주에서 직접적으로 파생된 우주라는 생각을 지지하고 있으며 여기에서는 정신의 역할뿐만 아니라 빛과 언어의 역할이 강조된다. 우주 생성을 그린 한편의 詩 「오르페우스와 멜시세덱에 의하면」에서 위고는, 『구약성경』의 「창세기」에서처럼, 우주의 창조를 빛과 언어 그리고 정신의 도래로 규정짓고 있다.

세상이 처음 열리던 때는 소름끼치던 혼돈이었다,
생동하는 정신으로 가득한 이마가 우뚝 솟아오르기 전에
짐승과 식물을 다스리면서
사유가 말하는 눈동자에 머무르기 전에
무지(無知)라는 괴물이 혼돈의 짐승 위에 굽어보고 있었다.
바로 그 때 신이 일어서면서 어둠에게 말하였다.
'나는 존재한다.' 이 말이 무수한 별들을 만들어냈다. (『사탄의 종말: Fin de
Satan』 P. IV: 27-28)

사실, 위고에게는 빛과 말(언어), 그리고 영혼은 분리할 수 있는 것이 아니며 그는 언어의 창조력을 신봉하며 이렇게 적고 있다. "언어, 그것은 빛이다."[8] 즉 신의 사고는 성스럽고 헤아릴 수 없는 물질인 빛으로 구체화된다고 볼 수 있을 것이다.

그는 한 마디의 말로 사물과 불가사의를 만들었다.
빛으로 이 세상을 만든 이는 바로 그이다. (『신』, P. IV: 666-667)

---

8) C: 562

보편적으로 많은 종교에서 빛은 신의 현현(顯現)으로 간주되고 있으며, 특히 위고의 문학세계에서는 신성함의 특성으로서 빛의 존재는 필수적인데, 다음의 시에서도 이슬람교, 힌두교, 또 그리스 신화, 그리고 기독교와 유태교 등 여러 종교와 신화를 포용하는 총체적이며 공통적인 이미지로 빛이 등장한다.

어떻게 심오(深奧)함의 얼굴을 표현할까?
무한한 존재의 윤곽을, 그리고
전능과 충만의 자세를 어떻게 나타낼까?
우리가 보는 것은 알라인가, 브라만인가, 판인가, 예수인가
아니면 여호와인가 ? 오, 빛이여, 빛이여, 빛이여, 빛이여! (P. IV: 703)

1-2. 창조하는 눈

위고의 상상 세계의 뿌리를 적시는 모든 신화 속에서, 우리는 하나의 특징을 발견하게 되는데, 그것은 다름 아닌 이 우주 창조 신화에 우주적인 눈의 존재와 그의 창조적인 역할에 관한 것이다. 모든 존재와 사물들이 신의 시선이나 신이 바라보는 행위 하에 솟아 나온다.

그는 바라본다. 그리고 그것이 전부이다. 숭고(崇高)에는 보는 것만으로 충분하다.
그는 심연을 바라보는 것만으로 한 세계를 만든다. (P. IV: 699)

신은 심연(深淵)을 바라보는 것만으로 이 우주를 만들고 따라서 이 창조된 우주는 허공(無)을 바라보는 "말하는 눈동자"의 비전이며, 창조란 이 무(無)를 신이 자신의 꿈과 생각들로 채우는 행위인 것이다. 이런 관점에서 보면 창조주-신은 또한 바라보는 존재, 즉 견자-신이며, 이로써 본다는 행위는 창조하는 행위, 즉 지고의 행위로까지 승격된다.

그는 빛 깊숙이에 열려있는 눈-심연이며,
모든 불꽃이 숭배하고 모든 새 둥지가 느끼는
거기에서 우주가 무수한 빛깔로 솟아 나온다. (P. IV: 699)

다시 말하면 창조란 무한의 깊숙한 곳으로부터, '눈-심연'에서 광선의 형태로 솟아 나오는, 신의 직관에 의한 작품인 것이다. 시집(詩集)『사탄의 종말』에서 이와 유사한 방법으로 "자유 천사"가 태어난다. 신의 찬란한 시선 하에 "사탄의 깃털"에서 이 "자유 천사"가 태어난다.

> 갑자기, 빛과 함께 이 세상을 만들었던,
> 놀라울 만한 눈의 광선이, 그녀에게로 내려온다.
> 이 빛살아래, 온화하고 초자연적인 빛 아래에서
> 깃털은 소스라쳐 놀라더니, 빛을 발하며, 온 몸을 전율하며 점점 커진다.
> 그리고 형태를 갖추어 살아있는 생명체가 되었다. 그리고 마치
> 사람들에게 너무나 눈부신 찬란한 여인이 되었다고 말할 수 있으려니
> 천상의 빛이 금빛으로 물들이는 태양의 대천사가
> 물었다. '신이여, 이 천사를 무엇이라 부를까요?'
> 그러자 존재가 머무르는 절대 속에서
> 사람들은 신의 말씀이 심연 속에서 솟아오르는 것을 들었다.
> 그리고 이 말은 찬란한, 갓 태어난 천사의 이마 위에서
> 갑자기 별 하나를 탄생시켰다. - "자유!" (P. IV: 40)

여기에서 우리는 눈과 빛의 동일성을 확인할 수 있다. 한편으로는 신의 눈은 밝히는 동시에 창조하고, 다른 한편으로는 밝히는 빛은 스스로 보면서 또 다른 피조물로 하여금 보게 해준다.

> 태양처럼 절대는 신이다. 이 두 가지 빛으로 신은 우리를 밝힌다. 또한 신은
> 이 두 가지 빛으로 우리를 본다고 덧붙일 수 있다. (『신에 대한 명상』, 프랑
> 스 국립 출판사, p. 584)

더구나 눈의 상징은 영혼, 빛 그리고 말 같은 신성(神性)을 나타내는 다른 특성과 잘 부합되며, 이 특징들은 서로 동등하며 교환할 수 있고, 종종 이들은 서로 연결되어 나타난다. "여명의 눈동자"[9]라든지 "말하는 눈동자"같은 표현에서 그렇다. 「힘은 부드러움이다」라는 시(詩)에서 신의 창조적이고 강력한 눈이

---

9) P. III: 875

등장한다. 신의 시선아래에서 거미가 태양으로 변화되는 것이다.

> 그러자 신은 거미를 들어
> 아직 푸른 하늘이 되기 이전의 심연 가운데에 그를 놓았다.
> 그리고 영혼은 곤충을 바라보았다. 그의 눈동자는
> 눈부신, 영원한 미광(微光)을 물처럼 쏟아 내었다.
> 그리고 신은 평화로운 시선으로 그를 바라보았다.
> 이블리스는 눈을 들어, 주홍빛 심연아래에 몸을 굽혔다.
> 왜냐면 신이 거미를 태양으로 변신시켰으므로. (『제세기(諸世紀)의 전설:
> La Légende des siècles』, P. II: 579)[10]

"자유 천사"처럼, 사람들과 사물들의 탄생은 이 우주적인 눈에서 유래되며, 모든 존재와 사물들은 "동일한 눈에서 생겨나며, 똑같은 눈물이다."[11] 「예언자들」은 이런 생각이 두드러지게 나타나는 작품 중의 하나이다.

> 우리는 모두 동일한 경주를 하고 있다.
> 심연(深淵)은 곧 샘을 의미하나니,
> 슬픔에 잠긴 밤의 상장(喪章)
> 음울한 무덤의 비석
> 해맑은 별 빛
> 이 모두는 동일한 눈의 눈꺼풀들이다. (『정관시집』, P. II: 527)

이 시에서 창조주-신과 피조물과의 관계가 눈과 눈꺼풀의 관계로 묘사되고 있는데 이는 창조주 앞에서는 모든 피조물이 동등한 관계이며 동일한 기원을 지님을 암시하고 있다. 신의 눈은 보이는 것과 보이지 않는 것을 보는 "보이지 않는 눈"[12]이며, 그의 "빛나는 눈"[13]은 모든 피조물을 차별 없이 밝히고 아주 작은 것과 마찬가지로 아주 거대한 것, 또"높은 곳과 깊은 곳"[14]을 차별 없이 비춘다.

---

10) 이블리스 - 악마의 다른 이름
11) P. II: 516
12) P. IV: 530
13) P. I: 851
14) P. IV: 697

형태도, 경계도 없는, 목소리도 없는 존재.
유일하며, 고요한 무한함을 지니고
같은 시선으로, 잔디가 질질 끌고 다니는 것과
벌레가 먹어 치우는 것, 구더기가 만들어 내는 것
그리고 어둠 속에서 웅성거리는 태양을 바라본다. (『마지막 꽃다발』, P. IV: 879)

2. 신과 피조물

2-1. 정신과 물질

우리는 지금까지 위고에게서 신은 영원무궁하고 절대적인 존재이며 "순수 정신"임을 보았다. 그렇다면 신과 피조물을 구분 짓는 여러 가지 차이점 중에서, 어떤 점이 가장 근본적일까? 그것은 신이 순수 정신인데 에 반해, 피조물은 정신과 물질의 두 요소로 구성되었다는 점이다. 그렇다면, 왜 피조물은 정신과 물질의 이종혼성이어야만 했는가? 전지전능한 신은 다른 방법을 택할 수 없었을까? 『정관시집』에 실린 한편의 詩, 「어둠의 입이 일러준 것」은 위고의 창조에 관한 이론을 전개한다.

신은 무게 없는 존재만을 창조했다.
신은 그를 빛나고, 아름답고, 사랑스럽게,
그러나 불완전하게 만들었다. 그렇지 않다면, 동일한 숭고함으로,
피조물이 신과 동등하므로,
이 완전함은, 영원 속에서,
신과 함께 섞이고 혼합되었을 것이며,
피조물은, 너무 밝은 탓으로,
창조주 안으로 섞여 따로 존재하지 않았을 것이다.
선지자가 꿈꾸던 신성한 창조는,
존재하기 위해서, 오 심오함이여, 불완전해야만 했었다.

신은 물질과 섞인 우주를 창조할 수밖에 없었는데, 이 이질성이야말로 창조에 필요불가분한 요건이다[15]. 만일 영원무궁하고 절대이며 순수정신인 신이 자

---

15) 소라(D. Saurat)는 『빅토르 위고와 전래 신들: Victor Hugo et les dieux du peuple』에서 이는

신과 동일한 것을 창조한다면, 절대와 순수정신을 창조한 셈이니 결국은 자기 자신을 창조한바 다름없다. 그렇게 되면, 동일한 두 절대와 두 완전은 공존할 수 없으니, 신은 창조하지 않은 셈이고, 따라서 완전하고 절대인 신은 창조하기 위해서는 자신과는 다른 것을 만들어야 했다. 한마디로 물질과 혼합된 창조물의 특성은 불완전성이다. 순수정신이 완전하고 절대이며, 또 선(善)이며 빛이라면, 물질은 불완전하고 상대적이고, 악(惡)이며 어둠인 것이다. 그러나 궁극적으로 모든 창조물은 신 안에서 일체성과 평등성을 원칙으로 창조되었으며, 이 일체성은 신과 창조물의 합일을 전제한다. 그런데 이 합일성은 동시에 신과 피조물의 상이성을 내포하고 있다. 다시 말하면, 신의 창조방식은 마치 빛의 발산 과정과 흡사하여, 신-중심으로부터 시간과 거리에 비례하여 피조물이 진화하고 변하기 때문이다. 따라서 우리는 "어둠의 입"의 계시에 ─ "신은 오직 무게 없는 존재만을 창조했다" ─ 의거하여 상이한 두 창조물을 유추할 수 있다. 먼저 첫 번째, 신의 창조가 있는데, 신은 절대 선(善)인 까닭에 최상의 것만을, 즉 신과 가장 흡사한 것만을 만들어낼 수 있었다.

> 원래 신은 창조물을 가능한 한 그와 근사하도록 만들었다.
> 불완전함이 거의 눈에 띄지 않았고, 거의 물질도 섞이지 않았다, 모든 피조
> 물이 천사였다. (O: 37)

원래 창조물은 신에 가까운, 거의 순수정신인, "눈에 보이지 않은 물질"이었고, 초기의 존재들도 "거의 눈에 띄지 않을 양의 물질"이 섞여 있었다. 그들은 "불, 빛, 정기, 향" 따위의 "정신과 가장 흡사한 물질"로 되어 있었고, 따라서 그들은 날개를 달고서, 하늘에 위치한 "빛과 영혼"의 천국에서 머물렀다.

그러나 빛의 발산법칙처럼, 신-중심으로부터 피조물들은 조금씩 멀어져가고, 또한 존재하는 것은 창조한다는 위고의 우주생성론에 의거하여, 이번에는 첫 번째, 신의 창조물이 창조주가 되는데, 이 두 번째, 피조물의 창조는 그들과 흡사한 존재들만을, 즉 불완전하고 상대적인 존재만을 만들어낼 수밖에 없었다. "불완전하고 상대적인 존재가 완전하고 절대적인 존재를 만들 수 없기 때문이

밀교(密教)의 영향을 받았다고 적고 있다. (pp. 82-83, pp133-134)

다." 절대는 또 다른 절대를 만들어낼 수 없는 반면에, 상대는 다른 상대를 별개로 만들 수 있으며, 또한 다수와 여러 등급을 내포한다. 이 두 번째 창조는 첫 번째 창조에 비해, 물질이 더 많이 섞여있을 뿐 더러, 절대선인 신으로부터 더 멀리 떨어져있고, 더 불완전하다. 즉 물질이 악이라면, 이 두 번째 창조는 더 악에 가깝다고 보겠고, "무게를 달 수 있는 물질", 즉 "정신에서 가장 멀리 있는 물질" "응축되고, 구체적이며 중력을 지닌 물질"로 구성되었다. 이들이 머무르는 곳은 하늘이 아니고, 무겁고, 추운 지구 같은 땅덩이이다. 따라서 이 두 번째 창조는 본연의 의미에서의 창조가 아니다. "무거운 물질"은 악이며, "악은 창조할 수가 없기"[16] 때문이다. "신은 우주를 창조하였고, 우주는 악을 창조하였다."[17]

이제 우리는 이 두 창조사이의 등급을 간파하게 되는데, 이점에 있어, 위고는 신(新) 플라톤 주의자들과 유사하다. 이들에 의하면, 먼저 우주의 유일한 원칙에서 생겨난 정신의 세계가 있고, 이 정신세계에서 생겨난 감각세계라는, 서로 대립되는 두 세계로 이루어져있다. 정신세계가 지속적인 반면에, 감각세계는 소멸하는 자연이므로 전자가 후자에 비해 더 진실하고, 완전하고 본질적이다. 전자가 실체라면, 후자는 전자의 그림자며 반사체에 불과하다. 만일 첫 번째 신의 창조가 구약성서의 천국에, ─ 신과 인간, 그리고 자연생물들이 한 가족을 이루며 서로 대화하며 사랑하는 평등과 조화의 삶─ 비유된다면, 두 번째 악의 창조는 아담과 이브가 에덴동산에서 쫓겨난 이후의 삶이 되겠다.

> 악이 퍼져나간 지구 위에는
> 사라진 에덴의 불빛이 감돌았고,
> 육체와 정신이 뒤섞인 땅위에는,
> 저녁, 가없는 침묵이 깔렸다.
> 그리고 사막, (…) 바위들은, 이 음울한 감옥들,
> 높이 치솟은 나무로 가려진 어두운 동굴에서
> 벌거벗고, 침울한 두, 키 큰 늙은이들이 나오는 것을 보았다. (…)
> 그들은 바라보았다, 힘겨운 일에 죽도록 지친, 창백한 아담과

---

16) O: 37-39
17) P. II: 536

흰머리가 성성한, 의기소침한 이브였는데,
한사람은 낮이 저무는 것을, 다른 한 사람은 어둠이 커 가는 것을.(...)
인류의 선조인 그들은, 둘 다, 울었다
아버지는 아벨을 생각하며, 엄마는 카인을 생각하며. (P. II: 464)

이 두 사람은 "서로 등을 돌려 앉는데," 이는 이들 사이의 이해력의 결핍을
나타내며, 따라서 시선 교환의 부재를 상징한다. 이들은 둘러싼 자연을 "보지도,
듣지도 않는데," 이는 그들의 슬픔을 함께 슬퍼하는 자연에 대한 인간의 냉담함
과 나아가 몰이해를 나타낸다. 한마디로, 악의 결과는 이처럼 구성원들의 결별
과 아울러 신과 인간과의 직접적인 관계가 끝나고, 그들에게 신은 "감춰진 존재
(le Dieu caché)," 혹은 보이지 않는 존재가 된다.

여기에서 유의해야 할 두 가지 문제가 있다. 우선, 위고의 악의 개념은 구약
성서의 그것과는 다르다고 간주되는데, 구약성서에서는 원죄가 인간의 타락을
야기했으며, 또는 선악과를 먹고서 신과 동등해지고 싶었던 인간의 오만함을
말한다면[18], 위고에게 있어서는 악이 수치심이라거나, 죄책감 또는 양심의 가
책, 위법(違法)처럼 인간 스스로가 체험할 그런 성질의 것이 아니다. 그와는 반
대로 물질이 창조에 필요한 조건이므로 악이 창조물에 내재하며, 이런 관점에
서 볼 때 물질, 어둠, 또 악의 특성은 레옹 셸리에(L. Cellier)의 지적대로 "부정
(否定)의 긍정성(肯定性)"[19]으로 규정지을 수 있고 따라서 어떤 점에서는 신
의 필연성을 위탁받은 존재로 남는다.

신은 (...)
우주의 목적이므로 모두 안에 존재한다. (...)
모든 것이, 악이라 할지라도, 신의 창조물이다.
가면의 안쪽 역시 얼굴이기 때문이다. (P. II: 536)

우리가 봉착하게 되는 또 하나의 문제점은 위고의 신이 유일신(唯一神)인

---

18) 『성경 신학 어휘집: Vocabulaire de Théologie biblique』에서 「죄악: Péché」편을 참조할 것
(pp 932-946)
19) 『정관시집』, p. 784

지 혹은 범신론(汎神論)적 신인지에 대한 것이다. 위고는 신-창조주가 무(無)에서 유(有)를 만들었으며, 신-순수정신이 물질을 창조했다는 유심론적 창조론을 표방하고 있지만, 빛의 발산과정에 비유된 창조과정은 범신론을 연상시킨다. 유일신이 초월신을 표방한다면, 범신론은 이 초월성을 부정하고 신의 내재성(內在性)을 강조하여 결국은 신과 피조물이 하나임을 강조하는 입장이라고 하겠다. 위고 스스로도 신은 "모든 것이며 하나"[20]임을 반복하고 있다. 신의 창조가 중심에서 발산하여 점점 퍼지는 빛과 같다면, 신-중심과 피조물-원둘레의 차이는 단지 정도의 차이일 뿐 정신의 요소가 함유되어 있음을 암시한다. 신과 피조물의 차이가 중심에서의 거리일 뿐이라면, 궁극적으로 신과 피조물은 하나라는 가정에 도달할 수 있기 때문이다. 그의 작품에서 그 구분이 애매하고 석연치 않은 부분이 여러 곳에서 드러나긴 하지만, 그는 항상 유일신에 우위를 두고 있으며, 따라서 범신론자는 아니다. 그에게서 초월신과 범신론은 서로 반대되는 이론이라기보다는 서로 보충적인 역할인 것이다. 그의 의견으로는 피조물과 신의 관계는 "점근선"[21]이다. 피조물이 신에서 생겨났으며, 따라서 신적인 요소를 지니고 있다 할지라도, 순수 정신인 신과, 정신과 물질의 혼합인 피조물은 절대적으로 다른 것이며, 더구나 피조물이 구원을 얻는다 해도 신에 가까이 다가갈 수 있을 뿐, 결코 신이 될 수는 없기 때문이다.

2-2. "존재의 사다리"

「어둠의 입이 일러준 것」에 의하면, 위고에게 물질은 정신이 타락한 결과물이 아니고, 정신의 타락을 야기하는 직접원인으로 간주된다. 두 번째 창조물을 구성하는 "무게를 잴 수 있는 물질"은 그의 자연법칙에 따라 중력을 띠게 되어 점점 무거워지는 현상을 보여주는데, "최초의 과오가 최초의 무게였다." 이처럼 물질이 최초의 과오이며, 악이고, 어둠이다. 따라서 점점 무거워지면서, 악 속으로 점점 깊이 빠지면서, 또 점점 신으로부터 멀어지며 일군의 피조물들이 단계적으로 사슬을 잇듯 형성된다. 즉 우리는 신으로부터 시작해, 천사 그리고 인간,

---

20) C: 708
21) O: 215

동물, 식물, 광물을 거쳐 악마에 이르기까지 끝없이 어둠으로 내려가는 "존재의 사다리"를 가정할 수 있다.

이 "존재의 사다리"에서 인간은 특별한 위치를 차지하는데, 즉 그는 신으로 시작되어 천사로 내려오는 신의 첫 번째 창조물인 정신세계를 마감하는 한편, 다른 한편으로는 그로부터 "무게를 잴 수 있는" 감각의 세계가 시작되기 때문이다. 인간은 이 두 세계의 경계점으로 정신과 육체의 두 요소로 구성되어 있다는 점이 특징적이다. 정신세계가 행복과 자유, 선과 정당함의 상징이라면, 감각세계의 존재들은 무게에 매어 달려 마치 사슬에 얽매인 죄수들과 흡사하며, 악과 어둠 속을 헤매며 결국은 죽음을 면치 못하는 불행의 상징이다. 여기에서 우리는 위고 특유의 "불쌍한 사람들(les misérables)"[22]의 의미를 추론할 수 있다. 그에게 본질적으로 인간은 신 앞에서 '불쌍한 존재'인데, 왜냐면, 인간은 영혼과 육체의 두 요소로 구성되어있기 때문이며, 이처럼 두 요소를 갖는다는 것, 즉 물질이 섞여있다는 것이 인간의 불행이자 인간의 조건인 것이다.

이제 이 존재의 사다리를 눈의 은유를 통해 고찰해 보겠다. 신은 순수정신이며 순수영혼이고 "견자"임을 언급했는데, 이 신에게서 가장 가까운 존재들인 정신세계의 천사들은 신에 비해 덜 순수하지만, 중력(重力)을 지닌 인간에 비하면 견자이다. 즉 어느 존재의 보는 능력은 그의 영혼의 순수성에 좌우되는데, 따라서 감각세계의 하층부로 점점 더 내려갈수록 영혼은 물질에 가리어져 이 '보는 힘'을 잃게 된다. 그리하여 위고의 세계에서는, 인간은 육체의 눈과 영혼의 두 눈을 가진 존재로, 동물을 거쳐, 식물, 광물들은 영혼의 "눈이 먼 존재"로 나타난다. 그렇다면, 이 감각세계의 존재들도 영혼을 가지고 있는가하는 질문이 제기된다.

> 우리는 창조물을, 신이 중심이면서 동시에 원둘레인, 일종의 구체(具體)로 가정할 수 있고, (…) 이 구체는 조금 씩 조금 씩 물질에서 정신으로, 보이는 것에서 보이지 않는 것으로 변화되면서 무수한 원형중심의 세계로 구성되어있다.(O: 45)

---

22) 『레 미제라블: Les Misérables』은 위고의 대표적인 소설 중 하나로서, 우리나라에서는 『장 발 장』이라는 제목으로 널리 읽히고 있다.

감각세계의 이 눈먼 존재들도 영혼을 가지고 있는데, 인간만이 이 물질세계에서 유일하게 "활동적인 영혼"을 가지고 있고, 그 이외의 존재들은 "감춰진, 즉 활동하지 않는 영혼"을 가지고 있다. 궁극적으로 물질세계도 정신세계와 마찬가지로 신의 창조물인데, 그렇다면 어떻게 이 물질세계가 순수정신인 신에게서 만들어질 수 있었을까 하는 질문이 제기된다. 환언하면, 어떻게 볼 수 있고 만질 수 있는 것이 보이지 않고 만질 수 없는 것에서 생겼을까하는 것이다. 위고에 의하면 "물질의 특성중의 하나가 나누어 질 수 있다"[23])는 점인데, 한 물질의 구성물이나 그 근본적인 성격을 알기 위해서, 우리는 그 물건을 나눌 수 있는 한 작게 나누어 가다보면, 이처럼 가장 미소한, 그러나 그 물질의 특성을 지닌, 더 이상 나눌 수 없는 요소에 다다르게 되고, 이것이 바로 "원자"이다. 다시 말하면, 물질의 구성요소는 "원자"이고, 원자는 물질이다.

한편, 태초에 창조의 원자가 있었는데, 바로 신이며, 그는 창조의 중심이자 유일한 원칙이다. "창조이전에, 신은 원자였고, 창조는 신이 복합화된 것이다."[24]) 신은 원자인 동시에 무한한 존재인데, 무한이란 거리나 무게를 재는 것과는 무관한 개념으로 원자처럼 나눌 수 없다. 이리하여 물질의 원자는 더 이상 쪼갤 수 없고, 신 역시 정신의 원자로서 분할할 수 있는 개념이 아니므로, 여기에서 물질과 정신의 공통점을 발견하게 된다. 물질의 특성이 분할가능성이라면, 원자는 더 이상 분할할 수 없으므로 더 이상 물질이라고 볼 수 없고, 오히려 비물질에 속한다고 보이야 할 것이다. 즉 물질의 원자는 정신의 원자와 동일한 기원을 가지고 있고, 이렇게 해서 '물질은 비 물질로 만들어졌다'는 것이다. 위고는 '신은 무(無)에서 모든 것을 창조했다'고 단언함으로써, 물질과 정신의 대립을 극복하는 한편 정신의 자율성과 우월성을 인정하고 있다. 보이지 않는 것이 보이는 것을 만들었고, 보이는 것은 보이지 않는 것을 전제로 하고 있다는 것이다.

또한 신의 창조는 우주적이고 종합적이며 보편적인 의미를 띠지만, 피조물인 인간은 지엽적이고, 제한되고 단편적인 지식만을 갖게 된다. 즉 인간은 제한

---

23) O: 134
24) O: 45

된 공간과 시간 안에서 상대적이고 다수의 형태만을 보게 된다.

> 이 우주의 삶은 관점이다. 모두가 하나에 속하지만 그 어느 것도 흡사하지
> 않다. 동일한 존재가 다른 곳에 놓이면 다르게 될 것이다. 우리가 삶을 인지
> 하는 관점에 의하면, 태양의 경사각도가 문제이다. (...) 어떤 혹성의 기울
> 어진 축이 바로 선 축대로 바뀐다면 그로 인해 천국이 지옥으로, 또 지옥이
> 천국으로 바뀔 수 있기 때문이다. 그러나 그 누가 우리가 사는 방식만이 유
> 일한 것이라고 단정을 지을 수 있겠는가? 그 누가 존재가 우리식대로만 이
> 해할 수 있을 것이라고 한정짓겠는가? 우리는 한 사물을 어떤 한 관점에서
> 본다. 관찰점을 인간의 관점이하로 바꾸어보면, 그 사물은 다르게 인지될 것
> 이다. (『무한에 관하여』, C: 676)

그렇다면 상대적임은 무엇을 의미하는가? 그것은 한편으로는 절대와 중심
에의 의존과 종속을 의미하고, 다른 한편으로는 상대는 다수와 등급을 의미하
므로 그들 사이의 상호의존과 상호작용을 의미한다. 부언하면 이것은 인간이
지닌 세 관계를 ─ 신, 자연 그리고 인류 ─ 말한다. 인간은 이 끝없는 우주의 극
히 미소한 한 부분만을 볼 것이고, 어떻게 보면 새로운 관점이 새 세상을, 또
새 삶을 발견한다고 말할 수 있으니, 이 또한 바라보는 행위의 창조성이라고 말
할 수 있지 않겠는가? 모든 것이 관점의 차이일 뿐이다. 우리가 어떤 사물을 바
라볼 때, 우리는 그 사물의 정수(精髓)는 보지 못하고 단지 한 모습만을 볼뿐인
데, 그리하여 우리가 운명이라고 부르는 것도 우리가 전체를, 즉 신의 의도를,
보지 못한데서 오는 단편적인 견해일 뿐이다, "세상은 흐릿한 눈동자만을 지닐
뿐이다."

> 우리는 결코 사물의 한쪽밖에는 볼 수가 없다.
> 다른 한쪽은 어마어마한 신비의 밤 속으로 잠겨든다.
> 인간은 그 원인을 알지 못한 채 멍에를 지고,
> 그의 눈에 비치는 모든 것이 짧고, 소용없고 무상하구나. (『정관시집』, P. II:
> 412)

3. 신-견자(見者)

3-1. 보이지 않는 눈

우리는 이미 위고의 우주 생성 이론에서 신의 눈과 그 눈의 창조적 역할을 살펴보았는데, 이는 신-창조주가 또한 신-견자임을 암시한다. 신은 눈이며, 영원히 "바라보는 이"[25]이다. 詩 「예언자들」에서 위고는 유태교와 기독교의 전통을 따라 여호와의 상징으로 삼각형 안에 새겨진 눈의 이미지로 신을 상징하고 있다.

> 신, 삼중의 불, 삼중의 조화
> 사랑, 힘, 의지의
> 어질면서 또한 타오르는 불빛의
> 잠들지 않는 거대한 눈동자...
> 신으로부터 고통 받는 인간에게로 내려오는...
> 하늘에서 산 위로 내려오는 한 줄기 빛이
> 심연의 삼각형에
> 솔로몬의 석류석을 연결시켰다.

『제세기(諸世紀)의 전설』에서 거인족인 프토스가 발견한 것도 바로 신의 눈이다.

> 프토스는 불가사의(不可思議)를 본다. 그는 바닥을 보고, 정점(頂点)을 본다.
> 넋을 잃고서 그는 진실을, 이 벼랑을 바라본다.
> 오, 놀라움이여, 그는 영원한 안개의 두께를 꿰뚫고
> 거대한, 형언할 수 없는 어둠 속에서
> 하나의 눈동자를 분간해내기에 이른다.
> (...) 그러자 거인은
> 음울한 올림퍼스 산의 주민들을 응시하다가
> 두려움에 떨며 그들에게 외친다. "오, 신들이여, 신이 존재한다네."

---

25) P. III: 206

그의 유고집(遺稿集)인 『신』에서 회의론을 상징하는 "올빼미"는 신을 보고 싶다는 강한 욕망과 그의 존재를 믿지 못하는 의혹사이에 짓이겨 괴로워한다.

이 모든 것은 그가 존재하는 것을 증명하기에 충분할까?
어떤 창조자가, 어떤 견자가 어딘가에 존재한다는 것을? (P. IV: 632)

신-견자의 전지전능한 눈은 역시 도처에 그가 존재함을 의미하는데, 이는 "눈이 사방으로 열린 여호와"[26]라거나, 『제세기의 전설』의 「사티로스」라는 시에서 올림퍼스 신들의 신인 주피터역시 "세 개의 눈"을 가진 모습으로 등장한다. 이는 신성(神聖)의 모든 것을 보는 능력과 늘 그리고 어디에나 존재하는 그의 특성을 표현한 것이다.

세 눈의 주피터는 생각에 잠겼다.
사람들은 그의 눈 속에 시작된 세상을 보았다.
한 눈 속에 현재, 다른 한 눈에 과거
세 번째 눈에는 꿈처럼 미래가 아른거렸다.

신-견자는 한편으로는 무한하고 영원한 신을 지칭하고 다른 한편으로는 모든 것을 알고 있는 전지전능한 신을 지칭하는 또 다른 방식에 지나지 않는다. 신은 모든 것을 보고, 따라서 모든 것을 알고 있으며, 앎은 곧 능력인 탓으로 그는 모든 것을 할 수 있다. 창조주의 초자연적이고 총체적인 지식(앎)은 그의 전능한 권력과 동등하다. 다시 말하면 위고에게서 생각하는 것, 보는 것 그리고 아는 것은 창조하는 것이며 존재하는 것이고, 여기에서 바라보는 것과 아는 것의 관계를 유추해낼 수 있겠다. 또한 인류의 사상과 앎의 역사는 직접적이건 간접적이건 눈의 이미지와 연결되어 있음을 알 수 있다.

신의 '지고한 영혼'을 지닌 고요한 눈에 의해, "눈꺼풀이 없이 늘 깨어있는 눈"[27]에 의해 위고는 신의 지속적이고 반복적인 창조력을 나타내고 있다. 신은

---

26) P. II: 604
27) P. III: 711

"불면의 거대한 눈동자"이다.[28] 따라서 우리는 자연스럽게 위고의 작품 속에서 여러 신과 눈의 이미지가 연결되어 나타나는 것을 자주 보는데,「패권」이라는 詩에서 공간의 신인 인드라(Indra)가 자신이 견자라고 자랑을 하는 장면이 나온다.[29] 사실 그는, 바람의 신인 바이유(Vâyou)가 한 치도 옮기지 못하고, 불의 신 아니(Agni)가 태우는데 실패했던 한 가닥의 지푸라기를, 보고 그 위치를 알아내는 데에 성공하여 신들의 대결에서 승리를 거두긴 하지만 그의 시계(視界)는 '보이는 것'을 보는 데에 국한되어 있다.『신』에서 여러 종파와 교회의 대표자들도 마찬가지로 각자 이 "창조하는 눈"임을 자칭한다. 헤르메스-올빼미와 모세-독수리의 경우인데 이들은 무엇보다도 "바라보는 존재"로 자신을 규정하며,[30] 조로아스터-까마귀 역시 선과 악의 상반된 신을 눈과 눈꺼풀에 비유하고 있다.

3-2. 인간(人間)적 신

"열려있는 눈"의 이미지가 암시하듯이 위고는 신을 살아있는 존재로 구상한다. 신-견자는 "생생한 눈"을 지니고 있으며, 그는 "영원히 살아있는 존재"이다.

---

28) P. II: 527
29) 나는 험한 심원(深遠)의 견자이다.
   그 어느 것도 내 시야를 벗어날 수 없다. 그 누구도 내 눈을
        벗어날 수 없다.
   만일 어느 무엇이 내게 보이지 않는다면
   내가 신이 아니고, 그가 신이리라. 그러나 그것은 불가능한 일.
   난 무한한 바라보는 존재이다. (P. III: 206)
30) 나는 어둠 속에서 불타는 눈이다.
   나는 우물을 들여다보는 존재이다.
   나는 이유를 알고 싶어 하는 존재이다. (P. IV: 626-627)

   나는 깊은 밤에 활공하는, '위에서' 영감을 받은 독수리이다.
   나는 천재를 닮은 동물이다.
   나는 무서운 시선 속에 영원한 미광(微光)을 지니고 있다. (P. IV: 654)

그, 아무도 만질 수도, 더럽힐 수도, 흐리게 할 수 없는 그,
견자이고 진실로 살아 있는 자, 죽지 않고, 밤도 없이, 惡도 없이.31)

이처럼 위고의 신은 관념 속의 신이 아니고 인격을 지닌 살아 있는 신이며 자아(自我)를 지닌 신이다32). 그의 작품에서 종종 신은 인간의 모습으로 나타나기도 하고, 때로는 눈이나 손, 더러는 목소리나 입, 혹은 귀 같은 신체의 일부분으로 나타난다. 아니면 신은 시인(詩人)이나 대장장이 또는 방직공이나 수확하는 사람 따위의 직업인의 이미지를 빌어 나타나거나 혹은 위고는 그저 단순히 "누구(quelqu'un)"라거나 "그(on, Lui, Il)" 등으로 신을 막연히 지칭하기도 하는데, 그럼으로써 신의 신비를 넌지시 암시하려는 의도인 듯싶다. 그에게 신은 보이지 않고, 알려지지 않고, 알 수 없는 존재이다. 게다가 모든 것을 다 보고 있는 신의 이미지와 그의 "고독한 눈"33)이 발하는 웅장한 빛은 감각적 현실을 벗어나 존재하는 초월적이고 불변의 신을 전제한다. 우리는 위에서 빛과 눈의 이미지를 신의 속성으로 간주했는데, 다시 말하면 눈과 빛의 이미지는 수직 축을 중심으로 형성이 된다는 공통점을 지니고 있고, 여기에서 우리는 높이와 초월성을 연결시킬 수 있다.

그러나 무한(無限)에게 그 무엇이 중요하다는 말인가? 이 폭풍, 이 구름, 이 전쟁, 그리고 평화, 어둠, 그 어떤 것도 단 한순간이라도 거대한 눈의 미광(微光)을 흩트리지 못할 것이다. 그 눈앞에서는 풀잎에서 다른 풀잎으로 뛰는 진딧물이나 노틀담 대성당의 종탑을 이리저리 날아다니는 독수리나 다 마찬가지일 뿐이다. (『레 미제라블 』, R. II: 279)

신은 영원하고, 그의 고요하고 강렬한 눈길아래 시간과 공간 속에 제한된

---

31) P. I: 829 / C: 261 / P. IV: 706
32) 이는 위고의 작품 전반에 걸쳐 나타나는 이미지인데, 이 주제에 관해서는 특히 알부이(P.Albouy)자 저술한 『빅토르 위고의 신화적 상상력: La Création mythologique chez Victor Hugo』의 「신」편과, 조쉬아(J-P Jossua)의 문학 작품의 종교 이야기: Pour une histoire religieuse de l'expérience littéraire』의 「인간의 이미지를 한 신, 위고의 신학적 시학: Un Dieu à l'image de l'homme, Poétique théologique de Hugo」, 그리고 구스돌프(G. Gusdorf)의 『낭만적인 인간: L'Homme romantique』을 참조하기를 권한다.
33) O: 320

피조물은- 사람이건 동물이건- 자신들의 삶의 덧없음과 무력함을 절실히 느낀다.

> 목소리: (…) 가까이 오라. 나는 저울을 가지고 있어
>   내 앞에서 너를 보라, 벌거벗은 너를 (…)
>   백 년은 내 앞에서는 한 시간과 같다.
>   영원한 내 눈길 아래에서는. (『오드와 발라드』, P. I: 111)

결국엔 사탄까지도 절대-신이 갖는 시선의 우월성을 인정하기에 이르는데, 사탄의 발언은 유일하게 진실한 삶을 사는 절대 신을 제외하고 모두가 죽을 수밖에 없는 운명인 피조물의 조건을 잘 드러내고 있다.

> 불꽃인 네 눈길아래에서 아무 것도 머물러서는 안 된다.
> 모두가 변해야하고, 늙어가고 변모해야 한다.
> 신이여, 너만이 사는구나. 네 앞에서 모든 것이 나이를 먹어야한다. (『사탄
> 의 종말』, P. IV: 122)

신의 시선은 언제나 또 어디에나 존재하는데, 이러한 신의 눈을 위고는 응시(凝視)로 나타내며, 이 응시는 신의 존재와 그의 영혼의 순수가 지닌 힘을 상징한다고 보겠다.

> …. 진실한 것, 그것은 중심이다.
> 그 나머지는 외양이거나 잡음일 뿐
> 사자를 찾자, 그 소굴을 찾지 말고
> 곧게 바라보는 눈이 빛나는 곳으로 가자. (『정관시집』, P. II: 380)

「어둠의 입…」詩에서도 응시하는 시신의 눈이 갖는 위력을 보게 되는데, 여기에서는 창조하는 눈이 아니고 어둠에서 악(惡)을 파괴하고 뽑아내는 눈을, 그러니까 새로운 형태의 창조적인 눈을 보게 된다.

신은 시선으로 암흑을 잡아당기면서
악(惡)이 유혹해 갔던
칠흙 같은 구렁텅이 속에서
더듬거리며 자신을 찬양하는 우주를 보며
대천사(大天使) 세상 쪽으로 악당 세상을 끌어들일 것이다. (P. II: 551)

이처럼 악을 파괴하는 눈길은 언뜻 보기에는 창조적인 눈길과 반대되는 듯이 보이지만, 실은 같은 창조력을 띤 눈이다.

4. 신-심판자

4-1. 양심(良心)

영원하고 무한한 존재인 창조주-신은 절대적 능력을 지니고 있으며, 모든 것을 보고 이해하며, 모든 것을 알고 있는 "알지 못하는 누구"이다. 그는 어디에나 존재하고 어디에서든지 볼 수 있으며 "모든 것을 할 수 있고" 따라서 모든 것을 창조하고, 이루며, 따라서 통제하며 심판한다. 모든 것을 보는 이는 모든 것을 알고, 따라서 최고의 보이지 않는 증인이며, 우리들의 가장 내밀하고 깊은 영혼의 사소한 움직임까지 지켜보는 피할 수 없는 증인인 것이다.

그는 우리의 영혼에서, 사랑을 제외한 모든 것을 떼어낸다,
양심이라는 그의 강철 부리로, 그는 파고든다.
우리의 사고 깊은 곳까지, 우리의 깊은 꿈속까지,
그리고 우리의 가슴을 파헤친다. (『할아버지 되는 법: Art d'être grand-père』,
P. III: 854)

그 어느 것도 신의 "알 수 없는, 신비의 시선"을 피할 수 없으며, 따라서 신은 "의로운 경고자"이며 그의 "영원한 눈은 끊임없이 우리의 삶을 지켜보고 있으며" 신의 "거대한 눈동자의 푸른 동공"아래, 모든 것이 적나라하게 그리고 투명하게 드러나기 마련이다.[34]

---

34) P. IV: 690 / P. I: 366 / P. IV: 260

창조주-신은 우리를 만들었고, 우리는 그의 피조물이므로 우리는 그의 작품이며, 그는 우리를 만든 "지은이"이며 "주인"인 동시에 우리의 "심판관"이고, "보이지 않게 밤을 지새우는 이"인데, 한 마디로 "신은 창조주이며 심판관"이다. 그런데 심판관으로서의 신의 개념은 창조주-신과 피조물과의 관계를 드러낸다. 만일 창조주-신이 삶의 신비임과 동시에 초월적인 존재, 즉 형이상학적인 상징이라면, 심판관-신이라는 윤리적(도덕적)인 이미지가 거기에 덧붙여지는 것은 너무도 당연한 귀결이라 하겠다. 창조주와 심판관의 동일성은, 실생활과 인간 사회에서의 삶의 도덕적 의식의 관계를 밝혀주면서 더욱 더 신과 인간의 관계를 밝혀준다.[35]

> 함부로 해대는 말들을 이리저리 흘리면서
> 인간은 떠들며 지나가고 이들을 눈 하나가 지켜보고 뒤를 좇는다.
> 신이 모르는 지붕은 하나도 없는데,
> '누가 우리를 보겠어' 라며
> 어둠 속에서 악을 행하는 사람들에게 불행이 올지니...(『정관시집』, P. II: 486)

여기에서 우리는 위고가 창조주-신과 신-심판관의 관계를 불가분의 관계로 규정짓고 있으며 이 관계 속에서 위고의 신에 대한 개념이 정리되고 있음은 분명하다 하겠다. 만일 창조주-신이 상징과 원칙에 관계가 있다면 심판관-신은 실제적인 삶에서 도덕성에 관계되는 것이다. 그리하여 삶을 초월하는 신비인 창조주-신은 다른 한편으로는 삶에 내재하는 도덕적인 의식을 나타내는 심판관-신이기도 하다. 신은 인간의 사고와 행위에 따라 보상과 징벌을 나누어주는 인간의 심판관인 것이다. 신은 개개인을 지켜보는 "증인이며 개인의 영혼에 때로는 칭찬을 때로는 벌침을 주는" 존재이기도 하다. 이처럼 개인의 영혼에 존재하며 개인의 영혼을 감시하는 신은 다름 아닌 양심이라고 볼 수 있다.

만일 양심이 각 개인의 피조물이 신과 갖는 개인적인 관계를 지칭한다면, 신의 정의란 피조물 전체가 신과 갖는 관계를 지칭한다고 볼 수 있겠다. 심판관

---

35) P. IV: 127 / P. IV: 667 / P. I: 1043 / P. III: 1044

-신은 "내밀하고 부드러운 증인"이며, 그는 정의롭고 동시에 관대하며, 그의 심판은 공정하고 공평하다. 신의 늘 열려있는 눈은 아주 큰 대상이나 아주 미세한 대상까지도, 그리고 높은 곳과 마찬가지로 아주 낮은 곳까지도 공평하게 차별을 두지 않고 바라보고 비춰준다. 왜냐하면 모든 피조물은 "동일한 눈의 눈꺼풀"이기 때문이다. 이처럼 모든 피조물의 동일한 기원에서 "창조주 앞에서는 모든 피조물이 동등"하다는 평등의 개념이 나오고, 또 평등성에서 정의의 개념이 유래된다.36)

> 모든 고통에 끝을 맺어주는, 정의로운 신은
> 큰 것이 작은 것을 받아들이지 않는 것을 원치 않는다.
> 그는 온 사방에 외친다. 평등이여! 정의여!
> 균형이여! 공정성이여! (『신』, P. IV: 695)

정의란 "인간이 행한 일과 신이 행할 일의 관계"에 지나지 않으며, 정의와 평등은 위대한 창조주신을 드러낼 뿐만 아니라 신의 정당성을 밝혀준다. 바꾸어 말하면, 인간의 정의, 즉 양심은 신의 정의의 작은 불씨일 뿐이며, 피조물간의 관계는 신과 피조물과의 이상적인 관계인 공평성에 의거해야 된다. 이런 관점에서 보면 개인의 양심과 사회적 정의는 불가분의 관계에 있음을 알 게 된다.

> 사람들이 정의라고 말할 때, 이는 척도를 의미한다.
> 그는 정의롭지 않다; 그는 존재할 뿐이다. 정의롭기만 한 자는 정의로운 게 아니다.
> 정의는 인간, 당신들이다. 그러나 신은
> 어질다. (...)
> 정의는 신의 옆모습에 지나지 않는다. (P. IV: 702)

눈과 눈에 관련되는 이미지는, 역사 속에서 늘 신의 감시의 신호였고, 더 더욱 신의 눈은 언제나 그리고 어디에나 존재하는 신과 그의 전지전능의 표시였다. 신의 얼굴이나 눈의 이미지는 신성의 영적이고 도덕적인 현존을 의미해왔

---

36) P. III: 43 / P. I: 1043

다. 그러나 눈의 이러한 상징적인 의미가 때로는 강박 관념적인 신의 존재의 표시가 되기도 한다. 더 나아가 이는 신의 존재가 위협적임을 뚜렷이 나타내는 방식이기도 하고 전능한 신에 대한 비난으로 발전하기도 한다. 따라서 악한 자와 범죄자들이 공포에 떠는 것은 신의 고정된 시선 앞에서이며, 이 때 신의 고정된 눈은 "무서운 창조주"[37])를 나타내는 전형적인 이미지가 된다. 이 점에 있어 『제세기의 전설』의 「양심」이 그 전형을 이루는데, 여기에서 우리는 죄를 짓고 신을 피해 다니는 카인을 집요하게 뒤 쫓는 신의 눈에 공포를 느끼게 된다.

> 짐승 가죽으로 몸을 두른 자식들과 함께
> 카인이 여호와의 면전에서 피해 달아날 때에
> 그는 암흑 속에서 커다랗게 열려있는
> 그리고 자신을 뚫어지게 바라보는 눈 하나를 발견했다....
> 그는 말없이, 창백한 모습으로 계속 길을 재촉했다....
> 휴식도 없이, 잠도 자지 않고서.... 그는 음울한 하늘 한 구석에
> 지평선 아득히, 같은 장소에서 그 눈을 보았다....
> 쥐발이 청동으로 벽을 쌓아 조상을 그 뒤에 모시자
> 카인이 말했다. "그 눈이 여전히 날 바라보고 있어!"
> 그리하여 그들은 구덩이를 팠고, 카인은 만족해서 말했다. "이제 됐군."
> 그리고 그가 혼자서 어두운 천장 아래로 내려갔고...
> 그 눈은 무덤 속에 있었고 카인을 바라보고 있었다.

신의 얼굴과 고정된 시선의 등장은 위고의 주요 관심사중의 하나였던 악한 자에 대한 처벌문제와 깊은 연관이 있다. 시집『사탄의 종말』에서 사탄은 공포에 외친다. -"빤히 보고 있는 두 개의 눈, 바로 이것이 공포의 극단이다!" 악한 자와 죄인에 대한 벌로서의 고정된 눈의 이미지는 극단적인 공포의 감정을 자아낸다.

> 악한 자는 무서워하며 네게 다가간다.
> 네게 건너가는 문턱은 그에게는 마치 불덩어리처럼 뜨겁다.
> 너의 허공위로 네 돌이 들여 올려질 때

---

37) P. II: 498

그는 거기로 몸을 기울인다.. 마치 꿈속에서처럼 그는 본다.
신의 고정된 눈과 어둡고 희미한 얼굴을.38)

「양심」이나 이 시에서 보이는 신의 고정된 눈은 신의 영벌(永罰)의 신호인데, 이에 대해, 뢰이오(B. Leuilliot)는 자신의 『징벌(懲罰)』의 주해서 서문(註解書 序文)에서 다음과 같이 적고 있다. "「양심」은 신의 시선아래에서 카인이 신의 공간 속에서 도망쳐 나오려고 무던히 시도하지만 실패로 돌아가고, 조금씩, 그러나 확실하게 차오르며 그 공간을 메우는 어둠을 나타내고 있다. 또한 이 시는 암흑에서 광명으로의 전환이 불가능하며, 후회와 죄의식에 싸여 양심이 어쩔 수 없이 겪게 되는 이성의 상실을 그리고 있다."

신의 눈의 주제에 신의 영벌과 동시에 죄인의 죄책감이 함께 내포되어 있다. 심판자-신은 모두를 그리고 언제나 바라보고 살피며, 그는 "밤을 지키는 양심"39)인 것이다. 왜냐면 신은 이상이며 절대 선이니까. 여기에서 우리의 주의를 끄는 것은 양심이라는 것이 위고에게 개인에 내재하기도 하면서 개인의 밖에 존재한다는 점이다40). 피에르 알부이의 지적대로 "고발자이며 심판자인" 초자

---

38) P. IV: 126 / 『정관시집』, P. II: 365
39) P. III: 120
40) 소설 『레 미제라블』의 장 발장역시 「양심」의 카인과 같다. 감옥에서 출소한 뒤 첫 밤을 미리엘신부의 호의 속에 지내게 된 그는 성당의 은 식기를 훔쳐 달아나고 만다. 그러나 자신을 용서하는 미리엘신부에게서 깊은 감동을 받고서 발걸음을 재촉하다 어둑해지는 산길에서 잠시 쉬던 중, 제르베라는 어린 소년을 만나게 된다. 그 소년은 노래를 부르며 동전을 공중에 올리며 장난치다 그만 그 동전을 떨어뜨리고, 그 동전은 장 발장의 발 부근으로 굴러 떨어진다. 그 소년은 자신의 동전을 돌려달라고 사정하지만, 장 발장은 무섭게 소년을 윽박지르고, 소년은 울며 떠나버린다.

"그의 시선은 풀 속에 떨어져있던 깨어진 푸르스름한 도자기조각처럼 생긴 것을 열심히 살펴보는 듯싶었다. 갑자기 그는 온 몸에 전율을 느꼈다, 저녁의 찬 기운이 느껴졌기 때문이다. (...) 그 순간 그는 자신의 신발 밑에 반쯤 가려져 있던, 돌맹이들 사이에서 빛나는 40수 짜리 동전을 발견했다. 그것은 마치 전기 충격과도 같았다. 그는 입안에서 어물어물 말했다. '아니 이건 뭐야?' 그는 자신의 발밑에 깔려있던 그 동전에서 시선을 떼지 못한 채, 세 발짝 뒷걸음질 치다, 곧 멈춰 섰다. 마치 이것이 어둠속에서 그를 빤히 쳐다보는 커다란 눈 같았기 때문이다." (R. II: 88)

마치 질책하듯 그를 바라보는 눈 같은 이 "푸르스름한 도자기 조각"은 장 발장의 의식 전환

아는 "죄 많은 자아"를 응시한다. 즉 여기에서처럼 모든 것을 보고, 모든 것을 알고 있는 신은 다시 말하면 인간을 늘 살피고, 감시하며 훔쳐보기 까지 하는데, 이는 셀리에(L. Cellier)의 용어를 빌자면, "기이한 스파이 공포증"같은 피해망상증을 유발시키기에 이른다고 할 수 있겠다.[41]

또한 위고에게는 늘 양심과 관계되는 두 가지 이미지가 늘 연결되어 있음을 볼 수 있다. 한편으로는 응시하는 눈이고 다른 한편으로는 암흑과 지하의 이미지이다. 「양심」에서 우리는 전체적으로 어둠과 무덤에까지 징벌의 눈이 빛나는 부분을 잘 기억하고 있다. 어둠과 무덤 속에 숨은 카인처럼 장 발장 역시 「두뇌 속의 폭풍」이라는 이야기에서 의도적으로 불도 켜지 않은 채 방에 숨어 있다.

> 그는 의자에서 일어서서 문을 자물쇠로 잠갔다. 그는 아직도 무엇인가가 더 들어올까 봐 두려워하고 있었다. 그는 가능한 것에 대항해서 바리케이드를 쳤다.
> 잠시 후 그는 촛불을 훅 불어 껐다. 불빛이 그를 불편하게 했던 것이다.
> 여전히 그에게는 누군가가 그를 볼 수 있을 것만 같았다.
> 누구?
> 그러나 헛일이었다. 그가 문밖에 내쫓고 싶어 했던 것이 들어 왔던 것이다.
> 그가 눈을 가리고 싶었던 것, 즉 양심이 그를 바라보고 있는 것이다.
> 자신의 양심, 즉 신이 그를 보고 있는 것이다.

여기에서 주의 깊게 읽어야 할 점은 양심이 처음에는 개인의 외부에 존재했었는데 나중에는 개인의 내부로 들어왔다는 점이다. 다시 말하면 신은 인간에 초월적인 동시에 내재적인 존재인 것이다. 즉 양심이란 인간 개개인과 신과의 내밀한 관계를 지칭하며 절대선의 개념은 인간에게서 도덕성의 이상(원칙)이 되는 것이다. 이런 관점에서 보았을 때, 인간의 양심은 인간의 내면에 신이 존재함을 암시한다.

따라서 그의 작품에서 누군가에 의해 염탐되는 악한들을 많이 볼 수 있다.

에 결정적인 계기를 제공하게 된다.
41) 알부이, p. 459 / 셀리에, p. 704

그들은 "죽은 자들의 시선을 등에 느끼며" "컴컴한 하늘 아래에 영원히 헤매고" "무한한 공간의 고정되고 무서운 시선"이 사슬이 되어 그들을 얽어매고 있다. 즉 신의 세계가 빛과 천상이라면, 신의 부정은 어둠과 지하인 것이다. 마치 밤이 낮의 부정인 것처럼, 악은 선의 부정이며, 선은 긍정(肯定)이고 악과 밤은 부정(不定)이다.[42]

> 필연적으로 영원과 무한은 긍정(肯定)이다.
> 긍정은 부정(不定)의 반대이다. 그러므로 무한과 영원은 악(惡)의 반대이다.
> 따라서 영원과 무한은 선(善)이다.
> 만일 무한과 영원히 선(善)이라면, 선은 존재한다.
> 만일 선이 존재한다면, 정신세계도 존재한다. 왜냐하면 선은 정신세계의 태양에 지나지 않기 때문이다. (『삶과 죽음에 관한 해설』, 프랑스 국립 출판사, p. 565)

4-2. 관념적 신

「어둠 속에서의 눈물」의 "숭고한 눈인 광활한 공간"[43]이라는 시 구절에서 눈과 광활한 공간과의 동일성이 분명해진다. 하늘의 푸른빛은 눈동자의 푸른색을 연상시키기도 하지만, 여기에서는 하늘은 무한한 공간의 이미지로서 신의 상징으로 보아야 할 것이다. 하늘은 광활한 공간이기도 하지만 주로 인간이 닿을 수 없는 느낌을 자아낸다. 지상의 그 어떤 생물도 하늘에 닿을 수 없으며, 그런 이유로 하늘은 종종 힘과 초월성 그리고 성스러움의 상징으로 여겨지게 되었으며 널리 공통적으로 하늘은 신들의 처소로 여겨져 왔다. 하늘은 높이에서뿐만 아니라 빛으로 가득한 빛의 공간이기도 한데, 여기에서 높이와 초월성의 접근이 시작되며 또 오랜 상징의 전통에서 수직 상승의 이미지와 빛의 원형이 보충적임을 이해하게 된다. 하늘은 모든 피조물을 바라보고 지키는 전지전능(全知全能)하고 어디에나 존재하는 신의 모습을 상징하며, 온 피조물에게 빛을 보내듯 선을 베푸는 신의 모습을 상징한다. 신은 절대이며 이것은 즉 제한

---

42) P. II: 90 / P. II: 612 / P. II: 90
43) P. II: 487

을 받지 않는, 끝이 없는 무한한 존재이며 어디든지 그의 본질이 넓게 퍼져있는 존재이다.

그리하여 탁 트인 광대한 공간은 위고의 세계에서 영혼을 구제하는 정신적인 가치를 띠게 되고, 공간과 선(善)의 일치(一致)는 곧 존재의 최종 목표인 구원(救援)으로 연결된다. 구원은 무한한 공간에서, 즉 신에게로 이루어질 것이며, 감옥에, 어둠 속에 갇혀있는 인간들과 존재들을 해방시켜줄 것이다. 여기에서 우리는 폐쇄된 공간과 어둠의 고뇌와 반대되는 가없는 지평선, 열린 공간의 구원적인 가치를 보게 된다.

이처럼 신의 이미지가 공간이나 빛으로 나타나는 경우에는, 위에서 다루었던 문제, 즉 위고의 신은 인간적인 신인지, 아니면 관념적인 신인지 하는 문제를 다시 언급하지 않을 수 없다. 그의 작품에 나타나는 신의 이미지는 어떤 이론이나 사상에 충실하고 그런 틀에 갇힌 모습이 아니며, 위고의 신은 때로는 인격적인 모습으로 때로는 관념적인 신으로 나타난다.

우리는 양심의 이중적인 양상, 이상적이고 도덕적인, 다시 말하면 외적이며 내적인 양심에 주목해야 한다. 즉 죄악(罪惡)을 목격하는 눈에서 범죄를 심판하고 죄를 내리는 눈으로의 당연한 귀결이라 하겠다. 지고의 높이에서 군주의 최고의 사회적 역할로 전환이 이루어지듯, 모든 것을 보는 신의 이미지에서 심판관으로, 더 나아가서는 직접 악을 응징하는 존재로의 변신을 목격하게 된다. 그래서 신이 이제는 인간의 악을 심판할 뿐만 아니라 직접 죄를 응징하는 사람으로 변신한다. 즉 이는 신의 초월성을 나타낼 뿐만 아니라 동시에 도덕성의 내재를 나타내는데, 이 점에 있어 이브 고앵(Y. Gohin)은 「빅토르 위고의 작품에 나타난 '내재적'과 '내재성'의 용법」이란 논문에서, 이러한 신의 초월성과 내재성의 문제를 잘 설명하고 있다. 신은 역사를 자신의 의지대로 이끌고 가지만 역사에서 인간에게 보상과 처벌을 분배할 뿐만 아니라 또한 인간의 역사에 직접 간섭하기도 한다. 환언하면 신은 역사의 저자일 뿐만 아니라 역사에 직접 참여하는 사람이기도 한 것이다. 「세당」이라는 시에서 신은 루이 나폴레옹을 직접 벌한다.

멀리서 그리고 무서운 하늘의 눈길이
죄를 결코 떠나지 않는 눈길이 그의 위에 있었다.

더구나 "징벌, 이 멀리 있는 눈"[44]이라는 이 시행의 이본(異本)은 이 점에
있어 시사적이다.

닫는 글

지금까지 보살펴왔듯이, 그의 지칠 줄 모르는 신에 대한 탐구 속에서 위고
는 신을 정의하기에는 모든 기존의 종교적 이론과 교리들이 부족하다는 사실을
깨닫고 나아가 신을 보고 알고자하는 모든 노력과 염원은 이루어질 수밖에 없
다는 사실을 인식한다. 왜냐하면 신은 보이지 않고 알 수 없으며 정의 내릴 수
없기 때문이다. 위고는 진정한 신의 이름으로 무신론과 미신, 그리고 거짓된 종
교이론을 타파하려고 했으며, 더 나아가 기존의 가톨릭교회에까지 그 공격의
고삐를 늦추지 않았다. 예를 들면 그의『끔찍한 해: L'Année terrible』에 실린「
나를 무신론자(無神論者)라고 부르는 가톨릭 주교에게」라는 詩는 기존의 종
교에 대한 비판적인 태도를 분명하게 보여주고 있다. 그에게는 신이 빛이라면
종교란 인간의 눈이 감지할 수 없는 빛을 볼 수 있도록 도와주는 "안경"에 불과
한 것이다.

위고의 종교적 입장이나 사상에 관해서는 여러 가지 견해나 이론이 제시되
었지만, 그 문제에 대한 토론은 아직도 열려있으며, 따라서 모든 사람이 동의하
는 확실하게 정리된 입장은 없다. 피에르 뒤부아(Pierre Dubois)신부는 위고를
"문학적인 감성의 기독교인"으로 규정한다. 그에 의하면 "위고는 신과 영혼의
불멸, 그리고 사후의 삶을 믿었다"는 것이다. 반면에 뷔샤낭(D.W. Buchanan)에
게는 위고는 "처음부터 줄곧 기독교적인 견해를 지닌 이신론자(理神論者)"인
것이다. 그는 위고가 "국민에게 종교의 필요성과 유용성을 믿었던 점에 있어 기
독교 작가이며 더 나아가 가톨릭 작가"라고도 말할 수 있다고 주장한다. 위고의
종교적 사상과 의견의 변화양상에 관심을 가졌던 사람들 중에서 특히 피에르

---

44) 피에르 알부이, 플레이아드 판(la Pléiade), 위고 시집 3권, p. 922

베레(P. Berret)는 위고를 "초기에는 가톨릭신자이고 기독교인이었는데, 이신론자(理神論者)와 회의론자의 단계를 거쳐 드디어는 범신론자가 되기에 이른다. 그의 사상이 끊임없이 변화하고 발전했다"고 평한다. 그러나 벤작(Venzac)은 "위고는 결코 가톨릭신자가 아니다"고 단언한다.45)

이 같은 논쟁과 아울러 다른 한편으로 위고의 종교적 사상에 영향을 미친 여러 근원, 즉 신비주의와 마니교, 또 데카르트와 칸트철학, 또 라이프니치 등이 위고에게 미친 영향 등에 대한 연구가 함께 병행되었다. 그러나 우리의 견해로는 이 주제에 대한 상이한 결론과 접근방법의 다양성에도 불구하고 위고가 가톨릭인지, 혹은 개신교신자인지를 구분하는 것이 우리가 풀어야 할 가장 근본적인 문제는 아니라고 생각한다. 또 그의 종교관에 대한 다양한 연구에도 불구하고 이 모든 연구가 동의하는 한 가지 사실이 있다. 그것은 다름이 아니고, 위고는 유신론자(有神論者)라는 사실이다. 즉 그는 이 세상을 만들고 주재하는 어떤 신이 있다고 믿고 있다. 왜냐하면 어떤 한 작품이 있다면, 반드시 그것을 만든 작가가 있는 것처럼 이 세상이 있으니 이 세상을 만든 작가가 있을 것이라는 이성적인 추론에 따른 결론인 것이다.

🌿 인용문헌

Albouy, P., 『La Création mythologique chez Victor Hugo』, J. Corti, 1963
Berret, P., 『La Légende des Siècles』, Hachette, 1920-1927
Buchanan, D.W., 『Les sentiments religieux de Victor Hugo de 1825 à 1848』, Imprimerie de l'Est, 1939
Cellier, L., 『Les Contemplations』, Garnier, 1965
Collectif, 『Vocabulaire de Théologie biblique』, Cerf, 1981

---

45) P. Dubois, p. 382
   D.W. Buchanan, p. 216
   P. Berret, p. 41
   G. Venzac, p. 567

Dubois, P., 『Victor Hugo, ses idées religieuses de 1802 à 1825』, Honoré Champion, 1913

Gohin, Y., 「Sur l'emploi des mots 'immanent' et 'immanence' chez Victor Hugo」, in 『Archives hugoliennes』, 6, Lettres modernes, 1968

Gusdorf, G. 『L'Homme romantique』, Payot, 1984

Saurat, D., 『Victor Hugo et les dieux du peuple』, La Colombe, 1948

Venzac, G., 『Les origines religieuses de Victor Hugo』, Bloud and Gay, 1955

헤르만 헤세의 상대주의적 종교관

| 정경량 |

I. 들어가는 말

헤르만 헤세(Hermann Hesse, 1877-1962)는 대단히 종교적인 작가이다. 헤세는 50대 중반이었던 1930년에 빌헬름 쿤체에게 보내는 편지에서 "나는 종교적인 충동을 나의 삶과 작업의 결정적인 특징이라고 생각한다"[1]고 말했다. 또한 헤세는 1931년 자기의 신앙에 대해 피력한 글 「나의 신앙」에서 "나는 결코 종교 없이는 살지 않았으며, 단 하루도 종교 없이는 살 수 없을 것"[2]이라고 말했다. 그만큼 헤세의 삶과 문학에서 종교는 대단히 중요한 의미를 지니고 있었던 것이다.

헤세와 관련이 된 주요 종교는 크게 볼 때 기독교를 위시하여 인도의 불교와 힌두교 그리고 중국의 도가사상과 선불교 등이다. 그런데 이러한 동·서양

---

* 『문학과 종교』 제 7권 2호(2002)에 실렸던 논문임.

1) 헤르만 헤세: 편지 선집. 증보판. 헤르만 헤세와 니논 헤세의 공동 작업 편지집. 프랑크푸르트 1974. 42쪽.
2) 헤르만 헤세 전집. 제 10권. 프랑크푸르트 1970. 73쪽. 이하 12권으로 된 이 전집에서 인용한 인용 전거는 괄호 안의 숫자로 표시하는데, 콤마 앞의 숫자는 권수를, 콤마 뒤의 숫자는 쪽수를 표시함.

의 다양한 종교로부터 많은 영향을 받은 헤세는 무엇보다도 상대주의적 종교관을 갖게 된다는 것이 커다란 특징이다. 상대주의적 종교관이란 어느 특정한 종교만을 절대적인 것으로 인정하는 것이 아니라, 모든 종교를 서로 인정하고 존중하는 종교적 입장을 말한다.

이제 헤세의 종교적 배경을 먼저 알아보고, 이어 헤세의 내재적 신비주의 종교성과 단일사상을 살펴본 뒤, 이를 바탕으로 한 헤세의 상대주의적 종교관이 어떠한 성격을 띠며, 작품에는 어떻게 표출되어 있는 지 주로 『싯달타』를 중심으로 고찰하기로 하자.

II. 헤세의 종교적 배경

헤세는 「나의 신앙」에서 자신의 종교적 배경에 대해 다음과 같이 설명한다.

> 나는 경건주의적 색채를 띤 개신교로서 기독교를 알게 되었는데, 그 체험은 깊고 강렬했다. 왜냐하면 나의 조부모와 부모님의 삶은 완전히 하느님의 나라에 의해 규정되어 있었으며, 그 하느님의 나라에 봉사하는 것이 그분들의 삶이었기 때문이다. 사람들이 자신의 삶을 하느님이 빌려주신 땅이라고 생각하는 것, 그리고 삶을 이기적인 충동에서가 아니라 하느님 앞에서 봉사하고 희생하는 것으로서 살려고 추구하는 것, 나의 어린 시절의 이 가장 커다란 체험과 유산이 나의 삶에 강한 영향을 끼쳤다.(10, 70-71)

경건주의 기독교 선교사의 아들로 태어난 헤세는 이처럼 부모와 조부모의 독실한 기독교 신앙과 삶으로부터 강한 영향을 받았다고 고백하고 있다. 그만큼 기독교적 신앙과 삶의 자세는 헤세의 삶과 문학과 종교의 뿌리를 이루고 있는 것이다. 그런데 헤세는 이어 당시의 경건주의 기독교의 교파적, 분파적 양상에 대해 다음과 같이 부정적인 평가를 내린다.

> 그러나 내 부모님의 기독교가 실제 활동하는 삶으로서, 봉사와 희생으로서, 공동체와 사명으로서 그렇게 위대하고 숭고할지라도 ─ 내가 어린 시절에 알게 되었던 교파적이며 부분적으로 분파적이기까지 한 형태는 이미 아주 일찍부터 나에게는 미심쩍은 것이 되었으며 부분적으로는 완전히 참을 수 없

는 것이 되어버렸다.(10, 71)

이처럼 헤세는 통일적인 모습을 보이지 않고 분열하는 양상을 보인 당시 독일 개신교의 교파적, 분파적 경향을 용납할 수 없었던 것이다. 헤세가 이처럼 분열적인 종교 양상에 대해 거부감을 갖고 비판적인 태도를 취했던 데에는 우선적으로 헤세 집안의 다양한 혈통과 관용적인 종교 정신이 그 배경을 이루고 있다.

헤세의 집안은 그의 친가와 외가 모두 조부모로부터 부모에 이르기까지 독일을 비롯하여 러시아 및 프랑스어 지역의 스위스 등 다양한 국적과 혈통으로 되어 있다.3) 그리하여 이렇게 혼합된 혈통이, 헤세로 하여금 국수주의와 국가 간의 경계선을 아주 소중히 여기지 못하도록 방해하였던 것이다.4) 이처럼 다양한 집안의 혈통으로부터 영향을 받은 헤세는 "경계선보다 더 증오스러운 것, 경계선보다 더 얼빠진 것은 없다."5)고 피력한다. 헤세의 집안이 그처럼 다양한 혈통으로 구성되어 있기 때문에 헤세는 자연스럽게 나라와 나라 사이를 구분하고, 민족과 민족 사이를 나누는 모든 분열적 사고방식과 배타적 태도에 대해 심한 거부감을 갖게 되었던 것이다.

헤세 집안의 다양한 혈통과 더불어 헤세 집안의 관용적인 기독교 정신 또한 헤세의 종교적 태도에 큰 영향을 끼쳤다. 1946년에 헤세는 기독교적인, 거의 완전히 비국수주의적인 본가(本家)의 정신을, 일생 동안 그에게 지속적으로 강하게 영향을 미친 세 가지 영향 중의 하나라고 말했다.(10, 548 참조) 이와 같은 관용적 기독교 정신은 헤세가 특히 외할아버지의 세계관으로부터 커다란 영향을 받았는데, "이 [외할아버지의] 세계는 슈바벤의 지역적 특성과 결부되어 있으면서도 국제적이었고, 프로테스탄트의 정신을 엄격히 지키면서도 다른 종교들에 개방적이었다."6)

헤세의 집안과 외가인 군데르트 가에서는 이처럼 기독교적인 경건성을 언제나 관용적인 정신과 결부시켰다. 그들은 세상 모든 사람들과 관계를 맺었고,

---

3) 헤세 집안의 다양한 혈통에 대해서는 나의 책, 정경량. 『헤세와 신비주의』. 서울: 한국문화사, 1997. 125-126쪽 참조.
4) 헤르만 헤세: 고집. 프랑크푸르트 1972. 11-13쪽 참조.
5) 헤르만 헤세: 방랑. 프랑크푸르트 1920. 9쪽.
6) 알로이스 프린츠. 헤르만 헤세. "모든 시작은 신비롭다". 서울(더북) 2002. 47쪽.

자주 편협함을 드러내는 많은 칼브 주민들의 경건함과 거리를 두려고 했다.7) 경건주의는 교회일치운동의 영역에서 가장 커다란 영향력을 발휘했는데, 세계적 활동으로 연결되어 있는 경건주의의 초교파적인 연계성은 오늘날까지도 영향을 미치는 신앙적 자세를 강화시켰다. 헤세 집안의 초교파적, 관용적 기독교 정신은 헤세로 하여금 모든 교파와 종교를 초월하는 범종교적, 상대주의적 종교관을 지향하도록 하는 기반을 만들어주었다.

집안의 다양한 혈통과 관용적인 기독교 정신을 바탕으로 분파적인 종교 양상에 대해 비판적인 태도를 갖게 된 헤세는 당시 그가 편협하고 배타적이라고 생각했던 경건주의 기독교 신앙과 심한 갈등을 빚게 된다. 특히 청소년 시절에 헤세는 기독교에 대해 부정적인 자세를 취하게 된다. 그리하여 헤세는 "경건주의자들이 사용하는 은어에 반감마저 갖게 되었다. 나중에 언급했듯이 "선교사가 되려는 학생들의 언어"와 "조잘대는 소리"에 거부감을 갖게 되었던 것이다."8) 급기야 헤세는 신학교 생활마저 어려움을 겪게 되어 학업을 중단하고 정신과 치료까지 받게 되었는데, 이때 헤세는 "집에서 보낸 소식들은 물론 위로조차도 무시해버렸다. 그는 경멸조로 그들은 "경건주의로 나를 구슬려 적당히 넘어가려 한다"라고 적었다. 그는 부모님이 찾는 하나님과는 관계를 맺으려 하지 않았다.9)

한편 어린 시절 집안의 여건으로 인하여 인도를 중심으로 하는 동양에 관심을 갖게 된 헤세는 당시 경건주의 기독교 신앙과의 갈등으로 인하여 기독교보다는 오히려 동양의 종교 및 사상에 몰두하게 된다. 그리하여 헤세는 먼저 불교 및 힌두교를 중심으로 하는 인도종교에 깊이 빠져들었다가, 나중에는 노자, 장자를 중심으로 하는 도가사상에 심취하게 된다. 서양인으로서 이처럼 기독교가 아닌 불교나 도가사상에서 자신이 원하는 신앙을 추구했던 헤세는 그러나 1911년 인도여행을 통해 동・서양을 초월하는 범종교적 세계관을 갖게 된다. 인도여행을 마친 지 여러 해가 지난 후 헤세는 그의 글 "인도에서 온 방문객"(1922)

---

7) 같은 책, 48쪽 참조.
8) 1934년 1월 파니 쉴러에게 보내는 헤세의 편지. 폴커 미헬스 편: 헤르만 헤세의『유리알 유희』자료집. 제1권. 프랑크푸르트 1973. 78쪽 이하.
9) 알로이스 프린츠 같은 책, 82쪽.

에서 다음과 같이 쓰고 있다.

> [...] 내 자신 더 이상 불교도나 도가사상가가 되고자 하거나, 성자나 마술사를 스승으로 삼고자 하지 않게 되었다. [...] 유럽과 아시아에 비밀스러운 초시간적 가치와 정신의 세계가 있다는 것을 알았다, [...] 그리고 또한 이 초시간적인 세계에서 산다는 것이, 유럽과 아시아, 베다와 성경, 부처와 괴테가 똑같이 참여하고 있는 이 정신적 세계의 평화 속에 산다는 것이 좋은 일이며 올바른 일이라는 것을 나는 알았다.(6, 295-296).

또한 헤세는 1955년 그의 전집이 일본에서 출간되었을 때 다음과 같은 말로 이 일본판의 서두를 열었다:

> 오늘날 이제는 더 이상 일본 사람을 기독교로, 유럽 사람을 불교나 도가사상으로 개종시키는 그런 문제가 아니다. 우리는 개종을 하거나 개종을 당해서는 안되고 또 그렇게 하려고 하지도 않으며, 우리 자신을 열고 또 넓히고자 하는 것이다; 우리는 동양의 지혜와 서양의 지혜를, 더 이상 적으로, 서로 싸우는 힘으로서가 아니라, 풍성하게 열매 맺는 삶이 왕래하는 양극으로 인식하는 것이다.10)

헤세는 이처럼 동양과 서양을 대비하면서 종교들 간에 서로가 인정을 해야 하며, 우리가 다른 종교로부터 많은 종교적 지혜를 배워야 한다는 입장을 견지하였다. 이와 같은 맥락에서 "저는 개종에 대한 시도에 반대합니다, 저는 또한 저 자신이 다른 사람을 개종시키고자 하는 시도를 해 본 적이 없습니다."11) "다른 사람의 신앙을 방해하고자 하는 것이 저에게는 결코 중요하지 않았습니다, 그것이 진정한 신앙이라면 말입니다"12)라고 헤세는 밝힌다.

---

10) 16권으로 된 일본판 헤세 전집의 머리말. 지그프리트 운셀트 편: 헤르만 헤세. 작품과 영향사. 프랑크푸르트 1985. 92쪽.
11) 헤르만 헤세: 편지 선집. 앞 책. 534쪽.
12) 같은 책. 523쪽.

III. 헤세의 내재적 신비주의 종교성과 단일사상

헤세는 1949년 어느 편지에 다음과 같이 쓴다.

나로서는 최고로 좋은 어떤 종교나 교리가 있다거나, 어떤 특정한 종교나
교리만이 유일하게 진정한 종교나 교리라고는 전혀 생각하지 않는다 - 무엇
때문에 또 그럴 필요가 있겠는가? 불교도 아주 좋은 것이고 또 신약성경도
그렇다, 모든 것이 그 시대에 맞게 그리고 필요한 때에 있게 된 것이다.13)

이처럼 헤세는 종교들 간에 어떤 특정한 종교가 다른 종교 보다 더 우수하다고
하는 등의 차별을 두지 않는다. 헤세는 이러한 입장을 바탕으로 모든 비관용적
인 교리나 교회에 대해 신랄하게 비판을 한다. 또한 헤세는 1955년의 편지에서
"저는 모든 종교에 경외심을 가지고 있습니다, 그러나 자기 혼자만이 유일하게
가치가 있다고 생각하는 정통파의 요구에는 그렇지 않습니다."라고 피력했
다.14) 이러한 헤세의 상대주의적 종교관은 그의 내재적 신비주의 종교성에 기
반을 두고 있다. 헤세의 "종교"는, 그가 스스로 말했듯이, 어떠한 교파적 색채를
띠고 있지 않다.15) 헤세는 "교파 밖에 있는, 교파 사이에, 그리고 교파를 초월해
있는 종교, 불멸의 종교"16)를 믿는 것이다.

헤세는 1923년 편지에서 말한다: "체험 자체는 그러나 항상 똑같은 것이다.
진리를 예감하기 시작하는 [...] 사람, 삶의 본질적인 것을 예감하고 또 그것에
가까이 다가가려고 노력하는 사람은, 그것이 이제 기독교의 옷을 입고 있든 혹
은 다른 옷을 입고 있든 간에, 우리가 함께 참여하고 있는, 신의 실제를 어김없
이 체험한다."17) 헤세는 어느 서평에서 "신비주의적인 체험이자 또한 공동의
체험인, 종교적 체험은 그러니까 전형적이고 보편적인, 완전히 초인격적인 체험
인 것"18)이라고 말한다.

---

13) 헤르만 헤세: 몇 분 동안의 읽을거리. 새로 나온 시리즈. 폴커 미헬스 편. 프랑크푸르트 1975.
   94쪽.
14) 헤르만 헤세: 편지 선집. 앞 책, 455쪽.
15) 헤르만 헤세: 몇 분 동안의 읽을거리. 앞 책, 93쪽 참조.
16) 헤르만 헤세: 편지 선집. 앞 책, 131쪽.
17) 헤르만 헤세: 편지 전집. 제2권. 우어줄라와 폴커 미헬스 편. 프랑크푸르트 1979. 51쪽.

헤세에게는 그러니까 "단 하나의 교리만이, 단 하나의 종교만이 있는 것이다. [...] 수천의 형태, 수천의 예고자가 있지만, 오직 하나의 외치는 소리, 하나의 목소리만이 있을 뿐이다. [...] 그것은 네 안에 있다, 네 안에 그리고 내 안에, 우리들 각자의 안에 있는 것이다. 이것이 바로 오래된, 유일한, 언제나 그 안에 똑같은 교리, 유일하게 영원히 유효한, 우리의 진리인 것이다. 그것은 우리가 '우리 안에' 지니고 있는 '천국'에 대한 교리인 것이다."(10, 46). "신이 우리들 각자 안에 살고 계시다는 것, 모든 땅들이 우리에게 고향이라는 것, 모든 사람들이 우리의 친척이며 형제라는 것, 이 신적인 단일성에 대한 지식이, 종족과 민족으로, 부자와 가난한 사람으로, 여러 신앙과 파당으로 모두 나뉘어 분리되어 있는 것을, 허깨비와 착각인 것으로 보고 그 가면을 벗긴다는 것─그것이 바로 우리가 되돌아가는 점인 것"[19]이라고 헤세는 말한다.

그의 글 「전쟁과 평화」에서 헤세는 다음과 같이 쓴다:

> 모든 인식에는 [...] 오직 단 하나의 대상이 있다. 그것은 수천의 사람들에 의해 수천 가지로 인정되었고, 또 수천 가지의 다른 방식으로 표현되었다, 그러나 그것은 언제나 오직 단 하나의 진리이다. [...] 그것은 우리 안에, 우리들 모두의 각자 안에, 내 안에 그리고 네 안에 살아 있는 것에 대한 인식이요, 우리들 각자가 우리 안에 지니고 있는 신비스러운 마술에 대한, 신비스러운 신성에 대한 인식인 것이다. 그것은 이 가장 깊은 내면의 점으로부터 모든 대립쌍들을 매시간 마다 지양해 버릴 수 있는 가능성에 대한 인식이요, 모든 흰색을 검은 색으로, 모든 악을 선으로, 모든 밤을 낮으로 변화시킬 수 있는 가능성에 대한 인식인 것이다. 인도인은 "아트만"이라 하고, 중국인은 "도", 기독교인은 "은총"이라고 말한다.(10, 438).

여기에서 우리는 헤세의 핵심적인 종교성을 파악할 수 있다. 그것은 바로 내재적 신비주의 종교성이요 아울러 그것을 바탕으로 한 단일사상인 것이다. 모든 인간 안에 신성이 존재한다는 내재적 신비주의를 바탕으로 헤세는 모든 종교의 근원은 동일한 것이라는 범종교적 단일사상을 갖게 된 것이다. 헤세는 인간 안에 내재해 있는 이 신비적 신성, 즉 신적 자아에 대해 1920년에 쓴 편지에서 다

---

18) 헤르만 헤세: 몇 분 동안의 읽을거리. 앞 책, 100쪽.
19) 같은 책, 89-90쪽.

음과 같이 말한다:

> 이 "자아"가, [...] 인도인들이 "아트만"이라고 부르는 것으로서 신적이고
> 영원한, 모든 영혼의 가장 내면적이고 본질적인 핵심인 것입니다. 이것을 발
> 견한 사람은 그것을 부처의 길에서 발견하건, 혹은 베다나 노자 혹은 그리
> 스도의 길에서건 간에, 그 사람은 그의 가장 깊은 내면에서 모든 것과, 신과
> 결합이 되어 있는 것입니다.[20]

이러한 내재적 신비주의 종교성을 바탕으로 헤세는 그의 글「한 편의 신학」에
서 다음과 같이 인류의 범종교적 단일성에 대해 피력한다.

> 나로서 가장 중요한 정신적 체험들은, 내가 점차 그리고 몇 년 동안 또 수십
> 년 동안의 간격을 두고, 인도인과 중국인과 기독교인에게서 인간 현존의 똑
> 같은 의미를 재발견하면서 핵심적인 문제의 예감을 확인했으며, 또 그것이
> 어디에서나 유추적인 상징들로 표현되어 있다는 것을 발견한 것과 관련되
> 어 있다. 사람에게는 뭔가 의미가 부여되어 있다는 것, 인간의 곤궁과 인간
> 이 추구하는 것은 이 온 땅 위에 모든 시대에 언제나 단일하다는 것, 바로
> 이 체험들처럼 나에게 그토록 강한 확신을 가져다 준 것은 아무것도 없었
> 다.(10, 76)

이 글에서 헤세는 이어 "한걸음 더 가까이 신앙의 중심에 다가간 기독교인, 그
리고 그렇기 때문에 단순히 "기독교적인" 체험의 영역에서 벗어나게 된 모든
기독교인들은, 다른 종교를 믿는 사람들에게서도, 단지 다른 상징 언어로 되어
있는, 모든 영혼의 저 근본 체험을 그 모든 특징과 함께 어김없이 다시 발견한
다.(10, 79)"고 말하면서, 모든 종교의 근원적 공통성을 지적하는 가운데 범종교
적 단일성과 상대주의적 종교관을 피력하고 있다.

유고(遺稿)로 남겨진 어느 서평에서도 헤세는 "중국인 노자의 지혜와 예수
의 지혜 혹은 인도 바가바드 기타의 지혜는 모두 똑같이, 모든 시대 모든 민족
의 예술처럼, 모든 민족을 통틀어 영적인 기반이 공통적이라는 것을 분명히 제
시하고 있다"[21]고 말했다. 이와 함께 헤세는 단 하나의 인류, 단 하나의 정신만

---

20) 헤르만 헤세: 편지 전집. 제1권. 우어줄라와 폴커 미헬스 편. 프랑크푸르트 1973. 445쪽.

이 있다고 주장한다:

> 모든 단계에서 그러나 사람들이 진리를 추구하는 데에 있어서, 여러 종족으
> 로, 색깔로, 언어로 그리고 여러 문화로 분열되어 있는 상태의 근원에는, 단
> 일성이 놓여 있다는 것에 대한 예감처럼, 서로 다른 사람들과 다른 정신들
> 이 있는 것이 아니라, 오직 단 하나의 인류, 오직 단 하나의 정신만이 있다
> 는 것에 대한 예감처럼, 더 소중하고 더 위안을 주는 것은 아무것도 없다고
> 나는 여겨진다.(10, 76)

이처럼 헤세는 내재적 신비주의 종교성과 단일사상을 바탕으로 모든 종교가 다
근본적으로 공통적이라는 범종교적 단일사상을 갖게 된 것이다. 헤세는 아울러
다음과 같이 말한다.

> 책상이 있고, 의자가 있고, 빵이 있고, 포도주가 있고, 아버지가 있고, 어머
> 니가 있다. 그런데도 그것들은 모든 민족과 모든 문화마다 다른 이름으로
> 불린다.. 그처럼 신이나, 경건성이나, 신앙도 그런 것이다. 그리이스인이나
> 페르시아인이나, 인도인이나 중국인이나, 기독교인이거나 불교신자이거나
> 간에, 그들은 똑같은 것을 의미하고, 똑같은 것을 희망하고, 소원하고 그리
> 고 믿는다. 단지 그들은 우리들이 부르는 것과 다른 이름들을 가지고 있을
> 따름이다.22)

이와 같이 헤세는 내재적 신비주의 종교성과 단일사상을 바탕으로 모든 종교가
서로 표현하는 형식과 내용이 다를지라도 그 근본에 있어서는 인류의 공통적인
소망과 신앙을 추구하고 있다는 범종교적 단일사상 및 상대주의적 종교관을 표
출하고 있는 것이다.

IV. 작품에 나타난 상대주의적 종교관

헤세의 작품 중에서 상대주의적 종교관이 표출되기 시작하는 것은 작품
『데미안』에서부터다. 『데미안』은 헤세의 신비주의적 종교성이 본격적으로 나

---

21) 헤르만 헤세: 몇 분 동안의 읽을거리. 앞 책, 95-96쪽.
22) 헤르만 헤세: 편지 선집. 앞 책, 526쪽.

타나기 시작하는 소설인데, 주인공 싱클레어의 지도자에 해당하는 피스토리우스는 싱클레어에게 다음과 같이 말한다.

> 아, 모든 종교는 아름다운 것입니다. 종교는 영혼입니다. 사람들이 기독교 성만찬에 참여하든지, 아니면 메카로 순례를 하든지 간에 그것은 마찬가지입니다.(5, 110)

신비주의 및 융의 종교심리학의 영향이 강하게 나타나는『데미안』에는 이처럼 피스토리우스를 통해 어떤 특정한 종교에 특별한 우선권을 주지 않고, 모든 종교를 긍정적으로 받아들이는 범종교적, 관용적 상대주의 종교관이 표출된다.

그런데 작품『싯달타』에는 내재적 신비주의 종교성을 바탕으로 한 상대주의적 종교관이『데미안』에서보다도 훨씬 더 강하게 나타난다.『싯달타』는 헤세의 소설 중 가장 종교적인 작품으로서, 헤세가 자신의 신앙을 서술하려고 쓴 작품이다.(10, 70 참조) "이 소설은 [...] 기독교 가문과 교육을 받았지만 이미 일찍이 교회를 떠나 다른 종교들, 특히 인도와 중국의 신앙 형태를 이해하고자 노력한 사람의 신앙 고백입니다.(11, 50)"라고 헤세는 밝히고 있다.

작품『싯달타』에 우선 내용적으로 많이 나타나는 종교적 요소는 제1부의 불교적 요소와 제3부의 도가 사상적 요소이다. 그러나 불교와 도가사상은 사실상 작품의 구성상 표면에 나타나는 종교적 내용일 따름이지, 헤세가 이 불교와 도가사상 자체를 자신의 종교성으로 드러내려고 했던 것은 아니다. 헤세가 정작 이 작품에 서술하고자 했던 것은 바로 내재적 신비주의 종교성이요, 신비주의적 차원의 자기실현인 것이다. 종교적 체험을 중시하고, 언어와 논리의 한계로 인하여 교리를 거부하는 신비주의는 단일사상을 바탕으로 관용적, 상대주의적 종교관으로 이어지는데, 싯달타는 작품의 끝부분에서 친구 고빈다에게 다음과 같이 말한다.

> 지식은 전달할 수 있지만, 지혜는 그렇게 하지 못하지. 우리가 그것을 발견할 수 있고, 그 지혜로 살아갈 수 있고, 그 지혜로 지낼 수 있고, 그것으로 기적을 행할 수 있지만, 그것을 말로 하거나 가르칠 수는 없다네. 이것이 바로 내가 이미 젊었을 때에 여러 번 예감했었고, 나를 교리로부터 떠나도록

만들었던 것이었다네.(5, 462-463).

여기에서 모든 교리를 떠났다고 말하는 싯달타는 바로 신비주의적 종교성을 바탕으로 하는 상대주의적 종교관을 보여주고 있는 것이다. 이것은 싯달타가 개개의 특정한 교리나 종교에 얽매이지 않고, 모든 종교의 의미를 긍정적으로 받아들이는 범종교적 차원의 관용정신을 갖게 되었다는 것을 보여준다.

헤세는 1925년 1월 18일 루돌프 쉬미트에게 보내는 편지에서 다음과 같이 쓴다. "인도적 교리를 포함하여 모든 교리로부터 해방된 나의 길은『싯달타』에까지 이어졌으며, 내가 살아 있는 한 그것은 물론 계속될 것입니다." 헤세는 이 말을 평생 동안 지켰다. 그는 죽을 때까지 모든 교리를 초월한 신비주의적 종교성과 상대주의적 종교관을 견지했던 것이다.

헤세가 이 작품에서 굳이 동양 종교의 배경을 바탕으로 이러한 신비주의적 종교성과 상대주의적 종교관을 그려내고자 한 것도 자신의 범종교적 단일사상을 효과적으로 드러내기 위한 것이었다. 기독교에 일차적 신앙의 뿌리를 두고 있는 헤세로서는 상대적으로 동양 종교의 옷을 입은 신비주의적 인물을 그려내야만 그가 의도하는 범종교적, 상대주의적 종교성의 인물을 총체적으로 보여줄 수 있다고 생각했던 것이다. 헤세 스스로도 "인도-브라만적인 것은 거기 [『싯달타』]에서 단지 의복이며, 싯달타는 힌두교도가 아니라 인간을 의미한다."[23]고 말했다.

한편 싯달타는 작품에서 불교와 도가사상을 각각 대표하는 고타마와 바수데바를 모두 똑같이 종교적 완성자, 즉 성자로 이해한다.(5, 462 참조) 이것은 싯달타가 불교와 도가사상을 종교적인 차원에서 각각 긍정적으로 받아들이고 있다는 것을 의미한다. 아울러 싯달타는 작품의 끝부분에서 고타마에 대해 다음과 같이 말한다.

나는 내가 고타마와 일치하고 있다는 것을 안다네. 도대체 그 분 역시 어찌 사랑을 모를 리가 있겠는가. 덧없고 허무한 모든 인간존재를 인식했던 그

---

23) 1923년 3월 12일자 프리츠 군데르트에게 보내는 헤세의 편지. 헤르만 헤세: 편지 전집. 제2권. 앞 책, 55쪽.

분, 그럼에도 불구하고 사람들을 그토록 사랑해서, 오직 그들을 돕고 그들을 가르치고자 길고도 힘든 삶을 바쳤던 그 분이 말일세!(5, 467)

싯달타는 예전에 고타마를 떠날 수밖에 없었지만, 결국에는 자신과 고타마가 사실상 서로 다르지 않다는 것을 여기에서 피력하는 것이다. 그리고 이어서 고타마가 사람들을 헌신적으로 사랑했다는 것을 강조한다. 사람들에 대한 고타마의 사랑은 기독교적 관점의 사랑과 연관되는 듯한 느낌을 준다. 이 대목에서 싯달타는 흡사 불교와 기독교도 사랑을 추구하는 관점에서 볼 때, 결코 서로 다르지 않다는 것을 우리에게 항변하는 듯한 인상을 준다. 싯달타는 이러한 관점에서 자신이 추구한 신비주의적 종교성의 최종적인 의미를 밝히는 듯 친구 고빈다에게 다음과 같이 고백한다.

오 고빈다, 사랑이야말로 나에게는 무엇보다도 중요한 일로 여겨지네. 세상을 통찰하고, 세상에 대해 설명하며, 세상을 경멸하는 것은 위대한 사상가의 일일지 모르겠네. 그러나 나에게는 오로지 세상을 사랑할 수 있는 것, 세상을 경멸하지 않고, 세상과 나를 미워하지 않고, 세상과 나 그리고 모든 존재를 사랑과 경탄과 경외심으로 바라볼 수 있는 것만이 유일하게 중요할 뿐이라네. (5, 467)

싯달타가 추구했던 신비주의적 차원의 자기실현은 이처럼 사람과 모든 존재에 대한 사랑으로 귀결되는 것이다. 그것은 모든 교파와 종교를 초월하여 모든 사람과 존재를 사랑하는 것으로서, 분열이 아니라 일치를 추구하는 범종교적, 관용적 상대주의 종교관으로부터 나온 결론인 것이다. 헤세가 1931년 어느 편지에 쓴 바와도 같이, "『싯달타』 작품 전체는 사랑에 대한 고백이다."24) 싯달타의 내재적 신비주의 종교성과 상대주의적 종교관의 의미와 결론은 바로 이것이다.

헤세는 1958년 페르시아 독자들에게 작품 『싯달타』에 제시한 종교성의 의미에 대해 다음과 같이 피력했다.

---

24) 헤르만 헤세. 편지 선집. 앞 책, 52쪽.

모든 교파와 인간의 모든 경건성의 형태에 무엇이 공통적인 것인지, 모든 국가적인 차이점을 넘어 존재하는 것이 무엇이며, 모든 종족과 모든 개인이 믿고 숭앙할 수 있는 것이 무엇인지를 나는 구명하려고 했다.(11, 50)

여기에 밝히고 있는 바와 같이 헤세가 작품 『싯달타』에 종교적으로 표출하고 자 했던 것은 모든 교파와 종교를 초월하는 초교파적, 범종교적 종교 사상이었 다. 그것은 헤세가 모든 종교의 근원을 관통하고 있다고 파악한 내재적 신비주 의 종교성과 단일사상이요, 이를 바탕으로 한 관용적, 상대주의적 종교관이었던 것이다.

V. 맺는 말

집안의 다양한 혈통과 관용적인 기독교 정신의 영향으로 말미암아 헤세는 분파적이고 배타적인 종교적 행태를 거부하고 비판하는 가운데, 초교파적인 종 교적 태도를 갖게 되었다. 이어 헤세는 다양한 동양의 종교와 사상을 만나면서 내재적 신비주의 종교성과 단일사상을 확고하게 다지게 되었다. 이를 바탕으로 헤세는 서로 다른 종교를 인정하고 존중하면서 관용적으로 받아들이는 상대주 의적 종교관을 확립하게 되었다.

헤세는 "각 민족과 종족, 각 언어 간에 생기는 모든 분열을 극복하고, 모든 종교와 모든 인간의 단일성에 도달하려는 불타오르는 소망으로 가득 차 있었 다."[25] 그는 모든 민족과 문화가 지니고 있는 개성과 의미와 다양성을 존중하 는 가운데 범세계적인 단일사상을 추구하게 되었다. 그리하여 인류는 하나라는 지극히 평범하면서도 고귀한 인간애와 인류애를 헤세는 표출했던 것이다.

이러한 관용적 종교 사상은 그 범종교적 입장으로 말미암아 우리에게 서로 다른 종교적 태도와 삶에 대해 겸허한 종교적 삶의 자세를 갖도록 해주며, 우리 로 하여금 다른 종교를 오직 배타적인 시각으로만 보지 않도록 하는 성숙한 종 교적 태도를 갖도록 해준다. 이것이 바로 민족과 종교 간의 편견과 배타, 분리

---

25) 볼프강 뵈메: 단일의 정신. 명상. 볼프강 뵈메 편: 단일성을 찾아서. 헤르만 헤세와 종교. 슈트 트가르트와 프랑크푸르트. 1978. 80쪽.

와 증오를 거부하고, 종교적 관점에서 사랑과 평화 및 인류애를 추구한 헤세의
종교적 인도주의 정신이라고 할 수 있다.

우리는 이와 같은 헤세의 종교성 및 종교관이 어느 특정한 신앙 및 종교의
시각에서 볼 때는 교리적으로 혹은 신앙적으로 문제가 있다고 생각할 수 있다.
그러나 분명한 것은 헤세가 어느 특정한 교리나 종교 자체에 집착하기보다, 관
용적, 범종교적 차원에서 무엇보다도 모든 종교가 공통적으로 추구하는 고귀한
사랑과 봉사를 추구했다는 점이다.

✌ 인용문헌

정경량. 『헤세와 신비주의』. 서울: 한국문화사, 1997.
_____. 「헤세의 『데미안』과 융의 종교심리학」. 『헤세연구』, 제 4집. 2000. 27-48.
프린츠, 알로이스. 헤르만 헤세. 『시작은 신비롭다』. 서울: 더북, 2002.
Hesse, Hermann. Gesammelte Werke in 12 Bänden. Frankfurt/M. 1970.
_____. Wanderung. Frankfurt/M 1920.
_____. Eigensinn. Frankfurt/M 1972.
_____. Ausgewählte Briefe. Erweiterte Ausgabe. Zusammengestellt von Hermann Hesse
    und Ninon Hesse. Frankfurt/M. 1974.
_____. Gesammelte Briefe. Bd 1. Hrsg. von Ursula und Volker Michels. Frankfurt/M.
    1973.
_____. Gesammelte Briefe. Bd 2. 1. Aufl. Hrsg. von Ursula und Volker Michels.
    Frankfurt/M. 1979.
_____. Lektüre für Minuten. Neue Folge. Hrsg. von Volker Michels. Frankfurt/M. 1975.
Michels, Volker(Hrsg.). Materialien zu Hermann Hesses 'Das Glasperlenspiel'. Bd. 1.
    Frankfurt/M. 1973.
Unseld, Siegfried (Hrsg.). Hermann Hesse. Werk und Wirkungsgeschichte. Frankfurt/M.
    1985.

제7부

비교 문학과 종교

휘트먼, 타골, 한용운의 시와 풀잎 상징

| 김영호 |

I

월트 휘트먼(Walt Whitman, 1819~1892), 타골(Tagore, 1861~1941) 그리고 만해 한용운 (1899~1944)의 시 예술 비교 연구는 이들의 작품이 공통적으로 담지한 초절주의 사상에서 출발할 수 있음을 일찍이 필자는 「휘트먼, 타골, 한용운의 시문학과 바다 상징」[1] 에서 밝힌 바 있다. 세 시인은 만유를 하나로 보는 유심론적 일체주의의 동일한 우주관, 즉 자연과 신과 인간의 일원적 신성성을 믿었다. 이들은 또 자연과 인간의 원초적 조화와 유기적 통일성을 직관을 통해 견득하고 종교적 교리를 인본주의적 철학과 정치이념으로 현실화하여 예술적으로 시현하려 한 것이다. 필자의 졸저 『한용운과 위트먼의 문학사상』과 논문 「타골과 한용운의 시문학 비교」에서 논구하여 언급하였듯이 휘트먼은 전통적 기독교 사상의 틀을 깨고 힌두교와 불교 등 동양사상을 습합하였고 타골 또한 힌두교에 불교, 도교, 서구의 합리주의를 포용하였으며 한용운 역시 불교와 동서양의 종교철학을 혼용하여 다같이 무한대의 자유 평등 자존의 코스모폴

---

* 『문학과 종교』 제 4호(1999)에 실렸던 논문임.
1) 김영호. 『비교문학』 별권. 1998. p.309-311

리탄 이데아(Cosmopolitan Idea) 또는 우주적 이데아(Universal Idea) (타골『시인이 시인에게(Poet to Poet)』2)를 그들의 시학의 원리로 구축하였다.

중요한 사실은 휘트먼이 실제로 힌두교의 요가수행과 불교 참선을 통하여 동양철학적 신비체험 즉 니르바나 체험을 했을 가능성이 크고 타골과 한용운이 체득한 브라만적 아트만(梵我)과 아공(我空)의 개오견성을 했다는 점이다 (Nambia 61-62, Gibson 8-12). 따라서 세 사람이 체관한 진리는 기독교적 성령, 힌두의 우파니샤드(Isa Upanishads)적 브라마 (Kulasrestha 35), 불교의 해탈진여 (眞如)와 노장의 무위무아 (Wang 109), 그리고 칸트의 선험적 초월주의가 통합된 우주론적 일여적 이법(一如的 理法) (송욱 294-322)이라 하겠다. 이 같은 신인(神人), 물심(物心), 시공(時空), 성속(聖俗), 영육(靈肉)의 불이관(不二觀)은 자유 평등 자존의 민족주의와 민주주의, 나아가 사회동포적 세계주의로 상승되고 서로 상충된 신비적 초자연적 관념과 정치적ㆍ현세적 이념이 하나로 통일되는 이상주의적 인문주의의 시학으로 승화되었다. 따라서 세 시인의 시 예술은 다 같은 구도적이면서 호방하고 신탁적이면서 인본적인, 초연과 참여, 무위와 투쟁, 좌망과 혁명, 탈속과 애욕의 갈등구조가 결국엔 변증법적으로 통합되는 양상을 보인다. 결론적으로 이들 시문학은 그들의 공통적인 초월적 종교철학과 정치사상의 예술적 의장(意匠)이라 하겠다.

세 시인의 공통된 사상을 내함한 그들 예술은 자연스럽게 주제와 모티브, 언어와 이미지 그리고 산문체의 유사성을 보여 준다. 그들은 다같이 성속의 자아, 영육 일체의 사랑, 신비와 원초적 자연, 자주적 민족주의와 국제주의의 주제와 모티브로 구성되었다. 따라서 그들 시는 그리스도, 석가 및 브라마의 세계를 향한 종교적 기도이며 해탈적 아포리즘이고 인간적 애련(哀戀)과 고백이며 정치적 혁명의 이데올로기의 메타포라 하겠다. 그리고 그들의 문학은 다같이 유사한 상징적 오브제(symbolic object)들로 직조되었으며 그중 가장 심도 깊고 빈번하게 사용된 상징적 물상이 바다와 풀잎이다. 이 두 자연 오브제는 그들 전 작품의 주제를 표출하는 가장 중심적이고 구체적인 객관적 상관물이다. 본 논문은 풀잎이 표상 하는 이미지들을 탐색하고 지금까지 단편적으로 분석했던 내

---

2) 타골.『시인이 시인에게』보스톤(Boston), 사사다르 신하사 (Sasadhar Sinha), 1961. 44-46.

용들을 더욱 심층적으로 폭넓게 연구하는데 목적하고 있으며 특히 기존의 자연 발생적 현상의 차원을 넘어 삼자간의 영향관계, 즉 발신(émetteur), 전신 (transmetteur) 그리고 수신(recepteur)의 패러다임을 확인하는 비교 작업이 될 것 이다.

II

휘트먼은 그의 시집을『풀잎(Leaves of Grass)』로 명명하고 시 한편 마다, 그리고 시집의 매 페이지를 한 잎의 풀로 상징화하였다. 풀잎은 그의 원초적 개 성과 일체화된 자연을 표상하며 자유, 평등의 인간 존엄성을 환기시키는 이미 지로 사용되었다. 그는「자아의 축송("Song of Myself")」제 1부에서 풀잎을 동 양적 관조와 명상, 그리고 도가적(道家的) 직관을 통하여 우주적 신비와 생명 의 충만한 경이로 체관하여 노래하고 있다. 노장(老莊)의 유유자적한 태도로 풀잎에서 우주의 비미(秘美)와 조화의 질서를 통시하고 바로 이 통일 세계를 다시 풀잎으로 투영시켜 예술적 미학의 세계로 치환한다.

나는 소요하면서 내 영혼을 초대하여
몸을 편히 하고 한 잎의 풀잎을 바라보네.   (필자 강조)

나의 혀와 피의 원자 또한 이 풀이 자란 흙과 대기에서 태어났으니,
나의 부모, 부모의 부모 모든 조상 또한 이 흙과 대지에서 탄생하였도다.
· · · · · · · · · ·
종교와 학문은 잠시 쉬고 편안히 자족한다. 다만 잊지는 않은 채
선악을 모두 포용하여 어떠한 장애에도 노래하리,
원초적 힘을 다해 무애(無碍)의 자연을.

I loafe and invite my soul,
I lean and loafe at my ease observing a spear of summer grass. (필자 강조)

My tongue, every atom of my blood, form'd from this soil, this air,
Born here of parents born here from parents the same, and their parents the same,

          ·　·　·　·　·　·　·　·　·　·

Creeds and schools in abeyance,
Retiring back a while sufficed at what they are, but never forgotten,
I harbor for good or bad, I permit to speak at every hazard,
Nature without check with original energy. (「자아의 축송 1」『휘트먼전집』
25)3)

　　시적 화자는 신선의 초연한 자세를 취하면서, 풀잎이 곧 자신이며 동시에
조상의 몸으로 직관한다. 이 같은 불교적 윤회와 환생의 우주적 질서를 환기시
키는 상징물로써의 풀잎은 곧 그의 "선악"을 초월한 만유일체의 시학의 원리를
제공한다. 완전 무애 해탈의 경지에서 존재의 불이성(不二法門)을 투영하는
풀잎은 곧 그의 민주 사상이 승화된 시 예술의 상징이 되는 것이다. 그러므로
풀잎은 휘트먼에게 첫째로 신비적 세계와 이 세계의 삶을 충족하는 시적 자아
와 동시에 보편적 자아가 통합된 자아 즉 새로운 세대를 표상 한다.

　　한 아이가 손 가득 풀을 가져와
　　내게 풀이 무엇이냐고 묻네 ;
          ·　·　·　·　·　·　·　·　·　·
　　나는 풀잎이 희망의 푸른 천으로 짠 내 천성의 깃발이라 생각하네.
          ·　·　·　·　·　·　·　·　·　·
　　또는 풀잎은 곧 그 풀잎에서 태어난 그 어린아이라 생각하네.

A Child said what is <u>the grass</u>?
fetching it to me with full hands;
          ·　·　·　·　·　·　·　·　·　·
I guess it must be the flag of my disposition, out of my hopeful green stuff
woven
          ·　·　·　·　·　·　·　·　·　·
Or, I guess <u>the grass</u> is itself a child, the produced of babe of the vegetation.
　　　　　　　　　　　　　　　　　　(「자아의 축송　6」『휘트먼전집』28)

---

3) 휘트먼.『휘트먼 전집』(The Complete Poetry and Selected Prose). 밀러(Miller)편집. 보스턴: 휴
　톤 리플린사(Houghton Mifflin co.) 1959.

화자는 첫 인용시에서 보다 더 구체적으로 자신이 풀잎이며 그 풀잎의 마음이 자신의 천성임을 천명하고 풀잎을 곧 어린아이의 은유적 초상화를 그려 보인다. 휘트먼은 나아가 한 잎의 풀잎이 곧 천체의 자손이라 하여 직관적 체험을 통해 견득한 지상과 천국의 일체적 관계를 선시풍으로 노래한다.

한 잎의 풀잎은 곧 별들의 여행이 낳은 존재다.

I believe a leaf of grass is no less than the journey-work of the stars.
(「자아의 축송 31」 46)

다음의 예시는 더욱 투명하게 생명의 환희와 충만한 사랑의 현현을 비치는 풀잎을 보여준다.

햇빛이 반짝이는 풀잎 위로 기어가는 두 쌍둥아이의 기뻐함,
그 어머니는 그들에게서 시선을 놓지 않네.
· · · · · · · · · ·
내가 맹세한 생식(生殖)의 약속대로 그들은 나의 새 아담이며 딸들이네,
부성(父性)의 위대한 정절은 위대한 모성(母性)의 정절과 일치하네.

The merriment of the twin babies that crawl over the grass in the sun,
　　the mother never turning her vigilant eyes from them,
· · · · · · · · · ·
The great chastity of paternity, to match the great chastity of maternity,
The oath of procreation I have sworn, my Adamic and fresh daughters,
(「충동적인 나. 아담의 자손들(Spontaneous Me. Children of Adam)」, 79)

태양 빛이 충일한 풀잎은 어린 생명의 기쁨의 장소가 된다는 신선한 이미지를 보인다. 여기서 태양은 풀잎에게 생명을 부여하는 아버지 또는 신이라 한다면 어린아이의 아버지라고도 할 수 있다. 흥미 있는 사실은 화자 자신이 어린아이의 아버지의 애정을 표출하고 그의 어머니와 부부 관계성을 드러낸다는 점이다. 그리하여 생명 충만한 쌍둥아이는 자신이 낳은 새로운 에덴동산 즉 민주 미국의 아담과 이브라고 명명한다. 따라서 풀잎은 바로 신 미국과 새 에덴동산을

표상하며 아울러 어린아이이고 나아가 화자 자신의 몸과 시집으로 상징화된다.

> 이 몸에서 되는대로 이 <u>풀잎다발</u>을 뜯어낸다.
> 그 <u>풀잎</u>은 사명을 다 하였기에 — 나는 그것을 조심껏 허공에 띄워 어디라도
> 가도록 하도다.

> And <u>this bunch</u> pluck'd at random from myself,
> It has done its work-I toss it carelessly to fall where it may. (『휘트먼전집』
> 79)

자신의 몸에서 뜯어낸 풀잎은 곧 그의 시를 암시하고 그 시가 새로운 땅에 가서 번식할 수 있도록 한다는 시인의 의지가 중첩적으로 표출되고 있다.

타골의 작품에서도 휘트먼의 것과 동일한 자연관과 시정신이 동일한 풀잎을 통하여 은유화되고 생명 충만한 세계와 자아의 정체가 구체적으로 형상화되고 있다.

> 밤이나 낮이나 내 혈관을 달리는 똑같은 저 생명의 흐름이
> 온 세상을 향하여 달리며 가락이 맞는 장단으로 춤을 추나이다.
> 이 같은 생명이 무수한 풀잎 속의 대지의 먼지를
> 통해 기쁨의 화살을 쏘고 잎과 꽃의 부산한 물질로
> 터져나가나이다. (「기탄잘리」 69 『타골전집 4』4)

타골은 자신의 혈관 속에 흐르는 생명의 흐름이 풀잎 속으로 침투하여 흥겨운 가락의 장단으로 춤을 추며 마침내 잎과 꽃으로 피어나는 충만한 기쁨을 향유한다. 여기서 "기쁨의 화살"은 사랑의 메타포로써 화자와 풀잎이 사랑으로 일체가 되어 꽃으로 피어나는 매개체이다. 풀잎은 곧 시인의 환생체이며 사랑을 통한 무한한 우주적 신비의 생명을 충족하는 초월적 브라만의 화현이다. 흥미있는 사실은 타골도 휘트먼처럼 자신의 몸을 풀잎으로 비유하고 다시 그 풀잎은 그의 시 예술로 은유하면서 동시에 독자 또는 신세계를 상징케 한다는 것이다.

---

4) 타골. 『타골전집 4』 유영역. 정음사. 1974

꽃들은 내 육체 속에서 죄어 오릅니다. 온 물과 바다의 젊음이 내 가슴 속에
서
향기와 같이도 피어오릅니다. 그리고 만유의
호흡이 마치 피리를 부는 듯이 내 사랑 위에서 뛰고 놉니다.
· · · · · · · · ·
꽃들이 울타리에서 내 노래에 대꾸를
해 오고 아침 공기는 귀를 기울입니다. (『열매 모으기』83 『타골전집 4』
300)

꽃은 곧 풀잎으로 투입되어 피어난 화자 자신으로써 만유와 일체가 되어 생
명의 기쁨을 충족하고 다시 꽃은 그의 노래에 대꾸를 해오는 민중 또는 세상으
로 암시되고 자아와 자연과 민족이 함께 시 예술의 총체적 이미지로 나타난다.
이와 같은 우주적 조화와 충만한 생명력을 발현하는 풀잎의 이미지들은 휘트먼
시집 속의 풀잎보다 결코 적지 않다.

가을 아침은 조용하고, 숲은 향기가 대기 속에 있는
풀밭 길을 애무할 만큼 부드럽도다. (『시들』18 『타골전집4』 51)

키 높은 풀이 웃음의 물결을 꽃피는 하늘로 보낸다. (『시들』76 『타골전집
4』 72)

거기서는 이른 아침 햇빛에 진주가 목장 꽃 위에서
흔들거리고 진주 구슬은 풀 위에서 흔들거립니다. (「장사」『초승달』『타
골전집4』 116)

그러면 꽃무리들이 갑자기 아무도 모르는 데서
나타나 기쁨에 날뛰며 풀밭에서 춤을 춥니다. (「꽃 학교」『초승달』『타골
전집4』 116)

나는 쉴 새 없는 날개들이 치는 소리를 듣는다.
풀은 지상의 공중에서 그 날개를 치고 있다.
대지의 알을 품고 있는 어둠 속에서
무수한 씨들이 싹터
저들의 날개를 벌리고 있는 것을 누가 알리오? (『백조는 날고』1 『타골전
집 4』 179)

위대한 지구는 스스로를 풀의 도움으로
붙임성 있게 만든다. (『길 잃은 새들』 91 『타골전집 4』 324)

타골은 일찍이 "자연을 사랑할 줄을 앎으로써 자연 속에서 저들의 자유정신
을 찾을 기회를 주었다. 왜냐하면 사랑이란 자연이다. 또 자연에서 사랑의 정신
을 체득, 그 의미로서 이 세계를 밝히고 참으로 <향연>인 저 <충만함>을 도처
에서 가지고 있음을 生命으로 하여금 느끼게 하기 때문이다."(『인간(人間)의
종교(宗敎)』『타골전집(全集) : 6』[5] 라고 한 그의 자연관을 풀잎 노래를 통해
시적으로 시현해 보였음을 확인할 수 있다.

한용운의 시 예술에서도 휘트먼과 타골의 충만한 생명력과 경이의 세계를
표상하는 풀잎을 쉽게 만날 수 있다.

이 나라에는 어린 아기의 미소와 봄 아침과 바다 소리가
합하여 사람이 되었습니다.
달빛의 물결은 흰 구슬을 머리에 이고 춤추는 어린 풀의
장단을 맞추어 우쭐거립니다.(「명상(冥想)」『님의 침묵(沈默)』『한용운전
집 1)』[6]

화자는 앞의 두 시인처럼 관조와 명상의 포즈를 취하며 "어린 풀"을 통해
"축송"과 "향연"의 심상을 투시한다. 휘트먼의 태양 빛 찬란한 풀잎과 유사한
달빛 흰 구슬을 머리에 이고 춤추는 풀을 통해 우주적 광명 아래 충만한 생명력
을 지닌, 즉 어린 아기의 미소와 봄 아침과 바다소리가 합하여 된 사람을 일체
적으로 구상화하고 있다. 동시에 타골의 생명의 흐름과 동일한 물결과 가락과
장단으로 어우러진 풀잎의 유동적 조화와 리듬의 이미저리로 향연의 세계를 그
려 보인다. 한용운의 어린 풀은 휘트먼의 풀잎 위에 노는 쌍둥 아이(the twin
babies)와 유사한 이미지로써 절대 순수와 사랑의 세계 속에 삶을 향유하는 새
시대, 새로운 인간을 상징하고 있다. 이 같은 기쁨과 생명력 충만한 존재와 세

5) 타골.『인간의 종교』『타골전집 6』 유영역. 정읍사. 1974. p.93
6) 한용운.『한용운 전집 1-6』 조명기 외 6인 편집. 신구문화사. 1980. p.77

계를 표상 하는 풀잎은 다음의 예시에서 더욱 풍성하게 발견할 수 있다.

들에서 나물 캐는 여자(女子)는 방초(芳草)를 밟습니다. (「나의 길」『한용
운 전집 1)』 45)

산 그림자는 집과 집을 덮고 / 풀밭에는 이슬 기운이 난다.
· · · · · · · · · ·
살찐 풀에 배부른 송아지는 / 게을리 누워서 일어나지 않는다.
(「산촌(山村)의 여름저녁」『심우장산시(尋牛莊散詩)』『한용운전집 1)』 89)

산중에 해가 길고 / 시내 위에 꽃이 진다.
풀밭에 홀로 누워 / 만고 흥망(萬古興亡) 잊었더니
어디서 두서너 소리 / 뻐꾹뻐꾹하더라. (「무제십삼수(無題十三首)」『한용
운 전집 1)』 98)

III

생명과 기쁨이 충만한 세계를 동일하게 상징하는 풀잎은 다음으로 세 시인
들의 님, 즉 신, 연인, 순국 영웅, 민족, 중생, 국가 또는 천국, 자아 그리고 시를
총체적으로 상징한다는 점에서 일치한다.

아니면 그것은 (풀잎은) 신의 손수건이다;
그가 고의로 떨어뜨려 놓은 향기로운 선물이요 기념품,
골목에 놓여 있는 그 풀잎은 그 주인의 이름을 보여주기에
우리는 그것이 누구의 것인가를 말할 수 있다네.

Or I guess it is the handkerchief of the Lord
Scented gift and remembrancer designedly dropt,
Bearing the owner's name someway in the corners, that
    we may see and remark, and say whose? (「자아의 축송 6」『휘트먼전집』
28)

화자는 소년의 질문에 풀이란 "신의 손수건"이라 답하며 그것은 곧 인간에
게 베푼 신의 "선물"이며 "기념품"이라 한다. 풀잎은 화자 자신의 천성(마음)이

며 아이를 낳은 창조주임을 밝히고 그들의 생명이 신의 "선물"이며 "기념품"임을 암시적으로 드러낸다.

여기서 휘트먼은 풀잎을 통하여 기독교적 성육신의 이미저리와 불교적 중생(重生)의 모티브를 평형적 심상으로 구상화하고 있음을 보인다. 따라서 그는 자신을 성육신적 자아상 또는 불성을 득도한 아공의 정체성을 민주 국가를 건설하는 시인으로 그려 보이고 자신의 시 예술로 일체화하여 풀잎에 삼투시키고 있다.

> 나의 풀잎을 취하라, 미국이여!
> 어디든 그 풀잎들을 반기어라. 그들은 곧 그대들 자신의 자손이니
> · · · · · · · · · ·
> 여기 여성과 남성의 대지가 바로 그 풀잎이며
> 여기 세계의 상속권이 그 풀잎의 것이고
> 여기 물질의 불꽃이 그 풀잎이니
> 여기 정신성, 女번역자, 공개된 언약이 또한 그 풀잎이도다.
> 항시 지향하는 가시적 형태의 마지막 악장이 풀잎이고
> 오랜 기다림 끝에 충족하고 이제 앞으로 전진하는 자가 그 풀잎이다.
> 그렇다, 바로 이곳 풀잎 위에 여인과 영혼이 출현한다.

> Take my leave, America!
> Make welcome for them everywhere, for they are your own offspring..
> · · · · · · · · · ·
> Here lands female and male,
> Here the heirship and heiress-ship of the world
> Here the flame of materials,
> Here Spirituality, the translatress, the openly avowed,
> The ever-tending, the finale of visible forms,
> The satisfier, after due long-waiting, now advancing,
> Yes, here comes the mistress, the Soul
> 　　　　　　　　　（「첫 잎새(Proto-Leaf)」『풀잎』 피어스(Pearce))[7]

---

7) 월트 휘트먼. 『풀잎(Leaves of Grass)』 로이 피어스(Roy H. Pearce)편집. New York: Cornell Univ. press, 1961. p.8-9.

화자는 자신의 시와 미국을 풀잎으로 신격화하여 노래하고 있다. 풀잎은 미국인의 생명이면서 그들의 자손이다. 남녀평등의 땅과 세계의 상속인으로써의 미국인, 물질의 번영을 창조하는 영혼, 즉 여성을 상징하고 있다. 풀잎은 따라서 화자의 님의 모든 대상을 집합적으로 일체화한 존재이며 이들을 노래하는 자신의 시를 형상화하고 있다.

타골도 그의 『인간의 종교』에서 청소년을 대상으로 자연 교육의 필요성을 풀잎의 시로 교화하고 있다:

불과 물과 나무와 풀 속에 사시는 신께 / 세계 속에 우주 속에 내재하시는 신께
우리는 절하고 또 절한다. (「교육의 문제」 『타골전집 6』 400)

타골은 풀을 신이 임재하는 성소로 비유하고 있다. 그는 인도의 교육원리로써 자연교육을 우선으로 해야 하며 그 근거를 신과 접목시키고 있다. 즉 풀잎 속에 신의 영성을 직시하고 신성을 체감할 수 있는 브라만 교리적 이념을 교시하고 있다.

이 몸은 풀밭에 앉아 하늘을 우러러 임께서 불의에 오시는
찬란한 광경을 꿈꾸고 있나이다. (『기탄잘리』 41)

아침에 여왕께서 걸어가실 풀밭을 깨끗이 하겠나이다. (『정원사』 1)

그녀의 귀여운 어린 양 한 쌍이 우리 뜰에 있는 나무
그늘에 풀을 뜯어 먹으러 옵니다. (『정원사』 17)

풀잎은 인용시에서 화자의 연인, 여왕 혹은 신을 표상하며 동시에 궁전이나 성전을 암시하고 있다. 그의 님은 다시 풀밭이 되어 "어린 양"들의 양식을 제공하고 있다. 그리고 화자는 "풀 속에서" 님의 음성 또는 신의 음성을 듣는 범아적(梵我的) 자아의 초상을 보여 준다.

나는 생명의 무도장에서 그대가 음악을 듣는 것을 보아왔소.
봄에 갑자기 잎이 피어나면 그대 웃음은 나를
맞이하러 왔소. 그리고 들꽃 사이에 누워서 나는
풀 속에서 속삭임을 들었소.   (『교차로』 27, 『타골전집 4』 3)

이상과 같이 개인의 신앙적 모티브를 풀잎에 삼투하여 신과 연인 등 그의
님의 상징적 이미지들을 구성하는 시적 기법이 휘트먼의 수법과 유사하게 일치
하는 점에서 타골이 휘트먼에게 영향을 받은 증거를 제공하고 있다.

한용운 시의 풀잎 역시 신, 성전 그리고 신과의 일체적 자아의 초상으로 나
타나고 있음은 타골을 통한 휘트먼의 기법이 간접적으로 이식되었음을 유추하
도록 한다.

꽃 머리와 풀 위에 / 부처님 계시다.
공경하여 공양하니 / 산 높고 물 푸르러라. (「성탄」, 『한용운전집』Ⅰ. 89)

"꽃 머리와 풀 위에 / 부처님 계시다"의 표현은 타골의 성소 또는 신의 성체
인 풀잎 수사와 일치하는 것이다. 한용운의 깊은 신앙적 경건성을 풀잎에 삼투
시켜 구도적 자아의 정체성을 드러내고 있다. 완전 해탈의 득도를 통한 경지에
서 풀잎 속에서 부처를 만나고 푸르른 낙원을 견득하는 것이다.

일경초(一莖草)가 장육금신(丈六金身)이 되고 丈六金身이 一莖草가 됩
니다.
천지는 한 보금자리요 만유는 같은 소조(小鳥)입니다.
나는 자연의 거울에 인생을 비춰 보았습니다.. (「낙원은 가시덤불에서」)

한 잎의 풀잎 "일경초(一莖草)"는 부처 곧 "장육금신(丈六金身)"이고 부
처는 다시 한 잎의 풀잎으로 환생한다. 휘트먼과 타골과 같은 신성한 풀잎이 곧
"신이다"라는 직설적 비유로 그려져 있다. 풀잎은 또 "천지"를 "만유"의 "보금
자리"임을 환기시키는 객관적 상관물이며 "만유"가 "같은 소조(小鳥)"임을 깨
우치게 하는 성체(聖体)임을 드러낸다. 즉 풀잎을 통하여 우주 만물이 신의 한

가족임을 깨우친 화자의 득도의 법열을 선시풍의 증도가(證道歌)로 승화시킨
것이다.

> 님의 입술 같은 연꽃이 어디 있어요. 님의 살빛 같은 백옥(白玉)이 어디 있
> 어요.
> 봄 호수에서 님의 눈결같은 잔물결을 보았습니까.
> 아침볕에서 님의 미소 같은 방향(芳香)을 들었습니까. (「님의 얼굴」, 『한용
> 운전집』 62)

한용운의 니르바나의 열락은 님의 미소를 풀잎의 향기로 보는 초체험을 하
며 초감각의 직관지를 선시체로 창조한다. 님의 얼굴이 풀잎으로 비유되면서
그의 미소가 풀 향기로 발산되는, 즉 시각적 이미저리가 후각적 이미저리로 치
환되어 그의 님 또는 신의 비미(秘美)가 구체적으로 형상화되고 있다. 이 같은
한용운의 선험적 감성의 구상화는 앞서 논구한 휘트먼과 타골의 초절적 표현미
와 일치한다고 볼 수 있으며 따라서 세 시인 모두의 예술은 그들의 종교적 체험
의 시적 의장임을 확인케 한다.

IV

생명력이 충만한 신비적 경이의 세계와 신 또는 성소를 상징하는 풀은 제2
의 단계에서 시련과 희생, 전쟁과 이별, 그리고 죽음과 같은 이미저리로 세 시
인 작품에서 유사하게 나타난다. 성스러운 낙원은 신이 부재한 곤고한 현실로
변전하여 공히 비극적 정서를 풀잎은 반영한다. 휘트먼은 남북 전쟁의 비극성
을 주제로 하여 쓴 장시 『북소리(Drum-Taps)』의 「간호사(The Wounded-
Dresser)」에서 전투에서 희생된 병사들의 피로 물든 풀잎을 비극적 심상으로 그
려 보인다.

> 붕대, 물, 그리고 스폰지를 지니고 / 곧바로 내 부상당한 형제를 향해 신속히
> 간다.
> 그들은 전투가 있었던 바로 그 땅 위에 누워 있으니
> 그들의 고귀한 피는 그 땅 위의 풀들을 붉게 물들이나니.

Bearing the bandages, water and sponge, / Straight and swift to my wounded I go,
Where they lie on the ground after the battle brought in,
Where their priceless blood reddens the grass the ground, (『휘트먼전집』 221)

풀잎은 병사들의 피와 접촉됨으로써 희생과 죽음의 이미저리 그리고 무덤의 이미지로 나타난다. 그것은 동시에 죽은 병사 자신을 표상하는 물상이다. 남자 간호사로써 전쟁에 참가하여 부상병들을 간호했던 시인 자신이 무모한 전쟁을 고발하면서 다친 병사들에 대한 깊은 부성적(父性的) 연민을 보여준다.

나는 그 부상병에게 얼마나 아프냐고 묻지 않으니,
이는 내 자신이 바로 부상자이고 풀잎에서 고통을 느끼는 그 사내이기 때문이다.

I do not ask the wounded person how he feels,
I myself become the wounded person; I am the man, I suffered I was there. (221)

화자는 병사와 고통을 함께 하고, 형제나 부자간의 관계성을 밝힌다. 따라서 피로 물든 풀잎은 곧 자신이 피로 물든 풀잎이며 병사의 몸과 자신의 몸임을 일체적으로 은유하고 있다.

휘트먼의 비극적 상징물로 사용된 풀잎은 타골의 작품에서도 역시 제2 단계의 부정적 상관물로 "향연"의 장소이며 신성한 낙원의 이미지가 풀잎이 죽은 짐승의 무덤으로 치환됨을 보인다.

한 짐승의 뼈만 남은 몸뚱이가 풀 위에 표백이 되어 암상하게 누워있다.
　　　　　　　　　　　　　　　　　(『시들』 73, 『타골전집 4』 71)
무성한 풀 속 황량한 강 언덕에서 이 몸은 그녀에게
물었나이다. 「아가씨여, 외투로 초롱을 가리고 어디로 가시나이까? 내 집은
몹시 어둡고 쓸쓸하나이다. 나에게 아가씨의 초롱을 빌려주소서.」 (『기탄잘

리 53』『타골전집 4』31)

　　화자의 "집"은 "무성한 풀이 말라 있는 황량한 강 언덕"으로 묘사되고 "몹시 어둡고 쓸쓸한" 장소로써 그 곳을 벗어나기 위해 "초롱"을 구걸하는 시인의 갈급한 상황을 드러낸다. 여기서 풀은 신 또는 님이 부재한 현실 즉 식민지 시대의 인도 국가를 시사하는 상징물이다. 이와 유사한 비극적 세계의 이미지로 사용된 풀잎은 다음의 예시에서 더욱 화자의 어두운 정서를 표출한다.

　　이 몸은 풀밭에 앉아 하늘을 우러러 임께서 / 오시는 찬란한 광경을 꿈꾸고 있나이다―
　　·····임께서 자리에서 내리사, 땅에서 이 몸을
　　일으키시고는 부끄럼과 자랑으로 여름 산들바람에
　　넝쿨풀과도 같이 떠는 이 남루한 거지 소녀를
　　임의 옆에 앉히는 것을 보게 됩니다. 마는 세월은
　　흘러온 임의 수레바퀴 소리는 아직은 들려 오지 않나이다.(『기탄잘리』41
　　『타골전집 4』24)

　　그냥 그대로 오소서, 화장하기에 지체하지 마소서.
　　풀밭을 빨리 걸어오소서.
　　··········
　　하늘은 구름으로 뒤덮였습니다.―늦었습니다.
　　그냥 그대로 오소서. 화장하기에 지체하지 마소서.　(『정원사』11『타골전집 4』228)

　　숲에는 꽃들이 하나도 없도다. / 새들은 노래 하기를 그쳤도다.
　　강가의 풀은 그 꽃을 떨어뜨렸도다.　(『시들』87,『타골전집 4』76)

　　모래밭에 몇 조각의 노란 잔디풀과 약빠른
　　늙은 새 한 쌍이 보금자리를 마련한 나무 한 그루만이
　　있을 뿐, 태판할 사막은 그냥 누워 있습니다.　(「귀양살이 땅」『초승달』
　　『타골전집 4』113)

　　해가 졌습니다. 비도 잠시 멎었습니다.
　　나는 당신의 정원 끝에 있는 나무 그늘, 이 풀밭자리를 떠납니다.
　　말과 불은 못가 덤불 속에서는 반딧불이 반짝이고

대나무 가지들은 풀이 자란 길 위에 그림자를 던지고 있습니다.
나는 나의 운명의 끝에 선 존재 없는 손이 올시다.
긴 밤이 앞에 놓였고 나는 피로 하였습니다. (『정원사』 53 『타골전집 4』
245)

인용시에서 화자는 "남루한 넝쿨풀"의 형상으로 님을 기다리는 외롭고 곤
궁한 처지를 울부짖고 있다. 해는 지고 구름은 하늘을 덮어 어두운 화자의 집인
풀밭으로 님을 부르는 화자는 마치 사막에 유배되어 온 마른 "노란 잔디풀"의
존재로써 조국을 상실한 인도 민중이면서 암흑 속에 표랑하는 시인 자아의 이
미지로 투영되었다.

한용운의 풀잎도 두 시인의 것과 같은 비극적 현실, 전쟁 및 죽음의 심상을
투사하여 비교의 대상이 된다.

그 나라에는 그림자 없는 사람들이 전쟁(戰爭)을 하고 있습니다.
아아 님이여, 죽음을 방향(芳香)이라고 하는 님이여, 걸음을 돌리서요.
거기를 가지 마셔요. 나는 싫어요. (「가지 마서요」 『한용운전집 1』 44)

한용운의 님은 "죽음의 방향(芳香)이라고" 한다는 서술에서 풀잎이 곧 죽
음을 시사하며 동시에 전쟁터의 이미지가 되고 있다.

나는 소나무 아래서 놀다가 / 지팡이로 한 줄기 풀을 분질렀다.
풀은 아무 반항도 원망도 없다. / 나는 부러진 풀을 슬퍼한다.
부러진 풀은 영원히 이어지지 못한다.
· · · · · · · · · ·
사람은 사람의 죽음을 슬퍼한다.
인인지사(仁人志士) 영웅호걸의 죽음은 더욱 슬퍼한다.
나는 죽으면서 아무 반항도 원망도 없는 한 줄기 / 풀을 슬퍼한다.
(「일경초(一莖草)」 『한용운전집 1』 87)

인용시는 한용운이 『님의 침묵』출간 후 심우장(尋牛莊)에서 안주할 당시
1936년 『조선일보』에 발표한 작품이다. 애가(哀歌)형식의 이 작품에서 풀은

"아무 반항도 원망도 없는" 일제 지배하의 조선 민족과 국가를 암시적으로 형상화하고 있다. 이 연약하고 공포에 눌려 있는 풀을 화자 자신이 "지팡이"로 분질렀다는 자괴적 고백에서 조국 상실의 책임을 자신에게 두고 있음을 환기시킨다. 그리고 이 "부러진 풀은 영원히 이어지지 못한다"와 "나는 죽으면서 아무 반항도 원망도 없는 한 줄기 풀을 슬퍼한다"는 통한적 서술을 통해 조국 광복에 대한 절망의식을 강하게 표현하고 있다. 이 같은 망국의 비애를 표출하는 풀잎은 다음 예시에서 더욱 더 통절한 심상을 비춘다.

긴 밤 가는 비가 / 그다지도 무겁더냐
빗방울에 눌린 채 / 눕고 못 이는 어린 풀아
아침 볕 가벼운 미소 / 네 받을 줄 왜 모르느냐. (「춘조(春朝)」, 『한용운전집 1』 95)

"어린 풀"이 타골의 시에서와 유사한 "밤"과 "비"의 암흑과 절망의 비극적 상관물과 함께 화자의 일정하의 피폐된 조국을 상징하고 그의 패배의식을 암시적으로 드러내는 비유적 기호로 사용되었다.

여기서 주목할 점은 한용운의 풀이 타골의 "풀밭자리"가 있는 "나무 그늘"과 유사한 "나무 아래"에 위치하고 있다는 부사적 수사의 공통성을 볼 수 있다는 사실이다. "나무 그늘"속에서는 풀이 잘 자랄 수 없는 척박한 장소를 암시하고 있다. 동시에 타골의 풀밭이 곧 "덤불"이란 단어로 변전되는 현상이 한용운의 「낙원(樂園)은 가시덤불」속 "고통(苦痛)의 가시덤불 뒤에, 환희(歡喜)의 낙원(樂園)을 건설(建設)하기 위하야 님을 떠난, / 나는 아아 행복(幸福)입니다"라는 표현에서 동일하게 나타난다. 그리고 타골이 "나무 그늘의 풀밭 자리를 떠납니다."라는 표현과 한용운의 "가시덤불 뒤에 님을 떠난다"에서 이별의 모티브를 동일하게 보여준다는 점에서 한용운의 문학에 타골의 수사적 영향 가능성을 짙게 하고 있다.

V

죽음과 비극적 세계 및 희생자의 초상을 상징하는 풀잎은 이제 마지막 변증법적 단계로 상승하여 중생(重生), 부활, 신세계의 이미지로 세 시인의 작품에서 공통적으로 나타난다. 암울한 상황을 극복하고 다시 생명력 충만한 세계를 건설하는 살신성인의 영웅의 이미지로 풀잎은 발전한다. 휘트먼은 남북 전쟁에서 희생된 병사의 이미지와는 다른 새 민주국가를 위해 희생한 링컨(Lincoln) 대통령을 풀잎으로 등장시킨다.

> 두 길이 만나는 들판에 끝없는 풀밭을 지나서
> · · · · · · · · · ·
> 무덤에 안장할 시체를 운반하며
> 밤낮으로 한 목관이 행진하네.
>
> Amid the grass in the fields each side of the leaves, passing the endless grass,
> · · · · · · · · · ·
> Carrying a corpse to where it shall rest in the grave,
> Night and day journeys a coffin.
> (「링컨 대통령의 추억(Memories of President Lincoln)」 5. 『휘트먼전집』 234)

링컨의 죽음은 미국민에게, 특히 휘트먼에겐 큰 충격이었다. 시인은 그의 장례 행렬을 기록하면서 그의 죽음은 단순한 비극적 사건이 아니라 민주 미국을 창건한 위대한 영웅적 성업으로 찬송하는 것이다. 링컨의 운구가 향하는 풀밭은 그의 그 명예로운 위업을 영원히 기념하는 성스러운 장소가 되는 것이다. 그렇기에 시인은 일찍이 풀잎을 "무덤의 아름다운 머리카락"("And now it seems to me the beautiful uncut hair of graves"(「자아의 축송 : 6」)으로 형상화하여 노래하였던 것이다. 그리고 풀잎은 그의 님의 무덤에서 뿐만 아니라 자신의 몸에서도 자라난다.

> 내 가슴의 향기로운 풀잎과,

그대로부터 그 풀잎새들을 나는 취하고 시로 쓴다. / 후일에 가장 잘 깨닫게
하기 위해,
무덤의 풀잎을, 아이의 풀잎을, 내 몸 위로 자라나는 죽음의 풀잎을,
· · · · · · · · · ·
하여, 그대의 죽음은 아름다운 것,(과연 죽음과 사랑 말고 진정으로 아름다
운 것이 그 무엇일까?)
· · · · · · · · · ·
향기로운 풀잎이여 더욱 크게 자라다오. / 내 가슴으로부터, 내가 볼 수 있
도록!

Scented herbage of my breast,
Leaves from you I glean, I write, to be persuaded best afterwards,
Tomb-leaves, baby-leaves growing up above me death,
· · · · · · · · · ·
Death is beautiful from you, (What indeed is finally beautiful except death
and love?)
· · · · · · · · · ·
Grow up taller sweet leaves that I may see! / grow up out of my breast!
(「내 가슴의 향그러운 풀잎(Scented Herbage of My Breast)」 「Calalmus」 85)

인용시에서 화자는 풀잎을 그의 님, 즉 민족 영웅의 부활된 몸이며 그 몸은 곧
곧 자신의 몸과 일체화하여 자신의 삶과 예술을 영원한 존재로 창조하기 위한
시적 모티브를 삼투시켰음을 보여 준다. 재생 부활된 영웅의 풀잎은 곧 신의 말
씀이 기록된 상형 문자로 형상화되고, 풀잎 문자는 다름 아닌 민주주의의 이념
을 상징함을 시인은 해독하여 노래한다.

나는 또 그 풀이 곧 한 균일한 상형문자라 생각하니
그것은 넓고 좁은 지역 가리지 않고 싹을 틔우고
백인이나 흑인이나 가리지 않고 섞여 자라니
캐나다인 버지니아인 국회의원이나 노예나 가리지 않고
나는 그들에게 풀잎처럼 베풀며 풀잎처럼 영접하노라.

"Or I guess it is a uniform hieroglyphic,
And it means, sprouting alike in broad zones and narrow zones,
Growing among black folks as among white,

Kamick, Tuckahoe, Congressman, Cuff,
I give <u>them</u> the same, I receive <u>them</u> the same."(「자아의 축송 6」『휘트먼전집』28)

풀잎은 인간의 자유와 평등 그리고 사랑의 상형문자이며 나아가 피부나 계층, 신분의 차별이 없는 균일한 총화, 즉 민주주의의 상징문자이다. 이 민주 풀잎은 바로 미국의 새로운 에덴동산으로 실현된다.

새 동산에서 모든 지역에서 / 오늘의 근대 도시에서
비록 2류 또는 3류 아니면 더 원시적인 곳도 있으나 / 나는 유유히 소요(逍遙)하노라.
· · · · · · · · · · ·
시간, 천국, 맨해턴, <u>초원들</u>은, 옛날의 나를 찾게 하고
죽음도 무관하니…이곳이 오래 전부터 내가 살던 곳이 아닌가?
아주 오래 전에 내가 흙에 묻히었던 곳이 아닌가?

In the new garden, in all the parts, / In cities now, modern, I wander,
Though the second or third result, or still further, primitive yet,
· · · · · · · · · · ·
Time, paradise, the Mannahatta, <u>the prairies</u>, finding me unchanged,
Death indifferent…Is it that I lived long since? Was I buried very long ago?
(「새 동산에서, 모든 곳에서(In the New Garden, In All the Parts)『휘트먼전집』399)

새롭게 건설된 미국은 새 "아담의 자손들(Children of Adam)"이 민주주의의 삶을 향유할 수 있는 "새 에덴동산"으로서 시인 자신이 이미 오래 전에 죽어 묻혔던 무덤에서 재생 부활된 풀잎으로 구성된 것임을 시사한다. 그리고 그 풀잎 미국을 영원히 하기 위해 시인은 그 풀씨 곧 민주시를 미대륙에 뿌리겠다 하며 그의 민족주의적 이념을 예술적으로 승화시켜 노래한다.

나는 무한의 국적, 미국을 위하여 한 톨의 씨앗을 뿌리리;
나는 육체와 정신을 함께 한 그대의 전부를 치장 하리;
나는 먼 훗날 진실된 합중국을 보여 주리, 그것이 어떻게 성취되었는가를

I'd sow a seed for thee of endless Nationality;
I'd fashion thy Ensemble, including Body and Soul;
I'd show, away ahead, the real Union, and how it may be accomplished.
(「나 떠나기 전 한 곡의 노래를, 미국이여 (One Song, America, Before I Go)」,
『휘트먼전집』 406)

시인은 자기가 죽기 전 실제로 민주국가 미국을 완성하는 민주 풀잎의 씨앗
인 민주시를 후손에게 남기리라는 선언을 통해 국민시인의 정체성을 보이며 자
기 시예술 정신이 곧 영육일체, 생사여일, 성속일체의 초절사상에 바탕한 자유
평등 사랑의 민주주의임을 천명하는 것이고, 풀잎은 바로 그의 시학을 표출하
는 상징적 심상인 것이다.

타골의 시에서도 곤핍한 상황속의 자신을 구원해 주는 그의 님 또는 신을
표상하는, 즉 화해의 이미저리로써의 풀잎을 쉽게 볼 수 있다.

> 나는 물가에 누워 피곤한 다리를 풀밭에 뻗는다. /동무들은 나를 비웃어 경멸
> 한다.
> ・ ・ ・ ・ ・ ・ ・ ・ ・ ・
> 흐릿한 기쁨의 그늘 속에 태양을 수놓은 풀빛 어둠의
> 안식이 조용히 내 가슴을 덮어 주노라.
> 나는 무엇 때문에 나그네 길을 가는지 기억이
> 나지 않는다. 또 그늘과 노래의 미궁(迷宮)에
> 대항도 없이 내 마음을 던졌도다. 이윽고 단잠을 깨어
> 눈을 뜨고 보니 임께서 옆에 서 계시다.
> 임의 미소로 내 잠을 감싸주신 것을 알았도다. (『기탄잘리』 48 『타골전집
> 4』 26)

인용시에서 독자는 바로 수치와 죄의식에 괴로워하던 한용운 시의 주인공
을 볼 수 있다. 물가에 누워 있는 자신을 동무들이 경멸한다는 것은 조국 광복
을 위해 먼 길을 떠나는 순례의 대열에서 이탈한 화자의 태도에 대한 자괴적 반
성을 드러낸다. "그늘과 노래의 미궁에 대항도 없이" 그의 마음을 던졌다는 표
현은 바로 아무 반항도 원망도 없는 풀잎의 형상을 환기시킨다. 그러나 "피곤한

다리를 풀밭에 뻗고"라는 수식은 일단은 동무들과 구국의 도정에 있었음을 밝히는 것이며, 풀밭과 접촉함으로써 그의 "멀고도 지리한" 나그네 길에 안식을 얻고 결국 그의 님을 만나는 화해의 주제를 드러내 보인다.

중요한 점은 화자가 적극적인 참여의식이 부족한 자신의 수치심을 자각할 때 비로소 구원이 있다는 극적 모티브를 보인다는 것이다. 따라서 풀밭은 다시 그의 님과 재회를 하는 성소의 이미지로 회복된 것을 볼 수 있다. 그리하여 시인은 휘트먼처럼 기쁨의 가락이 짜여진 자신의 노래를 그 풀밭에 자유롭게 퍼뜨리겠다는 의지를 밝힌다.

> 내 마지막 노래에 기쁨의 온갖 가락이 / 짜이게 하소서-대지로 하여금 분방히
> 퍼지는 풀밭에 넘쳐 흐르게 하는 기쁨이여.
> 죽든 살든 쌍둥이 형제로 하여금 넓은 세상에 춤을 추게 하는 기쁨이여.
> (『기탄잘리』 58 『타골전집 4』 30)

흥미로운 점은 타골 역시 휘트먼이 "풀씨"로 형상화한 시예술을 세상에 영원히 남기겠다는 시적 모티브를 유사하게 표출하는 것이며 동시에 휘트먼의 풀밭 위에 노는 "쌍둥아이"가 "쌍둥이 형제"로 등장한다는 것, 그리고 모두 기쁨의 춤을 추는 무대를 풀밭이 제공한다는 것이다. 동시에 다음의 예시는 휘트먼의 고별시에서의 주제를 더욱 유사하게 투영시킨다.

> 독자여, 앞으로 백년 후 내 시를 읽어 주실
> 그대는 누굽니까? 나는 이 풍성한 봄 재물에서
> 꽃 한 송이도 독자에게 보내드릴 수가 없습니다. / 독자여, 문을 열고 밖을 보시라.
> 당신들의 백화난만한 꽃밭에서 백 년 전에
> 사라진 꽃의 향기로운 추억을 가다듬어 보소서.
> 원컨대 여러분, 백 년의 세월을 지나서 / 어느 봄 날 아침 이 즐거운 소리를 내면서
> 노래하는 그 기쁨을 당신 마음의 기쁨 속에 / 느끼는 것이 좋도다. (『정원사』 85 『타골전집 4』 259)

타골은 자기의 시가 백년 후에 백화난만한 꽃밭에서 기쁨의 노래와 향기로

독자들을 만날 것임을 공표하는 태도는 휘트먼이 민주시의 영원성을 선언하는 태도와 일치한다.

한용운의 풀잎도 앞의 두 시인의 것과 동일하게 비극적 현실을 초극한 새로운 세계를 표상한다.

제 아모리 악마라도 엇지 마그랴. 초토(焦土)의 중(中)에서도 금석(金石)을
뚜릇 뜻한 진생명(眞生命)을 가졌든 그 풀의 발연(勃然)을 사랑스럽다.
귀(鬼)의 부(斧)로도 마(魔)의 아(牙)로도 엇져지 못한 일경초(一莖草)의
生命(생명)   (「일경초(一莖草)의 생명(生命)」『유심(唯心)』二. 1.)

풀잎은 원래 어떤 악마도 꺾지 못하는, "초토"속의 "금석"을 뚫을 수 있는 강인한 힘을 지닌 존재, 즉 시인의 민족과 자신의 형상이다. 이 작품은 3 · 1운동 전해인 1918년 10월에 한용운이 강행한 『유심(唯心)』지 제 2호의 서시("군말")로써 발표된 점으로 일제의 강압적인 한일합방에 대한 시인의 불패의 저항의식과 민족단결의 염원을 투사시킨 시적 상징물이다. 이 같은 불굴의 정신과 투쟁의지를 표출하는 풀잎은 이제 적을 대적하기 위한 무기의 이미지로 나타난다.

이별로 죽은 사람 / 응당히 말하니라
그 무덤의 풀을 베어 / 그 풀로 칼 만들어
고적한 긴긴 밤을 / 도막도막 끊으리라.   (「무제십삼수」『한용운전집 1』
98-99)

"무덤의 풀"은 마치 휘트먼이 보인 죽어 환생한 희생된 국가 영웅을 상징하는 이미지("the uncut hair of grave")와 매우 유사하다. 그러나 한용운의 풀잎은 죽은 애국자가 다 이루지 못한 독립과업을 자신이 완성하겠다는 투혼의 상징물로 "칼"로 변형시된다. 동시에 자신을 민족 구원의 투사로서의 정체성을 암시적으로 보여준다.

이와 같은 자기무화적 저항, 죽음, 희생을 통해 찾을 해방조국과 중생적 영

응 및 자아상을 비유하는 풀잎들과 그 연상적 이미지인 <u>무덤</u>, <u>낙화</u>들을 다음의
예시에서 발견할 수 있다.

> 논개(論介)여, 나에게 울음과 웃음을 동시에 주는 사랑하는 논개여
> 그대는 조선(朝鮮)의 <u>무덤</u> 가운데 피었던 <u>좋은 꽃</u>의 하나다.
> 그래서 그 향기는 썩지 않는다.
> 나는 시인(詩)으로 그대의 애인(愛人)이 되얏노라.
>
> (「논개(論介)의 애인(愛人)이 되어서 그의 묘(廟)에」)

> 계월향(桂月香)이여, 그대는 아리따웁고 무서운 최후(最後)의
> 미소(微笑)를 거두지 아니한 채로 대지(大地)의 침대(寢臺)에 잠들었습니
> 다.
>
> (「계월향(桂月香)에게」)

> 나의 가슴은 말굽에 밟힌 <u>낙화</u>가 될지언정
> 당신의 머리가 나의 가슴에서 떨어질 수는 없습니다.
> 그러면 쫓아 오는 사람이 당신에게 손을 댈 수는 없읍니다. (「오셔요」)

> 풀 사이의 벌레들은 이상한 노래로 백주(白晝)의
> 모든 생명의 전쟁을 쉬게 하는 평화의 밤을 공양(供養)합니다. (「공양(供
> 養)」)

> 난후(亂後)에 국화는 펴
> 풀도 또한 무성해......
> (「선암사(仙巖寺)에 머물면서 매천(梅泉)의 시(詩)에 차운(次韻)하다『산
> 가의 새벽』『한용운전집 1』 158)

휘트먼이 링컨의 무덤을 덮은 풀잎을 찬송하여 그의 위업을 찬양하였듯이
한 또한 논개와 계월향의 풀꽃 이미지로 형상화하고 그들의 무덤 위의 풀잎("대
지의 침대")을 환생한 영웅으로 암시하고 있다.
　　비교문학적 연구의 미학을 제공하는 또 하나는 한용운 역시 그의 고별시「
독자(讀者)에게」에서 앞의 두 시인의 태도를 일치적으로 보인다는 점이다. 휘
트먼 시의 "풀씨"가 미국의 새 영토에 뿌려지듯이 , 그리고 타골의 풀노래가 백
년 후의 백화난만한 꽃밭에서 독자를 만날 것임을 시시한 것과 같은 상징적 비

유와 시적 모티브가 유사하게 나타난다.

> 독자여, 나는 시인으로 여러분 앞에 보이는 것을 부끄러워합니다.
> · · · · · · · · · ·
> 나는 나의 시를 독자의 자손(子孫)에게 까지 읽히고 싶은 마음은 없습니다.
> 그 때에는 나의 시를 읽는 것이 늦은 봄의
> 꽃수풀에 앉아서 마른 국화(菊花)를
> 비벼서 코에 대는 것과 같을는지 모르겠습니다.
> · · · · · · · · · ·
> 새벽종을 기다리면서 붓을 던집니다.
> ―을유(乙丑) 팔(八)월 이구(二九)일 밤 끝(『한용운전집 1』82)

타골처럼 독자에게 자기의 시를 보이는 것은 부끄럽다는 태도를 동일하게 보이면서도 자신의 시예술을 "마른 국화"로 상징화하여 후대의 독자에게 영원히 남겨주겠다는 점을 반어적으로 표현하고 있다. "늦은 봄의 꽃수풀"은 언젠가는 찾게 될 광복된 조국을 암시하고 있어 그의 시예술의 존재적 가치와 의의를 강하게 표출하고 있다. 결론적으로 한용운의 풀잎은 휘트만과 타골의 것과 동질적으로 일치된 그의 종교적 정치적 이상과 자아를 상징적으로 투영시키는 객관적 상관물이라 하겠다.

한 가지 주목할 사실은 한용운의 자아상이 다른 두 사람 보다는 비교적으로 더욱 혁명적이고 투쟁적인 초상으로 나타난다는 것이다. 풀잎을 "칼"의 이미지로 그리고 그 칼을 무기삼아 적과 투쟁하겠다는 살신성인의 자아형상을 투사시키고 있는 것이다. 이런 실천주의적 특성은 강한 호국정신을 시현해 보인 한국 전통 불교에 그의 시 정신이 바탕을 두고 있다고 보겠다. 실제로 한은 「시(詩) 가드니스또(GARDENISTO)을 읽고」에서 타골을 "벗이여, 나의 벗이여, 애인이 무덤위에 피어 있는 꽃처럼 나를 울리는 벗이여"하면서도 "그의 무덤을 황금의 노래로 그물치지 마셔요. 무덤위에 피 묻은 깃대를 세우셔요"라는 표현에서 보듯 죽음을 초극하는 애국성신과 시성신이 일치하지 못하는 타골의 소극성을 비판하고 있다는 사실이다. "죽음의 향기가 아무리 좋다 하여도 백골의 입술에 입맞출 수 없는 것"처럼 "황금의 노래" 즉 수식과 형용으로만 된 시 예술만으로는 구국의지를 온전히 시현할 수 없고 "무덤위에 피 묻은 깃대를" 세우는 강한 투혼과 살신성인의 실천이 진정한 벗이 될 수 있는 조건임을 제시하여 자신이 타골보다는 더욱 강한 자아실현의 불패 정신을 지녔음을 보여준다.

결론적으로 휘트먼, 타골, 한용운의 풀잎은 그들의 공통적인 초절사상과 민족주의적 이데아의 시적 상징물로써, 특히 그들의 이상적 자아상-새로운 신, 아트만과 붓다의 진여상을 투영하고 있다. 풀잎은 공통적으로 그들의 님을 상징적으로 표상하며 그 님은 다시 신, 연인, 국가, 영웅, 민중, 자아의 초상을 그리고 시 자체를 표상한다. 그리고 풀잎은 다같이 탄생, 향연, 죽음, 영생, 부활, 중생, 우정, 조국애, 헌신, 희생 등의 심상을 표출하고 특히 어린아이, 악기, 무덤, 안식처, 성전, 천국, 낙원, 무기 등의 유사한 이미지로 투사되고 있다는 점에서 비교문학적 심미성과 동시에 영향관계의 가능성을 제공하고 있는 것이다.

VI

지금까지 논구된 풀잎 상징의 유사성에서 이제 세 시인 간의 문학적 영향관계를 탐색할 수 있다고 보겠다. 물론 동질의 유심론적 초월주의와 정치사상에서 생성된 시적 언어와 이미지의 공통성은 자연발생적일 수도 있다. 그러나 깊이 분석하면 할수록 세 사람 작품 속에 나타난 동일한 풀잎이나 바다 상징 이외에도 전체시의 주제, 모티브, 특히 에로스의 미학적 표현과 자유 시체의 산문 리듬과 음조 등의 상당한 유사점이 다양하게 발견됨으로써 상호간 시사적(詩史的) 영향과 수용 등의 관점에서도 충분히 고구할 수 있는 길을 찾을 수 있다.

휘트먼과 한용운의 상호 영향 관계는 시대나 지리적 조건으로 보아 직접적 접촉을 통하여 이루어 질 수는 없다. 그러나 간접적으로 타골을 통하여 그들의 만남의 통로를 탐색할 수 있다. 한용운은 그의『님의 침묵』출간 전 이미 1916년 진학문이 소개한「타골 선생 송영기」를 선두로 김억 등에 의해 번역된 타골 시작품들을 접득하였을 가능성을 추정함으로써 그 길을 열어 갈 수 있겠다. 정한모(鄭漢模)는 한용운이 타골의 시작품에서 민족주의와 종교적 사색 및 헌신의 시적 주제는 물론 자유시행의 문체를 모방하였을 가능성을 주장한 바 있다.8) 이어 김용직(金容稷)도 한용운의 타골 문학 수용에 대한 예증을 보여 양 자간의 영향관계를 추적하였다.9) 그리고 이 두 학자 이외에도 수다한 연구자에 의해 한용운과 타골의 문학적 영향과 수용의 틀이 견고히 구축된 점에 기대어 볼 수 있다.

이제 휘트먼과 한용운의 관계에 있어 그 통로를 타골의 시문학에서 찾을 때 중요한 사실은 타골이 그의 생전에 휘트먼을 열렬히 흠모하였다는 점에서 출발 할 수 있다는 것이다. 타골이 휘트먼의 민주사상과 범민주 세계주의, 그리고 그 사상의 예술미학의 위대성에 크게 공감하고 실제로 그의 작품세계에 많은 요소 를 원용했다는 증거가 숱하게 밝혀지고 있다. 타골이 1913년 노벨상을 수상한 직후 ≪뉴욕타임지≫(New York Times, Nov. 30. 1913)에서 이미 타골 작품의 동서초월의 정신주의적 특성이 휘트먼적인 것이라고 평가한 점("타골, 휘트먼 과 비교되는 노벨수상자(Tagore, The Winner of the Novel Prize Compared with Walt Whitman)"은 두 작가의 비교문학에 큰 심미적 자극을 준다. 그리고 타골 은 1916년 미국을 방문하여 샌프란시스코의 한 강연에서 휘트먼이 미국의 영웅 적 시인임을 공표하고 자신에게 지대한 영향을 준 혜은의 존재임을 고백하였 다.

> 휘트먼은 그대들의 위대한 시인입니다. / 그는 그대 조국의 위대한 대변인입
> 니다.
> 나에게 그는 가장 고양한 이름이요 역사이며 위대한 분입니다.
> · · · · · · · · · ·
> 휘트먼은 나에게 미국의 풍경중-풍경을 보여주었습니다.
>
> Whitman is your greatest poet. / He is the great voice of your nation.
> To me he is in the highest name. The greatest it ever has had.
> · · · · · · · · · ·
> Whitman gives me pictures-pictures! (밀라드(Millard)10)

---

8) 정한모『한국현대시사』서울. 일지사. 1982. p.394-400.
9) 김용직『한국현대시연구』일지사. 1974. p.58-90.
10) 베일리 밀라드(Bailey Millard).「타골이 미국을 찾다. (R. Tagore Discovers America).
   Bookman. XL. Ⅳ Nov. 1916. p.248

타골의 학자 스미드(Harriet Smith)는 휘트먼과 타골을 "인간의 영혼(The soul of humanity)"을 중심으로 한 "세계통일의 의식"(The consciousness of the world unity)을 "대외적 문학"(a synoptic literature)에 표출한 위대한 "우주적 시인"(The universal man)으로 취급하고 "타골의 음률은 휘트먼 산문체의 잔영"(he used a rhythmic prose somewhat reminiscent of Whitman)이라 하며 선언하고[11] 양자간의 영향 가능성을 타골 자신의 휘트먼에 대한 찬미의 발언들을 수집하여 밝혀내고 있다. 밀라드는 또 타골의 말을 직접 인용하여 양자와 관계를 더욱 공고히 다진다. "에머슨은 그의 운문과 산문에서 내게 무언가를 웅변하고 있으나, 그러나 휘트먼만큼은 못합니다." (Emerson in his verse and in his prose speaks to me, too, but not like Whitman.) (밀라드(Millard) 249) 크시틴드라나트 타골 (Kshitindrananth Tagore) 역시 타골시의 이미지들, 특히 자유, 우정 그리고 우주적 사랑의 미학적 표현은 바로 휘트먼적인 것으로 주장하고 두 시인간의 영향과 수용의 패러다임을 견고하게 다진다. "휘트먼적인 자유, 우정, 그리고 우주적 사랑의 이미지들의 그 무한한 심미적 시적 이미지들이 바로 타골의 시에서 발견된다."(Whitmanian poetic images of freedom, fellowship and Universal love in its infinite beauty can be seen in the poetry of R. Tagore)[12] 이어서 사스트리 (C. N. Sastry)는 이 두 시인은 공히 칸트(Kant)와 쉘링(Shelling)의 초절주의 (Transcendentalist Philosophy)에서, 영국의 워즈워드(Wordsworth)같은 낭만파시인들에게서 영향을 받았으며 나아가 타골은 휘트먼의 문학정신과 형식을 흡습했음을 타골이 실제 휘트먼에 대한 언급(인간의 종교(Religion of Man) 15)을 인용하여 짚어내고 있다.[13] 사스트리이외에도 작금 많은 학자들에 의해 양자의 영향 관계가 탐구되고 있는 현상은 타골을 매개자로 하여 한용운이 휘트먼의 문학 예술을 간접적으로 수용하였다는 관계설립이 이루어지도록 인도하고 있다. 다시 말해 휘트먼의 예술이 타골의 문학에 이식되고 타골 예술속의 휘트먼

---

11) 헤리엣 스미스(Harriet Smith). 『월트 휘트먼과 타골(Walt Whitman and R. Tagore)』 석사논문· 메사추세츠 대학 출판사. 1964. p.2

12) 크시틴드라나트 타골. 「월트 휘트먼」 K. K. 다스구파(Dasgupa) 번역. 『월트 휘트만 리뷰 (Walt Whitman Review) Vol. 19. No. 1.』 March, 1973. p.3-11

13) 사스트리(C. N. Sastry) 『월트 휘트먼과 타골: 비교와 대조의 연구』 Delhi: B. R. Pub. 1992. p.82.

시학이 한용운의 시 세계에 이식되는 비교 문학의 발신, 전신, 수신의 전형적 패러다임을 보여 주고 있다.

여기서 짚고 넘어가야 할 사실은 한용운이 휘트먼의 예술을 만나는 과정에서 타골이 제공한 통로 외에 스스로 찾은 길이 있을 수 있다는 것이다. 한용운은 그의 시집을 출간하기 6년 전 오천석(吳天錫)이 서울 신문에 국내에서 처음으로 번역 소개한 휘트먼의 「행진하는 군대(An Army Corps on the March)」와 같은 해 11월『개벽』(開闢) 제6호에 황의돈(黃義敦)이 발표한 휘트먼의 영육일체적 시 사상에 대한 글을 접했을 것을 추측할 수 있겠다; "호잇트만의 호호(呼呼)함과 가티 영적 생활의 반면(反面)에는 육적 생활이 잇슴을 경시(輕視)치 못하겠나이다".[14] 그리고 1921년 역시『개벽』지에 일본학자 묘향산인(妙香山人)은 휘트먼을 "미국 근대의 유명한 민중시인"이라 소개하였으며 역시 같은 해 같은 문예지에 현철(賢哲)에 의해 휘트먼의 시 형식의 특성이 소개되었다. 즉, "그러한 폐해를 구제하기 위하야 18세기 미국 시인에 왈트 화이트맨이 자유시형이라고 하는 것을 창시하게 되었다. 그 이유는 고래로 시에 사용하여 오던 압운율격(押韻律格)과 가튼 이득(利得)을 강용(强用)치 아니하고 형식상 운율에 의지할 것 업시 한층 더 시인의 내부의 감흥생명(感興生命)을 위주(爲主)하야 자유로 그 발로(發露)하는 것을 엇고저 한 것이다."(『개벽』제6호. 김병철(金秉喆)[15]이라고 하였다.

다음으로 김석송(金石松)이 1922년 휘트먼의 시 「선구자여, 오 선구자(Pioneers, O Pioneers!)」외 5편을 번역하여『개벽』지에 발표하였고 1925년 1월엔 최학송(崔鶴松)이『조선문단(朝鮮文壇)』4호에 휘트먼을 "미국 정신을 가장 강렬하게 노래한 시인"(10)으로 소개 하였다. 이어 이은상(李殷相)이 같은 문예지에 「시인(詩人) 휘트맨론(論)」을 발표하였다. 즉, "이에 대체로 보아 그의 시와 사상이 인간보편에 여히(如何)한 심의(深意)를 가진 것은 중언(重言)을 필요하지 안을 줄 안다. 회고컨대-개성, 자유, 세력, 도시, 여성, 남성, 영육, 선악, 진리, 통감(痛感), 고독, 정열, 의지, 건전……이리하야 인간애, 생사,

14) 황의돈 「행진하는 군대」『개벽』6호. p.34.
15) 김병철『한국근대서양문학이입사연구』을유문화사. 1980. p.388-389.

신비, 무한, 영원에까지 접촉한 시인 「왈트·휘트맨」……"(김병철 398)이라
하였다.

　　이외에도 많은 번역과 논문이 1920년대 초기에 발표되었는바 휘트먼의 시
상과 시문학의 특성, 특히 민중적이며 민족·민주적인 시정신과 자유시형이 한
용운의 현대시에 지대한 영향을 주었음을 간과할 수 없다. 한용운이 비록 당시
의 여러 문학 운동과 동인활동에 참여한 사실은 없으나 독자적으로 신문학의
조류에 예민하였던 그가 휘트먼의 시학에 접근하였음은 쉽게 추정할 수 있겠다.

　　한용운은 또한 일역(日譯)으로 된 작품을 접함으로써 휘트먼을 만났을 가
능성이 크다. 휘트먼은 일본 명치유신기의 근대 문학의 개척과 발전에 영향이
컸던 서구작가들 중의 한 위인으로 숭앙되었고, 명치 25년 나쑤메 소세키(夏目
漱石)가 『철학잡지』에 휘트먼에 대한 연구와 번역을 실어 일본문학사상 사라
카바파(白樺派)나 민중시파의 출발과 현대화에 큰 공헌을 했다. 그 후 휘트먼
시의 일어 번역은 아리시마 다께오(有鳥武郞)에 의해서 활발히 이루어졌고 당
시의 많은 젊은 작가와 시인들은 그의 민주사상과 일상의 시어 사용 및 구어체
(口語體)의 시형, 즉 산문체의 자유시형을 모방 습작하였다. 요시다께 요시노
리는 휘트먼이 일본 문학에 끼친 영향을 다음과 같이 밝힌다.

　　　　민주주의 이념에의 강한 열망을 담고 있는 휘트먼의 시는 당시[특히 다
　　　이쇼시대 1912~26]에 일본의 문단에 큰 영향을 주어 매우 인기가 높았다.
　　　휘트먼의 자유시의 번역은 구어체의 일상적 언어로 된 당시의 신시운동에
　　　유력한 지침서 역할을 했다. 그리하여 그의 『풀잎』[Leaves of Grass]은 문학
　　　적 언어에[국어]뿐 아닌 일본의 모든 분야에 걸친 현대화[정치, 문화, 교육, 사
　　　회 및 예술]에 상당한 새로운 이념 및 아이디어[착상]을 부여했다.

　　　Whitman's poetry, with its enthusiasm for democratic ideas, was to
　　　become popular particularly during that period(The Taisho period, 1912~26).
　　　The translation of Whitman's free verse into colloquial Japanese served as a
　　　guide for the movement to write poetry in the common language, Leaves of
　　　Grass not only encouraged the modernization of literary Japanese but also
　　　offered many ideas influenced in Japan's progress toward modernization.

한국의 근대문학인들이 일본을 통하여 서구문학을 간접적으로 도입 수용한 점을 고려할 때, 한용운 역시 일본을 매개로 하여 즉 일본문학에 나타난 휘트먼의 사상과 표현법에 큰 감동, 충격을 받아 자신의 창작활동에 활용했을 가능성이 있다. 만일 요시다케 요시노리의 언급대로 휘트먼의 자유시체와 민주주의적 시사상이 일본문학에 큰 영향을 주었다면, 그리고 바로 휘트먼에게서 영향을 가장 크게 받고 일본 현대문학 구축에 큰 공헌을 한 나쓰메 소세끼나 아리시마 다께오의 작품들을 한용운이 구독하였다면 그가 한국 시문학의 현대화를 구축한 업적과 무관하지 않을 것이다. 한용운의 자주적 민족주의 사상, 상징주의 및 자유시형에 바탕을 둔 현대 시예술로 바로 과거 중국의 문화적 식민지배에서 독립하여 한국의 독자적 현대 문학을 창조하겠다는 그의 새로운 문학관을 정립하게 하고 그 과업은 일본문단을 통한 휘트먼의 시예술을 만남으로써 더욱 공고히 그 의지를 다지게 하였을 것이기 때문이다. 한용운이 일본문단을 통하여 휘트먼의 문학을 수용했을 가능성은 바로 그가 발표한 작품 속에서 그 희미한 증거를 찾을 수 있다:

좌선을 마치매 인기척 없고 / 외국에서 시(詩)오니 기러기 소리
야루선진수인기(夜樓禪盡收人氣) / 이역시래송안군(異域詩來送雁群)
(「석왕사봉영호부운양화상작이수(釋王寺逢映湖乳雲兩和尙作二首), 그
일(其一)」『한용운전집』105-106)

인용시는 한용운의 한시(漢詩)중 소무(蘇武)의 고사(古事)를 인유, 기러기가 외국에서 시를 가져와 읽었다하여 일본이나 다른 타국에서 온 문학을 접했다는 것을 밝히고 있다. 외국에서 온 시가 타골의 시인지 휘트먼의 시인지는 확실치 않으나 한용운이 외국의 문학을 구독했다는 점은 투명한 점에서 그것이 휘트먼의 시일수도 있다는 가능성도 배제할 수는 없는 것이다. 한용운은 실제로 1908년 일본 체류시 전전부산(淺田斧山)교수의 선시(禪詩)를 받고 그에게 답을 보냈다는 사실(「화전전교수(和淺田敎授)」『한용운전집』141)에서 그가 언급한 외국의 시가 전전부산의 것인지는 모르겠으나 한편 바로 이 일본 학자로부터 휘트먼의 선시풍의 작품을 소개받았을 가능성도 없지 않다.

흥미로운 사실은 한용운이 일본을 통하여 휘트먼을 만났다는 추정이외에 그가 직접 미국 문인을 통하여 만났다는 증거를 보인다는 점이다. 한용운은 휘트먼의 스승으로써 휘트먼에게 지대한 영향을 주었던 에머슨(Ralph Waldo Emerson)의 문예론을 그의 심우장시절 쓴 「문예소언(文藝小言)」에서 소개하고 있다는 사실이다. 즉, "에머슨(Emerson 1803~1882 미국평론가(美國 評論家))은 <문학은 인생의 경우를 보전(補塡)하기 위하여 지은 것이다>고 했다. 이것은 추상적(抽象的) 언귀(言句)로 그 진의를 포착하기 어려우나 사람이 오관(五官)・수족・언어 등 모든 관능(官能)으로의 미칠 수 있는 경우의 불급처(不及處)를 보전하기위한 문자적 표현이라는 의미인데, 이것은 앞의 두 가지 유(流)와 같이 광의적으로 규정한 것은 아니나, 또한 협의적으로 문예에만 국학된 것도 아니다"(한용운전집 193-194)이라고 하였다.

한용운은 에머슨의 문예론을 "학문・지식・상상의 범위는 심히 광대한 것으로, 거기에 대한 일체의 문자적 증록(證錄)을 통합한 것이다" 고 하여 그의 시문학에 그의 통합적 지식과 상상, 즉 이성과 오관을 초월한 인식으로 불가사의한 신비적 "불급처(不及處)"의 현상을 직관을 통하여 시적으로 표출하는데 에머슨의 영향을 받았을 가능성도 드러내 보인다. 한용운의 이 같은 에머슨에 대한 언급은 그와 휘트먼과의 영향관계에서 매우 의미심장한 사건이라 하겠다. 왜냐하면 에머슨은 휘트먼에게 바로 동양의 초절주의, 특히 인도의 바가바드기타와 우파니샤드의 신 브라마(Brahma)를 교시하고 일원적 동양 사상을 깨우쳐 준 사람이기 때문이다. 휘트먼은 실제로 1857년 에머슨이 「브라마(Brahma)」란 시를 다음과 같이 옹호했다. "그 시의 제목은 그 시를 파악하는데 하나의 용이한 열쇠가 된다. 인도의 신(神)인 브라마는 절대자며 무소부재한 신으로 그를 떠나서는 모든 존재는 몽상이요 환상이고, 자연만상은 종국엔 그에게 회귀한다. 이러한 범신론적 사상을 에머슨은 아주 명료하고 우아한 율동으로 표현하였다"(Yu. B. C. 55).[16]

이 같은 에머슨의 동양적 시세계에 영향을 받고 휘트먼은 스스로 그를 자신의 스승("master")이라 존대하고 자기 시에 그의 영향이 컸음을 고백하기까지

---

16) 유봉천(Yu, Bong-Cheon) 「휘트먼」 『대원(The Great Circle)』 웨인 주립대학. 1983. p.55.

하였다. 즉 "내게 부글부글 정열을 솟구치게 하여 에머슨은 나를 끓는 불이 되게 만들었다"(I was simmering, and simmering, Emerson brought me to a boil) (『트라우브리지(Trowbridge)』[17]) 그리고, 1855년 휘트먼의 『풀잎』이 출간되자 에머슨은 제일 먼저 그의 시집을 예찬하고 바로 "바가바드기타와 뉴욕 헤럴드의 훌륭한 합작"(유(Yu). 55. 235-6)이라 천명하였다. 여기서 또 한 가지 중요한 사실은 한용운은 에머슨이 주창한 초절주의적 문학 사상을 동일한 담론으로 개진해 보였다는 점이다. 에머슨의 1830년 그의 「초절주의 선언서(Transcendental Manifestos)」를 발표하면서 "전통적인 모든 것을 벗어났을 때 생기는 정신"이 초절주의라 정의하고 서구적 합리주의를 탈피한 동서 초월의 직관적이고 선험적인 우주적 질서를 시의 정신으로 보았다. 이 초절적 문학사상은 곧 휘트먼에게 투입되어 "에머슨은 휘트먼을 낳은 조상(Emerson sired Whitman as he sired)"[18]이며 휘트먼은 곧 "에머슨적 시인(The Emersonian poet)"[19]이라고 까지 평가되는 점에서 한용운의 다음과 같은 언급은 에머슨이 한용운에게 중개자라고도 할 수 있으며 동시에 그가 에머슨의 제2의 제자일 가능성을 제시하고 있다는 점에서 매우 중요하다.

> 요컨대 불교는 그 신앙에 있어서는 자신적(自信的)이요, 사상에 있어서는
> 평등이요, 학설로 볼 때에는 물심(物心)을 포함 아니 초절한 유심론이요,
> 사업으로는 박애호제(博愛互濟)인바, 이것은 확실히 현대와 미래의 시대를
> 아울러서 마땅할 최후의 무엇이 되기에 족하리라 합니다. 나는 이것을 꼭
> 믿습니다. (「내가 믿는 불교」 『개벽』 45호)

이상의 한용운의 불교이론은 에머슨과 휘트먼의 사상과 너무나 유사한 점을 보이고 있어 두 사람의 사상을 비교함에 가장 핵심적 요소라 말할 수 있다. 첫째 불교는 "자신적"종교로서 신앙의 대상이 신이나 상제가 아닌 오직 자아라는 실존적이며 인본주의적 사관인바 에머슨과 휘트먼의 자아신뢰(self-reliance)

---

17) 트라우브리지. 『나의 이야기: 고상한 사람의 회상과 함께(My Story: With Recollections of Noble Person』. 보스턴. 1903. p.367.
18) 알렌(G. W. Allen) 『월트 휘트먼 핸드북』 뉴욕: 핸드릭스 하우스. 1962. p.450
19) 왜고너(Waggoner) 『미국시인들』 보스톤: 휴톤 리플린. 1968. p.150-161.

와 어떤 절대자를 떠난 신성자아관(神聖自我觀)과 일치한다. 한용운의 자아
는 곧 신성하며 절대적 존재로서 그 본체는 육체와 정신을 주재하는 심(心)이
며, 이것은 불교의 '심즉시불, 불즉시심(心卽是佛, 佛卽是心)'이란 법어에서
볼 수 있듯이 각자 불(佛)을 성(成)하는 주체요 구경적 진체인 것이다. 이 불심
은 곧 에머슨과 휘트먼의 정령 또는 대신령(The Over-Soul)과 일치하는 유심론
적 자아 및 우주 인식에서 비롯된 것이다. 이 불성을 닦는 것이 곧 마음(心)을
닦는 참선이며 휘트먼이 실행한 요가(Yoga)라 볼 수 있다. 두 사람은 다같이 무
애(無碍)의 절대아를 실현하기 위해 심원한 자아성찰의 명상과 참선을 하였다.
한용운은 친히 이 참선통득(參禪通得)된 절대자아는 "외구(外求)하는 것이
아니요 내수(內修)하는 것이니 형(形)이나 경(境)에 있는 것이 아니요, 다만 심
(心)에 있는 까닭이다. 심(心)은 즉 진여요 불성이요 만법의 원(源)인 고로 공
(空)으로 보면 진공(眞空)이요 유(有)로 보면 묘유(妙有)가 되느니, 일물(一
物)의 애체(碍滯)가 없는 동시에 일체 제법이 유출무진(流出無盡)하는 것이
다. 일체 중생이 동일 불성이요 무량원겁(無量遠劫)인 즉, 이 일넘이니 심(心)
에 있어서는 인아(人我)가 없고 삼세(三世)가 없으니, 이것이 곧 무한의 자아
며 절대의 자아이다"라고 선을 통해 증오(證悟)된 아공진체의 초자아 상을 명
시함으로써 더욱 명징한 에머슨과 휘트먼의 무아적 진아상과 일치시키고 있다
(「선(禪)과 인생」『한용운전집 2』288-289)

한용운은 이 같은 참선지를 통하여 불교는 중생을 제도하는 구세적 박애요,
적극적 참여 특히 정치적 민주독립의 계도적 실천이 그 참된 태도라고 보았다.
따라서 휘트먼이 그의 전생애를 일관하여 민주주의 운동에서 형제애, 자매애,
동포애를 선도하며 적극적 사회참여를 한 양상이 한용운에서 그 동일한 기맥
(氣脈)을 찾을 수 있다. 나아가 한용운의 민족주의적 열정도 휘트먼의 민주적
세계주의와 동일한 특성을 보인다.

> 또 세계주의는 타국, 이 주와 저 주, 이 인종과 저 인종을 논하지 않고 똑같
> 이 한 집안으로 보고 형제로 여겨 서로 경쟁함이 없고 침탈함이 없어서 세
> 계 다스리기를 한 집안을 다스리는 것같이 함을 이름이니, 이 같다면 평등
> 이라 해야 할 것인가, 아니라 해야 것인가. (『불교유신론(佛教維新論)』

14)[20]

여기서 한용운의 평등사상은 곧 그의 불교적 민주신앙이며 휘트먼의 '대중' '형제' '가족'이 구성하는 민주적 국가주의 및 세계주의와 맥락을 같이한다고 볼 수 있겠다. 한용운은 실제로 그의 시속에 세계주의적 "님"을 그려 보인다.

> 님만 님이 아니라 기른 것은 다 님이다. 중생(衆生)이 석가(釋迦)의 님이라면 철학은 칸트의 님이다. 장미화(薔薇花)의 님이 봄비라면 맛치니의 님은 이태리다. 님은 내가 사랑할 뿐 아니라 나를 사랑하느니라.
> 연애가 자유라면 님도 자유일 것이다. 그러나 너희는 이름 좋은 자유의 알뜰한 구속(拘束)을 받지 않느냐. 너에게도 님이 있느냐. 있다면 님이 아니라 너의 그림자니라.
> 나는 해 저문 벌판에서 돌아가는 길을 잃고 헤매는 어린 양(羊)이 기루어서 이 시를 쓴다. (「군말」『님의침묵』『한용운전집 1』 42)

시인과 그 민족의 님은 석가와 칸트와 맛치니와 같은 종교적·철학적·정치적 지도자로 암시되었으며, 시인 자신을 '길 잃은 어린 양' 즉 조국을 잃은 민족을 구원하는 모세나 예수의 이미지로 표상하여 동서의 민족지도와 동위(同位)의 자기형상을 상징적으로 보이고 있다. 시인은 석가, 칸트, 맛치니 및 예수와 상등한 정체성(self-identity)을 밝히고 그들이 남긴 위업을 재현하려는 강한 의지를 표출하고 있다. 시인 자신의 님은 곧 민중 국가이며, 또 그의 님이 완전한 님이 되기 위해서 스스로 순교자적인 자기사명을 표명하고 있다. 그러므로 이 서시는 자아 정체성의 자기고백이며 시집 전체에 투영된 시인의 민족주의적 정치, 종교, 사상이 예술적 이념으로 승화된 상징성을 보인다. 여기서 한용운의 철학 종교사상은 불교적 카테고리에만 국한되지 않는 동서 모든 종교사상이 융합된 초절적 사상이며, 이를 민족주의적이며 세계주의적 시학으로 결정(結晶)한 형상을 관찰할 수 있다. 그리고 인용시에서 중요한 점은 "길을 잃고 헤매는 어린 양(羊)이 "기루어서" 쓴 그의 "시"를 바로 그 양이 뜯어 먹고 자라며 영원히 그의 시 사상을 번식할 수 있게 할 풀잎의 이미지로 표상화하고 있다는 것이

---

20) 한용운『한국불교유신론』민족사. 1983. p.14.

며, 따라서 휘트먼이 그의 시집을 풀잎이라 명명한 상징적 모티브와 일치한다
는 점이다.

이상의 논구를 통해서 볼 때 한용운은 미국의 에머슨을 통하여 휘트먼적인
시문학을 창조하였을 가능성이 있을 수 있겠다. 그러나 한용운은 에머슨의 문
예론의 짧은 언급 이외에 그 어떤 시작품에 대한 해설이나 감상론을 발표하지
않은 점에서 에머슨의 영향관계를 추적하기엔 어려운 작업이 될 것이다. 다만
에머슨의 문학 세계를 접했다는 점에서 그를 통하여 휘트먼을 만날 수 있었을
가능성을 추정하고 탐색할 수 있을 것이다. 그러나 한용운의 휘트먼에 대한 어
떠한 언급이나 평문도 그의 전 작품집에서 찾을 수 없는 상황에서 그 가능성 또
한 난제일 수밖에 없다. 그리고 한용운과 휘트먼 만남은 일본 문단을 통하여 간
접적으로 이루어졌을 가능성도 있겠으나 충분한 자료가 부재한 현 시점에서 다
만 그 추정의 단계에만 머무를 수밖에 없는 것이다.

결론적으로 한용운과 휘트먼의 영향관계는 타골을 통한 발신, 전신, 수신의
패러다임으로 비교할 수밖에 없겠다. 그것은 지금까지 탐구 분석한 바와 같이
한용운의 시예술이 보이는 상징적 이미지, 자유로운 산문체, 종교적이면서 정치
적인 주제와 모티브등과 동형동질의 예술성을 보이는 휘트먼의 시문학의 특성
이 타골의 작품에서 징명(瞪明)하게 나타나고 있다는 사실에 그 모형성립이 가
능하기 때문이다.

🌿 인용문헌

金秉喆.『韓國近代西洋文學移入史硏究』, 서울: 乙酉文化社, 1980, 388. 389.
金永鎬.『韓龍雲과 위트먼의 文學思想』, 思社硏(1988, 7-114)
___.「타골과 한용운의 시문학 비교」,『比較文學 제21집』, 韓國比較文學會, 1996,
     117-181
___.「Whitman, Tagore, 韓龍雲의 詩文學과 바다 象徵」,『比較文學』別卷(제1회

아시아 비교문학 학술 발표 논문집), 1998, 309-311.

金容稷.『韓國現代詩硏究』, 一志社, 1974, 58-90.

宋稶.『詩學評傳』, 서울 : 一潮閣, 1973, 294-322.

李殷相.「詩人 휘트맨論」,『朝鮮文壇』, 제8호, 1925, 93.

鄭漢模.『韓國現代詩史』, 서울: 一志社, 1982, 394-400.

崔鶴松.「미국문학의 개관」,『朝鮮文壇』, 제4호, 1925, 134-135

타골 R.『타골 全集』1-6 柳玲역. 正音社, 1974.(타全集으로 표기)

___.『내 영혼의 뜰에 님의 모습 보일 때』유영역. 현대문화센타, 1998

韓龍雲.『韓龍雲全集』1-6. 趙明基외 6인 편집. 新丘文化社, 1980.(韓全集으로
   표기)

___.『唯心』1-3. 萬海思想硏究편. 民族社, 1981.

___.『韓國佛敎唯神論』. 李元燮역. 民族社, 1983. 14.

黃義敦.「행진하는 군대」,『開闢』6호. 34.

Allen, Gay Wilson. *Walt Whitman Handbook* New York: Hendricks House, 1962. 450.

Gibson, Morgan. "Whitman and the Tender and Junior Buddha," T*he Rising Generation.*
   Vol. CXXII. No. 6. Tokyo: 1976. 8-12.

Kulasrestha Mahendra.and Aurobindo, Sri. "The Poetry of Tagore," *The Genius of Tagore.*
   Hosharpuv: u. vr- I press, 1961. 35.

Millard, Bailey. "Rabindranath Tagore Discovers America," *Bookman.* XL. IV Nov. 1916.
   248.

Nambiar, O. K. "Walt Whitman and Yoga," *Walt Whitman Review,* V. 13. 1967. 61-62.

Sastry, C. N. *Walt Whitman And R. Tagore: A Study in Comparison and Con-trast.* Delhi
   : B. R. Pub., 1992. 82.

Smith, Harriet. *Walt Whitman and R. Tagore: Precursors of Universal man.* Thesis (M.
   A.)-Univ. of Massachusetts, 1963.

Tagore, Kshitindranath. Trans., K. K. Dasgupa, "Walt Whitman," *Walt Whitman Review*
   Vol. 19. No. 1. March, 1973, 3-11.

Tagore, Rabindranath. "Poet to poet, Social Thinking of R. Tagore Sasadhar Sinha,"
   Religion of Man. Boston : Beacon Press, 1961.

Trowbridge, John Townsend. *My own Story: With Recollections of Noled Person* Boston,
   1903.

Waggoner, H. H. *American Poets*. Boston: Houghton Mifflin, 1968.

Wang, Alfred S. "Walt Whitman and Lao-Chuang," *Walt Whitman Review*. Vol. 17. no. 4. December, 1971.

Whitman, Walt. *Complete Poetry and Selected Prose by Walt Whitman* Ed. James E. Miller, Jr. Boston: Houghton Mifflin Co., 1959.(휘트먼전집으로 표기)

_____. *Leaves of Grass*. Ed. Roy H. Pearce. Ithaca, New York: Cornell Univ. Press, 1961.(LG. Pearce로 표기)

Yoshinari, Yoshitake, "Western Literature in Japanese Translation," *Kodansha Encyclopedia of Japan* 8. Japan: Kodansha Ltd., 1983. 244-247.

Yu, Bong-Cheon, "Whitman" *The Great Circle: American Writers and the Orient*. Detroit: Wayne State Univ., 1983. 235-6.

황순원의 『움직이는 성』과 나다니엘 호손의 『주홍글자』 비교:
두 작품 간의 유사성을 중심으로

| 장인식 |

I. 들어가는 말

　　한국 현대 소설가 황순원과 19세기 미국 소설가 나다니엘 호손(Nathaniel Hawthorne, 1804-64)은 시간과 공간을 초월하여 많은 공통점을 지니고 있다. 우선 전체적으로 보면 이 두 작가의 작품은 인간에 대한 궁극적 신뢰라는 일관된 문학적 특성을 지닌다. 또 주제 면에서 보면 인간 영혼의 어두운 면, 즉 원죄 문제를 통해 인간 구원의 문제를 다루고 있다. 특히 『움직이는 성』과 『주홍글자』는 두 작가의 다른 어떤 작품보다도 기독교적 소재가 풍부하고 종교적 주제의식이 강도 높게 표출된 작품이어서 이러한 그들의 사상적 궤적을 찾는 데 좋은 자료를 제공해 준다.

　　황순원의 『움직이는 성』은 인간의 근원적인 방황과 고독, 한국인의 민족성, 신의 존재와 구원에 대한 탐구를 보여주고 있다는 점에서 한국 현대 소설사에서 중요하게 언급되어야 할 작품이다. 동시에 작가의 인생관과 신관이 관념으로서가 아니라 작품 속에 육화되어 있고, 작가의 사상과 철학이 깊고 넓게 투영되어 있다는 점에서 황순원 문학의 한 정점에 서있는 작품이라 할 수 있다.[1) 이

---

*『문학과 종교』 제 8권 2호(2003)에 실렸던 논문임.

작품에는 세 사람의 주요 인물이 등장한다. 내적 고뇌와 참다운 신앙, 그리고 전통적 신앙과의 대립에도 불구하고 끝까지 자신의 세계를 지켜나가는 성호, 샤머니즘에 깊이 몰입하여 무속을 연구하는 민속학 교수 민구, 또 이 두 세계 사이를 오가며 실리를 추구하는 타락한 신앙에 대해 가혹할 정도의 비판을 가하는 무신론자 준태. 이 작품은 겉보기에는 우리 나라의 샤머니즘과 기독교와의 갈등이나 상극, 수용의 문제를 그리려고 한 것처럼 보이지만 실상은 우리나라 사람들의 가슴 밑바닥에 자리 잡고 있는 유랑민 근성을 그린 것이다.[2] 작가는 등장인물들을 통해 한국인의 기질적 특성인 유랑민 근성과 그것으로 인한 부정적 결과의 악순환을 그리며 이것을 극복할 수 있는 새로운 존재 양식, 즉 구원의 과정을 모색하고 있다.

호손의『주홍글자』는 17세기의 엄격한 청교도 사회를 배경으로 간음한 여인의 문제를 다루고 있다. 간음죄를 짓고 주홍글자 'A'를 단 여인을 정죄하는 장면에서 시작하여 세 번 등장하는 처형대 장면을 중심으로 등장인물 간에 벌어지는 사랑과 갈등, 보복의 이야기가 전개된다. 여기서 작가는 간음한 여인에게 던져지는 다양한 반응을 통해 타락한 죄인들의 습성을 보여주며 이러한 상황 속에서도 굴하지 않고 꿋꿋하게 구원을 향해 나아가는 인물을 묘사한다.

본고는 이러한 관점에서 이 두 작품을 비교하며 이들 사이에 존재하는 유사성을 찾아보고자 한다. 작품의 제목과 성격, 또 소재와 내용 면에서 어떻게 유사한지를 살펴보고, 각 작품에 나오는 주요 등장인물, 특히 그 중에서 윤성호와 딤즈데일, 헤스터 프린을 중심으로 이들이 어떤 점에서 서로 대응되는지를 고찰해 보고자 한다. 이러한 과정에서 어떻게 이들에게 구원의 가능성이 제시되는지도 자연스럽게 드러나게 될 것이다.

---

1) 장현숙, 「황순원 소설 연구」(경희대학교대학원 박사학위논문, 1994), p. 327.
2) 황순원, 「유랑민 근성과 시적 근원」, 『문학사상』(1972, 11), p. 318.

II. 작품의 제목과 성격, 소재 면에서의 유사성

1. 작품의 제목에 나타난 원죄 의식

두 작품의 제목 '움직이는 성'과 '주홍글자'는 그 자체가 인간의 원죄 의식을 반영한다. 황순원의 작품에서 '움직이는 성'이란 타이틀은 움직이지 않고 고정되어 있어야 할 대상이 움직이는 것을 상징적으로 표현한 것으로, 이는 비유적으로 말하면 유랑민 근성이며 종교적 신념의 흔들림이라 할 수 있다.[3] 또 전통적인 교리나 신념을 순수하게 받아들이지 못하는 종교적 죄의식을 의미할 수도 있다. 절대자 중심의 신앙적 삶이 '움직이지 않는 성'이라면 자신을 세상의 중심으로 삼고 유랑하는 삶, 그것이 바로 '움직이는 성'이 되는 것이다. 이러한 유랑민 근성은 이 소설에서 이중적 의미를 지닌다. 그 하나는 현실적으로 다급하고 불안한 상황이면 기독교건 불교건 샤머니즘이건 닥치는 대로 의지하는 풍토, 즉 정착성을 잃고 마는 우리 민족의 정신 풍토를 의미하며, 다른 하나는 인간 존재의 심연에 있는 근원적 갈등이나 방황을 의미한다.

'움직이는 성'의 의미가 인간 자체의 근원적인 방황과 연결될 수 있다는 점에서 이 작품의 제목은 가인의 원죄를 상징한다. 왜냐하면 성서에서 자신의 동생 아벨을 죽이고 하나님의 저주를 받은 가인이 집 없이 떠돌아다니는 최초의 방랑자가 되어 유랑자의 원형[4]이 되었기 때문이다. 따라서 '방랑(유랑)'은 범죄한 인간에게서 나타나는 주요한 특성이라 할 수 있다. 이러한 시각에서 보면 황순원의 이 작품은 유랑민 근성을 통해 인간의 원죄 의식을 파헤친 작품이라 하겠다.

'주홍글자' 역시 인간의 원죄 의식을 함축하고 있다. 성서적 관점에서 보면 주홍글자 'A'는 구약성서 이사야 1장 18절("너희 죄가 주홍 같을지라도")에서 유래한 것으로 인간의 죄를 상징한다. 더욱이 주홍글자 'A'가 알파벳의 첫자라는 점을 감안하면 아담의 원죄를 상징한다고 볼 수 있다. 인간의 원죄를 상징하

---

3) 이상섭,「유랑민 근성과 창조주의 눈」,『움직이는 성』황순원 전집 9 (서울: 문학과 지성사, 1995), p. 349.
4) Leland Ryken, James C. Wilhoit, and Tremper Longman, Eds. *Dictionary of Biblical Images* (Downers Grove: InterVarsity Press, 1998), p. 131.

듯 이러한 두문자 'A'는 등장인물의 모습 속에서 다양하게 나타나는데 헤스터
의 가슴에 걸린 주홍글자로 존재하고, 그녀의 딸인 펄(Pearl)과 정부(情夫)인 아
더 딤즈데일(Arthur Dimmesdale) 목사의 이름 철자에도 산포되어 있다(필자 강
조). 그리고 펄의 붉은 옷, 펄이 만든 초록색 문자 'A', 딤즈데일이 가슴에 얹는
손 등에 의해 대체되기도 한다.5) 헤스터가 가슴에 단 주홍글자로, 또 딤즈데일
목사가 괴로울 때마다 가슴에 손을 얹는 가시적인 행위로 타락한 아담의 후손
임을 상징적으로 표현한다면, 칠링워스는 드러나지 않은 국외자로서의 가인의
후예를 상징한다. 다시 말하면 헤스터와 딤즈데일이 간음죄를 지은 죄인의 상
징으로서의 가인의 후예를 대표한다면, 칠링워스는 인간의 한계를 넘어서서 이
들을 심판하려는 용서받지 못할 죄를 지은 자로서의 가인의 후예를 상징한다
할 수 있다.

이 작품을 에덴 신화와 연결시켜 보면 딤즈데일과 헤스터의 타락은 아담과
하와의 타락에 비유될 수 있고 펄은 가인과 아벨의 상징으로, 또 칠링워스는 아
담과 하와의 타락에 대해 화를 내는 무서운 거짓된 신의 상징이 될 수 있다.6)
작품에 의하면 하나님은 헤스터가 지은 죄에 대해 처벌하는 채찍으로 또 행복
을 제공하는 원천으로 딸 펄을 주었다. 성서에 의하면 아담과 하와는 타락한 후
에 가인과 아벨을 낳았다. 가인은 이마에 찍힌 죄의 표식으로 부모에게 심적 고
통을 주었고 아벨은 하나님께 순종함으로써 부모에게 많은 위로를 주었을 것으
로 생각할 수 있다. 가인과 아벨의 종합체로서의 펄은 헤스터에게 있어서 죄에
대한 수치의 상징이기도 하고 위로의 상징이기도 하다.

2. 작품의 현실 고발적 성격

작품의 내용 면에서 이 두 작품은 인도주의적 색채를 강하게 풍기며 고발
문학적 성격을 띠고 있다. 호손과 황순원은 작품에서 당시의 부패하고 죄악된
시대상을 묘사하며 그 가운데서도 시대의 흐름에 물들지 않고 순수함을 지켜가
는 인물을 통해 이러한 세태를 신랄하게 비판한다. 특히 각 작품에서 구원의 매

---

5) 구은혜, 「차연의 시학」, 『호손연구』7 (한국호손학회, 2000), p. 8.
6) 박종화, "Hawthorne as an Iconoclast" (숭실대학교대학원 박사학위논문, 1994), p. 50.

개체로 설정되어 있는 헤스터 프린과 윤성호가 당시 사회적 통념에 비추어 볼 때 매우 부도덕한 인물이라는 점을 감안한다면 작가의 이러한 비판은 더욱 강렬해진다.

『움직이는 성』은 1960년대 말에서 70년대에 걸친 한국의 기독교에 대한 고발이라 할 수 있다. 당시 한국의 기독교는 진리에 대한 갈구나 구원에 대한 소망을 차단시킨 채 폐쇄적인 현재의 삶 속에서 정처 없이 떠돌고 있었다. 게다가 샤머니즘의 영향을 받아 사상이나 가치 체계가 전혀 다른 기독교가 그 세계 속으로 용해되고 있었다. 작가는 기독교적 이념과 샤머니즘 전통이 맞부딪혀 혼란을 일으키는 가운데 기독교가 다분히 샤머니즘을 닮은 모습으로 변모되고 있는 당시의 실상과 그 문제점을 등장인물을 통해 작품 곳곳에서 통렬하게 비판하고 있다.

민구의 장인이 된 한장로는 이 땅의 왜곡된 기독교 신자의 표본이라 할 수 있다. 그는 자신의 돈을 빌려간 채무자에게 빨리 갚으라며 만약 그 돈을 제날짜에 받지 않으면 하나님이 노하셔서 자신의 전 재산을 거둬 가실 것이라며 독촉한다. 이를테면 그는 하나님의 이름을 빙자하여 협박하고 있는 것이다. 성호가 시무하는 산동네 교회의 교인 최장로 역시 같은 부류이다. 그의 집안은 조상 때부터 철저히 유교의 전통과 관습을 지켜오고 있었다. 그러던 그의 가문이 조부 때부터 교회에 나오게 되는데 그렇게 된 근본적인 이유에 대해 예수를 믿는 것이 귀신을 섬기는 것보다 돈이 훨씬 덜 들기 때문이라고 공공연하게 말한다. 게다가 그는 환갑이 넘은 장로로서 어느 정도 안정된 생활을 영위하고 있는데도 끝없는 탐욕을 충족시키기 위해 '춘식'(春植)이라는 이름을 '영흥'(永興)으로 개명한다. 그는 그렇게 하는 근거로 성서에서 야곱이 이스라엘로, 시몬이 베드로로 개명한 예를 들어가며 자신의 행동을 합리화시킨다. 이러한 그의 모습은 기독교와 샤머니즘, 신앙과 사업과의 관계에서 갈등하는 전형적인 유랑인의 모습이다.

이 작품에는 또한 믿음과 행함이 일치하지 못하는 목회자들에 대한 비판이 실려있다. 제9장을 보면 소외지대에서 목회 활동을 하던 성호가 홍여사와의 관계로 인해 노회에 불려가 심문을 받게 된다. 그런데 여기서 아이러니컬한 사실은 성호를 심문하는 신목사와 주목사를 비롯한 노회의 중진급 목사들이 6. 25 전쟁 당시 거제도에서 성호에게 신세를 졌던 사람들이라는 것이다. 더욱이 이들은 성호가 당시 기독학생봉사단으로 구호물자를 나누어주러 갔을 때 교역자임을 내세워 노골적으로 특권을 강요하며 구호물자 중에서 조금이라도 값나가는 것과 바꾸려 했던 파렴치한 자들이라는 것이다. 따라서 성호는 이들의 이야기를 들으며 의외의 감정을 갖게 된다. 이중인격자로서의 모습을 보이는 이들의 면모는 믿음과 삶이 분열을 일으키는 인간의 양면성을 상징하고 있다.[7] 또 어떤 면에서는 교회를 빌어 자기의 이익을 채우던 예수 당시의 제사장들이나 사두개인들과 조금도 다를 바가 없다.[8]

작가는 여기서 그치지 않고 성호의 친구인 준태와 민구를 통해 방황하는 유랑민의 실상을 보여주며 이들을 비판하고 있다. 준태는 우리 나라의 민족성에 대해 비판적인 시각을 가지고 있으면서도 자신의 자의식 속에서 굴욕과의 싸움을 통해 끊임없이 방황하는 대표적인 인물이다. 제3장에서 그는 성호와 헤어진 후 수원행 직행버스에 올라 차창 밖 어둠을 응시한다. 여기서 창밖의 어둠과 차내의 불빛이 서로를 거부하는 모습은 그의 내면세계가 벌이는 갈등을 암시하는 데 방황성과 유랑의식을 상징하고 있다. 또 그가 우리 나라 사람에게 유독 신이 잘 붙는 이유는 유랑민 근성을 버리지 못했기 때문이라고 지적하면서도 작품의 마지막에서 유랑성을 표상하는 무당과 동거하는 사실은 매우 아이러니컬하다. 이러한 사실에 비추어 볼 때 준태는 한국 지식인의 존재 양식을 반영하는 인물[9]로 유랑성에서 벗어나려고 발버둥치면서도 벗어나지 못하는 '움직이는 섬', 즉 방황하는 인간 존재를 표상한다 할 수 있다.

성호의 친구인 민속학자 민구 역시 유랑민 근성을 그대로 발휘한다. 그는 샤머니즘에 미친 민속학자이면서도 부유한 장로의 딸인 은희와 결혼하기 위해 자신의 학문을 포기하고 장인의 제약회사에 들어간다. 그는 자신이 비판한 한국 교회 교인들의 모습처럼 실리적인 것을 위해 그토록 추구하던 학문의 길을 포기한 것이다. 박수 변씨와 동성애적 성관계를 가지면서도 장로의 딸과 약혼

---

7) 김봉군, 『한국소설의 기독교 의식 연구』(민지사, 1997), p. 105.
8) 이상설, 『한국기독교소설사』, (양문사, 1999), p. 316.
9) 천이두, 『종합에의 의지』(일지사, 1974), p. 192.

하는 그 역시 정착하지 못한 신앙과 인간성을 지닌 유랑민 근성의 소유자이다.

  나다니엘 호손도 종교적 사상보다는 인간적 사랑과 따스함, 이해심, 협동 등을 강조하는 휴머니스트이다. 그는 개인이 사회의 일부분이 되어야 한다는 것을 강조하는 사람이었고 이것이 바로 구원받은 사람의 특징이라고 생각하였다. 그의 이런 시각에서 보았을 때 종교적 견해가 다르다는 이유 때문에 사람을 정죄하고 화형에 처하는 당시의 청교도들이 비판의 대상이 되는 것은 당연하다. 이것을 위해 호손은 당시 청교도들이 가장 부정하게 여겼던 간음죄를 지은 여인을 선정했고, 이 여인의 눈을 통해 정상적인 것을 비정상적인 것으로 취급하고 또 그렇게 하는 것을 정당한 사회 규범으로 용납하는 그들의 잘못된 가치관을 고발하고 있다. 따라서 헤스터에 대한 작가의 태도는 비판적인 것 같으면서도 실제로는 옹호적이고 그녀의 행동은 이상적이며 용기 있는 행동으로 미화되어 나타나고 있다.

  작품에서 구원의 상징으로 나타나고 있는 헤스터는 호손 자신의 모습이기도 하다. 17세기 청교도 사회의 관념에 비추어 볼 때 간음죄는 사회에 대한 도전이며 그 사회가 기초를 두고 있는 가치관의 붕괴를 의미한다. 마찬가지로 호손도 자신이 살던 시대의 가치관에 대해 반대하며 새로운 비전을 제시하고 있다. 수잔 조지(Susan M. George)는 호손이 「세관」을 앞부분에 배치한 것이 청교도 세계의 붕괴를 암시하고 있다고 말한다.[10] 켄 이건 2세(Ken Egan, Jr.)도 호손이 당시 사회의 가치관을 전복시켰다는 점에서 헤스터와 마찬가지로 '시장 한복판에 선 간음한 여인'이라고 단언한다. 그는 여기에 덧붙여 헤스터의 거주 지역이 시내와 숲의 경계, 도시 지역과 미개척 지역의 경계에 있었던 것처럼 호손도 서문에서 자신과 그가 속한 사회 사이에서 겪는 정신적 고통을 말하고 있다고 지적한다.[11]

  호손은 작품에서 처형대를 무대의 중심부에 위치시킴으로써 당시 청교도

---

10) Susan M. George, *The Quest for Self: Reevaluating the Legacy in Nathaniel Hawthorne's Fiction* (Kent: Kent State University Press, 1993), p. 100.
11) Ken Egan, Jr., "The Adulteress in the Market-Place: Hawthorne and *The Scarlet Letter*," *Studies in the Novel* (Spring 1995), pp. 26-39 참고.

문화의 오만성을 폭로한다. 여기서 작품의 서두에 등장하는 감옥은 17세기의 청교주의를 상징한다. 제2의 예루살렘이라고 생각한 신대륙에 하나님의 나라를 건설하겠다던 청교도들이 제일 먼저 세운 것은 역설적으로 묘지와 감옥이었다. 이것은 이들의 꿈이 처음부터 빗나가고 있음을 보여주는 좋은 예이며 호손이 청교주의를 보는 비판적인 시각의 단적인 예라 하겠다.

3. 작품의 소재 (성직자와 유부녀와의 사랑)

『움직이는 성』과 『주홍글자』, 이 두 작품은 모두 '간음' 사건을 소재로 하고 있고 주인공들이 겪는 죄의식과 속죄도 유부녀와의 금지된 사랑을 축으로 진행된다. 황순원의 작품에 있어서는 윤성호와 홍여사와의 불륜의 관계가 작품의 축을 이루고, 호손의 작품의 경우에는 헤스터와 딤즈데일 목사와의 관계가 축을 이루고 있다. 또 각 작품에 있어 두 사람 간에 진행되는 사랑의 장면이나 간음 현장에 대한 묘사가 없고 이미 저질러진 상태에서 소설의 이야기가 시작된다는 점도 유사한 점이라 할 수 있다. 물론 『주홍글자』에서는 이미 성직자가된 딤즈데일 목사와 유부녀 헤스터와의 관계를 언급하고 있지만, 『움직이는성』에서는 윤성호가 홍여사와 관계를 갖고 거기에 대한 죄책감으로 신학을 공부하여 목사가 된다는 점이 차이점이라 할 수 있다. 성직자와 유부녀와의 사랑과 관련하여 각 작품에서 간음죄를 저지른 윤성호와 홍여사, 딤즈데일과 헤스터간의 사랑을 순수하고 좋은 관계[12]로 묘사하며 다른 인물들의 남녀 관계를 비정상적인 관계로 묘사하고 있다는 점도 흥미 있는 공통점이라 하겠다.

소재 면에서의 이러한 공통점 외에도 이 두 작품은 모두 '간음'을 암시하는 성서적 모티프를 인용하고 있다. 황순원의 작품에서는 '간음 현장에서 붙잡힌 여인의 이야기'(요한복음 8: 2-11)를 소개하고, 호손의 작품에서는 '다윗과 밧세바의 간음 사건'(사무엘하 11: 2-5)을 소개한다.

『움직이는 성』 제7장에서 남지연은 자신의 집을 방문한 성호에게 요한복음에 나오는 간음한 여인의 이야기를 꺼내며 자신이 바로 그 여인이 되기로 작정

---

12) Q. D. Leavis, "Hawthorne as Poet." *Hawthorne*. Ed. A. N. Kaul (Englewood Cliffs: Prentice-Hall, 1966), p. 50.

했다고 말한다. 그녀는 성호에게 준태와의 관계를 고백하며 자신이 비록 무수한 돌팔매질을 당할지언정 준태를 결코 포기할 수는 없다고 다짐하고 있다. 작품에 나타난 이러한 성서적 암시는 이타적인 사랑을 실천하는 지연과 성호의 행위가 결국 성서의 여인처럼 용서받게 될 것을 예시한다고 볼 수 있다.

『주홍글자』의 제 9 장은 딤즈데일 목사가 거주하는 저택에 관해 묘사하고 있다. 그 집은 원래 신앙이 두터운 미망인의 집으로 깊은 명상에 잠기기에 적합한 곳이다. 그런데 이 방 벽에 조그만 조각천 장식이 걸려 있는데 거기에는 다윗과 밧세바, 선지자 나단의 전설이 깃든 장면이 장식되어 있다. 이 장식은 다윗 왕의 범죄(간음죄)와 관련된 장면으로 이 장식을 바라보는 목사의 심적 고통을 가중시키는 역할을 하고 있다. 이는 딤즈데일 목사가 비밀리에 지은 죄가 다윗의 경우와 같이 예언자의 입을 통해 세상에 드러나게 될 것임을 암시한다. 그러나 여기서 그치지 않고 딤즈데일 목사도 다윗의 경우처럼 자신의 잘못을 뉘우침으로써 신의 용서를 받고 본래의 모습으로 회복될 것을 암시하기도 한다. 간음죄를 지은 두 인물, 다윗과 밧세바가 메시아의 족보에 올라있고 여기서 태어난 아들 솔로몬이 메시아의 조상이 되었다는 사실이 이를 입증해 준다.

4. 상징성 (헤스터의 '주홍글자'와 남지연의 '창조주의 눈')

상징 면에서 헤스터의 가슴에 달린 주홍글자와, 타인을 염려하며 찾아가는 지연의 눈은 각 작품에서 상징적 의미를 지니며 모든 것을 포괄하는 구원의 매개체로 설정되어 있다. 『움직이는 성』의 후반부에서 성호는 지연과 함께 천식의 악화로 목숨이 경각에 달려있는 준태를 찾아가기 위해 장항선 열차를 탄다. 그는 열차 안에서 헌신적이고 절대적인 사랑에의 의지로 떨고 있는 지연의 눈을 통해 창조주의 눈을 발견한다.[13] 여기서 말하는 창조주의 눈은 사랑이라는 합의 세계를 이루기 위해 끊임없이 노력하는 인간의 눈이다. 따라서 준태를 애타게 염려하는 지연의 떠는 눈, 자신보다 성호를 생각하며 죽어가던 홍여사의 눈, 가난한 이웃에 대한 헌신적인 사랑과 봉사로 충만한 성호 자신의 눈도 모두 창조주의 눈이 될 수 있다. 이 눈이 의미하는 영원하고 절대적인 사랑의 추구야

---

13) 황순원, 『움직이는 성』 황순원 전집 9 (문학과지성사, 1995), p. 347.

말로 인간이 지닌 고독과 아픔을 극복할 수 있는 구원의 실체이며 우리 민족이
지닌 유랑민의 비극을 극복하는 유일한 길이다. 창조주의 사랑, 그것만이 인간
을 구원할 수 있다는 자각에 이르렀을 때 성호는 이미 구원받은 것이나 다름없
다.14)

　　죄의식을 극복해나가는 하나의 매개체라는 측면에서 성호가 발견한 창조주
의 눈은 모성적 사랑과 어머니로서의 원형을 보인『카인의 후예』에 등장하는
오작녀의 불타는 눈,『나무들 비탈에 서다』에 나오는 장숙의 불같은 눈과도 상
통하는 바가 있다. 뿐만 아니라 이들의 모성적 사랑이 욕망과 현실 사이의 극단
적인 대립보다는 화해의 모색에 그 바탕을 두고 구원의 가능성을 제시하며, 아
름다운 삶을 가능하게 한다는 측면에서도 이들 눈길은 그 시선을 같이 한다.

　　호손의 작품에 나오는 주홍글자 'A'역시 헤스터를 보호해주는 구실을 하며
구원의 가능성을 제공해준다. 헤스터의 가슴에 걸려있는 글자 'A'는 이중적 의
미를 지니고 있다. 이는 원래 '간음'(adultery)의 첫자로 헤스터가 지은 죄를 암
시하며 인간의 원죄를 상징한다. 그러나 '주홍'이란 단어 속에서 이것과는 상반
되는 또 하나의 가능성을 찾아볼 수 있다. 그것은 바로 이 단어가 성서 이사야
1장 18절("오라 우리가 서로 변론하자 너희 죄가 주홍(scarlet)같을지라도 눈과
같이 희어질 것이요 진홍같이 붉을지라도 양털같이 되리라")의 말씀과 연결될
수 있기 때문이다. 이 구절은 아무리 큰 죄를 지은 사람이라도 회개하고 돌아오
면 죄사함을 받을 여지가 있다는 말인데 여기서 '주홍'이란 단어는 정죄와 심판
이 아니라 용서와 화해를 암시한다. 호손은 이 단어를 소설의 제목(*The Scarlet
Letter*)으로 사용함으로써 동일한 죄인이면서도 범죄한 자를 용서할 줄 모르는
청교도들의 위선을 지적하며 동시에 헤스터가 신의 자비로 죄를 용서받고 사회
에서 더 나은 존재가 될 것을 시사해 주고 있다.

　　작품의 앞부분에서 헤스터의 주홍글자는 가인의 표를 연상케 한다. 아니 오
히려 가인의 이마에 찍힌 낙인보다 여성의 마음에 훨씬 더 무거운 낙인으로 작
용하여 최초의 살인자인 가인이 느꼈던 것보다 더 심한 심적 고통을 가하고 있
다. 그러나 아이러니컬하게도 이 표시는 또한 신의 보호를 상징하기도 한다. 성

---

14) 한승옥,「황순원 장편소설 연구」,『숭실어문』2 (숭실대국어국문학회, 1985), p. 112.

서에 나오는 가인의 표가 하나님의 징벌인 동시에 다른 사람이 그를 죽이지 못하도록 보호해주는 역할을 하였다면 헤스터의 표 주홍글자 역시 그녀가 무자비한 청교도로부터 해를 받지 않도록 보호해주는 역할을 한다. 본 작품에서도 주홍글자가 수녀의 가슴에 걸린 십자가와 같은 힘을 지니고 있어 그 여인에게 일종의 신성함을 주었고 그녀가 모든 위험으로부터 안전하게 다닐 수 있도록 지켜주었다고 말한다.[15]

실제로 작품에 나오는 다른 인물들조차도 그녀의 가슴에 붙은 'A'자를 처음에는 단순히 천에 수놓은 글자가 아니라 지옥의 불꽃을 상징한다고 생각해 두려움을 느낀다. 그러나 그녀가 지역 사회를 위해 봉사하며 자선 사업을 하는 동안 그 의미가 변해 후에는 '능력자'(Able)와 '천사'(Angel)의 상징으로 여기게 된다. 또 작품의 후반부에서는 많은 이들에게 상담과 조언을 해주는 예언자로서의 모습을 그녀에게 부여해 준다. 죄인에서 성인(聖人)으로 변한 이러한 헤스터의 변화는 딤즈데일 목사의 변화보다 더 획기적이며 적극적이다. 주홍글자 'A'가 던져주는 이러한 이미지의 변화와 관련하여 래리 레이놀즈(Larry Reynolds)는 그녀의 승리를 프랑스 혁명의 시작으로서 감옥을 붕괴시킨 "바스티유 첫날의 사건"[16]에 비유하고 있다.

III. 등장인물 간의 유사성

인물 면에서 이 두 작품을 비교해 보면 윤성호의 모습 속에서 『주홍글자』에 등장하는 딤즈데일과 헤스터 프린의 모습을 동시에 발견할 수 있다. 마치 두 인물이 성호의 모습 속에 용해되어 있는 듯한 인상을 받게 된다. 성호의 모습 속에 딤즈데일에게 있었던 고민하는 지식인의 모습이 있는가 하면, 참회하는 마음으로 이웃을 위해 적극적으로 사랑을 실천하는 강인한 실천자 헤스터 프린의 모습이 드러나 있다.

---

15) Nathaniel Hawthorne, *The Scarlet Letter*, Eds. Seymour Gross, Sculley Bradley, Richmond C. Beatty, and Hudson Long (New York: Norton, 1988), p. 111.
16) Larry J Reynolds, "*The Scarlet Letter* and Revolution Abroad," *American Literature* 57 (March 1985), p. 63.

첫째로, 이들은 참회와 속죄의 과정을 거쳐 진정한 구원의 가능성을 발견하는 인물이다. 특히 윤성호와 딤즈데일은 심한 죄책감과 함께 심리적 갈등을 겪으며 구원을 향해 나아가는 인물로 묘사된다. 이들은 각자 자신들이 저지른 과오로 인해 자신들의 실상을 발견하게 되고 참회의 과정을 통해 구원을 얻게 된다. 이러한 관점에서 보면 이들의 타락은 이들에게 구원의 계기를 마련해 주었다는 점에서 호손이 말하는 '운이 좋은 타락'(fortunate fall)이 될 수 있는 것이다.

윤성호의 경우에 있어서 홍여사와의 불륜의 관계는 그로 하여금 바른 신앙의 길로 들어서게 한다. 그는 교인들의 실리적인 그릇된 신앙을 보며 기독교적 휴머니즘의 필요성을 깨닫는다. 인간이 해야 할 일까지 하나님께 전가하려는 무책임한 그릇된 신앙에서 인간으로서 해야 할 일은 인간 스스로가 노력해야 한다는 실천적 자각에 이른다. 그의 기독교적 휴머니즘은 그 대상이 자신의 교인뿐 아니라 모든 사람에게 확장된다. 그는 자신이 시무하는 교회의 교인인 명숙이 입원한 것을 자기 탓으로 돌린다. 또 돈을 뜯기고 자살한 여인의 문제에 대해서도 자신이 도움을 주지 못한 것을 생각하며 자신을 탓한다. 이처럼 참회하는 성호의 모습에 대해 천이두는 "성실한 한국 지성인의 한 표본으로 자신의 내면의 순수성을 지키기 위해 진통제 없이 모든 고뇌를 견뎌나가는 인간"[17]이라 평하고 있고, 김봉군은 "성호의 참회는 '참회록' 한 권 없는 한국 정신사의 소망이다. 홍여사의 일로 참회하고 열악한 소외 지대에서 고난을 체험하는 성호는 원초적인 부조리와 맞서 적극적으로 응전하여 초극하려는 현대 기독인의 한 실존적 표상이다[18]"라고 평하고 있다. 윤성호, 그는 한 마디로 "한국 근대 소설에 있어서 실천을 통해 인간 구원의 가능성의 빛을 발견한 가장 대표적인 인물의 초상"[19]이라고 말할 수 있다.

딤즈데일 목사 역시 고통과 참회의 과정을 통해 승리하는 인물로 묘사되고 있다. 그는 원래 영국 명문대학 출신으로 신세계의 이상 사회 건설에 참여하기 위해 바다를 건너와 열성적인 목회자요 웅변적인 설교가로 만인의 추앙을 받게

---

17) 천이두, p. 132.
18) 김봉군, 『한국소설의 기독교 의식 연구』(민지사, 1997), pp. 103-6.
19) 이동하, 「한국 소설과 구원의 문제」, 『현대문학』(1983, 5), pp. 418-19.

된다. 그러나 헤스터와 넘어서는 안될 선을 넘어 불륜의 죄인이 된다. 그가 청교도 사회의 영적인 지도자로 존경을 받으면 받을수록 심적 고통은 가중된다. 이에 그는 자신만의 밀실을 만들어놓고 채찍으로 자신의 육체에 고통을 가하며 고행을 한다. 그가 늘 버릇처럼 가슴에 손을 얹는 것도 이러한 그의 육체적 정신적 고통을 상징한다.

본 작품에 나오는 등장인물 중 어느 누구의 고뇌도 딤즈데일의 고뇌를 따를 수는 없다. 헤스터의 고통은 공개된 죄로 인한 것이기 때문에 어느 정도 제한된 것이고 시간이 흐르면 해소될 수 있지만 딤즈데일의 고통과 번민은 갈수록 깊어만 간다. 그는 이러한 정신적 고통 때문에 밤잠을 이루지 못하고 형대에 올라가 죄를 고백해보기도 한다. 하지만 그의 고뇌는 멈출 줄을 모른다. 이에 그는 최후의 결전으로 온 정력과 영혼을 투입하여 마지막 설교를 끝내고 많은 사람이 보는 앞에서 형대 위에 올라가 자신의 죄를 고백한다. 이제까지 용기를 내지 못하던 그가 초인적인 힘을 내어 칠링워스를 물리치는 장면은 삼손의 최후 장면을 연상케 한다. 그의 모습은 하나님의 자녀가 그분의 자비와 은총을 힘입어 사탄을 물리치는 승리자의 모습이다.[20]

둘째로, 윤성호와 헤스터 프린은 작품에 나오는 다른 인물들과는 상이한 가치관을 지닌 사람들이다. 이들은 당시 사회가 추구하지 않거나, 용납하지 않는 생각과 종교적 사상을 지니고 있다. 이들의 이러한 견해는 작품의 곳곳에서 잘 드러나고 있다. 그 단적인 예로 자신들의 불륜 관계를 보는 이들의 관점을 들 수 있다. 딤즈데일과 헤스터 프린, 윤성호와 홍여사, 이들은 모두 사회가 용납하지 못하는 간음죄를 지은 사람들이다. 그러나 이들은 자신들의 행위가 잘못된 것이 아니라는 견해를 가지고 있거나 적어도 용서받을 수 있다는 확신을 가지고 있다.

『움직이는 성』에서 홍여사가 심장병으로 세상을 떠난 후 성호는 그녀의 생일을 맞아 무덤을 찾는다. 그는 무덤 앞에서 마지막 숨을 거두던 홍여사의 모습을 그려본다. 그는 "우리는 용서받아요, 우리는 용서받아요"라는 무언의 말을 남기며 죽어가던 그녀의 모습을 생각하며 자신의 죄가 용서받았다는 말을 수없

---

20) 이병주, 『Hawthorne 문학 연구』(한신문화사, 1995), pp. 171-74.

이 반복한다.[21] 이러한 이들의 생각은 딤즈데일 목사와의 사랑을 불륜으로 여기지 않고 자연스러운 것으로 생각한 헤스터의 견해와도 상통한다.

윤성호가 자신들의 죄가 용서받을 수 있다고 확신하는 것은 죄의 문제에 대한 그의 견해가 주변의 사람들과는 다르기 때문이다. 제8장에서 삼일 예배 후 성호의 교인 중 한 여인이 다가와 자신의 남편이 술주정뱅이에다 노름꾼이라고 말하며 자신은 남편의 잘못을 절대로 용서할 수 없다고 말한다. 그러나 이에 대해 성호는 인간은 누구나 약하기 때문에 약함으로 해서 저지르는 잘못을 인간이 정죄할 수는 없다고 말한다. 하나님이 용서하시고 안하시고는 우리가 헤아릴 수 없는 일이기 때문에 말할 수 없다고 말하며 하나님의 마음은 우리들이 생각하는 것보다 그렇게 옹졸하지는 않다고 지적한다.

그는 유랑민 근성을 지니고 제각각 자신의 이익을 위해 종교를 이용하며 실리만을 추구하는 주위의 사람들과는 다른 생각을 가지고 있다. 이러한 그의 생각은 민구가 그를 자신의 장인인 한장로에게 데려가 지금의 교회보다 훨씬 큰 한장로의 교회로 와줄 것을 종용하는 장면에서 잘 드러난다. 그러나 성호는 지금의 교회도 자신에게 벅차다고 말하며 단호히 거절한다. 어떤 목회자든 중앙에 있는 큰 교회의 교역자가 되길 원하고 또 그렇게 되기 위해 물밑 작업까지 벌이는 예가 허다한 당시의 상황에 비추어 볼 때 성호의 생각은 납득할 수 없는 사고이다. 동행했던 민구도 이를 보고 노골적으로 못마땅해하는 표정을 드러내며 그를 미쳤다고 비난한다.

성호는 우리 나라의 풍습에 대해서도 노회의 목사들과는 완전히 다른 견해를 가지고 있다. 그는 크리스천 주보에 「우리 나라 풍습과 기독교」라는 제목의 글을 통해 제사 행위를 미신적인 것으로 보아서는 안되고 조상에 대한 공경의 표시로 보아야 한다고 주장한다. 이러한 내용이 교계에 알려지자 그는 노회 앞에 불려가 심문을 받는다. 여기서 성호는 노회 목사들의 주장에 맞서 기독교 교리에 저촉되지 않는 한 우리 나라의 풍습에 기독교가 지나친 간섭을 하지 말아야 한다고 강력하게 주장한다.

『주홍글자』의 헤스터 역시 당시의 청교도 사상과는 다른 종교적 견해를 가

---

21) 황순원, 『움직이는 성』, p. 33.

지고 있다. 그녀의 종교적 사상과 관련하여 수잔 조지는 호손이 등장 인물을 설정하는 데 가장 큰 영향을 끼친 사람이 앤 허친슨(Anne Hutchinson)이라고 주장하며, 헤스터나 『블라이스데일 로맨스』에 등장하는 제노비아가 바로 허친슨 신화의 전통 속에서 창조된 인물이라고 말하고 있다.[22] 허친슨은 존 카튼(John Cotton)을 따르던 열렬한 비국교도인으로 1634년 그와 함께 뉴잉글랜드로 건너온 인물이다. 그는 하나님의 절대 은총을 믿는 도덕률 초월론자였으며 자신이 하나님의 특별계시를 받았다고 주장하다 결국 이로 인해 당시 사람들로부터 이교도로 판정받아 1637년 그 지역에서 쫓겨났고, 6년 후 뉴욕에서 인디언들에 의해 피살되었다.

헤스터가 당시의 청교도들과는 다른 종교적 사상, 즉 도덕률 초월론자나 초월주의자의 사고를 가지고 있었다는 사실은 그녀가 숲속에서 딤즈데일 목사를 만나 대화하는 가운데 자신들이 한 일이 신성한 일이었다[23]고 말한 장면에서 극적으로 드러난다. 그녀는 목사와 함께 지은 간음죄에 대해 그 자체가 성스럽다고 말한 것이다. 이런 그녀의 생각은 간음죄를 가장 죄악시하던 청교도들의 사고로는 도저히 납득할 수 없는 이교도적 사상이다.

헤스터가 종교적 사상 외에 사회적 가치관에 대해서도 배타적인 태도를 취하고 있었다는 사실은 그녀가 감옥에서 나와 처음으로 사람들에게 모습을 보이는 순간 그대로 드러난다. 작품의 첫 장면에서 그녀는 하급 관리에 의해 옥문 밖으로 끌려 나온다. 이 관리는 오른손을 헤스터의 어깨 위에 올려놓고 왼손으로 그의 직봉을 내밀며 걸어나옴으로써 나름대로 격식을 갖추려 한다. 그러나 그녀가 그의 손을 뿌리치고 스스로 걸어나옴으로써 이런 절차는 방해를 받는다. 여기서 헤스터가 관리의 인도를 거부하는 것은 그가 속해 있는 사회의 사상적 기반 그 자체를 배척하는 것이라 할 수 있다. 이러한 그녀의 거부 행위는 주홍글자를 화려하게 장식하는 데서 더욱 증폭되어 나타난다.

셋째로, 각 작품의 주인공인 윤성호와 딤즈데일, 헤스터 프린은 각각 예수그리스도의 이미지를 닮은 인물로 묘사되고 있다. 목사직을 버리고 삶의 현장

---

22) Susan M George, pp. 17-18.
23) Nathaniel Hawthorne, p. 133.

에서 가난하고 소외된 자들을 도우며 말씀을 실천하는 성호의 모습 속에서 예수의 이미지를 찾을 수 있다. 제7장에서 성호가 지연의 집을 방문했을 때 그녀의 방 오른쪽 벽에 걸려 있는 자코메티의 조각 <광장> 사진을 본다. 바로 그 순간 그 사진 위에 그뤼네발트의 <십자가에 못박힌 예수>의 상이 겹쳐지며 외견상 전혀 공통점이 없어 보이는 두 작품에서 뭔가 강한 인상을 받는다. 그는 이 세상의 모든 고독을 한 몸에 지니고 고통당하는 예수의 십자가상을 보며 자신이 가야 할 길을 깨닫는다. 그는 사진에 나오는 것처럼 측량할 길 없는 아픔을 지니고 사는 가냘픈 인간들의 아픔을 이제는 자신이 감당해야 한다는 암시를 받는다. 이러한 관점에서 보면 그가 사랑을 실천하기 위해 비천한 자들을 돌보며 당하는 고통은 예수의 고통에 비유될 수 있다.

제9장에서 홍여사의 아들 대식이가 어머니의 일기장을 공개하여 그들의 불륜 관계가 모든 사람에게 알려지자 성호는 자신이 산산이 깨어지고 부서지는 것같은 느낌을 받는다. 지금까지는 그 일이 비밀로 지켜지길 기도했으나 이제는 견딜 만한 힘을 주신 하나님께 감사하고 있다. 그는 몇 조각이든 깨어져 어떤 형태로든 다시 빚어지기를 원하고 있다. 그가 산산이 부서져 새롭게 태어나는 과정을 겪는 것은 마치 예수가 십자가에서 죽고 부활하는 과정과 동일시될 수 있다. 그는 예수상에 나타난 그리스도의 고통과 그 고통 뒤의 부활을 기대한다. 그는 예수가 부활 후 갈릴리로 가셨던 사건을 생각하며 갈릴리를 상징한다고 여겨지는 빈민가로 들어가 소외된 사람들을 위해 사랑을 실천하며 살아간다.

빈민촌에 들어간 성호는 군고구마 장사를 하며 오갈 데 없는 그들을 돌본다. 게다가 근처의 <희망원>이란 윤락녀 수용소에서 목숨을 걸고 탈출하는 윤락녀들을 따뜻하게 맞아주며 위험을 무릅쓰고 도움을 제공한다. 낮이든 밤이든 언제든 살려달라며 신발을 신은 채로 방으로 뛰어드는 그들을 아무 불평 없이 도와주는 성호의 모습[24]은 간음죄를 지은 여인을 구해주던 예수의 모습을 상기시킨다. 그는 창기와 세리, 죄인들을 정죄하지 않고 오히려 그들의 친구가 되어주었던 그리스도의 모습을 닮고 있다.

---

24) 황순원, 『움직이는 성』, pp. 273-75 참고.

작품의 후반부에서 성호가 거주하는 무허가 빈민촌에 철거반이 들이닥친다. 이들 10여 명의 철거반원들이 망치와 빠루로 동네사람들의 판잣집을 부수자 동네 사람들은 돌과 오물을 날리며 대항하고 급기야 경찰까지 동원되어 난투극이 벌어진다. 이때 성호가 군중들 틈에서 뛰쳐나와 진정하라고 소리친다. 그는 자신의 몸에 돌과 오물을 맞아가며 문제를 해결하기 위해 자진해서 나선다. 그는 자기 혼자만이 아닌 동네 사람들 전체의 힘을 감지하며 천천히 앞으로 걸어가 트럭에 오른다. 그는 또 한번 거듭난 자신을 느끼며 그리스도의 구원 사역에 개인뿐 아니라 사회가 포함되는 것처럼 자신의 구원은 철거민들과 함께 해야 한다는 것을 깨닫고 스스로 그들의 짐을 진다.

예수 그리스도의 뒤를 따라가는 성호의 삶은 작가가 그의 장편을 통해 추구해왔던 구원의 완성된 모습이다. 그는 개인적 차원에서 벗어나 열린 세계를 향해 나간다. 깨어지는 아픔을 통해 다시 빚어지고 새롭게 출발하여 적극적인 신앙 자세로 거듭난다. 이를 증명하듯 그를 만나러 갔던 지연도 그의 모습에서 새로운 감정을 느낀다.

『주홍글자』에 나오는 딤즈데일 목사 역시 그리스도의 이미지를 닮고 있다. 호손 작품의 주요한 특징 중 하나가 '애매성'이라는 말이 암시하듯이 딤즈데일에 대한 해석도 다양하다. 많은 비평가들이 지적하듯이 그에게 위선자적인 면이 있는 것은 사실이다. 그가 첫 번째 처형대 장면에서 자신이 바로 범죄자임을 고백하지 못하고, 두 번째 처형대 장면에서도 밤중에 나와 아무도 없는 곳에서 죄를 고백하는 그의 행동을 보면 용기가 없고 비열한 위선자라고 생각할 수 있다. 그러나 분명한 것은 마지막 처형대 장면에서 보여주는 그의 모습은 선의 상징으로서 십자가에서 승리한 그리스도의 모습을 닮고 있다는 것이다. 호손이 작품의 초반부나 중반부에서 후련하게 대중 앞에서 비밀을 밝히고 처벌을 달게 받는 목사를 그리지 않고 죄책감 속에서 심적 고통을 당하는 위선자의 모습으로 묘사한 것은 바로 그 고통을 통해 진리를 터득하게 된다는 그의 휴머니즘 이론을 나타내기 위함이라 생각된다. 이러한 점을 반영하듯 주디스 맥카시(Judith A. McCarthy)는 딤즈데일에게서 그리스도의 이미지를 찾을 수 있다고 말하며 세 번의 처형대 장면과 관련지어 그의 구원의 가능성을 설명하고 있다. 그에 의

하면, 딤즈데일은 첫 번째 처형대 장면에서는 '심적 고통', 두 번째 장면에서는 '은밀한 고백', 세 번째 장면에서는 '공적인 고백'을 통해 죄의 용서를 갈구하며 고통을 겪는다는 것이다.[25]

딤즈데일은 처형대를 정통 청교도들이 생각하고 있는 것과 같은 의미로 받아들이고 있다. 그는 그것을 화해의 수단으로 받아들이면서 자신의 죄를 속죄하려고 노력한다. 두 번째 처형대 장면에서 목사는 밤중에 처형대 위에 서서 속죄의 수행을 한다. 그는 큰 소리로 자신이 죄인임을 밝힌 후에 "다 됐다"라고 나지막하게 중얼거리며 두 손으로 얼굴을 감싼다. 여기서 그가 중얼거린 이 말은 십자가 위에서 "다 이루었다"(요한복음 19:30)라는 말을 남기며 죽어간 그리스도를 연상케 한다.[26]

마지막 세 번째 처형대 장면에서 죽은 사람과 같이 창백한 모습으로 비틀거리며 처형대를 향해 걸어가는 딤즈데일의 모습은 십자가를 지고 골고다를 향해 올라가는 그리스도의 모습을 닮고 있다. 목사가 헤스터와 함께 처형대로 올라가려 하자 칠링워스는 이를 필사적으로 말린다. 자신의 방해에도 불구하고 펄과 헤스터의 손을 잡고 처형대에 오른 딤즈데일 목사를 음흉하게 바라보며 칠링워스는 다음과 같이 외친다. "네가 온 세계를 다 찾아다닌다 해도 내 눈을 피할 수 있는 비밀 은신처는 없단 말이다. 이 처형대 외에는 없단 말이다!"[27] 칠링워스의 이 말은 매우 중요한 말로, 자신이 패배했음을 시인함과 동시에 처형대에 어떤 숨겨진 의미가 있음을 암시하고 있다. 다시 말하면, 처형대는 사탄을 패배시킨 십자가의 상징이며[28] 딤즈데일 목사는 그리스도를 닮은 인물로, 칠링워스는 악마의 상징으로 제시되고 있다는 말이다. 기독교 신앙에서 사탄의 힘을 피할 수 있는 유일한 곳은 처형대, 즉 십자가이다. 십자가로 인해 사탄의 세력이 무너진 것처럼 칠링워스의 힘은 처형대에 의해 부서져버린다.

악마의 손길에서 풀려난 딤즈데일 목사는 승리에 찬 표정으로 원수를 위해

---

25) Judith A McCarthy, *Hawthorne, Puritanism, and the Bible* (New Brunswick: State University of New Jersey, 1992). p. 2.
26) 같은 책, p. 13.
27) Nathaniel Hawthorne, p. 171.
28) Leavis, pp. 47-48.

기도하며 죽음을 맞이한다. 여기서 딤즈데일이 자신을 저주하며 비극의 구렁텅이로 몰아넣었던 칠링워스를 위해 기도하는 내용, "하나님이 당신을 용서하시길"이란 말도 실은 예수 그리스도가 십자가에서 자신을 못박은 무리들을 바라보며 "아버지여 저들을 용서하여 주소서"(누가복음 23:34)라고 기도했던 내용과 유사하다.

헤스터의 모습 속에서도 그리스도의 이미지를 찾을 수 있다. 물론 작품의 초반부에서 서술자는 처형대 위에 서있는 그녀를 성모 마리아를 닮은 인물로 소개하고 있다. 그러나 전반적인 면에서 볼 때 그녀는 단지 이런 차원에서 머무르지 않고 예언자나 그리스도의 모습을 닮은 인물로 묘사되고 있다. 먼저 그녀에게서 그리스도의 모습을 연상케 하는 단서가 있다면 그것은 빛과 어둠의 대조이다. 성서에서는 메시아가 이 땅에 출현한 것을 빛인 예수가 어둠 속에서 빛을 발하는 것으로 묘사하고 있다(요한복음 1:5). 메시아의 특징은 빛으로 어둠인 죄의 세력과 완전히 대조가 된다. 마찬가지로 이 작품에 등장하는 헤스터의 모습도 주변 환경과는 완전히 대조적이다. 그녀를 묘사하는 "빈틈없이 우아한 아름다움", "햇빛", "위엄" 등의 표현은 범죄자로서 죄에 대한 심판을 받는 죄수에게는 전혀 어울리지 않는 표현이다. 게다가 엄격한 종교적 관행과 도덕률을 따르던 당시의 분위기와도 어울리지 않는다. 헤스터에게서 풍기는 분위기와는 반대로 주변의 모습은 너무 어둡고 칙칙하다. "거무스레한 옷, 쥐색 모자, 참나무 건물, 무시무시한 쇠못, 무덤, 음산한 형무소, 험악한 공기"29) 등 서술자가 묘사하는 형무소 주변의 분위기는 헤스터와 너무 대조가 된다. 이러한 대조적인 모습은 작품의 전반부에 있는, 구슬 같은 꽃을 달고 있는 한 송이의 들장미와 그 옆의 무성한 잡초와의 비교에서 더욱 분명해진다. 마이클 벨(Michael D. Bell)도 이 점을 지적하며 틀에 박혀 석화(石化)된 당시 청교도 사회는 헤스터 프린의 생명력과 대조를 이루고 있다고 말한다.30)

처형대 위에 선 헤스터는 십자가에 달린 예수 그리스도의 모습을 닮고 있다. 우선 세 번 등장하는 처형대 장면이 예수가 십자가에 달릴 때 나란히 서있

---

29) Nathaniel Hawthorne, pp. 35-36.
30) Michael Davitt Bell, *The Development of American Romance: The Sacrifice of Relation* (Chicago: University of Chicago Press, 1980), p. 176.

던 세 개의 십자가를 연상시킨다. 처형대가 십자가를 상징하고 있다면 헤스터가 처형대에서 받는 고통은 예수가 십자가에서 받는 고통에 비유될 수 있다. 성서는 예수가 십자가에 달리기 전 사람들로부터 심한 멸시와 모욕을 당한 것으로 기록하고 있다. 마찬가지로 헤스터도 사람들로부터 견딜 수 없는 심적 고통을 받는다. 또 구경꾼 중의 한 여인은 "헤스터가 모든 여인들에게 모욕을 주었으니까 죽는 것이 마땅하다"[31]라며 그녀를 욕한다. 리차드 러스트(Richard D. Rust)는 바로 이 말이 헤스터의 모습에서 그리스도의 이미지를 발견할 수 있게 하는 단서라고 말하며, 성서(히브리서 6: 6)와 관련지어 헤스터가 공개적으로 받은 모욕이 예수가 십자가에서 당한 모욕에 비유될 수 있음을 지적하고 있다.[32]

예수가 십자가에서 수모와 죽임을 당하듯이 헤스터도 처형대에서 수모와 상징적인 죽임을 당한다. 물론 헤스터의 경우에 있어서 실제로 죽임을 당하지 않고 주홍글자를 달고 형대 위에 세 시간 동안 서있으라는 형을 받는다. 그러나 호손은 작품에서 원래 그녀가 받아야 할 벌이 사형인데 재판관들의 굉장한 자비와 동정의 덕분으로 그런 형을 받게 되었다고 말한다. 따라서 그녀가 받은 형벌은 사형과 같은 의미를 지닌다고 말할 수 있다. 리비스(Q. D. Leavis)도 헤스터가 받은 형벌에 대해 그것이 순교이며 새로운 탄생과 연결된다고 말함으로써 구원과 부활의 가능성을 시사하고 있다.[33]

IV. 나오는 말

황순원의 작품, 특히 장편소설은 민족적 비극과 같은 역사적 사회적 요인이 사람들의 정신에 끼친 영향과 상처를 드러내며 치료의 방법을 모색하고 있다. 따라서 그의 소설에는 역사적 사회적 현실의 표면적 모순보다는 그러한 모순이 투영된 작중 인물의 심리와 정신의 심층 세계가 묘사되어 있다. 또 상황적인 악

---

31) Nathaniel Hawthorne, p. 38.
32) Richard D Rust, "'Take Shame' and 'Be True': Hawthorne and His Characters in *The Scarlet Letter*," *Critical Essays on Hawthorne's The Scarlet Letter*. Ed. David B. Kesterson (Boston: G. K. Hall, 1988), p. 212.
33) Leavis, p. 47.

으로 인해 생긴 어두운 환경 속에서 고뇌와 갈등, 속죄 과정을 거쳐 결국 구원에 이르는 인물들의 양상이 나타나 있다. 작가의 이러한 탐구 과정은 자아의 실체를 확인하기 위한 끊임없는 노력의 일환이고 근원적인 잘못을 바로잡아 왜곡된 인간성을 회복하려는 그의 부단한 열정을 잘 반영해준다 하겠다.

호손의 경우에 있어서도 이러한 면을 찾아볼 수 있다. 그 역시 인간의 원죄에 대해 관심을 가지면서도 죄 문제 자체를 다루기보다는 죄가 인간에게 미치는 심리적인 영향들을 탐색하며 그 원죄로 인해 인간이 어떻게 변모해 가는지를 보여준다. 이러한 탐구를 수행하기 위해 그는 끊임없이 과거로 돌아가고 있다. 그가 그토록 과거에 집착한 이유는 과거를 연구함으로써 언제부터, 어떻게, 또 왜, 미국인들이 잘못된 길로 들어섰는지를 발견하여 조상들의 오류를 시정하기 위함이었다.

황순원과 호손은 그들의 작품에서 인간의 원죄 문제를 탐구하면서도 인도주의의 회복을 주제로 내세우고 있다. 인간 구원의 과정에서 이들이 강조하고 있는 것이 있다면 순수한 사랑으로서의 형제애, 인간애라 할 수 있다. 이들은 모든 것을 극복할 수 있는 절대적 사랑을 통해 구원을 모색하며 개인의 구원뿐 아니라 사회 구원까지 그 시야를 확대시키고 있다. 『움직이는 성』에 나오는 성호의 순수하고 이타적인 사랑, 『주홍글자』에 나오는 헤스터 프린의 이타적인 사랑을 통한 인간 구원 역시 이러한 맥락에서 설명할 수 있다. 이 두 작품의 위대함은 왜곡된 인간의 근원적인 상처를 파헤쳐 그 실체를 확인하고 상실된 동질성을 다시 회복하여 구원에까지 이르려는 인물들의 꾸준한 노력을 보여주었다는 데에 있다. 인간을 악하게 만드는 제반 여건 속에서 악과 대처해 나가며 속죄의 길을 모색하는 인간상을 조명함으로써 인간이 어떻게 살아야 하는지에 대한 해결책을 제시하고 있다는 점에서 이 두 작품의 문학적 가치를 찾을 수 있다.

↓ 인용문헌

구은혜. 「차연의 시학」. 『호손연구』 7. 한국호손학회, 2000.

김봉군. 『한국소설의 기독교 의식 연구』. 민지사, 1997.

박종화. "Hawthorne as an Iconoclast." 숭실대 대학원 박사학위논문, 1994.

이동하. 「한국 소설과 구원의 문제」. 『현대문학』. 1983, 5.

이병주. 『Hawthorne 문학 연구』. 한신문화사, 1995.

이상설. 『한국기독교소설사』. 양문사, 1999.

이상섭. 「유랑민 근성과 창조주의 눈」. 『움직이는 성』 황순원 전집 9. 문학과 지성사, 1995.

장현숙. 「황순원 소설 연구」. 경희대 대학원 박사학위논문, 1994.

천이두. 『종합에의 의지』. 일지사, 1974.

한승옥. 「황순원 장편소설 연구」. 『숭실어문』 2, 숭실대 국어국문학회, 1985.

황순원. 「유랑민 근성과 시적 근원」. 『문학사상』, 1972, 11.

_____. 『움직이는 성』 황순원 전집 9. 문학과지성사, 1995.

Bell, Michael Davitt. *The Development of American Romance: The Sacrifice of Relation.* Chicago: University of Chicago Press, 1980.

Egan, Ken Jr. "The Adulteress in the Market-Place: Hawthorne and *The Scarlet Letter*," *Studies in the Novel*, Spring 1995.

George, Susan M. *The Quest for Self: Reevaluating the Legacy in Nathaniel Hawthorne's Fiction.* Kent: Kent State University Press, 1993.

Hawthorne, Nathaniel. *The Scarlet Letter*, Eds. Seymour Gross, Sculley Bradley, Richmond C. Beatty, and Hudson Long, New York: Norton, 1988.

Leavis, Q. D. "Hawthorne as Poet." *Hawthorne.* Ed. A. N. Kaul. Englewood Cliffs: Prentice-Hall, 1966.

McCarthy, Judith A. *Hawthorne, Puritanism, and the Bible.* New Brunswick: State University of New Jersey, 1992.

Reynolds, Larry J. "*The Scarlet Letter* and Revolution Abroad," *American Literature.* 57, March 1985.

Rust, Richard D. "'Take Shame' and 'Be True': Hawthorne and His Characters in *The Scarlet Letter.*" *Critical Essays on Hawthorne's The Scarlet Letter.* Ed. David B. Kesterson. Boston: G. K. Hall. 1988.

Ryken, Leland, James C. Wilhoit, and Tremper Longman, Eds. *Dictionary of Biblical Images*. Downers Grove: InterVarsity Press, 1998.

| 필자소개 |

강옥선	동서대학교 영어학과 교수
김 강	호남대학교 영문학과 교수
김경재	한신대학교 문화신학과 명예교수
김명석	성신여자대학교 국문학과 교수
김명옥	한국외국어대학교 영어학과 교수
김명주	충남대학교 영문학과 교수
김사라-복자	전 홍콩대 종교철학과 교수
김숭희	강원대학교 영문학과 교수
김영호	숭실대학교 영문학과 교수
김 유	성균관대학교 영문학과 교수
김정희	한국가톨릭대학교 영문학과 교수
나희경	전남대학교 영문학과 교수
류재한	전남대학교 불문학과 교수
박규태	한양대학교 일본언어문화학부 교수
박승호	백석대학교 일본어학부 교수
박정미	한국가톨릭대학교 영미언어학부 교수
손영림	명지대학교 영어학부 교수
송기호	한남대학교 영문학과 교수
유성호	한양대학교 국문학과 교수
이준학	전남대학교 영문학과 교수
이진아	한국외국어대학교 영어학과 교수
임영천	조선대학교 국문학과 교수
장 경	전남대학교 불문학과 명예교수
장인식	중부대학교 영문학과 교수
전금주	전남대학교 불문학과 강사
정경량	목원대학교 독문학과 교수
정진홍	이화여자대학교 석좌교수
최재석	충남대학교 영문학과 명예교수
최희섭	전주대학교 영문학과 교수

문학과 종교

초판 1쇄 발행일 2008. 12. 20

저 자   한국 문학과 종교학회 편
펴낸곳   도서출판 동인
펴낸이   이성모
주 소   서울시 종로구 명륜동 아남주상복합빌딩 118호
전 화   (02)765-7145, 55
팩 스   (02)765-7165
E-mail   dongin60@chol.com

등록번호   제 1-1599호
ISBN   978-89-5506-378-3
정 가   38,000원